OBRAS COMPLETAS
DE MARTA BRUNET

Compuesto con matrices Bodoni
9 en 10 de linotype, e impreso
sobre papel Biblia 40 gramos en
los talleres de Empresa Editora
Zig-Zag, S. A., en Santiago de
Chile.

OBRAS COMPLETAS

de

Marta Brunet

PRÓLOGO DE ALONE

ZIG-ZAG

OBRAS COMPLETAS

de

Marta Brunet

ZIG-ZAG

INDICE

CUENTOS

CUENTOS PARA NIÑOS

Marta Brunet.—1-A

Esa imagen vulgar del crítico que embiste contra el autor, dispuesto a hundirle la pluma en las entrañas, pese a su simplificación caricaturesca, encierra cierta dosis de verdad.

Todo consiste en saber interpretarla.

No hay que atribuirle siempre al agresor propósitos destructores. Puede obedecer a otros móviles, puede impulsarlo la curiosidad y moverlo un impulso de vehemente amor. La obra es el enigma, el crítico el augur que debe descifrarla. ¿Quién eres? ¿Para qué? ¿Por qué? ¿Desde cuándo, hasta cuándo? He ahí las preguntas que su presencia provoca. No le basta gozarla o padecerla; necesita, además, explicársela: encontraría que no la ha poseído si no lo consiguiera, y para que le abra sus puertas, da esos golpes.

Es la actitud del amante ante la amada, también, desde lejos, semejante a una lucha.

Se trata de un apasionado interrogatorio.

Hay en este episodio autores providenciales, complejos, discutibles, que alimentan con abundancia el comentario y dejan transparentar por las grietas su secreto. Son los que teorizan, los que plantean tesis, los que erigen sistemas y sustentan doctrinas comprometidos, artistas mixtos a quienes la filosofía seduce. A ésos basta tomarles la palabra y dejarse ir.

Otros, en cambio, desesperan: sólidos, compactos, envueltos en su radiante caparazón, se defienden presentando a las flechas amigas una superficie impenetrable. Su creación transcurre en una especie de inconsciencia, a espaldas del pensamiento, ajenos a la lógica, y cuando se les ha dirigido un prudente número de elogios fundamentales, el asunto ha concluido y es preciso dejarlos. Quedan en su sitio, intactos, sonriendo inmóviles, como si nada les hubiera pasado.

Marta Brunet pertenece a esta categoría.

* * *

No podrá decirse que acabamos de conocerla. ¿Cuántos artículos le habremos dedicado desde el lejano 1923, en que apareció? Ni aun comprendiendo los que firmamos entrarían todos en la cuenta; porque un tiempo fuimos algo así como técnicos en Marta Brunet, y, cuando alguien necesitaba dar noticias suyas, se nos exigía suministrarlas, y alguna apareció sin más variante que el nombre puesto al pie.

Tal vez no deberíamos narrar la historia de su descubrimiento: se ha repetido muchas veces, ella misma la ha contado en varias partes; pero esta clase de anécdotas son como el cuento de nunca acabar...

Por aquel tiempo, vivía en la ciudad de Chillán una muchacha, hija única, mimada, soñadora, propensa a las lecturas literarias, en cuyas manos cayó un libro, una novela con muchas citas de autores extranjeros. Los apuntó metódicamente en un papel y fue comprándolos y leyéndolos poco a poco. Al mismo tiempo, tomaba notas de sus pasajes sobresalientes.

Así se empieza.

Los estudios en los colegios sirven de poco; son las lecturas hechas al azar, las lecturas íntimas y secretas, incluso prohibidas, las que realmente valen; sólo ellas sacan a la superficie el ángel, o el demonio, que algunos privilegiados ocultan. Presidenta de la Congregación de las Hijas de María Inmaculada, la joven lectora había respirado en el aire devoto de Chillán respetos y creencias, plegarias y milagros.

¡Ay!

¿Quién se opone a su destino?

Hija de catalanes y gallegos, lúcida y resuelta, la muchacha siguió tenazmente avanzando por la selva de los peligros hasta llegar a esa encrucijada en que, casi fatalmente, quien ha leído mucho acaba por sentarse y ponerse a escribir.

Es lógico, es natural, se aspira a poseer lo que se admira.

Comenzó, como todos, por lo más difícil: los versos. Cuando tuvo reunido un cuadernito, lo puso en el correo con la dirección del autor de aquella novela, su cómplice. Quería ensayar su efecto. Una cosa trae la otra.

Se comprenderá que, pese al tiempo transcurrido, no hayamos olvidado la llegada de ese cuaderno de colegiala ni las líneas con letra de pata de mosca, no de mosca muerta, que lo cubrían.

Los versos estaban bien, como están bien los de Maupassant; pero eran versos de prosista; las pocas frases de la carta con que venían lo comprobaban tan brillantemente, que la respuesta de Santiago a Chillán no dejó sobre eso la menor duda.

A vuelta de correo: Montaña adentro.

Esta vez la impresión fue abrumadora. Eso se llamaba escribir, ésas eran las historias que debían contarse, en esa prosa, con ese brío, sin desperdicio: los paisajes breves y visibles, los personajes robustos, las escenas parlantes, fuertes los colores, continuado y seguro el movimiento, la sensación de vida omnipresente. ¿Por qué otros reciben justo el talento que uno desearía poseer, el nervio fino, la gracia distante, el gusto preciso por cuya conquista lo daría todo?

Líbrenos Dios de tan mal pensamiento, pero al ocurrir con el manuscrito de la desconocida a la torre donde Pedro Prado tenía su observatorio, acaso, allá, en el fondo, nos guió la esperanza de ver si las piedras preciosas halladas en el monte, puestas en manos de tal conocedor, sometidas a sus artes de orfebre, no resultarían piedras falsas. ¿Quién sabe?

Prado no amaba el criollismo y los autores chilenos le interesaban poco; estaba lleno de sí; su mundo interno, demasiado rico, lo obsesionaba.

Sin embargo, Montaña adentro lo cautivó inmediatamente: ni un solo momento sentimos ceder su atención ni sus miradas dispersarse por el panorama mientras, inexorablemente, hacíamos desfilar ante sus ojos los capítulos de la obra, uno tras otro, de un tirón, hasta el fin.

Influyeron, sin duda, en ello, la audacia del relato y su franqueza erótica. No había aún costumbre de que las mujeres rompieran ciertos moldes, traspasaran determinado límite; Los Sonetos de la Muerte todavía causaban escándalo: aunque teóricamente, en el dominio estético no existen hombres ni mujeres, como tampoco importa que los artistas sean ricos o pobres, gordos o flacos, blancos o negros, nobles o plebeyos; en la práctica, no suenan igual las mismas palabras dichas por labios diferentes, y hasta pueden cambiar de sentido según quien las pronuncie. La presencia invisible del autor, quiéralo o no, acompaña como el coro antiguo el recitado de sus obras, añadiéndoles resonancias inesperadas, cuando no disonancias que modifican su efecto.

Pero lo que primaba era la sorpresa, sobre todo, ante el lenguaje: castizo, riguroso, firme, de una propiedad sin defecto, pocos varones podían igualarlo. ¿No muy femenino, demasiado lógico? Acaso. En cuanto una mujer sabe encadenar las ideas, no se desmide en las imágenes y dirige sin vacilación su pensamiento, el hombre la mira extrañado y la encuentra parecida a él. A veces, algunos hallazgos de frases nos hacían suspender la lectura y Prado movía la cabeza sonriendo, con un vago ademán de saludo. "El bramido de un toro se enroscaba frenético al silencio". Síntesis fulgurantes, breves fórmulas acuñadas al pasar, rompían con la escuela campesina, lenta y somnolienta, rica en minuciosas descripciones.

Otro ritmo nacía y otro arte, una visión nueva.

Solía a veces chocar en el aire algún vocablo insólito, término que ninguno de nosotros comprendía, aun sintiéndole el cuño español... Era —más tarde lo supe— el idioma doméstico de la escritora, el habla materna, tan genuinamente castellana, que a menudo las criadas debían hacérselo traducir antes de ir al mercado por "patatas y judías".

Por eso, aun sorprendiendo, sentíasele natural. Y es que algo imperceptible, un matiz ligero, decisivo, impide confundir lo que enseñan los maestros pedagogos según los libros, y lo que se aprende en la vida ordinaria, sin saber cómo. La literatura francesa quedó marcada para siempre por la conversación en los salones; allí la señora menos intelectual no requería ningún esfuerzo para escribir bien, bastábale hacerlo como se hablaba. La literatura española, en cambio, no ha frecuentado sino el café de donde las damas están excluidas. De ahí diferencias infinitas, cierta desenvoltura, una ligereza clara y sencilla, sin rastros de la afectación y el enfático "olor a biblioteca" que los turistas despiden y que sólo unos pocos españoles, generalmente afrancesados, logran evitar.

Marta Brunet escribía como hablaba su madre, nacida en España.

Debió de ser, sin duda, muy diferente de la primera la segunda carta que de Santiago partió a Chillán; porque no pasó mucho tiempo sin que de Chillán llegara a Santiago una moza alta, blanca, derecha, lozana, de los grandes ojos celestes un poco velados por la miopía y que, si en la calle llamaban su atención hacia un espectáculo digno de verse, empezaba por abrir la bolsa, sacar los lentes y dirigirlos demasiado tarde hacia la persona o cosa que ya había pasado.

Era el único punto débil en la firme anatomía de la escritora, por lo demás, visionaria penetrante, ávida de color, minuciosa de dibujo, como suele encontrarse en los cortos de vista, y que traía en su bolsón, con los gruesos cristales, el panorama de sus campos y sus bosques, captados en un libro y listos para la imprenta. Pese a una vocecita clara y mimosa, musicalmente femenina, la voluntad de Marta ignoraba la timidez, y lo que se había propuesto realizar, lo realizaba. Junto con los manuscritos, al lado de los impertinentes, el bolsón mágico encerraba otro elemento primordial: el dinero.

El señor Nascimento fue el encargado de sacar a luz a la nueva creatura. Y tan viviente debió sentirla en sus entrañas la escritora que, cuando hubo pruebas de página y le presentaron el primer pliego impreso, me lo pasó exclamando:

—¡Mira, ya tiene un bracito!

Recibido con alegría por el público, elogiado vivamente por la crítica, que apenas le opuso reserva, pronto el recién nacido, además del bracito, tuvo una fama tan extensa que envolvió a la madre en "esos primeros rayos de la gloria", al decir de Vauvenargues, "más dulces al corazón que los rayos del amanecer". Aún recordamos la frase textual de una Marta Brunet muy sonriente que nos encontró en la calle, sin duda después de oír otras, halagadoras:

—¿Sabes que es muy entretenido ser Marta Brunet?

No podría, ¡ay!, repetirla con el mismo tono años después.

De un día a otro, por una de esas vueltas inexplicables de la fortuna, perdió su padre la que había heredado, y Marta debió trabajar. Los libros, aun los de más éxito, producen poco en Chile, y entonces daban menos. Con su buen sentido catalán, observó la escritora que había, sin embargo, cierta literatura provechosa, y entregó a sus lectores una obra de cocina, esperando, como decían los conquistadores de América, que le daría de comer.

Pero La hermana hormiga sólo consultaba un aspecto de ese problema.

Para resolver el otro, la joven novelista discurrió un procedimiento singular.

Abrió un consultorio de quiromancia. Siempre había lucido, como habilidad de salón, el arte de "ver la mano", y acercando sus ojos armados de espejuelos al confuso mapa inscrito en ella, convertíase en el centro de comentarios admirativos. Se le ocurrió industrializar ese don y entreabrió su puerta a los curiosos que anhelan conocer su destino. O sea, a la gran multitud. Creció ésta, se ocuparon las horas, aumentaron los ingresos y en su poder estuvo el recuperarse por esa inesperada senda, si no se lo estorba una dificultad imprevisible. No fue el problema de penetrar los corazones, sino, al revés, el que lo franqueaban con exceso. Todos querían ansiosamente hablar con preferencia a oir, porque lo que necesita más el hombre es confiarse a alguien, hacer confidencias, hallar un confesionario, y apenas tienen los adivinos, como los psicoanalistas, más trabajo que la paciencia de seguirles el hilo a los consultantes. Nadie recata su ovillo, ni siquiera nota que ya lo ha mostrado, desatando el nudo de sus inquietudes. De allí la inmortal supervivencia de los augurios. Según Marta, tal como los viejos flebótomos colgaban de enseña a su puerta un diente enorme, el quiromántico debía poner una oreja monumental del dios asiático. A su vista formábanse torbellinos hirvientes que concluyeron por atemorizarla y aunque como observatorio psicológico no tenía igual, renunció al oficio.

Después, colaboró en diarios, dirigió revistas, ensayó caminos diversos, siempre rondando las letras.

El que la condujo a puerto vino de otro lado. El mismo Presidente de la República que había proporcionado a Gabriela "estos días de paz que vivo", como reza su célebre dedicatoria, la nombró en Buenos Aires para un cargo, primero consular, luego diplomático, donde sus múltiples dotes hallaron terreno propicio.

Nuestra literatura le debe eso también a Aguirre Cerda y le será contado entre sus méritos.

La atmósfera cosmopolita de la capital del Plata, el trato de intelectuales refinados, la cercanía de Europa, el influjo de escritores de orden superior, como Jorge Luis Borges, después de un período de silencio, hicieron surgir en la campesina del Sur una escritora nueva, de calidades distintas, para algunos, acaso demasiado distinta.

A la mirada objetiva del principio que sus obras anteriores exhiben, desde Montaña adentro hasta Bestia dañina, pasando por Bienvenido, María Rosa, Flor del Quillén, sin olvidar a Doña Santitos y Don Florisondo, sucedieron visiones agudas, introspectivas, con el mismo nervio, la misma tensión, más algo de onírico y alucinatorio que antes no mostraba, notable en su principal novela, Humo hacia el sur, en Raíz del sueño, La mampara, Soledad de la sangre, henchidas todas de obscuras significaciones.

Con el mismo pie audaz que había penetrado Montaña adentro, no vaciló en avanzar, resueltamente, almas adentro. Era el momento que aguardaban los fantasmas atávicos, las sombrías demencias, los fermentos morbosos de que la sangre va cargándose, mundo impaciente, sofocado por

*la disciplina racional y ansioso de producirse. Es la segunda etapa de
Marta Brunet, la época que llamaríamos bonaerense, donde bulle un impulso de revuelta sorda y subterránea, mucho más hondo que en la etapa
anterior, la de Chile, un movimiento que se verifica en ella, que la posee,
que en cierto modo la hace su víctima, del cual no tiene una conciencia
suficiente, sino que lo experimenta, incluso contra su albedrío. Por lo demás, cada vez que Marta alude a sus personajes novelescos insiste en ese
fenómeno de la independencia asumida por los seres que echa al mundo y,
en seguida, marchan solos, como ellos quieren y hasta donde quieren,
abandonándola sola y sonámbula en la orilla.*

*Un sentimiento de soledad irremediable corre a través de ambos mun-
dos, el exterior y el interno, en corriente continua, como nexo único. Ahí
se reconoce, no más allá.*

*Así, el tumulto de preguntas con que sus críticos la asedian, ella misma
se las formula y no las puede contestar. Propagada internacionalmente
por los círculos intelectuales argentinos, la revista "Sur", en cenáculos
de Victoria Ocampo, su obra ha hallado numerosos intérpretes en distintos países, y es impresionante la inquietud despertada por la niña de
Chillán en la lejana Nueva York, donde los maestros la proponen de tema
a sus alumnos; en Colombia, en el Perú, donde quiera las letras latino-
americanas son objeto de análisis. Se afronta su misterio meridiano, ana-
lizan su secreto luminoso. Ferris Thompson, de la Universidad de Yale,
le declara superior a Proust, por la pintura de los celos; Sánchez Trincado, de la Universidad de Columbia, se muestra sobrecogido ante la mezcla de lo real a lo ilusorio en* La mampara, *y la semilocura de sus heroínas, raras, monologantes; María González recuerda el* Contrapunto *de
Huxley y advierte las ondas freudianas que cruzan sus páginas; Rodríguez Monegal, Horacio Rega Medina, Rosa Franco, Silvina Bullrich,
César Rosales, Herrero Almada, Juan Carlos Ghiano, preceden con sus alabanzas argentinas a Guillermo de Torre, el gran ensayista español que pró-
loga la edición conmemorativa de* Montaña adentro, *hecha en su trigésimo
aniversario. Todos la consagran, unánimes, un valor universal; pero, en
el fondo, sin saber quién es, sin lograr explicársela. Ni una sola de las
flechas amistosas que le llegan ha descubierto la juntura de su coraza.
Solitaria y sonriente, con su angustia, resiste el asedio cordial refugiada
en esa otra soledad que es el silencio.*

*No por su voluntad: por un imperativo superior. Premiada, celebrada,
halagada, acaso piense, sin embargo, a ciertas horas, que después de todo
no es tan entretenido, como creía, ser Marta Brunet.*

ALONE.

CUENTOS

CUENTOS

RELOJ DE SOL

A L B A

JUANCHO

Habían colocado el ataúd en una mesa cubierta por un paño negro y a su vez cubrían el ataúd brazadas de grandes crisantemos desgreñados. Seis velas parpadeaban humeantes, chorreando de cerote los candelabros de plata. Apenas si a su luz se perfilaban el hombre y la anciana que, junto al catafalco, parecían extáticos en sus dolorosas sensaciones.

Al niño, acurrucado en su escondite, una sola idea lo torturaba: ¿por qué habían acostado a su mamá dormida en aquella caja negra y por qué, a pesar de las protestas enloquecidas de su padre, unos hombres la habían tapado, dejándola encerrada, cuando de un momento a otro podía despertar?

Con una nitidez que lo hacía respirar jadeante recordaba el niño su propia agonía cuando, el año anterior, se quedara sorpresivamente encerrado en el gran arcón del vestíbulo. Recordaba haberse metido en él para jugar a las escondidas con el perro, su aturdimiento al sentir cómo caía la tapa cerrando de golpe la chapa mecánica, sus vanos esfuerzos por levantarla, su miedo a lo negro que se le entraba por los ojos muy abiertos, sus gritos que le llenaban los oídos de un rumor de océano, su ahogo al sentir la atmósfera irrespirable, la agonía que empezó por cosquillearle en las extremidades para luego dormírselas, la sensación de diluirse en algo que parecía aceite, en algo húmedo, espeso y pegajoso. Después..., ¿después? Nada. El despertar en los brazos de su mamá con un atroz dolor en los huesos, lleno el espíritu de mil fantasmagorías que hicieron por mucho tiempo pavorosos sus sueños.

¿E iba ahora su mamá a sufrir semejante martirio? ¿Por qué su padre dejó que los hombres cerraran la caja? ¿Por qué la abuelita repetía obstinada: "Hay que resignarse"? ¿Qué era aquello: resignarse? ¿Por qué contestaba su padre entre sollozo y sollozo: "Sí, sí"? ¿Entonces, a pesar de sus protestas, quería él que su mamá estuviera encerrada?

Con la cara sumida entre las manos, de rodillas junto al ataúd, trataba el hombre de coordinar sus ideas, mas huían éstas como engañosos fuegos fatuos, dejándole sólo el dolor que lo desgarraba.

La anciana, caídas las manos en el regazo, repasaba entre sus dedos exangües las cuentas benditas de un rosario. Su dolor era manso; habíale enseñado la vida a recibir con humildad al purificador de almas.

—Hijo —murmuró, alzándose tras de besar la cruz—. Hijo, ¿por qué no te acuestas un rato?

La cara del hombre se mostró desnuda y desolada, envejecida por surcos profundos que abrillantaban las lágrimas.

—Ven —insistió la anciana—. Te acuestas un rato y luego puedes volver.

—No quiero —balbuceó hosco.

—Sí, mi hijo querido. Ve a descansar, un poco que sea.

—No quiero...

—No seas porfiado, mi pobrecito... Necesitas de todas tus fuerzas para mañana. Yo velaré con la Tato. Ya, ven... ¿No ves que te estás matando? Hazlo por tu hijo.

El hombre se puso de pie, tambaleándose, y ambos, apoyado uno en otro, abandonaron la sala.

Entonces el niño separó las cortinas que lo ocultaban. No le parecía razonable aquella insistencia de la abuela porque su padre se acostara, cuando la mamá podía despertar y entonces ¿quién iba a destapar la caja? La abuela había dicho que para mañana necesitaba su padre de todas sus fuerzas. Mañana, ¿qué iría a pasar mañana? ¿Sería entonces cuando había que destapar la caja? ¿Iría ella a despertar mañana? Y la dejaban sola... ¿Sola? No, sola no, puesto que él, Juancho, estaba allí. Pero si ella llamaba, ¿qué haría?

El niño quedóse largo rato meditativo, con los puños apretados y todos los músculos de su cuerpecillo en tensión por el esfuerzo mental. Revivía con precisión que llegaba a hacerle daño los últimos tiempos pasados en la quinta.

La mamá siempre enferma, siempre tosiendo, un día en pie, otro en cama; el padre preocupado; la abuela silenciosa y triste. A él, desde que la mamá se enfermara, sólo dos veces al día lo dejaban verla: una en la mañana, otra en la noche, antes de acostarse. El paréntesis abierto entre esas dos visitas transcurría para él en la casa de los quinteros, en el fondo de la arboleda. Después se le dejó verla una sola vez al día, luego día por medio, y últimamente, pasaban días de días sin lograr satisfacer su ansia de estar con ella. La abuelita, a sus tímidas preguntas, contestaba que la mamá dormía o que estaba muy cansada para recibir visitas. El sentía una pena muy honda, los sollozos hurgaban en su garganta e inclinando la cabeza iba silenciosamente a esconderse en algún rincón, dando allí libertad a su angustia.

Por fin una mañana se le dejó verla. La mamá logró con gran esfuerzo levantar una mano traslúcida y acariciar la frente del niño. Tomó éste la mano con dulzura e, inclinando la cara emocionada, empezó a besarla.

—La vas a cansar —advirtió la abuela—. Vámonos.

—La mamá no se cansa conmigo. ¿Verdad, mamá?

—No, mi hijito querido. Quédate.

Y como ella cerrara los grandes ojos claros, la abuela insistió:

—Ya la has fatigado bastante. ¿Ves? Quiere dormir.

—Que duerma, pues; yo le haré tuto.

Entonces, muy bajito, empezó a canturrear la canción de cuna con que ella misma lo durmiera de pequeño:

—Hace tuto, guagua...

Un grito desgarrador cortó la frase. La madre se alzó sobre los almohadones extendiendo los brazos al niño y ambos, un largo rato, sollozaron besándose y murmurando palabras incoherentes.

—¡Mamá! ¡Mamacita querida! ¡Mi mamá!

—¡Hijo mío! ¡Mi Juancho! ¡Al fin... como antes! ¡Déjame besarte!... ¡Mi hijo mío, mío, mío!

Se interrumpió, ahogada por la tos, y algo rojo y tibio alcanzó a humedecer las manos de Juancho, que trataba de sostenerla. La abuela se interpuso rudamente, entregando el niño medio loco a la vieja Tato.

—¿Qué tiene? ¿Qué le pasó?

—Nada —contestó la sirvienta al par que lavaba con alcohol las manecitas ensangrentadas—. Es que se cansa tosiendo. Tome, chupe esta pastilla, no la vaya a botar... A ver, déjeme cambiarle ropa.

La tarde de ese día llevaron a la casa del quintero sus muebles, sus juguetes y sus libros. Comía allí en una mesita puesta en el corredor. A sus preguntas, en sus cortas visitas, la abuelita contestaba que la mamá seguía enferma, siempre con tos y con ganas de dormir, y que para que no la molestara, se le tenía a él allí, con la Rosalía y Pedro, que tanto lo querían.

—¿Y el papá?

—Está bien, hijito. No viene a verte porque tiene mucho que hacer.

—Abuelita: déjeme ver a la mamá, ¿quiere? Le prometo que la miraré no más. ¡Pobre mamacita! ¿No pregunta por mí?

—Sí, hijito. Te encarga que seas muy obediente y muy bueno y te manda muchos besitos.

—¿Por qué no me los das, abuelita? Antes todos me besaban... Hace tanto tiempo que no me besa nadie...

—¡Mi pobre hijito!

—Abuelita, ¿es que ya no me quieren?

—No, hijito, no es eso. No te atormentes, no pienses. Todos te queremos mucho y porque es tan grande nuestro cariño te tenemos aquí.

—No entiendo...

—Ya comprenderás algún día, mi pobrecito. Hasta luego. Pórtate bien.

Y la abuelita se iba —menuda y diligente—, dejándolo más triste y preocupado aún.

Esa mañana, al vestirlo de negro, la Rosalía tuvo para él una ternura envolvente que lo hizo salir de su reserva de niño tímido y pensador.

—¿Cómo está la mamacita?

—Durmiendo, m'hijito querío. Al fin la Mamita Virgen le dio descanso a la pobrecita.

Viendo a los quinteros ocupados en recolectar flores, se arriesgó por las avenidas hasta enfrentar la ventana abierta del salón que imanaba sus ojos. Y entonces vio el horror: su mamá domida en la caja: los hombres que la encerraban: su padre protestando enloquecido: la abuela dominándolo todo con su hablar reposado y su gesto de paz.

Cerrada la caja, partieron los hombres. El padre parecía idiotizado por la pena. La abuela rezaba. Entonces él, pasito a pasito, entró en la casa, llegando al salón, donde se acurrucó detrás de un cortinaje, sin que nadie reparara en su presencia.

¡Sola, dejaban sola a la pobre mamá encerrada en la estrechísima caja negra! De pronto lo cogió el recuerdo de su encierro en el arcón y volvió a sentir todo el proceso de esa agonía; la angustia del ahogo le apretó la garganta, desorbitándole los ojos.

Crujió un mueble y el niño avanzó tembloroso hasta el centro del salón. Otro crujido y otro que parecieron recorrerle los nervios del talón a la nuca. Toda la sangre, en una caliente oleada, le subió al cerebro.

—Ya voy, mamacita —murmuró extasiado.

Tomó un martillo dejado sobre una mesa de arrimo por los obreros de la funeraria y en la quietud de la casa resonó un golpe, otro, otro.

Acudió, despavorida, la abuela.

—Niño. ¡Juancho!

Lucharon. Ella tratando de quitarle el martillo, él exasperado, delirante.

—Si ella despertó... Déjeme... Déjeme... Déjeme, por Diosito se lo pido... ¿No oye cómo está llamando? Oiga... Oiga... Se va a ahogar... Déjeme, abuelita, por favor, déjeme...

—¡Socorro! ¡Juan, ven! ¡Socorro!

Pudo el hombre dominar la furia del niño, que súbitamente se aplacó en laxitud de desmayo.

Tras muchos días de ansiedad para el padre y la abuela, pudieron ver que si volvía a la vida el niño, era dejando toda la lucidez de su espíritu entre las garras pavorosas de la fiebre.

FRANCINA

Hija de una madre enfermiza, con el padre siempre ausente en largos viajes de negocios, Francina, en la enorme casona, vivía a su antojo, malamente vigilada por una institutriz.

Alta, fuerte, con largos brazos de mono, la cara de manzana, los pelos engrifados y los ojos demasiado claros, demasiado extáticos, la chiquilla tenía una sola preocupación: leer.

Devoraba todo lo que no fuera texto de enseñanza. Diarios, revistas, cuentos, novelas eran su anhelo. Lo otro, aquello que Mademoiselle quería obligarla a leer —¿eso?—, no le interesaba. Que la Tierra fuera redonda, que en el año tal los godos asolaran Europa, que el agua se llamara H^2O en la fórmula química, que el rastro que deja el punto al ponerse en movimiento fuera la raya, ¿para qué saberlo?

A ella le gustaba lo maravilloso, lo que no tenía explicación posible sino en el poder de seres, de fuerzas ocultas. Y como no encontrara lo maravilloso en su vida de muchachita burguesa, se hurtaba a ella para vivir las aventuras de cuanto libro podía leer.

Tendida de bruces en el suelo, sobre una alfombra, cuando el frío la retenía en el interior, en el pasto de los prados, cuando el calor la echaba al parque de la casona, contraída por la atención, con la sensibilidad alerta, hiperestesiada, Francina leía, encarnándose en cada personaje, con el músculo de acero, el ceño duro y el alma de valor cuando un héroe la entusiasmaba de batallas; llena de amarguras por la tristeza de un enamorado en desgracia; sintiendo el corazón lleno de odio y el gesto salobre de un ruin envidioso; toda ternura con el suspirar de una cautiva maravillosamente bella; rebosando clarinadas por la boca de un guerrero vencedor; audaz de piraterías en el abordaje de un corsario; todas las vidas que encierran todos los libros que un niño puede leer las vivía Francina alucinada.

Luego de leer venía la holganza, inmovilizada de ensoñaciones. Pero al correr del tiempo fue tomándole gusto a representar lo que leía y ensoñaba y —desde que diera con este nuevo placer— las horas eran de cabalgatas en un palo, de envolverse en una colcha, con una tapa de sopera en la cabeza y un plumero en la mano; de decirle "varillita de la virtud" a cualquier ramita que encontrara en el camino; de aguardar la medianoche para ir a ver los elfos salir de las flores; de adornarse con tiras de papel y a grandes saltos danzar el rito religioso de unos salvajes; de mirar con ansia debajo de todos los pedruscos buscando a los gnomos guardadores de tesoros.

No la arredraba la realidad; mejor dicho, no llegaba a verla. Era tan grande su fantasía, que cuanto imaginaba se le tornaba palpable, y así el palo era un brioso caballo que la hacía jadear, y la colcha el más hermoso manto de armiño, y la tapa de la sopera una corona de perlas, y el plumero un cetro de oro, y la ramita le concedía cuanto pidiera, y en la medianoche veía a los elfos bailar rondas de locura con las hadas y el rito sagrado le dejaba un fetichismo que la hacía adorar cualquier cosa, desde el sol hasta una raíz de forma extraña, y los gnomos solían traerle gemas estupendas.

Así era la vida de Francina.

A veces la institutriz protestaba y llegaba quejosa hasta la señora enferma o hasta el señor en sus cortas estadas en la casa. La madre sólo sabía disculpar a la niña, buscando motivos de perdón y tolerancia en su propia gran terneza. El padre —con su voz de imperio— tronaba amenazas y reprensiones sobre la chiquilla, que lo oía muy seria, muy abiertos los ojos, muy distante el pensamiento. Se decía: "Parece Barba Azul. Pero no, ahora, con los bigotes erizados, es igual al rey Almaviva, el de los elefantes de oro".

Y no demostraba arrepentimiento ni prometía enmienda. Las caricias de la madre y las reprensiones del padre no le dejaban huella alguna. La institutriz acabó por aburrirse y abandonarla a su placer.

A los catorce años, descompaginada por el crecimiento, fea y sin gracia, Francina tenía un alma de niña en un cuerpo de mujer. Seguía siendo una desarraigada de la vida, una ensoñadora aferrada a lo maravilloso ahincadamente.

Pasó la gran crisis de la pubertad sin ninguna inquietud: no sentía la obscura atracción del hombre que sólo existía para ella en la quimera. No se ocupaba de adornarse. Le gustaba vestir un mameluco que le dejara libres los movimientos, y en las noches, para las comidas familiares que se celebraban de tarde en tarde —la madre seguía enferma y el padre viajando—, como único signo de coquetería mostraba una cinta atada al cuello, un lazo que a ella le parecía de gato regalón, tal vez de "Micifuz" el de las botas.

Habituada a los seres imaginarios, las gentes reales la amedrentaban. Apenas atinaba a saludar y a esconderse. Sólo sabía hablar por boca de sus héroes. El barullo de las calles la azoraba. Una vez la llevaron al cine y tuvo tal impresión, que cayó enferma con fiebre nerviosa, y la madre, asustada, nunca más la dejó ir al teatro. La música era su encanto, dándole arrobos que eran casi éxtasis. Pero la total dicha seguía encontrándola en los libros.

Hasta que un día Francina dio con Marcial Luco y su vida cambió.

Estaba en el parque, tirándoles piedras a unos micos imaginarios que molestaban al bueno de Robinson en su isla. Robinson era ella. De pronto, a su espalda, una voz llamó:

—Francina...

Se volvió admirada.

Cerca, vistiendo traje de montar, alto, moreno, con los dientes deslumbradores en la boca fresca de juventud, con los ojos atentos y bondadosos, un hombre la miraba. Era el príncipe Floridor... ¡El príncipe Floridor! ¡El príncipe Floridor! ¡Qué gentil venía! Y batió palmas y le sonrió y le hizo un saludo de corte, igual a los que hacía la princesa Corysanda.

—Señor —dijo—, sed bien venido en mi isla. Habláis con Robinson.

El joven la miraba atónito.

—Pequeña, ¿no me recuerdas? Soy tu tío Marcial, el primo de tu padre. No me mires con ese aire de espanto.

Francina recordaba... Y despavorida trató de huir, que era mucha vergüenza haber hablado como lo había hecho. Pero el joven previó el movimiento y la inmovilizó apoyando una mano sobre su hombro.

—¿Estabas jugando? —preguntó.

—Sí... No... Es que... —y no pudo decir más, sofocada de miedo y pena.

Quería esconderse, quería huir, quería morirse antes de seguir sintiendo la mano del joven apoyada en su hombro y los ojos mirándola inquisidores.

Y como no hallara otra forma para hurtarse a ese examen, se tapó la cara con las manos y rompió a llorar desconsolada.

—No llores, pequeña... ¿Te he causado miedo?

Tenía una voz grave que hacía vibrar los nervios. ¿Entonces alguien, algún humano, podía poseer esa voz que ella creía privilegio de sus príncipes legendarios? ¿Podía un hombre acercarse a ella y acariciarla y darle esa onda de calor que la anegaba en una dicha desconocida?

—¿Te he causado miedo? —insistía el joven.

—No... No... —Lloraba siempre, a pesar de la dicha que sentía, porque era otra nueva dulzura entreverlo a través de las lágrimas, inquieto y consolándola.

—¿Qué niegas? ¿El miedo? ¿O es que no quieres que te vea la cara llorosa? ¿Es eso? Vamos, escápate a lavarte los ojos y a empolvarte. Almuerzo con ustedes. Mientras te arreglas me quedo aquí, fumando. No te demores. Hasta luego.

Retiró la mano que apoyaba en el hombro, retiró la mano que acariciaba la cabeza. Se alejó parque adentro. La chiquilla lo miraba irse. No era el príncipe Floridor de sus sueños: era su tío Marcial en carne y hueso. No era la quimera: era la realidad.

¿Qué le había dicho? ¿Arreglarse? ¿Ponerse polvos? ¿Esperarla? ¡Oh! Se miró las manos llenas de arañazos. Se miró las piernas flacuchentas y los pies enormes en los zapatos de tenis. Se miró el mameluco de brin deslavado. Y se avergonzó de sí misma. Un impulso la hizo correr a la casa, con el corazón aún aturdiéndola por el golpeteo sordo de la emoción. Llegó a su pieza anhelante, tembloroso el cuerpo, ardiendo las mejillas, deslumbrados los ojos.

Buscó en el ropero, revolvió en el tocador, abrió cajones, volcó cajas, trajinó febrilmente hasta juntar un vestido, unos zapatos, unas medias, un gran lazo que ponerse. Entonces, con ansia angustiosa, se asomó al espejo a mirarse.

Francina niña había encontrado a Francina mujer.

LUCHO EL MUDO

El nuevo mayordomo de la hacienda, Pedro Carrera, era un mocetón alto y fornido, con torso de Hércules, nervudos brazos que como jugando alzaban pesados sacos de trigo, y piernas algo arqueadas por los muchos días pasados a caballo. Ese cuerpo subía coronado por una cabeza grande, en que la mandíbula inferior revelaba terquedad y poca inteligencia. Siempre callado, Pedro Carrera era sencillo y sobrio en el vivir.

Frontera a la casa del nuevo mayordomo estaba la vivienda de la cocinera de los trabajadores, una viuda joven que vivía con su hijo, chicuelo de once años a quien llamaban el Mudo por lo mucho que costaba sacarle una contestación. Era un niño alto, canijo, desmadejado, con los brazos demasiado largos y las manos enormes y huesudas, con el cuello de alambre tembloroso y la cara asustadiza y esquiva. Parecía un mico. Pero los ojos, en momentos rápidos como chispazos, desconcertaban por lo intensamente expresivos, hablando de dolor, alegría, vergüenza, ira, ingenuidad: de toda la gama de sentimientos que los labios no atinaban a decir.

—Vení, Lucho —gritaba la madre.

Acudía el niño prestamente.

—¿Adivina qué te compré?

Lucho se contentaba con sonreir, inclinando la cabeza.

—No seái lerdo. Contesta, pue...

Nueva sonrisa del niño.

—¡Ay, qué mocoso! ¿Por qué no contestái, condenao?

Esta vez los ojos del chiquillo se alzaban medrosos hasta cruzarse con los ojos maternos. Pero tampoco respondía.

—Güen dar con el diaulo porfiao... Hasta que no me contestís no te los hei de dar... —y furiosa guardaba en el arcón los zapatos que acababa de comprarle en el despacho.

—Anda a traerme agua —seguía diciendo enojada.

El Mudo corría cántaro en mano hasta el pozo.

En momentos de emoción solía decir una palabra, una frase, pero de común Lucho el Mudo justificaba su apodo.

Pasaron los meses de cosecha y vendimia en que el nuevo mayordomo probó ser excelente sujeto, honrado a cartas cabales. Terminados los últimos trabajos de siembra, quedó el hombre en mayor libertad y, no sabiendo qué hacer, dio en ir a pasar las tardes a la casita de enfrente, donde encontraba regalos que en la suya de soltero no había.

Se hizo costumbre reunirse en la cocina de los trabajadores a hacer tertulia. Iba —a más del mayordomo— el campero ño Chuma con su mujer, la Petrona, y sus cinco chiquillos.

Esa tarde hacía un frío que traspasaba. Los hijos del campero metían las manecitas ateridas en la ceniza, caliente aún, del hogar. Los hombres y las mujeres rodeaban el brasero, extendiendo hacia el calor misericordioso las manos yertas. Junto a la minúscula ventana del dormitorio, en la pieza contigua, Lucho miraba a través del único vidrio caer la lluvia, incesante. Tenía frío y le hubiera gustado calentarse, pero...

Prefería aguantar el frío a sufrir la presencia del mayordomo, cuyas miradas a su madre lo irritaban. Sentía entonces deseos de tirarse a la cara del hombre y arrancarle aquellos ojos tan abiertos y tan fijos. Otras veces, al oírlo decir: "Mariquita", rechinaba de dientes y enterrábansele las uñas en las manos a fuerza de apretar los puños y contenerse de lanzarse contra Pedro. Comprendía que el mozo de un manotazo lo haría rodar como una piedra y el sentimiento de su debilidad lo volvía más hosco aún, levantándose en su corazón rabia sorda hacia la madre, que lo recibía modosamente. ¿Por qué lo admitía ella en casa? ¿Por qué parecía contenta cuando él estaba allí? ¿Por qué reía sus chascarros? ¿Por qué procuraba darle los mates más azucarados?

Un día Pedro trajo de regalo una maceta de claveles. Poco después —al volver de la bodega, adonde había ido por sal— encontró doña María el macetero en el suelo hecho añicos y la planta desarraigada y rota. Culpó de tal fechoría al gato, pues el Mudo no había visto ni oído nada. Esto lo supuso, porque el niño, a sus preguntas, bajó los ojos sin responder, haciendo el mismo gesto esquivo de siempre.

Después fue un tordo lo que trajo Pedro. Un tordo vivaracho y parlero, que gritaba: "Adiós, mi negra... vení, vení, vení...".

Al día siguiente el tordo amaneció muerto para gran consternación de doña María.

Miraba caer la lluvia el Mudo, pensando entristecido que por culpa de Pedro, de "ese hombre", era él malo; que si no hubiera venido a la casa tan seguido no lo hubiera odiado hasta el punto de pisotear furiosamente la maceta de claveles, ni de estrangular al tordo en una especie de delirio de fiebre.

¡Oh! Si así como sus dedos se habían aferrado al cuello tibio del pájaro pudieran alguna vez aferrarse al cuello de "ese hombre"... Si pudiera apretar, apretar hasta sentirlo lacio, muerto... Así, así, así, apretaría...

Y sus manos, que el frío entorpecía, se aferraban temblorosas al fantasma odiado.

Pensaba:

El antes era bueno, quería a todo el mundo, adoraba a su madre, se desvivía por ser servicial. ¿Y ahora? ¿Ahora?...

Ahora odiaba a "ese hombre", deseándole toda clase de muertes; no quería a ño Chuma, ni a la Petrona, ni a los chiquillos, que todos le parecían cómplices de Pedro en la obra de quitarle el cariño absoluto de su madre. Toda la adoración que sintiera por ella tornábase ira reconcentrada que lo hacía tiritar al verla en queda charla con Pedro, prendida a los ojos dominadores del mozo.

Además, era un asesino: había matado al tordo. Lo sentía aún estremecerse entre sus dedos en las últimas palpitaciones de vida. Era un asesino. Sus manos eran las manos de un asesino. Se las miró: estaban heladas, rojas, con las yemas duras, blanquizcas y faltas de sensibilidad. Tuvo un escalofrío de horror y se puso en pie.

Lentamente atravesó la pieza, entró a la cocina y llegó hasta el brasero, acurrucándose a su vera sin que nadie reparara en él, absortos como estaban en el cuento espeluznante que Pedro iba diciendo.

Pasó el invierno. En la casa de la cocinera la tertulia se reunía ahora en las noches, afuera, en el corredorcito deliciosamente refrescado por el aire de la montaña.

Mientras charlaba la gente seria y jugaban en el corral los chiquillos, el Mudo se iba a un rincón oculto del jardín, y, mirando muy fijo las estrellas o la luna, quedábase inmóvil hasta que doña María lo llamaba para acostarse.

Creía el Mudo que en la gran hostia de la luna habitaba la Mamita Virgen. A ella se dirigía en su aflicción. "Ese hombre" iba a casarse con su mama, con su mama de él.

—Mía, mía —murmuraba muy bajo—; era mía y me la quitaron; ya no me quere a mí, lo quere a él.

Y en un desconsuelo que le anudaba la garganta, proseguía:

—Mamita Virgen, ¿por qué no me llevái contigo? ¿No vis que naiden me quere? Y yo tampoco pueo querer a naiden, no pueo, Mamita Virgen, no pueo. Yo quisiera ser güeno, querer a mi mama como antes, querer a "ese hombre", llamarle taitita..., pero no pueo. ¿Por qué no me llevái contigo? Icen que soy tan lerdo que nunca serviré pa na. Naiden m'echaría e menos. Ellos estarían más mejor sin mí. ¿No vis, Mamita Virgen, cómo a naiden li'hago falta? Llévame no más..., llévame pa'l cielo. Seré güe-

no y servicial..., pero llévame... Los quedré a toos..., a él tamién...,
pero llévame, Mamita quería...

Con los ojos muy abiertos, dilatadas las pupilas, miraba extáticamente el Mudo la sombra que da fisonomía a la luna. Sobrexcitado, veía allí
un rostro sonriente que bajaba los párpados dando un sí a su petición.
Hasta creyó oir una voz que le decía:

—Sé bueno y te llevaré.

—Ta bien, Mamita —contestó, trémulo de gozo, y confiado, ardiéndole
las mejillas humedecidas de lágrimas, con chiribitas en los ojos, ausente el gesto, se incorporó mecánicamente, yéndose al corral donde los
niños jugaban con gran bullicio. Para gran sorpresa de los chiquillos,
se mezcló a sus juegos y la voz más aguda, más tensa de alegría, era un
momento después la voz del Mudo al contestar:

—¿Qué quere, mi señor amito?

A unos días de gozo vibrante, de charlar sin tino, de reir enloquecido,
se sucedieron otros de melancolía suave, de honda tristeza, cayendo por
último el Mudo en un estado de aturdimiento que lo hacía pasar horas
de horas sentado, inmóvil junto a la ventana del dormitorio, mirando sin
ver, sordo a ruidos, realmente mudo.

—Lucho, anda a buscar harina —ordenaba la cocinera.

No se movía el Mudo, pareciendo no haber oído.

—Güeñi de los diaulos. ¿Que no entendís? Anda a buscarme harina.

Los ojos perdían fijeza, posándose implorantes en la madre, mas seguía el Mudo inmóvil.

—Aguárdate, no más, cochino... —dos veces, al repetirse estas escenas, la mujer, enfurecida, le pegó.

El Mudo no lloraba los golpes. Solamente decía, entre sí:
"¿No vis, Mamita Virgen, no vis?"

Como el niño no gritaba ni lloraba al pegarle, como no comía ni dormía, doña María se asustó y llamó a la meica, una vieja espectral envuelta en harapos verdosos, que decretó que aquello era "mal de ojo" y que
el Mudo se moría.

En la cama de su madre, bajo un amontonamiento de frazadas, el cuerpo flacuchento del Mudo apenas se percibía. La cabeza incorporada por
almohadones estaba ya empalidecida de muerte. Respiraba afanosamente
y los ojos fijos medio ocultaban la pupila en los párpados entornados.

Junto al brasero la meica preparaba un cocimiento de hierbas. Parecía
una bruja trazando cábalas sobre el ojo sanguinolento de un monstruo.

Sentada al borde del lecho, doña María lloraba silenciosamente, extenuada por una semana de cuidados y trasnochadas con el enfermito.

La Petrona y otras mujeres cuchicheaban en un rincón y los niños metían por la puerta entreabierta sus caritas asustadas, en que los ojos parecían dilatarse aterrados ante el misterio de la muerte que ya flotaba allí.

La meica vertió el cocimiento en una taza, lo enfrió y acercándose al Mudo se lo hizo tragar a cucharadas. Luego lo acostó arropándolo.

—Recen un pairenuestro pa qu'el remedio haga efeuto —dijo con voz tonante.

El murmullo sordo de la oración amedrentó a los niños, que huyeron diciéndose:

—Se ha morido...

Obscurecía. La Petrona encendió un chonchón, colgándolo en la pared. Sentíanse sólo el cuchicheo de las mujeres y el gemir angustiado y sollozante de la madre.

Se oyó un galopar de caballos que se detuvieron junto a la casa. Al poco, Pedro y ño Chuma entraron de puntillas, tratando de no hacer ruido con las espuelas.

—¿Cómo sigue? —preguntó Pedro.

—Lo mesmo no más —dijo doña María, echándose a llorar desesperadamente.

—Hay que conformarse con la voluntá e Dios —y la voz de ño Chuma se hizo enfática en el consejo.

—Si juera suyo, no iría eso —contestó la madre, mirándolo hosca, casi agresiva.

Ño Chuma iba a contestar, mas, de pronto, confuso, se calló, y dando una rápida media vuelta, se fue al rincón en que estaban las mujeres.

Inclinándose sobre la cama, Pedro dijo conmovido:

—¡Pobre m'hijito!

Estremecióse el Mudo. Perdieron fijeza los ojos y los labios se movieron convulsos.

—¿Qué quere, mi angelito? —preguntó Pedro con cariño.

Quiso incorporarse el Mudo, mas fue vano su intento. Entonces Pedro pasó un brazo bajo los hombros débiles y con suavidades de seda alzó al niño hasta dejarlo sentado, teniendo por apoyo su pecho.

—Mama... —llamó el Mudo apenas perceptiblemente.

—M'hijito querío, aquí estoy.

—Me voy con la Mamita Virgen... No llore... Yo la quero harto..., y a él tamién..., al taitita Pedro... Taitita... —respiró afanosamente y, agotado, se reclinó en el pecho del mozo.

Se quedaron todos silenciosos, inmovilizados por la emoción. Al mucho rato, cuando Pedro quiso acostarlo, se dieron cuenta de que Lucho el Mudo había muerto.

MEDIODIA

NIU

Enjuto el cuerpo andrógino vestido por Poiret suntuosamente, de ídolo la cabeza de lustrosa melena negra, al sesgo los ojos que se abrían lentos, silenciosa por el andar deslizado, la mujer avanzó hasta acodarse en la balaustrada.

Quien la seguía se llegó a ella, murmurando con la humildad llena de espanto del que habla a su Destino:

—Niú... Por favor, Niú...

La mujer se irguió, volviéndose despaciosa hasta enfrentar al hombre anhelante. Parecía no verlo. Bajo la línea del flequillo los ojos miraban fijos, inexpresivos, ventanas abiertas sobre niebla que nada dejaban ver. El resto de la cara era también hermético: recta la nariz, sinuosa la boca, anguloso el óvalo de ámbar tostado, agudo en la barbilla.

A veces, en las mañanas nebulosas, se abre la ventana con ansia de escudriñar el paisaje. De pronto un viento se enreda al velo grisáceo y lo arrastra lejos, rompiéndolo. Nítidamente entonces el paisaje se muestra en contorno habitual: el prado verdinegro en lo hondo, el río a trechos entre las breñas, la montaña azul de lejanía por fondo. Quien ame ilusionarse con la niebla hacedora de misterio, antes que el viento se la lleve dejándole la verdad de siempre, cerrará la ventana buscando guardar el encanto de lo que no es.

Así el hombre miraba los ojos que no parecían mirarlo. Pero sintió que la mujer lo había visto y supo lo que sus ojos —sus ojos de él— verían en ella. Tuvo el impulso de apretar fuertemente los párpados por no ver lo que iba a ver, por guardar la ilusión de lo que no sería nunca.

Fue como si la angustia de su previsión hubiera modelado una máscara para la mujer. Los ojos se hicieron duros, de acero, de puñal; la nariz se afinó en la ira, y la boca, como un trallazo, dijo:

—¡No!

Nada más. Se volvió, y lentamente, con el andar deslizado y la expresión de nuevo hermética, se alejó parque adentro.

Abajo —en el mar—, la luz del faro abanicaba las estrellas con su seda roja.

Arriba —en el hotel—, el jazz decía las voces de una canción de negros.

Entre ambos —por la suavidad de la colina—, los pinos eran pirámides de sombras.

Había visto lo que esperaba, pero igual que el viento al llevarse la niebla deja el paisaje deslumbrante, la expresión de la mujer dejó al hombre ciego, inmovilizado de verdad apenadora.

Otro hombre avanzó fumando, lo miró y saludó alborozado:

—Marcial Moreno... ¡Qué buen encuentro! ¿Cómo te va?

Un espejo ante otro espejo: entre ellos la mujer. Así Marcial Moreno veía a Niú reflejándose por la doble proyección hasta lo infinito, creyendo que su existencia desde el fondo de los tiempos había sido hecha sólo para contemplarla, creyendo que la vida era un simple marco para la figura amada. Hasta se sorprendía en gestos que eran de ella, en inflexiones de voz que le pertenecían. Sentía que sus ojos debían tener para el que saludaba la misma expresión de los ojos de Niú.

La fuerte sacudida de la mano cordial pareció despertarlo. Contestó:

—¡Ah!.... Muy bien, ¿y a ti?

El otro lo miraba agudamente, con un escalpelo en cada pupila. Dijo brusco:

—Acabo de encontrarla. ¿Siguen lo mismo?

—Igual.

Era como decir: "Cuando acabe la noche, amanecerá y será día". Igual. Hoy como ayer, como mañana, como siempre..., desde que ella entrara en su vida.

—¿Quieres hablarme un poco de esta historia? La sé vagamente y a ti te hará bien confiarte, deshacer con la palabra la angustia que llevas dentro.

Lo llevó hasta un banco. Se sentaron.

Marcial Moreno, más que al tipo ideal del escritor, pertenecía al de atleta. Musculoso, clara la mirada, recta, huesuda la nariz, sensual la boca, sueltos los movimientos, con no se sabía qué simpatía de niño regalón en el conjunto, triunfaba en la vida por el triple penacho de su talento, de su apellido y de su dinero.

El otro era el amigo de la niñez que se ve de tarde en tarde y en quien se confía plenamente, un poco estupefactos al comprobar que el zanjón de la disparidad de espíritus, de la diferencia del vivir, se llena fácil con una buena sonrisa en que hay lealtad de cariño.

—Cuando Niú apareció en las letras súbitamente publicando un tomo de versos lujuriosos, contra todas las voces que la ponían en sitio único de altura, me lancé ciego de negación. Escribí analizando verso a verso hasta destrozar el libro. Le busqué analogías, la acusé de plagio, poniendo en manifiesto que su originalidad era acentuar hasta el paroxismo lo sensual. No sé qué vértigo me cogió, pero ello fue que uno tras otro fui publicando artículos, cada vez más enconados, más fieramente destructivos. No sólo escribía contra Niú: hablaba de ella con insistencia de idea fija. Me llenaba de ira el descoyuntamiento de sus versos, ese superponer las imágenes sin otro nexo que el ardor sexual llameando en cada palabra.

"Nadie sabía su nombre y ese misterio le hizo en torno una leyenda: se decía que era joven, extraordinariamente atractiva; que su vivir era exótico y suntuoso, libre de toda traba.

"Cuando publiqué un estudio basándome en Freud para juzgarla como "un caso", recibí una tarjeta de grueso papel gris en la cual, con tinta morada y altas letras picudas, decía: "Hoy 6 de junio, al atardecer, lo espera Niú". Abajo, una dirección.

"Fui. ¿Por qué fui si la odiaba? Tal vez en lo obscuro del subconsciente mi yo preveía lo que iba a pasar, y la actitud desafiadora, iconoclasta, era sólo una defensa anticipada. Fui... e inexorablemente, fatalmente, el Destino se cumplió. Fui.

"Alta y cerrada de expresión la encontré en el orientalismo de una casa absurda, llena de pasillos, de recovecos, de misterios, de medias luces. Ella misma, vestida con una túnica negra recamada de oro en dibujos chinos, era un ídolo en su templo.

"Fumaba. No contestó a mi saludo. Se dejaba observar adosada contra la laca roja de un biombo, en escorzo la cabeza, semicerrados los párpados violetas de Kohl.

"Fumaba. La mano iba y venía lenta, trozo de albura entre negror. Llegué a creer que ignoraba mi presencia y otra vez murmuré mi saludo.

"Bajó la cabeza, los ojos corrieron la inexpresiva niebla que los vela constantemente, y la boca se plegó en una sonrisa.

"Es la mujer de las máscaras. No es la sensación que llega desplazando a otra, no es el fundirse un momento emoción con emoción quedando al fin una triunfante, no; es sin tránsito quitarse una máscara para ponerse otra. En esa única entrevista, a su primera fisonomía de ídolo sucedió la de amorosa.

"Yo la miraba con una especie de pavor. Esos ojos parecían sorberme y la boca por siempre jamás sería mi obsesión. El amor..., yo sé de esta mujer que la adoro, es decir, que la deseo en cuerpo y alma, mía íntegra,

) 33 (

que quisiera tenerla junto a mí como una presa, que ansío el poder hacerla feliz o desgraciada, que la quisiera obrando y pensando mi voluntad. ¡Y tal vez si esto fuera, vendría el hastío! ¡Qué atado de contradicciones somos! Porque lo que me hace suyo sin retorno es sentirla lejana y hermética, de piedra e inmutable, ajena a mi dolor y a mi alegría. Ese choque es lo que me vuelve loco y me hace obstinarme contra su muro.

"¿Qué te decía? ¡Ah, sí!.... Su primera fisonomía fue de ídolo, la segunda, de amorosa; la tercera, de bacante: con la primera me inquietó, con la segunda me encantó, con la tercera me enloqueció. Había avanzado y junto a mí, pegada a mi cuerpo, sus manos, que abandonaran el cigarrillo, orlaron mi cara. Veía sus ojos volcados de éxtasis, veía su boca anhelante de ansia. No hice un movimiento. La boca avanzó buscando la mía, la tocó, la presionó, la succionó, la llagó... Las manos seguían fijas, de fuego las palmas sobre mis mejillas. Yo cerraba los ojos, medio desvanecido por el placer.

"De súbito sentí la nada, como un cuerpo abandonado cayendo en el vacío. No había boca, no había manos, no había cuerpo, nada había junto a mí que me llevara hasta los confines del vibrar humano. Abrí grandes los ojos: adosada al biombo, con una cuarta máscara, esta vez de sarcasmo, Niú dijo, arrojando como piedras las palabras:

"—Caso patológico. Poema breve. ¿Le ha agradado al señor crítico la página que acabo de escribir?

"Tomó el cigarrillo, levantó la cabeza en escorzo, anubló los ojos y nuevamente tuve ante mí un ídolo.

"De mi estupor me sacó la sirvienta negra.

"—Tenga la bondad el señor.

"Me pasaba el sombrero, el abrigo, los guantes. Apenas atiné a ponérmelos, a saludar, a salir.

"No sé qué embrujo me diera esa mujer. Desde entonces vivo como un obseso, siguiéndola, escribiéndole, pidiéndole perdón, rogándole que me reciba, que me oiga, que me quiera, que se case conmigo, pasando por todas las humillaciones, por todas las vergüenzas. Ni siquiera he tratado de librarme de ella luchando contra este amor. Tengo la Fatalidad arraigada adentro como cosa viva: contra el Destino no se puede nada: sólo hay el dejarse llevar mansamente por su mano. Pero tal vez, cualquier día, al "¡No!" duro que es la respuesta de Niú, contestará el seco pistoletazo con que me mate."

Abajo —en el mar—, una bocina gritó que la lancha se marchaba.

Arriba —en el hotel—, voces juveniles coreaban el "Ukelele".

Entre ambos —por la suavidad de la colina—, sentados en un banco, dos hombres callaban.

Se hablaba de accidentes, en que se palpa la fatalidad. Se contaban muchas historias, y cuando un silencio de angustiosa interrogación se tendió a lo negro de lo ignoto, lentamente, con una voz musical que cantaba el final de las sílabas, una mujer joven habló:

—Yo he sentido que la muerte me seguía.

Muy alta, esbelta, con una flexibilidad de quila en los movimientos, Gabriela se hundía en un sillón policromado por cojines fantásticos. Vestida de negro, la seda diseñaba las formas sobrias en curvas, dando la sensación de que iba desnuda bajo el traje. Tenía el cutis pálido, con una blancura viva que daba luz y ni una pinta de rosa se mezclaba a su albor. En el rostro eran sombras las ojeras y negrura de abismo las pupilas fijas, alucinadas, extrañas, desconcertantes bajo la onda de pelo rubio que le cubría la frente, alborotándose atrás en una corta melena. La nariz recta se estremecía en un constante husmear perfumes y luego —mancha de sangre en un lino— se dibujaba la boca alta y breve. Los brazos bajaban desnudos, yendo a unir las manos sobre las rodillas en un gesto de plegaria.

—Fue —prosiguió, instada mudamente por los ojos que la miraban— una tarde en la montaña, durante un verano en que acompañé a mi marido en el fundo. Sofocaba un roce que ardía en el horizonte, la hoguera enorme se iba a lo alto a crear nubes de humo y un olor acre se pegaba a la garganta, dificultando la respiración. A veces se percibía el fragor de los árboles al troncharse. Bandadas de pájaros pasaban sin rumbo, piando despavoridos. La vegetación se mustiaba en una languidez de muerte y hasta los animales mostraban fatiga e inquietud.

"Poco a poco fue cogiéndome una pesadez molesta, una especie de sopor que me embotaba el cerebro, y creyendo que el movimiento lo ahuyentaría, me puse un sombrero y tomé por la carretera bordeada de pinos.

"Al final de la planicie —donde la carretera empieza a sumirse en una cuesta— tuve la sensación de que alguien me miraba desde el otro lado de la cerca. Me detuve vacilante, angustiada sin saber por qué. Quise volverme, regresar a casa..., y no pude. Una fuerza superior e incontrastable me empujó hasta una puertecilla practicada en la cerca, me hizo abrirla, empujarla, avanzar.

"Delante de mí serpenteaba un estrecho atajo que iba al molino, vereda abrupta llena de baches y guijarros sueltos, peligrosa por su descenso rápido y constante, que abajo desembocaba junto a un ancho canal.

"Quise volverme nuevamente, pero el cuerpo no me obedeció y atento a otra fuerza que lo impelía siguió camino adelante. Iba lenta, sin detenerme, sin poder detenerme, ahora con la sensación de que alguien me seguía, queriendo recoger el roce de los pasos que debían ir tras de mí y no logrando escuchar otra cosa que los golpetazos de sangre que enviaba el corazón al cerebro; queriendo volverme y no haciendo otro movimiento que el de avanzar, apresurándome por instantes.

"Encontré a una mujer que venía en sentido contrario seguida por un perro. Quise detenerme: no pude. Quise hablarle: no pude. Quise hacer un gesto: no pude. La mujer pasó junto a mí dándome las buenas tardes, quedó atrás. Yo seguía avanzando, rígida, muda, mecánica.

"El perro se había detenido y me aguardaba gruñendo, erizado, mostrando los dientes agudos. Aquel perro me conocía y humilde y cariñoso jugaba siempre conmigo. Ahora se replegaba sobre sí mismo, tomando impulso para saltar. Al verlo en el aire creí que caería sobre mí destrozándome. Pero no, atacaba lo que yo sentía seguirme, atacaba algo que sus ojos de visionario percibían. Oí su grito de dolor y, tras un espacio de silencio, su aullar agorero me escalofrió pavorosamente. ¿Contra qué había chocado?

"El perro también quedó atrás. Yo seguía avanzando, corriendo. Todo pasaba junto a mí en vértigo de rapidez. Me sentía hundir en algo negro, en la muerte que me esperaba abajo. Ya no corría: daba saltos, obligada, empujada, golpeada. Me veía caer de bruces y rodar hasta el agua del canal. ¡Oh, qué horror! Y seguía saltando, desacompasada, brusca, roto el nudo de la garganta por gritos guturales que me parecían de monstruos, tan ajenos eran a mi voz.

"Un salto. ¿Caería a éste? No, aún no. ¡Otro! ¡Otro! ¿Ya? No... Y de pronto, no sé cómo ni por qué fuerza desesperada del instinto de conservación, conseguí echarme y caer hacia atrás, quedándome rígida, inmóvil, pero sin perder el conocimiento. Entonces, por sobre mí pasó algo helado, horrendo, indescriptible, algo como ese viento sur que en primavera nos enfría hasta los tuétanos, algo como la sensación que produce el roce de un animal viscoso, algo como si al mirarnos en un espejo encontráramos reflejados los huesos mondos de un esqueleto. Fue un momento pavoroso en que sentí que la vida se me iba, que se me helaba la sangre. Entonces perdí el conocimiento.

"Dicen que cuando me encontraron me dieron por muerta: tan pálida estaba. Volví a la conciencia después de muchos días de fiebre y lentamente me fui reponiendo, pero nunca, nunca, se ha conseguido que un poco de sangre me coloree la piel. ¡Quedó alba de horror al paso de la muerte!

Un silencio. La mujer callada parecía seguir —con las pupilas en el vacío— la visión de cuanto había evocado. Las cejas se unían en una horizontal de sufrimiento y la boca reseca se abría anhelante sobre los menudos dientes deslumbradores. Extraordinaria de expresión, semejaba una máscara trágica, de esas que el Renacimiento gustó de pintar en los infiernos dantescos.

Callaban todos. Las mujeres se estremecían sintiendo en los nervios el cosquilleo del miedo. Los hombres... Uno preguntó a otro quedamente:
—¿Usted lo cree, doctor?
—¿Yo? No..., acaba de inventarlo. Es una histérica, pero tiene talento.

ANA MARIA

Darío Rozas examinó con interés a su compañera. "Una sobrina de Pedro —había presentado Eliana a sus invitados de aquella noche, y luego, dirigiéndose a él, agregó—: Me hará el favor de llevarla a la mesa.".

Reían los ojos claros de la gentil mujer al posarse en la figura apocada de la sobrina, una muchacha muy joven que, envuelta en los pliegues sin gracia de un traje blanco, parecía desconcertada por la elegancia, por el aplomo, por la discreta curiosidad revelada en los invitados.

Darío —el amigo íntimo de la casa— ofreció el brazo a la jovencita, siguiendo el cortejo que se encaminaba al comedor. Ya en la mesa la observó detenidamente: muy delgada —tanto que los amplios pliegues de la seda no acusaban forma alguna—, muy blanca, con el pelo de un rubio pálido como empolvado, lo que ponía una nota extraña en la fisonomía vulgar era la franja obscura de las pestañas, que se obstinaban en permanecer bajas, y el trazo firme de las cejas perfectas.

—¿Usted llegó anoche, señorita? ¿Señorita...?
—Ana María.
—¿Viene del sur?
—Sí, señor.
—¿Y le gusta la capital?
—Sí... No... Sí...
—¿En qué quedamos?
—En que me gusta y mucho, pero como siempre he vivido en el campo, me desorienta el movimiento de la ciudad y me dan miedo sus gentes.

Había alzado los párpados; entre la sombra de las pestañas brillaban las pupilas azul-verdosas, fijándose serenas en los ojos burlescos que tomaban interés por la transformación que se operaba en ella. Y, además, ¿cómo Darío no reparó antes en aquellas manos de madona cruzadas sobre el mantel irradiando blancura? Sólo la mancha de un enorme rubí daba reflejo vital al dedo exangüe donde lucía su ojo sangriento.

Con interés creciente siguió preguntándole qué hacía en la capital, cuánto tiempo estaría allí. Y la muchachita, animada por esa simpatía que iba envolviéndola, contó que vivía en un fundo cerca de la costa valdiviana, que allí había nacido y crecido entre su padre, viejo señor abroquelado en coloniales ideas, y su madre, enferma del corazón, lánguida y soñadora. Tuvo un hermano menor, que murió de tuberculosis dos años antes. Esa desgracia había vuelto más duro aún al padre y más taciturna a la madre. En la primavera una fuerte anemia se apoderó de Ana María, y, como siguiera sintiéndose enferma, la había mandado el doctor a invernar a un clima benigno. Por eso estaba en casa del tío Pedro, hermano de su madre, que siempre la regaloneara mucho. Eliana la intimidaba: a su carácter reservado le costaba avenirse con el constante reir y parlar de la joven señora.

Darío la oía observándola atentamente: cantaba las frases con el dejo suave de las gentes sureñas; al calor de la narración las mejillas tomaban un leve tinte rosa: en los ojos los recuerdos ponían chispazos, brumas, iridiscencias, obscuridades; fulgores, igual que un mar cambiante a través de las horas.

Sirvieron el champaña. Darío alzó la copa murmurando sonriente:

—Por unos ojos maravillosos que he visto esta noche.

—¿Cuáles? —preguntó ingenua.

—Los suyos.

—¿Los míos? Vaya, pues, no venga a reírse de mí ahora.

—En serio. ¿No sabe que sus ojos son maravillosamente bellos?

—Pero no...

—¿Nadie se lo ha dicho?

—Pero no.

—Créame. Nunca había encontrado pupilas como las suyas. En mis horas de pesimismo quisiera poder sumirme en ellas buscando quietud, esa paz reconfortante que tienen.

Divertido por la estupefacción que revelaba la muchachita, Darío Rozas volvió los ojos. Frente a él la rubia Lolo lo miraba interrogadoramente, enarcadas las cejas, amohinada la boca mandarina. Un momento las pupilas se soldaron. Un esfuerzo casi físico que los hizo empalidecer logró separarlas. El joven sonrió temblorosamente a la otra boca que también sonreía temblando y, volviéndose a su compañera, dijo:

—¿Me cree, Ana María?

Una lluvia persistente hacía prever que esa tarde, día de recibo de Eliana, los salones estarían desiertos.

Terminado el arreglo de las flores, Ana María se acurrucó en una poltrona junto a un balcón, aprovechando las luces mortecinas del crepúsculo invernal para seguir tejiendo un primoroso cuadrado de malla.

—Dos vueltas.... Uno... Dos... Tres...

Hasta que se hizo noche no pensó sino en su labor; entonces —libre la mente de contar los puntos— se puso a recordar los dos meses de holgorio que llevaba pasados allí.

Eliana ya no la intimidaba; había acabado por tomar cariño a esa mujer frívola que vivía únicamente para sus propios placeres, libre de trabas en el hogar por la falta de hijos, por la adoración ciega del marido que manejaba a su antojo. El tío Pedro la regaloneaba cada vez más, gozando en embromarla con Darío Rozas: "Tu conquista", como decía al referirse al joven.

Quien para Ana María constituía un enigma era la rubia Lolo, amiga inseparable de Eliana, con gran descontento del tío Pedro, que, demasiado hecho a aceptar todos los caprichos de su mujer, sólo protestaba murmurando entre dientes contra "esa loca".

Siempre que Darío Rozas se acercaba a ella, estaba segura Ana María de encontrar los ojos de Lolo mirándola inquisidores. Sin saber por qué, le dolía ese observarla, como le dolía ver a Lolo y a Darío unidos estrechamente en el ritmo canallesco de los bailes modernos, como le dolían sus apartes cuchicheados en los rincones. Pero cuando Darío avanzaba a reunírsele, la ola de amargura que ese dolor echaba en su corazón se iba lejos, dejándola como una playa en baja marea centellando al sol.

Darío... Darío... Nadie lo igualaba. Ninguno de los jóvenes que allí conociera era como él de atento, de afectuoso; con ninguno tenía ella ese confiarse íntegro; la seguridad de eco comprensivo que Darío le diera desde el primer instante. Darío... Darío... ¿Cómo era Darío? A veces se quedaba así: mordiéndose el labio inferior con los dientes de lobato, medio cerrados los ojos que de pronto se abrían grandes y fijos sobre alguna visión interior. Darío... Darío...

Dulcemente se durmió, acunada por la lluvia tamborileando en los cristales.

Una luz que le dio en los ojos hízola al rato despertar perezosa y aturdida. En la salita, —separada del salón por una puerta vidriera velada de tul amarillo—, Eliana charlaba animadamente con Lolo.

Se incorporó, medio adormilada aún. Pero la risa repetida de Lolo, a la que contestaba una risa de hombre, la inmovilizó en su asiento. Darío Rozas estaba allí.

Seguían las risas, el hablar simultáneo de las dos señoras. Luego unos pasos menudos se alejaron por el *hall*. Entonces, sobre el fondo luminoso de la puerta vidriera, la sombra esbelta de Lolo se dibujó nítida. Hablaba en una graciosa pose: con un brazo extendido y un dedito en alto, que parecía amenazar. Otra sombra avanzó —alta y masculina—, tomó el dedito, subió las manos hasta los hombros, atrajo la sombra esbelta a la suya y del grupo unido, inmovilizado, surgió el chasquear sordo de un largo beso.

Con las manos en los oídos llenos de un ruido de océano, turbia la vista, tembloroso el cuerpo, se encontró Ana María, sin saber cómo había venido, en su habitación. Se apretaba el corazón que le hacía daño y en un balbuceo doloroso cual un lamento iba diciendo: "Darío... Darío..."

Luego una gran calma física se hizo en ella. Acabó por parecerle que no tenía cuerpo. No sufría como en el primer momento una especie de puñalada en carne viva. No. Ahora era el espíritu quien se anegaba en dolor reconstruyendo *aquello*. Volvía a verlo, a sentir la desesperación, la vergüenza, el horror que los otros al unirse y besarse le causaran. Ni siquiera se dijo que quería a Darío Rozas; ese amor estaba en ella como cosa propia, como parte de su ser, como está la sangre que nadie se dice a sí mismo que circula, pero que al irse por una herida se reconoce que lleva a la muerte. Sentía lo pavoroso de ese fin: era todo. Lo aceptaba. Pero un ansia de huida la empujaba lejos, donde nadie sospechara su agonizar.

—Ya está servido, señorita —anunció la sirvienta.

Lavó la cara sollamada de lágrimas, alisó la melena, se empolvó, y, siempre con el mismo sentimiento de no tener cuerpo físico, bajó al comedor, donde el tío Pedro tomaba la sopa y Eliana hojeaba una revista.

—¿Dónde estabas que no te he visto en toda la tarde?

—En mi pieza, tejiendo. ¿Por qué? —mintió con una seguridad pasmosa en su boca que amaba la verdad.

—Por nada. Pero ¡qué mala cara tienes! ¿Te duele la cabeza?

—No... Es que en la carta de mi padre que recibí hoy vienen malas noticias. La mamá no se siente bien. Aprovechando el viaje de don Samuel, ese señor que estuvo ayer a verme, debo irme con él cuando regrese al sur.

Hablaba muy ligero, anhelante la voz mojada de lágrimas.

—¿Que está loco tu padre? ¡Cómo te vas a ir en esta época, a ver si te despachas por allá lo mismo que tu hermano! —protestó brutalmente el tío Pedro.

—Estoy tan mejorada, que eso ya no es de temer.

—Voy a escribirle a tu padre diciéndole...

—No le diga nada... Mi viaje es cosa decidida. Ya sabe que mi padre no cambia nunca sus determinaciones —sonreía, adolorida en lo íntimo por la sombra que echaba sobre el viejo señor.

Ana María partió llevándose su desolación. El tío Pedro estuvo varios días malhumorado, fulminando contra los padres que sólo piensan en sí mismos, y Eliana sintió aquella silenciosa compañera que tan artísticamente arreglaba las flores y hacía tan primorosas obras de mano.

—Eliana... —llamó Pedro a media voz.

—¡Ah! ¿Qué? —abandonando a sus invitados, se reunió Eliana con su marido en el *hall*.

Irradiaba alegría. Era el primer día de octubre que dejaba por su bonanza abrir las puertas del salón que comunicaban con la terraza, permitiendo a los invitados descender al parque umbroso y bienoliente. Además, su traje de espumilla color palo de rosa revelaba triunfalmente la firma de Jean Lanvin. ¿Qué más podía apetecer su frivolidad?

—Una mala noticia... Pero, por favor, no te aflijas...

—¿Qué? Ana María...

—Sí, como lo dejaba adivinar la última carta de Roberto, el fin estaba próximo. Murió al amanecer.

—¡Pobrecita! —murmuró Eliana.

—Y todo por culpa de ese testarudo de Roberto... Llevarla en pleno invierno... Mucho iba a sacar con mandarla a la hora undécima a un sanatorio... A la que hay que compadecer es a mi pobre hermana...

—No grites. No es necesario enterar a nadie. Ya no la recuerdan y, como comprenderás, no voy a guardar luto por ella.

—¿Qué pasa? —inquirió la rubia Lolo, acercándose acompañada de Darío.

—A ustedes se les puede decir. Murió Ana María.

—¡Pobrecita! —dijo Lolo, repentinamente seria.

—¡Tan lindos ojos que tenía —observó Darío—, y si no es por mí, se va al otro mundo sin saberlo!

Se quedaron un momento silenciosos. El *jazz* empezó a descoyuntar la música de un *shimmy*. Llegaban visitas. Pedro y Eliana se alejaron.

—¿Bailamos? —dijo Lolo.

—Encantado —contestó Darío, enlazando el cuerpo que se abandonaba.

RUTH WERNER

Ruth Werner miró atentamente la figura que el espejo le devolvía, una figura de mujer mediana de estatura, extraordinariamente delgada, vestida de gris, con los movimientos suaves en la gracia eurítmica, con la vida toda concentrada en los ojos enormes, luminosos de pensamiento, azules, hondos en las cuencas violetas. El cutis parecía de azahar, blanco, blanco, sin una gota de sangre. La boca era apenas rosada en su dibujo perfecto.

Esa mujer, pintada, con el retoque que otra no hubiera vacilado en ponerse, habría sido bellísima, con la belleza trivial de todas las mujeres que piden el rojo, la mandarina, el ocre y el *rimmel à Coty*. Así, descolorida, desvanecida más aún por el gris de la vestimenta, era extraña, atrayente por la originalidad del tipo único, interesantísimo en esta época en que las mujeres sólo ansían semejarse unas a otras.

Ruth Werner no quería parecerse a nadie.

Desde pequeña demostró una personalidad que con los años se fue

) 41 (

acentuando. Superiormente inteligente, con un padre que adoraba en ella a la hija única, millonaria de hecho por la muerte de su madre, Ruth Werner en el medio social y artístico de París llegó a ser la artífice de su propia vida.

Pudo ser artista y no lo fue, porque la obra de arte, el libro que se escribe, el cuadro que se pinta, la melodía que se crea, la estatua que se esculpe, necesitan del vasallaje de quien los realiza. Vasallaje, sí, estar atento a la idea, servirla, anularse en ella, darle vida en sufrimiento y valientemente echarla al mundo como cosa ajena que tendrá su gloria o su tristeza.

Ruth Werner no admitía vasallajes. Sólo realizaba lo que a ella podía servirle. Si combinaba colores, era buscando aquellos que mejor armonizaran con su tipo. Si dibujaba, era con el ansia de una joya que mejor la adornase. Si dejaba correr las manos sobre el teclado improvisando al piano, era por la gracia que daba a su silueta la actitud levemente inclinada. Si escribía a un literato, era porque le contestaran loando la elegancia de su estilo.

Lo que no retornaba a ella en radiación admirativa no valía ningún esfuerzo. Así, cultivando su sentido artístico, Ruth Werner llegó a ser la maravillosa constructora de una vida perfectamente estética. Unica y múltiple, hacía de sí misma el motivo de las obras de arte que nunca realizó.

Entre los cojines, tapices, pebeteros y sedas; entre los Budas del Tibet, las lacas de Coromandel y los bronces de Persia, Ruth Werner, fumando la sexta pipa de opio, era un dibujo como pudiera hacerlo Bujados.

Con el *smoking* de raso negro, ceñida la falda cortísima, con una flor desgreñada en la solapa y el sombrero de fieltro hundido sin que dejara ver el pelo cortado como el de un muchacho, en lo alto de una silla, junto al mesón de un bar, bebiendo audazmente el *whisky and soda* del aperitivo, era una figura ambigua como las que estilizara Chana Orloff.

Decidida y arriesgada, con el traje masculino en gamuza verde, montando un *purg sang*, los *rayller-papers* la sorprendían saltando vallas con el movimiento que fijara en sus esculturas Walter Edwards.

Discutiendo arte en la sobria decoración de su estudio, era la sabiduría de un Ortega y Gasset.

En la intimidad de un *tête à tête*, coqueta y displicente, parecía, en la semidesnudez de su traje de noche, una desencantada de todas las curiosidades morbosas que atenacearan a una heroína de Rachilde.

Y siempre Ruth Werner era ella misma, única y múltiple, con su cutis de nieve y los ojos enormemente azules.

Poseía un marido. Se hizo de él cuando murió su padre, por parecerle necesario. Poseía un marido como poseía un palacio en París, un castillo en Normandía, una villa en Cannes, un chalet en el Lido, cinco autos, un yate y un joyero fabuloso.

Un marido era para ella un motivo más de decoración: una figura impecable, un señor magnífico como ejemplar humano que se ve a ciertas horas del día con ciertos fines sociales, un ser discreto y acomodaticio, siempre en el papel que tácitamente le asignara la mujer inmensamente rica.

El amor, mientras fuera manifestación platónica, entraba en su vida de cerebral a la cual le era sólo necesario el perfume del licor para crear la embriaguez. Sin sentidos, pero con imaginación. Así, sus amores fueron siempre fugaces, que ningún hombre se avenía a llegarse hasta ella atraído por su originalidad desafiante y prometedora y encontrarse con su afán de alambicar, de sutilizar, de exasperar el deseo sin darle nunca cumplido fin. Y los hombres, en el cansancio de una espera que acaban por juzgar inútil, se renovaban en torno a Ruth Werner. Ella, intocada, era la encarnación de lo que dijera Remy de Gourmont: *"L'amour n'aime que soi-même"*.

Esa tarde Ruth Werner dio una última mirada a la imagen que el espejo le devolvía y lentamente atravesó salas, salones, vestíbulos y descendió escaleras para finalizar arrellanándose en la *limousine*, que rápida rodó por los Campos Elíseos, atravesó la Plaza de la Concordia, entró por la calle de Rivoli, torció por la de Castiglioni y se detuvo en la Plaza Vendôme.

Ahí bajó Ruth Werner, encaminándose al Ritz. Eran sólo unos pocos pasos los que había de dar, pero en esos pocos pasos alcanzó a impregnarse en la dulzura de la tarde desteñida en tonos rosas y azules, en el aire que venía de las Tullerías embrujador de aroma de acacias, en una especie de pausa que hacía el movimiento de vehículos y transeúntes, dejando la calle de la Paix ancha y libre, tentadora de vagabundaje.

Y Ruth Werner, sin saber por qué, en vez de seguir camino del Ritz, donde la esperaba el té de moda, se dejó llevar por el obscuro impulso de seguir deambulando hacia la Plaza de la Opera, lenta y armoniosa en el paso rítmico, feliz y enternecida por tampoco sabía qué.

En esa especie de beatitud alcanzaba a percibir sólo un sentimiento: el comprobar que su tenida gris, íntegramente gris, acordaba con el azul y el rosa desvanecido de la tarde, y que ella, en el crepúsculo, paseando por la calle en que apenas una que otra ventana empezaba a iluminarse, era de tal belleza que cuanta pupila encontraba brillaba de admiración. Burguesas presurosas, obreritas atareadas, oficinistas en vértigo de quehaceres, público extraño para ella y que en otra ocasión le hubiera sido indiferente u odioso, todos, sin excepción, retardaban el paso para mejor mirarla. Y le era agradable ese homenaje. En esa atmósfera se dejó ir hasta la Plaza de la Opera, que atravesó, siguiendo por los bulevares, sin saber hacia dónde.

De pronto la sorprendió el encenderse de los focos eléctricos, el chorrear luz de las vidrieras, el pirueteante y enceguecedor baile de los avisos luminosos, el espeso gentío que iba y venía, los coches rodando compactos, las bocinas, los timbres, las campanillas, las voces pregonando el *Paris-Soir*, las canastas floridas de las vendedoras, los quioscos de colorines avisadores.

Fue como un despertar brusco. Miró arriba buscando el cielo de colores desvanecidos que la encantara. Las luces irradiaban luminosidad hasta muy alto y no se veía nada. Junto a ella el gentío se espesaba cada vez más, surgía de la boca del metro, de las calles transversales, de los cafés, de los almacenes, de los teatros. Ya no era grato marchar. La empujaban. Una mujerota alta le dio un codazo. Un chicuelo subió hasta la altura de su nariz un juguete de veinte céntimos. Una vieja le ofreció, mirándola cínica y risueña, una revista pornográfica. Un señor de bigotes hirsutos y de panza de sapo en el chaleco blanco, le balbuceó algo que no entendió bien, pero que debió ser una grosería. Y se volvió para deshacer camino, asqueada, asustada, con una ira que se tornaba contra ella misma, reprochándose el tonto capricho inexplicable que había roto la maravilla de su ritmo interno, de su armonía exterior.

Al querer atravesar nuevamente la Plaza de la Opera, la corriente humana, aturdiéndola, la arrastró hacia la Magdalena. En una de esas panas de la circulación peatona, oprimida por todos lados, sintió en la espalda, incrustada y lastimándola, una lata de conserva que llevaba un señor gordo con otros muchos paquetes de vituallas. Quiso tomar un taxi. Pero pasaban todos ocupados, rápidos y silenciosos. Entonces, desesperada, cansada, angustiada, se dejó caer en una silla vacía, junto a una mesita redonda, en la terraza de un café.

Se le acercó un mozo, y aunque miró recelosa sus manos agrietadas y velludas, como la sed de la sofocación la atenaceaba, pidió limón con hielo. Y se puso a observar a los pasantes y a los asistentes, en la calle y en el café, por si encontraba un conocido que la ayudara a salir de aquel maremágnum.

De pie junto a una mesa, despidiéndose de otros dos hombres, una silueta masculina llamó su atención. ¿No era el agregado naval a la Embajada de Estados Unidos? ¿Era él? Estaba demasiado lejos para distinguirlo claramente. El joven avanzó entre las mesas, a medio camino se detuvo, sacó la pitillera y encendió un cigarrillo. Ahora Ruth Werner podía observarlo. Lo miraba intensamente, buscando en esa enérgica fisonomía de hombre los rasgos del agregado naval que se le esfumaban en el recuerdo. ¿Era él? El joven alzó los ojos obscuros, sombreados de pestañas, divisó la mujer maravillosa sentada al frente, absorbió la mirada de las pupilas enormemente azules y sonrió leve, mostrando los dientes devoradores de nácar deslumbrante. Siguió su camino, con la pausa de quien siente en sí un interés, con la seguridad del que se cree dueño. Los ojos no se desprendían de los otros ojos. Cerca de ella la saludó, pero no se detuvo hasta ganar la acera. Ahí se volvió, mirando a la mujer nuevamente.

Ruth Werner seguía perpleja. ¿Era o no el agregado de la Embajada? Era, puesto que la había saludado. No era, que estos ojos obscuros y apasionados diferían por completo de las claras y simples pupilas del yanqui.

Desde afuera el joven la miraba. Ella seguía sus movimientos. De pronto la boca volvió a sonreir y una mano, discretamente, hizo un gesto llamándola. Entonces, como imanada, sin reflexionar, buscando en ese llamado una forma de huir al suplicio del ambiente, Ruth Werner puso una moneda sobre el mármol de la mesa, yéndose a reunir con el joven.

—Gracias —dijo éste al recibirla, pronunciando el francés con un acento extranjero.

—Señor... —quiso ella explicar.

Pero sin oírla la había tomado del brazo y firme y autoritario la hacía atravesar por entre el gentío, abriéndole paso hasta la calzada. Ahí aguardaba un auto cuya puerta abrió el chofer.

Ruth Werner hizo un movimiento brusco de retroceso que separó su brazo de la mano del joven. Y se quedaron mirando de hito en hito: él sorprendido, ella sin saber cómo explicar esa situación.

—He de decirle que soy una señora —empezó.

—Sí, sí, conformes —atajó él—, ya comprendo que como todas tendrá usted una historia que contar, una historia conmovedora y fantástica. Hágame gracia de ella... ¿Y bien? Suba...

—¡Oh! No, no... Déjeme explicarle...

—No me cuente historias. Con historia o sin historia tendrá lo que desea. Un billete azul... Una bicoca de donde Lalique... Una tontería de Lanvin... Puede irlo pensando... Suba.

Hablaba irónicamente, observándola con ojos cariñosos y risueños: una mezcla que acabó por desconcertar a Ruth Werner en absoluto.

—Señor, se lo ruego, soy una mujer honrada...

—¡Oh! Convencido. Todas aseguran lo mismo. Pero eso no quita que vengan a un café de fama equívoca a esperar que cualquier desconocido les haga una seña para acudir al punto. Sí, sí... Una mujer honrada... Ya sabemos lo que es eso... —Había una leve impaciencia en el tono, una vibración que encontraba un eco placentero en los nervios de Ruth Werner.

El chofer esperaba discreto, puerta abierta y gorra quitada, sorprendido por el diálogo a media voz, rápido en la mujer, cortante en el amo.

—Si usted quisiera oírme. Soy la señora...

—No me importa su nombre...

La tomaba del brazo obligándola a subir.

—No... No..., —gimió Ruth desesperada y casi llorando.

—Pero ¿cree que se va a burlar de mí en esta forma?

Tomándola en vilo con un brazo pasado violentamente por el talle, el joven hizo subir a Ruth Werner al auto.

Pensó gritar, pedir auxilio, abofetearlo, tirarse al suelo. Tuvo en un segundo varios impulsos. Pero se vio en los gestos descompuestos, en las palabras desagradables; tuvo la visión de las gentes detenidas en curiosidad de escándalo; sintió el murmullo del comentario malévolo. Lo previó todo y esa sucesión de hechos la hizo acurrucarse en un rincón del auto, terca y muda, esperando un momento propicio a la explicación, mientras el joven subía tras ella y el coche arrancaba en suave rodar.

Era una *limousine* grande y confortable, tapizada de *beige*, calefaccionada y bienoliente a cigarrillos. Sintió el bienestar del habitual medio refinado. De pronto el joven habló. Dijo algo, Ruth no supo qué, y nuevamente la voz llena de sonoridades graves removió sus nervios. Pasó por su carne un temblor de angustia gozosa. Llena de asombro miró al joven que estaba allí, hablando siempre. Por sobre el asombro, dominándolo y desplazándolo, estaba la sensación de angustia, cada vez más intensamente gozosa. Los ojos de Ruth Werner parecían mirar una inmensidad imposible de abarcar y con gran lentitud fuéronse cerrando. Ahora sentía que una ola poderosa la arrastraba hacia atrás, hacia el fondo de los tiempos, y que ahí encontraba la mujer primitiva que fuera en el pasado hembra sumisa al macho en el rapto violento.

Lo que pasó esa tarde en el cuarto de soltero de Gonzalo Prieto nadie lo supo; pero sí supo el París mundano más tarde que Ruth Werner era la muy apasionada y sumisa amante del joven chileno.

ROMELIA ROMANI

Mariano Orrego presintió a la mujer que había entrado y bruscamente alzó los ojos a mirarla. Estaba en el vano de la puerta que abría el *groom*, envuelta en un largo abrigo negro, con un sombrerito pequeño encasquetado hasta los ojos, buscando al parecer una mesa en que instalarse. Venía sola. Un mozo avanzó señalándole un sitio en el fondo del salón de té; pero ella no se avino a relegarse allá perdida y un rato esperó pacientemente hasta que una mesa quedó libre donde ella quería, en su sitio habitual fronterizo a la orquesta.

Mariano Orrego seguía mirándola. Se había sentado y, con gran quietud en los gestos armoniosos, colocó sobre la mesa los guantes y la cartera, echando después el abrigo en el respaldo de la silla. Dio una orden al mozo y entonces —como quien después de muchos pequeños deberes puede entregarse a su placer—, recta y firme, clavó la mirada en Mariano Orrego, que aguardaba ese instante con temor y ansia.

Era exótico el tipo de esa mujer extraordinariamente morena, casi mulata de color, con el pelo rubio rojizo de las mujeres venecianas y las pupilas muy verdes, muy claras, inexpresivas, pareciendo mirar muy lejos o mirar hacia sí mismas. Tenía el resto de las facciones correcto, bello, frío. El cuerpo no era el de andrógino moderno e iba vestido con sobria elegancia. La nota original la daba al conjunto de su *toilette* una serpiente hecha en brillantes, larga y enroscada en faja deslumbradora sobre la muñeca derecha, con la cabeza chata de ojos de rubí apoyada en medio del dorso de la mano.

La primera vez que Mariano Orrego la viera en el salón de té, iba en compañía de varias personas, hombres y mujeres de tipo extranjero. Hablaban francés o italiano. Por la elegancia llamativa de las mujeres coligió que fueran artistas. Sólo ella guardaba compostura en esa pandilla demasiado bulliciosa de la cual volaban por el salón palabras sueltas y risas. Parecía ajena a todo. Y como Mariano Orrego la observara atento e interesado desde lo alto de la tarima en que funcionaba la orquesta, pudo bien darse cuenta del efecto que su propia presencia causara en la mujer.

No hablaba. Apenas una leve sonrisa o un monosílabo cuando sus compañeros le dirigían la palabra. Dejaba distraída errar los ojos por la sala enorme, por la concurrencia numerosa. Arriba, en la orquesta, hubo un movimiento para emplazarse los músicos y empezar un vals de Chopin. La mujer alzó los párpados y los ojos que iban en vagar sin interés tuvieron al encontrar la figura de Mariano Orrego una dilatación de sorpresa rayana en espanto, una vibración de agua que se rompe, un parpadeo de desvanecimiento. Se le empalideció el rostro hasta quedar terrosa y bruscamente inclinó la cabeza.

Mariano Orrego siguió mirándola mientras tocaba. Cuando terminó el vals, la mujer, lentamente, volvió a levantar los ojos hasta encontrar al violinista. Y se quedó otra vez fija en él con las raras pupilas que lo miraban y no parecían verlo, que parecían mirar a través de él y muy lejos inmovilizarse en algo grato. No había en su actitud una pinta de coquetería. No insinuaba nada. Lo miraba: era todo.

Ya llevaba cerca de un mes viniendo tarde a tarde al salón de té, de común sola y sin otro objeto al parecer que mirar a Mariano Orrego extáticamente. Los compañeros del muchacho en la orquesta se habían dado cuenta de la asiduidad de la mujer y lo embromaban con "su conquista". Y Mariano Orrego, infinitamente halagado, cada vez se enredaba con mayor sinceridad a esa mirada. La aguardaba ansioso. Sabía todos sus movimientos. El llegar preocupada de situarse cerca de la orquesta, el instalarse con gran calma y, por fin, el mirarlo intensamente, siempre con la misma falta de expresión en las desteñidas pupilas de malaquita.

Sabía quién era. Se lo dijo un día el pianista de la orquesta.

—¡Ya sé el nombre de tu enigma! Es Romelia Romani... Romelia Romani, fíjate... La suerte de algunos...

—No puede ser...

—¡No te digo! Lo sé por Herrán, el empresario, que la otra tarde la saludó en el *foyer* del Victoria. La conoce mucho.

—Romelia Romani... —murmuró Mariano Orrego, aún incrédulo de que aquel nombre que fuera célebre en el mundo del arte lírico, perteneciera a la mujer que le demostraba interés, que absorbía todo el suyo.

—Anda sola —prosiguió su informante—, llegó a Chile desde la Argentina y con el propósito de seguir a La Habana. Desde su inexplicable retiro de la escena no hace otra cosa que viajar por todos los países del mundo. Dicen que está enferma, pero en plenas facultades artísticas. A veces, en una iglesita de extramuros, en la más pobre de las iglesitas de cualquiera ciudad, se presenta una mujer ofreciéndose al párroco para cantar en la misa de alba, y Romelia Romani hace creer a las buenas viejas madrugadoras y beatas que un ángel ha bajado milagrosamente al coro. Muchos achacan su retiro del teatro a un motivo sentimental. Pero de seguro no se sabe nada.

Ya en posesión de un nombre que dar a esa fisonomía, Mariano Orrego tuvo el propósito de acercarse a ella, de hablarla, de seguir en otra forma conociéndola. Una vez le sonrió, haciéndole una leve inclinación de cabeza. Romelia Romani tuvo entonces una especie de sobresalto, pareció recoger la mirada desde muy lejos hasta posarla en el hombre, en ese que estaba allí, cerca, alto en el frac, con el violín entre las manos acariciando las cuerdas, y sólo esta vez la expresión de la mujer fue clara para Mariano Orrego. Los ojos cobraron sorpresa, una máscara de altivez inmovilizó las facciones y con un gesto vivo de disgusto Romelia Romani salió del salón. Y cada vez que la tentación de seguirla, de hablarla, lo cogía, el recuerdo de esa escena lo dejaba quieto, obligándolo a contentarse con las miradas solamente.

Y la pregunta seguía viva en el joven. ¿Qué era, por qué era así esa mujer? Nunca en ella un asomo de coqueteo, nunca algo sospechoso, nunca nada equívoco. Acabó por obsesionarse. No pensaba sino en ella. La hora en que la veía era su meridiano. La buscaba en cada silueta femenina y una mujer le era grata porque tenía su cutis de cobre claro y otra lo encantaba con los ojos verdes, gemas idénticas a las pupilas de Romelia Romani; ésta tenía su andar rítmico y aquélla el gesto alado de las manos tan lindas. Así, cada mujer se la recordaba y la amaba en cada una de ellas. ¿La amaba? Sí... No... Tal vez...

Hacía mal tiempo esa tarde que transcurría lenta. Nubes blanquecinas acolchonaban el cielo. Un viento en ráfagas fuertes, intermitentes, daba cabezadas a las ventanas, silbando su impotencia. Afuera se adivinaba frío y más grato era aún el salón de té con las innumerables luces rosas, la tibieza de los radiadores, el charlar discreto y la música sutilizando el ambiente.

Apenas quedaban unas cuantas personas. Luego de arregladas las mesas, los mozos solían aparecer por la puerta de servicio, oteando si los retardados se iban. El mayordomo se inmovilizaba junto a una ventana, mirando la calle con ojos de pensamiento lejano. Apagadas las luces de la orquesta, solo y medio oculto en la sombra, Mariano Orrego tenía la sensación de que el aire se enrarecía en su contorno y que se ahogaba, tan anhelante era su respiración, con tan recio golpeteo lo sacudía la sangre. Sentía, sabía que algo definitivo iba a pasar esa tarde entre Romelia Romani y él, que lo imprevisto estaba con ellos, lo imprevisto que empezaba a realizarse en la demora de la mujer en partir.

Romelia Romani, inmóvil, muy abiertos los párpados, no miraba hacia arriba buscando al muchacho de la orquesta, sino que recta frente a ella se abstraía en un punto único. Más que nunca daba la sensación de no ver, de estar fuera de ella misma mirando a su interior. Una angustia le desplomaba las comisuras de los labios. Juntas, apretadas las palmas, entrelazados los dedos, las manos descansaban en la otra albura del mantel.

La paciencia del mayordomo se desbordó en movimiento y llegóse hasta Romelia Romani en atención de pregunta vana. La mujer salió de su ensimismamiento, dijo: "No", con la cabeza, entregó un billete, arrebujóse en el abrigo y echó a andar por entre la ringla de mesas vacías.

Y Mariano Orrego se fue tras ella sin saber qué quería su esperanza; qué aguardaba de lo imprevisto, qué no adivinaba en lo porvenir.

Girándolas de avisos rutilaban colores en la noche arañada de vientos. Los viandantes llevaban su apuro a calentarse al hogar. Las grandes voces de las bocinas se decían historias aprendidas en los puertos. La lluvia había arrojado un puñado de redondos goterones sobre el asfalto de las calles.

Romelia Romani se detuvo junto a la calzada, esperando un auto. Pero pasaban todos con los ojos de un ocupante avizorando tras los cristales. Entonces Mariano Orrego avanzó y dijo tembloroso:

—Señora... Perdón... ¿Quiere que le llame un auto?

—¡Ah! —Era la misma máscara de altivez que en otra ocasión lo asustara. Romelia Romani terminó secamente—: No, gracias.

—Perdón... —balbuceó el muchacho con la pena del rechazo corroyéndole las entrañas.

No atinaba a moverse, no atinaba a moverse esperando siempre no sabía qué. Un golpe en la sensibilidad de la mujer que se la abriera en confianza. Sí, era eso lo que aguardaba sintiendo nuevamente que el aire se enrarecía, que el corazón le tableteaba en el pecho, que en los ojos una fuerte niebla lo cegaba, que los músculos se le ponían rígidos bajo la opresión de la angustia.

—Señora... —le pareció que en su interior otra voz iba apuntándole las palabras que repetía trabajosamente—. ¿Por qué no quiere que nos conozcamos? ¿Por qué? ¿No comprende usted mi ansia?

Fue el resorte que se la entregó. Las pupilas de la mujer titilaron en un espanto, las manos avanzaron a apoyarse en su brazo y una voz de anhelo contestó a la suya de amor:

—¿Su ansia?... ¿Su ansia de qué?

—De ser algo en su vida... De ser algo más que un hombre que se mira.

—Pero usted... ¿Usted creyó? ¡Oh! Usted cree que yo...

—No creo nada, no sé qué creer, señora...

—Es que usted no sabe... Lo que usted se imagina no es verdad. Se engaña usted. Mi actitud tal vez lo desorientó y cree lo que no es, lo que no es verdad ni en usted ni en mí...

Hablaba con las palabras en tropel, enredada en el acento italiano, queriendo metodizar las frases, buscando balbuciente la palabra que debía ir primero. Siguió diciendo:

—Usted no sabe, no sabe... Creyó, claro, creyó que yo iba al salón de té por interesarme usted personalmente; me interesa, pero no por usted mismo, ¿entiende?, me interesa porque se parece a alguien, a una persona que quise y que está perdida para mí, perdida para siempre, como si no existiera. Usted me la recuerda en ciertos rasgos y yo iba a mirarlo por encontrar de pronto en sus movimientos gestos que eran de él; expresiones que amé, que amo; actitudes que me fueron familiares y que están lejos, en el pasado, en los recuerdos; cosas que no serán nunca más. Por eso lo miraba. Por eso solamente. Y usted creyó, creyó... Yo debía haberle explicado esto desde el principio, aunque me hubiera tildado de loca. No me atreví. Pero es que no me imaginé nunca... Aunque me lo asegure, no creo que haya usted llegado a quererme.

—La quiero —dijo el muchacho con gran sencillez—, la quiero para siempre.

—No diga "para siempre", no lo diga siquiera. El "para siempre" que implica lo porvenir no existe en el amor. Sólo existen lo que fue y el momento presente. Del amor del mañana no se puede hablar, es el amor del pasado lo que cuenta, lo que es. Yo no sé si mañana tendré esta locura de amor por un hombre que fue en mi vida, no lo sé; pero sí sé que ahora (este ahora que ya se escurre hacia el pretérito), que hoy, que ayer, que todo el encadenamiento de días que va de la hora presente hasta cierto día, son de un amor, llenando todo el pasado; que cada instante, cada recuerdo, cada alegría y cada pena son de él, por él, para él.

—¿Y el porvenir? ¿Por qué no dejarlo a mi esperanza?

—Porque no es nuestro. El hombre que me amó, tal que usted, decía amarme "para siempre". En su vida había una mujer que representaba su hogar. Yo era simplemente "su amor". Fue un delirio de pasión girando en unión del éxito. Para siempre... Disponíamos del porvenir... La vida para amarnos... Sí, la vida que nos dio la gran enseñanza... Un día la mujer de mi amante se envenenó, desesperada por el abandono. Fue como un hachazo que nos separara. Lo que la mujer no pudo viva, lo pudo muerta. Nunca más volvió a mí, nunca, hasta ahora... Palabras desconocidas pasaron por sus labios: deber, remordimiento, moral. ¿Entiende usted mi tragedia?

—Pero si usted cree que no disponemos del porvenir, ¿por qué no esperar que el tiempo vaya deshaciendo su amor de ahora? ¿Por qué no esperar un nuevo amor?

—No quiero esperar nada. No quiero otra cosa que el momento que vivo y los que he vivido.

—Entonces, déjeme esperar a mí.

—No quiero. ¿Le digo mi verdad íntegra? He sido una mala amante. Con todo mi amor, que yo juzgaba inmenso, lo he querido a él menos que la muerta. Esa es mi humillación. He sido cobarde. Pero tal vez un día no lo sea (hablo siempre en la duda del porvenir), y entonces haré lo que la otra. De las dos mujeres que éramos en su vida, la mayor prueba de amor se la dio la desdeñada. Yo me he mantenido en la esperanza de que él volviera a mí. Ya no espero nada. Mi único goce es pensar que un día sabrá él con qué amor de locura lo quise.

Hablaba siempre con el mismo atropellamiento en las palabras. La voz era un bordón tremolando. Y las facciones, bajo el tifón pasional, tenían un devastamiento de catástrofe. Mariano Orrego la contemplaba dolorosamente, comprendiendo cómo toda su esperanza se estrellaba contra ese broquel de nervios tensos por la idea fija. La mujer dijo aún:

—Ya ve usted que nada puede esperar. Déjeme marcharme. A pesar de la atracción que era usted, ya empezaba a cansarme la faz idéntica de esta ciudad. Todo me aburre. Me iré a vagar tierras nuevamente. Y usted tendrá de mí un recuerdo más entre los recuerdos. —Y terminó brusca—: Adiós.

Echó a andar. Y Mariano Orrego, aturdido, la vio alejarse por la recta de soledad que era la calle.

ENRIQUE NAVARRO

Había ese calor pesado que precede a las tempestades de verano, y luego de comer, por buscar una mayor frescura, una brizna de aire en que mejor respirar, nos instalamos en el camino frontero a la casa del fundo, sobre unos troncos de árboles tirados junto a la cerca. Callábamos todos, con la angustia física del ahogo, secas las gargantas, tensos los nervios, hipersensibilizada la piel a tal punto que las ropas parecían molestarla con su roce, exasperado el cerebro en su atonía, justamente por el ansia de librarse de ella.

Noche de nubarrones luego de un día de calor sofocante y de viento arremolinado, una especie de calma anunciaba que la lluvia estaba próxima.

Imperceptiblemente llegaba de muy lejos un pequeño rumor jadeante. Lo sentía y estaba segura de que los demás también lo sentían. ¿A qué decirlo? ¿Para qué hacerlo notar? Era mejor callarse y seguir con oído atento el pequeño rumor creciente; con oído atento agudizado, que cuando el rumor se perdía por momentos, a fuerza de ser toda oídos y sólo percibir el silencio enorme de la noche, se llegaba a una sensación de sordera y antes de que el ruido se oyera nuevamente, se tenía de él la audición precisa en el cerebro.

Sabíamos que era el roncar de un motor de auto, ya habíamos tenido el desgarrón de su bocinazo, ya los focos potentes rubricaban las sombras, ya un mozo salía a abrir el portón de entrada al parque, y aún nadie hacía un movimiento, decía una palabra. Sólo cuando el auto avanzó lentamente con el mozo en charla con el chofer, tía Margarita dijo:

—Es Enrique Navarro.

Y una de las primas comentó para mí:

—El hombre de las cuatro mujeres, el Barba Azul de las tuberculosas...

Tío Pedro se puso en pie con la laxitud entorpeciéndole los movimientos y se llegó al coche en saludo que quería ser cordial. Una portezuela se abrió y una silueta de hombre vigoroso se destacó junto a la encorvada del viejo tío. Y volvieron ambos hasta donde estábamos nosotras.

Un saludo mudo del recién llegado, una inclinación de cabeza que se dirigía a todas. Contestamos con frases breves y triviales. Y nuevamente el silencio en la pesadez de la atmósfera.

De pronto la voz del hombre dijo en las sombras:

—Mi mujer está muy grave y debo seguir viaje inmediatamente.

Me volví hacia esa voz, una voz lenta, un poco sorda, con un dejo de cansancio, que parecía venir de muy lejos y envolver suavemente en sus vibraciones opacas. De inmediato sentí que esa voz era mi amiga y que algo habría de decirme. Yo debía hablar para que reconociera la mía y tuviera goce de encuentro feliz. Hablar. ¡Oh, qué cansancio! No podía hablar. Sólo pensaba vagamente en que la mujer de ese hombre estaba grave y que tal vez moriría. ¡Y era la quinta mujer que moría en sus brazos! De pronto me di cuenta de que pensaba, de que me había vuelto la facultad de pensar. Pero a la sola comprobación de ese hecho el pensamiento se me hizo trizas nuevamente y el cerebro me quedó en la atonía angustiosa de antes.

La voz dijo:

—¿Demorarán mucho en traer la bencina? Mis excusas, pero usted comprende...

A tío Pedro le costó comprender. Con una gran lentitud aunada a su pausa de hombre gordo, dio unos pasos hacia la casa. La voz agregó:

—Vuelvo a pedir perdón por la molestia...

En las manos que tenía abiertas sobre el regazo, con los dedos ine tes, una gota de agua de lluvia puso su moneda fría. En las hojas de los álamos, en la dureza del camino reseco, nuevas monedas sonaron en chuña dadivosa.

La familia se desbandó. Tía Margarita, las primas, tío Pedro, todos se fueron presurosos a la casa. No sé si repararon en mí que me quedaba, con la cara vuelta a la lluvia, con la boca bebiendo la lluvia, con las manos tendidas a la lluvia, con el cuerpo todo bienaventurado en la lluvia, con el espíritu liberado por la lluvia.

El hombre seguía en su espera. Hablé:

—¿También esta mujer se le muere tuberculosa?

La voz contestó al punto con una vibración simpática en la volcadura de confidencia:

—También. No guardo ninguna esperanza, estaba..., está condenada..., como las otras..., es decir, como las dos anteriores.

—¿Y por qué la primera queda libre de esa condenación? Tenía entendido que todas sus mujeres eran tuberculosas.

—No... Cuando me casé con mi primera mujer, el condenado era yo..., yo..., yo...

—¿Era usted tuberculoso?

—Sí, sí. El enfermo era entonces yo. Me lo dijeron los médicos, me lo advirtió mi familia, me lo enrostró la familia de mi novia, que se oponía en una forma desesperada a nuestro matrimonio. No entendí, no quise entender. La quería demasiado y ella a su vez era en mis manos mi propia voluntad. Yo me sentía bien, perfectamente, en desacuerdo absoluto con los médicos y los familiares. Nos casamos... y me la llevé a mi montaña, allí donde vivía y me creía sano, en la altura, lejos de todos, como una presa de mi amor que sólo para mi amor existía. ¡Qué año de maravilla! ¿Quién era el enfermo? La salud estaba en mí tan firme como la felicidad. Pero un día se nos quebró la dicha igual que un cristal sutilísimo entre las manos. Se resfrió ella, siguió luego una fiebre que la empalidecía, que la iba enflaqueciendo, que la transformaba en la sombra de su propia sombra. Entonces la alarma, el llevarla a los médicos y el fallo de maldición: se moría tuberculosa. Ella..., ella, mi amor, mi mujer, la que yo trajera en salud a mi casa de enfermo. Se moría de la enfermedad que yo tuviera, que yo le contagiara. Y yo estaba sano,

sano... ¡Qué sabe usted de dolor si no sabe de ver morir al ser que se quiere! Ella vivía en la fantasmagoría de su fiebre, feliz en el porvenir, toda entera en la esperanza de un hijo. Y murió al fin, sin saberlo, sin sentirlo, en un sueño de morfina en que sonreía siempre...

"Creí volverme loco. Mi idea fija era morirme, morirme de cualquier manera. Me hacía el efecto de que había cometido un crimen. Pensaba en el suicidio, pensaba, pensaba... La religión, durante un tiempo, me dio un asidero para seguir viviendo. Después, lentamente, me fui desligando de toda idea que no fuera una especie de rescate, de pago que me diera a mis propios ojos un motivo de vida. Me sentía ante mí mismo como el que roba y tiene una fortuna que quiere devolver y no sabe a quién entregarla. Pensé en el convento. Pero esa vida me pareció poco activa, con una piedad demasiado lenta. Pensé en fundar (para algo mis millones) un hospital para tuberculosos y atenderlo yo mismo. Pero esto era el rescate con la ayuda de los demás. Entonces discurrí lo que vengo haciendo, en este pago doloroso, en este buscar una mujer enferma, condenada, para endulzarle la vida con la mentira de un amor que no es amor, sino piedad infinita, y que tan bien sabe representar su papel, que a veces hasta a mí mismo llega a engañarme.

"Así tuve una mujer muy joven que murió después de dos años de casada, con los ojos maravillados por las comodidades que puse en su vida de pobre obrerita ciudadana, toda deslumbrada por la ternura constante que encontró en mí. Después vino una criatura de dulzor, predestinada por herencia a la tuberculosis y que murió en una especie de visión del más allá, murmurando: "Veo la luz". Y por fin llegó esta de ahora, otro ser de terneza, con la misma inconsciencia de la muerte, que ha estado en la vida como una muñeca en un salón, para que la miren y la admiren y la vistan y la arrullen. Ya van cuatro..., cuatro con ésta que también se muere... Y la deuda no se paga, no se puede pagar, que la salud se me ha puesto de hierro y aunque juegue con el mal, aunque lo desafíe, aunque me dé a él en una forma absoluta, el mal no me quiere, no me toma, me desprecia... Es para volverse loco...

—Habrá que buscar otra más para verla morir...

—Verla morir... Verla morir...

—Sí, verla morir; ¿no cree que en esto que usted llama su rescate no hay una pinta de sensualidad pervertida y que esa muerte, ese género de muerte que es el recuerdo vivo de la muerte de la única mujer que quiso, no es para usted un verdadero goce morboso?

—No... No... No diga usted eso, por Dios, no lo diga, que a veces lo he pensado y he creído tocar la locura definitivamente. No lo diga..., no..., no...

—¿Puro espíritu de rescate, entonces?

—Sí, estoy seguro de ello. Mucho me he analizado y estoy seguro de que sólo busco la muerte de que debí morir, la que llevaba en mí, la que era mi condenación. Eso solamente y el deseo de hacer que algunas pobres mujeres mueran en la suavidad de una ternura y en la comodidad de una fortuna. Se lo juro, por eso solamente lo hago. Lo otro..., no... ¿Para qué ha dicho usted eso? ¿Para qué? ¿Por qué?

—Lo ignoro. Hablé lo mismo que iba hablando usted, siguiendo mi pensamiento, como si usted no estuviera ahí, sin la cortedad que debiera inspirarme un desconocido, sin el prejuicio del ser dueño de la voz, hablando como si la voz dimanara de ella misma y sólo fuera una pura voz que habla en las sombras.

—Sí, como una voz que habla en las sombras he hablado yo, sin saber quién me oía, dándome a usted en confidencia por presión de angustia. Además sentí perfectamente que su voz era mi amiga. De todos modos: mis perdones...

—No hay por qué pedirlos. Ese perdón suyo me lo da usted a mí. Es decir, su cuerpo al mío; usted, hombre, a mí, mujer. Pero la voz que habló en las sombras nada tiene que decir ni explicar a la otra voz que encontró en la sombra.

Un silencio. Alguien anuncia:

—El auto está listo.

La lluvia seguía cayendo en grandes goterones fríos. Ya no subía de la tierra el vaho de su calentura de la tarde. Era ahora una bocanada fresca con un olor que embriagaba.

La voz dijo aún, blandamente:

—Hasta luego.

Y la sombra del hombre se perdió en la otra sombra de la noche lluviosa.

O C A S O

TIA LITA

—¿Cómo, siendo tan linda, no te casaste, tía Lita?

Una sonrisa se estompa en la boca dolorosa. Las pupilas tienen brillar de lágrimas y la voz quebradiza responde:

—¡Qué cosas preguntas!

—Insisto, tía Lita. ¿Por qué no te casaste?

—Porque...

—¿Ves? Hay un motivo. ¿Quieres confiármelo?

—¡Pero, pequeña, no seas loca! ¿Qué quieres que te cuente?

—El motivo de tu vida, que tiene forzosamente que ser de amor. Porque, tratándose de una mujer como tú, sólo un amor, un grande amor contrariado o desgraciado, pudo llenar tus horas de recuerdos y hacerte soportable el aislamiento. Tienes nuestra casa, nos tienes a nosotros queriéndote tanto y te obstinas en la soledad. No es que seas egoísta ni maniática. ¿Qué es, entonces? Los ensueños, sufrires y alegrías de lo que fuera, el rememorar el pasado, y al cual, viviendo con nosotros, tendrías que quitar tanto tiempo. ¿No es verdad?

—Pequeña..., pequeña... —y las manos, con suavidad de alas, acarician mi cabeza.

Estoy en el suelo sentada cerca de ella en unos cojines y apasionadamente, con ansia de curiosidad, interrogo por saber el misterio de esta alma tersa:

—Di, tía Lita, di, ¿por qué no te casaste?

Tía Lita vacila. Veo, en tímido temblor, acudir las palabras a sus labios. Es una viejecita menuda, vestida de negro, con las facciones en pétalo de flor seca, la cabellera blanca y las manos de juventud. Tiene encanto de fragilidad, de colores desvanecidos.

Se hace un silencio. Bien sé que a veces la sabiduría es saber esperar.

Al fin, tía Lita murmura quedito:

—¿Me prometes guardar el secreto?

—Prometido.

Otro silencio.

Cae la tarde y el gran salón colonial está en penumbras. Los muebles se dibujan en sombra. Contra lo claro de las paredes, los cuadros son retazos de negrura. Cerca de la puerta abierta al patio —única nota de color—, un brasero comba su calada cúpula de bronce. Huele a manzana. Afuera, entre largos espacios, la lora grita, con aspereza de lienzo desgarrado: "Pe...rro... Pe...rro..." Cuando el silencio se inmoviliza, se perciben todos los tenues y misteriosos rumores de las viejas construcciones: crujir, roer, arañar. Lejos, en la calle de pueblo amodorrado, un vendedor plañe largamente su pregón.

Tía Lita entorna los párpados y empieza:

—Tu abuela, mi madre, murió siendo yo una niña. Mi padre vivía las horas vigilando sus fundos, tomado íntegro por la afición a la agricultura. Mi hermano estaba en la capital, siguiendo sus estudios. Así fue cómo crecí sola, sin afectos en torno, reconcentrada por naturaleza, con una aristocracia innata que abría abismos entre los sirvientes que me cuidaban y yo, con una timidez enfermiza en los sentimientos que me hubiera hecho morir antes que confesar mi absoluta necesidad de ternura.

"A los diez años me internó mi padre en las monjas. Ahí conocí a Teresa Prado. Grande, fuerte, voluntariosa, tenía una inteligencia llena de gracia, un conocimiento del mundo que era mi maravilla y un carácter apasionado. Decidida, rabiosa, con arrepentimientos súbitos, ráfagas de humildad, un orgullo del demonio, ribetes de misticismo y tormentas de sublevación. Era el quebradero de cabeza de las monjas, su preocupación de cada minuto. Estábamos en el mismo curso. Todas las compañeras la adorábamos. Y yo mas que nadie, apegada a ella por mi timidez, por mi debilidad, por todo lo que me hacía diferente a ella. A veces me parecía que yo era solamente una parte de mí misma, que mi complemento era Teresa, que éramos una sola persona. Así la quería, en silencio, que una vez que le expresé mi cariño se quedó mirándome asombrada, muy abiertos sus grandes ojos de azabache deslumbrador; luego me dio un empellón llamándome idiota y al fin me abrazó diciéndose mi hermana. Temperamento extremista, no se hallaba en ella ninguna media tinta, ningún término medio.

"Así crecimos, una junto a otra, y así pasaron ocho años.

"Nos sacaron del internado. Vivíamos en la misma ciudad. Ella se fue con su familia y yo a casa de misiá Juanita Cortés, parienta lejana de mi madre y que haría las veces de tal hasta mi probable matrimonio.

"Para presentarme en sociedad dieron una gran fiesta. ¡Qué distinto el vivir de las niñas de entonces al de ustedes de ahora! Para nosotras el primer baile era el ensoñar de toda la adolescencia. Para ustedes es una fiesta cualquiera, entre un *dinner-dansant* y un aperitivo. Es como la ilusión del primer traje largo que tampoco ustedes han gozado.

"Teresa y yo (¡tantas, pero tantas veces!) habíamos hablado de ese instante. Ella me decía:

"—Me harán un traje color oro, me enjoyaré como una oriental, bailaré la noche íntegra, todos se enamorarán de mí y yo me casaré con el que más me guste. Por algo soy bonita y rica, sin contar el abuelo marqués, que también da derecho a ser la mejor.

"Yo preguntaba temerosamente:

"—¿Crees que alguien me sacará a bailar?

"—No te preocupes; si no te sacan, yo los obligaré a atenderte. Y también te buscaré marido. En cuanto me case, te buscaré novio. Puedes estar tranquila.

"Así éramos de diferentes.

"Llegó el baile. Teresa tuvo su traje color oro y joyas maravillosas, perlas que fueran de la abuela marquesa, una corte de galanes celebrándola entusiasmados. Y yo tuve un vestido celeste con encajes de Inglaterra, una cinta al cuello con un camafeo colgando, arracadas de filigrana, una alta peineta y el abanico con brillos. Me atendieron, claro; era la niña de la casa, y por cortesía, por obligación, hubieron de hacerlo.

"Estaba intimidada, aturdida, pero, con todo, desde que me fuera presentado, una cara de hombre joven se me grabó dentro, para siempre, en bien y en mal.

"Se llamaba Fernando Luco. Alto, fuerte en su delgadez, con ojos de bondad y boca regalona de niño, con algo de caricia envolvente en los gestos y voz de dulzura, era la realización de lo que yo había ensoñado.

No tenía la fuerza de torbellino arrastrador, como Teresa: se le sentía la fuerza escondida y era delicioso para mí apoyarme en ella.

"El efecto que Fernando me produjera trizó mi amistad con Teresa invisiblemente. Por primera vez fui disimulada. Al cambiar nuestras impresiones después del baile, le hablé de Fernando, mezclándolo indiferentemente con otros jóvenes.

"Y corrieron varios meses.

"Misiá Juanita invitaba una vez por semana, después de la comida, a un grupo de amigos íntimos. Asistía siempre Teresa con su corte de adoradores, jugando a encelarlos, coqueta y subyugante. No tenía tiempo para reparar en mí, que, sentada en algún rincón, me distraía mirándola, en espera de que Fernando terminara sus eternas discusiones agrícolas con mi padre y viniera un momento a charlar conmigo.

"Generalmente, Fernando me hacía preguntas sobre mi vida. Y yo le contaba gozosa el empleo que hacía de las horas, con muchos pormenores, ilusionada, creyendo que ese interesarse por futilezas indicaba amor, ya que sólo quien me quisiera podía oírmelas pacientemente.

"Pasó el invierno.

"Y llegó mi santo. Desde temprano empezó el desfile de los presentes. Fernando me mandó una linda jaula con un canario vivaracho y cantor.

"En la tarde vinieron varias amigas a tomar once, entre ellas Teresa, deslumbradora de belleza. Les mostré los regalos. Al llegar a la jaula, murmuré:

"—Esta me la mandó Fernando Luco.

"Y Dolorcitas Méndez preguntó llena de malicia:

"—Tu amigo Fernando parece que te quiere mucho, ¿no?

"—Tal vez... —contesté, confundida.

"—Claro que te quiere. ¿Cómo no te va a querer si son medio novios? ¿Por qué no eres franca con nosotras y nos dices que luego será oficial el compromiso?

"—Mentira... —gritó Teresa en uno de sus súbitos furores—. Lita no se casa con Fernando ni con nadie.

"—Eso lo veremos... Aunque te parezca mal, Lita ha de casarse con Fernando. ¿Creías, entonces, que por ser el mejor partido Fernando había de ser para ti?

"Vi una luz llamear en los ojos de Teresa y por evitar que contestara una insolencia a Dolorcitas, la tomé del brazo, llevándola a otro salón.

"Y no le di importancia a su arranque, creyéndolo nacido de su exclusivismo.

"En la próxima tertulia sus ojos no se apartaban de Fernando, y cuando éste se acercó, como de costumbre, a charlar conmigo, ella vino a juntársenos, entablando diálogo con él, ya que yo, vagamente incomodada, no volví a despegar los labios.

"Siguieron los días y la conducta de Teresa no varió. En cuanto nos

veía juntos, acudía "a animarnos, porque éramos una pareja muy pavita".
Yo me absorbía en alguna labor, muda, cada vez más profundamente disgustada. Fernando contestaba a sus preguntas atento, pero con cierto despego que me regocijaba; mas ella, sin darse por enterada, se quedaba firme entre nosotros, sin hacer el menor caso de sus adoradores, que inútilmente querían hacerla bailar, charlar y cantar con ellos.

"Otras veces, cuando Fernando discutía con mi padre, iba a tomarse del brazo del caballero, escuchando muy interesada cuanto decían, preguntando cosas que les hacían reir.

"Y entre ella y yo un zanjón de silencios y de miradas hostiles se iba abriendo cada vez más hondo.

"Me preparaba una mañana para ir a misa, cuando, de improviso, entró en mi pieza Teresa y sentándose en mi cama se puso a llorar desconsoladamente, diciendo entre sollozos:

"—Lita, mi Lita, tú no puedes consentir que yo sea desgraciada por tu culpa. Tú eres mi hermana y no querrás ser un obstáculo a mi felicidad. Si no accedes a lo que vengo a pedirte, me muero de pena, me muero, me muero...

"Toda trémula y tan alterada como ella, la abracé, diciéndole que hablara, que pidiera, que mi cariño era capaz de todo.

"—Lita, quiero a Fernando, ¿entiendes?, lo quiero, no pienso nada más que en él, lo veo en todas partes...

"La miraba con horror. Era Fernando, mi Fernando, lo que venía a pedirme. Temblaba, mientras ella seguía exaltándose por momentos:

"—Lo quiero..., lo quiero...; pero entre él y yo estás tú... Andate, Lita; cuando no te vea te olvidará. No te quiere lo suficiente para sufrir con tu ausencia; lo siento, estoy segura de ello. Yéndote, podré conquistarlo. Ahora no me ve. Inútilmente ensayo todas mis coqueterías. Tengo ansias de que me bese, de que me pegue, de sufrir por él, aunque más de lo que sufro no es posible sufrir. Me vuelvo loca al pensar que no me quiere.

"Y, realmente enloquecida, me sacudió gritando:

"—¡Mala..., mala..., egoísta..., engañadora!...

"Pero otro impulso la echó en mis brazos llorando y pidiendo perdón.

"—Perdóname, Lita; estoy loca; más me valiera morirme... Morir sería descansar... Mátame, Señor; llévame; así dejaré de padecer...

"Extendía las manos al crucifijo de ébano.

"Me arrodillé, desplomada, con la cara hundida en las manos, tratando de poner orden en mis ideas. Teresa seguía balbuciendo:

"—¡Llévame, Señor!... ¡Llévame, Señor!...

"Me pedía a Fernando. ¿Pero era mío Fernando? Nunca me dijo nada que pudiera hacerme creer en su amor. Palabras no existían. Sólo su acompañarme pudo darme esperanza. Pero ¿no sería acaso su acompañarme piedad por la niña sin gran belleza, abandonada en un rincón? ¿No me haría una limosna de afecto? Pero no, tal vez me quisiera, tal vez... ¿Por qué no? A Teresa no le hacía caso alguno. ¡Y era la más bonita! Entonces... Pero irme, dejarlo en poder de ese encanto que acabaría por conquistarlo... Dejarlo... ¿Me querría? Teresa aseguraba que no. ¡Pobre Teresa! Con su carácter, el sufrimiento había de serle insoportable. ¡Pobre!

"Me decidí, jugando el destino ciegamente:

"—No llores, Teresa; me iré, pero haremos antes un pacto. Si tú quieres a Fernando, también lo quiero yo. A él le toca decidir. Me iré. Si Fernando me quiere, me seguirá, y entonces, sin ningún remordimiento de haberte hecho un mal, me casaré con él. Si me voy y me olvida y se apega a ti, cásate con igual tranquilidad. Júrame que aceptas este convenio y que, suceda lo que suceda, no me guardarás ningún rencor y que me querrás siempre como a una hermana.

"—Lo juro —y tendió la mano al crucifijo.

"—También lo juro yo.

"Arreglamos entonces el plan de mi viaje. Me haría la enferma y pediría a mi padre que me sacara de la ciudad, que me llevara al puerto.

"Mi padre, para quien eran órdenes mis deseos, accedió en seguida y en su hábito de obrar rápidamente, dispuso el viaje para dos días después.

"En esa época no había ferrocarriles. Se hacían los viajes en carretón de familia y se echaban cinco o seis días en llegar a Santiago.

"Viví esas últimas horas sin voluntad, casi sin pensamiento, aturdida, sintiéndome arrastrada por una fuerza superior que iba disponiéndolo todo. Fernando estaba en su fundo y ni aun tuve el consuelo desgarrador de la despedida. Y al fin, en la mañana nebulosa, el carretón partió dando tumbos por el camino polvoriento y largo...

Tía Lita hace una pausa en su relato. La noche se ha espesado en el salón. Sólo distingo el boquerón de la puerta abierta. La lora no da su grito desgarrado. Hay en la casa toda un silencio de embrujamiento. Y tía Lita prosigue, con cansancio de jornada larga:

—¡Qué viaje de penurias! Miraba el camino que quedaba atrás, ansiosamente, creyendo ver, en cada jinete que nos alcanzaba, a Fernando, que iría en mi seguimiento en un impulso irrefrenable de amor. No dormía. No comía. Toda íntegra estaba fija en esa esperanza. Cada punto en el horizonte era un iluminarme de gozo, engañándome con el hombre que se acercaba, haciéndolo, hasta que la ilusión era imposible, igual a Fernando. Y no perdía esperanzas. Me decía: "Será el otro". Pero ésta constante tensión nerviosa me enfermó y llegué a Santiago tan enferma que los médicos diagnosticaron fiebre nerviosa.

"Creyeron que me moría.

"Dos meses después me fui al puerto, convaleciente. Entonces me entregaron las cartas que me llegaron en ese tiempo. No había ninguna de Fernando. Era Teresa la que preguntaba en su nombre por mí. ¡Qué tristeza de desengaño! Sentía tan en ruinas mi vida, tan miserable, tan inútil, que sólo ansiaba la muerte. La muerte que no llegó... Seguí viviendo..., y al poco tiempo recibí noticias de que se casaban.

"Era lo esperado. Apenas si unos días tuve la tristeza un poco amargada. Me conformaba el saberlos felices.

"Nunca volví a verlos, que al año, al dar a luz una hija que nació muerta, Teresa murió, y Fernando, tiempo después, se ahogó al vadear el Ñuble. Los lloré con desesperación de verdadero sentimiento. Fueron mis dos amores.

"No quise casarme, aunque tuve varios pretendientes. No quería mentir amor a ninguno. Corrieron los años. Murió mi padre. Murió misiá Juanita. Se casó mi hermano y ustedes vinieron a alegrar esta vida mía, triste y sola.

"¿Que por qué no vivo con ustedes? Porque siempre un ser callado, melancólico, desentona en una casa moderna. No soy decorativa: en los tonos brillantes del palacio de ustedes el viejo mueble carcomido y sin carácter que soy estaría desplazado.

"Mi casa es vieja como yo. Aquí tengo mis recuerdos. En los rincones obscuros que a ustedes amedrentan me parece que los amados fantasmas van a surgir a mi conjuro. Mi interior colonial me mantiene vivo el recuerdo de lo que fue.

"Me acompañan las antiguas sirvientas. Las siento ahora cerca de mí: toman como yo mate, rezan conmigo el rosario, vamos juntas a misa de ánimas. Somos todas restos de una época que pasó. Pero todo esto me es grato: tengo mis recuerdos, mis muertos, mi fe...

Calla la voz en fin de confidencia. Inclino la cabeza y la apoyo en las rodillas febles. Y largamente nos quedamos en el silencio palpitante de imágenes.

DOÑA TATO

Llegó prestigiada por treinta años de servicios en casa de unas viejecitas solteronas que acababan de morir con pocos días de diferencia. Sabía cocina y repostería. Exigía una pieza dormitorio para su uso particular y que le aceptaran un gato negro, gordiflón y taciturno. Ella se llamaba Tránsito; él, "Paquito". Porque siempre iban juntos, pareja estrafalaria: doña Tato, vieja, magra, la cara llena de arrugas hondas convergentes a la boca, el trasero saliente, los brazos muy largos y hábito del Carmen;

) 61 (

"Paquito", desmadejado, bostezante, silencioso en sus escarpines blancos. Lo trastornaron todo en casa. La vieja empezó por expulsar de la cocina a los otros gatos y a las otras sirvientas. La cocina era suya. Sólo a mí —con aires de condescendencia— me dejaba entrar. Encerrada con llave, se entendía con las sirvientas por el torno, y si alguna quería deslizarse adentro o insinuaba el propósito, la insultaba, mezclando a los dicterios tiradas de latines. Y como vomitando ese mejunje al par que aspeaba los largos brazos tenía algo de bruja, la creyeron en pacto con el demonio, y, horrorizadas, la dejaron vivir a su placer.

Los gatos tardaron más en darse por vencidos. Llegaban oteando por el torno o la ventana, buscando piltrafas, ansiosos de rescoldo. Y hallaban un brazo y una escoba mucho más largos que lo previsto y que siempre, invariablemente, les caían en medio del lomo. Hasta que uno quedó descaderado no parecieron tomar en serio el peligro que era la vieja. Desde entonces se refugiaron en el repostero, junto al anafe y las otras sirvientas, en acercamiento de víctimas del mismo poder.

Al principio hubo muchas protestas. A cada rato llegaba alguna mujer en son de acuse, y hasta los gatos —en su idioma— supongo que me darían quejas. Prometía amonestarla y hasta ponerla en la calle si no cambiaba de conducta. Pero cuando al anochecer venía doña Tato llena de majestad —seguida por "Paquito"— a tomar órdenes para el día siguiente, mis propósitos se iban arrastrados por la marea de respeto rayano en terror que la vieja me producía.

Empezaba mi aprendizaje de ama de casa; la falta de conocimiento y de práctica me hacía indecisa, débil, temerosa. Doña Tato se daba perfecta cuenta de su superioridad. Fingiéndose humilde, empezaba siempre:

—Aquí estoy a las órdenes de su mercé.

—¿Cómo está, doña Tato?

—Muy bien, para servirle. ¿Qué haremos mañana?

Yo me ponía a pensar en minutas, buscando con verdadera ansia en mis recuerdos los nombres de todos los guisos que conocía, y siempre, siempre, encontraba sólo aquellos que comiera en la mañana o —alejándome un poco— en la noche anterior.

Doña Tato decía al descuido:

—"Paquito" está bien.

Mala iba la cosa... Cuando no se le preguntaba por el gato, se ponía de peor humor que el pésimo de costumbre.

—Haremos..., haremos... budín de coliflor y berenjenas rellenas con queso.

Y la miraba, feliz de mi hallazgo, porque tenía la perfecta seguridad de no haber comido coliflor hacía largos meses.

—¡Es el tiempo ahora! —y en semicírculo, de pared a pared, su mirada ponía al salón por testigo de mi imbecilidad.

Pero yo, realmente imbécil, insistía porfiada:

—Quiero budín de coliflor.... Debe haber coliflor en conserva y berenjenas también.

La vieja saltaba furiosa:

—Tamién..., tamién... ¿Y qué más? ¿Un pajarito volando tamién? Estas iñoritas que no saben ónde están parás y se meten a disponer. *Ora pro nobis*.... Tamién.... Yo sabré lo que hago mañana. ¡No faltaba otra cosa! Cuando una ha servío treinta años en una casa no tiene pa qué andar mendigando mandares. *Per Christum Dominum nostrum*.... ¿Qué te parece, "Paquito"? Si no juera por mí te mataban de hambre. Nicolasa...., pa tu casa. Amén.

Y se marchaba de estampía, seguida perezosamente por el gato, dejándome humillada, indignada y amedrentada. Hasta que opté por abandonar mis aires de dueña de casa y decirle que no viniera más a tomar órdenes, que dispusiera ella a su antojo. Comíamos admirablemente. En el servicio había orden. En las cuentas, economías. ¿Qué más pedir?

La doncella me contó cómo rezaba la vieja el rosario, los rosarios, porque el día entero se pasaba en eso. Trajinando, siempre en una actividad enfermiza por lo continua, doña Tato murmuraba las avemarías a media voz, y al terminar, en el amén, agregaba un número, de uno a diez, para contar las decenas sin necesidad de tener en las manos un rosario que le impidiera seguir en sus quehaceres. Y los misterios los señalaba en la repisa con cinco papas que iba sacando de un cajón.

Lo encontré tan cómico que fui a mirarla y a oírla por el torno disimuladamente. Y era cierto. Desgranaba porotos e iba diciendo:

—Santa María, Madre de Dios, ruega por nosotros, pecadores, ahora y en la hora de nuestra muerte. Amén. Ocho. Dios te salve, María... Amén. Nueve. Dios te salve... Santa María... Diez.

Y puso una papa negra junto a las otras dos que estaban en la repisa.

Pero otro día me trajeron una historia que no me agradó ni pizca. Al llegar del mercado, doña Tato colocaba en el mesón toda la carne, llamaba a "Paquito" y decía:

—Elija, mi lindo.

Y el gato oliscaba trozo a trozo hasta hallar uno a su gusto para comérselo.

Hice llamar a doña Tato. Con mucho miedo, pero mucho valor, le dije:

—No es posible que cuando usted llega del mercado haga que "Paquito" meta el hocico en toda la carne para elegir su pedazo. Eso es muy sucio, doña Tato.

—Sucio...., sucio... ¿Y qué más? *Miserere nobis*. ¿"Paquito" sucio? Ya quisiera su mercé tener la boca tan limpia como "Paquito". *Ora pro nobis, sancta Dei Genitrix*. "Paquito" no se pone porquerías de pinturas en la cara ni menos en el hocico. *Vade retro*....

¡Era el colmo! Fui yo quien salió de estampía para llegarme al escritorio de Pedro y decidirlo con muchos arrumacos a despedir él a la vieja insolente.

Fue. Llegó a la puerta de la cocina, tocó con los nudillos. Se abrió el torno, apareciendo la cara mal agestada.

—Doña Tato... —pudo decir.

—Si quiere alguna cosa —interrumpió—; pídasela a la Petronila. Aquí no moleste.

Y cerró de golpe el postigo.

Pedro volvió mohíno y me dijo que era yo la llamada a echar a la vieja; que él, abogado de veintitrés años, con mujer y casa —aunque sin clientela, esto lo agrego yo—, no podía descender a esas pequeñeces. Y que, además, otra vez posiblemente no lograría dominarse y pondría a la vieja en la calle a fuerza de puntapiés. Mentira. Le pasó lo que a todos: le tuvo miedo a doña Tato. Y así siguió ésta inexpugnable en la cocina.

Por ese entonces, Pedro trajo varias veces invitados a comer. La segunda vez, doña Tato llegó como un basilisco a decirme:

—¿Qué se han imaginado que voy a pasarme alimentando hambrientos ociosos? *Agnus Dei, qui tollis peccata mundi.* Ni lesa que fuera...

—Pero, doña Tato...

—Si viene gente a comer, me mando a cambiar al tiro.

Y yo, iluminada, le contesté suavemente:

—Mire, Tatito, le diré con franqueza que Pedro quiere traer todos los días un amigo a comer. Si no está conforme con esto, lo mejor será que se vaya..., que busque ocupación en otra casa.

Me miraba con los ojillos desconfiados agudos de malicia y al fin dijo, riendo marrullera:

—¡Je! Era pa eso... *Vade retro*... No se incomode su mercé. No pienso irme, porque estoy muy a gusto y "Paquito" tamién. *Deo gratias.* Pero a esos ociosos..., ¡ya los espantaré!

Y los espantó, claro, porque siempre que teníamos invitados salaba o ahumaba la comida. Hubo a veces que improvisarlo todo con conservas.

Pensamos recurrir a la policía para echar a la vieja. Y tras mucha vacilación acabé por escribirle una carta muy atenta, con tres faltas de ortografía que corrigió Pedro, diciéndole que si no se retiraba para el 1.º del mes siguiente, llamaríamos al carabinero para obligarla a irse.

Y llegó el 1.º y pasó una semana y doña Tato no se iba. La hallé en el patio una tarde y le pregunté tímidamente:

—¿Cuándo se va, doña Tato?

—¿Usted cree que yo soy de las que duran un mes en cada casa? *In nomine Patris et Filii et Spiritus Sanctis.* Aquí estaré otros treinta años. Amén.

Entonces —acuciados por el miedo a soportar *per omnia secula seculorum* a la vieja—, Pedro tuvo una idea genial: le escribió a mi madre.

invitándola a pasar unos días con nosotros. Y llegó mi madre con empaque de juez y ojos escrutadores.

No dijimos nada; pero a la segunda comida, ante los guisos desastrosamente quemados, peores que en la mañana, mi madre estalló en preguntas rápidas que Pedro y yo contestábamos, atropellándonos para narrar nuestras desdichas bajo la tiranía de doña Tato.

Ante nuestros ojos mi madre adquiría su gran aire de *imperatrice*. Se puso de pie y salió, diciéndonos:

—Van a ver ustedes...

Nos mirábamos aterrados. Mirábamos la puerta esperando ver surgir en su vano a doña Tato, persiguiendo a mi madre con el largo brazo y la larga escoba, al par que fulminaba denuestos y latines para nuestra total exterminación.

Se oían voces, gritos, portazos, chillidos, caer de loza, carreras: todo simultáneamente. Luego un gran silencio.

Angustiada, hecha un ovillo toda contra Pedro, dije temblando:

—Anda a ver... Con tal que no la haya matado...

Pero entraba mi madre con largo paso tranquilo y ojos duros de triunfadora.

—Ya se va. Mañana mandará a buscar sus cosas.

Nos mirábamos atónitos. ¿Doña Tato? Pero...

La vimos pasar por la puerta abierta al patio. Iba con el cuello extendido, como temiendo un peligro, ladeado el moño, arrebozada en un chalón que le ceñía el trasero grotescamente, con "Paquito" en brazos, somnoliento y friolero.

Pasaba..., se alejaba..., se iba...

Y sin saber por qué, me eché a llorar en la corbata de Pedro.

DON COSME DE LA BARIEGA

El salón es angosto y largo, blanqueadas monásticamente las paredes desnudas de adornos, patinosas las vigas del techo de las cuales pende un quinqué. Alineados contra los muros abren sus brazos sillones abaciales de negruzco cuero tachonado por clavos de plata. En el centro hay una mesa mallorquina, un braserillo de cobre, dos escabeles de rústica hechura. La chimenea queda en un extremo: es ancha y baja. A ambos lados corre un vasar con potes y platos de Talavera. En el testero fronterizo a la chimenea hay un armario con puertas de cuarterones, más claros unos, más obscuros otros. Sobre el armario, destacándose nítida en la blancura de la cal, pende una cruz. La estancia tiene una puerta y dos balcones. La puerta es de una hoja, cuarterones alargados la forman, la cierra un cerrojo de calada manilla, bisagras rechinantes la fijan al quicio de piedra. En la parte alta del quicio reza una inscripción burdamente tallada: "Ave María". Los balcones de cristales diminutos forman en la fachada un saliente voladizo. Huele exquisitamente la madera resinosa que arde en la chimenea. Un viejo reloj marca las horas con un tictac leve, pronto a detenerse.

Hundido en las profundidades de un sillón, don Cosme de la Bariega medita con los ojos fijos en el diabólico bailotear de las llamas. Junto a un balcón, ovillada por el frío, leo aprovechando las últimas luces de un lluvioso día invernal. Cae la lluvia oblicua, violenta, incesante. Ráfagas huracanadas la hacen más agresiva aún. Los pomares gimen a su paso y los altos cipreses se inclinan rígidos, bruscos, desacompasados.

Es noche en el salón que sólo la lumbre rojiza del fuego ilumina. Don Cosme sigue con los ojos extáticos fijos en las llamas. Estos invernales crepúsculos asturianos tienen un hechizo que embruja. En las sombras de la vetusta casona me asalta siempre la pavorosa idea: por alguno de los pasillos lúgubres, por los ángulos tenebrosos de los salones inmensos, el espectro de algún antepasado ha de salirme al encuentro. No huyo la idea. La acaricio, la provoco atravesando los salones desmantelados cuyos ecos resuenan a mi paso, excursionando por el desván tan bajo y tan sombrío que a cada instante me detengo despavorida. Pero mis predilectos para sentir tales sensaciones son este salón y la capilla resonante y húmeda, en que las preces parecen rodar de truenos sobre montañas, en que los cuerpos están como envueltos en un frígido sudario. En entrando a la casona se siente un pavoroso respeto que abate bríos, ensordece la voz, aquieta la mente. Hasta este viejo magro, callado y extático me espanta con su aire de loco. ¿Por qué no habla nunca?

Un ruidito suave, persistente, me distrae. ¿Qué rebulle en las sombras? Miro con pupilas dilatadas, atento el oído, entreabierta la boca reseca por el pavor. Miro... Miro... Con gentil trotecillo cruza la estancia un ratón diminuto de larga cola. Respiro reconfortada y para librarme del sortilegio de las sombras, a través de los vidrios vahorosos miro la plazuela desolada que se extiende frente a la casona.

Por la calleja de la Fuentina sube penosamente impedida por el agua y el viento una figura mujeril. De pronto un remolino la coge: vacilan las piernas febles: de bruces cae a tierra el cuerpecillo miserable. Quiere levantarse, pero los pelos blancos la ciegan. Una almadreña flota en un charco de agua. Vuelve a caer y da un grito que domina el rumor de la lluvia y el ulular del viento.

La miro ansiosamente, queriendo ayudarla con mi deseo. Mi deseo... ¿Qué puede mi deseo? Doy un paso hacia la puerta, mas cinco garras que se clavan en mi brazo me detienen. Don Cosme de la Bariega está junto a mí.

—Pepa la Bruja se ha caído; diré a Tomasón que vaya en su ayuda —murmuro anhelante.

—No, quédate —ordena la voz ruda del viejo.

—Pero, señor... —protesto.

—No quiero que vayas, no —y dirigiéndose a Pepa la Bruja, que acurrucada en el suelo aparta de los ojos los pelos foscos—: ¡Así murieras de una vez, mal demonio! —grita.

Apenas respiro, aterrada por la ira del viejo. Sigue junto a mí, vomitando maldiciones, con el brazo extendido, apocalíptico y grotesco.

—¡Malos vientos te soplen por siempre jamás! Nela, —dice interrumpiéndose y taladrándome con los ojillos acuosos—. Nela, si tú amaras a un hombre y ese hombre te mintiera amor, olvidándote luego, ¿qué harías? Di...

—No sé... No sé... —balbuceo temblando.

—Pues una rapaza conocí que a la cueva de esa bruja acudió en busca de filtros que le dieran el querer de un hombre. Habíanlos de tomar mitad a mitad, ordenó Pepa, y mitad a mitad los tomaron: ella sabedora, él ignorante en una copa de sidra que la rapaza le sirviera. La rapaza murió... de mal de amores, dijeron. Pero él supo la verdad de boca de la propia Pepa. Vengaba en el hijo desdenes del padre. Hace de esto años... Desde que bebí aquella pócima tengo aquí dentro fuego que me consume, odios, manías, rencores, pavuras...

Grita una racha su larga queja. La vieja se ha puesto en pie y se pierde vacilante por la calleja que lleva a su antro. Don Cosme enmudece así que la sombra esquelética se pierde. Me mira y lentamente retrocede hasta ganar de nuevo su sillón. Tiembla aún la barbilla del anciano, las manos sarmentosas crujen al restregarse nerviosas. Mas poco a poco vuelve a su expresión extática, mirando fijo el bailotear de las llamas.

Ya sé el porqué de la mansa locura del señor De la Bariega. Envuelta en sombras, torturada por todos los espantos, rehago el drama.

MISIA MARIANITA

Al salir de casa, los largos dedos de un vientecillo aún frío de invierno le acariciaron la cara; pero contrastando con esta impresión, los rayos de un sol aplomado se le metieron por la piel rugosa como una inyección de vigor, de juventud pujante. Echó a andar, lentamente, saboreando el goce de los perfumes que por oleadas venían en cada racha. Los ojos acuosos de vejez le velaban la visión y en una especie de niebla se lo envolvían todo. También el oído tenía sus fallas y la calle era para ella un runrunear de abejorros, confuso, en que los cláxones rasgaban estridencias desagradables. De toda la plenitud de los años mozos le quedaba el olfato, goce refinado que le daba la certidumbre de que la primavera la aguardaba allá, en el cerro Santa Lucía, toda olorosa, recién llegada y con la gracia pueril de las floraciones en botón. Y quebádale también el tacto, que se complacía en la suavidad de las sedas y las pieles, y quedábale también el gusto, sibaritismo de las pequeñas golosinas.

Así, lenta, menuda, un poco feble, linda y descolorida como un daguerrotipo romántico, con toda la coquetería viva también en detalles de discreta elegancia y refinada feminidad, misiá Marianita iba por las calles que se anudaban en curvas en torno al cerro, resto de ciudad colonial, perspectivas truncas con lo imprevisto a la vuelta de casas altas, recién construidas, modernas de arquitectura, simples o complicadas; con lo previsto de casas bajas, antiguas, de anchos portalones y ventanas saledizas, humildes o señoriales.

Barrio que fuera su barrio desde siempre, cada casa era para ella la fisonomía querida de un amigo: le sonreían con las persianas semicerradas en los edificios nuevos, y, en el fondo de los zaguanes de las viejas casonas, la visión de un patio umbroso le daba una alegría que cantaba villancicos en su corazón.

Su barrio era su tesoro. Salía de la casa que habitaba en la calle Lastarria e iba lentamente hasta adentrarse por la de Villavicencio, para seguir la de Estados Unidos y avanzar por la de Bueras. Al finalizar la de Bueras se asomaba curiosamente a las dos grandes desembocaduras próximas: la Alameda y el Parque Forestal. Era una mirada curiosa, un poco asustada, que el parque le parecía asilo de enamorados en el día, y en la noche, guarida de ladrones, y a los primeros era discreto no molestarlos y los segundos estaban bien sin víctimas. En cuanto a la Alameda, lustrosa de asfalto y con los demonios de los autobuses aturdiéndola de velocidad y ruidos, le parecía sencillamente pavorosa.

Entonces deshacía camino y volvíase a su casa de portalón señorial, con aleros salientes y ventanas de complicada rejadura.

Otras veces se iba por la calle Lastarria para seguir por la de Rosal y la del cerro hasta la esquina de Merced, frente a la subida del Santa Lucía. Ahí tenía el mismo atisbar medroso, que cinco calles formaban una especie de estrella y la subida del cerro era un atractivo enorme con sus jardines y sus prados, con el verde de los árboles en que había sombras negruzcas, con el reverberar el sol en la roca desnuda. Un rato se quedaba ahí, sin atreverse a la aventura de subir por la pendiente suave, temerosa de las piernas reumáticas y del corazón enfermo.

Así iba la viejecita bordando las horas del sol con el hilo de sus paseos, interesada en su barrio, observando que pintaban de verde una casa, que en un edificio colocaban un farol de hierro, que el castillete de extraña arquitectura tenía un torreón, una gárgola, una escalera externa, unas ojivas, unos vidrios de colores; que demolían una casona —¡qué pena, Jesús querido!—, que una enredadera se cubría de hojas, que quitaban una reja para enanchar la acera, que un despacho se abría en una esquina, que no colgaban la jaula del canario en un balcón, que cierta niñita ya sabía andar, que la señora enferma estaba como siempre tomando el sol en una silla larga. El ir de misiá Marianita era siempre lleno de paradas en que echaba mano de los lentes, que cada detalle era un embeleso para la atención y un venero para la curiosidad.

Aquel barrio en que transcurrieron su infancia de criatura feliz, su adolescencia de niña piadosa, su juventud de muchachita pacata, su madurez de mujer soltera que en los quehaceres domésticos echa todas sus horas, su vejez de anciana que se deja vivir en el regalo de una fortuna y en la soledad falta de parientes y amigos; su vida toda tuvo por marco principal aquel barrio que ahora era para ella el marco único, restringida por la vejez temerosa a ese radio conocido, ritmo de días de sol y de días sin sol, de días en que se puede salir y de días en que hay que estarse en casa.

Esa mañana la viejecita siguió por la calle Lastarria y continuó por la de Merced —rara vez se aventuraba por ella, que, arteria principal, los muchos coches y tranvías la aturdían—; iba con el ánimo alegre y el paso un poquito más ligero que de costumbre. No se le hizo largo ese trecho. Llegó a la esquina y el cerro imanó sus ojos, todo verde de árboles, todo rosado de flores de durazno, todo perfumado de aromos. Se quedó ahí, sin saber qué hacer, mirando fijamente un prado de florecitas que parecía una alfombra de colores desvanecidos, con ganas de acercarse, temerosa del cansancio, irresoluta.

Y de pronto, con algo de desafiante y de escandalizado al propio tiempo en la actitud, la viejecita atravesó la calzada y empezó a subir las avenidas serpenteantes del cerro, con una alegría de niño que avanza por la aventura maravillosa y cuya mayor maravilla es la propia audacia con que se entra en el reino de lo fantástico.

¡Cuántos años! ¡Cuántos años hacía que misiá Marianita no caminaba por allí!

El prado de florecitas visto de cerca la enterneció. Se inclinó y pasó una mano temblorosa sobre las corolas multicolores. Hizo otro alto frente a un rosal en que un botón se abría perezosamente al sol, amarillo, con el borde de los pétalos rojo intenso. Sonrió a los duraznos que ponían su escarcha rosada en la ladera. Siguió subiendo hasta llegar a un altozano y encontrar ahí el agrado de un banco bajo un árbol que lo sombreaba con su copa esponjada, esférica, rumorosa de trinos y de vientos.

El cansancio la inmovilizó un rato en un estado de estupor. Cuando volvió a la plena posesión de sí misma tuvo una especie de deslumbramiento. Desde allí dominaba entero su barrio. Las calles se adivinaban entre los tejados superpuestos. Tuvo una larga sonrisa que le hizo brillar entre los labios pálidos la dentadura espléndida, desconcertante en aquella cara de pergamino rugoso. Se enseñoreó del paisaje. Se sentó con mayor holgura en el banco de hierro, puso a un lado la cartera y los guantes, el pañuelo y el quitasol. Ahuecó las faldas con el movimiento de otros tiempos, cuando las elegantes acomodaban la crinolina. Puso los lentes sobre la nariz, y en esta atalaya, gozosamente, empezó a descubrir su barrio desde el nuevo ángulo.

Fue una delicia. Cada tejado era un problema que resolver. ¿Era aquél el de la casa de Victoria? ¿Correspondía el otro a la casa del doctor? En esa casa vivió Josefina con su hija. ¡A ver! ¡A ver! Primero estaba la casa nueva de las Pérez, después la casa de renta de los Marín; entonces, el tejado que seguía era el de Pancho. Pero ¿cómo se veía tan alto? ¿Estaría equivocada? ¡A ver! ¡A ver! La calle Rosal llegaba hasta allí; luego, más allá, seguía la de Lastarria; después estaba la de Villavicencio, en aquella dirección. Primero la casa de las Pérez, después la de los Marín. Era imposible que aquel tejado fuera el de Pancho. Se interesó prodigiosamente con este problema. Limpió los lentes. Volvió a mirar. Y la mañana se le fue en resolver esa incógnita.

Cuando el cañonazo cortó el mediodía detonantemente, misiá Marianita tuvo un sobresalto, que de común esa hora la encontraba en su casa, frente a la mesa de caoba, en el comedor de paredes encaladas, saboreando el caldito de pollo a la par que le daba conversación a la criada, viejecita como ella y como ella apegada al barrio, molusco que se quiere inamovible.

Hacer el camino de regreso presurosa le fue fácil, llena como estaba de novedades. Llegó a la casa excitada, rebosando su aventura. No le dio importancia a la inquietud con que se la aguardaba. Y nunca tuvo mayor animación la cháchara con que señora y criada distrajeron la comida. Iban y venían las preguntas, todas ellas misterios de tejados por resolver.

Desde ese día la vida de la viejecita tuvo un nuevo rumbo y una nueva aspiración. Rumbo: el del cerro. Aspiración: la de querer abarcar mayor horizonte. Al volver al día siguiente no se contentó con quedarse en el mismo sitio de la mañana anterior. Subió un poco más. Las escaleras la fatigaban. Pero seguía subiendo. No le importaban las agujetas que martirizaban sus piernas ni le importaba tampoco que el corazón le advirtiera con una punzada dolorosa que no podía ella andar por esos caminos.

Subía cada día nuevos tramos, llegaba a un descanso superior. La mañana que alcanzó la avenida de los coches tuvo un verdadero deslumbramiento de goce, una embriaguez que hubiera querido lanzar gritos, hacer algo extraño, llamar a las gentes y decirles su júbilo. Unos minutos estuvo con los ojos cerrados, respirando trabajosamente, con un hormigueo en las piernas tiritonas, apretándose el corazón que le martillaba el pecho. Reaccionó y al abrir los párpados el panorama le dio otra vez el deslumbramiento de placer y el deseo de comunicar su contento. Acababa de descubrir la casa de Pancho vista por la fachada. Tuvo tal alegría que se puso a charlar a media voz, un poco incoherente, un poco jadeante, un poco loca.

La muchacha que leía sentada a su lado levantó los ojos del libro y la miró con curiosidad simpática. La viejecita la miró a su vez, y feliz por esa atención que adivinara cordial contó su historia, la historia de su barrio, del barrio que conociera durante tantos años y que ahora descubría desde diferentes puntos de vista.

Decía:

—Porque conocer las cosas, verlas demasiado de cerca, tener a cada instante la sensación exacta de la realidad, es cansador. Yo iba por mi barrio con una curiosidad vulgar, sin apasionarme, viendo sólo hechos. Pero luego la distancia me dio la clave del interés verdadero, vi en otra forma, tuve que hacer un trabajo de adivinación, de relaciones, para descubrir la verdad. Eso sí que es apasionante. Esto es lo que pone en la vida calor de interés. ¿Verdad, hijita?

A mediodía bajaron juntas, amigablemente tomadas del brazo. Al despedirse, la viejecita dio a la muchacha un nombre y una dirección. Y quedaron de juntarse a la mañana siguiente en el mismo banco. La muchacha se quedó mirando cómo se alejaba por la calle que contorna el cerro, subiendo la suave pendiente con ligereza juvenil, menuda, feble, con las plumas de la capota flameantes al viento, con el quitasol esgrimido como un bastón, un tanto grotesca, un tanto enternecedora.

La muchacha la esperó inútilmente en la otra mañana. No vino. Ni tampoco en la subsiguiente. Al tercer día, cuando la muchacha abrió un diario, por esa atracción que las cruces en las defunciones tienen para el que lee, se fijaron sus ojos en las palabras de la fórmula común: "Ha dejado de existir la señorita Mariana...."

Un apellido. Una dirección.

Por el barrio bienamado ya no pasaría nunca más la figurita menuda y feble.

DOÑA SANTITOS

Tenía la cara rugosa, pequeñita, y el cuerpo endeble, de garfio tembloroso. Un pañuelo negro atado a la cabeza le ocultaba el pelo, formando visera a los ojos grandes, cuencos de agua clara inexpresiva. Por la hendidura de la boca asomaba un diente, un diente único, largo, torcido, amarillo de soledad. La nariz bajaba en busca del mentón. Arrebozada en un chal obscuro, iba delante de ella, tanteando, un bastoncillo de quila.

Había oído decir que era vecina nuestra, dueña de un terrenito en Coínco. Se llamaba Santos Poblete, pero todos, cariñosamente, le decían doña Santitos.

Llegó en un carretón de familia tirado por bueyes, uno de esos carretones que fueran el orgullo de nuestros abuelos. Era una especie de casita con su puerta trasera y dos ventanas laterales, con cortinillas de percala a pintas, todo ello verde rabioso y empingorotado sobre ruedas enormes y chirriantes. La acompañaba, picana al hombro, un muchacho. Su hijo, tal vez.

Venía a verme porque le diera un remedio, atraída por mi fama de curandera. Luego de mucho pedir disculpas y saludar y tornar a las disculpas y a los saludos nuevamente, me explicó su mal.

—Es un gurto que se me le pone por aquí, por el costao, y lueguito se me le corre pa l'espalda y end'ehi me agarra l'estomo y después se me le fija en el corazón. Y casi mi'ahogo, iñorita. Ya hacen como cinco años qu'estoy sufriendo d'este mal. Hey tomao cuanto remedio se pue su mercé figurar. Me han visto toas las meicas conocías de por aquí y hasta los doutores de Curacautín y de Victoria. Ninguno ha podío aliviarme ni así tantito. Ya tenía perdías las esperanzas, cuando m'ijeron que su mercé era tan güena curandera; se lo ijeron a Saldaña, onde Juana Campos, la que su mercé mejoró de la fiebre, y tamién onde Rosamel Pérez. Y entonces Saldaña mi'animó pa que viniera a molestar a su mercé... ¡Ay! ¡Este gurto me v'acabar con la vía!

La miraba perpleja, porque el "gurto viajero" no estaba en el catálogo de las enfermedades que conocía. Pero no arredré. Le hice un examen prolijo, matizado con preguntas vagas. Y acabé por diagnosticar, muy seria:

—Lo que usted tiene es "gurtitis", una enfermedad muy rara, pero fácil de mejorar. Espérese que vuelva con el remedio.

Fui al comedor, hice unas bolitas de miga de pan muy bien amasadas, las puse en una caja, les eché encima canela en polvo y volví al escritorio donde la vieja me esperaba pacientemente, dando suspiros y ayes.

—Aquí tiene, doña Santitos; son unas pastillas especiales para su enfermedad. Tiene que tomarse dos todas las mañanas, con un vaso de leche, vuelta para el lado sur, y rezar después tres avemarías. Verá cómo mejora. Pero no vaya a olvidarse de estar de cara al sur y de rezar, porque entonces el remedio no le haría efecto.

Me miraba, asintiendo a cabezadas, con los ojos ilusionados, temblando de ansia las manos sarmentosas al coger la caja. Me dio las gracias. Repitió las disculpas. Volvió a decirme cómo Saldaña tenía fe ciega en mi poder curativo. Me contó nuevamente el itinerario del bulto, con estaciones y paradas. Di otra vez mi diagnóstico y repetí mis instrucciones.

Las repitió ella para bien aprenderlas y al fin se marchó, con el bastón buscando el camino donde la esperaban la carreta y el muchacho, contenta, mostrando el diente único, badajo de su sonrisa.

—Las leseras que inventas.... —me reprocharon en casa.

—¡Bah! —contesté—. Bien puede que mejore.

Y no hubo más comentarios y me olvidé de doña Santitos.

A la semana apareció otra vez en su vehículo colonial, transfigurada, con un rebozo a grandes cuadros, un pañuelo rojo en la cabeza, la sonrisa tajeándole la cara y los ojos en baile de gozo. Detrás venía el muchacho con un canasto con verduras, un pato y un ramo de cóguiles.

Había mejorado y aquello era su presente de gratitud.

Me quedé estupefacta. La vieja hablaba manoteando. Me hacía sopesar el pato, estimar las hojas prietas de un repollo, admirar los granos del maíz, oliscar los cóguiles que reventaban de maduros. Hablaba, hablaba, hablaba. De ella, de mí, de Saldaña, de su alivio, de mi saber, de su alegría, de mi bondad, de su agradecimiento, de Saldaña.

¿Quién sería Saldaña?

Era una taravilla. Pregunté, interrumpiéndola:

—¿Pero ya no siente el bulto?

—No, iñorita. Es como si me l'hubieran quitao con la mano. Y hay que ver los años que llevaba fregándome, con pe:miso de su mercé y disculpas por la palabra. ¿No es cierto, Saldaña?

El muchacho dio un gruñido que bien podía ser sí o no. Parecía un perrazo nuevo, grande, desmañado, con una cabeza enorme y ojos buenos de lealtad y cariño.

—¿Saldaña es su hijo?

—M'hijo... ¡Bah, iñorita! Las cosas... Saldaña es mi marío.

Abrí los ojos abismados. Pero...

—Sí —prosiguió la vieja—, es mi marío, es decir, casaos no estamos, ni falta qui'hace. Vivimos así no más, ya van pa los tres años. Es sobrino de uno de mis finaos, del tercero, porque con Saldaña hey tenío cuatro maríos; es sobrino y muy güeno; de los cuatro es el que mi'ha salío mejor.

El muchacho la miraba sonriendo, sin nada en la expresión que no fuera cariño. Y la vieja —más y más locuazmente confiada— siguió diciéndome en voz baja:

—Güeno, con el primero me casé por too lo que hay que casarse, y viera cómo me salió el condenao.... Estaba seguro de qu'hiciera lo qu'hiciera, siempre sería mi marío, amparao por la ley y por l'iglesia. Su mercé sabrá que tengo una hijuelita que vale sus pesos. Por na no la embargaron pa pagar lo que debía. Me abandonaba. Se iba pa'l pueblo a remoler. Se curaba. Me trataba pior que a perro. Hasta que al cabo se murió. Entonces jui yo y me'ije: "No, pues, Santos, no habís de ser más lesa. No te volvai a casar. Si querís otro hombre, vivís así no más con él. Hombre necesitas, pa que cuide l'hijuela más que no sea, pero tenelo así, con el interés de ser agradoso pa gozar de tu bienestar y con el susto de que como no es tu marío, el día que te canse lo echái puerta ajuera". Y así lo hice. Viví con otro que era bastante güeno, pero no tanto como Saldaña. A los cuantos años se enredó con una china de Quilquilco. Yo lo supe y l'ije que enredos no, y que se juera. Se jue. No supe más d'él. Después viví con don Saldaña, un poco porfiao y otro poco aficionao al trago. Pero en fin: trabajador y honrao. Murió de una lipidia. Lástima que l'iñorita no l'hubiera visto pa que me l'hubiera mejorao. Pero más vale que no, porque así di con Saldaña, éste de agora, qu'es tan güenazo, tan trabajaor, y que me aprecea tanto. ¡Je!

—¿Y no tiene miedo de que, siendo como es mucho más joven que usted, se le enrede por ahí con alguna chiquilla?

—¡Je! Pior pa'él. Si s'enreda con alguna lo echo. Pior pa'él, güelvo a repetirlo, ya que con naiden tendrá la vía más descansá que conmigo.

—Pero entonces quiere decir que si vive con usted es sólo por inte és.

—Y yo lo tengo tamién por el interés de que me cuide l'hijuela y me cuide a mí. Estamos pagaos.

—¿Y usted qué dice, Saldaña?

—¿Yo? —y dio otro gruñido de perro, ininteligible.

—Mire, iñorita... —Se interrumpió doña Santitos para decir al muchacho—: Saldaña, anda esperarme en la reja —y luego continuó diciéndome misteriosamente—: Favor por favor: su mercé me mejoró de mi gurto. Yo le voy a dar a su mercé el secreto pa ser feliz. Es mi verdá aprendía en tantos años de tantas euperiencias. A los hombres, pa tenerlos seguros, hay qui'agarrarlos por el mieo a encontrarse cualquier día sin mujer. No hay que icirles nunca *sí* ni *no*. Hay que icirles siempre *quizá*. Créame, iñorita: la mujer que no tiene al hombre sobresáltao'e recelos, está perdía. Créame, se lo igo yo, que por decir una vez *sí* estuve cinco años penando, y por decir *quizá* hey pasao el resto de mi vía muy contenta.

Seguía mirándola abismada. Debía de hacer una figura tontamente ridícula, con un pato que aleteaba en una mano, un ramo de cóguiles en la otra, las verduras en ringla a los pies.

Pero la vieja había terminado sus confidencias y me habl·ba otra vez de su enfermedad, de su mejoría; me daba las gracias manote·ndo, se despedía y al fin se marchaba. El muchacho se le juntó en la reja del parque y siguieron hasta la carreta: adelante ella, con el bastoncito tembloroso que parecía decir: *quizá*; atrás, él, sumisamente, en la duda.

DON FLORISONDO

Colocada en una mesa enana en medio de la estancia, la luz del chonchón echaba sobre las paredes enormes sombras grotescas.

Junto a la mesa, sentado en un piso, un viejo iba parsimoniosamente limpiando la vajilla misérrima. Se inclinaba para lavar las fuentecillas de greda en un tarro con agua caliente que estaba en el suelo; se erguía manteniendo la fuente en alto, en espera de que escurrieran las últimas gotas de agua, y por fin, despacioso y prolijo, la secaba con un paño, dejándola bruñida sobre la mesa.

La luz tiraba su sombra a un rincón, haciendo a veces llegar la cabeza hasta el techo, quebrando otras las líneas del cuerpo en los ángulos de las paredes, figurando de cada uno de los movimientos caricaturas monstruosas.

—¡Ah! ¡Aaaaah! —bostezó Pascuala.

—Ya poco me va faltando —dijo el viejo disculpándose, como si aquel bostezo fuera un reproche a su lentitud.

Era un viejo sesentón, alto, cenceño, bien plantado, puro músculo bajo la piel morena que apenas marcaban las arrugas. Tenía blancos los pelos y las barbas, largos unos y otras, lo que le daba aire bíblico, asemejándolo a esas tallas primitivas que son pastores en los nacimientos del Niño Dios. Los ojos parecían negros, pero destellos azules y estrías grises los tornaban, como las uvas, sin color preciso. Y tenían tal luz de bondad que, al sonreir la bocaza desdentada, eran ingenuamente infantiles.

Se llamaba Florisondo González y ocupaba en un gran fundo sureño el puesto de capataz de los taladores. A pesar de su edad, ninguno lo aventajaba en resistencia. Cuando después de muchos años de formar parte entre los taladores lo elevaron a capataz, en vez de hacer sólo vigilancia, echaba el tiempo en vigilar y cortar, alternativamente, que según decía, de dedicarse únicamente a lo primero, acabaría por "amogosarse".

—Me duele la cabeza —murmuró la mujer, rebullendo inquieta bajo la ropa.

—No te movái tanto; ya sabís que jue lo que más recomendó ña Manuela.

—Es que tengo tan molío todo el cuerpo... Las sienes me laten hartazo... —Sentía ese hormigueo que precede a la fiebre, y como al menor movimiento que hiciera, don Florisondo la reñía dulcemente, desahogaba su nerviosidad arañando el embozo con dedos trémulos.

—¡Pobre mi Pascualita! —La voz se apagaba casi en un temblor de compasiva ternura.

Como ya había terminado su tarea, el viejo se puso en pie, cogió los platos, las fuentecillas y las jarras en rimero y, andando cuidadoso —

fijos los ojos en la jarra de más arriba, que temblaba amenazando caer—, se llegó a la mesa adosada a la pared, colocándolo todo en orden.

—¡Ya está! —exclamó ufano.

—¡Je! —rió Pascuala con un puntillo de burla—. ¡Tan difícil qu'era la cosa!

—Pa vos qu'estái acostumbrá...

—¡Es que los hombres son tan lerdos!

—Pero el cuento es que too está limpio y na rompí...

—Güeno —concedió la mujer—, será que vos no soi tan lerdo como los otros.

Don Florisondo acogió el piropo con una gran risa silenciosa, boquerón negro entre la blancura plateada de las barbas.

—¿Qui'hará la guagua?

—Tá durmiendo, pue.

—¿De veritas? —insistió, acercándose a la cuna.

La cuna era un cajón vacío de azúcar, pulido para evitar las astillas y montado en cuatro patas que lo alzaban a la altura del catre.

Don Florisondo levantó cuidadosamente la ropa, separó el pañuelo de lana que ocultaba la carita y apareció ésta, enrojecida y rugosa, con la naricilla chata, la boca estirada mamando en sueños y los párpados cerrados. Las pestañas obscuras y largas eran la única nota de belleza real en ese esbozo de fisonomía.

—Es harto lindo —comentó don Florisondo, extasiado.

Antes de volver a cubrirla se inclinó a besarla; mas detenido en su impulso por un temor, se pasó brusco y repetido la manga de la chaqueta por la boca. Entonces completó el movimiento, besando levemente —con una especie de reverente azoro— la mejilla, que se contrajo al roce.

Aún miró un instante a la criatura por si hubiera despertado. Pero no, dormía siempre y acabó tapándola a la par que murmuraba:

—¡Es cosa muy grande tener un hijo!

—¡Aaaaah! —bostezó Pascuala, extendiendo los brazos—. Me duele la cabeza —agregó después.

—Es puro sueño. Hay que tener en cuenta que ya llevamos dos noches sin dar una pestañá.

—Así no más es —y de repente tuvo un escalofrío al acordarse de los dolores pasados.

—¿Querís alguna cosa?

—Dame una poquita di'agua. Tengo una sed...

Luego de beber, Pascuala repitió su queja:

—Me duele la cabeza, me late.

—Es el sueño. Ya está. Quéate dormía... —Arreglaba los cobertores que barrían el suelo.

—Ejame el tarro con l'agua en el velaor, por si me da más sed en la noche.

—Si querís alguna cosa me llamái no más. Hasta mañana. —Se inclinaba a besarla con la misma expresión azorada con que antes besara a la criatura.

La mujer se dejaba hacer sin un movimiento. Don Florisondo ciñó las ropas al cuerpo adolorido, echó otra mirada a la cuna y se fue a un extremo de la habitación, sacando del caballete los choapinos que servían de pelero a la montura. Volvió con ellos y con una manta que cogió del arcón, y a los pies del catre, en el suelo, improvisó una cama con los choapinos extendidos.

Medio se desvistió. Cuando se descalzaba notó que no había apagado la luz.

Se puso de pie y un largo rato estuvo batallando con la llama, que, enroscada a un humo acre, se obstinaba en no morir.

—¡Hasta cuándo va a fregar! —murmuró impaciente.

Tomó un gran aliento. Las mejillas se le aglobaron. Y de un soplo brusco consiguió la obscuridad.

A tientas volvióse a la cama, se tendió liándose en la manta y se quedó inmóvil, pensando en muchas cosas que se diseñaban apenas en su mente, sucediéndose en un calidoscopio que lo fatigaba, que lo rendía, que lo durmió.

En los intervalos de silencio que dejaban los ronquidos del viejo, se oían el anhelante respirar de Pascuala, que dormía desasosegada, y el roer de serrucho de un ratoncillo que horadaba el arca.

La mujer había dado a luz la antevíspera.

Cuando tres años antes se casó Pascuala —jovencita y agraciada— con don Florisondo González, por la diferencia de edad creyeron todos que el nuevo matrimonio sería un infierno de reyertas y traiciones. Pero no: la muchachita se plegó sumisamente a la voluntad del viejo y no hubo disgustos, como no hubo traiciones, porque al cariño del marido correspondía ella con una suave ternura.

Sencilla, buena, con la mentalidad tarda del montañés, con los sentidos como embotados, Pascuala se dejaba vivir sin ninguna inquietud, sin ninguna aspiración. Su marido y su puebla eran su mundo, y en él tenía la dicha total.

Don Florisondo —aunque feliz en la misma forma— ansiaba un hijo con tal persistencia, que era una especie de idea fija el tenerlo. A Pascuala aquello le era casi indiferente. Si el hijo llegaba, bueno. Si el hijo no llegaba, bueno también.

Vivían en una puebla solitaria, en el corazón de la montaña de Collihuanqui, junto a un barranco que ahondaba el río. No se alcanzaba a ver el agua, oculta por las breñas, pero se la sentía rugir en invierno arrastrando grandes maderos que se entrechocaban reciamente; se la sentía rezongar en las enormes avenidas de los deshielos primaverales; se la oía murmurar con las piedras bajo remolinos de espuma en la corta sequía veraniega; se la percibía barbotando bajo el caer menudo y constante de las lluvias otoñales.

Un angosto valle se alargaba entre la montaña propiamente tal y el borde del barranco. Fuera de la mancha parda de la puebla y de la sierpe ocre del camino, el paisaje íntegro era verde, en distintos tonos, pero verde siempre: el valle con su pasto tierno, manchado de coirones, el bosque con sus árboles compactos unidos por marañas de enredaderas, bloque inexpugnable guardador de su virginidad. Si al hombre le era imposible adentrarse en la montaña, los habitantes de la montaña solían llegar hasta las quilas que eran la vanguardia del bosque, y el puma lanzaba su rugido sembrador de espanto, o el gato montés daba saltos de resorte para caer seguro en una presa, o las chillas volvían locos a los perros imitando su ladrido. Más audaces, las zorras se aventuraban hasta la puebla, buscando alguna gallina. Pero don Florisondo tenía un cepo infalible y a veces amanecía una adentro, con la cara humanizada por una curiosa expresión de miedo y de vergüenza.

La puebla eran tres pequeños edificios: la casa, la cocina y un cobertizo para varios usos: apeadero, leñera, horno y gallinero. Atrás había una huerta y delante un corralillo.

El viento solía traer el eco de una bocina. Era la llamada de las máquinas aserradoras que estaban pasado el valle, en la montaña que actualmente se iba talando. Allá se iba don Florisondo de alba, para regresar generalmente al atardecer. Pascuala, mientras, ocupaba su soledad en menesteres caseros que la absorbían, llenándole las horas de pequeñas preocupaciones.

En las noches, al amor del rescoldo, don Florisondo hacía proyectos para el porvenir, siempre girando en torno al hijo como si ya existiera, hablando de comprarle un mampato, o de hilar el vellón de la oveja negra para hacerle un poncho pequeñito, o de prohibirle que se fuera hasta el barranco porque no fuera a desriscarse. La mujer lo oía, sonriendo, con los ojos muy abiertos, muy fijos, muy inexpresivos.

—No desvaríe tanto —solía decir.

Y el viejo, sin recoger velas, exclamaba silencioso:

—¡Pa toos amanece Dios!

Por los campos, en su ir y venir constante de la puebla al aserradero, solía encontrar una masa informe que afanosa iba la vaca puliendo a fuerza de lengua. Otras veces ya estaba el ternerillo en pie, todo tembloroso contra el flanco de su madre. Don Florisondo se lo quedaba mirando, vagamente enternecido, con un sentimiento de paternidad que, de no retenerse, lo hubiera empujado a acariciar la bestia recién nacida.

Al ver la figura deformada de una mujer próxima a ser madre, los ojos se le humedecían envidiando esa deformidad para Pascuala. Y lo curioso era que no sentía terneza ni envidia mirando a un niño, que ninguno le gustaba para hijo, suponiendo siempre mil veces mejor, más bonito, más bueno, más inteligente al suyo.

En esa ansia pasó un año y otro, y al fin Pascuala anunció que el hijo iba a llegar.

El viejo vivió esos meses como extático. No hablaba. Echaba su gozo en grandes sonrisas y en el mirar hondo de esperanza. Rodeaba a la mujer de infinitas precauciones. Cuanto tenía economizado lo empleó en comprar la canastilla.

Pascuala —con esa especie de indiferencia que le era habitual— sonreía a la sonrisa de don Florisondo, miraba su mirada, asentía a sus compras, se dejaba entornar de atenciones. Pero cuando el marido se iba, los ojos se le cuajaban de lágrimas y un tic de angustia le hacía temblar la boca. Parecía tener miedo y cerraba con tranca la puerta de la casa o de la cocina, según donde estuviera. Así se le iban las horas que don Florisondo pasaba en el trabajo. Tejía o hilaba o cosía, pero hiciera lo que hiciere, siempre una idea triste la oprimía en sus garras, haciéndola a ratos decir a media voz:

—¡Qué cansera tan grande es pensar!

Era un serrucho lo que sonaba persistente.

Abrió bien los ojos y lo negro de la noche en la pieza cerrada le dio un miedo escalofriado. Quiso moverse y la cabeza de plomo se le cayó sobre la almohada. Se le cayó, sí, se le cayó; la sintió hundirse de golpe, pero no en la almohada sino en el pozo. Abajo, al llegar al agua, chapoteó salpicando las paredes que exhalaban humedad. Varios escalofríos volvieron a recorrerle los nervios. Quería gritar y no podía. El agua le llenaba la boca. Se ahogaba, se ahogaba, se ahogaba. Y Pascuala dio un grito agudo, que despertó despavorido a don Florisondo.

—Pascuala... ¿Qué tiene? —preguntó el viejo, buscando los fósforos para encender la luz.

Se llegó a ella con el chonchón en la mano.

Parecía no verlo, con los ojos vidriosos fijos en un punto único, sudorosa y jadeante, con la piel manchada de rojo, los labios hinchados y el cuerpo íntegro sacudido por estremecimientos que remecían el catre, tan fuertes eran.

—Pascuala, Pascuala... —llamó el viejo.

Se fue a la pared a colgar el chonchón y de nuevo inclinado sobre la mujer la llamó, subiendo la voz por momentos y tratando de acariciarla. Pero Pascuala no cambiaba de expresión, y entonces el viejo —enloquecido de espanto— se abrazó a ella balbuceando palabras sueltas que decían su terror a la muerte:

—M'hijita quería... No se me vaiga a d'ir... Mi florecita preciosa,

) 79 (

míreme; si soy yo, su Florisondo... Mi linda... Oigame... No me mire así, por favor..., por favorcito... Hábleme, m'hijita... ¡Ay! ¿Qui'haré, mi gran Dios?

Pascuala ya no sentía ahogo ni frío, porque no estaba en el pozo. Iba por los aires, con una rapidez vertiginosa, tan alto que apenas divisaba la tierra y para esta especie de vuelo no tenía alas, lo que le causaba una gran angustia, ya que podía caer y matarse bruscamente. Y quería saber cómo, por qué estaba así, en el aire, sin alas, sin realizar un esfuerzo. Era como una plumilla de cardo, empujada, llevada por el viento. Sí, tal vez. ¡Qué calor! ¡Qué calor! Allá había una cosa blanca. ¿Qué sería? Se acercaba, se acercaba. ¡Oh, el hielo! Era nieve, nieve blanca y fría, fría, fría...

Don Florisondo no le hablaba. Con el espanto enmudecido la miraba estúpidamente, sin ocurrírsele otra cosa que retorcer la punta de la colcha. La mujer tiritaba, castañeteando los dientes. Y de pronto pensó el viejo que podía calentar agua para ponerle una botella en los pies y darle infusión de natri que le bajara la fiebre. Porque no podía tener otra cosa que la fiebre mala de las recién paridas.

La actividad física le disipó la angustia y le aclaró las ideas. Encendió fuego. Hirvió agua. Preparó la infusión. Llenó la botella de grueso vidrio. Pero al ir a meterla entre las sábanas junto a los pies agarrotados, la mujer repitió el grito que lo despertara, produciéndole nuevamente el mismo pavor irrazonable.

—Pero, m'hijita... Pero, m'hijita...

Le habían arrimado la rodela de hierro caliente con que marcaban los animales. La querían marcar. Ella no era una bestia, era la Pascuala, la Pascuala, la Pascuala... Y se puso a repetirlo muy bajito:

—Soy la Pascuala... Soy la Pascuala... Soy la Pascuala...

Era tan distinta a la voz de su mujer esa voz sin timbre, monótona como caer de gotera, que don Florisondo la abrazó nuevamente, besándola, acariciándola, buscando en ella todo lo que le era familiar. Pero seguía en su decir constante:

—Soy la Pascuala... Soy la Pascuala... Soy la Pascuala...

Don Florisondo se acordó de la infusión que podía bajarle la fiebre. La enfrió de taza en taza y se llegó a la cama, incorporándola para hacérsela beber.

Ahora le daban veneno. La querían matar. Su marido la quería matar. Claro. ¿Cómo no iba a matarla si antes estaba haciendo el ataúd? Ella había oído aserruchar las tablas. ¿Cuándo las había oído aserruchar? ¿Hacía un año? ¿Hacía mucho tiempo? No; lo que había pasado hacía tiempo era otra cosa.

—Tome, m'hijita. Con esto se va a mejorar. Ya está, trague, abra la boca, pue. ¿Es que se quere morir entonces? Y su hijito, ¿quién lo va a cuidar? Hágalo por él, mi linda.

No separaba los dientes la mujer, y don Florisondo, porque algo colara entre ellos, vertió una cucharada sobre la boca al par que separaba los labios. El agua corrió por la cara, yendo a mojar el embozo. Entonces, desalentado, arrimó un piso al catre y se sentó, con la pena agudizada por lo vano de sus esfuerzos.

Transcurrió un largo rato. Don Florisondo pensaba que al amanecer tal vez bajaría la fiebre y entonces podría llegarse de una carrera hasta el villorrio en busca de ña Manuela, la meica. Aunque tal vez sería mejor aperar la carreta y llevarse a la mujer acostada en un colchón para Curacautín, a la casa de los padres de ella. ¡Pero era tan malo el camino de montaña que tendrían que hacer! No se fuera a empeorar con los barquinazos. Era preferible ir en busca de ña Manuela. Faltaba una hora para que amaneciera. Ya los gallos empezaban a cantar. En un rato más podría ponerse en camino. Cierto que le sería duro dejar a la mujer y al niño solos en la puebla. Al pasar por los galpones, en el aserradero, a medio camino del villorrio, podría rogarle a la mujer de don Sepúlveda que viniera a acompañar a la enferma. Era muy comedida la mujer de don Sepúlveda.

Pascuala ya no articulaba las sílabas de su nombre: daba una especie de gruñido gutural que era una queja.

Un lloro leve salió de la cuna, parecía maullar de gato nuevo. Don Florisondo se puso en pie para llegarse a mecer a la criatura. Pero al lloro y al movimiento los ojos de la mujer cobraron expresión y con gesto enloquecido se echó sobre don Florisondo, tomándolo fuertemente de la chaqueta.

—No —gritaba—; a él no, que de na tiene culpa. No me lo mate a m'hijito precioso, a mi niñito de oro. Soy yo la culpable, yo, que no supe defenderme.

Y como don Florisondo la rechazara vigorosamente, se aferró a él, gritando frenética:

—M'hijo es mío y naiden me lo quitará. Pa matarlo me tendrá que matar a mí. A mí, a la Pascuala, a la Pascuala, a la Pascuala... Soy la Pascuala... Soy la Pascuala...

Volvió a su cantinela, y como los músculos fueran perdiendo rigidez, pudo el viejo acostarla. La arropaba, cuando de un brusco salto se aferró de nuevo a su cuello, gritando las palabras muy largas, con las vocales repetidas hasta perder el aliento:

—Jooooséeeeee Maaaaanueeeeel... Veeeenííííí...

—¿José Manuel? —preguntó don Florisondo.

—Veeenííííííí...

—¿Qué José Manuel? —volvió a preguntar, sacudiéndola rudamente.

Se quedó pensando, juntas las cejas, contraída toda por el esfuerzo, como si el sacudón le hubiera dado algo de conciencia.

—¿Qué José Manuel? ¿El fuerino?

—Sí, el mesmo —y sonriendo estúpidamente agregó—: ¿No sabe qu'el chiquillo es d'él?

—¿Qué chiquillo?

—Este, el mío, el que vos querís matar, asesino, bandío, condenao...

—¿Tu hijo? ¿Entonces no es na hijo mío?

Miraba idiotizado a la mujer. ¿Era aquello locura de fiebre o verdad que al fin se revelaba? Le pareció que caía abismo abajo y que no podía ubicar el sitio donde sentía mayor dolor. Lo único que sabía era que la garganta se le apretaba, que no podía respirar, que abría la boca buscando aire porque se ahogaba.

Y con la ola de amargura que le vino en seguida, una idea se le clavó en el cerebro, dolorosa y tenaz: saber.

—¿Tú lo querís a José Manuel? —y recordaba al mozo, fuerte, simpático, conquistador, cínico y matón de oficio que pasara por el fundo tiempo atrás.

—No —y una luz de ira brilló en las pupilas de Pascuala.

—Y entonces, ¿cómo tenís un hijo d'él?

—Porque me pilló a la descuidá una vez que estaba sola en la puebla —y de repente, recelosa, dijo mirando con atención al viejo—: ¿Quén m'está preduntando estas cosas? ¿Pa qué se mete a preduntar lo que no le importa? Oiga: no le vaiga a icir palabra a Florisondo; el pobre viejo se moriría e pena si supiera este cuento...

Se calló, como agotada, y al poco empezó a murmurar su estribillo:

—Soy la Pascuala... Soy la Pascuala...

—¿Y no viste más a José Manuel? Cuéntalo, cuéntalo too, cuéntalo, pue.

—No lo vide más. No supe más d'él. ¡Qué cansera más grande too esto!... Pero el chiquillo es d'él...

—¿Entonces no es hijo mío? Es d'otro. ¡Ah, perra mentirosa, que m'engañaste! Bribona sinvergüenza...

La sacudía iracundo. Y la mujer canturreaba, a cada sacudón:

—Soy la Pascuala... Soy la Pascuala...

Alcanzó a darle un puñetazo en la boca. Y cayó de rodillas, llorando amargamente, con una pena que parecía licuarle la vida, echársela toda por los ojos en lágrimas sollamadoras. El hijo no era suyo, era de otro, era el resultado de una violación; no era su niño de él, de Florisondo, que se había pasado la vida soñándolo. Era el hijo de cualquiera, de cualquier cobarde que ve una mujer indefensa y se sacia en ella. Y de eso nacía un hijo, de eso...

Lloraba. Lo sacudió un ramalazo de ira. Apretó los puños y los dientes y se alzó con la cara endurecida, animalizada. Era el macho que encuentra en su cría la cría ajena y de un zarpazo la mata. Avanzó.

Pascuala proseguía moviendo de uno a otro lado la cabeza:

—Soy la Pascuala... Soy la Pascuala...

El viejo llegaba a la cuna, ya sus manos engarabitadas alzaban la ropa, ya tocaban el cuellecito tibio, ya se apretaban cerrando el dogal asesino. Ya.

Pero no apretó. Se quedó con los dedos como garras en el aire. ¿Matar? ¿Matar? ¿Por qué? Criaturita engendrada sin quererlo, ¿qué culpa tenía ella? Pobre cosita de nada, tan chiquita, tan endeble, tan sin amparo en el mundo. La madre como loca con la fiebre mala. El padre rodando por ahí hasta parar cualquier día en la cárcel. ¡Pobre! ¡Pobre! De no existir Florisondo para protegerla, ¿qué sería de ella? ¿Matarla? No, pobrecita, pobrecita criatura...

Lloraba el viejo, deshecha toda la avalancha de sentimientos encontrados por la ternura al hijo ajeno, que desde ese momento era verdaderamente su hijo por voluntaria adopción.

La mujer rompió su queja con otro grito agudo. Volvía a caer al pozo. Se helaba. ¡Oh, el agua ahogándola! Un sapo se le metía en la boca. ¡No! ¡No! Le mordía la lengua. Brotaba sangre. Manaba hasta llenar el pozo. Y ella subía con las aguas rojas. Llegaba otro sapo. El sapo crecía. Era tan grande como la puebla. Abría la boca y se la tragaba. Le dolían los huesos. Tenía calor. Calor. Calor. ¿Quién era ella? Ella era la Pascuala, la Pascuala...

Y mientras la mujer glosaba su delirio, don Florisondo pensó que tal vez se moriría y entonces el niño no sería sino suyo, de él sólo, sin que nadie en el mundo supiera que no era en realidad su hijo. En esa esperanza, transido de terneza, empezó a canturrear, acunando a la criatura:

—Hace tuto, guagua...

AGUAS ABAJO

PIEDRA CALLADA

Cuando Esperanza dijo que quería casarse con Bernabé, la madre, en respuesta, le dio una paliza, manera bastante simple, pero que ella estimaba infalible, para quitarle la idea de la cabeza. La muchacha no dio un grito y en cuanto pudo escapó a contarle a la patrona sus cuitas.

—¡Hasta cuándo no me va'ejar casarme! Cada vez que tengo un pretendiente me lo espanta. Al mocetón de los Machuca lo corretió a lo qu'es piedra de honda. Y sin contar con las apaliaduras que me da. Hable su mercé con ella y llámela a razón. Ando en los veinte años. ¿Es que me quere ejar pa vestir santos?

La patrona la miraba, vagamente reflexiva. No era extraño que tuviera pretendientes, linda, bien enseñada, casi como una sirvientita pueblerina, que siempre había vivido allegada a las casas, bajo su protección.

—Pero ¿qué te dice ella?

—Agora no me ijo na. Me apalió no más. Pero otras veces ice qu'ella no mi'ha criado como una flor pa que me coma el más burro. Cosas de veterana... Porque, al fin y al cabo, pue, patrona, yo no soy más que una huasita pa casarse con uno d'estos laos.

—¿Y quién te pretende ahora?

Esperanza vaciló un segundo antes de responder:

—Bernabé, el de los Villares, el más guaina, el que trabaja en el palo parao, en los cercos.

—Pero si es una bestia... —exclamó la patrona después de una pausa para recordar al mozo.

—Yo lo quero harto... Claro qu'es así, medio lerdo, pero güeno y trabajaor como ni'uno. D'esto puee dar fe cualesquiera en el fundo. Y sin vicios. Arreglao pa toas sus cosas. Es lerdo no más. Eso es too.

La patrona la miraba en suspenso, sin saber qué resolución tomar, porque no era la primera vez que se le presentaba el caso, que la muchachita venía a pedir auxilio para defenderse de la madre, que no admitía más voluntad que la suya. Y no era posible que sistemáticamente se opusiera a que Esperanza se casara. Celos de madre que no tenía sino esa hija, viuda y bregando como una desesperada para criarla, ayudante del molinero al morir el marido, que por años sirvió este puesto, y desempeñándose ella con tal pericia que en verdad era quien dirigía los trabajos.

Ambición de madre que tal vez quería un hombre con mayores posibilidades para marido de la muchacha y no aquellos cachazudos peones que nunca serían otra cosa. Pero ¿dónde hallar ese marido? Su mundo, lógicamente, tenía que ser aquel de campo entre montañas. Su destino, casarse con un mocetón allí nacido. Tener un rancho propio. ¿Qué más? Sí, porque más que eso, que los mocetones hijos de los inquilinos, no había en el fundo hombre alguno soltero. ¿Dónde, entonces, encontrar un marido para Esperanza, que en verdad era superior inmensamente a su medio?

Y cansada de haber cavilado tanto sobre un asunto que le impotaba un poco, no mucho, no estaba segura si mucho o poco, la patrona hizo una pregunta que creyó definitiva:

—¿Pero tú estás segura de querer a ese Bernabé?

Esperanza hizo el gesto clásico de arrollar y desarrollar la punta del delantal y contestó sin ambages:

—Patrona, de toos es el que más hei querío. A los otros los hei querío así no más. A éste lo quero harto. Es güeno y me quere harto tamién. Claro qu'es lerdo... —concluyó con apuro, porque la patrona la miraba sostenidamente, como si quisiera verle el fondo del alma. Y en realidad no la miraba, entregada, como siempre, a sus propios vagos pensamientos.

—Bueno, bueno. Hablaré con tu madre.

—Claro que su mercé —y se puso muy zalamera y era así un encanto, con los ojitos pequeños y muy rebrillosos, y con dos hoyuelos que se le marcaban en las mejillas tan de melocotón pelusiento, y tan arremangada la nariz, y por boca un mohín de niña que se sabe linda y especula con su lindeza— podía irle iciendo al patrón que nos diera rancho, porque así mi mamita no hallaría tanto que icir y ya teniendo rancho seguro, a Bernabé no lo miraría en menos naiden y es claro que too andaría al tiro mejor... Su mercé se lo ice al patrón, ¿no?

—Sí, sí... Ya te conozco... Con lo buena que eres para los arrumacos... Andate tranquila...

Se quedó pensando, así, yendo de una a otra nebulosa de ideas, que era su manera de pensar, que tal vez podía llevarse a Esperanza a la ciudad como sirvienta, o mandarla a la escuela, o que ayudara a la enfermera que cuidaba a su madre. Hizo un gesto con la mano, como si borrara algo frente a los ojos. No, resultaba aquello mucha responsabilidad. Con lo linda que era la muchacha... A lo mejor, en vez de casarla... —y de repente pensó en el chofer, tan excelente hombre, que tenía su hermana, soltero, que podía enamorarse de Esperanza y casarse con ella—; si, en vez de casarla, pasaba cualquiera de esas cosas feas, que se cree que sólo existen en las novelas o en los films y que de repente se hallan también en la vida... Y la madre, la vieja Eufrasia, no iba nunca a dejarla irse, así fuera con ella. Y es claro que con la vieja Eufrasia y con Esperanza no iba a cargar. Aunque a lo mejor la vieja servía para lavandera o para hacer dulces o para abrir la verja cuando llegaban los coches. Volvió a hacer el gesto de borrar algo ante los ojos, algo que estaba allí sin forma. Y terminó por irse muy de prisa a su habitación, que de pronto recordó que era la hora del episodio radial tan lleno de inesperados acontecimientos.

Por cierto que olvidó hablar con Eufrasia. Pero Esperanza vino a la tarde siguiente y no cejó hasta conseguir que llamara a la madre y tuviera con ella una explicación. De la cual no se sacó nada, porque ese día la patrona estaba más en las nubes que de costumbre, perdida en su limbo, y la vieja quedó triunfante con sus respuestas y sus argumentos.

Era una vieja alta, huesuda, con el perfil corvino y una boca fina, apretados los labios y el inferior sellando una voluntad que sabía su meta, pero que sabía también llegar a ella por atajos, gateando, entre largas esperas, si el camino derecho se ponía dificultoso de obstáculos.

De regreso al molino, sin mayores explicaciones, le dio una paliza a Esperanza. Con lo que ésta entendió que tenía que buscar otro apoyo si quería casarse con Bernabé.

Fue entonces a verse con el patrón, estampa de viejo cuño, señor que parecía la réplica del abuelo que guerreara en la Independencia. Le dijo Esperanza lo mismo que ya le había dicho a la patrona. E inmediatamente el patrón hizo venir a Eufrasia. Diez minutos después salía del escritorio una vieja asequible que se cruzaba con Bernabé —también mandado a llamar por el patrón—, al que saludaba con frío comedimiento:

—Güenas tardes.

A lo que el hombre sólo atinó a contestar con un gruñido ininteligible.

Adentro el patrón le dijo:

—Bien. La Eufrasia está conforme con que te cases con la Esperanza. Eres serio y trabajador. Como el casado casa quiere, te voy a dar el rancho de don Valladares en la laguna. Valladares quiere venirse para acá, para estar cerca de la escuela y educar a su parvada de chiquillos, deseo que me parece muy sensato. Te casas y te vas para arriba. El rancho es nuevo. Y allá tienes trabajo para años, que todavía queda por cercar todo ese lado que linda con las termas. Ya hablaré con el administrador sobre las condiciones en que te irás. Y ahora a ser un hombre cabal y a portarse muy bien con la Esperanza.

Contestó Bernabé con otro gruñido ininteligible, dio dos o tres vueltas a la chupalla entre sus manazas, agachó la cabeza y como embistiendo se dirigió a la puerta. Parecía casi rectangular, con los hombros horizontales y unos enormes pies cuyas puntas se volteaban hacia afuera, colgantes los brazos y todo él anudado de fuertes músculos. Sobre ese cuerpo de gigante, la cabeza pequeña, redonda, se alzaba sobre el cuello desproporcionadamente delgado, con la nuez enorme y temblona. Una frente estrecha, el pelo duro de escobillón, unos ojillos sesgados y apenas lucientes bajo los pesados párpados cautelosos, una boca de labios gruesos, un cutis lampiño y entre todo ese conjunto negativo en que el espíritu parecía no hallar albergue, la inusitada belleza de unos albos dientes brillosos.

Al llegar al molino, Eufrasia dijo fría y firme a la hija, que la esperaba recelosa y ansiosa:

—El patrón quere que te casís con Bernabé. Te podís casar cuando se te antoje. Pero desde ese día no tenís más madre.

Fue un corto noviazgo entre los hoscos silencios de Eufrasia, la cháchara de pájaro enloquecido de sol de la hija y el otro silencio del hombre, presencia que enardecía en ira a aquélla y que para Esperanza significaba dos oídos atentos a sus palabras, la aceptación de todos sus propósitos, una defensa latente para —¡al fin!— realizar su voluntad, haciendo caso omiso de la madre.

Bernabé fue al rancho, ya desalojado por don Valladares. Volvió diciendo, con sus pocas palabras tartajosas, que estaba muy bien, que no necesitaba arreglo alguno, que el menaje que llevara a lomo de mula había llegado "sanito".

Se casaron en el pequeño pueblo cercano, y ahí mismo —tan sólo los habían acompañado los testigos y padrinos, que Eufrasia fue terminante para decir que no quería festejos— enrumbaron los recién casados para el rancho, junto a la órbita azul de la laguna, entre las estribaciones de la cordillera.

Eufrasia se hizo más dura, más recóndita, más ahincada en su trabajo. Nada se sabía de la nueva pareja. La laguna quedaba en un extremo del fundo. El camino era tan sólo transitable hasta cierta altura por vehículos, y desde ese punto en que se entraba de lleno por desfiladeros entre montañas vírgenes, había una huella para caballares, tortuosa, vadeando torrenteras, yendo de uno a otro lado del río que lentamente cobraba caudal, hasta llegar al fondo de aquel anfiteatro de picachos, arremansándose para formar la tersa extensión de la laguna. De un lado la bordeaba la montaña, espesa, caída hasta dentro del agua; del otro se abría un angosto valle, y allí, en un altozano, estaba asentado el rancho, edificio de madera, chato, rodeado de cobertizos y casillas. La laguna parecía ciega. Pero en un extremo las montañas curvaban un recodo, se abrían estrechamente en un tajo y por ahí, fragorosamente, entre líquenes y enredaderas, en un ambiente de verde humedad, el agua se arrojaba precipicio abajo para, sobre el fondo de un nuevo cauce, seguir su tumultuosa búsqueda del mar.

Del lejano rancho no podía nadie traer noticias. Eufrasia parecía no aguardarlas. Nunca mentaba a la hija. Con un sordo rencor hacia ella. Con un sordo resentimiento hacia los patrones, que le impusieran ese matrimonio. Que fuera feliz o desgraciada le era igual. Se abroquelaba en esa indiferencia.

—No me importa... No me importa na... Que sufra si es que tiene que sufrir... ¿Pa qué se casó? Ella bien sabía lo que hacía...

Pero el "Que sufra..." era la repetida cantinela de su corazón, ritmo de su sangre, rueda como la del molino, jamás detenida y siempre moliendo renovado grano.

Ni siquiera tenía Bernabé necesidad de venir a las casas para proveerse, porque en aquel fundo enorme, encomienda que fuera en tiempos coloniales, había cinco mayordomías bajo el mandato de una administración general y el hombre estaba ahora a las órdenes del mayordomo de la hijuela Primera y allí debía llegarse para su abastecimiento y todo lo concerniente al trabajo. Hacía un viaje cada tantos meses. Y una vez al año el mayordomo iba hasta la laguna para echar una mirada a los cercos. De las venidas de Bernabé a la hijuela Primera poco se sacaba, que el hombre seguía siendo callado y a las preguntas contestaba con atropelladas palabras y no muchas. Era el mayordomo el que traía noticias:

—¡Tá de canija la Esperanza! ¡Parece palo di'ajo! Con tanto chiquillo, tamién, no es pa menos. Y sin salir nunca del rancho. Trabajaora, eso sí, lo mesmo qu'él. ¡Bestia igual no si'ha visto! Viera, vieja, el muelle que si'ha hecho en la launa y un bote de lo más encachado, y como hay tanta pesca, se las arregla lo más bien pa tener toos los días su caldillo de trucha o de salmón. ¡Viera! Y el rancho lo más acomodao. Porqu'ella es tan señorita, la Esperanza. da gusto. Si no estuviera tan flaca. La mocosa mayor es igualita a ella, a la Esperanza: los mesmos ojos y lo mesmito e donosa...

La mujer del mayordomo, doña Cantalicia, inventaba viaje a las casas, especialmente para contarle estas novedades a Eufrasia. Que apretaba los labios, remarcando ese gesto que la semejaba a una máscara voluntariosa; que endurecía el filo de la mandíbula, cerrando con el labio inferior el otro desaparecido bajo su presión. Pero no hacía comentario alguno, para grande enojo de doña Cantalicia.

"Porque hasta a las bestias les debe gustar saber de sus crías...", se decía muy alborotada por dentro. Y se desquitaba en interminables cháchars con el otro mujerío de las casas.

Eufrasia cumplió treinta años en el molino. ¡Treinta años! Una vida. El patrón la llamó y con su manera recta y sin discusión, le dijo que se la jubilaba con sueldo íntegro y que podía elegir entre seguir en el molino, en el departamento que había ocupado siempre, pero sin intervención alguna en el trabajo, o vivir en las propias casas de los patrones, en algunas piezas que le destinarían y haciendo lo que quisiera. ¡Que bien ganado tenía el derecho al descanso!

—No estoy cansá. No preciso descanso —protestó, agregando en seguida, rápidamente—: Pero si su mercé ha dispuesto ya lo que quere qui'haga..., no hay más que agachar la cabeza y decir amén...

—¿Quiere quedarse en el molino?

—Pa mi el molino es el trabajo. No tengo pa qué quearme allá si voy'estarme mano sobre mano.

—Hable entonces con mi mujer y arreglen el traslado. Hay dos piezas en el último patio, que le serán cómodas.

—Gracias —dijo la vieja secamente, y obligándose a una mayor amabilidad, añadió—. Muchas gracias por too.

Se instaló en esas dos piezas que le asignaban. Pasó días de días hoscamente encerrada en ellas y en sí misma. Pero al cabo empezó a abandonar su rincón y a tomar parte en las actividades de la enorme casa. Un día, sin que nadie se lo pidiera, limpió, sin ayuda alguna y en la forma más prolija, todos los vidrios de la galería. Otro se fue con un colchón a cuestas hasta un extremo del patio y allí organizó un verdadero taller, escarmenando lana, lavando telas, rellenando, cosiendo. Apenas daba término a una de estas labores, oteaba por la casa y sus dependencias hasta dar con otra.

Los años no le desgastaban la energía. Esos mismos años que en los demás habían ido acentuando características, y así la patrona, dulce y distraída, exclamaba al verla trajinando, con un acento cantante como ritornelo:

—¡Qué perla es esta Eufrasia! ¡Qué perla es esta Eufrasia!

De regreso de sus paseos a caballo, al caer la tarde, el patrón solía encontrarla ayudando a rodear los chanchos o los terneros, manejando la honda para avivar a los rezagados:

—¡A ése, Eufrasia! ¡Buen tiro! —y con una de sus súbitas sonrisas agregaba con la voz autoritaria que no resquebrajaba el tiempo—: Pero no ponga piedras grandes, que de repente va a dejar rengo a un animal...

Un día llegó doña Cantalicia. Como siempre, con su alforja de novedades.

—La Esperanza tá harto enferma. Tanto chiquillo y tanto aborto, no es pa menos, así ice mi viejo. Y Bernabé no quere saber na de llevarla pa'l pueblo pa que la vea el doutor. ¡Tan bestia el pobre! Con razón usté no fue gustaora d'este matrimonio. Pero el caso es que la Esperanza tá en los puros güesos; a veces pasa días sin poder levantarse, y cuando se levanta, anda a la pura rastra no más. Yo sé que a usted no le gusta na que li'hablen d'estas cosas, pero a mí se me le hace pecao no venir a icírselas.

—Gracias por lo comedía —contestó Eufrasia, y se volvió de perfil, dando por terminada la conversación.

Aquello le hurgaba adentro como un cominillo: "Enferma... En cama... A la rastra..." Pero se volvía furiosa consigo misma y se imponía la vieja frase rencorosa: "¡Que sufra! ¡Que sepa lo qu'es güeno!"...

¡Que se friegue!. . ." Pero la frase no podía tomar su antiguo ritmo de estribillo, ahogada por las olas de inquietud, cada vez más fuertemente repercutiendo en su interior, acantilado en tormenta.

Poco tiempo después la llamó el patrón.

—Mire, Eufrasia, me avisa el mayordomo de la hijuela Primera que Bernabé pasó para el pueblo con la Esperanza enferma. Está en el hospital. Los chiquillos quedaron solos en el rancho. Creo conveniente que se vaya a cuidarlos.

—Yo no voy onde naiden me llama. . .

—Pero va donde la manda su patrón. —Se hallaron sus ojos y la vieja al fin desvió los suyos, como siempre, ante esa voluntad de hombre y de señor.

—Tá bien, patrón.

—Arregle sus cosas. Ya di orden para que mañana al alba vaya un mozo a dejarla. Se van en cabriolé hasta la hijuela Primera, de ahí siguen a caballo y llevan su equipaje en una mula. Vea allá cómo están las cosas, quédese el tiempo que estime conveniente. Ya hablé por teléfono con el mayordomo para decirle que advierta a Bernabé que usted estará cuidando a los niños por orden mía.

—Gracias —pareció aliviada, como si las olas que continuaban pegándole en el pecho se hubieran de pronto vuelto mansas. No habló una palabra más.

El mozo que hizo con ella el camino la miraba de soslayo, un poco incómodo con esa compañía silenciosa, admirado al propio tiempo por la entereza de Eufrasia, que aguantaba barquinazos, polvo y viento, calor, sed y fatiga, sin una protesta.

Doña Cantalicia tenía noticias nuevas.

—Mi viejo telefoneó pa'l hospital, por orden del patrón, no se le imagine que por novedosear nosotros. Habló con la Madre Superiora, que le'ijo, después de muchas demoras pa consultar al doutor, que a la Esperanza tenían que operarla del interior, usté sabe, y que icía el doutor que una vez que la operaran tenía por lo menos pa un mes de cama y que después d'ese mes él vería si la ejaba o no irse pa'l rancho. Que no es bien grave lo que tiene, pero qu'es grave.

La vieja apretó los labios, presentó el perfil por sobre el cual sintió que pasaba un hálito de pozo, y no dijo nada.

No parecía haberle hecho mella el cansancio al llegar a la laguna. Inmediatamente ordenó el revoltijo que era todo, sucio y despatarrado. Empezando por Venancia y los cinco hermanitos. Que, llenos de azoro, no sabían qué actitud tomar ante esa abuela que aparecía sin anuncio previo y de cuya existencia tenían tan vagas noticias. Una abuela que los miraba sostenidamente, que sobre la cabeza de cada cual fue poniendo una mano con gesto que no alcanzaba a ser una caricia, sino una especie de toma de posesión, a la par que le preguntaba el nombre. En seguida examinó rancho y dependencias y empezó a dar órdenes, a trabajar ella misma, con ese método que obraba el milagro de la rapidez.

Antes de irse, al amanecer del otro día, el mozo vio un rancho en perfecto aseo y unos chiquillos limpios y sumisos al mandar de la abuela. Y llevaba una lista de cosas absolutamente necesarias, lista que Eufrasia enviaba al patrón con una carta, pidiendo que se las comprara a su propia cuenta y que por favor se las hiciera llegar en seguida. A más de otras cosas de su propio menaje. Y el patrón entendió aquello e h.zo que el mozo volviera con una recua cargada. Así fue cómo los niños por p.imera vez vieron una máquina de coser y cada cual durmió en su cama y tuvieron ropa a la que se pudiera llamar tal y no andrajos.

Una semana después llegó Bernabé. Ya había d.gerido, pero malamente, la noticia que le dieran en la hijuela Primera. Saludó con un gruñido a la vieja. Que le contestó con otro similar. Y se quedaron mudos, pensando el hombre que no le hablaría de la Esperanza si ella no le preguntaba, empecinada la vieja en no preguntar nada si él no daba espontáneamente noticias.

Fue Venancia la que intervino.

—¿Tá mejor la mamita?

—Tá mejor, más aliviá —y no agregó otro detalle.

—¿Se levanta ya?

—No..., y no más preduntas. Cébame un mate...

El hombre paseaba por el rancho una lenta mirada de soslayo. Parecía aquello como cuando la Esperanza estaba sana, en un tiempo tan lejano que no alcanzaba a precisarlo. Cuando recién se casaron. Por ahí... Y no había tanto chiquillo. La verdad era que los chiquillos lo habían arruinado todo. Porque la culpa de la enfermedad de la Esperanza la te.ían los chiquillos, tantos chiquillos. Parir y parir. ¡Pobrecita!... Y le temblequeó la nuez en una súbita emoción. Lo que faltaba era que fuera a morirse no más. Estaba tan flaquita, tan blanca, tan sin fuerzas cuando se despidió de ella. El doctor le había dicho que volviera a verla pasado un mes. Bueno... Así era la vida... Y la vieja ahora en el rancho. ¿Por qué el patrón se metía en cosas que no le importaban? ¿Por qué había mandado a la vieja al rancho? Su rancho era suyo. Faltaba más... Echó otra mirada en contorno, sostenida, deteniéndose en cada cosa. Cuando llegó a la máquina, sin volverse, dijo despaciosa y trabajosamente:

—Parece que se trajo toas sus pilchas. ¿Qué se le imagina que va a vivir pa siempre en el rancho?

—Mientras el patrón no mande otra cosa...

El hombre masculló algo y siguió mirando.

También era cierto que él, solo con la chiquillería y con aquella Venancia que no sabía hacer nada, tan quedada para todo, tan sin asunto... Miraba ahora, ceñudo, el candil que la vieja encendía.

—No soy gustoso d'esos lujos —dijo atascado con las palabras más que nunca, porque estaba furioso:

—Los pago yo —contestó la vieja firmemente.

Una semana después vino un recadero de la hijuela Primera. Habían avisado del hospital que Esperanza estaba gravísima. Partieron ambos, el recadero y Bernabé, y días después regresaba el hombre, como si de golpe la cabeza se le hubiera enterrado entre los hombros y los brazos colgantes. Esperanza había muerto.

La vida giró por un tiempo en torno a la ausente. Se hablaba de la "difunta", los niños tenían largas confidencias con la abuela y hasta el hombre, alguna vez en que el recuerdo lo ahogaba, decía algunas pa labras en que volcaba su tristeza.

Pero en la abuela el reconstruir lo que había sido la existencia de Esperanza en esos años, hecho a través de las historias interminables de los niños, se convirtió en palos, virutas, estopas, montón al cual ella sentía, con una especie de frío miedo, que en cualquier momento iba a prender el fuego de su viejo rencor, que era ahora odio por el hombre.

Decía un niño:

—Allí, en la montaña, ebajo del roble con copigües, enterraba el taita a las guagüitas.

O decía Venancia:

—Si se lo pasaba encima d'ella y despué era el lamientarse porque s'embarazaba.

Y otro de los niños añadía:

—A veces ella lloraba harto y gritaba. ¿Te acordái?

—Y la vez que la Venancia jue y le gritó: "Ejela, éjela, no ve que s'está muriendo".

—Y la tunda qu'él le dio.

—¿A quén? —preguntó la abuela.

—A la Venancia, pus, por intrusa.

Eufrasia no hablaba de irse. Bernabé no decía que se fuera. De las casas no había noticia alguna.

Empezó el invierno. Viento que bajaba de la cordillera, afilado y silbante, cortando las hojas y burlándose de las desnudas ramas de los árboles. No se oía el insistente barullo de las cachañas y tan sólo algún lento pájaro de presa rayaba el cielo con la rúbrica amenazante de su vuelo. Pájaros que no contaban con Eufrasia, su honda y su prodigiosa puntería que los alcanzaba, y era entonces la algarada de los niños buscando el ave muerta por valle y montaña.

Las nubes llegaban del norte, negras, grises, blancas; se confundían, hacían y deshacían arquitecturas monstruosas, se iban. Pero a veces se amalgamaban hasta formar una sola nube gris y baja, y entonces la lluvia caía, persistente, interminable, desesperante. Aclaraba; apenas si había un día, dos, tres a lo sumo, de bonanza, y de nuevo empezaba el juego del viento y de las nubes, hasta que otra tormenta hacía desaparecer en los hilos de lluvia la montaña y la laguna, aislando a la familia en el encierro del rancho, en lentas, interminables horas, días, semanas, indistintos, abrumadores hasta la atonía.

Para la abuela siempre había actividad. Quehaceres domésticos. Costuras. Tejidos. Enseñar a los niños. El hombre se iba a uno de los cobertizos y con el hacha en un constante revoleo brilloso, picaba leña para el hogar, que debía mantenerse siempre encendido, evitando que el frío se metiera en los huesos hasta entumecer. Pero todo trabajo cobraba mecanismo. Se hacía sin gusto, sin disgusto también. Se hacía. Lo demás era el tozudo caer de la lluvia, el grito del viento, el retumbo de un árbol derribado en la montaña. Y esperar que la lluvia se hiciera menos agresiva, que la rastra del viento sur se llevara los nubarrones.

La peor tempestad empezó dentro del rancho una tarde en que la abuela dijo:

—Cuando usté se güelva'casar... —mirando al hombre bien de frente.

Bernabé removió la cabeza, tortuosamente en los movimientos y en las ideas.

—¿Golverme a casar?

—Sí, es claro. Un viudo no sirve pa na. Usté es joven entuavía. Un hombre con rancho tiene que tener mujer propia.

—¡Je! —gruñó, quedándose perplejo.

—Ya le tendrá echao el ojo'alguna —continuó la abuela, liando un cigarrillo.

—Las cosas...

Pero Eufrasia cometió la imprudencia de mostrar sus cartas.

—Por los chiquillos no s'aflija. Yo me los llevo pa las casas a toos, a la Venancia tamién, y usté quea librecito, mesmamente que si juera soltero.

El hombre terminó despaciosamente de sorber el mate y se lo entregó a Venancia, que, de pie, aguardaba inmóvil.

—Los chiquillos son míos y del rancho no se los lleva naiden. ¡Faltaba más!...

—Pa usté sería una ventaja...

—Ya le ije que los chiquillos no salen del rancho. ¿Entiende?

Eufrasia terminó despaciosamente de liar el cigarrillo, agarró las tenazas y sacó un tizón del hogar, haciendo nacer una súbita pirotecnia que iluminó sus facciones de tierra dura y resquebrajada, como de secano.

—¿Y usté se le imagina que va'hallar mujer que quera enterrarse en estos andurriales, pa hacerse cargo, más encima, de seis chiquillos? Las cosas...

Por el pecho del hombre empezó a crecer la violencia, como algo vivo que le anduviera en la sangre, que temblara en sus músculos, que refulgiera en la mirada torva fija en el fuego.

—Y usté no es hombre pa pasarse sin mujer. Lo que me parece raro es qu'entuavía no haya salío a buscar alguna. Claro que otra como la Esperanza no va'hallar...

La oía sin entender el sentido exacto de todas las palabras, ensordecido por la violencia que ahora le golpeaba en el cerebro. De repente sintió, sí, la necesidad de hacer algo: remecer el rancho hasta destruirlo, agarrar a la vieja y echarla de cabeza a la laguna...

Bruscamente una de sus manos se extendió haciendo saltar el mate que Venancia le ofrecía.

—¿Quere callarse? ¿Quere callarse su boca? ¿Quere no meterse en lo que no l'importa?

Eufrasia se volvió de perfil, apoyó los codos sobre las rodillas, juntó las manos dejándolas caer casi hasta tocar el suelo y se quedó muda e inmovilizada, con el cigarrillo colgando en un ángulo de la boca, adherido allí, y de pronto marcando la punta roja de su fuego.

El hombre movía la cabeza de uno a otro lado, mascullando palabrotas, echando aviesas miradas de furor en contorno. Venancia recogió el mate, rodado en un rincón, la bombilla en otro sitio. Pero ¿cómo recoger la yerba desparramada? Se volvió a la abuela, que no le dio los ojos, aunque bien sabía que la estaba mirando y que, desesperadamente, la consultaba: en una mano el mate, en la otra la bombilla. Se volvió tímidamente al padre y al fin preguntó:

—¿Le cebo otro mate?

—No. Y naiden más toma mate esta noche. A la cama toos...

Los cinco chiquillos que pelaban papas en el corredor, un instante levantaron la cabeza y por la puerta atisbaron dentro, donde ya la no he alquitranaba el cuarto y el fuego ponía la mancha de sus largas lenguas humosas.

Uno le dio con el codo a otro y murmuró:

—¡Tá p'apaliarlo!

—Cállate...

—Menos mal que l'agüela...

—Cállate...

El hombre gritó, como si la violencia lo anegara de nuevo con su corrosivo veneno:

—A la cama hei dicho.... ¿Que no entienden?

Los chiquillos entraron la batea con las papas peladas, el balde con las papas sin pelar; amontonaron las cáscaras, guardaron los cuchillos.

La abuela gritó sin enojo, sorprendiéndolos:

—Ya saben qui'hay que lavar los cuchillos. Condenaos porfiaos...

Los cinco pares de ojos, azorados y tiernos, se volvieron a mirarla. Sonrieron, sacaron los cuchillos, los lavaron y los guardaron de nuevo.

—¡A la cama! —insistió el hombre, obsesionado con su idea—. ¡Qué más se demoran!

Entraron de soslayo, atropellándose, y desaparecieron por la puerta que daba a la habitación en que estaban los pequeños catres de campaña y en un rincón el otro más ancho en que dormía la abuela con Venancia.

El hombre se puso de pié y se llegó a la puerta de entrada, cerrándola de un golpe que retembló en el rancho entero. Se volvió, miró a la vieja, siempre inmóvil, y dijo, a empellones con las palabras:

—Ya una vez me salí con la mía. Y me casé con la Esperanza... No se le imagine que agora se va a salir con la suya y se va a llevar los chiquillos. Los chiquillos se quean en el rancho. La que sobra en el rancho sos vos... Ya lo sabís... —y se volvió a la otra puerta, que marcaba su dormitorio, donde, pomposamente, campeaba la marquesa, regalo de casamiento de la patrona y orgullo del menaje.

La vieja no contestó ni hizo un movimiento. Roía su rencor. ¡Se la había ganado una vez! Bueno: a ver quién ganaba ahora... Pero a la par que tragaba esas migajas acres, estaba atenta a los ruidos que venían del dormitorio. Cuando se hizo el silencio que justificaba tan sólo el crepitar de la leña dentro del rancho y el insistente silbido del viento en el exterior, Eufrasia se levantó pasito, cebó el mate, sacó pan y empzó a ir y a venir como alimaña nocturna con elástica precisión, sirviendo a los niños, silenciosos y encantados con la aventura.

La violencia ya no salió del pecho del hombre. Estaba siempre allí, persistente. A veces, en medio de un trabajo, en ese revoleo del hacha sobre su cabeza, la sentía tan viva que, desconcertado, con esa tarda comprensión que era la suya, dejaba de lado la herramienta y se quedaba mirándose las manos, porque allí, como en el pecho, sentía efectivamente que le andaba algo, un hormigueo que lo impulsaba a empuñarlas y a pegar. Apenas hablaba con los suyos. Uno que otro gruñido para dar una contestación. Una o dos palabras para impartir una orden. Vivía reconcentrado. Odiaba a la vieja. Odiaba a los hijos. Odiaba al patrón. Odiaba a la Esperanza, tan endeble, tan poco hembra, incapaz de resistir un embarazo, incapaz de parir... Y que había muerto dejándolo solo, con la chiquillería y con la vieja... Dejándolo solo, sin mujer, que era lo principal, porque él necesitaba mujer, para eso era hombre, para ayuntarse y tener hijos. Irse a morir la Esperanza... Y aquella vieja que le quería quitar los chiquillos. ¿Por qué, si eran suyos? Intrusa... Los chiquillos eran suyos, para que él hiciera con ellos lo que le diera la gana. Todos. Los chiquillos y la Venancia. Para apalearlos si se le antojaba. Para dejarlos sin comer. Iba a aprender la condenada vieja aquella...

Se le hizo costumbre pegar a los niños. Por cualquier cosa. Por nada. Tremendas palizas con sus manazas como martillos. La vieja al principio no quiso intervenir. Cuando lo hizo, el hombre la miró enfurecido y le gritó:

—Acuérdese cuando le pegaba a la Esperanza...

—Ojalá que la hubiera matao entonces. No hubiera vivío la vía e perros que vos le diste, bandío...

El hombre avanzó hacia ella amenazante. Pero la vieja se irguió con los ojos tan llenos de llamas de odio, tan dura la boca, tan tremendamente iracunda, que el hombre dejó a medio hacer el gesto.

—Anímate a tocarme y verís lo que te pasa...

No sabía qué podía pasarle al hombre, capaz de aniquilarla sin otra ayuda que sus poderosas manos. No sabía el hombre qué podía hacerle de dañino la vieja. Pero el caso es que repentinamente agachó la cabeza, se volvió con los brazos colgantes y abandonó el rancho.

Había ganado esta vez. No sabía Eufrasia en gracia de qué. Pero ¿y otras veces?

Afuera seguía la lluvia, con las bonanzas más largas y más seguidas. El viento era siempre el mismo, duro y tajante. A veces parecía acallarse, adormecerse en una inesperada tibieza, en una especie de momentáneo relente de claras nubes. Una mañana amaneció el cielo limpio y el sol hizo brillar en quebradizos cristales, en repentinas irisaciones, todo el hielo que el frío escarchara con la complicidad de la noche.

Los niños corrían enloquecidos por la blanca superficie resbaladiza. Venancia se estiraba como un gato, con los ojos cerrados, dejando que el sol le recorriera la cara en escorzo. Eufrasia trajinaba presta y silenciosa. Bernabé estaba lejos, revisando el embarcadero, el puente tendido sobre el tajo y que unía las dos laderas de la montaña por sobre el fragor de las aguas, los cercos de palo parado, troncos de árboles fraccionados y enterrados uno junto a otro, en interminables filas para demarcar potreros.

Volvió el hombre a media tarde, malhumorado y por excepción comunicativo.

—Del muelle han queao tan sólo unas estacas. Hay qui'hacerlo too de nuevo. Menos mal que las cercas y el puente no han sufrío mucho. Hay trabajo pa rato con el muelle...

Uno de los chiquillos dijo:

—¿Me lleva mañana pa la montaña pa que li'ayude, taita?

—Y a nosotros tamién..., por favorcito... —dijeron los demás a coro y en el mayor alborozo.

Eufrasia, sentada en su habitual sitio junto al fuego, silenciosa y de perfil, apretó los labios, marcando la arista de su disgusto.

—A mí tamién, taitita... —agregó Venancia, acercándose al hombre, zalamera, risueña porque los hoyuelos estaban siempre allí, en las mejillas marcándose, risueña aunque la risa no se dibujara en la boca. Y le rebrillaban los pequeños ojitos perdidos entre la franja negra de las pestañas, largas y arqueadas. Igual a la madre.

—Esperanza... —murmuró el hombre, y se la quedó mirando con la boca abierta y temblorosa la nuez—. Esperanza..., por Diosito que se le parece, da susto... —añadió como hablando para sí mismo.

La vieja, siempre de perfil, lo espiaba de reojo.

Los chiquillos y Venancia gritaron a coro:

—Nos lleva..., nos lleva...

El hombre parecía seguir algo que ocurría en su interior. Se miró las manos, donde empezaba a hurgarle la violencia. Las empuñó. Y de repente se echó sobre los chiquillos, espantándolos a golpes que caían indistintamente sobre cualquiera de ellos. Sobre Venancia. La niña empezó a sangrar por la nariz, llorando a gritos. Y no atinó a huir como los otros.

—¡Válgame Dios! —dijo la abuela, y se alzó a auxiliarla.

Pero el hombre se había quedado de nuevo mirándose las manos, y, también de súbito, sintió que en el pecho algo se deshacía en una tibia avalancha, como si llorase por dentro. Igual que una marejada caliente. Y se acercó a Venancia, casi al mismo tiempo que la abuela.

—Bestia..., déjala... Un día vai a salir acriminándote con uno de tus hijos...

El hombre se revolvió, porque la violencia regresaba y le corría por los músculos, anidándosele allí, junto a la garganta, y que le hormigueaba en las manos. Gritó:

—Pa eso es m'hija... Pa hacer con ella lo que se me le ocurra... Con ella, con los chiquillos y con vos tamién... —Esta vez alcanzó a darle un puñetazo, pero no más, porque la vieja, prodigiosamente ágil, más rápida de pensamiento que él, se esquivó en seguida y salió del rancho.

Se fue al cobertizo del horno y allí se acurrucó, dura, con la cabeza ladeada, de perfil, ardida la mejilla donde recibiera el golpe. Pero más le ardía la ira por dentro. Los palos, las estopas, los leños acumulados. Ya no eran un peso, sino una llamarada. ¿Qué estaría haciendo en el rancho la Venancia? ¿Le estaría pegando el muy criminal? No, porque no se oían gritos y ella podía separar ruidos, clasificarlos, labor necesaria a su trabajo de antes en el molino, que con sentir su jadeo sabía si andaba bien, si andaba mal y dónde entonces ubicar la falla. Los chiquillos estaban lejos, jugando en la ladera, olvidados de los golpes. A la niña le sangraba la nariz. Pero ¿qué estaba haciendo allí, sangrando? La chiquilla, que se parecía tanto a la Esperanza, ¿no? Bueno. Pero ¿por qué no salía a juntarse con ella? ¿Qué hacer? Bruscamente se decidió. Volvió al rancho.

La chiquilla se restregaba la nariz con un trapo. Bernabé estaba derrengado en una silla, lelo, y más que nunca le temblaba la nuez. No pareció darse cuenta de la presencia de Eufrasia.

De frente, si era posible. Si no, por caminos tortuosos, gateando. Una vez había perdido, sí. Pero esta vez ganaría. De frente era irse a las casas y contarle al patrón lo que pasaba en el rancho. Y que él interviniera, le quitara los chiquillos al hombre y se los diera a ella. No necesitaba más piezas, que aquellas dos en el patio del fondo eran harto grandes y podían todos acomodarse perfectamente. Era la única salvación.

El tiempo se iba lentamente afirmando en la bonanza, las aguas también lentamente bajaban y en dos semanas más sería posible irse hasta la hijuela Primera. ¡Claro que el hombre no iba a querer acompañarla, y ese camino era tan malo! Aunque las bestias saben mejor que nadie buscar la huella. Se iría. Era lo mejor. Pero resultaba tremendo dejar a los chiquillos solos. ¡Si se pudiera ir a escondidas con la Venancia! Imposible. La Venancia, tan lerda, tan arrevesada y que ahora le tenía un terror pánico al padre, después que le pegara... ¿Y si ella se iba sola y pasaba algo en el rancho? Pero ¿qué iba a pasar, qué? Nada..., y se encogía de hombros. Algo pavoroso, obscuro y latente la inmovilizaba allí. No sabía qué. Miedo a algo impreciso. Un irrazonado miedo.

En la siguiente trifulca, otra tarde en que Bernabé les pegó a todos, incluso a ella, sin motivo aparente, sino por satisfacer el hombre aquello que le hurgaba en las manos y que a veces le hacía doler los ijares, Eufrasia le gritó a tiempo de huir:

—Ya arreglarís cuentas con el patrón...

Y se quedó petrificada al oírlo contestar, mordiendo y ahogándose con las palabras, las manazas colgantes y los ojos perdidos en la carnosidad de los párpados:

—El patrón... Cuando me vea... Con agarrar a los chiquillos y mandarme muar pa otro lao. El patrón... Tanto cuco con el patrón... Que se meta en sus cosas el patrón...

Se había hecho costumbre en Eufrasia, ahora que el tiempo estaba despejado, irse a sentar bajo el cobertizo del horno. Llevaba una banqueta, la costura o el tejido, y allí se estaba las horas, solitaria, en espera de que regresaran el hombre y los niños, porque también en él se había hecho costumbre llevárselos para el trabajo desde el alba. Lo que a los chiquillos llenaba de holgorio, olvidados de los golpes y de las palabrotas en cuanto se trataba de irse por la laguna para atravesar a la montaña frontera o quedarse esperando que picara el salmón o ayudando al padre en la tarea de elegir los árboles que habría de derribar para fraccionarlos y hacer después con ellos los cercos, o si no en aquella otra aventura, maravillosa, que consistía en atravesar haciendo equilibrios el puente tendido sobre el tajo, pasarela primitiva y peligrosa.

Regresaban hambrientos y cansados. Eufrasia tenía lista la comida, que servía Venancia desmañadamente, y luego el hombre daba orden de acostarse. Y estaban los chiquillos tan rendidos, tan absolutamente rendidos con la caminata, el aire y el sol, tan ahítos de comida, que caían como piedras al fondo del sueño, sin que la abuela pudiera obtener de ellos la más mínima información de lo que habían hecho en el día.

Otra vez ganaba el hombre... Y ella allí, como una buena tonta, trabajando el día entero para que "su mercé" hallara el pan dorado, el sabroso caldillo, las papas asadas y el agua hirviendo para cebar el mate. Y la ropa limpia y el rancho como una plata... Tonta...

Empezó a merodear por los contornos. Hacía sigilosos viajes por el sendero hasta enfrentar el puente sobre el tajo. Se perdía en la maraña de los árboles, de los arbustos y enredaderas, apareciendo súbitamente frente al rancho, buscando rectas entre el puente y su sitio habitual, bajo el cobertizo del horno. Desahogaba su mal humor en los pájaros, hasta los más chiquitos, tocados siempre por la piedra de su honda. Merodeos sin testigos, porque aguardaba siempre para realizarlos que el eco no le trajera seña alguna de la presencia de los otros, lejanos por las montañas.

Volvían del bosque de araucarias. En la mañana había el hombre dejado tendida la red y estaban los chiquillos impacientes por ver la pesca. Venancia se había hecho una corona de pequeñas hojas y venía delante. Atravesó la primera el puente, como si los pies descalzos adhirieran al tronco rugoso, firme y segura. Pasó un chiquillo, silbando, sin darle importancia al abismo que estaba abajo, profundo, verde, tonante. Los demás niños venían con el hombre, que cargaba el hacha. Pareció que iba a pasar primero. Pero les cedió el paso a los hijos, que atravesaron, uniéndose a los demás y echando a correr en dirección al embarcadero y a ver la red.

El hombre puso el pie en el puente. Como los chiquillos, parecía adherido a la piel del árbol. Pero en la mitad, de súbito vaciló, herido por la piedra en la frente; vaciló, osciló y desapareció entre las paredes del tajo, sumido en lo húmedo, en lo fragoroso.

Los niños lo esperaron en el embarcadero.

—Si'habrá ido derecho pa'l rancho —dijo uno.

—¿Veímos la red? —propuso el otro.

—La veímos no más —dijo Venancia—, y si s'enoja, que s'enoje...

Trajinaron un rato. Sacaron el pescado. Lo pasaron por largas ramas de plantas acuáticas para formar sartas. Y echaron a andar camino del rancho con su carga.

La abuela los aguardaba sosegadamente bajo el cobertizo del horno, con las manos cruzadas sobre la costura.

—Mire, agüela, truchas y un salmón chico.

—¿Y el taita? —preguntó uno de los chiquillos.

—Aquí no ha llegao —dijo la abuela, y se volvió de perfil.

—¡Bah! Se li'habrá olvidao algo y golvió pa la montaña.

—¿Por qué no lo van a catear? Es harto tarde y vendrá con hambre.

Regresaron al rato. El padre no estaba. ¿Qué hacían? ¿Lo iban a buscar al otro lado del puente?

—No —dijo la abuela—. Se hizo noche ya. Dent en a comer. Ya llegará...

Comieron y esta vez fue la abuela quien en seguida dio orden de que se acostaran. Se caían de cansancio. Se caían de cansancio medio a medio del sueño.

La abuela se quedó un largo rato en su otro sitio habitual, en el de las tremendas noches invernales, cercana al fuego, volteada la cabeza sobre un hombro, garduña en acecho, con el perfil fijo en la penumbra, en la mano el cigarrillo, despaciosamente liado, despaciosamente encendido y que, de rato en rato, marcaba un punto rojo. De pronto se volvió a la puerta que daba a la habitación del hombre.

—Agora gané yo..., y pa siempre... ¡Je! —lo dijo, creyó decirlo, pero de la boca cerrada, como trancada por el labio inferior, no se movió un músculo ni salió un sonido.

Entonces se alzó a cerrar la puerta de entrada. Pero no la cerró, la dejó abierta. Abierta, porque para los otros el hombre todavía podía volver.

AGUAS ABAJO

La casa fue primero de quincha con revoque de barro. Pero, al correr del tiempo, el hombre empezó a subir lajas del río y alrededor de las paredes ya existentes hizo otras de piedra. Era como una casa metida dentro de otra casa. O, mejor dicho, como una habitación metida dentro de otra habitación, porque la casa no era sino ese espacio doblemente murado, con una puerta y dos ventanucos, si bien la rodeaban varios cobertizos que servían de cocina, establo y apeadero.

Junto al alto muro de la montaña, la casa se guarecía del viento en una entrante de la roca. Un tajo en cuyo fondo corría el río la separaba de la montaña fronteriza.

En verano el caudal del río era mísero entre las arenas y las piedras ocres; en otoño aumentaba hasta tragarse las piedras, arremolinado, precipitado, sin que nunca un remanso le diera color de cielo, ni una estrella se quedara quieta en la profunda noche de su espejo; llegaba el invierno y las finas rayas persistentes de la lluvia lo esfumaban todo, pero el ruido del agua en furiosa torrentada dominaba aun el caer de la lluvia y los tabletazos del viento, cuando no su largo aullido; la primavera provocaba con sus deshielos súbitos anegamientos que arrastraban troncos y pedruscos, formando muchas veces represas que la corriente empujaba hasta lograr un nuevo avance fragoroso. Terminaba el deshielo y el río aparecía de nuevo como un hilo cobrizo, imperceptible a veces sobre el rojizo de la arena, entre las paredes del tajo, rojas también, como las montañas mondas que limitaban el horizonte.

En la casa la existencia se guiaba por las aguas. La sequía del verano marcaba la época en que la mujer, cantando dulcemente las cuatro notas de la melodía india, bajo los cobertizos hacía sus quehaceres domésticos. La vieja hilaba, medio ciega, en su silleta frente al abismo, mirando la niebla de sus propios ojos, muy abiertos los párpados, rojiza de soles, de vientos, de años; labrada por las arrugas y con las manos extrañamente presurosas manejando el huso. La muchacha ayudaba a la madre, guiaba a la vieja, bajaba por agua hasta el río, segura de sus quince años, alta la cabeza, con la falda modelándole el vientre de suave jadear, y en la piel una tersura de fruta que se supiera a punto y con el deseo de que le hincaran los dientes. Los dos niños iban y venían, ayudando a la madre, ayudando a la vieja, ayudando a la muchacha, triscando por las montañas con las cabras, cuidando al burro, ayudando sobre todo al hombre entregado allá abajo, en el cauce seco del río, a la tarea de fraccionar los troncos, de hacerlos leña, atados que después iba a dejar al pueblito lejano; negocio para vivir, manera de arrancarle a la montaña una piltrafa que se cambiaba en monedas. Negocio para el verano, porque, después, en otoño, la lluvia iba borrando las posibilidades para este trabajo, deshaciendo en barro gredoso los caminos, impidiendo toda comunicación.

Entonces la mujer tejía mantas en el telar primitivo, la vieja continuaba hilando como siempre con los ojos fijos en su propia niebla, la muchacha iba y venía de cobertizo en cobertizo con un saco puesto en la cabeza para defenderse de la lluvia, en unión de los niños igualmente tocados. Mientras tanto el hombre, con fina pericia de artesano, tallaba la greca de los capachos. Que como las mantas eran el trabajo del mal tiempo. Pero las lluvias lo encerraban todo, todo, y la casa, sin perspectiva, se quedaba con los habitantes dentro, junto al hogar que ardía en medio, abierta una ranura en el techo para dejar salir el humo y una luz difusa entrando por los ventanucos. Parecían alelados de inacción, atentos tan sólo a que un disminuir de la lluvia les permitiera echarse afuera para rápidos trajines.

Eran apenas unas pocas horas hábiles. La luz se iba a media tarde y una vela encendía su llama vacilante, a veces, porque la mujer escatimaba ese lujo. Por lo general era suficiente el resplandor del fuego para hacer circular el mate y después se acercaban los jergones al rescoldo, uno para el hombre y la mujer, otro para la vieja y la muchacha, otro para los niños. Buscaban en la tibieza de las brasas una defensa contra el frío, que se hacía palpable, como si la noche lo empujara por las junturas de la puerta, por las rendijas de los ventanucos, por la ranura del techo y dentro de la habitación se pegara a los cuerpos. Los niños se dormían repentinamente caídos en el sueño. La vieja rezaba largos rosarios, allegándose al calor de la muchacha y con el gato negro de las supersticiones echado sobre el cuello, entre las trenzas y el rebozo. El hombre y la mujer cambiaban rituales palabras, frases sueltas, oyendo cómo las respiraciones iban haciéndose sonoras.

—¡No!

—Tán ormíos.

—La Maclovia no...

—Toos.

—¿Y la vieja?

—¿Ella? No importa...

La vieja sabía que les era indiferente que estuviera o no dormida, y cuando el primer gemido le llegaba, por un instante interrumpía el rezo, mientras una sonrisa le alzaba el labio superior, dejando al aire los boquerones de los dientes ralos. Pero a veces un gemido más agudo inquietaba el sueño de la muchacha, la ponía al borde del desvelo, cuando no la despertaba de golpe, anhelante, sabedora de lo que pasaba allí, viéndolo sin verlo, trasudando angustia, con los pechos repentinamente doloridos y los muslos temblorosos, uno contra otro, apretados. Pero volvía el silencio, y ella, resbalando por una especie de beatitud, iba sintiendo que los músculos se le distendían y que lentamente entraba de nuevo a la zona del sueño.

Hasta que la primavera limpiaba de nubes el horizonte y una bandada de cachañas pasaba gritando su alegría de sol. Entonces había que rehacer la huella que iba al pueblito, ir a vender las mantas y los capachos, comprar "las faltas".

—¿Onde'stá tu taita? —preguntó la mujer.

—Mi taita no; su marío. Tá allá, en el bajo —indicó la muchacha con un gesto.

—¿Nunca vai a entender icirle taita?

—Nunca. Mi taita murió. Este es su marío.

—Güeno... —y la mujer se la quedó mirando, apesadumbrada, sin fuerzas para luchar con esa tozudez—. ¿Querís irlo a buscar? Tá el sol alto ya y los chiquillos andan hambreados. Tanto demorarse siempre este hombre...

—Güeno pa'l trabajo... —intervino la vieja—. No debís rezongar por eso: es tentar a Dios.

—Mande uno de los chiquillos —contestó desganada la muchacha.

La mujer la miró de nuevo, con esa lentitud que le hacía los ojos como de vaca, inexpresivos. Pero de pronto reaccionó y dijo furiosa, a gritos:

—Vai a irlo a buscar... Mal mandá... No es ningún perro sarnoso pa que no le podái hablar siquiera...

Las palabras parecían resbalar sobre la muchacha, plantada en las piernas abiertas, desnudas y fuertes, las manos cruzadas a la espalda. Miró a la mujer de soslayo, entrecerrados los ojos pestañudos; alzó los hombros y, siempre con las manos en la espalda, echó a andar por el senderito escalonado que bajaba al río.

No se daba prisa. Una cachaña que la descubriera planeaba curiosamente sobre ella, atraída por la mancha clara de su blusilla. Una cabra dejó de ramonear y también la miró curiosamente, con la cabeza en escorzo, empinada en un peñasco, prodigiosamente sostenida. La muchacha seguía andando, despaciosa, llena de sol, con los anchos pies como apoderándose de la tierra a cada paso. Se detuvo un instante y, guiada por el hacheo, torció camino porque ya sabía dónde encontrar al marido de su madre.

—Lo llaman —dijo a voces desde lo alto.

El hombre se volvió a mirarla. Estaba sobre él, en un saliente de piedras y troncos, mirándolo por entre las pestañas, seria y sin embargo con una especie de terneza que le atirantaba la boca en una sombra de sonrisa.

—Voy —contestó.

Tenía el hacha en la mano. La voleó, hundiéndola de golpe en el tronco que cortaba. Todo él pareció tenderse al esfuerzo, como si los músculos se le hicieran parte del hacha para meterse en la madera. Se volvió, restregándose las manos. Y los ojos se le soldaron a la figura alzada allí, viéndola desde abajo, con las piernas desnudas y el vientre apenas combo y las puntas de los senos altos, y arriba la barbilla y todo el rostro echado hacia atrás, deformado y desconocido, con las crenchas despeinadas por la mano del viento, mano como de hombre que la quisiera y la acariciara.

Pareció que le crecieran raíces. Se la quedó mirando, mirando. Como si las raíces se adentraran por la tierra y llegaran hasta esa obscura región de las corrientes subterráneas, napas frías y calientes, ambas subiéndole por los pies, por las piernas, por el torso; inundándole el pecho, contradictorias; llegándole hasta los brazos, hasta las manos; subiendo por los brazos nuevamente, rebotando toda esa marejada en el cerebro, golpeando allí, insistiendo allí con su fuerte fluir y refluir. Como aguas calientes y frías. Y como si el sol hubiera de pronto hecho florecer todos los retamos de la tierra norteña en que pasara la infancia y el olor fuera una borrachera que hiciera vacilar la montaña. La muchacha lo miraba, entrecerrados los párpados. El hombre se arrancó a sus raíces, las cortó de un golpe con el mismo ímpetu con que derribaba un árbol y avanzó hasta casi pegar la cara a los pies de la muchacha. Alzó los ojos. La veía siempre hacia arriba, firme y sin esquivarse. Súbitamente pegó la frente a sus piernas, alzó las manos y las pegó a las piernas. Y un momento se quedaron así, como parte del paisaje, sin pensar en nada, sintiendo tan sólo la tremenda vida instintiva que los galvanizaba.

La muchacha seguía mirándolo, más entrecerrados aún los párpados.

Cuando dio un paso atrás, la cara y las manos del hombre quedaron en el aire, sin tratar de retenerla. La muchacha se dio vuelta y empezó a andar. Y el hombre, con un salto elástico, se alzó hasta el sendero y se fue tras ella, como ciego al que milagrosamente se revela la certidumbre del sol.

—Tai muy insolente vos —dijo la mujer vociferando.

—Porque pueo —contestó la muchacha con iguales voces.

—Vai a lavar la ropa.

—No quero.

—Vai a lavar la ropa.

—No quero lavar la ropa. No quero. ¿Entiende? No quero lavarla. Lávela usté.

—Vai a lavarla vos, porque yo te lo mando. Pa eso soy tu mamita.

—No quero.

—Lo que vai a conseguir es que te largue un güen palo.

—¡Je! —rió la muchacha—. Haga la prueba no más...

No con un palo, pero sí con un bofetón intentó alcanzarla. La muchacha se esquivó rápida, y la mujer, con su propio impulso, perdió el equilibrio y fue a darse contra la batea.

—Me las vai a pagar —gritó iracunda.

—Déjala —dijo la vieja—, déjala no más. No vai a conseguir na d'ella. Es pior que macho.

—Pero si antes no era así...

—Cosas de moza —prosiguió la vieja—. Déjala no más, ya se le pasará el emperramiento.

—Te voy a acusar a tu taita, a ver si le hacís caso...

—No es mi taita —protestó la muchacha desde lejos, apoyada en un puntal del apeadero y haciendo eses en la tierra con un pie.

—Sí, ya sé; no es tu taita, es mi marío —dijo amargamente la mujer.

—Su marío... —y entrecerró los párpados, mirándola mientras que un gesto como el de la vieja mostraba en la boca los dientes de animalillo carnicero, fuertes y crueles.

—Mejor es que te vayai pa'l alto con las cabras —interrumpió la vieja—. Son l'únicas que te aguantan.

—Tamién usté con lo que la malcría. Parece que no tuviera más nieto qu'ésta... —hizo el reproche la mujer cuando la muchacha se alejaba, como siempre con las manos cruzadas a la espalda.

Parecían la réplica una de la otra: la vieja con los ojos muy abiertos, inexpresivos, toda ella como de piedra herrumbrosa, por una vez con el huso caído en el regazo y las manos sobre él, inmóviles. La mujer al

frente, en otra silleta, abiertos los ojos lavados por las lágrimas, parali-
zadas las facciones por el dolor, las manos en el cuenco de la falda, como
olvidados objetos inservibles. Atrás la casa se borraba en la sombra que
lentamente subía de la hondonada precedida de un hálito fresco. En el
cielo tan sólo había el tachón de una estrella y un ave porfiadamente
modulaba su reclamo. La hora del crepúsculo pareció irse de súbito y en
la noche quedó desparramado y vivo el insistente croar de las ranas.

—¿Y los chiquillos? —preguntó en un hilo de voz la mujer.

—Ya s'acostaron —dijo quedamente la vieja.

—¿No preduntaron na por mí?

—Sabís lo que son. Tán locos con los dos chivitos de la Barbona.

—¿Y... ella?

—Muy suelta e cuerpo..., como si no hubiera pasao na...

—¿Hizo ella la comía?

—¿Y quién querís que l'hiciera?

No sólo le quitaba el hombre. Le quitaba el hogar, la responsabilidad
de la vida familiar, el derecho al mando. Y era su hija... Los músculos
de la cara se le relajaron y por los ojos le brotó el llanto, silenciosamente,
anegándole las mejillas, entrándosele por los labios, regustándole en amargor la garganta. A veces un sollozo iba a estallar, lo sentía subir desde
el fondo de sus entrañas, desgarrándolas, pero la mujer apegaba convulsivamente el delantal a la boca para hacerlo morir allí, sin ruido alguno.
Porque le habían dicho "que no querían oírla" tras la escena de la mañana, cuando los encontró anudados en un abrazo y estalló en ira, aullando insultos y amenazas que sólo sirvieron para que la muchacha, tranquilamente alzándose, la mirara despectiva, y el hombre, frío y brutal, la
pusiera frente a la nueva situación. Ella, que hiciera lo que más le conviniera. Si quería quedarse en la casa, bueno. Si quería, se iba. Pero ni
malas caras ni gritos. Podía acompañar a la vieja, hilar, tejer, lo que
fuera más de su gusto. Pero "la dueña de casa" era ahora la muchacha.

—Ella es mi mujer. Mi mujer —decía el hombre, con una voz que se
esparcía en el aire como trigo en el surco—. Mi mujer.

Cuando quiso agredir a la muchacha, el hombre alzó el fuerte brazo,
impidiéndoselo. ¡Que le pasara el mal momento! ¡Que se fuera al río o
a la montaña, que viera de sosegarse! Las cosas eran así y nada más.
Cosas de la vida..., como le dijo después la vieja, cuando ella la arrastró hasta el fondo del tajo, tambaleándose ambas y abrazadas. A sus años
se podía hablar así... ¡Pero ella! Con su adoración por el hombre, con
su ansia de él adherida a la piel, muro que reverdece con la enredadera
que le da forma. ¡La vieja! ¡Como los otros, como todos, oyendo su conveniencia! Tratando de calmarla, de hacer de todo aquello un incidente
sin importancia. Queriendo volver a subir a la casa, negándole hasta eso
mísero que era su compañía, dejándola sola en su desesperación, abandonada a la pena, royendo su humillación y su impotencia.

Pensó irse, andando senderos hasta no sabía dónde. Echarse al río. Subir por la montaña y tirarse por cualquier risco. Se veía extenuada por el hambre, pordiosera de los ranchos. O fría en el agua, hinchada, deforme, como a veces aparecía en la corriente un animal ahogado. O rota entre piedras y tierra. Pensaba en su muerte como en un hecho ajeno, espectadora de la reacción de los otros. Para verlos sufrir. Para verlos deshechos por el remordimiento. Para que nunca se atrevieran a mirarse, con su ánima separándolos. Lloraba asomada a la muerte y como llorando a otro muerto que no era ella. Se interponían entre esas imágenes pequeñeces de la vida diaria en que hallaba reposo: ya no sería ella quien amasara, sino la muchacha, con cansancio sobre la tabla y con la cara después ardida por el vaho del horno. Pero cuando estuvieran comiendo, a lo mejor a él no le gustaba el pan hecho por otras manos, tan regodeón como era, y la echaría de menos... Fue el cabo por el cual se asió a la esperanza. La echaría de menos... Si no en el abrazo carnal, en lo rutinario de la vida cotidiana. Puede que la muchacha terminara por contentarse con ser tan sólo "su mujer" y le fuera dejando lado a ella para ser "la dueña de casa"... Pero el que fuera "su mujer" le dolía como un dolor físico, como el sufrimiento de haberla parido a ella, a la hija, a la que ahora se lo robaba todo. Lloraba de nuevo, sola en lo hondo del tajo, junto a la impasible faz de los peñascos.

El atardecer, con su mandato de siglos, la hizo buscar furtiva el cobijo de la casa y halló a la vieja esperándola, segura de su retorno.

Ahora había que impedir que la oyeran. Por eso convulsivamente se tapaba la boca, empuñadas las manos sobre el delantal, ahogando sollozos. ¡Que no la oyeran! Había que disimularse. Desaparecer si era posible. Y esperar, esperar... Siempre hay una hora en que amanece.

—Me voy a la cama —dijo la vieja—. Hace rato ya qu'están toos ormíos.

Se alzó, buscó a tientas el bastón, agarró la silleta y se dispuso a encaminarse hacia la casa.

—¿Vos no venís? —preguntó con acento que se quebraba en una inesperada terneza.

—Ya voy, mamita —contestó la otra, alzándose también, con la sensación de que no tenía cuerpo, de que las piernas no iban a obedecerla, de que no podría sostenerse en pie y menos lograr moverse.

Pero se alzó, agarró la silleta con idéntico gesto que la vieja y tras ella, lentamente, echó a andar camino de la casa, con el espanto de ir por las cornisas de un mal sueño y la angustia del vacío acechándola a cada paso.

SOLEDAD DE LA SANGRE

El pie era de bronce, con un dibujo de flores caladas. Las mismas flores se pintaban en el vidrio del depósito y una pantalla blanca, esférica, rompía sus polos para dejar pasar el tubo. Aquella lámpara era el lujo de la casa. Colocada en el centro de la mesa, sobre una prolija carpeta tejida a crochet, se la encendía tan sólo cuando había visita a comer, acontecimiento inesperado y remoto. Pero se encendía también la noche del sábado, de cada sábado, porque esa víspera de una mañana sin apuro podía celebrarse en alguna forma y nada mejor, entonces, que la lámpara derramando su claridad por la maraña colorina del papel que cubría los muros, por el aparador tan simétricamente decorado con fruteros, soperas y formales rimeros de platos; por las puertas de la alacena, con cuarterones y el cerrojo de hierro y su candado hablando de los mismos tiempos que la reja que protegía la ventana por el lado del jardín. Sí, en cada noche de sábado, la luz de la lámpara marcaba para el hombre y la mujer un cuenco de intimidad, generalmente apacible.

De vivir en contacto con la tierra, el hombre parecía hecho de elementos telúricos. Por el sur, montaña adentro, mirándose en el ojo traslúcido de los lagos, pulidos de vientos y de aguas, los árboles tienen extrañas formas y sorprendentes calidades. En esa madera trabajada por la intemperie sin piedad estaba tallado el hombre. Los años le habían arado la cara y en ese barbecho le crecían la barba, los bigotes, las cejas, las pestañas. Y las greñas, negrísimas, lo coronaban con una mecha rebelde, que siempre se le iba por la frente y que era gesto maquinal suyo el colocar en su sitio.

Ahora, en la claridad de la lámpara, las manazas barajaban cuidadosamente un naipe. Extendió las cartas sobre la mesa. Absorto en el juego, despacioso y meticuloso, porque el solitario iba en camino de "salir", una especie de dulcedumbre le distendía las facciones. Apenas si le quedaban cartas en la mano. Sacó una. La volvió y súbitamente la dulcedumbre se le hizo dureza. Miró con sostenida atención las cartas, la otra carta en la mano. Dejó el mazo restante y se echó el mechón hacia atrás, hundiendo y fijando los dedos en el pelo. Volvió la dulcedumbre a esparcírsele por la cara. Levantó los párpados y aparecieron los ojos como las uvas, azulencos. Una mirada precauciosa que se fijó en la mujer, que halló los ojos de la mujer, grises, tan claros que a cierta luz o de lejos daban la inquietante sensación de ser ciegos.

—Haga cuenta que no lo estoy mirando y haga su trampa no más —dijo la mujer con voz cantante.

—¿Será muy feo? —preguntó el hombre.

—Como feo, es feo.

—¡Que siempre me ha de fallar! ¡Vaya, por Dios! ¡Lo haré de nuevo! —y juntó las cartas para barajarlas.

A veces el solitario "salía". Otras "se ponía porfiado". Pero siempre, a las diez horas que resonaban en la galería caídas del viejo reloj, el hombre se alzaba, miraba a la mujer, se acercaba hasta poner una mano sobre la cabeza y acariciaba el pelo, una y otra vez, para terminar diciendo, como dijo esa noche:

—Hasta mañana, hijita. No se quede mucho rato, apague bien la lámpara y no meta mucha bolina con su fonógrafo. Déjeme que agarre el sueño primero...

Salió cerrando la puerta. Oyó sus trancos por la galería. Luego lo sintió salir al patio, hablar algo al perro, volver, ir y venir por el dormitorio, crujir la cama, caer uno tras otro los pesados zapatos, crujir de nuevo la cama, revolverse el hombre, aquietarse. La mujer había abandonado el tejido sobre el regazo. Respiraba apenas, entreabierta la boca, toda ella recogiendo los rumores, separándolos, clasificándolos, afinada la sensibilidad auditiva a tal punto que los sentidos todos parecían haberse convertido en un solo oído. Alta, fuerte, tostada de sol la piel naturalmente morena, hubiera sido una criolla cualquiera si los ojos no la singularizaran, haciéndole un rostro que la memoria, de inmediato, colocaba en sitio aparte. La tensión le hizo brotar una gotita de transpiración en la frente. Nada más. Pero sentía la piel enfriada y, con un gesto inconsciente, pasó una lenta mano por ella. Luego, con la misma ausencia, miró esa mano. Cada vez parecía más tensa, más como una antena captadora de señales. Y la señal llegó. Del dormitorio y en forma de ronquido, al que arrítmicamente siguieron otros.

Se le aflojaron los músculos. Los sentidos se abrieron en su exacta estrella de cinco puntas, cada cual en su trabajo. Pero aún siguió inmóvil la mujer, con las pupilas desbordadas fijas en la lámpara.

¿Cuándo había comprado aquella lámpara? Una vez que fue al pueblo, que vendió la habitual docena de trajecitos para niño, tejidos entre quehacer y quehacer, entre quehaceres siempre iguales, metódicamente distribuidos a lo largo de días indiferenciados. Compró aquella lámpara, como había comprado el aparador, y los muebles de mimbre, y el ropero con espejo, y el edredón acolchado y... Sí, como había comprado tanta cosa, tanta... Claro, en ¡tantos años! ¿Cuántos años hacía? Dieciocho. Había cumplido ahora treinta y seis y tenía dieciocho cuando se casó. Dieciocho y dieciocho. Sí... La lámpara. El aparador. Los muebles de mimbre... Nunca creyó ella, de esto estaba segura, que tejiendo podía ganar dinero no sólo para vestirse, sino para darse comodidades en el hogar.

El dijo, apenas casados:

—Tiene que agenciarse para hacer su negocito y ganar para sus faltas. Críe pollos o venda huevos.

Ella contestó:

—Usted sabe que no soy entendida en esas cosas.

—Busque algo que sepa, entonces. Algo que le hayan enseñado en la profesional.

—Podría vender dulces.

—Pierda las esperanzas en estos andurriales. Debe ser algo que se pueda llevar por junto al pueblo una vez al mes.

—Podría tejer.

—No es mala idea. Pero hay que comprar la lana —agregó, súbitamente intranquilo—. ¿Cuánto necesitaría para empezar?

—No sé. Déjeme ver precios. Y hablar en la tienda, a ver si se interesan por tejidos.

—Si no sale muy caro...

Y no resultó caro y sí un buen negocio. La mujer del propio dueño de la tienda compró para su hijo la primera entrega, que era tan sólo una muestra. Un lindo trajecito, como nunca niño alguno lo tuvo por aquellos "andurriales", en que la gente manejaba dinero y adquiría cosas sin gracia en negocios en que el barril de sebo se aparejaba con los frascos de Agua Florida y las casinetas estaban junto al bálsamo tranquilo. Fue un buen éxito el suyo. Le hicieron encargos. Tejió para toda la región. Pudo subir los precios. Nunca daba abasto para los pedidos pendientes. Cuando vio que prosperaba, él dijo un día:

—Bueno es que me devuelva los diez pesos que le presté para empezar sus tejidos. Y que no se gaste toda la plata que gana en cosas para usted no más. Claro es que no voy a decirle que me dé esa plata a mí, es suya, sí, bien ganada por usted, y no le voy a decir que me la entregue —repetía siempre lo que acababa de expresar, con una insistencia en que quería a sí mismo puntualizar su idea—, pero ya ve, ahora hay que comprar una olla grande y arreglar la puerta de la bodega. Bien podía hacerse cargo de las cosas de la casa, ahora que maneja tanta plata, sí..., tanta plata...

Compró la olla grande, hizo arreglar la puerta de la bodega. Y después, compró, compró... Porque significaba una alegría ir convirtiendo aquella destartalada casa de campo, comida por el abandono, en lo que ahora era, casa como la suya allá en el norte, en el pueblecito sombreado de sauces y acacias, con el río cantando o rezongando valle abajo y la cordillera ahí mismo, presente siempre, fondo para las casitas como de juguete: azules, rosadas, amarillas, con zaguanes anchos y un jazmín aromando las siestas, y frente al portalón un banco pintado de verde propicio a las charlas de prima noche, cuando los pájaros y el ángelus se iban por los cielos en el mismo aire y los picachos tenían súbitos rosas y lentos violetas, antes de dormirse bajo el cobijo de atentas estrellas fulgurantes.

Cerró los párpados, como si también ella debiera dormirse al amparo de esa cautela. Pero los abrió en seguida, escuchó de nuevo, segura de oir el ritmo del que dormía. Entonces se alzó y con silenciosos movimientos abrió la alacena, y del más alto estante fue sacando y colocando sobre la mesa un viejo fonógrafo, inverosímil de forma, como un armarito cuyas portezuelas mayores abiertas dejaban ver un encordado de cítara, al sesgo sobre la boca del receptor, que no era otra cosa que un pequeño círculo abierto en la caja sonora. Abajo otras portezuelas, más pequeñas, dejaban ver el asiento verde de los discos. Aquél era lujo suyo, no como la lámpara, lujo de la casa, sino suyo, suyo. Comprado cuando la señora de "Los Tapiales", de paso por el pueblo, la hallara en la tienda y viera sus tejidos y le preguntara si podía hacerle unos abrigos para sus niñitas. ¡Qué linda señora, con una boca grande y tierna y la voz que arrastraba las erres, como si fuera madama, y no lo era, y eso a ella le daba tanta risa! ¡Cómo tuvo de trabajo ese verano! Fue entonces cuando vio cumplido su anhelo de tener un fonógrafo con discos y todo. El se lo dejó comprar. ¡Para eso ganaba harta plata!

—Cómprelo no más, hijita. Lo suyo es suyo, claro; pero bueno sería que también se ocupara de ver si me puede comprar una manta a mí, que la de castilla está raleando. Porque yo la manta la necesito y como tengo que juntar para otra yunta, no es cosa de distraer pesos, y como usted está ganando tanto…. Pero es claro, sí, que se compra el fonógrafo también y antes que nada….

Primero compró la manta e inmediatamente el fonógrafo. Nunca mayor su gozo que de regreso a su casa y el fonógrafo colocado en la mesa y ella transida, oyendo la cadencia del vals o la marcha que se interrumpía de pronto para dejar oir un repique de campanas. Se lo habían vendido con derecho a dos discos que ella eligiera despaciosamente, impaciente él al verla indecisa luego de elegir el primero —que era aquel en que estaban el vals y la marcha—, haciéndose ensayar uno tras otro todo un álbum. Hasta que, cada vez más impaciente, dijo:

—Se está haciendo tarde. Mire cómo baja el sol. Hay que irse, sí; nos va a agarrar la noche si no. Lleve ese que tiene separado y éste. Uno porque le gusta y otro a la suerte…. —y sacó al azar un disco del cajón.

Que resultó con canciones españolas llenas de quejumbres, que ni a él ni a ella les gustaron y que una vez intentó vanamente cambiar. Y cuando, tiempo adelante, insinuó tímida el propósito de comprar más discos, él, con la cara terrosa que solía poner en su hora negativa, contestó severamente:

—No más bullanga en la casa…. Basta con la que tiene y con qué se la aguante.

Nunca insistió. Cuando estaba sola, en el campo trabajando él y sus peones, sacaba el fonógrafo y de pie, con el vago azoro de estar "perdiendo el tiempo" —como decía él—, juntas las manos y rebulléndole en el pecho una espiral de gozo, se dejaba sumergir en la música dulcemente. A él no le gustaba nada este "perder el tiempo". Ella lo sabía bien y no se dejaba arrastrar por el imperioso deseo de oir el vals o de oir la marcha. Pero con ese hábito de contarle cuanto hiciera en el día, con minucia a que la había acostumbrado desde el comienzo de su vida matrimonial, decía, abiertos los párpados y las pupilas dilatadas:

—Molí la harina para los peones, cosí su chaqueta de abrigo, amasé para la casa... —hacía una pausa imperceptible y agregaba muy ligero—: oí un ratito el fonógrafo y nada más...

—Ganas de perder el tiempo..., el tiempo que sirve para tanta cosa que deja plata, sí, de perderlo... —Lo decía en distintos tonos, a veces comprobando una debilidad en la mujer, ligeramente protector y condescendiente; a veces distraído, maquinal, echando atrás la mecha rebelde, trabajado por otra idea; a veces entorvecido, leñoso y asustándola, que nunca había podido sobreponerse a una obscura sumisión instintiva de hembra a macho, que antaño se humillaba al padre y ogaño al marido.

Cuando ella, sin insinuación alguna, compró para él aquella chaqueta de cuero, lustrosa como si estuviera encerada, negra y larga, que el tendero decía que era de mecánico y en la cual la lluvia no podía filtrar, así cayera en los tozudos aguaceros de la región; cuando la compró y misteriosamente la trajo a casa y dejó el paquete frente a su sitio en la mesa, para que la hallara sorpresivamente, dulcificado al verla, el hombre pasó la manaza sobre el pelo suave, peinado en trenzas y alzado como una tiara sobre la cabeza:

—¡Buena la vieja! Trabajadora, como deben ser las mujeres, sí. Y oiga, hijita, esta noche que es sábado encienda la lámpara y así yo podré hacer mejor mi solitario. Y cuando me vaya a acostar, usted se queda otro ratito y toca su fonógrafo. Sí, lo toca, pero cuando yo me quede dormido. Sáquese el gusto usted también...

Así nació la costumbre.

Bajó un poco la luz de la lámpara. De puntillas se fue hasta la ventana y la abrió, dejando entrar la noche y su silencio. Volvió a la mesa, dio la cuerda con precaución, juntó las manos y esperó.

Tará..., rará..., tarará...

La marcha. Y súbitamente todo en su contorno se abolió, desapareció sumergido en la estridencia de las trompetas y el redoble de los tambores, arrastrándola hacia atrás por el tiempo, hasta dejarla en la plaza del pueblo norteño, después de la misa de once en domingo sin lluvia, revolando el tambor mayor la guaripola y a su siga, a paso de parada, la banda dando la vuelta final por el contorno del paseo, con la chiquillería delante y un perro mezclado a sus carreras, mientras las señoras en su banco tradicional comentaban mínimos problemas, los señores hablaban de la vendimia y ellas, ella y sus hermanas, ella y sus amigas, del brazo, con las trenzas desasosegadamente resbalando por los pechos que ya combaban suspiros, pasaban y repasaban ante los mayores, cruzando grupos de muchachos, que parecían no verlas y que al fijar lo circundante sólo a una de ellas miraban, sorbiéndolas como sedientos a agua de campo, en propio manantial con ávida boca que el deseo agranda.

Era la hora en que se estrenaban los trajes. A veces eran rosas o celestes. O blancos con lazos rosas o celestes. A veces eran rojos o marinos, y esto quería decir que por el cielo de un desvanecido azul unas nubes desflecaban sus vellones y que el viento ya se había llevado la última hoja de obscuro oro. Recordaba particularmente un abrigo rojo, con cuello redondo de piel blanca, rizosa y suave a la cara y un manchón como un barrilito, colgado del cuello por un cordón blanco también. Y la advertencia de la madre:

—Las manos se ponen en el manchón y ya no se sacan más. Claro que para saludar... —añadió tras una pausa reflexiva.

Iban y venían, tomadas del brazo. Cuchicheaban cosas incomprensibles, inauditas confidencias que acercaban sus cabezas, murmullos apenas articulados y que de pronto las sacudían en largas risas que dejaban perplejos a los árboles, porque no era época de nidos, o los alborozaban en aprobatorios cabeceos, en la otra época en que los pájaros trataban de glosar esos trinos. A veces, no, una vez, levantó ella la cara, para mejor atrapar la risa que siempre le parecía caerle de arriba, y así en escorzo, las pupilas hallaron la mirada de unos ojos verdes, de verde pasto nuevo y en cara de muchacho atezado de soles, fuerte y como renoval. Un instante tan sólo. Pero un instante para llevárselo a casa y atesorarlo y meterlo en lo hondo del corazón y sentir que una angustia y un calor y un deseo vago de llorar y de pasarse por los labios la yema fina de los dedos la atormentaban súbitamente, en medio de una lectura, de una labor, de un sueño. Volverlo a ver. Sentir de nuevo la impresión de que la vida se le paraba en las venas. Que ese segundo en que la mirada verde del muchacho la fijaba era el porqué de su existencia. ¿Quién era? Del pueblo no, conocido no. Tal vez veraneante de los alrededores. Cautelaba su secreto tesoro. Charlaba menos, reía rara vez. Pero las pupilas parecían agrandársele, anegarle la cara en esa busca de la silueta vigorosa, vestida como no se vestían los muchachos del pueblo. Llegaba en un auto chiquito. Lo dejaba al costado del club. Iba a misa. Lo divisaba atento y circunspecto, en el presbiterio, un poco al margen del grupo de hombres. Terminada la misa, iba a la confitería, llenaba de paquetes el auto, daba después una vuelta por la plaza para ir al correo, deshacía camino, subía al coche y partía.

Claro era que las otras muchachas lo habían notado. Y muertas de risa con sus indumentarias, con los pantalones de golf o de montar, le llamaban el "Calzonudo". Para su recóndita desesperación.

Seguía la marcha llenando la casa de acordes. Irrumpían las campanas. Como un repique. Igual que en ciertos domingos, cuando había misa mayor; pero éstas eran campanas más sonoras, más armónicas, como si a la vez que tocaran el repique se mezclaran a ellas acentos de inusitado goce.

Terminó la marcha. Cambió la aguja, le dio nueva cuerda, volvió el disco y ahora el vals comenzó a girar alrededor de la mesa, música como que bailara, compás que creaba lentas o rápidas pompas de jabón irisando sus colores.

Nunca supo cómo se llamaba, quién era, de dónde venía. Un domingo no apareció. Ni otro. Ningún otro. Una chiquilla apuntó:

—¿Qué será del "Calzonudo"?

—Se lo habrá comido la Calchona —contestó otra, y se echaron a reir.

A ella le dolía el pecho y por la garganta le hurgaba la uña fina del llanto. Se le atirantaban las comisuras de la boca y los ojos, como nunca, le llenaban la cara. Ya en la casa, buscó el rincón más recoleto, en la pieza de los trastos, entre la caja del piano y una ruma de colchones, y allí largó su pena, abrió el corazón, dejándola salir y envolverla en su pegajoso manto, adherido a ella como nueva piel, humedecida y dolorosa. Le llovían las lágrimas por la cara. No verlo más. Nunca saber su nombre. Nunca volver a encontrarlo. Arreciaba el llanto. ¿Qué mirada iba a tener para ella esa magia? ¿Ese quemar que le ardía adentro, no sabía dónde, como anhelante espera de no sabía qué dicha? ¿Su nombre?... Enrique... Juan... José... Humberto... ¿Y si se llamaba Romualdo, como su abuelo? No importaba. Ella lo querría siempre, con cualquier nombre... Lo querría... Quererlo... Quererlo como quiere una mujer, porque ella ya lo era y sus quince años le maduraban en los pequeños pezones, mulliendo zonas íntimas y dando a su voz un súbito trémolo obscuro. Quererlo siempre... Parecía deshacerse en llanto. Y de repente se quedó quieta, suspirante y quieta, sin lágrimas, con la pena diluida, sin forma y lejana. Suspiró de nuevo. Se limpió los ojos. Y se halló pensando en que a lo mejor estaban buscándola por la casa, que debía ir a lavarse la cara sollamada, que... Sí, era una vergüenza confesárselo, pero tenía hambre. Y se fue pasito por entre los trastos, atisbando para salir sin ser vista e ir a refrescarse la cara en el pilón del patio.

La madre la miraba a veces azorada y solía murmurar:

—Qué mujerota de chiquilla...

El padre era más definitivo en sus conclusiones y decía a gritos:

—Mire, Maclovia, a ésta tenemos que casarla cuanto antes.

Por años lloró su pena entre la caja del piano y la ruma de colchones. Nunca nadie supo nada. Le levantaron las trenzas, que desde entonces llevó como tiara alrededor de la cabeza; bajaron los dobladillos de todos sus vestidos. Nadie decía que era bonita. Pero no había hombre que no se sobresaltara al verla, perdido en la contemplación de los ojos grises, con algo que era casi un vértigo ante la pulpa ardida de la boca. Aparecía cortés e indiferente. Tenía que guardar su recuerdo, cuidar su ensueño y tan sólo en un país de silencio podía hacerlo. Los hombres la miraban, se detenían un punto junto a ella, pero todos, unánimemente, se iban hacia otras muchachas más asequibles a su cortejo.

El padre presentó un día al futuro marido. Era de tierras del sur, propietario de una hijuela, de vieja familia regional. Ya mayor, claro que no "veterano"; esto lo decía la madre. Como añadía también: "Buen partido".

Dejó, indiferente, que entre unos y otros interpretaran su aquiescencia y la casaran. Este u otro era lo mismo. Que ninguno era el suyo, el que ella quería, mirada verde para dulzor de su sangre. ¿Este? ¿Otro? ¡Qué importaba! Y había que casarse, según decía la madre, sonriente y persuasiva, y según ordenaba el padre con su voz tonante que no aceptaba disensiones.

Recordaba lo incómodo del traje de novia, la corona que le oprimía las sienes y su terror a desgarrar el velo. El novio murmuraba:

—Costó tan caro..., cuídelo...

Terminaba el vals. Un momento el silencio llenó la casa, un tan completo silencio que hacía daño. Porque era tan completo que la mujer empezó a sentir su corazón, y el terror le abrió la boca y entonces oyó jadear su respiración. Pero también sintió el ronquido en la otra pieza, cortado al interrumpirse la música y que de nuevo el subconsciente tranquilizado imponía al dormido. Oyó luego un grillo en el patio. Se alzó lentamente y miró, afuera, el campo negro y extenso, que sabía llano, sin nada en la lejanía sino el anillo del horizonte. Llano. Llanura. Y en medio ella y su vigilia, parando recuerdos, acariciando el pasado. Perdida en el llano. Sin nadie para su ternura, para mirarla y encenderle dentro ese ardor que antes le caminaba por la sangre y estremecía su boca bajo el tembloroso palpar de sus dedos. Sola.

Se volvió al fonógrafo. Hubiera querido repetir el sortilegio. De nuevo tender el lienzo melódico para allí proyectar una vez más las imágenes. Pero no. El reloj dio una campanada. Las diez y media. No fuera a despertar...

Con la misma cautela del que maneja seres vivos y frágiles, guardó el fonógrafo, los discos, cerró la alacena, puso la llave en su bolsillo. Del aparador sacó una palmatoria, encendió la vela.

Entonces apagó la lámpara.

Y salió a la galería, detrás del fuego fatuo de la luz y seguida por entrechocadas sombras de pesadilla.

Cuando llevó el arroz con leche al comedor, creyó haber realizado el último viaje de la noche y que entonces podría sentarse a esperar que el huésped se fuera. Pero los dos hombres, lámpara por medio, cuchareaban alegremente como niños, y, una vez rebañado el plato, levantaron ambos la cabeza y se la quedaron mirando, pedigüeños y golosos.

—Sírvanse otro poquito —dijo ella, arrimando la fuente.

—¡Cómo no, patrona; si está que es un gusto comerlo! —admitió el huésped.

—¡Es que la vieja tiene buena mano para estas cosas! —y agregó el hombre confidencialmente, porque el vino se le estaba desparramando por el cuerpo—: Cosas que le enseñaron en la profesional; vale la pena tener mujer leída, amigo; sí, se lo digo yo, y créame...

Ella esperaba, incómoda en la silla, las manos modosamente sobre el mantel. Habían comido con abundancia de res muerta en el día y el vino terminándose en la damajuana. Sería cuestión de aguardar un rato la obligada sobremesa y entonces el huésped se iría. Que su casa estaba lejos y la noche se mezclaba al viento y grandes nubarrones hacían y deshacían formas sobre pálidas estrellas.

La distrajo la voz del hombre:

—¿Y ese café? Apúrese, que el tren no espera... —y rió su frase, dando una puñada sobre la mesa que hizo vacilar la lámpara.

No habían terminado sus viajes a la cocina... Salió a la galería, pensando, afligida, que a lo mejor el fuego estaba ya apagado y encandilarlo era tarea para rato. Pero bajo las cenizas el punteado rojo del rescoldo la hizo casi sonreír y el agua estuvo pronto hervida y la cafetera, importante en sus dos pisos, sobre la bandeja, y ella de nuevo atravesando la casa obscurecida, que la luz del reverbero sólo parecía espesar lo negro en los rincones.

En el comedor los dos hombres discutían con parsimonia, en pie aún su cazurrería criolla, porque aquella comida estaba destinada a cerrar un negocio de compra de chanchos que el huésped viniera a ver desde el pueblo, y la tarde, que si yo pido y yo ofrezco, se había pasado en tanteos y todavía no se llegaba a nada concreto.

—El lunes le mando un propio con la contestación —decía el huésped.

—Es que mañana, domingo, tengo que contestarle a uno de estos lados, que también se interesa y no puedo dilatarme más, usted comprende, sí; no es cosa de dejarlo esperando y que se eche para atrás y usted también y pierdo un buen comprador...

—Es que usted se pone en unos precios...

—Los que valen los chanchos, amigo; mejores no los va a encontrar. Como esta cría no hay otra por estos lados, usted lo sabe bien, sí...

La mujer había sacado las tazas, el azúcar; ahora les servía el café. ¡Que arreglaran luego su negocio y el huésped se fuera! Y se sentó de nuevo, en la misma postura de antes, tan idéntica, tan como recortada en un cartón y colocada allí, tan erguida, inexpresiva y misteriosa que, súbitamente, los dos hombres se volvieron a mirarla, como atraídos por la fuerza extática que de ella emanaba.

El huésped dijo:

—¡Tan calladita la patrona!

Y el hombre, vagamente molesto sin saber por qué:

—Sirva aguardiente, pues.

Volvió a ponerse de pie, pero esta vez no para ir a la cocina. Abrió la alacena y se empinó para alcanzar arriba la botella arrinconada tras el fonógrafo. El huésped, que la miraba hacer, preguntó solícito:

—¿Quiere que le ayude, patrona? Le queda alta la botella.

—Mírenla qué arisca la botella..., por algo había de ser mujer. Pero para eso estoy yo, sí... —exclamó el hombre, y se alzó a tomarla.

Le tropezaron las manos en el fonógrafo y añadió, gozoso de hallar otro homenaje que ofrecer al huésped:

—Vamos a decirle a la patrona que nos toque un poco el fonógrafo. Yo le llamo "su bolina", porque hay que ver cómo es de gritón; pero a ella le gusta y yo la dejo que se saque el gusto. Así soy yo, sí. Toque algo para que oiga el amigo. Ponga lo más bonito. Pero antes nos sirve algo, sí...

Colocó al borde de la mesa la botella y el fonógrafo. La mujer se había quedado quieta, oyendo lo que el hombre decía. Pero cuando las manazas se apoderaron del armarito, una especie de resentimiento le remusgó en el pecho, lento, iniciándose apenas. El fonógrafo era su bien suyo y nadie tenía derecho sobre él. Nunca nadie lo había manejado, sino sus manos de ella, que eran amorosas y como para un hijo. Tragó saliva y los dientes se le apretaron después, marcándole la arista dura de la mandíbula, igual a la del padre e igual a la del lejano abuelo que viniera de Vasconia. Pensó que el aguardiente los haría olvidar la música y en vez de los pequeños vasos de vidrio verde y engañador, en que apenas si cabía una dedalada de líquido, puso los otros grandes de vino y los llenó a medias. Los hombres olieron el aguardiente, levantaron después los ojos, a la vez que entrechocaban las copas, y a una voz dijeron:

—¡Salud!

Y vaciaron de un sorbo el contenido.

—¡Esto es aguardiente! —dijo el hombre.

El huésped contestó con un silbido que pareció quedársele en la boca fruncida, gesto de estupor, porque algo empezaba a bailarle en los músculos sin intervención de su voluntad y esto lo dejaba así de perplejo y tan contento por dentro.

—Volvamos a hablar del negocio —propuso el hombre—. Ya está bueno que se decida, sí; mi precio es razonable, usted bien lo sabe y sabe que se lleva chanchos que en cualquier mercado se gana el doble, sí; criados a chiquero y media sangre el barraco, especiales para jamones...

El otro sonrió vagarosamente y asintió a cabezadas.

—¿Trato hecho, entonces? —preguntó el hombre—. ¿Trato hecho?

—Bueno el aguardiente, no se toma mejor por estos lados, ni en el hotel de los Piñeiro.

Era curioso lo que sentía: siempre esa especie de movimiento muscular que ahora se polarizaba en las rodillas y le lanzaba las piernas hacia todos lados, irreductiblemente, igual que a un payaso. ¡Y estaba tan contento!

—Bueno el aguardiente, claro, sí..., es regalo de mi suegro, que es del lado de las viñas y comercia en vinos. De lo mejor. ¿Trato hecho?

—¿Trato de qué? —preguntó estúpidamente, atento a su deseo de reir, a su imposibilidad de reir y al desconsuelo que empezaba a inundarlo. Y las piernas por debajo de la mesa bailándole, bailándole...

—Del negocio de los chanchos, sí...

—¡Ah! De veras... ¿Pero la patrona no iba a tocar la..., cómo le dijo..., la..., bueno... el fonógrafo?

La mujer lo odió con una violencia que lo hubiera destruido al hacerse tangible. Todas las malas palabras que oyera en su existencia, y que jamás dijo, se le vinieron de pronto a la memoria y las sentía tan vivas que su asombro era que los dos hombres no se volvieran a mirarla, despavoridos y enmudecidos ante esa avalancha grosera.

—¿Trato hecho?

—Música..., música..., la vida es corta y hay que gozarla...

Pero en vez de alargar la mano al fonógrafo, la mujer la había extendido hacia la botella y de nuevo les servía, desbordando las copas. Y como cada cual absorto en su idea no viera que se la había puesto delante, fue ella quien dijo, repentinamente cordial:

—¡Sírvanse! —e hizo un inconcluso gesto de invitación, una especie de saludo que se quedó en el aire, paralizado, mientras los miraba beber—: ¡Salud! —y le sorprendió el sonido ronco de su voz diciendo el buen augurio.

—¿Trato hecho? —insistió el hombre, enredada la lengua a las consonantes.

El otro no oía nada, sino que sentía crecer la marea de congoja, a la par que en sus oídos una chicharra se puso a mover su constante serrucho de siesta. ¿Y por qué le bailaban las piernas?

—Hermano, soy bueno..., yo no merezco esto... —y la congoja se le desbordó en un hipar—. No quiero que me bailen las piernas, mis piernas son mías, mías... Música... —gritó súbitamente y medio se alzó, pero le falló el impulso y se fue de bruces sobre la mesa.

La mujer los miraba, quieta, con los ojos tan abiertos e inexpresivos, tan claros, tan enormes en su grisura. Que no se acercaran de nuevo a su fonógrafo, que no fueran a tomarlo; era suyo, allí residía su vida interior, su evasión a los días incoloros. Ella era exteriormente semejante a la llanura, plana, con la voluntad del marido como el viento rasándola; pero al igual que bajo napas de tierra está la corriente multiforme del agua, así ella tenía dentro su agua cantante diciendo las cosas del pasado. La música era de ella. De ella y ¡ay de quién se le acercara!

Pero el huésped alargó una mano torpe y la posó en las portezuelas del fonógrafo, tratando de abrirlas. Que no las abrió, porque ella, violentamente en pie y dura sobre la mano de él, dijo también duramente:

—No. Es mío.

El huésped la miró, fruncida la boca y tratando de pensar algo que acababa de olvidársele. Recordó de pronto. Y volvió a estirar la mano que ella le quitara de la pequeña aldaba.

—¡Le digo que no!

—Mire cómo me agravia, hermano...

El hombre insistió codiciosamente:

—¿Trato hecho?

—Música... —contestó el huésped, empecinado.

—¿Por qué no toca algo? Meta bolina no más, hijita, sí; a su gusto. ¿No ve que vamos a cerrar el trato?

No pondría las manos en el fonógrafo. Eso nunca. El huésped se había alzado y esta vez sí que le obedecieron los músculos. Pero la mujer previno el ataque y se interpuso defensiva. El otro trastabilló por el comedor, hasta dar con la pared, y se volvió encendido en delincuencia, ciego para todo lo que no fuera su idea.

—Música..., música...

—¿Qué se ha vuelto loca? ¿Qué le pasa? —preguntó el hombre.

El huésped estaba sobre ella y ella sobre el fonógrafo, con todo el cuerpo defendiéndolo. Luchaban. El hombre los miró un instante estupefacto, repitiendo:

—¿Qué se ha vuelto loca? ¿Qué se ha vuelto loca?

Pero cuando el huésped dio un grito agudo porque los dientes de la mujer le desgarraban una mano, se abalanzó a separarlos, a defender al amigo, a defender su negocio, su trato ya casi hecho.

Ella les daba patadas y dentelladas, animalizada, furiosa, como si en el monte una puma defendiera sus lechales. Los hombres no sabían por qué recibían puñadas, por qué rodaban por el suelo, por qué la mesa se tambaleaba y la lámpara oscilaba su luz en un mareo peor que el de sus estómagos. El fonógrafo cayó con estrépito y las cuerdas resonaron, lamento de arboleda a la que arranca un fuerte viento sus hojas. El huésped estaba sentado en el suelo, aturdido, y de pronto se le soltó el llanto en sollozos que interrumpían los hipos. El hombre se apoyaba en la ventana, atónito con todo aquello y mirando a la mujer, que mostraba desgarrada la ropa, deshecha la nobleza del peinado, con un tajo largo en la cara, limpiándose con el delantal rojo de sangre, manchada la blusa, empecinada en recoger del suelo los pedazos de los discos rotos, mirándolos y sollozando, limpiándose la sangre, sollozando y mirando donde otros pedazos y limpiándose la sangre y sollozando.

Pero el huésped lo distrajo con sus enormes hipos.

—Hermano..., yo creía que estaba en casa de un hermano... Me han agraviado.... a mí... —se lamentaba entrecortadamente.

—No llore más, hermano —y de súbito vuelto a su idea y lleno de solicitud y ternura—: ¿Trato hecho?

—Mugres, eso son nada más: mugres... —gritó la mujer, y con su haldada de pedazos salió del comedor, cerrando la puerta con un retumbo que asustó a las ratas en el entretecho e hizo que el perro la mirara sostenidamente con sus lentejuelas brillosas en la penumbra.

Afuera restallaban las crines del viento desatado en frenéticos galopes. Las nubes se habían apretujado, densas y negras, tiñendo los ámbitos y sin dejar ver perfil de cosa alguna. Como si aún los elementos no hubieran sido separados. Un grillo atestiguaba inmutable su existencia.

Iba huidiza, apretados contra el pecho los destrozados discos, sintiendo el fluir de la sangre por la herida, caliente y pegajosa en el cuello, adentrándose hasta la piel fina del pecho. Caminaba con la cabeza gacha, rompiendo la negrura y el viento. Caminaba. La casa estaba lejos, que no sólo borrada por la sombra. El grillo quedó en lo imperceptible tenazmente inútil. Podía estar en el llano y ser el centro vivo de lo circundante desolado; podía estar en un valle limitado por ríos y precipicios; podía andar, andar, sin fin, hasta caer deshecha en la tierra dura, empastada hasta el mismo nivel con idéntica hierba; podía de pronto resbalar por la barranca e irse a estrellar en las lajas de un río sorbido por rojizas arenas; podía... Podía cualquier cosa suceder en ese negror de caos, confuso y pavoroso. Que a ella todo le era indiferente...

Terminar con todo. Morir contra la tierra, destrozarse en la hondonada. No sentir más ese ardor corrosivo, hiel en la boca y adentro hurgándole. Terminar con todo. No esforzarse más por saber qué característica tuvo tal día, empecinada en sacar de la suma de nebulosas una fecha para diferenciarlo. No vivir mecanizada en el trajín y en el tejer esperando que llegara el sábado para comer el mendrugo de recuerdos incapaz de saciar la angurria de ternura de su corazón. Terminar con la sordidez rondándola, con el disfraz de "haga como quiera, pero...", de la meticulosidad, de la solapada vigilancia. No ser más. Nunca más volver a la casa y hallarse diciendo lo hecho y lo rendido, oyendo la insinuación de lo necesario por comprar y lo preciso por realizar. No encallecerse las manos majando trigo, ni con los ojos llorosos al humo del horno, ni sintiendo la cintura dolida frente a la batea del lavado. Jamás esmerarse en pintar una tablita y hacer una repisa, ni empapelar las habitaciones enflorándolas como un remedo de jardín. Nunca. Ni nunca más sentirlo volcado sobre ella, jadeante y sudoroso, torpe y sin despertarle otra sensación que una pasiva repugnancia. Nunca.

) 119 (

Le dolió como una larga punzada la herida que el aire enfriaba. La tocó y halló entre la sangre un punto duro. Pedazo de vidrio. Cacho de vaso roto que no supo cuándo en la lucha se le enterró allí. Con una especie de insensibilidad al dolor lo removió para sacarlo. Dio un gemido. Pero furiosa consigo misma, de un tirón brusco que desgarró más profundamente la carne, lo extrajo y arrojó lejos.

La sangre le corría por los dedos, por el cuello, por los senos. Toda manchada y pegajosa. Siguió andando. Desaparecer. Pero antes sollozar, gritar, aullar. El viento, con sus rachas, parecía metérsele por la carne abierta y hacer intolerable el dolor. Más grande aún, más agudo que el otro que le destrozaba el sentimiento. De pronto la mano que empuñaba el delantal, sosteniendo siempre los rotos discos, se abrió y todo aquello rodó por el suelo. Dio unos pasos más y cayó de bruces para sollozar sonidos que el viento agarraba con su fuerte mano y esparcía por los confines.

Como si el agua de los claros ojos al fin pudiera ser agua. Sentía que la boca se le abría y los extraños ruidos que lanzaba su garganta y los párpados sollamados y la frente rugosa y la sal del llanto. Y una mano pegada a la herida, violentamente dolorosa, y la sangre corriendo entre sus dedos y una trenza que debía estar empapada humedeciéndole la espalda. Se alzó sobre un codo, volteó la cabeza. Y dio un grito agudo, porque por la cara le calentó un aliento y algo inhumano la empavoreció hasta perder el sentido.

El perro a ratos la olfateaba ruidoso, otros le lamía las manos, otros se sentaba y alzando la cabeza muy alto, con el hocico tendido hacia misteriosos presagios, daba su largo aullido lunero. Le lamía la cara cuando la mujer volvió en sí e instantáneamente supo que era el perro, aunque no sabía dónde estaba. Se sentó de golpe y de golpe también tuvo el recuerdo de lo inmediato.

Era como si no lo hubiera vivido. Tan extraño, tan ajeno a ella. Casi como la sensación de la pesadilla que acaba de hundirse en lo subconsciente. ¿Huía de un sueño, volvía de una realidad? Un gesto, al querer acariciar al perro que la rondaba inquieto, le dio el exacto contorno de los hechos. Gimió y el perro buscó de nuevo su rostro. Pero lo apartó, obligándolo a tenderse a su lado. Restañó la herida que manaba de nuevo sangre, ardiéndole como una quemadura.

Se podía morir desangrándose. Estarse así, quieta en la noche, en la proximidad cordial del perro hasta que la sangre se fuera escurriendo y con ella la vida, esa vida aborrecible que no quería conservar para provecho de otro. Eliminándola, vengaba su constante estado de humillación, rencores acumulados sordamente, resentimiento de existencia frustrada. Quitarse de en medio para que la soledad fuera el castigo del que no tendría quien trabajara, rindiera y diera cuenta de hechos y pensamientos, máquina para su regalo desaparecida y que le costaría hallar otra tan perfecta. No verlo más. Nunca ponerle delante la carne medio asada y verlo masticar con sus dientes de súbita blancura. Ni ver su mirada irse velando de niebla, cuando el deseo lo hacía estirar la mano hasta su cuerpo vanamente esquivo. No saberlo enredado en subterráneos cálculos: "Esto lo compra usted, porque esta platita mía es para guardarla y comprar cuando se pueda el campo de los Urriola, que están muy entrampados y tendrán al fin que vender, sí; o el campo de la viuda de Valladares, que con tanto chiquillo no va a prosperar y se lo van a sacar a remate, por las hipotecas..." Esperando como buitre, paciente, el momento de alzarse con la presa. Tierras. Tierras. Todo en él se reducía a eso. Vender. Negociar. Juntar dinero. Y comprar tierras, tierras.

No ser más. No pensar más. Sentir cómo la sangre se iba entre sus dedos, corriendo pegajosa por el pecho, apozándose en el regazo, humedeciendo sus muslos.

El perro gemía ahora bajito, cada vez más inquieto. La mujer, súbitamente, abrió los ojos, que ya no tenían sino la propia agua clara del iris, y enfrentó una verdad: morir era también nunca más sacar los recuerdos del pasado, arcón con sus imágenes de ternura. Nunca más recordar... ¿Recordar qué? Y en una rápida e inconexa superposición de imágenes, trozos de escenas, retazos de frase, vio a la madre sentada frente al portalón, a ella con sus hermanas tomadas del brazo, a las palomas volando por el aire aromoso del jardín. Sintió tan exacto el olor de los jazmines que aspiró anhelante. Pero aparecieron otras imágenes: ella llorando entre la caja del piano y la ruma de colchones; ella silenciosa en la noche bajo la medalla de la luna, buscando la réplica de esa medalla en el fondo del pilón con mano distraída; ella frente al espejo, prendiéndose en las trenzas una ramita de albahaca y unos claveles, porque la Pascua era una porfiada esperanza; ella con la cara volteada por la risa y sus ojos atrapando la mirada verde que le agitaba en el pecho un tímido pichón, tan cálido, tan tierno y tan exactamente vivo, que la sorpresa de su mano era no encontrarlo allí anidado dulcemente... Nunca más todo eso. Morir era también renunciar a todo eso.

De repente se puso de pie. Le vacilaban las piernas y ante los ojos le bailaron chiribitas. Los cerró fuertemente. Se obligó a erguirse. Y fuertemente también apretó el delantal a la cara, que no quería que la sangre corriera por la herida, que no quería que la sangre se le fuera, que la muerte la dejara como un tendido harapo en medio del campo, sobre los yuyales, abandonada en lo negro con la sola custodia del perro. Quería la vida, quería su sangre, la ramazón de su sangre cargada de recuerdos.

Apretó aún más contra la mejilla el delantal. Oteó la noche. Llamó entonces al perro. Se tomó de su collar. Y dijo:

—A casa —y lo siguió en lo obscuro.

RAIZ DEL SUEÑO

Como si la cubrieran capas de velos, finos y adherentes, luchando con ellos largo rato, en la angustia y en la obscuridad, tableteando y repercutiendo el corazón y una carga de losa en el pecho. La voz estaba dentro de ella, perdida. Lúcidamente el cerebro impulsaba a la voluntad que la haría emerger en un grito, como impulsaba a las manos a deshacerse de los velos, unos sobre otros, ahogándola. Hasta que el grito repercutía en la casa, rebotando en los salones y perdiéndose en el lago frío de los espejos. Al propio tiempo que una mano húmeda se aferraba al conmutador y la luz, súbitamente, echaba la pesadilla al pozo de lo pasado...

Pesadilla que la esperaba en el centro del sueño, que ya sabía que la esperaba, obligándola a mantenerse despierta, luchando por no dormirse, construyendo agotadores juegos de imaginación, inconexas figuras de recuerdos, alucinadores paisajes sin perfil. Como también sabía que al regresar a la vigilia, la madre estaría a su lado, con el largo flotante camisón arrastrando por el suelo, la trenza negra cayendo por la espalda y en la cara blanca el verdor de los ojos brillantes, duros, con algo de la expresión del animal domesticado que bien puede lamer la mano como destrozarla de una dentellada. Y sabía la interrogación anhelantemente hecha:

—Hijita, hijita, ¿qué tienes?

Elena tardaba un rato en contestar, preguntándose con renovado espanto si la pesadilla no la provocaba, la cercanía de la madre, capaz, en su obstinado amor, de velar misteriosamente su sueño, celosa de cuanto en ese sueño podía haber de ajeno a ella.

—Nada, madre. Una pesadilla...

—¿Con quién soñabas?

—Con nadie, una pesadilla cualquiera...

—¿Sin caras?

—Sin caras, madre, te lo aseguro. Formas de angustias y nada más.

—Ojalá...

—Anda a acostarte, puedes coger un resfrío.

—Muy amable...

—No tomes ese tono, mamacita; te equivocas, no te oculto nada: soñaba tan sólo que sobre mí había un enorme peso que me ahogaba.

Un instante los ojos se metían en las claras pupilas de la muchacha, abiertas transparentemente a la indagación. Y con un gesto de vaga derrota al no poder ver más adentro en el azul-gris de ese iris, la madre, sin una palabra, se iba a la cama, al otro extremo del dormitorio, tras un biombo que su pudor imponía a los gestos íntimos.

Elena la escuchaba rebullir suavemente, suspirar, suspirar de nuevo, y tan sólo un largo tiempo, interminable tiempo después, la respiración rítmica le indicaba que al fin —¡al fin!— el sueño que la rendía la libraba de ella, del anillo de su solicitud alrededor del cuello esclavizándola.

Lentamente, alzándose sobre los codos y con los ojos muy abiertos fijos en el biombo, tensa a cualquier leve indicio que le dijera de la madre despertada, Elena resbaló el cuerpo hasta sentarse. Luego, las manos, llenas de sigilo, arreglaron las almohadas a su espalda. Y en seguida se deslizaron sobre el embozo, mostrando los brazos desnudos, territorios de nieve con prolijos ríos azules. Los miró atentamente, con la misma sostenida atención con que se observa cosa ajena. ¿Qué sentido tenía para ella su cuerpo? Tan fino, tan sensible playa para que golpeara la vida que llegaba de lejos, trayéndole un mensaje que podía interpretar, pero que no podía seguir, inmovilizada por la sombra de la madre. Un cuerpo de dieciocho años, trabajado por vitales ansias.

Un cuadro salió de la zona del recuerdo y se colgó en el gran muro liso frontero a su cama. Había allí un fondo de salón de casona provinciana, abierta la puerta al corredor aromado de jazmines. Había un sofá de caoba de alto respaldo y dos sillones a sus costados y una piel de guanaco sobre el piso de losetas rojas y negras. Y había un piano. Y una mesa redonda y dos consolas de noble traza colonial, como todo el conjunto. Y había allí una señora de rostro blanco, con los ojos verdes y el pelo en trenzas rodeándole la cabeza como una tiara. Y otra señora miserable de carnes, vestida también de negro, servil y untuosa, indefinible de edad. Y una niñita alta, con dulces ojos gris-azules y una boca caída de amargor y sumisión, defendiéndose perdidamente, queriendo en vano ser ella, y no lo que querían que fuese.

—La señorita es tu profesora de piano. Darás hoy tu primera lección de piano, como te lo había anunciado.

—Mamita, por favor, no me obligues a aprender piano; ya te he dicho tanto que no me gusta.

—Lo aprenderás, porque me gusta a mí.

La otra señora volvía de lado la cara filuda y azorada. La niñita alzaba los ojos a los ojos de la madre, dejándose traspasar por su acero, que la hería hasta hacer brotar el llanto.

Pero ahora, de no sabía dónde, Elena sentía surgir un rumor creciente. La sensación auditiva borraba la visual. Sus oídos eran dos enormes caracolas en que un antiguo aire, porfiadamente, decía un son ronco, inarticulado, del cual, al fin, brotaban las palabras:

—Soy tu madre..., tu madre..., tu madre...

¿Cuándo fue eso?

Una mano se alzó rechazando algo. Sí, rechazando e inmovilizando la mano alzada de la madre. ¿Cuándo? A veces, en la noche, despierta como ahora y con el calidoscopio de su vida moviéndose ante ella, sintiendo el cauteloso paso del silencio, la respiración de la madre y el pez sobresaltado de su corazón; a veces, sí, no lograba colocar en su justa ordenación cronológica las sensaciones, los recuerdos, todo lo que fluía y refluía de su consciente y de su subconsciente, angustiándola.

—Soy tu madre..., tu madre..., tu madre...

¡Ah! Sí, aquello pasó cuando cumplió quince años y pretendió tener una amiga, visitarla, apoyarse en otra adolescencia y hacer juntas esas adorables y tiernas cosas que hacen las adolescentes: cambiar confidencias, suspirar ante el mismo crepúsculo, prestarse las cintas para las melenas que pretenden un peinado de señorita, hablar de un muchacho que se cruzó con ellas y que iba silbando, y cuya boca parecía ofrecer un beso. Temblar mirando las rosas abiertas de golpe en una noche, y oyendo el mensaje que al alba trasmite un pájaro desde el vértice mismo del perfume de los azahares.

¿Una amiga? ¿Qué amiga? Nunca fue al colegio. En la casa, desde que el padre muriera —Elena apenas si recordaba su rostro de criollo triste—, jamás apareció nadie trayendo su regalo de cordialidad: ni familiar ni amigo. La madre no los aceptaba. Allí vivían una mujer viuda y su hija única. Viuda. Había que compenetrarse del sentido de esta palabra. Viuda: sola, amarga, resentida con el destino que le hurtó al hombre que conmoviera sus entrañas. Transfiriendo a la hija el amor por el padre. Celosa de ella, sin querer admitir la intromisión de nadie en esa tutela, tercamente aferrada a la criatura, único sentido de su existencia.

¿Una amiga? ¿Para qué? Víboras que lo emponzoñan todo, sí, eso eran. ¿Qué amiga? ¿Cuál amiga?

Elena contestó:

—Teresita, la hija del farmacéutico de enfrente.

—Pero tú no la conoces. ¿Cómo sabes su nombre?

—La veo cuando me subo al castaño grande. Ella juega en el jardín de su casa con otros niños; me ha invitado. Yo los veo jugar. Claro que yo soy mayor, pero estaría contenta con ellos, jugando. Y después nos pasearíamos Teresita y yo, tomadas del brazo, por la vereda...

La había dejado hablar, enmudecida por la estupefacción. El castaño grande... La vereda... Tomadas del brazo... Los niños jugando...

Preguntó bruscamente:

—¿Cómo sabes su nombre?

—Por sobre el muro de nuestro jardín me lanzó una piedrecita con un papel en que me invitaba y venía su firma...

Estaba tan llena de su deseo, de lo azul que esa escena había puesto en su vida, que sólo advirtió la expresión de la madre cuando ésta la sacudió iracunda.

Después el recuerdo se hacía confuso, por la rapidez con que pasaba todo: la madre prohibiendo aquellas subidas al castaño, prohibiendo recibir cualquier mensaje, negándose a todo cambio de vida, sacudiéndola como si fuera un trapo sucio, sacudiéndola hasta que ella, vuelta a la realidad, tranquila en su fuerza de individuo joven, se desprendiera de las manos y se echara atrás, donde no podía alcanzarla. Y la voz de la madre diciendo:

—Puedo pegarte... Soy tu madre..., tu madre..., tu madre...

No tuvo por amiga a Teresita. Se cortó el castaño. Se alzó aún más el muro que rodeaba la casa. Pero algunos días la madre la invitaba a salir, disponía, mejor dicho, el salir, luego de almorzar, por calles solas, en un rápido paseo silencioso que casi parecía una huida. A veces, en estos paseos, llegaban hasta los confines del pueblo, al borde de una quebrada.

Abajo estaba el valle, verde, con el río marcado por los sauces, mostrando el quieto azul de su corriente sin apuro. Alamos en fila se iban al horizonte uno junto a otro, correctos en su uniforme color del tiempo. Al fondo las montañas apretaban sus lomos cargados de bosques, y más lejos aún, un volcán deshacía su rúbrica de humo en el cielo de puro azul. Había una casa blanca junto al recodo del río. Con persianas verdes. Rodeada de un parque, con una cancha de tenis y una pista ovalada y un embarcadero. En la cancha solían jugar unos muchachos, en la pista unos jinetes salvaban vallas y el barquito dormía su siesta a la deriva, imperceptible. Aquélla, para Elena, era la zona de la felicidad. Allí colocaba sus sueños. Su esperanza tenía ese escenario. Todo lo que la madre le negaba estaba allí: la casa sin muros, los amigos, el juego, la lectura, el derecho a medrar como un árbol sobre su propia raíz, desatando al viento su canción de hojas y de nidos.

Aprendió escalas, ejercicios y sonatinas. Teresita jamás fue su amiga. Cumplió dieciocho años. Súbitamente la madre cambió un día el camino de las calles solas por el que llevaba a la plaza cercana. Se sentaban en el mismo banco. Frente a la iglesia. La madre tejía. Elena miraba jugar a los niños. Hubiera querido alguna vez volver junto a la quebrada, para ver la casa blanca con persianas verdes. Hubiera querido... Hubiera querido tantas cosas... Su disciplina era aprender a no querer nada, a no manifestar un deseo.

Jugaban los niños. Esos eran niños que jugaban. Que corrían. Que mezclaban sus gritos espantando a las palomas y enredándolos al lento campaneo de las horas. ¿Cómo serían sus madres? Y en el pecho, como magnolia al sol, se le abría una ternura por esas desconocidas que abandonaban al niño a su risa y a su gozo, que dejaban a las muchachitas agrupar las cabezas sobre un libro, las trenzas resbalando sobre los pechos que hinchaba una misma edad de ilusión.

Estaba cansada, cansada. Como siempre. A veces ese cansancio le parecía más viejo que ella, acumulado por trabajos que no realizara jamás, superior a todo esfuerzo que hubiera hecho. Sólo en muchas vidas, en la suma de cansancio de muchas vidas, podría justificarse. Siempre estaba cansada, siempre. Aun dentro del ritmo lento que era su existencia monocorde, trabajada por el esfuerzo único de librar su "yo" de la intromisión materna, siempre, como médula invisible, había un cansancio, un tremendo definitivo cansancio, que sólo anhelaba, como caminante de alforja al hombro, vacía de todo, desesperanzado y sin rumbo, echarse al borde de una cuneta, ahí donde la hierba empieza a tomar el verde del auténtico campo, para un descanso sin término, especie de muerte, sedante, con estrellas vigilando un sueño sin pesadillas, en una noche larga que no la empavorecía, aunque en ella hubiera la certidumbre del fin.

De nuevo las imágenes se le materializaron en un cuadro colgado en el muro liso. Ella durmiendo y la madre despierta, mirándola por las junturas del biombo con un ojo brillante, verde, fosforescente; un ojo que emitía una luz como rayos en abanico. Sí, era como si de ese ojo saliera un haz de rayos que llegaran hasta ella, densos, densos. El ojo parpadeaba como un faro. Cada parpadeo dejaba sobre ella una capa de tela de araña, capas que iban superponiéndose, una sobre otra, pesando, ahogándola, adheridas a ella, húmedas, viscosas, modeladas a su cuerpo. Ella ya no era ella, era un fardo informe, una masa que se debatía, luchando por recobrarse, buscando en sí misma, desesperadamente, el grito; sin voz, sin poder gritar, tableteándole el corazón enloquecido, queriendo gritar, gritar, gritar, librarse de la angustia, de eso pavoroso que la ahogaba, que la ahogaba...

Supo que era la pesadilla cuando el grito la despertó, al borde de la conciencia.

UNA MAÑANA CUALQUIERA

Como siempre, se despertó de golpe, apoderándose de la realidad instantáneamente, sin vacilación alguna. Estaba también como siempre, de espaldas en el lecho, en escorzo la cara y los brazos alzados apoyaban las manos sobre la almohada. Como duermen los niños.

"Son las siete —se dijo— y ahora va a pasar la sombra de la vieja Pancha por el cielo raso de la habitación, de la vieja Pancha que puntualmente va a preparar el baño de la señora."

Sonrió, prodigiosa de juventud, cuando una sombra fue proyectada sobre el techo, especie de abanico que de un ángulo a otro abriera mágicamente sus haces. Y con una picardía que le iba de la boca a los ojos se volvió a la mesa de luz buscando el reloj. Las manecillas, sin perder nunca el juicio, marcaban las siete. Hora de despertar. Hora de levantarse. Y mientras se echaba de la cama, sigilosa y rápida, pensaba en el misterioso mecanismo que la hacía despertar a esa hora, como si dentro de ella un resorte fuera tan preciso como el propio reloj. Como la propia señora. Se le borró la sonrisa en la boca y los ojos se entrecerraron marcando infinidad de pequeñas arrugas. Y fue como si de repente le cayeran años hasta dejarla sin edad, vieja máscara desgastada por el tiempo, implacablemente, irremediablemente.

Era tan misterioso aquel resorte que la despertaba a las siete en punto, como los otros resortes que ordenaban sus gestos al vestirse, determinando el tiempo en tal forma que a las siete y veinte, justas, entraba en el comedor para recibir de manos de la vieja Pancha la bandeja del desayuno, empezando a preparar el café para que, cuando cinco minutos después apareciera la señora, estuviera filtrado y todo dentro del ritual impuesto por una voluntad como de hierro, dura.

—Buenos días, señora.

—Buenos días, Luisa.

—¿Ha dormido usted bien?

—Bien, gracias.

Era todo.

Iba vistiéndose a medida que pensaba en los resortes que dentro de ella determinaban sus movimientos. Cuando a las siete y veinte, en punto, entró en el comedor y la vieja Pancha le entregó la bandeja del desayuno, tuvo una sensación de choque, de brusco ensamblar lo previsto a lo que estaba viendo, y por un momento dudó de si eran las imágenes por ella evocadas lo que veía o si era la realidad lo que estaba a su alrededor. Choque de un segundo, que le dejó las manos temblorosas levemente.

Pero, como siempre, pudo decir al ver a la señora:

—Buenos días, señora.

Para que le contestaran:

—Buenos días, Luisa.

Y ella agregó:

—¿Ha dormido usted bien?

Para que le respondieran:

—Bien, gracias.

Era todo.

¿Todo?

No, no era todo. Era despues anularse en una especie de aluvión de órdenes que cumplir.

—Reciba al hombre de los quesos... Hable por teléfono al molino... Verifique esta cuenta... Vea si barrieron la bodega... Suba al altillo y haga sacar al sol los cubrecamas... Pregunte si han despachado ya el pedido de grasa; si no lo han despachado todavía, pregunte en mi nombre qué significa ese atraso... Bien sabe que debe apuntar en el libro correspondiente todas las cartas que se reciben... Haga estos pedidos al almacén...

No se podía distraer la atención de esos mandatos. Todo debía ser hecho inmediatamente, con la conciencia vigilando lo que se realizaba. Porque si no, con una adivinación que la empavorecía, la voz de la señora le llegaba cortante e imperiosa:

—Piense en lo que está haciendo.

Había terminado por lograr una disciplina, absorta en su trabajo, así fuera un insignificante menester casero. La concentración llegaba a aislarla de todo elemento externo, y cuando la voz de la señora impartía una nueva orden, era como volver a un mundo donde existía algo más que una interminable hilera de cifras que sumar o que las docenas de quesos que entregaba el suizo colono o poner número, con igual prolijidad que en una oficina de partes, a la correspondencia de cada día.

A la luz del patio, mañana con sol de primavera, la cara de la muchacha era la vieja máscara que infinitas arrugas surcaban, gráfico de su cansancio, enseña de su abandono. El cuerpo enjuto mostraba un trazo de juventud, de adolescencia casi, con las formas apenas insinuadas bajo el traje como de cuáquera, azul, hasta los tobillos, y un delantal a cuadritos grises y blancos protegiéndola a esas horas de intensa labor. Probablemente, de su vida de ahora, lo más duro de aceptar fue ese uniforme grato a la señora, que no la quería vestida a la moda, demasiado frívola, que deseaba diferenciarla de una sirvienta, que no aceptaba tampoco el guardapolvo que sugería la escuela o la clínica.

Imponía eso y tantas cosas...

Al comienzo, cuando llegó al campo, el miedo de no lograr complacer a la señora la mantenía en continua alerta sobre sí misma, limitando su pensamiento, poniéndose vallas, obligándose a una total amnesia con respecto a su pasado. Ese mínimo pasado que se reducía en lo más lejano de sus recuerdos a la casa y a la escuela, a la casa y al taller de costura después, a la casa tan sólo, posteriormente, cuando se enfermó y no pudo seguir inclinada sobre la máquina de coser. A la casa en ese tiempo y a la desesperación de saberse inutilizada, carga para los suyos, porque cuando la vieron con los rayos X, el médico dijo que no era prudente que realizara trabajo pesado alguno, que lo que le convenía era salir de la ciudad, de la limitación del barrio obrero, e irse al campo, a la sierra de preferencia, para, en esa zona de fino aire, recuperar por completo la salud.

Pero ¿dónde ir? ¿Cómo ir? Los médicos parecen en ocasiones hablar a través de un disco con prescindencia absoluta del medio en que medra la criatura que tienen delante y de sus posibilidades económicas. Dicen:

—Necesita sobrealimentarse; huevos, mantequilla, mucha leche, mucha fruta, verduras, carnes blancas. Y sol, aire libre y reposo...

Entonces la muchacha no tuvo nada de eso. Siguió en la salita de la casa de vecindad —cuando la arrendaron, en el cartel decía: "Salita", y ellas, su madre y su hermana, siguieron diciéndole casi con orgullo "salita", "nuestra salita"—, reemplazando en los quehaceres hogareños a la madre, que, obligada por el problema nacido de su enfermedad, tuvo que buscar trabajo como sirvienta, mientras la hermana se batía ocho horas con los signos taquigráficos y con la máquina de escribir en una oficina.

Por el trabajo de la madre le llegó a la muchacha "la suerte". Lo decía la madre y lo repetía la hermana con tanto orgullo como decían "nuestra salita". La suerte llegó mediante una conversación de la madre con su patrona, un día en que ésta se quejaba, comunicativa y simpática —por algo le decían "la loca Teresa" entre los suyos—, de que su tía Juana Elena, la rica de la familia, solicitaba una vez más a una señorita de compañía.

—Le duran una semana. Estamos hartos de mandárselas, de todas las edades y todas las nacionalidades. Gordas, flacas, viejas, jóvenes, tontas, inteligentes, gallegas, polacas, criollas. Ninguna la aguanta. Es insoportable. Nació para reina y ni por un momento abdica. Al pobre tío Lorenzo lo despachó para el otro mundo en dos años, única forma a lo mejor que el desgraciado halló para librarse de ella. Tiene millones y una avaricia tan grande como sus tierras. Yo no la puedo soportar. Ahora me escribe para pedirme que le busque otra señorita de compañía. "Otra." Ya la conocen en todas las agencias de colocaciones y ni siquiera le contestan. A mí y a mis hermanas nos tiene cansadas. ¿De dónde le vamos a hacer brotar ese ángel de paciencia que ella necesita?

La madre preguntó, súbitamente iluminada:

—¿Es la señora que vive en las sierras?

—La misma, hija; la misma que manda y ordena para variar...

En la madre seguía laborando la luz.

—Señora, ¿y si usted fuera tan buena que le recomendara a Laura, mi hija? Ella, dice el doctor, lo que necesita para mejorarse es sierra, buena alimentación, aire, sol... Aunque tuviera que trabajar. Un trabajo de señorita de compañía no es tan pesado...

La interrumpió, riendo a carcajadas:

—¡Ja! ¿Pesado? Tendrá que trabajar como una loca; no habrá terminado de hacer una cosa cuando le estará mandando otra. Nosotros, es decir, yo, la llamo la cadeneta de las órdenes. Agarra por la mañana el cabo de hebra y hasta la noche no lo suelta. Una orden está metida en la otra...

—¿Y qué perdería con probar?

—Nada, verdaderamente.

—Para mí sería una solución. Puede ser la vida de esta chiquilla.

Y por eso una mañana la embarcaron llorosa y azorada, rumbo al norte, en un tren que interminablemente se tragaba la llanura. Su equipaje era exiguo, pero la carga de recomendaciones, grande.

Obedecer. Tener paciencia. Ser prolija. Humilde. Allí la esperaba la salud, el descanso de su pobre madre, que ahora podía limitarse plácidamente a la "salita"; ayudar a su hermana, que alguna vez saldría de apuros de cuentas. Y la esperaban ochenta pesos. ¡Ochenta pesos! Esto se decía haciendo una pausa antes de pronunciar la cifra: ochenta. Ochenta pesos.

De aquello hacía tres años. Más de tres años. ¡Qué tiempo lejano era el principio de esos tres años! Como si empezaran al otro lado de su existencia, más allá del amanecer de su propia vida... Lo evocaba impreciso. Lo único parado allí y tangible era su miedo a desagradar a la señora, miedo que se tocaba, sí, como se tocaban sus manos humedecidas, una contra otra, convulsas. Aprendió a no pensar, a estarse como vacía para que el pensamiento de la señora pudiera llenarla en todo momento. Luego hubo un tiempo que se le presentaba como el sueño de un sueño, en que se soñara rebelde, librándose violentamente de ese retobo, que era la voluntad de la señora inmovilizándola, piel como la que pierde la serpiente, y quedar de súbito frente a los ojos fríos de la señora, que no la intimidaban, que no la empavorecían. Eso era el sueño del sueño, cuando ella ensoñaba. Pero en la realidad los duros ojos de la señora, como su voz, como los ángulos de su fisonomía y de su cuerpo, la volvían al centro de la servidumbre cada vez más irrevocablemente.

Cómo la volvían a ese centro las cartas de la madre. Ahora estaban pagando a crédito unos muebles para la "salita". Y la hermana tenía un festejante, con el cual bien pudiera llegar a casarse cuando a él lo ascendieran, lo que se merecía, porque era un cumplido mozo. Pero era claro que la hermana quería tener mejor presentada la "salita" y ella misma lucir más elegante.

Fue cuando empezó a mandarles más de la mitad de su sueldo, porque ella, con buena casa, alimentada a su regalo, con su ajuar completo, ¿para qué quería tanto dinero? En cambio, la madre vieja y la hermana con festejante necesitaban esto y lo otro...

—Haga el favor de pensar en lo que está haciendo —dijo de súbito la señora—. Mire aquí: falta el pedido del kerosén. Desde que se levantó

anda en las nubes. Agregue inmediatamente el kerosén. Y vea de no hacer
más zonceras. No se distraiga, piense en lo que está haciendo. Yo me voy
con el administrador a la lechería. Termine eso y póngase a tejer en el
corredor hasta que yo vuelva.

Agregó el kerosén. Buscó la bolsa del tejido. Se sentó en una silla en
el corredor, frente al parque. Era fácil ese punto. Una vuelta al derecho.
Otra al revés. Mantillas que para la Navidad la señora regalaba a los
inquilinos. Celeste para los varones. Rosa para las niñitas. Había altos de
ellas en un ropero. Celestes y rosas. Una vuelta al derecho. Otra al revés.

Entre los jazmines una calandria lanzó su trino. Volvió a repetirlo, sosteniendo las notas, como embriagada con su canto. Hizo una variación.
Volvió al tema primero. Y se fue de un vuelo hasta una conífera del parque.

La muchacha había dejado insensiblemente de tejer oyendo el ritmo
del canto. Cuando la calandria lo repitió, en esa especie de exacerbación
en que las notas se ampliaban hasta parecer crear círculos vibrantes, hasta crear una angustia por la mínima criatura cuya garganta no podría
resistir la fuerza de esas notas alargadas milagrosamente; cuando lo repitió como si por ella cantara la voz de todos los pájaros de la sierra,
entonces la muchacha abandonó definitivamente el tejido en el regazo y
vio, sí, vio que ese canto desgarraba ante ella un espacio por el cual súbitamente podía asomarse a lo que estaba en su contorno, inexistente hasta
ese instante como para ojos de ciego: el camino rojizo de grava y después el césped manchado de árboles en la ladera y abajo el río ancho
y plácido con el festón de los sauces y la otra ladera de la sierra fronteriza, apretada de una vegetación pequeña, crespa, verdinegra. Y atrás
había la curva de otra sierra, a su vez cortada por otra, y así, sucesiva-
mente, iba el paisaje ahondándose hasta limitar con la alta cresta, tras
la cual el cielo ponía su esplendor celeste, infinitamente puro.

En la conífera, la calandria cantaba de nuevo en largos arpegios. Una
racha de aire onduló el paisaje y pasó sobre la piel de la muchacha, cautelosa, delicadamente tierna, como...

¿Como qué?

Sí, como una vez la mano de su hermana le acariciara la frente ardida
de fiebre. Una mano suave y fresca. Cerró los ojos para dejar que la tras-
pasara mejor esa dulcedumbre. El aire repetía la caricia, insistente, urgido. Y traía además el aroma de los jazmines, el aroma del césped recién segado, el aroma a resina que segregaba el costado roto de un pino,
el aroma de la montaña, hálito de la tierra, respiración caliente que con-
tagia su secreta llama, venida de profundos senos misteriosos.

La calandria seguía cantando. La mano del aire dejó de acariciar su
piel. Abrió grandes los ojos, atónitos, de animal manso. Al frente estaba
el césped, alfombra mágica para los sueños. ¿Para qué sueños? La calan-

dria seguía cantando notas sostenidas una tras otra, que llenaban la mañana de armonía y formas.

Cantaba la calandria. Cantaba.

De pronto la muchacha sintió que iba a pensar algo. Algo. Algo tremendo que avanzaba desde el fondo de sus entrañas, a través de sus huesos, de su sangre, de sus músculos; algo, ser vivo que saldría de ella, materializado ante sus ojos, tan visible como el paisaje. Algo, algo que era la verdad de sí misma, su deseo, su ansia, su voz; sí, como la voz de la calandria abriendo círculos por los ámbitos del cielo.

Sintió que iba a pensar algo. Algo.

Tuvo un temblor de espanto, un tiritón en la carne, que no en el espíritu. Hizo un brusco gesto de retroceso y entonces fue el pensamiento el que volvió precipitadamente atrás, entrando de nuevo en esa región nebulosa, anterior al canto de la calandria, en que ella letalmente flotaba; grisura, atonía, clima de limbo propicio a la anulación perfecta.

Entonces tomó la labor y siguió tejiendo como en una mañana cualquiera. Una vuelta al derecho. Otra al revés.

UN TRAPO DE PISO

La puerta de entrada abría sobre un pequeño vestíbulo, de un costado del cual arrancaba la escalera. Al otro, un arco de tres puntos comunicaba con el comedor. Detrás estaba la cocina. Arriba, los dos dormitorios y el baño.

Esa casa precedida de un jardincillo, breve cortesía del verde, ostentaba el nombre de "Sotileza" grabado en una plancha de bronce. Porque el abuelo había venido de Santander, y el padre permaneció por las raíces de la sangre aferrado a los hoscos peñascales embatidos por el Cantábrico. El abuelo significaba la mansa y no dolorida evocación. El padre era aún una ausencia rezumante de acíbares. Ambos eran ya tierra en las polvaredas de la pampa agrandada de esperanzas.

Quedaban para recordarlos la mujer y el hijo, sumiso al rodrigón materno, azorado, trasudando incertidumbre, en presente ausencia sólo desmentida por el amor a la muchacha que el destino, aliado de la firma Melero y Melero, había hecho sencillamente suya.

Una casa que se llamaba "Sotileza". Una mujer laboriosamente avejentada, con prolijas arrugas y parquedad de herramienta. Un hijo con los ojos vagarosos por los fondos de unos lentes, sumergido en la ácuea profundidad de su verde. Todo él lejano, ajeno a los acontecimientos, como si los lentes fueran un límite tras el cual se viera la vida sin participar totalmente en ella. Y una muchacha un poco más allá del filo de la adolescencia, puño cerrado que aún no se sabe qué sorpresa guarda: si una medalla, una almendra, o una protesta; salida del hogar del Melero mitad de la firma, del que seguía a la "y" mitad del negocio, mitad del dinero, mitad de todo, mitad de ella misma, que nunca había sido por entero María Engracia, sino la chica de los Melero del almacén de la esquina.

El almacén lo abrió el abuelo. La casa la levantó el padre después que murió el abuelo. La firma se constituyó cuando la mujer se quedó sola, con el niño dubitativo divagando entre tercios de yerba, bolsas con nueces y cajones de jabón que no tenían para él más firmeza corpórea que las nubes. Se asió para ello al nombre de ese otro Melero montañés, desconocido y providencial, de tosca hombría. Llegado a América con unas pesetas atadas en la punta de su pañuelo de hierbas, ávido de fortuna.

Doña Teresa. Roque. María Engracia.

Las paredes estaban pintadas de verde y la cruda luz que una lámpara repartía implacable cercana al cielo raso, a través de un plato de acanalado cristal, abrillantaba la superficie áspera de garapiña oleosa. Había una mesa redonda, un aparador y la vitrina con su juego de jamás usadas copas. Más las sillas, todo ello era de madera muy clara barnizada. Esplendían los vidrios y los biseles; los espejos se miraban sin parpadear en los otros espejos de la platería, llenando el aire con fríos reflejos de espadas. La luz refractaba en todo, increíblemente dura. María Engracia cerró los ojos, pero la luz permanecía dentro de las pupilas, intolerable, derramándose en fluctuantes manchas carmesíes. Levantó entonces las manos para reforzar la insuficiente defensa de los párpados. Porque lo intolerable era ya dolor.

Doña Teresa no reparó en el gesto. No quiso reparar en el gesto. Pensó: "Ya empiezan los melindres de la niña..." Y siguió dictando impertérrita:

—Té, un kilo, nueve cincuenta...

Roque miró furtivamente a su mujer, los ojos amparados tras lo verdoso. Como si los lentes se quedaran solos en el aire, por obra de magia, conteniendo a la hostil realidad, y todo él se derramara en ternura de agua acercándose a su niña suya, agobiada de luz, desesperada por hurtarse a ese ambiente de filudos perfiles.

—...nueve cincuenta. Manteca, treinta...

Apretó los párpados María Engracia ciñó las manos a la cara. Pensó en cisternas, en obscuros presbiterios, en las densidades de miedos infantiles que espesan aún más los misterios que se ocultan debajo de las camas. Inútilmente. Por todas esas tinieblas resbalaban súbitas culebrinas, estallaban minuciosas constelaciones de fuegos artificiales, se deleían lentas nubes lechosas. Hasta que logró el negro, el negrísimo negro del espanto.... ¿Y si desde ahora no viera nada más que ese negro? Bajó las manos. Alzó la cara y, aún a través de los párpados, enfrentó la lámpara implacable. El negro espanto persistía. Cuando abrió los ojos —fría la piel, anhelante la boca descolorida—, los filos de la luz la acuchillaron sin lástima en las pupilas doloridas:

—...galletitas, cuarenta...; queso, ochenta... —salmodiaba doña Teresa más allá de los enceguecedores reflejos. Tamborilearon sus dedos con impaciencia. ¿Quieres hacer el favor de atenderme lo que digo?... Queso, ochenta...

¡Con qué ganas el hijo dejaría los lentes suspendidos, inmóvil mariposa en el aire, y detrás de ellos su sombra atenta al dictado de la madre, para irse hasta su niña suya, ciñéndola con su brazo, ahora sí, bien cierto, rodeándola con manos multiplicadas por las caricias! Tenerla contra él junto a su flanco, silenciosamente apegado a ella, dueños de la continuidad de sus cuerpos y del denso universo nocturno que de ellos fluía, hecho de goces y de sueños de goces. Irse hasta ella, alzarla, sacarla del ambiente de vidriera, de flamante comedor, de recién pintada casa. Dejar a la madre aferrada a su realidad y a su sombra, a su propia sombra, agachada sobre las libretas de retorcidos ángulos rebeldes. Salir con María Engracia al jardincillo, detenerse junto a la verja aspirando el perfume del jazminero que parecía llegar desde un verano de novelas tropicales, sentir al grillo empecinado en su soledad estridente, mirar hacia arriba el cielo sostenido por el temblor de las estrellas. Ganar la calle, juntos, apretados, sintiendo el ritmo de la cadera en la cadera con su presencia carnal de música en el idéntico paso, serenos, compartiendo el diluido nimbo de una dicha arcangélica.

Irse lentos, sin rumbo, sin hablar, tras el multiplicado silencio que les precedería abriéndoles paso, colmando la necesidad de estar solos, de comprobarse identificados en una única certidumbre. Sin urgencias, sin que eso significara evadirse del deber.

—...pan, diez. Cierra la cuenta.

Lo miró doña Teresa sumergirse laboriosamente en la suma, bajar afanoso por las columnas de números hostiles. Cada día resultaba más lento. Nadie lo diría hijo del padre, que era una luz, ni de ella, capaz de sacar adelante cualquier negocio. Estaba peor ahora que de soltero, más alelado, más ido. Suspiró mirándolo, tan flacuchento, tan despistado de la realidad. Siempre en las nubes. ¡Menos mal que estaba ella allí! Menos mal, porque si no el almacén se iría al diablo. ¿Y María Engracia? Otra también en las nubes, metida en los libros, pensando nada más que en comprar libros y revistas que le sorbían el seso, y en ir al cine, y en salir con Roque, y en que Roque le comprara novelas, y en cuchichear con Roque por los rincones, y en que Roque aquí y en que Roque allá, y buenos están los mimos, pero hay que trabajar y tener disciplina, que tiempo hay para todo y lo primero es la obligación, si no se quiere que se lo lleve todo la trampa. Y después, si buenamente queda tiempo, pues se sienta una a la puerta, a tomar el fresco, o se da una vuelta por el parque, que no cuesta nada, es bueno para la salud y no llena la cabeza de boberías.

—Cuarenta y siete pesos con ochenta y cinco centavos.

—Bien. Conforme. Abre cuenta: Felipe Hernani. Aceite, un litro...

Pensaba María Engracia:

¿Por qué no se podría vender un litro de aceite en cincuenta mil pesos, en doscientos mil pesos, y entonces dejar a doña Teresa en la casa, en la "Sotileza" verde con las persianas verdes, por dentro verde y relumbrosa con relumbre de insomnio; en esa casa hecha por ella, amoblada por ella, con "cada cosa en su lugar y un lugar para cada cosa", como decía el enmarcado cartel con letras góticas a la entrada del vestíbulo, para que la vida perdiera toda esperanza al entrar allí?... ¿Dejarla sacando cuentas, o frente al fogón, trajinando entre sus cacerolas?

Dejarla. Decirle:

—Ahí se queda usted con la roña de sus libretas, con su almacén, con su clientela, con su casa verde y sus luces enloquecedoras, y que con su Melero sigan prosperando. Que nosotros nos vamos. Nos llevamos nuestro dinero, los cien mil, los quinientos mil pesos del litro de aceite que compró Felipe Hernani. Y lo gastaremos en lo que nos dé la gana: en ir al cine, y en bombones, y en viajar, con muchísimas valijas y baúles-roperos colmados de vestidos, y compraremos un auto, sí, un auto: ¿y qué? El dinero es nuestro y por eso nos iremos y estaremos solos. Y cuando nos guste, nos quedaremos en una ciudad, en un palacio con luces amortiguadas por pantallas de seda, un palacio entre follajes sombríos... Y tendremos un hijo..., un hijo mío, para educarlo yo sola, para jugar con él y decirle...

—...fideos finos, treinta; jabón, quince...

Lo mismo que las manchas alucinantes que amoratan la ceguera cuando se ha mirado fijamente al sol, las palabras de doña Teresa persistían clavadas en el aire, como si fueran el extravagante título de los cuadros de su sueño. En la luz excesiva, la madre y Roque adquirían un perfil de alto relieve, de fotografía estereoscópica. Los miró con atención: doña Teresa erguida, paciente; Roque lento y meticuloso. Un escalofrío le alfileró las carnes.

—¿Cuánto da? Sí, eso es. Bien. Abre ahora otra cuenta: Balbina de Fernández.

Cerró los ojos de nuevo María Engracia. Ahora veía otro cuadro. Ella misma en otra mesa, sobre un fondo de acariciantes grises, frente a un muchacho que era su hijo, hombrecito ya, con la cabeza gacha y la mirada huidiza mientras ella estaba diciendo algo. ¿Qué diría? Los años se interponían entre ella y su voz inaudible. La cara del muchacho se alzaba lenta, se organizaba, prodigiosamente parecida a la cara de Roque, con igual cansancio, con idéntica máscara de forzada atención. Se quedó tensa, queriendo oir las palabras que ella misma decía. Débiles, pero nítidas, percutieron ahora en sus oídos. Decían:

"—Tienes que irte, que viajar, que ver mundo: que acodarte a la borda y ver huir tus sueños junto con el humo de los barcos que siempre corren hacia el ayer. Meterte en las ciudades y contemplar las inverosímiles formas del vivir de los hombres. Mirar sin envidia el lento vuelo de los pájaros desprevenidos ante el avance de los aviones. Sonreir porque los idiomas desconocidos se entorpecen de gangosidades o se aclaran con ráfagas melódicas que alivian la incomprensión, y adivinar lo que quieren decirte en la cerrada expresión de una máscara de otra raza. Tienes que irte, que viajar. Debes irte, ¿entiendes? Debes irte para encontrarte a ti mismo..."

La cabeza del muchacho volvía a inclinarse hasta no dejar ver en su actitud sumisa sino la negra lisura prolija del peinado. Igual al de Roque. También era igual el gesto de resignada aquiescencia.

¡Dios mío! ¿Es que acaso su hijo no querría realizar su recóndito anhelo? ¿Es que su hijo, el suyo, el de su carne, el gajo salido de su tronco caliente; es que su hijo, al que ella acuñaría apasionada y defendería en amargas vigilias de las acechanzas de la muerte; su hijo haría alguna vez ese gesto de sumisión de Roque, subiría los hombros, hundiendo la cabeza así, apabullado por el espeso fardo de mansedumbre, mientras la madre seguía diciendo: "...sal gruesa, un kilo"?

Por primera vez se le reveló el drama de una posibilidad: acaso los sueños de la madre hubieran sido dirigir un negocio, acaso desde pequeña jugó "al almacén", haciendo paquetitos de tierra, apilando pedrezuelas y ramillas secas. Acaso. Los sueños vienen no se sabe de dónde, se aposentan en el pecho de las criaturas y las tiranizan imponiéndoles sus formas. Y porque el hijo es el más extraño de los sueños no soñados, se quisiera realizar a través de él todos los otros. La madre quiso un almacén. Tuvo su almacén: esa certidumbre humilde con aspereza de papel de estraza y plebeyo aroma de especias entremezcladas. Y esa dicha de relucientes columnas de latas de conservas y de anaqueles colmados de harinas, de azúcar, de legumbres, de cuanto nutre al fin los sueños de los hombres, quiere prolongarla en Roque.

Ella, en cambio, quiere viajar, y a ese hijo que aún no existe ya lo tiraniza imponiéndole su mandato.

Tuvo la sensación de las pesadillas que resbalan hacia un abismo sin término. Con los ojos muy abiertos, como asiéndose a las desesperadas luces que le ofrecían su asidero al borde del precipicio, tableteándole el corazón, miró a la madre con súbita lucidez: el cuerpo duro, pulido por el roce de los años, ceñido por la final desesperanza de los huesos; las manos de raíz seca, de atormentado sarmiento, fuera de los puños de impecable blancura, amarillas de terror a la muerte.

María Engracia dijo lo que nunca había dicho, lo que la madre había esperado en vano muchas veces que dijera, lo que Roque esperaba que alguna vez diría:

—¿Quiere que siga dictando yo? La verdad es que el día ha sido bravo y usted tiene que estar deshecha...

La madre calló atónita. Roque temió que también sucediera lo que siempre pensaba: que los lentes se quedaran solos en el aire, porque él sentía ahora como nunca que se derramaba en agua de ternura a los pies de su niña suya. Se la quedó mirando. María Engracia sentía que la miraba y que su mirada la circuía con un suave nimbo evanescente. Sonrió a los redondeles obscuros, como les habría sonreído si realmente los hubiese visto solos, flotando en el aire.

La madre parpadeó varias veces. Su pasmo ni siquiera le permitió una gota de acritud para pensar: "¿Qué mosca la habrá picado?" Simplemente, relajando su dulce estupor:

—Ten... —dijo, entregándole la manoseada libreta.

María Engracia buscó la página, los torpes números trabajosamente garrapateados por el dependiente, frunció los párpados sobre los claros ojos, buscó el ángulo en que la crudeza de la luz diera mayor precisión a las cifras, y con voz ligeramente temblorosa, transida de felicidad, le ofreció a Roque toda su ternura:

—Un trapo de piso, sesenta...

ENCRUCIJADA DE AUSENCIAS

Las calles enmarañadas y serpenteantes caían violentamente por el flanco de la loma al mar. Al mar no, pero sí a la avenida costanera que seguía el caprichoso dibujo de las playas y de las rocas, límite para su combate, para su tableteo, para su lengua salina y familiar, para el liquen y las algas desflocados en la baja marea. Mar verdiazul, verde-gris, verde-negro. Las curvas del asfalto marcaban su soledad al borde de la prima noche. La loma aupaba las casas metidas en el centro de la fragancia.

La mujer tenía la sensación de que el viento había apoyado una fuerte mano en su cintura, como mano de hombre enamorado que jugara a irla empujando calle abajo, obligándola a apresurar el paso, risueña y escandalizada, porque aquello no estaba bien a sus años... Levantó la cara y volteó la cabeza, que ese mismo viento le echaba en desorden la melena por los ojos y así buscaba que en vez de desordenársela y enceguecerla, se la peinara en su sitio, dejándole libre la visión de la calle, que ya terminaba en la costanera. Allí podría de nuevo tomar su ritmo, su andar mesurado, su continente discreto.

Pero al llegar a la costanera, otro viento contrario la tomó de frente, y toda ella fue un revoltijo de pelo alborotado, de faldas arremolinadas, de blusa tremolante. No sabía a qué atender, siempre risueña y escandalizada, loco el corazón y echando en contorno miradas de azoro por si alguien la veía. Pero no se divisaba a nadie y eso la tranquilizó y la hizo desentenderse de la falda, de la blusa, de la melena, y seguir andando cara al viento, que ahora era una sola fuerte ráfaga que debía horadar, proa obstinada que no desvía ruta.

Mano de hombre enamorado jugando a empujarla... Ahora mano de hombre, también enamorado, que la acariciara entera, probablemente más eficaz que la propia mano humana. Sí, probablemente.... Porque ¿cómo iba ella a saber identificar la mano de un hombre enamorado, ni sobre su cintura, ni así, dedos largos en sus sienes, resbalando hasta la intimidad cosquillosa de los pies? Ella, sí, ella, ¿qué sabía de todo eso?

Bruscamente se detuvo, bajó las faldas, se arregló la blusa, peinó mal que bien los cabellos. Y empezó de nuevo a andar, como andaba ella siempre, a pequeños pasos, un poco tiesa, los codos apretados a las caderas, la cabeza levemente inclinada. Había agarrado su pensamiento —no quería obsesionarse pensando en los cómo, dónde y porqué, regidores de su existencia—, lo mismo que se agarra una prenda sucia y la había tirado lejos, con esa instintiva repulsión que de pronto se siente por algo que se llevaba puesto hasta un instante antes, conciencia súbita de lo no limpio y que lo hace intolerable.

Su pensamiento de cómo iba ella a saber de mano de hombre sobre su cintura. Era absurdo... ¡Si nunca la tuvo cerca, no ya en impulso amoroso, ni siquiera en el gesto que marca una protección amistosa o familiar!

¿Qué había en ella que así la aislaba?

Desde muchacha vivió comprobando a su alrededor una zona invisible que los demás tendrían que atravesar para acercársele. Miraba con una especie de recelo el grupo lejano o cercano a ella, pero siempre del otro lado de esa zona que era como su aura. De pequeña no lo notaba, silenciosamente viviendo su múltiple mundo de imágenes, sin preocuparle mucho ni poco lo circundante. Después, en el colegio, tuvo de súbito la revelación de su aislamiento frente al grupo que se entregaba al estudio, al juego, a la holganza, al diálogo. Pero lo inquietante de ese aislamiento se lo dio la otra edad, adolescencia y juventud tan sin límite divisorio que forman un solo ciclo de persistente esperanza. Sí, cuando vio que del grupo, mágicamente, iba separándose una, llevada por la mano del amor, pareja humana dentro de una atmósfera propia, seres que se amalgamaban y se iban por una órbita común, llenos de sol de dicha. Así se fueron las hermanas, las compañeras, las conocidas.

De pequeña no lo notaba. En el colegio le fue indiferente. No le era fácil el estudio, pero machacaba con tenacidad en un tema, hasta molerlo y meterlo en la memoria como parte integrante de ella, y para siempre.

Fue la alumna orgullo del colegio. Orgullo que estaba a su lado, substancia que se le hizo notoria y grata. Se valorizó y se estimó. Fue también entonces cuando empezó a analizar por contraste la paralela que resultaba su situación en el colegio, alumna con todos los honores, y su situación dentro del grupo, aislada de sus hermanas y sus amigas de ellas, que no suyas, todas cuchicheando deliciosas y mínimas confidencias, súbitamente silenciadas a su aproximación, que no las hacía silenciosas y hostiles, sino silenciosas y lejanas. Casi la halagó el hecho al principio, que creyó una especie de respetuoso homenaje, pero que después se le tornó antipático y que terminó por provocar voluntariamente por verlas ante ella como peces fuera de su elemento.

Cuando notó en sí el repetido mecanismo de esa venganza, la juzgó miserable y las abandonó despectivamente, perdidas en sus puerilidades. Se refugió, como niña, en el mundo de sus imaginaciones, al que sumaba ahora el del estudio y el prodigioso de las lecturas.

La posesión del bachillerato, la vuelta a la casa paterna, el contacto continuo con los familiares, los silencios, las miradas, las súbitas inflexiones de las voces que subrayaban una intención, lo entredicho, las asociaciones de ideas, todo ese trasmundo, fondo del otro en que ella seguía sola, se le hizo al fin intolerable. Pero crecía dentro de ella, profundo como raíz que estuviera en su sangre y que necesitara de una tierra que sólo allí, en la realidad que vivían los otros, podía alcanzar, el impulso que la empujaba a acercárseles, a tratar de salvar la zona de su aura.

No. No era eso tampoco. ¿Por qué no decir, por qué no decírselo a ella misma? Lo que la inquietaba, lo que intensamente en su ser removía raíces, era la violencia vital que las quería enlazadas a otras, trasmutadas en la pareja humana yéndose por la huella milenaria de su destino. Al margen siempre. ¡Sola! ¿Por qué nunca, nunca, nunca —la triple negación le martillaba dolorosamente adentro— un hombre no se le acercara? La tenían por bonita. Se miraba, y el reflejo de su imagen le decía que lo era. Sí, unas pupilas indagaban detalles, las suyas propias, en busca de los porqué. Bonita, alta, firme, tal vez un poco rígida, tal vez un poco seria, tal vez con la mirada demasiado sostenida y como adentrándose por el alma de las gentes, buscando también los porqué, los dónde y los cómo de su vida recóndita. ¡Siempre sola! Viendo la amistad, la ternura, el amor, la costumbre, formar parejas. Viendo su trayectoria feliz o desgraciada.

A veces, transida de angustia, se palpaba buscando lo que hacía huir a las gentes. Porque no era cosa de espíritu, que su disciplina era tenderse a los demás como un puente de cordial comprensión, y tenía que ser algo físico, como físico era el frío seco de sus labios, que a veces debía humedecer para separarlos de los dientes, donde adherían marcando un duro rictus.

Fue cuando murió la madre y quedó sola en la gran casa costina. Sí, cuando las hermanas, casadas todas, decidieron dejársela para que la habitara, a ella, que le gustaba tanto la vida solitaria del pueblo. Era, además, la única soltera, y ellas tenían con la dicha del hogar la holgura de una fortuna. Dejarle la casa. Que era como ponerla oficialmente en posesión de la soledad.

Cerró entonces las puertas a toda esperanza, porque la madre —viejecita y adorable, aunque como los demás, ajena a ella— era el motivo que la unía al grupo. Cortó amarras, no para echarse por mares altas, dueña de su timón, sino para quedarse a la vista del puerto, mirando el vivir de los otros, sufriente, sublevada contra todos y sí misma, que nunca los porqué, los dónde y los cómo de su fracaso se le aclaraban en respuestas satisfactorias.

Dueña de su soledad... Como si en el fondo no fuera sino una criatura hambrienta de compañía, sin un mendrugo ni de amistad ni de amor para su boca ávida. ¡Cómo era de insistente la afirmación "ni de amistad ni de amor"! ¡Cómo le dolía! ¡Cómo caía dentro de ella, dando retumbos! Ni de amistad ni de amor.

Amistad. Amor. Ni mujer ni hombre a su lado. Nunca. A veces alguna hermana le decía:

—Feliz tú, que puedes hacer lo que quieres... No sabes qué belleza es la soledad...

Ella la miraba atónita. Sentía que decía eso, no a ella, sino como al viento, como palabras que desbordan y rebotan por anchos espacios. A veces agregaba la hermana:

—Tú eres tan fuerte... Por eso has podido conservar la independencia...

También como si no le hablara a ella. Como si hablara palabras a las que asignaba distinto significado. La felicidad de la soledad... Su fortaleza...

Seguía mirándola, ansiosa de decir, de explicar, de gritar su protesta. Pero si ella era el ser más desgraciado... Más sin defensa... Más lleno de desesperada angustia... ¿Cómo no lo veía?

La hermana hablaba igual que si estuviera sola. A sí misma también. Ella quería decir, explicar. Era inútil. Estaba entre ambas su aura, la zona negativa. Y la hermana se iba, vaciada, alivianada, sin recordar lo dicho, humo que desborda, que se disgrega y desaparece.

Y ella se quedaba allí en su soledad y en su fortaleza... ¡Casa roída por termes, muros engañadores, y que en cualquier momento se harían polvo sobre el polvo!

Una tímida esperanza se colocó al borde de la cuna de los sobrinos. Pudiera aquello ser la salvación. Le dijeron:

—Ten cuidado... Tienes las manos muy duras. No sabes manejar a un niño.

También hasta allí se extendió la zona del aura. Porque nunca logró aproximárseles, atraerlos, hablar su clave. Se obsesionaba buscando fórmulas, proyectando escenas, ideando diálogos. Y cuando iba a vivir su ensueño, la realidad se lo escamoteaba como un prestidigitador los banderines multicolores.

Volvió a sí misma y ahí se quedó, vencida y agazapada, vieja de alma en cuanto la vejez tiene de ausencia de impulsos, de rebeldías, de esperanzas. Caída irremediablemente.

Los niños volvieron la familia a la casa. Que era tan grande, que se oreaba de viento marino, látigo salado sobre los grandes árboles e introduciéndo por las persianas su fino silbo. Con las playas para pataleo de su gozo.

¡Tanto daba! El margen era siempre el margen...

La costanera curvó un violento ángulo. Iba siempre rígida, pegados los codos a las caderas, con la cabeza un poco gacha. No vio la bicicleta sino cuando la tuvo encima. El ciclista hizo un viraje del cual apenas si logró enderezar la máquina, y siguió su camino. Ella tuvo un segundo de terror, de enloquecimiento, de certidumbre de hallarse con la muerte o con algo más obscuro y tremendo que la muerte: con la herida y la supervivencia miserable. Todo en ese segundo... En ese segundo en que apareció el ciclista, en que alguien tiró de ella bruscamente hacia un costado, en que el ciclista se desvió y en que ella se halló temblando, fría la cara, húmedas las manos, frente al desconocido que la miraba, bondadoso y solícito.

Fue ella la que habló primero:

—Gracias... Si no es por usted...

El contestó con una sonrisa apenas insinuada.

—Me vi bajo las ruedas... —agregó, tratando de afirmar la voz.

Lo miraba sin darse cuenta de la fijeza de sus pupilas, metidas en las del desconocido, y desesperadamente preguntándose dónde las había visto antes, tan límpidas en ese noble rostro como gastado por la fatiga. Sí, ¿dónde?

Dijo, maquinalmente:

—¿Quiere acompañarme? Estoy demasiado asustada aún para ir sola.

No contestó, pero continuaba sonriendo, aquiescente. Desasió ella las pupilas de las otras y empezó a caminar, súbitamente inundada de una indecible felicidad al comprobar que el desconocido iba a su lado.

La costanera seguía bordeando el mar que estaba abajo, más allá de montones de grandes peñascos amasados por la sombra, rocas de cataclismo, y las olas por sobre ellas levantando surtidores de espuma, regalo que el viento traía en rocío hasta la cara de la mujer. Más allá el mar se iba perdiendo en el azul violáceo de la noche y por el cielo los tachones de las estrellas mostraban prolijas facetas. En la loma algunas casas encendían sus luces.

La mujer tenía la sensación de estar viviendo un sueño que se sabe sueño. Filo de la conciencia que se podría traspasar, esfuerzo que no se hace porque el mundo del sueño es el de la dicha. Alguna vez ella anduvo así, silenciosamente junto a este desconocido —tuvo un sobresalto al decirse "desconocido", porque no era un desconocido, sino la materialización de una figuración cotidiana—, al borde del mar, oyendo el silencio trasmutado en juego de las olas y el viento.

Sin angustia. Sin que el aura negativa formara vallas. Sin terror a no comprender lo que iban a decirle. Sin el prejuicio de no ser entendida su respuesta. Como flotando. Como si el viento que de nuevo apoyaba en su cintura las fuertes manos y la empujaba fuera el elemento que por caminos de eternidad la llevara para siempre.

Se volvió a mirar al desconocido. Desconocido, no. Dijo:

—¿Usted se llama Carlos, verdad? —porque en sus figuraciones el hombre se llamaba Carlos.

Bajó la cabeza, asintiendo.

—Yo me llamo Elisa. Usted sabía que me llamo Elisa, ¿verdad?

Siguieron andando. Al mismo paso, al mismo ritmo. Como mecanismos gemelos. El viento le puso en los labios una gotita de agua salada. Sonrió paladeándola. Se volvió de nuevo para hablarle.

—Carlos es un bonito nombre —y sonrió insistentemente, porque aunque sabía que eran tontas palabras, resultaba delicioso dejar volcarse todo el cúmulo de nonadas que la vida almacenara en ella.

El sonrió también, mirándola, y así, siempre al mismo paso, prosiguieron andando a la vez que ella comenzaba a devanar una interminable confidencia, hilo de palabras que parecía ir de su corazón al corazón del hombre.

Volvieron a verse. Cada tarde ella salía de la casa —de la gran casa en que el verano obligaba a los pájaros a escuchar la parábola de las risas infantiles—, y con expresión distraída se iba por la calle que violentamente caía de la loma al mar. Al mar, no: a la costanera, para seguir ese camino, justo hasta el recodo aquel en que en vez de la muerte halló otro destino esperándola. Y que la esperaba ahora, hombre paciente y risueño, silencioso y cercano.

Salía de casa como si no fuera a ninguna parte determinada. Que pudiera ser ir hasta la verja. O dar una vuelta a la manzana. O mirar la última rosa abierta en el asombro de la tarde. Antes de salir pensaba en cómo andaba ella "antes". Ensayaba en su habitación: el paso corto, los codos apegados a las caderas, la cabeza un poco inclinada. Y salía después de ese ensayo sorteando a las hermanas, a los cuñados, a los sobrinos, a la servidumbre. Porque ella tenía que ser como siempre para no inspirar sospechas. Porque había que mantener el misterio en torno a sus paseos. Que no era cosa que cayera el secreto en medio de los demás y los instara a hacer preguntas. "¿Quién es? ¿Dónde lo conociste? ¿Por qué andas como a escondidas con él?"

En verdad lo único que sabía de él era el nombre por ella adivinado. Siempre pensaba en provocar sus confidencias, en dejar que fuera él quien largamente hablara. Pero el propósito se quedaba tan sólo en eso, en propósito, porque apenas en su presencia y empezaban a andar, entre los silencios en que la mirada clara le decía tantas cosas de ternura y comprensión, era ella quien iba diciendo su vida con una interminable embriaguez de detalles.

"Hoy lo dejaré hablar... Le diré que me cuente su infancia... Que me diga si en ese entonces prefería robar nidos o mirar el alto vuelo de los pájaros... Que me pinte la sonrisa de su madre..."

Pero era ella la que hablaba, irrefrenablemente, sin hallar su propósito de silencio hasta que se separaban, siempre como la vez primera, bajo un grupo de árboles en que se ennegrecían las sombras y en que se despedían con una reverencia graciosa de otros tiempos. Era después de esa despedida cuando empezaba a reprocharse su charla, su falta de tacto para dejarlo a su vez hablar. Iba a cansarlo. Un día se aburriría de oírla. Y no lo hallaría a la vuelta del recodo esperándola.

Volvía a casa obligándose de repente a moderar el paso, a juntar los codos a las caderas, a inclinar la cabeza. Porque la felicidad le había hecho otro andar, desenvuelto, con los brazos acentuando una canción que iba por su sangre, alta la cabeza y en la boca una sonrisa con la cual hubiera querido contagiar al mundo. Pero en la casa no debían saber nada. Nada. Sí, los codos así y la cabeza inclinada, como si los ojos buscaran en el suelo rastros irremediablemente perdidos.

Debía callarse. Dejarlo hablar. Conocer su vida. Era poco saber su nombre. ¿Qué metal tendría su voz? Sí, dejarlo hablar, que iba a cansarlo, y un día cualquiera no estaría esperándola...

Eran veinticuatro horas de angustia, de desasosiego, hasta que el encuentro, renovado en forma exacta, los ponía de nuevo frente a frente. Y sus propósitos se iban, como se aventa en el espacio un puñado de leve harina.

—...fue una casualidad, porque usted comprende, Carlos, que a nosotras tan sólo se nos dejaba leer esas estúpidas novelas color de rosa que les dan a las muchachas de nuestro mundo. Yo las leía porque mi voracidad de lecturas pasaba por todo. Pero los libros tras los cristales de la biblioteca de mi padre, primorosamente empastados, con sus títulos y sus autores en letras de oro, eran una tentación poderosa. ¿Qué mundo encerraban? Era tan fuerte la tentación que me ingenié para robar la llave correspondiente, sí, robar, ¿no se escandaliza? —Lo miro de soslayo, muy risueña y levemente desafiante, pero él tenía la clara mirada comprensiva de siempre—. Y de noche, muerta de miedo, iba a buscar un libro, uno solo, para que no fueran a notar el hueco de su vacío. Y así lo leí todo: novelas, ciencias, historias. Todo. Lo bueno, lo malo y hasta lo pésimo. De Ponson du Terrail a Proust...

El automóvil venía suavemente avanzando hasta frenar junto a ella. La voz de uno de sus cuñados dijo:

—¿Quiere que la lleve, Elisa?

Se volvió a mirarlo con el mayor desconcierto. Lo que había temido siempre: al fin iban a sorprenderla. Sería inevitable que le preguntaran: "¿Quién es, cómo se llama, qué hace?" Miró al cuñado, trató de sonreír, pero la angustia hacía temblar sus labios y algo temblaba también en su garganta. Balbuceó:

—Yo... Yo... —pero súbitamente pensó que debía presentar a su amigo. Que no era posible dejarlo al margen del hábito social. Que era como desestimarlo. Agregó—: Le voy a presentar...

El cuñado la miraba con grande asombro. La vio volverse al otro lado y quedarse como una nueva estatua de sal, frente al vacío, con una mano tendida y fija en el aire. Esperó un minuto, hasta que de nuevo le dio la cara, en la que los ojos parecían abrirse a un mundo de espanto, y la oyó decir trémula:

—Muchas gracias... Prefiero andar... Gracias...

El cuñado pensó contestar algo, pero con un gesto mudo de adiós se alejó, perdiéndose el automóvil en lo sinuoso del camino.

La mujer seguía en medio de la costanera, cada vez más desconcertada ante la desaparición de su amigo. ¿Cómo había hecho para hurtarse a la presencia de su cuñado? ¿Dónde estaba? ¿Por qué se había escondido?

Dónde... Cómo... Por qué... Las viejas preguntas de nuevo doliéndole, como debe dolerle al agua la piedra que la rompe en inútiles cristales.

Ya que sus entrevistas estaban siempre condicionadas por el misterio, que era su mayor encanto, podía él creer que no quería ella mezclarlo a su vida cotidiana. Le volvió a punzar la idea de que se creyera desestimado. No, eso nunca, nunca. Buscarlo. Decírselo. Probárselo.

Pero ¿dónde estaba?

Se volvió a mirar en su contorno. El viento, como otras veces, jugaba a alborotarle la melena y a enceguecerla. Tenía que haber seguido andando en esos minutos en que ella atendiera, azorada y estupefacta, al cuñado.

Tenía que estar allí, tras de aquel recodo. Tenía que estar allí, allí. Echó a andar. Y como la mano del viento se apoyaba en su cintura empujándola, la tranquilizó de repente esa familiar ayuda. El tenía que estar allí. Allí. Estaba allí. Allí.

Respiró profundamente al verlo con esa expresión lejana y tierna con que la aguardaba siempre. Esa expresión que ella viera antes en alguna parte y que la hacía mirarlo con la sorprendida alegría del que mágicamente ve sumarse lo soñado a lo real.

Dejó que por un instante sus pupilas se adentraran por las pupilas de su amigo, por su azul, cielo para vuelo de su corazón, alondra diciendo su canto y su embriaguez de alba.

Y empezó a explicar muy de prisa:

—Esto no puede pasar otra vez, Carlos. No somos niños ni usted ni yo. No es cosa de andar como a escondidas de todos. Que usted crea que yo no quiero presentarlo a mi familia. O que mi familia suponga que usted no desea conocerla. No, no. Ahora mismo vamos a ir a casa para que usted conozca a mis hermanas y a mi cuñado, que por el momento sólo el que usted acaba de ver está con nosotras. Usted algo sabe de ellos, de todos ellos. Y aunque me hayan hecho sufrir mucho y usted conozca en parte ese sufrimiento por mis confidencias, ni yo los malquiero ni me gustaría que usted los malquisiera...

El sonreía con su lejana expresión, borrosa en la sombra que la noche esfumaba sobre el paisaje. Ella tuvo de súbito la tentación de alargar la mano hasta la de él y acariciársela. Pero apartó el impulso diciendo "no" con la cabeza. El gesto pueril la anegó en goce y le fijó en los labios esa sonrisa con la cual quería contagiar al mundo.

Avanzaban por las calles pinas, subiendo a pasos lentos y firmes, silenciosos bajo el toldo de los árboles, espeso el aire de aroma de jazmines y sintiendo a veces el frescor de una manga de riego que giraba sus combas con un susurro cauteloso. Un grillo decía que sí, que sí era aquella su pequeñita casa.

Hallaron la verja abierta y todo el piso bajo iluminado. Lo que indicaba que la familia estaba reunida. En la puerta del *living* la mujer se volvió a mirar largamente a su amigo y dijo al fin:

—Pase, está en su casa.

Entró antes que él, anunciándolo gozosa:

—Les voy a presentar... —pero se quedó muda e inmovilizada.

¡Qué extraño! Los sillones estaban en la habitual disposición. El de su hermana mayor junto al ventanal y del otro lado el de su otra hermana, dejando entre ambos sitios a la silla baja en que siempre se sentaba la sobrinita lisiada. Y en el otro extremo, bajo la lámpara de pie, estaba la silla larga habitual de su cuñado, el que la hallara en la costanera. Era la hora que precedía a la cena y en que todos deberían estar allí esperándola, mínima cortesía para la dueña de casa... Y allí no había nadie...

Tuvo una especie de escalofrío, como si tocara el misterio, lo sobrenatural. La casa era la casa deshabitada de las historias infantiles. Igual. Por allí había pasado el encantamiento... El sillón de su hermana mayor, y al lado, en una mesa baja, el canasto con los ovillos y la hebra de lana en el aire, suspendida del tejido y de los palillos inmovilizados, como si ella estuviera allí detenida en su labor. Y no estaba. Empezó a temblar, porque el ovillo dio varias vueltas, como si le hubieran dado un brusco tirón. Y su hermana no estaba. Miró al asiento de su otra hermana, vacío y sin nada empavorecedor. Miró la sillita de la lisiada y vio en el suelo, como ella las dejaba siempre, las muletas en cruz. Y la niña no estaba. ¡Pero si la niña no podía moverse sin las muletas! Le castañetearon los dientes, serrucho mordiendo en el terror. Miró la silla larga de reposo de su cuñado, bajo la lámpara, y vio el diario, el diario que él leía, en el aire, abierto. Y su cuñado no estaba. Las hojas se juntaron y se doblaron. Y su cuñado no estaba. Al terror, al entrechocarse sus dientes, se unió un impulso de fuga, un deseo de correr, de desaparecer, de jamás regresar a esa casa que era su casa, símbolo familiar donde ella traía a su amigo, y donde los suyos, en la última jugada, sí, en la última jugada que le hacían, dejaban la casa deshabitada de sus presencias. Para que Carlos la supiera abandonada, al margen de la vida de todos, solitaria en su aura...

Dio un grito, puñal que se clavó en medio del silencio, y salió precipitadamente arrastrando a su amigo fuera de ese miserable mundo, hacia el único mundo en que ella y él podían realizar su evasión de la realidad.

El grito lanzó el diario al suelo, la labor sobre los ovillos del canasto y una muleta se acercó a la sillita. La hermana mayor y la otra hermana se miraron consternadas. La niña se puso trabajosamente de pie y con los anchos ojos que conocían el dolor miró el jardín por ver la sombra de la tránsfuga. El cuñado iba a decir algo, con la boca dura de las decisiones definitivas; sí, algo, porque la insania de la mujer se tornaba intolerable. Pero no dijo nada.

LA CASA ILUMINADA

Acaso, alguna vez, la mesa extendida justificara el enorme comedor. Ahora era un círculo de lisa blancura, con el mantel cayendo hasta tocar la alfombra en que andaban los faisanes de un dibujo persa. Ochenta luces entre caireles y bronces hacían deslumbrante esa blancura. No habían encendido los candelabros de la chimenea ni las lámparas murales, por lo que las paredes obscurecían el rojo de sus sedas, como las cortinas, y sólo la talla de algún enmaderado realzaba el dibujo de un cuarterón. En las vitrinas esplendía la plata. Al fondo, una puerta abierta dejaba entrever el jardín de invierno.

Perdidas allí, al borde de la mesa, frente a frente, dos mujeres esperaban algo, un impulso, una señal, algo, de dentro o de fuera, que las acercara. Una vestía de luto y era flaca, como sobada por el tiempo, que le hiciera la piel fina y amarillenta. No tenía edad. Obstinadamente mantenía bajos los párpados sin sombra de pestañas. La boca parecía no existir, así eran de delgados los labios. De los hombros estrechos salían dos delgados brazos forrados por la tela negra y sobre lo luminoso del mantel había dejado las manos, extrañamente alargadas, duras de articulaciones y como si estuvieran allí abandonadas, ajenas a todo dueño.

La otra, fina y firme, descolorida, se relajaba en una postura cómoda, pero bien se adivinaba que bajo la piel tersa había músculos y sangre y que las manos tenían nervios que las hacían prodigiosamente elocuentes con sus palmas anchas, generosas y violentas. Miraba a la hermana, con la renovada sorpresa de hallar sobre ese rostro expresiones que eran de la muerta, mimetismo comprensible por una convivencia de años. ¿Cómo podía el tiempo haberle dado gestos, actitudes de tía Odilia, a ella, generalmente tan borrosa, tan vacía, tan de material humano sin nada que plasmar?

Su mirada verde pareció al fin atraer la otra. Los párpados se levantaron y unos ojos grises aparecieron huidizos.

—Voy a salir —dijo la que no llevaba luto.

—Tan tarde...

—Sigue gustándome andar de noche.

—Te esperaré.

—Prefiero que me des la llave.

—No, no. Te esperaré..., hasta la hora que sea..., aunque esa hora sea el amanecer...

María Fernanda la miró, pronta a decir algo hiriente, porque en esa forma cortés de negarle la llave sentía la influencia de la muerta. Pero era tal su rostro de súplica, de "déjame que te espere, porque eso me hace feliz", que sonrió, súbitamente iluminada por la blancura de los dientes; se alzó despaciosa y dijo:

—Como quieras... Pero no será extraño que para recordar otros tiempos salte la verja, dándote la sorpresa de estar de nuevo junto a ti sin haber tocado el timbre... Hasta pronto.

Andaba a largos pasos, elásticos, llenos de gracia. Antes de salir se volvió y agregó, maligna a pesar suyo, comprobando un hecho, porque ahora sí que en la boca de María Ernesta parecía haberse modelado la boca de tía Odilia:

) 147 (

—Tienes exactamente la misma cara que "ella" cuando barruntaba que iba a escaparme... —y salió.

Se quedó sola en el enorme comedor. Inmóvil. Como si las palabras de María Fernanda la hubieran vuelto de elementos minerales. La misma cara que "ella"... Levantó la barbilla con un brusco movimiento y una mano se crispó empuñada. Como "ella", como tía Odilia. Con razón lo decía María Fernanda. Porque estos dos movimientos que acaba de hacer eran calcados de aquellos con que tía Odilia preludiaba su ira. Y se relajó, empequeñeciéndose, como un montoncito miserable sobre el sillón, acongojada, con el pecho encapotado de lágrimas, porque a cualquier persona querría ella parecerse, menos a tía Odilia.

¿Cómo, queriéndola tan absolutamente, no lograba parecerse un poquito que fuera a María Fernanda? Ella, que la oía con un embeleso extático, que cuando veía que la risa le atirantaba los ojos y se los hacía como de chinita, sentía que el universo era pequeño para su gozo, que la miraba andar segura de que el equilibrio de los astros dependía de su ritmo. Y en vez de parecérsele...

Cada vez se entendían menos. Sin enojos, sin palabras explicativas. Pero es que nada tampoco las hacía aproximarse. María Fernanda estaba en su mundo. Ella en el suyo. Paralelas. Y era vana su esperanza de que ahora pudieran ser de nuevo como antes, como antes de..., sí, antes de que María Fernanda... No quería precisar el hecho, el hecho de que María Fernanda..., y movía de uno a otro lado la cabeza, para no dejar que entrara en ella esa imagen que la rondaba y que no quería aceptar, porque era como aceptar voluntariamente la pesadilla.

Miró el alto reloj de campana, viejo y precioso, cuyos punteros iban a marcar las once horas. Esperó. Y las campanadas cayeron quejumbrosas en el silencio, salidas de las entrañas mecánicas como si el trabajo de marcar el tiempo se les hiciera cada vez más difícil.

Las once en aquella casa era el momento del sueño. Desde siempre. Porque hubo una voluntad —que parecía haber existido aun antes de que un cuerpo humano la albergara—, fuerza imperiosa, definitiva, que rigió los destinos de la casa, de sus habitantes, como piezas de un instrumento dócil. Una voluntad que tan sólo María Fernanda supo afrontar. María Fernanda. Antes María Fernanda, ahora Mari Fernán... Mari... Fernán...

Tic tac, tic tac, Mari... Fernán..., tic tac, tic tac...

Bruscamente se puso de pie y atravesó el comedor. Junto a los conmutadores eléctricos se detuvo y con un súbito impulso infantil fue girándolos todos para encender por completo las luces.

"Comedor de palacio —se dijo, repitiendo la frase que a veces solía decir la muerta—. Comedor de palacio que bien pudiera ser de reyes..., y que es mío, mío, mío..."

Y a la vez que decía "mío", iba encendiendo nuevas luces. Alegre, con ganas de zapatear, de girar sobre sí misma, de dar gritos repitiendo ese "mío", inarticulado como llamada que por los aires campesinos rubrica el holgorio moceril.

Tuvo una idea: encender todas las luces de la casa, abrir todas las ventanas, todas las puertas, correr todas las cortinas y esperar a María Fernanda como celebrando una fiesta.

—Faltarían las flores, pero no importa. Basta la casa iluminada —murmuró.

La casa toda en silencio, toda en el sueño, y ella, de pieza en pieza, de piso en piso, encendiendo las luces, corriendo las cortinas, abriendo las ventanas para dejar que por el parque se extendieran estrías amarillentas. Hacía años que no disfrutaba de una alegría mayor. Entraba a un salón, encendía las luces, desparramaba por su contorno una mirada de gris desteñido, y decía:

—¡Mío! Todo es mío. ¡Mío! —como niño que comprueba los tesoros de su pieza de juego.

Subió la escalera y desde el descanso en que se abría en dos para alcanzar la galería alta, miró el hall, los salones, el escritorio, el billar, la biblioteca, el comedor, todo iluminado, esplendiendo los oros y los cristales, los mármoles y los bronces, reflejando los espejos, el infinito de los lagos inciertos en sus superficies encontradas, mostrando sedas, terciopelos, cueros, taraceas, pinturas, tapices, esculturas. Y todo era suyo e iba repitiéndolo a cada paso que ahora daba para alcanzar el otro piso.

Parecía obedecer a una consigna: encender luces, avanzar por los pasillos, por las habitaciones; encender luces, abrir puertas y ventanas, correr cortinas. Una consigna que nunca nadie le ordenara. Que ella seguía porque sí. Para su propio placer. Para poder decirle a María Fernanda: "Te he esperado con la casa iluminada como en fiesta. Porque aunque tú no lo creas, aunque yo no logre decírtelo, para mí es una fiesta que estés en la casa, que hayas querido venir a verme, a pasar estos días conmigo, como antes, como antes de... Y todo lo que he sufrido, bien pagado está con la alegría de tenerte en la casa que es mía y que se ha iluminado para esperarte a ti, María Fernanda..."

A veces a ella le gusta contarse esa historia, hecha de retazos de imágenes, trozos de recuerdos pacientemente unidos, rompecabezas que suplió al otro de los niños felices y que ella no tuvo nunca.

Había una vez dos hermanas, una se llamaba María Fernanda y la otra María Ernesta. Una era rubia, alta y tenía los ojos verdes. La otra era pequeña, flacucha y tenía los ojos grises. La madre murió al darlas a luz, porque, aunque tan distintas, eran mellizas. El padre se fue a un país lejano, lleno de nieve, y nunca más volvió ni hubo noticias de él, hasta que, por una carta llena de sellos y de rectificadas direcciones, años después se supo que había muerto. Mucho antes de eso, a María Fernanda y a María Ernesta las había sacado tía Odilia del asilo en que las dejara el padre, llevándoselas a la casa en que vivía con su achacoso y rico marido, sin hijos, orgullosa, dura y avara. Porque no era posible que en el mundo se dijera que tenía abandonadas en un asilo, merced a la caridad pública, a las dos hijitas de su única hermana.

La existencia de las niñas fue triste. Nunca tuvieron la sonrisa de una ternura para arroparse, ni la canción de una caricia para dormirse ni la libertad de una aquiescencia para ámbito de un juego. Vivieron metidas en la disciplina, en el estudio, en el casillero del horario, limitadas de admoniciones, con la voz de tía Odilia podando todo impulso, hechas a semejanza de lo que ella imaginaba que debía ser la criatura perfecta. Al norte un "no", al sur un "imposible", al este un "nunca" y al oeste un "jamás".

Así pasaron los años hasta que un día...

Para María Ernesta la sumisión era una naturaleza. Silente y sin movimiento, ahí se quedaba, hasta que le daban orden de pensar y de actuar. Era entonces lo que tía Odilia quería que fuese. Pero con María Fernanda tía Odilia tenía trabajo mayor.

Que eran una voluntad frente a otra y la niña no se doblegaba y menos se doblegaba al avanzar por la adolescencia. No valían ni amenazas, ni gritos, ni castigos, ni las tremendas palizas que le infligían por mano de la vieja Chaparra, india "criada en la casa" y como instrumento a las órdenes del ama.

—¡Lo que gasto con ustedes! Cientos de cientos en vestidos, en zapatos..., y el vagabundo de su padre rodando tierras, como si no tuviera hijas —clamaba tía Odilia.

—¿Para qué nos recogió?... Vagabundas nosotras también seríamos más felices... —decía María Fernanda.

Y era imposible hacerla callar, que no dijera justamente lo que debía contestarse, pero que no podía decirse, sino pensarse, y eso cuando se estaba sola, por si se hacía el pensamiento transparente y tía Odilia podía verlo.

—Tienen que ganarse el pan que comen, lo que me cuestan. María Ernesta debe lavar, planchar y zurcir. María Fernanda...

—Conmigo no cuente..., es completamente inútil que disponga lo que debo hacer, porque no pienso hacer absolutamente nada.

Y era inútil, en verdad. No servía nada. Ni siquiera el ruego de María Ernesta despavorida, ni la súplica de tío Pedro, viejito, tembloroso y entregado sin remedio al imperio de su mujer, que lo agarró por los sentidos al filo del mediodía, demonio que dicen y que él pensaba que era cierto que ataca al hombre y lo entrega sin defensa a su dominio. Y que quería paz y que sin fuerzas ni antes ni ahora para enfrentar a su mujer, amonestaba a María Fernanda, a la par que le pasaba por la voz un súbito temblor de admiración y tenía que aferrarse a los forros de los bolsillos de la bata para que las manos no se le fueran a acariciar a la muchachita, diciéndole que no dejara de ser como era, sino que fuera siempre así, brava para defender su personalidad y ser ante todo ella misma.

No sirvió nada, ni siquiera los golpes de la vieja Chaparra, porque un día tuvo María Fernanda más fuerza que ella y le retorció las muñecas, haciéndole lanzar largos aullidos de fiera herida, por las montañas dando a los ecos sus lamentos. Fue cuando la amenazaron con el reformatorio. Por orden de juez. Como ponerle una losa de infamia. Pero María Fernanda dijo:

—Háganlo y le cuento al juez lo que pasa en el escritorio de tío Pedro de diez a doce.

—Fuera de mi casa... Víbora... Chantajista...

—No, fuera de esta casa por ahora no salgo; será casa de usureros, pero por el momento no quiero dejarla. La dejaré cuando "yo" quiera.

No quería irse porque no estaba segura aún de su porvenir. Estudiaba. ¿Cómo? Lo sabía tan sólo María Ernesta, aterrorizada bajo las cobijas, esperando su regreso con el corazón alocado golpeándole en los oídos. Se iba tranquilamente, cuando llegaba la hora del reposo, por sobre la verja, como un animalillo rapaz saltando y así de fuerte y silencioso. Para asistir a la escuela de arte dramático. Allí estaba su vocación. Un año, dos años, tres años...

Una noche le dijo a María Ernesta:

—No me aguardes. No volveré. Me voy, me han contratado. Dejo una carta. Si pretenden hacerme volver, les hago un escándalo delatándolos como usureros. Que me dejen tranquila en mi camino... —se inclinó a besarla levemente—. Que seas feliz en el tuyo, María Ernesta...

Y no volvió. Y nada hicieron para retornarla. Y se borró su nombre de la lista de los familiares.

Tenían diecisiete años.

Quedó sola María Ernesta, frente al rencor de tía Odilia, porque algo, alguien en la vida se había hurtado a su dominio. Algo que ella creía propio, como propios eran los inmuebles, los fundos, los bonos, las alhajas, el marido, la servidumbre, María Ernesta. Un rencor para siempre.

Un día y otro formaron mazos de apretados calendarios de tiempo sin color. Uno tan sólo se tiñó de negro, porque murió tío Pedro.

Y nada más, fuera del tono levísimo de ansiedad en espera de la apertura del testamento que dejaba a tía Odilia heredera única de toda la fortuna. Y después otros mazos igualmente incoloros.

Lavar, planchar, zurcir. Y estarse quieta, aguardando la voz que daba la partida a todos los pensamientos y a todos los movimientos.

¿Y María Fernanda? Un día tocó la casa, contra las puertas, sobre los vidrios, botando y rebotando como pelota de goma empecinada, la noticia de que María Fernanda era ahora Mari Fernán, la actriz. Se decía de ella... que si el ministro..., que si vivía..., que si el dinero..., que no era cierto... Y su retrato y lo que opinaba, y sus proyectos y sus viajes. Mari Fernán. Mari Fernán en cada segundo como un tic tac de corazón, metida en la sangre del tiempo.

Mari Fernán, la hermana, mi hermana, y ella, María Ernesta, sin orillas en la niebla de la monotonía, lavando los días y repasándolos prolijamente, uno y otro y otros, todos idénticos. Mari Fernán que vivía con un hombre, joven como ella, apoyada en su costado, apoyada en su boca cuando el amor los enlazaba y fundía, conociendo lo firme de un brazo por almohada y pudiendo cautelar el abandono, lo inerme del dormido y apartar con limpio gesto de terneza el pelo caído sobre una frente. Mari Fernán, rebelde y tranquila, con las manos dadivosas y la tenacidad relumbrando en los ojos, Mari Fernán.

Otro día se tiñó, pero no de negro, sino de morado, de lenta agonía, de media muerte, que tía Odilia luchando con la parálisis perdió tan sólo la mitad de sí misma. La cama, la invalidez, la necesidad de una enfermera. ¿Enfermera? No. María Ernesta, chiquita, flacucha, pero que no se sabía de dónde sacaba fuerzas. La agonía de años, de defender cada músculo. Batallando María Ernesta con la solapada malignidad, con la sordidez, con el rencor, con las súplicas, con la desesperación, con las noches blancas de luna alucinada de insomnio, llorando por las curvas de la angustia, resbalando por vertiginosos países de hielo, patinadora de la vigilia, con los párpados siempre abiertos fijos en el punto en que está el sueño de tía Odilia y en que el sueño no llega, oyendo su ¡ay! que no soporto más, y ¡ay! que no me martiricen, y ¡ay!...

A veces tía Odilia murmuraba con voz que salía de melosas zonas de soborno:

—Para ti será todo, tan sólo para ti, que has sido buena, que me has cuidado, que estás conmigo, y no como la otra. Perdida...

Para María Ernesta. Sí. Los inmuebles, los fundos, los bonos, las alhajas. Todo.

Y lentamente, insinuándose en ella la conciencia de que lo que hacía hasta entonces, obra de su alma de servidumbre, se empieza a realizar a cambio de un futuro. Que es como ir colocando en un banco la abnegación, el esfuerzo, el desgaste, el anularse en esa voluntad exasperada. Todo eso se convierte en una reserva de oro.

A veces, desesperadamente, quería reaccionar, ser como antes, buena porque sí.

—Porque soy tonta... —dice, repitiendo la vieja frase de su viejo desconsuelo, cuando se encontraba sumisa al lado de María Fernanda que defendía su libertad a grito herido. Pero era vano, caía de nuevo en la especulación, en que el porvenir con la fortuna de tía Odilia bien valía la entrega de su juventud y de su libre albedrío.

En una ocasión se sorprendió pensando: "¡Que se muera de una vez!..." Fue tal la frenada que dio a su pensamiento que se halló de pie, rígida, con la boca abierta y los ojos espantados mirando sin ver. Se hundió en la desesperación, cada vez sintiéndose más miserable, rescatando el mal pensamiento a fuerza de un cuidado alerto junto a la enferma, imponiéndose sacrificios, penitencias de estarse de rodillas junto a la cama la noche entera, desfallecida, con los músculos tan doloridos que terminaba por no sentirlos, hasta el instante de alzarse y caer y volver a alzarse trabajosamente, para lograr la recuperación del movimiento tras muchos ensayos.

—Ponme otra inyección, ¡ay!; que me tengas lástima, ¡ay!; que no importa lo que diga el médico, ¡ay!; que no puedo soportar más dolores, ¡ay! —gemía tía Odilia entretanto.

La historia siempre empezaba lo mismo:

—Había una vez dos hermanas...

Pero a poco de irse proyectando en su memoria, nuevos detalles, nuevas escenas íbanse agregando a las otras, modificándolas, dándoles mayor realce, tan vivas algunas veces que se detenía con la absoluta certeza de que alguien que no era ella repetía en alta voz esas palabras que alguna vez pronunciara María Fernanda o tía Odilia. Como también acontecía que hablara a media voz, no ya evocando los recuerdos en su mente, sino que haciéndolos más tangibles por la magia de la palabra.

Y sonreía, tristemente, porque era el hablarse a sí misma viejo hábito de su soledad, manera de hacer que su tremendo abandono tuviera siquiera la ilusión de un oído amigo para recibo de confidencias.

¡Cómo se le embarullaba el día de la muerte, eso definitivo que significaba un pañuelo en torno de la cara, los párpados que no querían cerrarse y la bata, que se sorprendió aterrorizada pensando que era muy ligera y que tía Odilia iba a tener frío! Y cuando ella dijo, sin saber lo que decía:

—¡Qué cansada estoy!

Cuando dijo eso sin conciencia, su súbita conciencia de que a su alrededor las gentes la miraban serviles, entregadas a sus deseos, rodeándola de solicitud, preguntando, diciendo:

—¿Qué quiere? Beba este cordial. No, no, es preferible que tome leche. Que no, que es mejor el cordial. Pobrecita mi alma... Tan cansada, deshecha por los meses de cuidarla... Que se tienda un rato. Que entornen ese postigo. Que no vea cuando sacan el cajón. Que le pongan agua de Colonia en la frente...

¿Pero quiénes decían todo eso?

Gentes desconocidas, rostros borrosos, superpuestos unos a otros, vertiginosamente. Tal vez amigos de tía Odilia. Tal vez familiares de tío Pedro. Todos mirándola con ojos perrunos. ¿Por qué?

¡Ah! Sí. El testamento. El codicilo (una nueva palabra). Codicilo. Que para ella significaba una fortuna.

Era delicioso preparar esa sorpresa para María Fernanda. Más luces, ya todo este piso también iluminado, las ventanas abiertas y los árboles meciendo su canción de hojas y un grillo empecinado en la sombra en ser el corazón de la noche. María Fernanda entrando en esa casa que era su casa de ella, de María Ernesta, toda iluminada en su honor, como si fuera una reina.

"Porque yo soy solamente una pobre criatura —se decía—, una buena tonta, un ser chiquito, únicamente grande para quererla. Que ella sienta que está en su casa, que no importa que sea mía, porque yo se la doy, sin esperar que ella me cuide ni se desgaste en la espera de que una hora en la noche sea al fin la hora del sueño, sino así, dándosela, iluminada, para que se sienta como una reina en "una casa de reyes".

—¡Ay!

¿De dónde ese ay? ¿Había resonado dentro de ella, fuera de ella, como a veces sentía voces, o era tía Odilia que se quejaba, como otras veces, porque todo aquello no era sino un sueño y no estaba muerta, ni era ella la dueña de la fortuna, ni se había ido María Fernanda a dar un paseo por la noche, ni estaba allí encendiendo luces para esperarla como si fuera la reina de un cuento?

—¡Ay!

Su propio grito colocó a María Ernesta al borde de la mesa.

Se miró las manos, quiso moverlas y no le obedecieron los músculos. Tuvo la sensación de que no eran suyas, que ella terminaba al borde de los brazos, al final de las mangas negras del traje. Y que esas manos que aparecían allí y que no eran suyas iban de pronto a colocarse sobre una repisa, manos de cera, de maniquí de manicura, de ortopédico. Manos en una vidriera, entre flores, sobre un cojincillo de raso, rodeadas de frascos de barnices, junto a muletas, con luces, con muchas luces, con las luces todas de una casa iluminada —"casa como para reyes"—, y ella, María Ernesta, encendiendo más luces, más luces, más... ¡Ay!

—María Ernesta...

—¡Ay! ¡Qué..., qué...! ¿Quién es? ¿Qué pasa?... ¡Ay!

—María Ernesta, hijita, no te asustes, no me mires así; soy yo, María Fernanda, no me mires así...; soy yo.... ¿Te asusté?

—No, no, no es nada...

—¿Para qué te empecinas en esperarme? No estás acostumbrada a trasnochar, como yo...

—¿Como tú? Sí, tienes razón, como tú no he trasnochado nunca.

—Perdón, María Ernesta... Bien sé cómo te has deshecho velando junto a una enferma...

—No me lo recuerdes.

—Perdón de nuevo.

¿Qué podrá acercarlas? El reloj, trabajosamente, saca de sus entrañas unas campanadas para depositarlas al filo del amanecer. María Fernanda dice sin mirarla:

—¿Te veré antes de irme? Debo salir muy temprano para estar a la hora del ensayo en la ciudad.

María Ernesta siente el impulso de prenderse a su cuello, volcando sobre ese pecho todas las lágrimas que una nube dolorosa está empezando a lloviznar dentro de ella. Aprieta las manos, junta fuertemente las palmas. Baja los párpados y ensaya íntima, trabajosamente, la frase que va a decir; la repite dentro de sí hasta lograr pronunciarla en voz alta sin vacilaciones:

—Te despediré mañana. Buenas noches, María Fernanda. ¡Que descanses!

La hermana contesta distraída:

—Buenas noches, María Ernesta —y sale, dejándola abandonada en la blancura sin misericordia de una luna de angustia.

Tic tac, tic tac. ¡Cómo le duele el corazón! ¡Cómo el reloj dilata en el silencio su jadear de alambres! ¡Cómo el grillo golpea en la ribera de la noche! ¿Es que su corazón se mueve en el tiempo, midiendo la circunferencia de la desesperación, al borde de la sombra en que hay una casa iluminada y María Fernanda, no, Mari Fernán, se evade hacia un mundo sin manteles para el abandono de unas manos, manos de cera, de maniquí de vidriera de manicura, de ortopédico, entre luces, luces, luces y un tic tac, tic tac que la hace oscilar por los aires?

¿A quién hace oscilar? A María Ernesta, María Ernesta en "un palacio para reyes", en el límite de un grillo, con un reloj que es una luna y un mantel blanco que marca las horas, una hora, la hora, la exacta hora en que se va María Fernanda, en que hay que ensayar palabras que no tiemblen, que se coloquen una tras otra en el aire, pájaros en un hilo telefónico...

Una hora, dos horas, tres horas... La hora en que María Fernanda se
va... ¡Que se fue María Fernanda, Mari Fernán! Y que estoy sola, ¡ay!,
y que por qué los sueños no son sino sueños y no pueden permanecer
quietos y tangibles, como un mueble, como una mesa, como está la mesa
con el mantel blanco, con María Ernesta al lado con las manos juntas
por las palmas, en una postura incómoda. María Ernesta que se levanta
y pone el mismo cuidado que cuando pequeña en no pisar los faisanes de
la alfombra y camina a pasos irregulares y en puntillas.

Maquinalmente coloca en su sitio una mecha de pelo que le cruza la
frente. Como le cruza por la sangre el pavor de que la casa esté a obscuras, sumida a las sombras de la noche.

LA OTRA VOZ

En el tramo final se le aflojó el impulso. Pero no dejó de mirar hacia
arriba, presentando cada vez más la cara al cielo. Los pies paulatinamente
se le hacían minerales. Se obligó a subir los escalones últimos, y un
poco torpe avanzó por la plataforma en busca del parapeto en que podía
sentarse.

Seguía mirando arriba, la enormidad del monumento, del que sólo
veía ahora el pecho del caballo, una de las poderosas patas delanteras
alzadas y en violento escorzo la cabeza, todo ello en sombra destacándose
contra un cielo de primavera destemplada, de tarde sin nubes, de pájaros
silenciados por el viento que traía del sur sus lienzos humedecidos, de árboles desdibujados por la inquietud. Tal vez un ángel había encendido
el lucero, tan luminoso, tan deslumbrador, tan inverosímil.

Se le aquietaba la respiración. Ya no sentía el correr de la sangre
atropellándose en sus sienes, latiendo allí. Las tocó con lentas yemas cariciosas. Siempre con la cara en alto. Fue entonces cuando tuvo la sensación de que el caballo movía la pata alzada, continuando el paso que
una mano maestra había fijado en el bronce. Iba a salirse de su base
cayendo sobre ella, encogida, inmovilizada por el terror, apretados los párpados para no ver la fatalidad.

Un segundo después abrió los ojos anegados en medrosas agorerías.
Comprobó estupefacta que el caballo seguía arriba, firme y airoso sobre
la alta base. Y que ella seguía sentada sobre el parapeto, una vez más
salvada de imaginarias catástrofes.

Siempre tenía miedo: a hechos misteriosos, a enemigos mortales, a
acontecimientos malignos. Un auto que patina y sube a la acera. Una
maceta que cae desde un balcón. La electricidad que aflora a través de

un doméstico conmutador. Un choque. Un rayo. Un incendio. Un ciclón. Un terremoto... La naturaleza y los hombres contra ella. La muerte por todas partes vestida de huesos y con una escoba de bruja al hombro entre mascarones grotescos. ¡Si ella pudiera recordar dónde la vio así representada por primera vez, y el pavor se quedó en sus tuétanos para siempre!

La madre decía:

—Ahora que hemos oído el noticioso, nos vamos a acostar.

Ella sonreía, con una mínima sonrisa que levantaba las comisuras de la gran boca sensible, dejaba despaciosamente la labor en el costurero, se alzaba gentil y contestaba:

—Sí, mamita; vamos a acostarnos.

Había aún otro formulismo al subir la escalera. Ella se allegaba al muro y con gesto cortés cedía el paso a la madre, siguiéndola con una cadencia que las mantenía a la misma distancia. En el hall de arriba cambiaban un beso.

—Buenas noches, mamita. ¡Que descanses!

—¡Que descanses! Hasta mañana, si Dios quiere.

En su vida cada hora respondía a un molde. Y todas parecían repetirse a sí mismas. Como esas constantes hileras de cisnes que desfilan para probar la puntería de los tiradores en las ferias veraniegas. Como interminables hileras de cisnes, recortados en cartón, pintados de diversos colores, moviendo la cabeza con idéntico ritmo. Iguales siempre. Iguales. Un día y otro.

Porque hasta lo que pudo ser inesperado lo predijo la madre:

—En la temporada próxima tendrás un vestido azul con cuello celeste, y otro marrón con una blusa amarilla, y cuando haya un bonito día iremos al rosedal.

Ella sabe cómo serán sus vestidos, los días que saldrá de paseo, los títulos de los libros que le dejarán leer, los hoteles que en futuras temporadas veraniegas alojarán, la fecha en que tendrá un festejante...

Ella, entre tanto, frenéticamente agita dentro de sí sus fúnebres muñecos, evadiéndose a un mundo de espanto, de destrozo y lloro, entre escombros, chatarra y humo.

Ella, entre tanto, también, dice, tan de niña anhelante la voz, con la sonrisa estampada en las comisuras de la boca:

—Sí, mamita. Es ya hora de ir a casa de la abuela.

¿Cómo es el amor? ¿Cómo se siente? ¿Cómo llega? ¿Lo trae el festejante, ese que mamita anunció que iba a tener al cumplir los dieciocho años y que aparece puntual cuando los celebra en el salón de la abuela, irreprochablemente vestido de escribano, con los ojos demorados y la frente prolongada por la desolada calva? ¿Tiene esa voz de balbuceo, ese asordar las sílabas finales, esa frase que se cierra como un cero sobre nadería? Ella conoce el amor de las novelas rosa, en que los enamorados tienen palabras, encendidas palabras, tremolantes palabras, calcinadoras palabras para traducir la pasión, pero en que siempre los cuerpos están ausentes. Es como si de ellos sólo existiera la voz. Cuando las páginas se aproximaban al fin, estas inmateriales criaturas hallan sus labios para cambiar breves inocentes besos, gozosas vísperas de bodas. En el cine el amor habla cualquier idioma y sensitivas máscaras humanas traslucen cada emoción. A veces las bocas se unen en largos, sabios, agotadores besos que ella mira pasmada. Conoce el amor de papel y tinta, de luz y sombra.

Ese amor conoce ella, que tiene una cara descolorida de muchacha a la cual la sangre no revela ningún mensaje del instinto. Alguna vez se sorprende ante el espejo, observando morosamente esa imagen que le parece el reflejo de otra imagen que no es la suya. Como si reflejara una fotografía abandonada por años a la voracidad del sol en su marco de felpa y percudido oro. Suele entonces insinuar una sonrisa, pero sólo logra la sonrisa que levanta las comisuras de los labios y que nunca alcanza a alterar la expresión de los ojos, de un atónito gris. ¿Por qué sus ojos no sonríen nunca?

¿El amor? ¿Es que el amor hablará alguna vez por boca de su festejante? ¿Cómo logrará éste abrir el banal aro de su frase para que en ella entren las palabras obscurecidas por la pasión? ¿Cómo irá a decir las dulces palabras de terneza? ¿Qué sentirá ella entonces?

La madre asegura entre tanto:

—Es un excelente partido. Serás muy feliz.

¿Por qué cuando se sale con el festejante no pueden pasar cosas horribles? ¿Que el pequeño auto sea chocado por un colectivo? ¿Que la portezuela se abra y caer sobre la calzada? ¿O ahora que han descendido en los jardines, la pelota con que juegan estos niños no le alcance la cara, destrozándosela?

—Adiós... —contesta maquinalmente.

—¿Quién es? ¡Qué monada!... —dice el hombre.

—Es la chica de Villegas. Nos conocimos en el colegio.

—¿Villegas de las de Santiago? Son muy bien. Su sepultura queda en la Recoleta cerca de la nuestra...

Puede caerse un cable eléctrico. ¡No es cosa tan difícil! Y poner un pie encima descuidadamente y quedarse fulminada. ¿Por qué no? Ella vio una vez decenas de tranvías y de coches parados, frenéticamente tocando las bocinas y las campanillas, con las gentes impacientes o iracundas o resignadas, y los hombres de uniforme dando órdenes para desviar el tránsito. Y todos preguntaban:

—¿Qué pasa?

Y era que allá, más allá, había un cable caído, una larga fina sierpe, ponzoñosa y mortal. Cosas horribles. Un cable caído. Sí, puede suceder.

La casa. La madre. La abuela. Desde algún tiempo el anunciado festejante. Y el mundo desmaterializado en un vago fondo, paisaje grisáceo, ribera con ausentes espadañas, río sin límites que parece desbordarse en algún punto para anegar los cielos. Y los acontecimientos como los cisnes de una feria, sin que jamás se precipite o se retrase su ritmo. Nunca.

El hombre había aceptado su capricho de subir sola por las escaleras hasta la alta plataforma que circundaba el monumento. La miró alejarse con una ancha complacencia: tan quebradiza la breve cintura, tan largos los muslos, tan de corza el pie de curvo empeine. Una racha le ciñó el vestido como si quisiera modelarla. No vio que el viento también había metido las manos entre la melena de mies y la sacudía gozosamente, jugando a enceguecerla. Creyó que una vez arriba se volvería a mirarlo y alzaría una mano. Era lo natural. Entonces él contestaría al saludo agitando el guante de un amarillo impecable. ¡Qué buenita era, qué esposa para un hogar de siesta en mecedora, para una tierna bufanda tejida a palillos, para los domingos en la tarde tomando chocolate en una confitería al son languideciente de un vals azul!

¿Por qué no decírselo? Recordó algo, palabras que emergían de su infancia: "...la noche..., la ocasión..." Sonrió, se humedeció los labios y parsimoniosamente empezó a subir los escalones, respirando hondo y lento, volviéndose, para admirar el paisaje, que era una manera de justificar cada parada. Si hasta la madre se lo había insinuado:

—Vaya con la Nena a tomar un poco de aire... Y aproveche bien el paseo...

Al llegar a la plataforma se volvió otra vez a mirar el paisaje. A hacer como que miraba el paisaje, porque se miraba a sí mismo, contento con su hazaña, magnificando la fortaleza de sus músculos, lo firme del corazón, que apenas si dificultaba un poco su respirar. Sonrió a esa imagen de juventud que veía en él. Minuciosamente una ráfaga fresca le quitó el vaho de calor que le perlaba la calva. Entonces un diablo alegre, jovial, se apoderó de su mente y lo hizo acercarse con gallardía a la muchacha, y decirle con la voz engolada, haciendo una reverencia de bufón que por los suelos arrastra los cascabeles de su gorro grotesco:

—Señora, ¿permitís que un admirador prendado de vuestra belleza os rinda pleitesía?

Ella pensaba en ese instante que no era necesario que el caballo avanzara la pata, saliendo del pedestal. Bastaría que éste cediera al enorme peso. O que el viento soplara tan fuerte que lo arrancara de cuajo. ¿No había ciclones en la pampa que destruían ciudades, que desarraigaban árboles centenarios?

La frase del hombre la volvió a una extraña realidad. ¿Qué era aquello? ¿Por qué ese idioma en esa voz? ¿Era lo inesperado que llegaba al fin? ¿Lo inesperado, cuyo punto inicial fuera su súbito capricho de subir las escaleras hasta esa altura? No era aquello la realidad cotidiana de los cisnes pasando uno tras otro, moviendo la cabeza al mismo compás, todos a idéntica distancia. No. Esta cara arrebolada, estos ojos relumbrando malicia, esta voz de falsete, este gesto ampuloso, esta chaqueta que el viento hacía tremolar, estos pantalones arrugados de espantapájaros, esta pregunta absurda, ¿a quién pertenecían?

Sonrió y supo, sí, supo que en los ojos le esplendía el gozo de una auténtica sonrisa. Puso una mano sobre el pecho, tendió la otra con tanta gracia que el aire pareció inmovilizarse para sostenerla, y con una voz que tampoco era la suya, aguda, altisonante, contestó:

—Me ofendéis, señor. ¿Es que no sabéis acaso que a una dama no se la aborda en ausencia de su dueña? —tuvo la sorprendente certeza de que en alguna ocasión había oído esa voz diciendo palabras semejantes. Se quedó en acecho, quieta, tensa, oyendo, tampoco sabía dónde, el eco de esa voz, repetido de lejanía en lejanía hasta sumarse al silencio.

Por ese silencio pasó la voz del hombre que, reteniendo la risa, logró decir otra frase rimbombante:

—Me partís el corazón con vuestro desdén, señora...

—Retiraos, señor, antes que os den el castigo que vuestra osadía merece... —se había erguido y lo miraba con ojos adversos, sintiendo que un incomprensible enojo azuzaba en sus arterias un tumulto de sangre. Los brazos le cayeron como péndulos, oscilando desacompasados. Una ráfaga hizo castañetear sus dientes. Los apretó para dominar el escalofrío, como apretó los puños y apegó los brazos al cuerpo. Toda ella rígida, endurecida. Sintió que sus mandíbulas se destrababan y que la voz de falsete insistía, a la vez que súbitamente sus índices señalaban imperativos puntos cardinales—: Retiraos, señor, si no queréis poneros en el mal trance de que os haga arrojar por mis lacayos.

El hombre la miró de hito en hito, con lento asombro.

—María Clementina...

No lo oyó. Trataba de contener la ira, de volver el pensamiento a la habitual zona de miedo y desesperanza, de recuperar su actitud de jovencita bien educada. ¡Qué grotesco resultaba todo! Ella gritando en la noche que subía de la tierra hasta la copa de los árboles, que se desparramaba en el aire y se hacía palpable en la gigantesca mole negra del monumento. Ella diciendo las palabras de ese idioma, dominándolo en sus matices y en sus gestos, sintiendo la felicidad de haber encontrado la exacta manera de dar forma a su pensamiento, no de haberla encontrado como se encuentra algo por primera vez, sino de recuperar algo perdido y olvidado, y cuya súbita recuperación nos coloca frente a la realidad de esa pérdida. ¡Qué extraño todo! Miró al hombre y ahora lo vio: el rostro demudado, los ojos llenos de miedo. ¡Pobre! Consiguió ordenar las palabras que iba a decirle con su pequeña voz de siempre, la tranquilizadora frase cotidiana. Pero no logró pronunciarla, porque a través de ella, de su garganta, viniendo de no sabía dónde, de qué estratos subconscientes, de qué misteriosa sabiduría, la otra voz se puso a gritar, violenta, cilindro de viejo fonógrafo destemplado:

—¿No me oís, bergante? Fuera... Lejos de mi presencia. Fuera... Aquí mis lacayos... Mis lebreles: a él... ¡Sus!

El hombre miró despavorido los contornos. ¡Dios mío! ¡Si alguien los oyera! ¡Si acudieran gentes suponiendo atrocidades! Pero ¿qué le pasaba a esta criatura, tan modosa siempre, tan discreta en expresiones y gestos? ¿Por qué este frenesí de títere iracundo?

—Por favor, María Clementina... No grite... Basta de broma...

—"Júpiter"... "Diana"... Defended a vuestra señora. A él... ¡Sus! A él... Al bergante desvergonzado... Mis lebreles, mis lebreles... "Júpiter"... "Diana"... —repitió, azuzando esa jauría no sabía contra quién, sintiendo que la modelaba un hálito inhumano, al filo del vértigo, empavorecida porque en lo alto la pata del caballo se distendía iniciando el paso y un denso viento, ese viento que ella había esperado siempre que soplara trayendo la desolación, el llanto y la muerte, la arrastraba implacablemente, más allá de la conciencia, del fantasmal trasmundo donde la otra voz seguiría imponiéndose a la silenciosa contracorriente de la suya.

LA NIÑA QUE QUISO SER ESTAMPA

Aquello comenzó un día de impensada primavera, cuando la abundante señora exclamó entre grititos:

—¡Mira qué belleza! ¡Tesoro! Parece un ángel de estampa...

Que era un ángel, la niña lo sabía, pero no estampa. Guardó la palabra en el recuerdo y se quedó inmóvil cautelando puertas para que no se le escapara. La abuela miraba su obra de arte, que ya empezaban todos a reconocer, y dijo, llamándose a modestia:

—Angel de estampa no... Es tan sólo una niñita buena.

—¡Y qué traje! ¿Es de Maribé?

La abuela contestó, casi a punto de perder la compostura:

—Hecho por estas manos. En nuestra casa es tradición que las mujeres borden.

—Se diría trabajo de hadas. ¡Qué delicadeza!

Parecía una estampa, pero no representando un ángel, sino una niña del pasado siglo que mostrara un ajustado corpiño, una ancha falda hasta media pierna, una aglobada manga, todo en un color de rosa desvanecido y levemente violáceo, lleno de encajes y de bordados. Pero el encanto no estaba en la vestimenta, ni siquiera en la evocación, sino en la niña misma, espigada, sin ninguna de esas rollizas características que definen la infancia, toda ella hecha en un material moreno, vivo y mate, pétalo tierno de magnolia. El cabello partido en crenchas caía en bucles por la espalda. Y en la cara de seria y firme expresión, los ojos castaños punteados de oro eran inmensamente pueriles.

Días después la niña preguntó a la abuela:

—¿Qué es una estampa?

—Estampa... —dijo la abuela, cansada como estaba de la indagación constante—, estampa es... una estampa inglesa.

—¿Y qué es una estampa inglesa?

—¡Ay! ¡Qué niña! Las que están en el escritorio del abuelo.

—¿Cuáles?

—¡Ay! ¡Qué mosca! Esas que representan a dos caballeros, de levita roja, fumando largas pipas al lado de la chimenea. Y la otra, en que varios caballeros están bebiendo cerveza en una taberna. Y las otras dos, en que otros caballeros, también con levitas rojas, van de caza con unos perros.

La niña pensó un rato y luego la sobresaltó con otra pregunta:

—Abuela: ¿para estar en una estampa se necesita ser caballero y llevar levita roja?

—¡Ayayay!... Hijita, ¿quieres irte a jugar al jardín?

Pero no se dejó imponer. Y preguntó tozudamente en su idea:

—¿Los ángeles pueden estar en las estampas?

—Claro —asintió la abuela, sorprendida del descubrimiento—. En las estampas sagradas, las que tienes en tu libro de oraciones. Estampa es —terminó contenta de dar fin a la explicación— un cartón o un papel, grande o chico, que representa algo muy bonito.

La miró la niña, sostenidamente, buscando que aquello fuera la verdad total, y al fin, alzándose con despacioso ritmo, besó la mejilla de fino papel sedoso, arrugado de años, y dijo:

—Gracias, abuela.

Y se fue al escritorio a mirar las estampas, que no le gustaron, con aquellos caballeros rubicundos, ahogados por la risa y los altos cuellos, como tampoco le gustaron los otros, jinetes en corceles galopantes y con los perros a la siga. No. Pero sí le gustaron, miradas ahora con reflexiva atención, las figuras de lo que ella, hasta entonces, había llamado "santitos" y que en el libro de tapas de nácar que fuera de su madre, marcaban las diferentes oraciones y eran recuerdo de la primera comunión de sus primos y de sus amigos.

Una estampa era algo muy bonito. Y ella parecía una estampa... Lo había dicho aquella gorda señora, no sólo dirigiéndose a ella y a la abuela, sino que lo repetía a todo el enorme grupo familiar y de relaciones sociales que las rodeaban siempre. Porque la abuela era una "dama patricia". Pero ella, María Casilda, era una estampa. Y desde entonces se esmeró en parecerse a las figuras que le servían de modelo. Por temperamento sus actitudes eran plásticas, poseía el sentido de la armonía y del color. No tuvo más trabajo que vigilarse y, sobre todo, vigilar la impresión que producía. Ese era su triunfo al principio. Sentir cómo todos iban callando, convergiendo las miradas en ella, para que alguien, con un renovado fervor, dijera la frase que era ya habitual:

—¡Parece una estampa!

Pero se cansaron de repetirla y un día cualquiera la olvidaron. Lo que no hizo mella en la niña, que ahora creaba la estampa para su propio goce.

Todo ese proceso fue tan imperceptible que se hubieran necesitado ojos muy sagaces para sorprenderlo. Imperceptible, porque siempre fue María Casilda una de esas criaturas tranquilas y silentes, acostada en la cuna, en su sillita más tarde, con un juguete en la mano, distraída y siempre los ojos solicitados por mínimos acontecimientos que la abstraían y regocijaban en lo recóndito.

Los otros niños querían sumarla a sus algaradas. Los mayores la incitaban al juego. Pero ella, siempre y dulcemente, decía: "Gracias", y se quedaba quietita, mirando un vilano revolar por el patio hasta prenderse en la mano dura de una palmera o contemplando la comba del agua del surtidor y su instantáneo iris, o hacía y deshacía gigantes, camellos, el pájaro que canta y el agua que llora, la princesa, el gato con botas y la Calchona, rompecabezas de nubes, mucho más apasionante que los fríos cubos que gustaban a los demás niños.

En sus breves espaciadas visitas, entre avión y avión que lo traía de la Patagonia de las pingües aventuras ovinas, el padre decía súbitamente inquieto:

—Hallo a la niña muy delgada, mamá. Y siempre silenciosa y sin moverse. ¿No estará enferma?

—No. ¡Qué va a estar enferma! Ni un resfrío ha tenido en el último invierno. Es así y nada más.

—¿No sería bueno hacerla examinar por el médico?

—Si tú lo deseas..., se hará tu voluntad.

—No, no, mamá, no es eso.... En fin: decida usted, que nadie lo hará mejor...— y se quedaba pensando, enternecido y risueño, que en ese medio de viejas mujeres, en el marco de la casa colonial, no era posible que María Casilda fuera sino "como una niña grande". Y también súbitamente se tranquilizaba, abstraído después en sus quehaceres.

¿Cómo, entonces, percibir los matices del cambio?

Hubiera sido necesario estarla mirando siempre. Sorprender la forma en que acomodaba la falda en torno al asiento, en una banqueta frente a la abuela entregada a prolijas obras de aguja, con el costurero de caoba entre ellas, y al fondo la cómoda ventruda y taraceada, sobre la que un Niño Jesús extendía los bracitos amorosamente bajo un fanal, entre candelabros de centelleantes cristales, y en el muro un retrato de la abuela jovencita, en un marco en que caracoles y conchuelas fijaban su impenitente nostalgia del mar.

Descubrir cómo en la mesa, almorzando con los mayores cuando la abuela reunía a la familia, su manito izquierda quedaba como abandonada junto al plato y la derecha creaba la más graciosa curva, acercándose a un vaso, y ella, erguida y neta, empalidecía más aún destacada en el alto respaldo del sillón en que se abrían y entrelazaban las guirnaldas de terciopelo sobre la trama de fuerte seda contrastante.

Tía Teresa la miraba atónita, con vago azoro.

Alguna vez dijo:

—Está muy delgada María Casilda.

—No —dijo a su turno la abuela—; está como siempre.

—Está más delgada —insistió tía Teresa—. Sería bueno darle un tónico.

—¿Por qué no la hace ver por el médico, mamita? —propuso tío Pedro Andrés.

—Pero si la niña está completamente sana...

—Yo la haría ver lo mismo...

Y la abuela terminó secamente:

—Se tendrá en cuenta tu insinuación. —Y vuelta a otro hijo—: ¿Qué hay de ese asado en el campo que nos ofreciste?

Observarla de pie, junto al escritorio del abuelo, con grandes libros abiertos frente a ella, atenta a cada página, según decía la abuela "mirando monos", libros de viajes, álbumes de museos, vidas de santos, extraño interés para sus nueve años. Reconcentrada en la observación y a veces levantando los párpados para mirar un instante la puerta abierta al patio, en que los canarios lanzaban la serpentina rubia de sus trinos, mientras detrás de ella se rompían en mil colores las figuras rituales de una vidriera.

O verla al piano, en el gran salón en que opacos lagos de espejos enfrentaban su inútil vacío, toda de blanco y graciosa en el taburete, con un lazo lila grande como un polisón en la cintura, con un jazmín sobre cada sien, tocando una sonatina de Diabelli balbuciente como boca de niño, y removiendo el corazón de cristal de los caireles y haciendo que las cornucopias de viejo oro quisieran echar a sus pies su carga persistente de flores y frutos, haciendo que las rosas atentas en el vaso azul sigilosamente dejaran caer un pétalo sobre la ciudad china del mantón de Manila, haciendo que la abuela, en el corredor, sentada en el sofá de vaqueta y musitando las avemarías "del rosario por el eterno descanso del alma del abuelo", olvidara el rezo y súbitamente se sorprendiera en el recuerdo acariciando con dulce mano una frente cansada y bien amada.

O prestarle atención el día en que la ciudad vibraba al recuerdo del hecho histórico y en la tribuna oficial, al aire las banderas y los himnos, junto al gobernador, porque la abuela nunca separaba a la niña de su cautela, estaban ambas. Enjuta la viejecita, vestida a la manera de su juventud, con un guardapelo de prolijo oro entre los encajes de la chorrera y las manos asomadas entre otros encajes dejando ver el doble anillo de viuda, el anillo blasonado de los Toledo y aquellos otros dos anillos de piedras esplendentes, de tan grande y pura luz, que lejanos diamantistas sabían de su existencia. Frágil la niña, vestida también a la moda de otros tiempos, con una redecilla de perlas encasquetada a la cabeza y los bucles por la espalda. Ambas ceremoniosas y afables ante el entusiasmo popular.

Al correr del tiempo descubrió un juego que la acercó a los primos. Menos uno, se subían todos a los bancos del jardín y el que estaba abajo iba dándoles la mano para invitarlos a dejarse caer al enarenado y allí tomar formas de estatua. Pero juego sin interés para los niños, con imaginaciones que trotaban por otros senderos. Cortésmente, tan sólo cuando estaban de visita en casa de la abuela, aceptaban por una vez aquello que tildaban de "pavo". Tenía entonces la niña tal sonrisa, tal adorable encanto, que un día uno de los primos, el más como trompo girando sobre su atolondrada vitalidad, le propuso balbuciente, en un rincón en que se espesaban las sombras de los naranjos y los trinos de los pájaros:

—¿Quieres ser mi novia?

Ella contestó al punto:

—Sí.

El muchachito la miró desconcertado ante esa inmediata aquiescencia. Ella preguntó:

—¿Y bien?

—¿Qué? —preguntó a su vez, frunciendo el ceño, como cuando se le enredaba el hilo del barrilete en la cañuela.

—Bésame —e intentó echarle los brazos al cuello y formar la estampa.

Pero el muchachito la separó bruscamente, temeroso de las voces que se oían cerca. Y se la quedó mirando, cada vez más desconcertado, fuerza preparada para un largo asedio y que de súbito se halla inútil. ¡Y qué "adelantada" la niña para sus diez años! ¡Había que fiarse en estas "moscas muertas"!... Bueno... Para matarse de risa y para contárselo a la patota. Se puso rojo, como si lo hubieran sorprendido en la peor acción, y se odió, por haber siquiera pensado en exponer a la niña a la burla de los demás. Y como si fuera un hombre, como él creía que debía ser un hombre, se prometió guardar el secreto y ser siempre para ella el novio... No, no, no... El novio, no. Pero sí un amigo, y podían jurar esa amistad escribiendo sus nombres con su propia sangre en el mismo papel, como hacían los caballeros de fortuna... La miró de soslayo. La niña seguía de pie, destacada sobre el muro revestido de hiedra, y en la mano tenía una hojita en la que enterraba los dientes.

Se arrepintió también de este último propósito y dijo muy de prisa:

—Lo he pensado mejor. Eres muy niña y todavía no debes tener novio. Te devuelvo tu palabra.

—Sí —contestó ella, sin dejar de mordisquear la hojita.

"¡Tonta!", pensó el muchacho, y escapó corriendo, olvidado de la escena apenas dio el primer puntapié a la pelota.

Ella había tenido un novio y lo había perdido. Tenía que estar triste, suspirar, poner una mano en el corazón, contemplar la tarde desteñida de tonos, quedarse pálida y enflaquecer, tomar vinagre y desear morirse, porque la vida para ella no tenía ningún objeto. Así eran las heroínas de las novelas color de rosa que la abuela, a su insistencia por leer algo que no fueran cuentos infantiles, había terminado por entregarle.

Se ingeniaba para sacar a hurtadillas vinagre del repostero y beberlo sin un gesto, con una entereza de mártir. Quería morir, ella, la novia desdeñada. De noche abría la ventana y se obligaba a resistir el frío, el viento que había afilado sus cuchillas en las aristas de la cordillera. Apenas si probaba alimentos. Adelgazaba y bajo la piel de color de cera la arquitectura de los huesos se acusaba lamentable.

Hubo en casa de tía Teresa un consejo de familia. Se impuso a la abuela que llevara a María Casilda al médico. Fue él día en que nació el pánico. Once años, la pubertad en cierne y la niña sin defensa alguna, comida por la anemia. Se hablaba de reposo, sobrealimentación, inyecciones, medicinas.

Tuvo primorosas camisas de noche, rosas, celestes, blancas: tuvo batas de rasos pálidos, sembradas de ramitos y entrecruzadas de pespuntes, que hacían juego con los edredones. Las sábanas eran una red de bordados en los embozos. Descansó largamente, comió sumisa, tomó los remedios, se dejó pinchar por las agujas que la empavorecían y dilataban sus pupilas.

Pero en cuanto se quedaba sola, iba sigilosamente al repostero y bebía repetidos sorbos de vinagre, con los pies desnudos sobre las losetas. Volvía descompuesta y tiritando a la cama. Esperaba el manso sueño de la abuela, —que la hacía ahora dormir junto a ella, en su propio dormitorio—, para irse hasta el patio y quedarse largas horas entre dos arcos, sintiendo el corazón tumultuoso de la noche, el caer del agua en la fuente, el vuelo fantasmal de los murciélagos, los grillos tenaces y la lenta aprobación de las palmeras.

Terminaron estas escapatorias cuando la volvieron a su dormitorio, con una enfermera que no la abandonaba a hora alguna. Se creyó entonces en una reacción. Pero se equivocaban.

Llamaron al padre.

Soñó su última estampa. Iba por un camino de menudos caracoles que decían el mensaje de lejanas olas. Enormes flores color de cielo bordeaban el camino, azulinas sin nostalgia de los trigales, nomeolvides guardando una diminuta pepita de oro, hortensias suntuosas como halda de infantina. No tocaban sus pies los caracoles, se deslizaba por sobre ellos, dulcemente, resbalando por el tobogán de la brisa. El camino terminó de pronto bajo un arco y allí se quedó ella, inmóvil.

Se miró los pies, que ahora sentía sobre el suelo. Y al mirarse los pies se vio el traje, como nunca se lo había hecho la abuela, tules flotantes de un claro verde, con estrellas que refulgían entre sus pliegues sujetos por una estrecha cinta de oro. Y en una mano tenía un lirio carmesí de largo tallo y la otra mano en el aire se alzaba en un vago gesto de adiós.

Fue entonces cuando aparecieron dos ángeles con dos grandes tijeras, recortaron de la vida la estampa de María Casilda y se la llevaron para fijarla en las galerías celestiales por toda la eternidad.

SOLITA SOLA

CON UNA NIÑA POR LAS PÁGINAS DE UN LIBRO

La niña se llama Solita.

No la creé yo pensándola hasta en sus más mínimos detalles, criatura de ficción para que en una novela realice determinados gestos y diga tales palabras. No. Ella y sus padres, en su casa y la casa en el pueblo, se me aparecieron súbitamente, al borde del duermevela, en ese misterioso trasmundo donde mora una humanidad que necesita de mí para hacerse presente en el mundo de las letras. Cada cual concibe y escribe de diversa manera. De mí sólo puedo decir honradamente que transcribo esa varia, renovada y apasionante humanidad, fiel a su geografía, servidora de sus caracteres, atenta a que su clima sea el suyo y a que sus sentimientos sean los de su propia comedia o drama.

Siendo una muchachita —llevo años en la tarea de escribir—, me inquietó esta sorpresiva presencia de los elementos del cuento o de la novela a mi alrededor. No sabía qué hacer con ellos. El duermevela se me tornaba en una pesadilla del lado del sueño y en un desasosiego lindante al pavor del lado de la vigilia. Pero si yo no sabía qué hacer con ellos, ellos bien sabían lo que querían de mí. Hasta que mansamente me entregué a su claro mandato y empecé a escribir.

A veces he intentado voluntariamente internarme en ese trasmundo, tratando de descubrir de dónde vienen sus formas, cómo se colocan en su escenario, de qué modo alientan sus pasiones, cuándo y por qué empiezan a actuar sus personajes y cuándo y por qué termina su existencia. Nunca lo he logrado. Es una vida fuera de todo control, de cuya existencia doy fe, del mismo modo que sé de la napa profunda cuando en la roca contemplo el cuenco de agua de vertiente, duplicando la azul comba de los cielos.

Un cuento, por breve, podría bien aparecérseme en su totalidad, especie de panorama para verlo y copiarlo sin vacilaciones. No es así como aparece. Es súbitamente oír una voz o ver un rostro o contemplar un paisaje. Simultáneamente "despierto". Cobro conciencia y con todos los sentidos agudizados hasta el dolor, espero la ordenación de ese caos al cual debo dar forma. A veces las sensaciones se confunden y no sé cuál es la primera frase con que debo traducirlas. No debo precipitarme. Debo esperar.

*Es el trance angustioso, el solo momento en que para mí persiste el anti-
guo pavor, igual al primer pavor del hombre tras su primera noche poblada de sueños. Y vuelven. Están ahí, persisten. Se ordenan. Cobran vida.
Sí, eso es. Una vida tan real como la de cualquier ser animado moviéndose por anchos territorios con su pulso y su ritmo.*

Es entonces cuando debo escribir.

*No sé nada de ellos. Nada. Desconozco sus nombres, sus hechos. Su por
qué, su cuándo, su cómo. Conozco su principio. Desconozco su fin. Pero
están ahí, imperiosamente, dándome la partida.*

*Ignoro si es un cuento, si es una novela, si es eso que por una falla
incomprensible de nuestra rica lengua no tiene otra designación que cuento largo o novela corta. No sé nada. Pero escribo.*

*Escribo. La vida mía, la propia, cotidiana, de mujer de su casa y de su
trabajo, parecería la de siempre. Pero yo bien sé cómo lo realizo todo con
ausencia de mí misma, tal vez con los gestos precisos y las frases necesarias, pero adentro, llamada, urgida, tironeada por ese otro ignoto mundo
subconsciente que se sirve de mí para lograr su realidad.*

*Mis intervenciones para modificar los personajes, aun en pequeños de-
talles, son siempre fracasos. Cierta vez al releer lo escrito, di con una
mujer que se llamaba doña Batilde. ¿Batilde? Creí aquello error de máquina y corregí: Matilde. Pero me entró tal desazón, tal sentimiento de
irrespetuosidad, lo mismo que si a una vieja amiga probada de terneza
y generosidades, en su cara le deformáramos el nombre con un feo mote.
Escribí de nuevo Batilde, todo volvió al orden que debía ser y plácidamente seguí capítulo adelante con mi doña Batilde, señora de su nombre y
de su destino.*

*Mis primeros años de narradora de la vida rural chilena me valieron el
asombro de la crítica y el escandalizado comentario de mi medio provinciano. Que nadie entendía el conocimiento de la muchacha que era yo,
en decires montañeses, en pasiones primarias y en una cruda realidad
puesta en manifiesto sin ambages algunos.*

*Entonces, como ahora, el mundo del trasmundo habitado por los seres
de mis libros era tan ajeno a mi voluntad como puede serlo el color de
mis ojos.*

La niña se llama Solita.

Vive en un libro, Humo hacia el sur, *escrito hace años. Allí mora y creí
que le bastaban sus doscientas cincuenta páginas para explayar en alguna
escena su fantasía de ángel revoltoso. Que la casa blanca entre jardines,
junto a Ernesto y María Soledad, sus padres, era escenario feliz de su
existencia. Que el pueblo que rodea la casa, pueblo del sur de Chile, más
allá del Bío-Bío, con casitas de madera como de tarjeta postal navideña,
era la medida de sus aventuras; el pueblo innominado, con sus pasiones,
sus vicios, sus virtudes, pueblo sin nombre, pero que lo tiene en cualquier
punto de nuestra América hispánica. Pueblo de principios de siglo, sur-*

Marta Brunet.—6-A

gido al borde de una línea férrea, nuevo y viejo, regido por una voluntad de terco señorío colonial, rota por el empuje de la civilización avasalladora.

En el pueblo —en ese pueblo—, Ernesto y María Soledad son casi un misterio. Viven aislados en su amor, voluntariamente ajenos a todo. Y junto a ellos medra Solita en su propio país, maravilla mejor y mayor que la de Alicia. Una institutriz —la Mademoiselle—, venida de Suiza, cuida de su enseñanza. Una vieja niñera, la Clorinda, y un viejo caballerizo, Bartolo, consienten sus travesuras. E innumerables animales la rodean con mansa adoración.

Si alguien me preguntara a cuál de las criaturas de mis libros prefiero, diría sin vacilaciones: a Solita.

Yo la creía terminada en la última página de Humo hacia el sur. Que si no en la última, en aquella en que por vez final aparece entre los resplandores del incendio que destruye el pueblo.

Pero he aquí que la niña ha vuelto. En no sé qué alfombra mágica, con su casa rodeada de árboles, con Ernesto y María Soledad, con la Mademoiselle, la Clorinda y Bartolo, y su corte que comienza con "Don Genaro", el gato, sigue con el perro "Togo" y termina con el "Mampato", sin olvidar la gata que se llama "Gata". No como parte de una novela, novela ella misma, criatura para muchos capítulos de prodigiosas aventuras color de fantasía, saladas de risas, tiernas de mimos y llenas de hazañas de ángel distraído que pierde las alas y se disfraza de diablillo, adorable e insoportable.

Este es el umbral del mundo de Solita. Este es el quicio. Estas son las jambas. La puerta está abierta. Adelante, amigo lector. La niña te espera.

LOS NIÑOS

Esta historia comenzó así:

La vida de Ernesto y María Soledad es una leyenda en la morosidad del pueblo. Poco o nada se sabe de lo que acontece en la casa que flanquean altos torreones, señorial en lo umbroso de la fronda y en el ve de aterciopelado de los prados en que brotan flores increíbles, traídas de latitudes calientes. La cortés altanería de Ernesto y la silente belleza que rodea de ausencia a María Soledad son más eficaces que muros y torreones para mantener alejada la reptante sutileza de la curiosidad de todos.

Solita, a través de los niños, es el único cauce por donde podía filtrarse la información. Si por el cauce de Solita fluyera un agua clara, traslúcida, con posibilidades de remansarse dejando ver alguna limpia guija del fondo. Pero ¿qué información iba a lograrse de una fuente cantarina, borboteante de espumas y de salpicaduras, y hasta de súbitos arcos iris deliciosamente ingrávidos en el aire? En el prodigioso chorro fresco que es la fantasía de Solita, las gentes pueblerinas, a través de los relatos de sus hijos, se perdían entre trasgos y bicicletas, mampatos y piratas, fonógrafos y bomberos, hadas y romances, perros y gatos, *mademoiselles* y mamás. Sobre todo esto: una mamá como una princesa, más que princesa, como una reina. Y decenas de relojes marcando la misma hora, todo ello regido por manos omnipotentes. Primero: las del buen Dios del señor cura; segundo: las de Ernesto, cuya inalterable justicia y puntualidad le hacen acreedor a una participación en el derecho de dirigir los mundos.

Antes, en una época remota para Solita y que sólo estuvo situada junto a su cuna de guagua, los señores del pueblo decían a Ernesto al albur de un encuentro:

—Mi señora desea mucho visitar a su señora...

A lo que Ernesto, con impecable educación de anglómano provinciano, inescrutables los ojos, y todo él con esa rigidez que el exceso de urbanidad hace que trascienda de los huesos a los músculos, respondía lejanamente solícito:

—Sería para nosotros muy honroso recibir su visita, pero mi señora, por el momento, no está del todo bien de salud, no puede acostumbrarse a este clima tan distinto al suyo nortino, y el doctor le ha ordenado completo reposo. Pero si quiere usted mandar a sus niños a conocer a Solita...

No se podía desperdiciar esa ocasión, y los niños llegaban con sus trajes de los domingos, con desacostumbradas capotas y cuellos de almidón. Entraban con lentitud, y no sin algún recelo ante tanta extraña cosa. Cruzaban en puntillas la penumbra de los salones desiertos, acompañados por el tictac persistente de los relojes que coleccionaba Ernesto y que insensiblemente creaba un ritmo a su paso y casi a su respiración. La Clorinda los hacía entrar a la pieza de la niña, y ellos experimentaban el decisivo asombro al asomarse a la cuna para ver a esa criatura apenas vestida, mirándolos con sus ojitos obscuros, toda sonriente, empecinada en alcanzar la maravilla huidiza de los pies desnudos.

Se asomaban al borde de la cuna, dispuestos a contemplar algo tan fuera de lo común, que si el cuerpo de la niña hubiese terminado en la plateada cola de una sirenita, o si en sus espaldas hubiesen batido dos alas, les hubiese parecido que era eso justamente lo que correspondía a su esperanza.

Pero únicamente hallaban a Solita, morena y espigada, gozosa y arrulladora entre encajes y holandas.

A Solita, a la que se miraba como si estuviese entre cristales, a la que no se tocaba ni besaba; Solita, defendida celosamente por la Clorinda. Luego de este acto ritual, pasaban los niños al comedor, acompañados

) 171 (

siempre por la vieja niñera, que los llenaba de golosinas. Y donde, a veces, para colmo del pasmo de los privilegiados, aparecía María Soledad, tan linda, tan joven, tan suave, tan amorosa, y quien, como espléndida deslumbrante despedida, les regalaba un juguete en nombre de Solita.

Los niños intuían la bondad y comprobaban la largueza, lo que, añadido al interés de los padres por conocer la vida íntima de ese hogar, hizo de sus visitas un hábito de inesperado festejo en cualquier fecha del año.

Solita creció. Ya no la encontraban surgiendo de la espuma de batistas y puntillas, bajo la mirada providencial de la Clorinda. Apenas sus pies titubeantes pudieron sostenerla, tomó posesión inmediata de sus dominios, que fue ampliando día a día, con una voluntad que no reconocía más límites que las imperturbables puertas cerradas, la altura inaccesible de mesas y sillas, y la inflexible disciplina educadora de su padre.

Era curioso verlos enfrentarse de potencia a potencia. Con una sabiduría de animalito angelical que ensaya todos los caminos para llegar hasta su presa, la niña ponía en juego el mimo, el llanto, el silencio obstinado, la violencia. Pero todas estas artimañas vitales se estrellaban contra la fría ordenación del padre, incorruptible y segura de su eficacia como un tratado de álgebra. Cuando aprendió a través de castigos, pequeños pero inexorables, que existía una voluntad numeradora, se plegó exteriormente a ella, pero ya que su propia voluntad infantil no pudo condicionar su vida física, se revertió a un mundo suyo, increíblemente bello, poblado de seres y desbordante de hechos, ninguno de los cuales era aburrido, en el que ella se enseñoreaba, y en el que "Togo", su perro, y "Don Genaro", su gato, eran genios hacedores de un mundo prodigioso en el cual sólo la madre —y muy rara vez— pudo entrar subrepticiamente.

Los niños seguían viniendo a jugar con ella. ¿Con ella? Con ella no. Lo que los atraía eran los juegos y el halago de las golosinas: la pieza de los juguetes y el comedor. Cuando Solita quiso iniciarlos en su propio mundo, los niños no pudieron seguirla, como no pueden entrar los que rodean al durmiente al círculo de sus sueños, por más que sus voces los llamen. Les faltaba imaginación: Solita entristecida y aburrida los veía correr afanosos tras las apariencias de trapo y de lata, abandonando los seres que ella sentía tan "de veras", trascendiendo realidad. Les faltaba imaginación: pero les faltaba también el mineral lleno de prodigiosas vetas que nutría la fantasía de Solita.

Primero la madre y sus historias de hadas y de pastoras, de palomas y de príncipes, de patitos feos y gatos con botas, de cautivas y reyes. Luego la Clorinda y Bartolo, con sus medrosos relatos de machis y de bandidos, de calchonas y ánimas en pena, amasados por mano del pueblo, o surgidos directamente como vaharada de la propia tierra. Después la

Mademoiselle con sus paisajes de otros continentes y su cultura de libro inagotable, iluminado por estampas resplandecientes. Y por fin el padre, el propio Ernesto, acuciado por todas las curiosidades, lleno de revistas, y sobre todo de maravillosos catálogos que hacían asequibles las más diversas cosas recién inventadas en remotos países por algo que se llamaba progreso, llenando la casa de máquinas de recónditos e ignorados sentidos, de misteriosos artefactos de los que nacía la luz, o el sonido, o las imágenes. Vetas, veneros por los que la infatigable imaginación de Solita gustaba adentrarse, hasta fabulosas intranquilizadoras profundidades.

Ya más grande, quiso un hermanito. Le parecía indigno que el buen Dios se acordara repetidamente de la "Gata" y le mandara innumerables gatitos y no tuviera un solo niño para su mamá. Al fin se resignó, tras una teoría que se guardó para sí, formada por partes iguales de su conformidad, que según los grandes había que tener para lo que el buen Dios dispusiera, y de su temor a que el hermanito resultara como los otros niños, tan poco parecido a ella, asustado de todo, siempre sucias las manos, no queriendo jugar sino con los juguetes, y no con los animales, sin saber cómo eran los centauros ni conocer siquiera el romance de don Bueso, ni tampoco importarle nada saberlo.

Ernesto anunció:

—Me encontré con Desiderio Morales. Mañana mandará los niños a jugar con Solita.

Solita, que estaba muy modosa sentada al lado de su madre, tirando de una hebra para formar cruces rojas sobre un cañamazo —trabajo que hasta ahora no ha podido saber bien para qué sirve, si no es para hacer unas horribles letras en los repasadores y para aburrir a las niñas bien educadas—, dio un respingo. Se quedó con la aguja en alto, muy seria, mirando al padre.

—No me gustan los niños de don Desiderio.

—¿Por qué? ¿Qué les halla? Diga. Se pasa poniéndole defectos a la gente, en especial a los niños.

Siempre que Ernesto se disgusta, pone distancia entre él y su interlocutor, colocando entre ambos la hostilidad del ceremonioso "usted".

—Vamos, Solita. No todos los niños pueden ser lindos y vestir con elegancia —intervino conciliadora la Mademoiselle.

—Pero podrían sonarse los mocos.

—Solita... —exclamó la madre, escandalizada—. Dices unas cosas...

—Además se pelean. Si le doy un juguete a uno, todos quieren el mismo.

Definitivo, Ernesto, con el peculiar tono metálico de la voz que advierte que no hay nada en discusión porque todo está ya resuelto, dictaminó:

—Le gusten o no le gusten, esos niños vendrán mañana. Y usted los recibirá con la mayor cortesía.

—Con la mayor cortesía —repitió la niña cubriendo con dignidad su retirada. Lo repitió sin modular la voz; pero el padre había visto el movimiento de los labios, y preguntó, sintiendo que algo le remusgaba adentro anunciando su ira:

—¿Qué dices entre dientes?

—¿Yo? —preguntó Solita con sincerísimo asombro, pero advirtiendo al vuelo su propia anterior intención, con candor que desarmó al padre insistió modulando lisonjeramente el tono—: Que sí, que los recibiré con la mayor cortesía.

Y con una gracia calcada de la madre, tiró de la larga hebra roja, prolijamente tratando de formar las cruces de su monótona labor.

En la tarde siguiente vinieron los niños de don Desiderio.

Solita los recibió en la galería, llevándolos luego a la pieza de los juguetes, diplomática manera de librarse de ellos, porque el mayor, Cacho, con una torsión de angurria en sus entrañas se abalanzó a la bicicleta, y ya se supo que toda la tarde estaría dando vueltas por el corredor que enmarca el patio de los naranjos. Larguirucho como era, las rodillas proyectadas hacia adelante, haciendo sonar insistentemente la campanilla, realizaba complicadas evoluciones, a mil leguas de Solita y su mundo.

Berta, de la misma edad que Solita, traía de antemano todo su tiempo destinado a la casa de muñecas: las vestiría, pondría la mesa, haría comiditas, les cambiaría traje, pondría de nuevo la mesa y haría otras comiditas. Aislada en su programa, reconcentrada también ella en esa pequeña realidad a su alcance, reflejo de la que tiene en su casa y a la cual sólo le está permitido subordinarse, pero nunca disponer a su antojo como en ésta: realizar su voluntad femenina, que pugnará a través de los años hasta cumplir su claro destino de mujer.

Los mellizos eran los preferidos de Solita. No mucho, pero, en fin, algo. Eran exactamente iguales, vestidos con idénticas ropitas. Rollizos, tranquilos, siempre el uno al lado del otro. Les gustaba estar sentados, hombro contra hombro, mirando sin apuro, plácidamente. Uno estiraba su manita y señalaba algo. Inmediatamente el otro repetía el gesto. Una sonrisa replicaba a la otra. Y cuando no decían la misma palabra simultáneamente, parecía que la boca del uno era eco de la boca del otro. Tenían algo de idolillos. Y de infinitamente tierno y desamparado, que los obligara a buscarse, no en sí mismos, sino uno en el otro. Como si sus seres aislados no fuesen suficientes de por sí, y necesitasen ensamblarse, superponerse para adquirir realidad.

Para Solita fueron al comienzo un vivo motivo de interés. Porque resultó que se llamaban nada menos que Rómulo y Remo, y ella sabía la historia de la loba y gustosa quiso aplicársela, pero aun cuando tenían cinco años, los mellizos no podían seguirla en su juego, demasiado erudito para ellos.

—...y bien puede ser que a ustedes los dejaran abandonados en el bosque, y que una loba les diera de mamar y los criara, y que ustedes vivieran en una cueva, cerca de un arroyo, y que los lobos chiquititos les toparan con el hociquito (pero para jugar, ¿eh?), y ustedes les rascarían detrás de las orejas, lo que les gustaría mucho, y se reirían para adentro, o con el rabo, que es también como se ríen los pichichos... ¿Tú no te acuerdas? ¿No se acuerdan de la loba?

Los mellizos la miraron y la duplicada incomprensión agrandó el azabache de sus ojos levemente sesgados. El atisbo de una sonrisa no llegó a entreabrir sus labios, pero sí brilló en esa materia negra para darle una calidad de emoción lindante con el llanto.

Solita, segura de sus dotes de narradora, capaces de suscitar mágicamente el pasado, creyó por un momento que el recuerdo de la loba los enternecía, e insistió acuciosa:

—Era parda, ¿verdad? Con grandes dientes afilados y blancos que brillaban en la noche, y cuando los otros animales del bosque venían a rondar la cueva, ella los ahuyentaba con tremendos aullidos; así: ¡Ahuuuú!

Y mientras Solita se transfiguraba en loba, pero eso sí, en loba buenita amparadora de huerfanitos, los mellizos hicieron pucheros, y apoyándose el uno en el otro, dejaron fluir un llanto silencioso.

Solita los miró asombrada, sin entender su incomprensión, brindándoles sus mejores palabras de consuelo, asegurándoles que les quería bastante, un poquito y otro poquito más; les prometió que no les volvería a hablar de la loba, les ofreció un juguete, todos sus juguetes, pero —¡por favor!— que no lloraran.

A un mismo tiempo los mellizos dejaron de llorar. Continuaron sentaditos uno junto a otro en el banco de madera. No querían ningún juguete, no les gustaban los juguetes. En eso coincidían con Solita. Pero tampoco les gustaban los libros de estampas. Ni los animales. No. Les gustaba estar uno junto a otro. Ser uno el reflejo del otro. Nada más.

Solita los quería. No mucho. Pero algo. Sí, porque no les gustaban los juguetes, que son mentiras. Y además, porque una vez los vio jugar un juego extraño que parecía llenarles de recóndita alegría.

Estaban ambos en el parque, en la plazoleta cerrada por bojes. Cacho giraba por los corredores. Berta preparaba sus comidas. Solita llevó a los mellizos al parque, y los dejó allí, mientras ella iba a echarle un vistazo a "Don Genaro", que de una noche pasada en los tejados había vuelto con una oreja rota y un ojo perdido entre negras hinchazones.

Al regresar la contuvo una risa sofocada, de cauteloso murmullo. Numca había oído reir a los mellizos. Avanzó pasito y desde uno de sus innumerables escondites en los setos vivos pudo verlos.

Uno de ellos tenía en la mano un plumón de paloma. Manteniéndolo en alto y mirándolo como hipnotizado. Luego, con rápidos pasitos llegaba hasta el castaño que se alzaba en medio de la plazoleta. Daba vueltas alrededor del tronco y volvía hasta donde lo esperaba el otro. Entonces, con cuidado sumo, le pasaba el plumón por la nariz y reían dulcemente, embriagados por una misteriosa dicha. Luego el otro tomaba a su vez el plumón y con iguales pasitos blandamente nerviosos iba hasta el castaño, daba vuelta a su alrededor en dirección contraria y volvía hasta su hermano, que ya se estremecía por el anticipado juego, pasándole a su vez el plumón por la nariz para reir ambos.

Parecía no tener fin la escena, siempre idéntica. Realizada con algo de dignidad ritual que, sin saber por qué, recordó a Solita una ceremonia de Misa Mayor que viera en el puerto. Le pareció de pronto que seguir mirándolos, así, escondida, era tan feo como espiar a cualquiera mientras realizaba un acto íntimo. Sintió que la cara le ardía y retrocedió silenciosa. Y haciendo mucho ruido sobre el pedregullo, llamando a gritos al "Togo", regresó a la plazoleta, donde encontró a los mellizos sosegadamente uno junto a otro, acogiéndola con idéntica expresión de ausencia.

A veces pensaba:

"Una ni se acuerda siquiera de que están ahí. Son como dos cosas que fueran una sola. Pero con las cosas se puede imaginar mucho. Con los relojes de papá, por ejemplo. Son cosas, pero una puede pensar, y a lo mejor es cierto que cuando dan las doce de la noche salen de todos ellos las hadas buenas que se van al parque, a conversar con los enanitos que tallan sus diamantes siete estados bajo tierra. Las cosas son cosas, pero sirven para pensar que son algo más, e imaginar aventuras. En cambio, los mellizos, que son gente, que son niñitos, parecen cosas, pero cosas sin nada más adentro."

Esta imposibilidad de ubicarlos entre lo que era "de veras" y lo que "no era de veras" la llenaba de perplejidades.

En cambio, sabía que Cacho no era de su gusto, pero sin serle molesto. Allí estaba, pedalea que te pedalea, transpirando, gacha la cabeza para imprimir más velocidad a las ruedas. Trazaba curvas en las esquinas de los corredores, cerraba círculos o diseñaba ochos. Su rudimentaria imaginación convertía en velódromo la casa. Al llegar la hora del té, dejaba la bicicleta cuidadosamente en su sitio, iba al baño —según lo impuesto por la Mademoiselle—, y después, en el comedor, engullía voraz y rápido, más que con el ansia de las golosinas, con la esperanza de irse de nuevo en busca del vértigo que el movimiento creaba en él.

Cacho era casi inexistente. La calamidad era Berta. Que esa tarde, una vez terminados sus juegos, una vez que se había tomado el té, y en esa terrible media hora que seguía, de reposo según la inapelable ordenación de Ernesto, como si de repente recordara una lección aprendida momentos antes de salir de su casa, preguntó a Solita, simulando interesarse por las estampas que miraban sentadas a la mesa de las tareas:

—¿Cuántos vestidos le trajo tu papá a tu mamá?

—Muchos —fue la distraída respuesta.

—Pero cuántos: ¿tres?

—Tres... Eres tonta. ¡Tres!... —y alarga desdeñosa la boca al tiempo de dar vuelta otra lámina.

—¿Son muchos tres?

—Son nada. Le trajo... Mira —y cerrando de golpe el libro, se dispone a enumerar la lista mágica—: el negro con encajes. El rosa con cuello de Chantilly. No te vayas a creer que es crema Chantilly, como la que la Clorinda les pone a las tortas. Es un encaje que hacen en las noches de luna unas arañitas encantadas en los bosques de Flandes, y que sólo pueden usar las reinas y las princesas.

—Pero tu mamá no es reina ni princesa.

—Eso crees tú, porque no sabes muchas cosas...

—¿Qué cosas?

Solita sonrió misteriosamente y continuó:

—¿Blanca Nieves no era princesa? ¿Y quién lo hubiera creído cuando estaba en el bosque? ¿Por qué no va a serlo mi mamá, que es más linda que ella y que nadie en el mundo? ¿Tú crees que si no fuese princesa iba a ser como es, y a tener cincuenta y cinco vestidos —esta cifra no le resultaba tan numerosa como convincente— y cincuenta y cinco sombreros? ¿Y todos los abrigos, y las pieles y los zapatos, y las joyas? ¿Crees que si no fuera princesa podría tener tantos brillantes y perlas, y que le permitirían los duendes tener una corona y todo? ¿Crees tú? ¿Es que alguien que no sea mi mamá tiene todas estas cosas?

Berta la miró asombrada. ¡Dios mío! ¡Y cómo podrá ella después recordar todo eso para decírselo a su madre? A su madre, que tan poco se interesará a lo mejor porque sea o no princesa la mamá de Solita, pero que sí se interesa por los vestidos; sobre todo por cuántos vestidos le ha traído Ernesto de la capital.

Desde el fondo de su confusión quiso volver a lo que ella adivinaba una orilla firme, y lanzó al azar una pregunta:

—¿Qué almorzaste hoy?

También al azar, desde las nubes de su fantasía, contestó Solita cualquier cosa:

—Arroz con papas.

—¡Qué mugre! —triunfó la otra despectiva, sintiéndose de súbito segura en su medio de peroles y sartenes, y añadió con desdén vindicativo—: El arroz con papas es comida de rotos...

Tiempo después, cuando Solita rechazó la fuente en la mesa y no quiso servirse, Ernesto preguntó:

—¿Por qué no te sirves?

Solita, muy posesionada de su sabiduría gastronómica, contestó:

—El arroz con papas es comida de rotos...

Desde entonces —y hasta nueva orden— la niña comienza sus almuerzos con un colmado plato de arroz con papas. Ernesto, satisfecho de su rigor, la observa de reojo. La Mademoiselle suspira. María Soledad sufre. La Clorinda tiene un aire de dramática sumisión. Unicamente Solita está tranquila, absolutamente ajena a los sentimientos que agitan a los grandes.

Con cuidado sumo toma una cucharada del plato, porque está jugando a tragarse poco a poco el paisaje azulado que se dibuja en la porcelana. Ya se ha comido el árbol, y el puente, y los dos pájaros que cruzan el cielo. Ahora abre grande la boca, grande, lo más grande que puede, y se atora en seguida ante la desazón de la Mademoiselle.

—Coma despacio —reconviene Ernesto—. Y no abra tanto la boca.

—¿Y cómo quieres que me quepa entonces? —farfulla entre tosidos, pudiendo apenas hablar.

—¿Que te quepa qué?

—El castillo —contesta incomodada ante la pregunta tan inútil frente a la evidencia, y señala el plato en el que aparece el castillo completo, con su estanque alrededor—. ¿No te das cuenta de que soy el ogro?

Y muy satisfecha arremete en seguida con la colina del fondo. Ernesto la contempla atónito. En los labios de la Mademoiselle podría adivinarse la sombra de una sonrisa, la sombra de la sonrisa que resplandece en puntitos de verde oro en los ojos de María Soledad.

LAS HADAS

Hace tiempo que Solita sueña una gran aventura, como tantas que ya ha logrado vivir y que compensan con creces los castigos provenientes de la incomprensión de los grandes. Solita, sopesando el recuerdo de lo que ha sido calificado de "maldad" por su padre y sus consecuencias, es tan feliz, tan perfectamente dichosa, que el quedarse sin postre o tener que copiar doscientas veces "No debo sacar sin permiso libros de la biblioteca", pierde todo sentido punitivo y es la aburrida penitencia que los no menos aburridos grandes imponen a los niños por su felicidad.

Solita planea escaparse en la alta noche e irse al jardín a ver cómo a la luz de la luna llena, cuando las acordes campanas de los relojes marquen la medianoche, aparecen las hadas resplandecientes con su corte de elfos y gnomos, rodeadas de mariposas multicolores y zumbadores moscardones, para bailar al son de los violines de los grillos la zarabanda que corresponde al festival del plenilunio.

Antes se asegura bien de este hecho. Desconfiando de la información puramente libresca, recurre a la más alta autoridad en la materia.

—¿Es verdad verdad que las hadas bailan con los elfos a medianoche, cuando hay luna llena? —pregunta a su madre.

—Verdad verdad, mi preciosa. Como es verdad verdad que eres el amor de los amores de una mamita —contesta María Soledad con su prodigiosa disposición para superar los desniveles del tiempo y compartir con ella la infancia.

Si lo asegura la madre, poca falta hace que lo aseguren los demás. La niña reflexiona que pueden suscitar sospechas mayores indagaciones. No hace más preguntas al respecto y se entrega a misteriosos cálculos, de bruces en el suelo, hojeando el almanaque Bristol, con "Don Genaro" a un lado y el "Togo" enfrente, sacando cuentas difíciles, atenida a las lunas enteras o en tajadas, para un lado o el otro, según las fechas que marca el calendario. El acontecimiento debe pasar en la noche del sábado próximo, lo que no deja de llenarla de preocupaciones, porque si está segura de que las hadas se reúnen a bailar en los jardines a la luz de la luna llena, hasta el más ignorante sabe también que la noche de los sábados las brujas montan sus feas escobas y vuelan enloquecidas por los aires, con su cortejo de lechuzas y traposos murciélagos. Pero es claro que las hadas tienen sus varillitas de virtud contra los maleficios y no van a permitir que las brujas les echen a perder la fiesta, ni que molesten a Solita, espectadora del baile.

Hay muchas cosas que arreglar desde esa fecha hasta el sábado venidero. Antes que nada: sacar la aceitera de la máquina de coser y con infinitas precauciones aceitar las bisagras de la puerta de su dormitorio que abre al corredor del parque. Aceitar también la chapa para que el pestillo no caiga bullicioso. Y como no es posible prescindir de la compañía del gato, habrá que introducirlo sigilosamente en la habitación, mientras los grandes están después de comer en el saloncito de María Soledad. Esconderlo en el ropero, como otras veces. Menos mal que "Don Genaro" es comprensivo y se puede contar siempre con su complicidad. Y luego asegurar la compañía del perro, al que habrá que pasar al corredor desde el primer patio, donde habitualmente duerme, convenciéndolo de que debe esperarla sin lloros y menos aún ladridos, echado ante la puerta, esa puerta que ella abrirá despacio, llevando a "Don Genaro" en sus brazos, metidos los pies en las chinelas y arropada en su bata. ¡Cuánto trabajo!

Todo parece deslizarse como en los sueños felices. El tiempo en ese febrero ni siquiera se ha encapotado de nubes. El padre va y viene desde la casa del pueblo a la del fundo, absorto en un gran embarque de maderas laboradas. La madre vive en su mundo de adorables distracciones. Sólo la Mademoiselle, inexplicablemente, insiste en la historia de esos reyes merovingios, insufribles odiosos peleadores. ¿Para qué aprender tanto lío familiar? Habría que olvidar de una vez por todas a la gente pendenciera, mala, fea y tonta. Y con esos nombres ridículos: Pipino el Breve, Canuto: ¿cómo tomarlos en serio?

—Solita —reprende una vez más la Mademoiselle—, ¿quieres atender lo que te estoy explicando?

La tarde del sábado se presenta gloriosamente llena de sol, tranquila. El padre ha llegado con unos señores que parecen muy importantes, porque se les ha invitado a tomar once. María Soledad aparece vestida de plumetis blanco con puntitos turquesa, con una capa de terciopelo sobre los hombros y al pecho un prolijo ramo de flores de oro en el que tiembla un rocío de brillantes. A cada gracioso movimiento que hace, un puñado de luces relumbra allí. Está tan linda, tan linda, que orgullosamente Solita piensa que su mamá parece una tapa de *La Mode Illustrée*.

A Solita le han permitido entrar al salón antes de que todos pasen al comedor, ha saludado con su reverencia cortesana y ha recibido de manos de uno de los señores una caja de bombones que su hija menor le manda como prólogo de futura amistad. Solita repite su reverencia y regresa al estudio, donde la aguarda la Mademoiselle para tomar el té frente a frente, ya que en esas oportunidades ambas comparten el agrado de que les esté prohibida la entrada al comedor.

Solita repasa para sí cuanto debe hacer en las horas venideras. Piensa, mientras en su ensimismamiento masca bombón tras bombón. La Mademoiselle, tan jovencita, salida de una familia de campesinos suizos de pulcra y severísima economía, tan distante de la abundancia en que ahora vive, se resarce de privaciones, y al par que la niña, prueba un bombón porque tiene almendras, y este otro porque está relleno con licor y otro más porque encima luce una nuez... Solita aprovecha su muda complicidad y se atiborra, no sin guardar varios en el bolsillo para el "Togo", al que será necesario convencer con algún aliciente para que espere en silencio junto a su puerta.

El crepúsculo se desvanece en la increíble lentitud de sus matices. Los pájaros disminuyen su algarabía a medida que el rosa se hace malva y el malva gris perla. Una clara noche se enseñorea de todo. La comida transcurre silenciosa frente al rostro empalidecido de María Soledad, a la que cualquier esfuerzo, aun el de dejarse contemplar en silencio, sume en la fatiga. Ernesto parece también estar cansado. La Mademoiselle apenas prueba la comida.

"¡Feliz ella que puede hacerlo!", piensa Solita, que, rellena de bombones, vence su asco y come a desgano porque debe comer para no llamar la atención de su padre, con el riesgo de que la propicia calma se deshaga en tempestad de castigos, lágrimas de la madre y azoro de la Mademoiselle.

Gracias a su disciplina todo sale bien, sin perturbar la norma cotidiana. Juega la prevista media hora después de la comida. La Mademoise le viene en su busca. Vigila su aseo. La ayuda a desvestirse. Ya en la cama, aparece María Soledad, que acompaña su rezo, la acaricia y la arropa. Llega el padre para despedirse con un beso ceremonioso.

Ahora está la Mademoiselle dando un toque por aquí y otro por allá a cualquier detalle. Por fin enciende la veladora bajo su pantalla de opalina rosa, apaga la luz central, se inclina a besarla y se dirige al dormitorio vecino, que es el suyo.

Solita abre grandes los ojos. Se incorpora despacito. La Mademoiselle debe estar en el baño. Se desliza en puntillas hasta el ropero, lo abre y regresa a la cama abrazada a "Don Genaro", que ronronea despacito la felicidad del encuentro.

Afuera, en el ancho corredor que abre sobre el jardín, apoyado en la puerta de la habitación de Solita, incómodo en su cuarto trasero, paciente y sin saber a qué obedece la orden de quedarse allí, muy quieto, el "Togo" estará esperando. Este pensamiento azora a la niña. Porque el pobrecito creerá que aquello es un castigo y aunque entienda muchas cosas de esas que los grandes no entienden, a Solita empieza a trabajarle un desconsuelo que le aprieta la garganta como preludio de llanto.

No se atreve a meterse bajo las cobijas por temor al sueño. Se ha quedado sentada en la cama, con las piernas cruzadas como un encantador de serpientes, teniendo al gato ovillado en el regazo. Hay una atmósfera templada de verano sureño y, sin embargo, Solita piensa que sería mucho mejor meterse del todo bajo las ropas, con el gato a su costado, apoyadas las cabezas de ambos sobre la almohada, como suelen dormir cuando ella, como ahora, logra introducirlo subrepticiamente en su habitación. Pero no quiere dejarse seducir por la idea y permanece quieta, con las manitas sobre la sedosa piel del animal, que sigue en su ronroneo y subraya su creciente felicidad extendiendo y recogiendo las uñas, entreabriendo los párpados sobre el oro relumbrante de las pupilas.

De la habitación de la Mademoiselle no llega un ruido ni del resto de la casa, que debe estar a obscuras, con todos sus habitantes sumidos en el sueño. ¿Qué hora será? En esa gran casa superpoblada de relojes, cuyas horas acordes suenan en tan distintos sonidos como para formar una imagen orquestal del tiempo, acaso sólo en el dormitorio de Solita no haya un reloj. Porque según Ernesto la hora del despertar debe darla el subconsciente, para extender su disciplina hasta en el sueño, y a las siete, como si dentro de ella sonara un despertador, la niña debe regresar a la vigilia. La "verdad verdad" es que su padre tiene ideas harto raras. Eso lo ha pensado ella desde que comenzó a pensar y hasta una vez llgó a confiárselo a su madre, que se escandalizó y apenó tantísimo que jamás se atrevió a mencionar el asunto y casi ni se atrevió a volver a pensarlo, como si fuese uno de esos malos pensamientos, de los que siempre habla el señor cura, sin que ella haya logrado saber a ciencia cierta cuáles son.

Porque está bien que haya relojes por todas partes, tan lindos, tan —como dice sonriendo la mamá— "de museo", pero, al fin y al cabo, ¿por qué no poner uno en su cuarto? Aunque fuera el reloj de cucú del estudio, con su ridículo pajarito —¡y a quién va a convencer de que es un pajarito!—, con sus reverencias siempre iguales y su voz de alambre: cu-cu, cu-cu, picoteando el comienzo y el final de las clases. Cualquier reloj. El reloj de la cocina, tan grandote, disfrazado de sartén, con un tenedor y un cuchillo trinchando las horas...

¡Pobre "Togo", que estará muerto de frío! También ella empieza a sentir algo que pudiera ser frío, como un viento, no, como una brisa, tampoco, como un aliento fresco por la espalda y que pudiera ser la respiración de alguien que se acerca para darle un susto. El gato se ha dormido hecho una rosca. Despacito estira una mano y atrae la bata, arropándose cautamente en ella. ¿Qué hora será? ¡Dios mío! ¿Cómo no pensó en esto de la hora? Porque por más que tienda el oído y quiera percibir los rumores de la casa, nunca van a llegarle ni siquiera las campanadas musicales y redondas del reloj de carillón que ahora será como el secreto corazón de la noche en el comedor. Nunca.

Abre grandes los ojos sobre la luz rosa pálido de la veladora. Y abre también la boca, como si por ella pudieran entrarle mejor los rumores. A fuerza de mirar la luz, empieza a verla doble, triple, múltiple como un calidoscopio. Cierra los párpados. Pero sigue viendo luces rosas. Los aprieta más y mueve de un lado al otro la cabeza. Las luces desaparecen. Abre de nuevo los párpados, y ahora, con un vago pavor, observa que la pequeña cúpula de opalina de la veladora tiene estrías de un rosa más intenso y que el círculo que se abre en su parte superior proyecta en el cielo raso una mancha redonda, una gran luna por la que pasa y repasa una minúscula sombra. ¿Una mosca? ¿Un mosquito? ¿Y si fuese una araña? Porque las arañas son malas. En todo caso ahora no pasa nada por el trazo luminoso. El gato duerme. Sigue teniendo frío y se arropa mejor en la bata, recalcando su espalda entre las almohadas.

Las cortinas de la ventana, corridas, cayendo hasta el suelo, parecen las cortinas que cierran los escenarios de los teatros. La "verdad verdad" es que las hadas, en vez de bailar en los jardines, bien podrían hacerlo en las habitaciones de las niñitas que quieren conocerlas, que las esperan despiertas, y no obligar a éstas a levantarse a escondidas, exponiéndose a castigos, máxime cuando no se sabe la hora que es y los párpados pesan cada vez más. De muy, muy lejos, parece venir la sombra de un rumor. Abre la boca de nuevo y es tanta su atención que empieza a sentir que el corazón le tabletea en el pecho y que a ese tableteo contesta otro desde sus oídos. Se aferra al gato, que abre sus ojos fosforescentes, maya apenas una pregunta y vuelve a dormirse. ¿Qué hora será? ¿Qué hora darían los relojes? ¡Y el pobre "Togo" esperando afuera, sobrellevando muerto de incertidumbre lo que para él debe ser un tremendo castigo inmerecido!

Pero ¿cómo está aquí el reloj del dormitorio de su madre, ese con dos angelotes a los costados, sosteniéndolo o reteniéndolo para que no se vuele, con su péndulo fino, que hace un leve y danzarín tictac musical? ¿Es posible lo que mira? ¿No se ha quedado la esfera suspendida en el aire, equilibrada en su propio ritmo, mientras los angelotes giran en torno, gozosos, agitando las alitas al mismo compás?

Y ahora viene a sumársele el sonido de todos los relojes de la casa, apacentados por las graves campanadas del carillón y hasta el ridículo cu-cu ya no es ridículo y ahora se obstina en querer aseverar que es medianoche.

Solita se levanta con gran cautela, arrebujándose en la bata; alza el gato; abre la puerta, que se mueve en un silencio increíble; toma al perro por el collar y el grupo avanza por el corredor, que parece más largo que de costumbre y al que abren puertas desconocidas. Solita desciende y corre agilísima por las avenidas del parque, casi soliviantada por la prisa; sabe que va a llegar, que ya llega al gran rectángulo de césped que marca el centro del parque y en cuyo fondo se recortan geométricos los bojes en el semicírculo de una plazoleta. Los relojes en su coro continúan repitiendo que es la medianoche y luego se apagan hasta dejar repartidos sus ecos en las voces de los grillos. La luna está alta y de ella se desprende una claridad que da a las formas un relieve blanco y negro, relieve alucinante, como el que tienen las vistas del estereoscopio. La voz de los grillos no es la de siempre. Solita presta atención y oye que suenan como cajitas de música, como flautas, como canarios; otros, como las arpas que debe tocar Santa Cecilia, o como la voz de mamá modulando viejas canciones aprendidas de la abuela celta. Y de pronto, llegadas no sabe de dónde, están allí las hadas. Estaban allí, sin duda, sólo que ahora puede verlas. Forman rondas que se abren en guirnaldas y no parecen pesar sobre la hierba. Pero lo más maravilloso es que no son "grandes", sino que son niñitas. Finas, flexibles, aéreas; vestidas de gasas y plumillas de oro y plata. Resplandecen al igual que el rocío de brillantes sobre el ramito de mamá. Son exactamente eso: hadas que aparecen y desaparecen en las vueltas imprevisibles de su danza, que de repente no están y luego están, y en cada uno de los gestos graciosos de sus manos hacen y deshacen enjambres de multicolores mariposas, batallones zumbadores de escarabajos de oro, y están y no están y todo tiene un ritmo de danza mantenida en vilo por una suave melodía.

¿Y los elfos? ¿Dónde están los elfos de los cuentos de mamá?

Solita tiene ganas de bailar también. Pero juiciosamente se queda quieta con "Don Genaro" en brazos —mirando también con sus ojos de tan brillante oro, abrazado a ella como una criatura cuya tibieza asegura la realidad de todo— y sosteniendo con una mano el collar del perro, que está inmóvil, tieso en sus patas temblorosas, aguzadas las orejas, con apenas un ligerísimo temblor en el rabo para expresar una alegría que no osa exteriorizarse.

Pero ¿y los elfos? ¿No es verdad entonces que los elfos bailan con las hadas?

Mira a lo alto. La luna —¿es la luna o es el reloj de los angelotes?—, blanca, blanca, también en ese instante parece tomar parte del baile y cabecea. Miríadas de estrellas, puñados de estrellas como chaya dorada y plateada, parpadean, guiñan, se mueven ordenando y desordenando las constelaciones. Solita sonríe. Pero de súbito ve que los dos angelotes dejan de girar en torno de la luna y huyen despavoridos. Una sombra pasa sobre su claro círculo. ¿Será una arañita? ¡Ay, si al menos fuese una arañita! Pero no. Algo crece y toma contornos inquietantes. Algo está sucediendo que sería mejor que no sucediera. Hay un perfil que se recorta sobre la luna, con su barbilla y nariz en forma de tenaza y los harapientos manteos sobre la escoba con un resto de curagüilla. Y unas lechuzas graznando como goznes viejos... Y unos murciélagos velludos...

La luna recobra una inmovilidad de espanto. Las estrellas súbitamente se fijan en el azul empalidecido del cielo. Solita siente un escalofrío. Y mira abajo, al prado. ¡Y no hay nadie! Las hadas no están. Y "Don Genaro" ya no es el gato, es un polvoriento atadijo de trapos. Y quiere llamar al "Togo" y no puede. Y sabe que aunque pudiera sería inútil. Que el "Togo" ya no está allí. Solita quiere correr, pero no puede. Está endurecida. Apenas si con terrible esfuerzo avanza un paso. Pero advierte que el corredor es largo de leguas, que ni en años de años logrará regresar a su habitación. Quiere pedir auxilio. La voz no le sale, congelada en su garganta. Algo indecible crece en la sombra más negra aún que los rincones más negros. Unos brazos huesudos, crispados en garras, crecen y se extienden hacia ella.

Desde el fondo de su desesperación surge el llamado de su infancia:

—¡Mamá!...

Alguien, desde el otro lado del espanto, dice:

—Solita. Por favor, no grites. Despierta..., tranquilízate...

—La bruja..., la bruja... —balbucea la niña.

—No, hijita. No hay brujas —asegura una voz inesperadamente parecida a la de la Mademoiselle—. Aquí estoy yo. Aquí está el gato. No sé por qué está aquí el gato. Eso lo arreglaremos mañana, pero el hecho es que está aquí y que no debes despertar a la mamá.

Solita se apodera lenta de la claridad de su habitación. Trata de explicar entre pucheros, echando atrás los pelos que se arremolinan por la frente, vagarosa y adormilada.

—Yo estaba en el jardín viendo bailar las hadas y vino una bruja.

—No, corazón —insiste la Mademoiselle, involuntariamente copiando el vocabulario y el acento de María Soledad—. No hay brujas. Duérmete tranquila. Nunca más te dejaré comer media caja de bombones de una vez. Con este resultado ya tenemos bastante. Ahora a dormir la niña con su gato. A dormir..., a la nana nanita —canturrea suavemente mientras que, sin muchos miramientos, coloca a "Don Genaro" sobre el cubrepiés. La arropa. Se arrodilla junto a la cama y continúa—: Ahora a domir la niña y su gato... A dormir..., nana nanita na...

—Yo... —pretende de nuevo explicar Solita. Pero irremediablemente el sueño la devuelve al mundo de las aventuras maravillosas.

LA BALLENA

La "verdad verdad" —piensa Solita— es que este estudio sin las cosas que allí ha amontonado su padre, para que nadie dude de que se trata de un estudio, sería muy agradable. El papel celeste, rayado fina y desparejamente de blanco, muestra arriba una ancha guarda que describe en sucesivos repetidos cuadros los deportes de invierno, con esquiadores, trineos tirados por perros, "toboganes", fugas de ciervos y hasta una panzuda osa torpemente patinando con tres ositos a la zaga, tan torpes y graciosos como "ella", ya que Solita está segura de que se trata de mamá Osa y su prole.

Pero Ernesto ha hecho poner en esa habitación unos armarios que contienen textos, rollos de grabados didácticos, mapas, esferas y modelos de yeso para dibujos académicos. A más de una tarima, una mesa, una silla, un pizarrón, un atril, un caballete y el pequeño pupitre y el banco de Solita.

Todo reglamentario, ceñido a las normas educacionales. Todo, menos el reloj cucú. Todo, menos la ancha puerta-ventana que abre al parque y en cuyas mejillas de vidrio se apoya y desmelena la glicina y se deja ver el copete de agua de la fuente, más allá de los bojes y del alborozo de los pájaros mezclado al fraseo del viento. Más, mucho más allá del atisbo del gato y del interrogante ladrido del perro.

Son la evasión. El cucú: del tiempo. La puerta-ventana: del límite de los temas escolares.

La Mademoiselle explica esta mañana:

La ballena es un mamífero del orden de los cetáceos. Engendra sus hijos en su vientre y los da a luz vivos, alimentándolos con su leche...

) 185 (

Solita, que está mirando sin interés la lámina colgada en el atril que representa a la ballena, se aviva y pregunta:

—¿Como la gata, entonces? ¿Tiene gatitos y les da de mamar?

—Igual —contesta la Mademoiselle, y continúa con una voz de cansada repetición de algo lejanamente memorizado—: Es un cetáceo, el más grande de los habitantes de los mares. Al respirar...

Solita corta la frase:

—¿Por qué dices que da a luz a sus hijos vivos?...

—Porque nacen vivos. No interrumpas...

—¿Y por dónde le salen? ¿Por el ombligo, como a la gata?

—¿Quieres hacer el favor de no interrumpir?

—¿Y por qué dices "dar a luz"? La gata "pare".

—Se te ha dicho hasta el cansancio que no debes emplear esa palabra. No es fina. Es lenguaje vulgar —afirma con un tono que quiere ser convincente y sin apelaciones.

—¿Tengo entonces que decir que la gata dio a luz? La mamá me dijo que debía decir que la gata "tuvo" gatitos. ¿Puedo decir que dio a luz? Me parece más lindo. ¿Puedo?

La Mademoiselle afirma rápidamente, queriendo eludir más escollos:

—Puedes. En cuanto a la ballena...

Solita reflexiona que todo esto es muy complicado. La Mademoiselle continúa amontonando datos acerca de la ballena, sus características, sus diferentes características, su utilidad. Las palabras se diluyen en el silencio diáfano del estudio. Solita está muy tiesa en su banco, con las manos cruzadas en el regazo, grandes, abiertos los ojos, un tanto ladeada la cabeza, muy empingorotado el lazo que sujeta las guedejas aún húmedas por la ducha matinal. No ve a la Mademoiselle. Mejor dicho: la ve vagamente, como lejana y desdibujada, como le gusta a veces mirar a través de los prismáticos sin adaptarlos a su visión. Sobre esa imagen incierta está elaborando una serie de deducciones: la gata tiene gatitos, la ballena tiene "ballenitos". Ellas dos son iguales, desean tener hijitos y el buen Dios les pone en el corazón una semilla que va creciendo, creciendo, hasta que se hacen los gatitos enteros y los "ballenitos" enteros. Entonces salen por el ombligo, que se abre como si tuviera una jareta, y las mamitas, felices, los alimentan con su leche, con la leche de sus tetitas. Claro. La vaca también hace lo mismo. Las gallinas y los pajaritos del cielo son distintos: ponen huevos, se echan sobre ellos y al cabo salen los pollitos o los pichones. Esta historia de los huevos no le parece tan linda. Lo que es lindo de "verdad verdad" es tener a su hijito adentro, cerca del corazón, sentir cómo va creciendo y un día "darlo a luz", a la luz del sol, se entiende; claro que también sería lindo a la luz de la luna, de la luna llena. Y darle de mamar, como la gata a los gatitos, que se pegan a la tetita y chupan amasando con un compás alternado, con una manita, con la otra manita, abriéndolas y cerrándolas, sacando y entrando las uñas, levemente rozando la piel sedosa. Porque están contentos, porque a nadie mejor que a ellos se les puede decir: "guatita llena, corazón contento". En cambio...

—Solita —reprende la Mademoiselle—, presta atención. Tendrás que repetir lo que estoy explicando.

Solita afirma que está atenta, haciendo un movimiento que le inclina el lazo sobre la frente, preludio del desorden que pronto habrá en su melena.

En cambio —sigue reflexionando—, es inconcebible que a las mamás les traigan sus niños desde París, en un canasto que se manda por correo, en barco, en tren. Unas guaguas que ni siquiera eligen, que lo mismo pueden ser feas que bonitas, tontas que inteligentes. Y que sean como sean deben recibirlas, porque les están destinadas. ¿Y si en vez, por ejemplo, de mandársela a su mamá, la hubiesen mandado a ella a una señora como doña Batilde, tan tiesa, tan como palo, tan mandona y tan sin querer darle un cinco a nadie? Eso podía haber pasado. Y si hubiera pasado, ¿qué habría hecho entre esa señora y ese viejo que es don Juan Manuel de la Riestra, el marido de doña Batilde, que hubiera sido su papá, puesto que doña Batilde era su mamá?

Empieza a sentir que un vago desconsuelo se posa en su garganta. Sabe que a doña Batilde no le gusta gastar, que para ella el dinero es cosa que se gana y se guarda en el banco, en unas tremendas cajas de fierro, y que después que se tiene mucho guardado, se saca para comprar otro fundo. "Tierras, tierras, comprar más tierras. Eso es la sabiduría", le ha oído decir muchas veces con su voz metálica. Doña Batilde la tendría encerrada en una pieza obscura, con un traje rotoso y sucio. Y no le daría de comer nada más que pan y agua. Y ella tendría frío o calor, según el tiempo, pero siempre tendría hambre, hambre y sed —que es peor que el hambre—, y tendría miedo a las ratas y a los murciélagos y a unas grandes arañas y a lo negro que se le entraría por la boca como un humo espeso. Ni siquiera se llamaría Solita, porque ella se llama como su mamá: María Soledad; pero a su mamá le dicen María Soledad y a ella Solita, porque así, siendo el mismo nombre, se las distingue. Ni siquiera se llamaría Solita, se llamaría Batilde, como esa señora que pudo ser su mamá y que no le diría Batildita, sino Batilde, porque no le gustan los diminutivos; se lo dijo una vez a su mamá: "Es una lesera llamarle Solita a la niña. Los diminutivos y los sobrenombres son siúticos". "No —había contestado su mamá—, son cariño." Muy bien que hizo su mamá en contestarle así.

—Solita —advierte la Mademoiselle, esta vez con real enojo—, ¿es que no quieres prestar atención a lo que te estoy explicando?

—Te estoy escuchando, te lo aseguro... —se interrumpe—. Pero es que estoy pensando en cosas tan tristes...

La Mademoiselle sabe por experiencia que las evasiones de la niña al mundo de sus fantasías son irrefrenables, que nada valen admoniciones, castigos. Que es preferible que ella misma se deshaga del escenario que ha construido y se vacíe de los seres y cosas que lo pueblan. Entonces será posible que rápidamente, con esa mezcla de comprensión y de feliz memoria que posee, aprenda lo que se le está enseñando.

Cierra el libro y pregunta:

—¿Por qué era tan triste todo eso?

—Porque pensé de repente que... —pero algo atrae su atención en el jardín.

Por el arco de bojes del fondo aparece María Soledad, vestida con una falda azul cuya cola levanta graciosamente, dejando ver los volados de la enagua de tafetán celeste. Lleva una blusa blanca trabajada con alforzas y puntillas y entredoses, con el alto cuello que termina en una pequeña gorguera mantenida por soportes metálicos. Un echarpe blanco la protege del fresco de la mañana estival, nunca para ella suficientemente tibia en esa latitud. Avanza, se detiene contemplando un prado, una flor, un pájaro. Los ojos se entornan y en las comisuras de los labios se estampa la expresión que la hace aparecer siempre como iniciando una tierna sonrisa.

El "Togo" la ha visto y lanza gozosos ladridos. Las orejas del gato inician un ir y venir, hasta quedarse de nuevo quietas al propio tiempo que los párpados se cierran, pero en las vibrátiles narices hay una lenta, larga aspiración, un adentrar el aire rehogándose en algo espiritoso: en el perfume de María Soledad que avanza lentamente, haciendo paradillas que de inmediato sugieren la sospecha de una búsqueda deliberada de ese fondo, de esa actitud, para dar la sensación de una estampa trasunto de elegancia.

Solita la mira. Esa es su mamá suya, de ella, propia, de Solita. Un impulso la hace levantarse, precipitarse a la puerta-ventana, abrirla y correr hasta prenderse a la cintura de la madre.

—Mamá —dice atropelladamente—. Mamá, ¡qué horrible sería si se hubieran equivocado!... ¡Qué horrible si en vez de mandarme para ti, me hubieran mandado para otra!...

María Soledad no comprende. Mira a la Mademoiselle enmarcada por la puerta del estudio y en su rostro encuentra una expresión de cansancio. Vuelve los ojos a la niña apretada a su cintura, con la cara hundida en su regazo.

—¿Qué pasa? ¿Qué ha pasado? ¿Pero qué dices, criatura? —pregunta cada vez más desorientada.

—Podían haberme mandado a otra mamá..., desde París... A doña Batilde... o a otra tan mala como ella... Mamá... —levanta la cara y la mira desde el fondo de su desolación—. Mamá, mamá..., ¿cómo es posible que la ballena, que la ballena...? —se ahoga y se interrumpe.

María Soledad la contempla, aún sin entender. Pero conoce esas súbitas tormentas y la manera de hacerlas alejarse sin dejar rastro.

—Venga —dice—, venga a conversar con su mamita y a contarle esa historia de doña Batilde y la ballena.

Se acerca a un banco. Se sienta. Solita sabe que va a llorar y, a falta de pañuelo —nunca puede averiguar qué se hacen los pañuelos, siempre que los necesita no están en el bolsillo—, termina por coger un extremo del delantal y refregarse los ojos dando suspiros.

María Soledad la ayuda con su propio pañuelo, echa atrás las mechas, acomoda el lazo y pregunta:

—¿Qué pasó? A ver: cuénteme...

—No me trates de usted —dice la niña gimoteando—, eso me va a hacer llorar de verdad verdad.

—Es que te portas tan mal... —insinúa la madre.

—No me digas eso tampoco... —y un puchero le deforma la boca. Pero súbitamente piensa que si el "Togo" la ve llorando, será capaz de ponerse a aullar, como le aúllan los perros a la luna llena. Lo busca con la mirada y lo encuentra detrás del banco, con los pelos del espinazo erizados y el hocico en alto, temblorosos los belfos—. No, no —le ordena enérgicamente con una voz muy entera—, no llore usted también...

María Soledad se dice que Ernesto tiene razón a veces, que entre la niña y los animales la vida tiene ratos difíciles. Pero la anega un río de terneza y repite dulcemente:

—Vamos: di, ¿qué te pasó?

—Pensé que podían haberme mandado para otra mamá, para doña Batilde... —La voz que de nuevo se opacaba llorosa, cambia, inesperadamente admonitiva—: ¿Cómo es posible que encarguen las guaguas a París y que la "Gata", todas las gatas, y ahora me dijo la Mademoiselle que las ballenas también, tengan a sus hijitos en su guatita y los den a luz vivos y los amamanten con su leche... —como tantas otras veces, está repitiendo lo que ha oído; cambia de nuevo la voz, que se hace plañidera—, y que tú y las otras mamás se contenten con comprar por plata una guagua cualquiera?... Eso es malo..., es feo... Yo no quiero que a mí me hayan comprado, que me hayan encargado lo mismo que encargas tus vestidos..., no quiero... Yo quiero ser tu hija tuya, como lo es el gatito de la "Gata" y el "ballenito" de la ballena —se le ahoga la voz y valerosamente, pensando en el perro, retiene sus lágrimas.

María Soledad la alza hasta sus rodillas, la acaricia, la acuna, dice palabras de suelta ternura entre beso y beso. La mira con una especie de avidez, queriendo sacar fuerza de esas facciones que la pena altera. Morosa y medrosamente, desde el fondo de ella misma, llega hasta su conciencia la certeza de que hay que hablar; hay que decirlo, que no se puede jugar más con los sentimientos de la niña, con su búsqueda apasionada de la verdad. Hay que decírselo. Siente que las palabras afloran en sus labios, que las va a decir, y un extraño fenómeno se produce haciendo latir sus sienes: se oye hablar como espectadora, desde fuera, como si otra persona pronunciara las frases que está articulando despaciosamente su boca.

—No, mi amor, no viniste de París. Te tuve yo aquí, cerca de mi corazón, semillita maravillosa, hasta que naciste y fuiste mi guagua de oro, mi perla, mi niñita querida... —ha ido presionando la cabeza contra su pecho. Solita está quieta. La madre calla y espera. Solita sigue inmóvil inundada en dicha. Las manos de la madre se aflojan. Y aguarda un segundo más, súbitamente caída en intolerable angustia.

Pero la cara de Solita se alza resplandeciente, con los ojos echando chiribitas y la boca inaugurando una sonrisa sin historia.

—¿Por qué no me lo dijiste antes? Era tan desdichada... —y vuelve a sumir la cabeza en el pecho materno, apretándose a él, moviéndola como para hacer un nidal, buscando el sitio en que estuvo cerca de ese corazón que late ahora muy de prisa. Posee una verdad buscada a ciegas, ansiosamente. Ha llegado a esa verdad y descansa en su dichosa certidumbre. No necesita otras explicaciones.

—Por miedo a que no te gustara... —contesta con voz baja, pero segura de que es la propia recuperada y no otra oída desde fuera de sí misma.

—Las cosas tuyas...; ¿cómo no iba a gustarme? —habla medio ahogada por puntillas y encajes, enredados los pies en los flecos del echarpe—. ¡Cómo no iba a gustarme estar en tu guatita!...

—Lo mismo que los gatitos... —dice juguetonamente la madre que de repente tiembla ante la posibilidad de más preguntas.

—Lo mismo, y pensar que les tenía tanta envidia... —asegura Solita reidora.

—Como el "ballenito"... —ríe la madre distendida.

—Lo mismo, igualito —se interrumpe y canturrea—. Yo soy de mi mamita preciosa, de mi mamita flor de los campos, de mi mamita más linda que todas las mamitas del mundo, de mi mamita propia, mía... Te adoro..., te adoro...

Hay tal vibración en su voz que apenas si se ha alzado para esa salmodia gozosa, que el "Togo" se lanza en una carrera en círculo por el prado y el gato abre refulgentes ojos.

¡Qué sencillo era!... ¡Qué fácil!... —se dice María Soledad—. Y tanto atormentarse buscando el modo de decirlo y las palabras y la ocasión. Pero la prudencia la hace ordenar con un tono que imita al de Ernesto:

—Y ahora: a clase. Ligerito...

ABUELA

Solita tiene súbitamente la idea de que algo no está bien, y como por lo general la que no está bien, quien hace lo que no debe hacerse o dice lo que no debe decirse es ella, comienza por observar su actitud por si es necesario modificarla. Pero no. Está sentada muy derecha en la silla, a la distancia justa de la mesa; sus manos descansan, cruzadas sobre la servilleta extendida en el regazo, y sus pies, que apenas llegan a la alfombra, permanecen tranquilos. Y como desde que entró al comedor no ha abierto la boca, tampoco puede reprocharse una pregunta intempestiva. Este examen dura unos segundos, y aunque la tranquiliza a su respecto, la sensación de que acontecerá un hecho insólito se le torna tan viva, tan intolerable, que deja caer esta advertencia en el silencio:

—Parece que fuera a temblar...

Ya lo ha dicho. No hay forma de recoger las palabras que ellas sí que parecen temblar, retemblar en levísimas vibraciones que van de los caireles de la lámpara a los cristales de la hornacina, de los cristales de la hornacina a las porcelanas de la hornacina frontera; de las porcelanas de esta hornacina al calado y refulgente péndulo del reloj de carillón.

Después de su frase: "Parece que fuera a temblar...", Solita se ha recalcado en la silla, esperando la reprimenda. Que no llega. Y tan inusitado le parece que no se le haya dicho: "Los niños no deben hablar en la mesa", que vuelve los ojos al padre, con una expresión interrogativa.

Y es entonces cuando comprende el porqué de su impresión. ¡Pero si en torno a la mesa todo está cambiado! No es Ernesto quien ocupa la cabecera, sino Abuela; y Ernesto está a su derecha, seguido de María Soledad, y a su izquierda, a la izquierda de Abuela, está Solita, y después la Mademoiselle. Y a la mesa deben haberle sacado tableros, porque termina ahí mismo, al borde de María Soledad y la Mademoiselle. Todo esto le parece a Solita prodigioso de novedades, que la habitación luce así más enorme y como han corrido los *stores* de las ventanas que abren al parque, una gran luz refracta en las paredes encaladas y hace violentamente rojas las losetas del piso y gualdos los arabescos de la alfombra, y confunde y suaviza las tallas de los vetustos muebles que otrora adornaran el refectorio de un innombrado convento cuzqueño. Desde que existen sus recuerdos, Solita ha almorzado en este mismo comedor, en una angosta larga mesa, tamizada la luz por los *stores* a tal punto, que aunque afuera esplenda un rajante sol a veces se hace necesario encender la lámpara. Y ha comido en esta misma angosta larga mesa, corridas las cortinas de pesada felpa color de miel, bajo las luces que a esa hora parecen llegar desde la lámpara amarillas de cansancio. La Clorinda entra y sale por la puertecilla —disimulada tras un biombo— que comunica con el repostero. Y el reloj...

Solita lo mira y abre la boca. El reloj está parado. El péndulo cae vertical y su esfera dorada está detenida. Ahora va a decir algo. Pero los ojos de la madre la imanan y obedece a su mandato: calla.

Pero otra cosa inesperada sucede. En vez de ofrecer el azafate para que cada cual se sirva, la Clorinda ha colocado frente a Abuela un plato desbordante. E iguales platos va colocando ante cada uno. Ya están todos servidos. Entonces Abuela dice secamente:

—A lo que te criaste... —y empieza a comer.

No se lo ha dicho a nadie. Y la frase, como la anterior de la niña, queda vibrando en el silencio opresivo.

No será más alta que Solita. Pero algo tiene Abuela que la hace aparecer monumental. Es fina y dura, tanto, que los años —es la abuela de Ernesto— no han logrado trazarle ni una arruga en la piel dorada de sol y de viento, de vida al aire libre por los campos y las playas, señora de su caballo y de su coche, señora de sus fundos y de su gente, con un sentido de propiedad de tierras y seres, con un don de mando y ordeno que nunca, nadie, se opuso a su voluntad. Perduración de la matriarca encomendera. Fina y dura. Con un cuerpo que puede aún considerarse perfecto en sus proporciones, con una cabeza altiva y el rostro un tanto echado atrás, mostrando una máscara de bellas facciones. Máscara. Porque parece otro rostro, el definitivo, el que hubiera modelado la muerte para siempre, colocado voluntariamente sobre el auténtico para impedir que la boca riera o sonriera tan sólo o que los párpados pudieran entornarse sobre una expresión de suave ternura. Tiene una voz directa, modulada en tono bajo, que dice con una concisión sin réplica. Y la mirada, directa también, tan penetrante que parece ir en busca de lo profundo esencial, recuerda la pulida superficie del azabache. Viste invariablemente de negro y de su cuello pende como única suntuosa joya un medallón de perlas y brillantes que guarda el retrato del marido muerto hace años.

Hace años... En esa época en que debió afrontar la viudez con cinco hijos pequeños y las deudas y las hipotecas y el embrollo dejado por una existencia de gran señor como fue la del marido, a quien le parecía inagotable la herencia familiar medida en hectáreas de tierra, pero no en trabajo y rendimiento. Fue entonces también cuando sobre el rostro de apacible belleza empezó a crearse la máscara. Nadie previó el resultado de su coraje. En esos años, para una mujer de su clase social, no había otro camino en caso de viudez y ruina que recurrir a la familia, continuando la existencia al reparo de su generosidad. Y esperar del destino la suerte de un nuevo marido.

Abuela —la joven mujer de entonces— luchó sola. Le creció la voluntad. Puso en juego las cuatro operaciones que trabajosamente había aprendido en el colegio de monjas. Internó a los hijos. Se encerró en el fundo.

Conoció el olor del viento que trae la lluvia en negros odres de nubes y el mensaje del filo de luna desvanecido en los cielos crepusculares. Aprendió a manejar un revólver y a ocultar su pavor al fogonazo y a la detonación. Conoció las alboradas que marcan su trazo lívido al borde de un niño enfermo y el agorero aullido de los perros que anuncian la muerte. Discutió precios sin que la arredrara la marrullería del campesino ni la sagacidad del ciudadano. No tuvo tiempo para pensar dónde nacía la fortaleza para afrontarlo todo ni la sabiduría para solucionar cada problema. Nunca pensó en la sangre, en el mandato de sus entrañas que obedecían instintivamente la gran ley. Iba a ciegas por el camino que millones de millones de mujeres habían recorrido desde siempre para crecimiento del hijo. Cuando llegó al punto en que a su alrededor en vez de cinco niños tuvo cinco hombres, con el porvenir claramente trazado, con la maltrecha fortuna no salvada sino que prodigiosamente acrecentada, cuando creyó que era el momento de entregar el mando, de descansar, de sacarse la máscara y dulcemente dedicarse a los recuerdos, a una especie de larga siesta en mecedora entre el arremansado perfume de las flores y el caer cantarín del agua del surtidor, se encontró con que su rostro era la máscara y su razón de ser el mando.

No eludió, no pudo eludir su destino. Los hijos estaban casados. Tenían hijos casados y éstos, a su vez hijos y más hijos. Abuela —así: Abuela, como a ella le gustaba, sin diminutivo ni artículo— centraba la familia. La querían. La temían. La agradecían. Porque una virtud podía en ella parangonarse con la voluntad: la generosidad. Tenía millones: regalaba millones.

Solita la ha visto muy poco. Es ésta la primera vez que Abuela viene a casa de Ernesto. Y en sus viajes al norte, apenas si ha divisado su silueta, porque generalmente está en sus fundos, y si está en su casa de la ciudad, los familiares la visitan ceremoniosamente, tratando siempre de guardar distancia entre ellos y Abuela, temerosos de sus frases y de sus acciones, temerosos de su poder y al propio tiempo esperanzados en su largueza.

Solita la mira muy interesada. Abuela ha dejado junto a su plato el rebenque que cuelga siempre de su muñeca. La "verdad verdad" es que come pésimamente, sin atenerse a las reglas que Ernesto impone. Para empezar, de no se sabe dónde, ha sacado un alfiler de gancho con el que se prende al pecho la servilleta. Pero... Solita se queda sin aliento. Abuela ha sorprendido su mirada y fría y dura fija en ella sus pupilas minerales. Solita se queda sin aliento, pero como Abuela empuña fuertemente el cuchillo, apoyada la cacha en la mesa, "como si fuera un cetro" —piensa—, a la idea de esta reina que de manera tan informal trincha su ración, con toda su carucha de "feíta con gracia" —como dice María Soledad—, le sonríe alegremente.

Abuela sostiene con mayor agudeza la mirada y su puño se aprieta sobre el nácar del cuchillo. Pero es Abuela la que desvía los ojos y relaja los músculos.

La Clorinda continúa llevando y trayendo platos. El almuerzo se desarrolla en silencio. Abuela parece tranquila y poderosa. María Soledad está intensamente pálida y traga dificultosamente. Ernesto muestra una fisonomía hermética, con las cejas juntas en esa horizontal que marca sus peores momentos. La Mademoiselle trata de desaparecer. Solita goza con la novedad del comedor claro, de la vista del parque, de los platos servidos especialmente para ella y en los cuales la Clorinda ha racionado lo que más le gusta. Todo es novedoso. Y es tan entretenido ver las incorrecciones que Abuela hace al comer. Lo único que echa de menos es el tictac del reloj. Y la sonoridad de sus campanadas.

Empieza a urgirla el imperio de saber algo. Y termina por preguntar:

—¿Por qué el reloj está parado?

Abuela la mira y responde breve:

—Porque no me gustan los relojes. Con relojes o sin relojes el tiempo pasa. Con relojes o sin ellos llega la muerte.

Nadie contesta nada. Solita reflexiona y al fin dice, mirando a Abuela:

—Yo quisiera morirme al son del reloj de la pieza de la mamá, el de porcelana con florcitas y dos angelotes que lo sujetan. Tiene un tictac tan lindo que dan ganas de bailar. Y bien puede ser que los angelotes la ayuden a uno a subir al cielo.

Las visitas de Abuela no suelen ser muy prolongadas, las "visitas de inspección", como se las llama en la clave familiar. Pero esta vez Abuela demora su estada en casa de Ernesto, haciendo por momentos más tensa la situación, porque la voluntad de Abuela y la de Ernesto se afrontan de continuo, debiendo la del último abatirse ante la primera. Abuela parece recrearse en este juego: desarmar pieza por pieza la disciplina de la casa, reorganizándola sobre otras líneas. Ernesto tasca el freno. María Soledad tiene a veces la impresión de estar viviendo una pesadilla en que se cae, se cae; en que la angustia parece qué hará estallar el corazón enloquecido; y son tales su medrosidad y su fatiga, que se estaría en su saloncito, silenciosa y a obscuras, si no considerara que su presencia es absolutamente imprescindible como elemento cordial en las relaciones de abuela y nieto.

—La verdad verdad —confía Solita a la Mademoiselle— es que Abuela podía de una vez por todas irse para su casa. Y que nos dejara tranquilos con tanta lesera.

—Pero tú pareces estar muy amistada con ella —responde indagadora y sesgando sus propias opiniones la Mademoiselle.

—¡Psch! Al principio le tenía miedo. Todos le tienen miedo. Y a ella le gusta que le tengan miedo.

—Miedo no, Solita: respeto —interrumpe la Mademoiselle.

—No, no, no... Miedo. Cuando me di cuenta de que era eso lo que ella quería: que le tuviera miedo, el miedo se me pasó. Ahora lo que la hallo es divertida y aburrida al mismo tiempo. No te podría bien explicar cómo es eso, pero es así. Es como esos títeres que hacen siempre el mismo gesto y dicen la misma cosa.

—¡Solita! —reprende la Mademoiselle.

—Ya te dije que no le tengo miedo. ¿Por qué no se va para su casa a mandar? Aquí manda el papá —hace una pausa y termina—, y ya es bastante.

—¡Solita! —repite la Mademoiselle acentuando el tono de reproche.

El mismo día que llegó, preguntó Abuela mirando el enorme rectángulo de césped que centra el parque, terminado en el fondo por una plazoleta que encierran altos recortados bojes.

—¿Y por qué este potrerillo?

—Es *ray-grass* y trébol enano, porque estamos formando un parque inglés, Abuela —contesta graciosa y ligera María Soledad.

—Un parque inglés. Un parque inglés —repite como mascando las sílabas—. Tonterías. Aquí sólo cabe un jardín criollo. Ernesto: mañana de alba que le metan arado. Después diré yo lo que hay que hacer. ¿Oyó?

—Sí, Abuela —contesta Ernesto con la misma voz y la misma entonación con que le ha contestado desde aquella vez en que, siendo niño, se atrevió a desobedecerle y ella le dejó las piernas marcadas con profundos sangrientos rebencazos.

María Soledad cruza las manos sobre el pecho e inexpresivamente fija los ojos en el verdinegro de los bojes. Está mirando la fotografía del dominio de Lord Melville en la propia Inglaterra, que sirvió de modelo a Ernesto para este parque tan trabajosamente esbozado en el pluvioso helado clima sureño. Algo como una niebla de llanto, algo como un escozor de sollozo apunta en ella. Pero se obliga a contener su emoción y sigue fija en la lejanía, distraída y preciosa.

La gran alfombra de césped ha sido arada. En la tierra removida, limpia hasta la última brizna, se ha pasado repentinamente el rodillo. Se ha dibujado un círculo central que será el asiento de una fuente. Se han dibujado a su alrededor losanges y estrellas, triángulos y rectángulos, todo ello limitado por ladrillos, dejando estrechos caminos que ya recubre el pedregullo. Han llegado arbustos y plantas. Abuela indica brevemente cuándo, dónde y cómo habrá que plantarlas. Se han abierto zanjas para colocar cañerías que provean de agua al surtidor y a las llaves de riego y está terminado el revestimiento de azulejos de la fuente.

En sus horas de recreo Solita busca a Abuela para seguir muy seria los trabajos que ésta dirige. A la niña la intriga prodigiosamente esta máquina que es la voluntad de Abuela, haciendo y deshaciendo y volviendo a hacer, con prescindencia absoluta de lo que ha dispuesto o no ha dispuesto Ernesto.

Abuela parece ignorarla. No le habla. Y Solita, con un instinto primario, sabe que debe permanecer silenciosa junto a ella o tras ella, seguida a su vez por el perro y el gato.

Con las manos cruzadas a la espalda, justo donde el delantal anuda un gran lazo que parece un polisón a fuer de pomposo, Solita contempla esa tarde desde el corredor las obras del jardín. A su lado está el "Togo", como siempre mirándola interrogativamente. Y "Don Genaro", perezoso, se recalca sobre su vientre, ocultas las patas, arrollada la cola sobre sí mismo, aguzadas las orejas inmóviles hacia lejanos rumores, entrecerrados los párpados y tan sólo vibrantes las narices, buscando en el aire quieto el rezago de un antiguo olor a ratas, a lauchas, a trofeos perdidos en el tiempo y que él, doméstico, no conoció, pero que por imperativo ancestral adivina en la tierra removida, en los montones de arena, en los cascotes venidos de las canteras cordilleranas, en las conchuelas en que perdura la sal de las mareas, en todos esos elementos que otrora pudieron encovar al roedor enemigo.

Solita presiente la silenciosa llegada de Abuela. Se vuelve y le sonríe amistosa. Abuela saluda, contrariando su costumbre:

—Buenas tardes, niña.

—Buenas tardes, Abuela —contesta sorprendida.

Están una junto a otra. Ambas firmes y con no se sabe qué vago parecido, no en las facciones, sino en la manera de alzar la cara y presentar la barbilla como hendiendo el aire.

Solita no debe hablar. Pero como en tantas ocasiones, las palabras se le escapan:

—Al fin esto no va a quedar tan peor.

—¿Tampoco a ti te gustó el cambio?

—No. Al principio, no. Porque pensé que no iba a tener dónde revolcarme con el perro. Pero después pensé que para eso me sirve mi feudo.

—Tu feudo —dice Abuela con una pinta de entonación que bien pudiera interpretarse como interrogativa.

—¡Ah! Usted no sabe. —Está obligada a tratarla de usted, lo que la obliga también a pensar y elegir las palabras, y torna morosa y hasta enfática su frase—. Por el lado del potrerillo de los caballos, el papá me dio un pedazo de sitio y eso es lo que yo llamo "mi feudo". Es mío mío.

—Me gustaría verlo.

Solita la mira. Sabe que ese deseo es una orden. Pero sabe también que ella, Solita, no quiere que Abuela se meta en su dominio y empiece a decir que esto tiene que ser así y lo otro asá. No quiere.

Sonríe amable y explica:

—Mi feudo no tiene puerta. Está cerrado con bardas y hay que pasar por ellas a gatas. Nadie ha entrado nunca desde que me lo dio el papá. Ni él, ni la mamá, ni nadie. Sólo yo, porque es mío.

—Una pasada se abre fácilmente. Llama a Bartolo y dile que traiga un hacha.

Solita sigue mirándola sostenidamente. Le arden las mejillas. Bajo el alboroto de la melena las cejas se han juntado, se han vuelto un trazo como las del padre en sus momentos negativos. Está rígida y las manos sobre la espalda se crispan una sobre otra.

—No —dice rápida, olvidada del usted—, no llamaré a Bartolo, no habrá hacha, ni irás a meterte en mi feudo. Mi feudo es mío. Nunca nadie ha entrado en él. No quiero que nadie entre. Y menos tú.

Abuela también la mira fijamente. No se altera un músculo en su rostro. Pero la mano en que pende el rebenque tiene un movimiento rotativo que ase al cabo de trenzados tientos.

—Obedece —ordena sin alzar la voz, pero la mano sí que se alza para iniciar el castigo.

Ella, Abuela, la vieja señora endurecida en el dominio, metódicamente ensayando en cada cual la medida de su poder a través de la cobardía y la aquiescencia, no cuenta con la felina destreza, con el quite y ataque de Solita, que se le va encima, le paraliza el gesto y con la otra mano empuñada le golpea el pecho y grita iracunda:

—Mala... Mala... Bruja mala... Perversa... Váyase... Váyase...

—La niña pega y grita. Abuela no ha retrocedido. Trata tan sólo de librar la cara, echando la cabeza atrás.

El perro ladra. El gato prudentemente se alza, llega hasta un banco y se encarama al respaldo. Los hombres que trabajan en el jardín han dejado la tarea, están inmovilizados en un mudo estupor.

No se sabe de dónde ni por dónde llega Ernesto, que avanza y agarra, sí, agarra a Solita y la sacude violentamente.

—¿Te has vuelto loca? ¿Te has vuelto loca?

La niña parece volver de un mundo privado de razón. Mira atónita a su padre. Se mira con horror las manos. Mira a Abuela, que continúa impasible, caídos los brazos, con el rebenque pendiente de la muñeca, alta la cabeza. Y lo mismo que el instantáneo ramalazo de ira, por su pecho circula ahora un ramalazo de desesperación.

—Perdóname, Abuela, perdóname... Te pegué... Te pegué... Abuela, perdón... —se deshace en llanto, en hipo, en palabras ininteligibles.

—Váyase a su pieza... Después hablaré con usted... —grita Ernesto, también ininteligiblemente, empujándola sin suavidades.

Abuela se interpone.

—Venga —dice a Solita—. Y no llore más. Venga con su abuela. —Bruscamente la abraza, ofreciéndole el pecho para que allí se refugie su desconsuelo, su desolación. Y dice, como si no se dirigiera a nadie—: Es mi sangre.

HIJA DE RICOS

Solita está en cuclillas junto al montón de pedregullo que han traído esta mañana, llegado en sacos desde una playa lejana y que se destina a los caminillos del nuevo jardín. Montón blanco-gris-rosa de conchuelas y caracoles en que se rezaga un acre olor salobre, en que partículas salitrosas fulguran y se rompen en inesperados iris, en que restos de algas viborean sombras amenazadoras y trozos de rocosidades hablan de bravas marejadas y su sistemática perseverancia. Las manos de la niña mueven y remueven y en la quietud de la siesta hay un mínimo constante rumor, algo como un frote de brisa en ramajes otoñales. La niña mueve y remueve en la búsqueda de caracoles enteros, en que ni la zarpa del mar ni el afán del hombre hayan destruido su bella arquitectura.

La casa reposa en silencio. Papá está en el norte. Mamá duerme. La Mademoiselle escribe cartas. La servidumbre sabe que a esa hora no hay que hacer ruido alguno. Solita goza de su recreo, de hacer lo que quiere al albur de su fantasía. El "Togo" la vigila, cabeceando, bostezando, resuelto a no perderla de vista, porque a veces sucede que se deja vencer por el sueño y Solita le juega la mala pasada de desaparecer tan sigilosamente como un felino, más que el gato; de desaparecer y esconderse y aunque el "Togo" tiene el olfato de su raza, como la casa toda está llena de la presencia de Solita, las pistas se entreveran y es trabajo grande hallarla en el más inesperado sitio. Y además está el gato. Este "Don Genaro" que no tiene decoro y duerme en toda ocasión, seguro de que siempre podrá oir lo que Solita hace, despertar cuando debe despertar seguirla ajustando su paso al de ella y hasta acompañarla en sus subidas a los cercos, a los tejados y a los árboles. Cierto es que su desquite está en las salidas a la calle o al campo, sea a pie, a caballo o en coche. En que "él", el "Togo", acompaña a Solita y el gato se queda en casa. Pero también es cierto que a "Don Genaro" este hecho parece no importarle, o si le importa, lo disimula en el más profundo sueño. Por estos motivos el "Togo" vigila, cabecea y bosteza.

Solita ha hecho un montón, un pequeño montón con el pedregullo ya revisado. No es muy grande en comparación con el otro. Y menos grande es aún aquel que reúne sus encuentros. Apenas un puñado de caracoles. Claro es que son preciosos. Los hay blancos, de un material espeso que parece mármol. Otros son grises, estriados de grises más finos que lindan al celeste. Alguno, diminuto, remeda el dorso en arco zigzagueante de un esqueleto de monstruo antediluviano. Aquéllos, obscuros, brillan como lacas y tienen dentro un tierno rosa. En éste el rosa se hace rubor de coral, y éste, el más perfecto, muestra el nácar que pudo anidar una perla. Solita los mira, les sonríe hechizada.

Pero la "verdad verdad" es que está cansada de la búsqueda, de la posición incómoda, del sol que se le pega a la espalda y de la porfiada mecha que nunca estará donde debe estar, sobre la cabeza, sino que se empeña en caerle por la frente hasta los ojos. ¡Claro! Si en vez de tanta melena y crespos y cintajos le cortaran el pelo como a un chico...

Suspira. Echa la cabeza atrás, pero la mecha sigue incomodándola. La peina con los dedos. Pero interrumpe el gesto y mira la mano que está sucia. La huele. Arruga la nariz. ¡Bueno! Necesitará mucho jabón y cepillo para que el feo olor desaparezca. Menos mal que papá no está. Claro es que mamá con sus jaquecas y su aversión a los olores, sean buenos o malos... Deberá tener prudencia. Pero la mecha... Levanta el brazo y trata de alisarla con la manga.

Tiene entonces la sensación de que la están mirando. Siente, casi palpable, que una mirada la observa.

Paulatinamente sus movimientos se hacen lentos hasta quedar inmóvil, agachada la cabeza, la mecha de nuevo por la frente, las manos inertes sobre el pedregullo. Por entre el pelo, cautelosamente, busca los ojos que la miran.

La puerta chica del jardín tiene un ventano con postigo que han dejado abierto. Dos barrotes lo crucifican. Y detrás, perdidos en las blancas barbas fluviales que prolongan la cabellera, unos ojos vahorosos, inexpresivos, la fijan sin parpadear. Una cabeza degollada, seccionada en cuatro por la cruz.

Solita no tiene miedo. La veleta de su imaginación se echa a girar. Puede ser una de las cabezas de los siete ahorcados. O una araña que se convirtió en cabeza. O una de las cabezas del gran guiñol. A ella le daría miedo —sí, tal vez— la cabeza de la Chonchona. Pero esa cabeza es de mujer. Y ésta es de hombre viejo. De ahorcado viejo. Pero los ahorcados tienen la lengua afuera. Este pensamiento la llena de perplejidad. No puede ser un ahorcado. Entonces, ¿quién, qué es?

Solita no tiene miedo. No le tiene miedo a nada ni a nadie. Tal vez, sí, a la Chonchona..., y a las arañas... Echa atrás la cabeza en el gesto habitual, se alza en súbito resorte y enfrenta los ojos que no pestañean. No le gusta que la vigilen. Bastante tiene con soportar que la vigile el "Togo". Y el "Togo" es el "Togo", su perro suyo. El "Togo", que desde el fondo del sueño que lo ha vencido, despierta dueño instantáneo de lo que sucede, que se pone tieso en las patas temblorosas, que se eriza y gruñe amenazador dirigiéndose al desconocido.

—¡Chist! —ordena Solita—. ¡Cállese, tonto! ¿No sabe que la mamá está durmiendo?

El "Togo" masculla sus injurias. "Don Genaro" no se ha movido, pero sí ha abierto los ojos y clava en el intruso una pupila de filo de cuchillo.

Solita avanza resuelta y pregunta:

—Y usted, ¿quién es? ¿Qué quiere?

Aparece una mano de rama seca, terrosa, que mesa los largos pelos, las largas barbas, y termina por prenderse dubitativa a una oreja. Al mover los pelos la mano ha dejado en descubierto una ignominiosa nariz remolacha.

Solita insiste:

—¿Qué quiere?

Una voz responde gargarizando posos de vino:

—Una limosnita, por el amor de Dios... —La mano, de la oreja, pasa a uno de los barrotes.

El "Togo" insinúa un claro insulto. Las orejas del gato avanzan alertas. Solita ha sentido lo innoble del acento y el hedor de la respiración. Contesta muy ligero, repitiendo una lección:

—A los pobres se los socorre los sábados en la mañana, por la puerta de la cochera, en la calle de atrás. Puede usted venir el sábado y se le dará auxilio.

—Una limosnita... —repite el viejo—. Un cinquito para pan... Tengo hambre...

Solita piensa apenada que el sábado está muy lejos, a días de distancia. Que este pobrecito tiene hambre. Ella a veces tiene también hambre, sobre todo después de la última clase matinal. Es algo que parece hurgar en el estómago, algo que angustia, que suele llenar la boca de saliva y hasta producir bascas. A ella le está prohibido comer fuera de las horas prefijadas, pero se ingenia siempre, en esos casos, para sacar un pedacito de pan del repostero o, a fuerza de arrumacos, conseguir que la Clorinda la deje "probar" alguno de los guisos o postres.

¡Y este pobre viejo tiene hambre!

Indaga:

—¿No cree usted que sería mejor que se fuera a su casa a comer?

La mano vuelve a la oreja, tironea el pabellón y la voz muele sílabas:

—¡Bah! Las cosas... Yo no tengo más casa que el cuartel de policía... Para allá agarro..., cuando no me llevan... —Algo que puede ser una sonrisa abre un hoyo desdentado bajo el arrebatado de la nariz. Se rasca enérgicamente la oreja y plañe—: Una limosnita, un cinquito... Tengo hambre...

A Solita unas uñas finas como aquellas que atestiguan su propia hambre empiezan a remusgarle en el estómago. Angustia, imperiosa urgencia de hacer algo para que este viejo no tenga, no padezca hambre. Busca forma de ayudarlo. ¿Ir a la casa? ¿Atravesar el jardín, el patio de los naranjos, hasta llegar al repostero? La Clorinda debe de estar sentada a su puerta, cosiendo, como siempre, en espera de que la mamá llame. En la cocina todo estará cerrado. Habrá que dar explicaciones. No está papá y puede que se atrevan a acceder a su pedido, y, aunque no sea sábado por la mañana, darle algo al viejo. Calcula la hora. Lo más probable es que la atrape la Mademoiselle y la mande a la sala de estudio. O que la Clorinda llame a Bartolo y le ordene corretear al viejo. La "verdad verdad" es que los grandes todo lo complican. Recuerda que tiene en el bolsillo un terrón de azúcar que destina al "Mampato". Y un diez, diez centavos, parte de los treinta que le asignan semanalmente, y que reserva para comprar un cuento de Calleja. Levanta el faldón del delantal y busca en el bolsillo de la marinera. Primero halla el terrón. Lo pasa a la mano izquierda y en la palma extendida lo ofrece al viejo:

—Tome, es azúcar...

Los ojos la miran estúpidamente y un sonido que no alcanza a articularse barbota en la garganta.

—Es azúcar —repite Solita—, para usted.

—Tengo hambre —logra hacer comprensible la voz.

La niña encuentra la moneda, la tiene entre el pulgar y el índice de la mano derecha, y la coloca junto al terrón, en la palma, que continúa ofreciéndose.

Los ojos del viejo cambian de expresión, lo vahoroso desaparece y unas pupilas sorprendentemente claras aparecen como flotando en la córnea veteada de venillas sanguinolentas. La mano se introduce presta por entre los barrotes, garra de rapiña que toma el pequeño círculo de plata y con un movimiento brusco rechaza el azúcar y la mano generosa.

—¡Puah! Mugre... —dice mirando a la niña con su nueva expresión, en que se amalgaman odios y codicias, humillaciones y soberbias. A Solita, a quien el gesto, las palabras y la mirada han dejado estupefacta, y que tiene entrecerrados los párpados bajo la recta de las cejas, que ha cruzado las manos a la espalda, sobre la cintura, y se afirma tan sólidamente en los pies que éstos parecen enraizarse tierra adentro, dándole mayor estabilidad y hasta mayor estatura.

La expresión del viejo empieza a cerrarse cautelosamente. Hay un compás de espera. Y la voz repite su reclamo, con las mismas palabras, con idéntico acento, parte de sí mismo, prolongación de su vida miserable, manera de subsistir a lo largo de años de trashumar, de mendigar, de conseguir los medios para satisfacer la sed inextinguible de alcohol, obediente al mandato que puede llevarlo al robo, al asalto, al crimen.

La voz se torna desgarradora:

—Otro diececito..., tengo hambre...

Los ojos acuosos, la nariz remolacha, la pelambrera blanca, el hoyo de la boca, la total cabeza cercenada por el ventano, crucificada por los barrotes, pierde cuanto la imaginación de Solita ha urdido y cobra su justa repulsiva forma. El viejo adivina que la posibilidad de otra moneda se le escapa, pero continúa plañendo:

—Tengo hambre...

—¡Váyase! —contesta imperativa—. Ya le di para que compre pan. ¡Váyase!

El viejo sabe que no doblegará esa voluntad. Lo vahoroso desaparece en una expresión maligna. Escupe palabras y salivazos:

—Mierda... Hija de ricos...

Solita se inclina, empuña un pedrusco y amenaza:

—¡Váyase!...

El "Togo" sabe que ahora puede ladrar, dar saltos que lo alzan hasta el ventano. El gato se engrifa y las uñas inician un peligroso movimiento retráctil. Algo debe temer el viejo, porque la cabeza desaparece, no sin antes lanzar un último escupitajo, tan asqueroso como la palabrota que lo rubrica.

A Solita le arden las mejillas de manzana colérica, tiene la garganta seca; de apretarlo, el pedrusco —peña de mar con filamentos cristalizados— se le hunde en la carne. La "verdad verdad" es que habría que ser como los niños de la calle, poder abrir la puerta y con su puntería certera darle al viejo inmundo con el cascote en la cabeza, dejar que el perro se le prendiera a las pantorrillas, que el gato le arañara la cara. Y gritarle injurias, todas las malas palabras que ella sabe, ha oído, y que tan difícil es olvidar —como aconsejan los grandes que hay que olvidar, aunque son ellos los que las pronuncian, aunque de ellos las aprendan los niños, todos los niños, hasta Solita—, esas malas palabras, todas, sí, gritárselas al viejo. Ser un niño de la calle, y no esta Solita que está aquí, furiosa, sofocada, humillada, obligada a ser la niña que "siempre debe portarse bien". Y sin saberlo, repite una de las palabras que dijo el viejo:

—Mierda —y como si allí se albergara no sabe qué obscuro enemigo, lanza violentamente el pedrusco contra el muro.

En la mañana, desde la estación, por el teléfono que une la casa de Ernesto a la oficina del telégrafo, avisaron que había un despacho en que avisaba su arribo tía María Mercedes.

La noticia la recibió Ernesto, que la ha transmitido a María Soledad, y ésta a la Mademoiselle y a Solita, y Solita, en calidad de bólido que no sólo resplandeciera, sino que también tuviera voz, ha esparcido la buena nueva por la casa, desde la cocina en que impera doña Edulia entre vaharadas capitosas y relumbre de cobres hasta el sobrado en que la "Gata" ronronea su felicidad con los gatitos prendidos a su respectiva teta, tan afanosos los hociquillos como las patitas delanteras que golosamente amasan su refrigerio; desde las caballerizas en que el "Mampato" se extraña por no recibir su ración de azúcar y sí oir repetida una frase incomprensible: "Llega tía María Mercedes... Llega tía María Mercedes...", a la que contesta al azar con un relincho que indigna a la niña: "Porque al pobre le cuesta tanto entender las cosas...", pero que no le impide seguir hasta el huerto, donde Bartolo, bajo su gran chupalla, someramente vestido con un pantalón y una camiseta, a pie, descalzo, terroso sobre la tierra, está regando entre instantáneas combas multicolores y gozoso piar de los pájaros que lo conocen y reconocen y saben que no debe amedrentarlos su estampa. Bartolo, que a la noticia contesta con un grito de alegría montaraz que rompe los cristales mañaneros como un puñetazo, que larga la manguera y se va precipitadamente "a adonosarse".

Solita vuelve a la casa: aún tiene que anunciar la nueva a "Don Genaro", que hasta esa hora no se ha hecho presente, lo que vale decir que una vez más se ha escapado a pelearse como un demonio con los gatos del vecindario. "La verdad verdad...", empieza a decirse Solita, pero no termina esta opinión sobre las malas costumbres gatunas, porque está corriendo de habitación en habitación, a través de las galerías y de los patios y los pasillos, para que los muros, las puertas, las ventanas, los muebles, los juguetes, los relojes, los libros, los retratos, el piano, sí, la casa íntegra, sepa que tía María Mercedes llega esa tarde.

Y en la casa toda y en todos sus habitantes parece prender una luz de gozo y terneza y la nerviosidad cunde y cada cual se afana por cumplir prolijamente las órdenes de Ernesto, acuciado por el sentir unánime. Que cada cual pretende hacer algo único en honor de la viajera.

La Clorinda con sus chinitas se ha precipitado a la habitación de alojados cercana a la habitación de Solita y es un barrer y sacudir y pulir y esmerarse por que todo reluzca. Y aunque los muebles muestren el empaque de las caobas, María Soledad, al dar un último vistazo, ha añadido una serie de detalles coquetos que completan graciosamente el conjunto. Así, sobre la cómoda, lucen unos grandes floreros isabelinos en los que la Mademoiselle ha dispuesto restallantes flores entre lustrosas hojas verdinegras, y en el tocador se distribuyen unos frascos de opalina rosa, y Solita ha colocado en la poltrona una de sus muñecas y después de pensarlo seriamente, como esto no significa gran largueza, ya que las muñecas no le gustan, la ha cambiado por su cajita de música, en cuyo corazón duerme y despierta la melodía llena de reverencias de un minué. Y la ha puesto en el velador.

Hasta Ernesto, tan parco en manifestaciones sentimentales, ha traído uno de sus relojes, el de porcelana de Saxe que mantienen unos angelotes mofletudos entrelazados por guirnaldas de diminutas rosas, dejándolo en el pequeño escritorio y, para extenderla debajo, ha traído desde las innumerables alacenas en que guarda tan diversas y preciosas cosas, una piel de oso blanco forrada en paño verde que asoma a su alrededor formando un volado.

Tía María Mercedes es la hermana mayor de María Soledad. Un año mayor. Pero que parece la hermana mayor de Solita, prodigiosamente joven, increíblemente bella, infinitamente seductora. Casó un año antes que María Soledad, con un muchacho que fue su amor desde la infancia, uno de esos amores que parecen determinarse por misteriosas afinidades capaces de soportarlo todo: incomprensión familiar, dificultades económicas, diferencia de clases sociales, separaciones impuestas por circunstancias adversas; todo, hasta la muerte. Porque esta frágil criatura resplandeciente que contra viento y marea logró imponer a su familia el hombre por ella elegido, la misma que fue la más hermosa novia, sobrellevó bravamente el momento en que —en el fundo sureño— le trajeron el cuerpo del marido, ahogado al vadear un río desbordante por las lluvias de un invierno tozudo. Endureció los músculos, apretó los dientes, echó la cabeza atrás y como si fuera un hombre —como los hombres creen que se comportan ante las catástrofes— hizo cuanto había que hacer: llevar el cadáver hasta la cercana estación de ferrocarril, avisar a la familia de él, a la suya, conseguir un vagón para trasladarlo a la ciudad. Todo: sacarle la ropa, que destilaba agua viscosa. Limpiarlo. Acomodarlo en el sudario. Velar junto a él entre el dolido musitar de los demás. Asistir a la misa. Acompañarlo al cementerio. Ver cómo el ataúd desaparecía por la boca del nicho.

Todos esperaban la trizadura súbita. Volvió a la casa con la misma entereza. Y siguió viviendo sumada a la vida familiar. Si algo se decía para compadecerla, el iris de sus ojos, que era como el de María Soledad, gris veteado de verde, parecía anublarse. No contestaba. Cada vez más ajena a lo circundante. Tan ausente que quien decía las palabras conmiseratorias terminaba por callar con la penosa certeza de no haber sido escuchado.

—Déjenla tranquila —exigía el padre.

—¡Pobrecita! ¿Para qué hurgarle más en sus espinas? —añadía la madre.

Y la dejaron. Su existencia continuó aparentemente igual que antes. Porque si antes fue la niña que tuvo un amor desde pequeña y logró casarse con ese novio elegido en un tiempo que ni ella misma podía precisar, tal vez cuando lo vio por vez primera y puso su manecita en la de él para llevarlo al jardín y mostrarle la pompa de la rosa amarilla abierta esa mañana, cuando ese novio, ya marido, murió, la niña regresó a la vieja casa señorial. Pero era ahora un mundo con propia atmósfera, visible su territorio, mas inexplorable.

Esto pasó hace años, antes que naciera Solita. Pero la historia ha llegado hasta ella en pedacitos con los cuales, a su manera, ha hecho un muestrario de prodigios.

Solita la ha visto infinidad de veces; ha sentido su mano larga, tan blanca, tan parecida a la de María Soledad, acariciarle el pelo, pasar una yema suave por el contorno de su mejilla; ha oído su voz diciéndole el ritornelo sin sentido pero delicioso con que se regalonea a los pequeños. Pero nunca, como ahora, ha tenido la oportunidad de convivir con ella días de días.

Ernesto parece haber redoblado esas precauciones con que aísla su hogar. María Soledad parece que acentúa su aire ausente. La Mademoiselle cuida su actitud marginal. La servidumbre tiene una precisión autómata. Desde que la casa aloja a tía María Mercedes las características de cada uno de sus habitantes se han recalcado en su propio molde, buscando en sí mismo la forma de dejarla en entera libertad de acción. Todos menos Solita.

Algo pasó en el propio andén, mientras se saludaba a la viajera, se afanaba Bartolo con las maletas, se decían frases vagas y cordiales, se formulaban preguntas y se obtenían contestaciones, se iba entre paradillas avanzando hasta el coche, se subía a éste y partían los caballos por las calles solitarias de siesta, sordamente resonando las llantas y las herraduras sobre el pavimento de madera, pero no tan sordamente que en las casas, también de madera y pintadas de colores, no asomaran curiosamente tras los vidrios más de unos ojos en el afán de novedades.

Algo, sí. Misterioso y exacto. Tía María Mercedes apoyó una mano desenguantada en el hombro de Solita. La niña inclinó despacito la cabeza y juntó la mejilla —su dorada mejilla ardorosa— a la mano de piel levemente fría. Y la dejó allí. Sin tratar de mirarla. Abandonada a ese contacto y sintiendo una comunicación en que ella, chiquita, sana, animalito vivaz, traspasaba su calor a la mujer tan linda, tan lejana, como

esas cosas que se adivinan a través de la niebla, como cuando ella sabe
que en la atmósfera cerrada está ahí el rosal cargado de flores y que no
se ve, pero que al estirar la mano se encuentra y hay una alegría tan
completa, tan enorme, porque aunque no se lo veía no se dudó nunca
de que estuviera y el rosal también lo sabe, y en cuanto la niebla desaparece, cabecea como saludando y se esmera en dar más perfume y
bien puede ser que el capullo apenas entreabierto entreabra un poquito
más sus hojas para que se vea —para que Solita antes que nadie la vea—
una gotita de rocío que esplende en su corazón. Ella siempre ha sabido
que tía María Mercedes está ahí, pero solamente ahora, con la mejilla
apoyada en la mano que se posa en su hombro, ha sabido que es "de veras"
De ese momento nació todo. Sí. Tía María Mercedes es "de veras"
Solita puede entonces darle acceso a su sellado mundo mágico.

Esa tarde —prima tarde, hora de reposo en que sólo se oye en el jardín la insistencia de una chicharra que quiere ser matraca— Solita se
ha instalado, segura de no incomodar, en la habitación de tía María Mercedes y está sentada a sus pies en la pelambrera del oso blanco, con "Don
Genaro" dormido en rollo al lado y el "Togo" que lucha con su modorra
y el afán de estarla mirando ojo avizor, pero al que el sueño por fin vence
Conversan ambas como viejas compañeras.

—Tienes que perdonar que la "Gata" no haya venido a verte... —Solita
se interrumpe y explica—: La "Gata" se llama "Tula", pero todos la
llamamos "Gata". Ella está muy ocupada con sus gatitos que todavía no
cumplen una semana. Y no te invito para que vayas a verla, porque la
verdad verdad es que los gatitos no son nada lindos: cabezones, con los
ojitos cerrados y una tripa en medio de la panza. ¿Tú has visto gatitos
nuevos?

—Sí, mi amor —asiente tía María Mercedes, que reflexiona en que a
ella, a quien hace tanto tiempo que nada le interesa, se interesa ahora
por esta familia gatuna, o, más exactamente, se interesa por cuanto dice
Solita.

—Todos los animales nuevos son feos. Hasta las guaguas son feas. Ya
vi una vez una guagüita en el fundo; tenía pelo hasta los ojos y dormía
toda arrugadita, con la boca muy fruncida. Claro es que a las guaguas
les cortan la tripa. Primero les hacen un nudo, después les dan un tije-
retazo, les ponen un parche y el ombliguero más encima, bien apretado
—Y de súbito, muy premiosa, pregunta misteriosamente, porque siempre
que ha pretendido una indagación al respecto le contestan riñéndola o le
dan la callada por respuesta—: ¿Tú tienes el ombligo para afuera o para
adentro? Yo lo tengo para adentro. Me parece más bonito.

—Para adentro —dice tía María Mercedes, medio seria, medio risueña
recordando sus propias perplejidades infantiles.

Pero Solita está pensando en otra cosa y continúa:

—El "Mampato" es buena persona. Ahora está un poco gordo. Me echan la culpa a mí y todo porque le doy un terrón de azúcar —mira a la mujer y no le parece honrado decir parte de la verdad. Corrige—: Bueno, un terrón y otros pocos más..., ¿A ti te gusta andar a caballo?

—No —contesta instantáneamente tía María Mercedes, y las pupilas se le quedan fijas en la habitual inexpresividad gris en que tiritan estrías verdes.

Instantáneamente sabe también Solita lo que está pensando. Viendo, mejor dicho.

—¿El caballo "también" murió?

—También murió —contesta una voz blanca, que llega trabajosamente sin premura de profundos estratos de sufrimiento.

—¿Y los enterraron juntos? —vuelve a preguntar Solita casi a pesar suyo, movida por el imperativo de las imágenes que le rehacen el drama con una nitidez deslumbradora.

—No. El caballo está enterrado en el jardín, en el fundo —responde de nuevo la voz blanca, que en cada palabra se adelgaza hasta llegar a lo inaudible.

—Yo tengo enterrado en el jardín un canario que murió el año pasado. La Mademoiselle dijo que había muerto de viejo, pero no parecía viejo: tenía todas sus plumitas color oro, cantaba y saltaba y cuando yo ponía un dedo entre los barrotes de su jaula, él iba despacito a darme picotazos, uno y otro, y ladeaba la cabecita y me miraba con sus ojitos de alfiler negro y a su manera me decía muchas cosas lindas. Cuando murió lo puse en una caja que me hizo Bartolo y lo enterramos debajo del gran rosal trepador.

Hay un silencio por el que circula el fino tictac del reloj. De la calle llega el eco de un pregón ininteligible que parece sobrevivir a viejos mundos desaparecidos.

Solita continúa:

—La Mademoiselle dice que debo hacerme el ánimo de que el perro, el "Mampato", el gato y la gata han de morir antes que yo. Cuando muera alguno de ellos voy a tener mucha pena, mucha pena "de veras"; los enterraré en el jardín junto al canario, pero estoy segura de que cuando yo me muera, el buen Dios los va a tener a todos esperándome a la puerta del cielo. —La mira pensativa y asegura enfática—: Como debe haber estado su caballo esperándolo a "él", ¿verdad?

—Verdad —asiente tía María Mercedes, siempre pronunciando dificultosamente las palabras, y en quien cunde una especie de pasmo por haberlas hallado, por poder pronunciarlas, por tener manera de expresar lo que por tantos años fuera inexpresable.

—¿Tenía los ojos abiertos?... La Clorinda me cuenta siempre la historia del ahogado celeste que nunca pudo cerrar los ojos. ¿Los tenía abiertos?

—Sí, los tenía abiertos —confirma la voz recién inaugurada.

—Para mirarte mejor —asegura la niña repitiendo las viejas palabras del viejo cuento, y continúa apasionadamente—: Para mirarte mejor, lo sé, lo sé. Los grandes dicen que los muertos no son más, que mi canario que se murió no es más canario. Eso no es cierto. Mi canario sabía que yo lo quería mucho, y él, aunque esté muerto, sigue cantando para mí, yo lo oigo. A veces estoy en mi pieza o en el estudio, o en el jardín, y de repente lo oigo, y me quedo quietita, escuchándolo. Pero nadie sabe nada de esto. No lo creerían y a lo mejor papá me castigaba por decir mentiras. Pero yo te aseguro que es verdad verdad. Y tengo la jaula en la alacena en que me escondo para leer, y como a veces me da miedo estar escondida y tan sola, el miedo se me pasa, porque la jaula es como una compañía y nunca he querido que me regalen otro canario.

Tía María Mercedes la mira sostenidamente. Sus pupilas no tienen ahora esa fijeza gris con rayas verdes, de piedra, sino que de regreso de un lejano viaje a través de napas terrestres, minerales, acuosas, vegetales. han vuelto a la superficie, al ámbito que la circunda, y derramadas de terneza están "de veras" mirando a Solita, que tiene la cara levantada y le entrega sus ojos para que pueda entrar por ellos hasta lo recóndito de su alma.

—Sí —dice lenta, tersamente la voz de tía María Mercedes—, los otros no suelen saber. Yo quise al principio cerrarle los ojos, pero luego comprendí lo que tú sabes: que aun muerto quería seguir mirándome. No había espanto en ellos. Eran sus ojos de siempre, como los recuerdo desde que éramos unas criaturas y nos gustaba quedarnos uno al lado del otro, mirando cómo los niños jugaban. Siempre me llevó de la mano; cuando crecimos, los demás protestaban porque eso no era correcto. Pero continúa llevándome de la mano. Fuimos inmensamente felices. Y aunque no esté, aunque haya muerto, es como si estuviera —repite las palabras de la niña, maravillada de poder expresarse—, como si sus ojos me estuvieran mirando siempre, como si su voz me llegara en mensajes tan audibles, a veces mensajes, a veces frases que contestan a las mías, conversaciones tan reales que me azora el que los demás no las oigan.

Solita se ha puesto de rodillas transida por la misma sensación que experimenta en la iglesia cuando el señor cura levanta el cáliz. Un ardor en la garganta. Un deseo de llorar. Un querer diluirse como los arcos iris estivales que deshacen sus colores en el cielo hasta no ser otra cosa que parte de su propio azul. Eso quisiera ella: diluirse y sumarse luego a la propia tía María Mercedes.

Hay un silencio para que el tictac se haga nuevamente perceptible. El gato, en lo más profundo del sueño, no ronronea. Despertado por la quietud, el perro abre un ojo que abarca la escena y vuelve a dormirse.

Tía María Mercedes sigue mirando a la niña. Tiene miedo de que en el silencio tenso la emoción se quiebre en lágrimas. Las lágrimas que ella nunca lloró. Solita sigue en su actitud de éxtasis. El tictac se interrumpe con un pequeño ruido en que parecen frotarse al viento ramitas secas y tres campanadas anuncian el paso completo de una hora.

Solita brinca y ya está de pie, echando atrás la revoltura de su pelo. El "Togo" y "Don Genaro" despiertan sobresaltados. Se alzan mirándola interrogativamente. Solita dice:

—La Mademoiselle debe estar esperándome: es la clase de francés. Hoy toca lo peor: la gramática. *L'imparfait*... *Le complément direct*... *L'analyse*... Lo peor... —Se inclina besando su oreja y le susurra de paso—: Cuando hables con "él", dile que yo te quiero mucho.

Se vuelve rápida a la puerta. El gato la sigue, estirándose, y encogiéndose como un resorte. El perro la soslaya mirándola, muy tieso en las finas patas.

—Solita —llama tía María Mercedes.

La niña se vuelve. Ve que una mano se alza y cruza un dedo sobre la boca. Un segundo le extraña la advertencia: ¿cómo puede tía María Mercedes dudar de ella? Pero en otro segundo ase el cabo del juego, cruza también su índice sobre los labios, se quiebra en una reverencia, gira, abre la puerta y sale.

EL ANGEL

La luz cae exclusivamente sobre el pequeño bastidor redondo que sujeta una mano de María Soledad, mientras la otra, con un movimiento precaucioso y rítmico, pasa la aguja hacia el reverso de la labor, la recoge en ese punto, la clava de nuevo y vuelve a su posición primera, diseñando la larga hebra de lana un fondo de diminutas cruces para realce de un estilizado ramo de flores.

El resto del saloncillo está en penumbra.

Junto a la ventana, de pie, Ernesto mira distraídamente la clara noche sujeta por innumerables tachones de estrellas, increíblemente cercanas en la pura atmósfera estival. Ernesto, que no ve la noche ni se place en ella, que está crispado y que dice volviéndose a su mujer:

—Insisto en que María Mercedes debió haberme consultado. No se llega así no más a una casa que no es la propia, trayendo a un niño enfermo, que tampoco es de ella ni de nadie de la familia, ni conocido siquiera. Que no se sabe quién es... No es correcto...

La pequeña mano va y viene en el silencio. Como este silencio se prolonga, Ernesto insiste impaciente:

—No es correcto. Espero que estés de acuerdo conmigo... Podías contestar...

Responde ella con su voz melodiosa:

—Si María Mercedes llega a esta casa inesperadamente, es como si llegara a la suya. Y el niño, sea quien sea, es una criatura adoptada, que si no hijo de su carne, es como si lo fuera. Y al que todos tenemos que agradecerle que haya sido capaz de volver a María Mercedes a la vida corriente, sacándola de esa especie de camino gris, sin rumbo, en que la dejó la muerte de su marido.

—Un enfermo...

—No lo era cuando lo adoptó. Y es admirable cómo lo cuida.

—Que siga cuidándolo, pero que no lo imponga a los demás.

—Ernesto... —Las manos dejan el bastidor en el regazo, se cruzan sobre el fondo de las flores. La voz se eleva un tono, pierde esa vacilación, esas pausas en que habitualmente parece buscar las palabras—. No es comprensible tu actitud hostil. Tu corazón está lleno de bondad, eres generoso desde cualquier punto de vista. María Mercedes ha contado con eso para llegar así, inesperadamente. El niño necesita cambio de clima, cercanía de montaña, luz, sol, aire puro. Aquí lo tiene todo. Y la compañía de otro niño en Solita.

—Justo —interrumpe Ernesto—, eso es lo que más me reconcome. Solita. ¿Es que la niña forma parte de las medicinas que le han recetado? ¿Y por qué Solita? ¿No hay otros niños en la familia? ¿No los hay en las clínicas para esa clase de enfermos?

María Soledad está mirando una rosa en su tallo de desvanecidos amarillos, como si el tiempo la hubiera trabajado, como si no fuera rosa en una labor nueva, como si hubiera nacido vieja para ser auténtica hermana de las otras en obsoletas tapicerías. Pero no la ve. Está viendo la cara de Solita. Como suele aparecer sorpresivamente entre los bojes, entre los haces, entre las cortinas, entre matojos: respingada la nariz que ventea olores, chispeantes los ojos desbordando salud, revuelta la melena, con el gato y el perro, en su mundo de realidades y magia sin fronteras.

—Justamente, lo que se busca es eso; un niño taumaturgo, que no deje al pobre enfermo en su pozo de dolor; un niño capaz de atraerlo a su círculo vital, de sumarlo a sus intereses, de identificarlo a su existir de maravilla. Solita puede hacerlo. Ella y nadie más que ella.

—No hay que pensar mucho para saber de dónde le viene a Solita la fantasía —murmura Ernesto irónicamente.

—De mí, que soy completamente chiflada y que entre mis chifladuras tengo la de quererte y quererte y nada más que quererte... —Sonríe deliciosa y dice, poniéndose de pie y acercándose al marido pasito a pasito—: A usted, que es el fiel de la balanza para que en un platillo esté

María Soledad y en el otro Solita, con el gato y el perro, se entiende; a usted, que muy fiel de la balanza y todo, dejará de estar amurrado y gruñón y será tan bueno como siempre con María Mercedes y será muy bueno con el niño y dejará que Solita lo acompañe y juegue con él y le lea y lo inicie en sus juegos disparatados y fabulosos...

—Y que la disciplina se vaya al diablo... —Pero no puede seguir, porque María Soledad está junto a él, pone las manos sobre sus hombros, pega la mejilla a su cuello, vuelve la cara y despacito, despacito, suavemente, va dejando el rastro de breves besos sobre su mejilla, hasta fijarlos repetidamente en su boca, que ya no sabe otra cosa que devolver beso tras beso, en una reiteración embriagadora.

El niño se llama Daniel y tiene dos años más que Solita.

Bartolo fue quien abrió la puerta principal, la reja grande del jardín que da a la plaza, cuando sonó con insistencia el timbre. Pero también acudió Solita, que corría por el prado y que hacía rato escuchaba el trote de los caballejos del único coche de alquiler del pueblo, mezclado al tintinear de los herrajes por las calles soladas de vigas, y todo ese barullo en aumento se detuvo desordenadamente frente a la casa.

"¿Quién será? ¿Visitas? ¡Qué raro!", se dijo Solita, y gritó en seguida:

—¡Tía María Mercedes!... —abrazándose a su cintura al reconocerla.

Ella contestó apresuradamente, sonrió al azar, se volvió al interior del coche y levantó algo extendido en el asiento delantero. Bartolo quiso intervenir, sin saber en qué forma ser útil. El cochero bajaba maletas del pescante. Solita echó pie atrás y vio con asombro que tía María Mercedes, sin que se rompiera el junco de su cintura, alzaba y sacaba —quedándose con él en brazos— una especie de tubo, sí, un cilindro del cual pendían unas piernas fláccidas y emergía, un poco en escorzo, una cabeza de pelo obscuro en cuya cara empalidecida los ojos eran de un insondable azul marino, anchos, tranquilos, un tanto acuosos a fuer de brillantes.

—Es Daniel —presentó tía María Mercedes—. Solita, es Daniel...— e inclinando con destreza su fardo, enfrentó los rostros.

La niña entró alma adentro por los ojos de obscuro azul. El niño sintió su halo vital. No sonrieron, no se dieron la mano, no dijeron palabra. Como adultos pudorosos que no quieren testigos para sus expansiones sentimentales.

Tía María Mercedes daba órdenes, había perdido el monedero, armaba la silla-cama de ruedas. Apareció la Clorinda y luego María Soledad. El "Togo" se acercó hasta colocarse tras Solita, y "Don Genaro" en esfinge, observaba desde la escalinata de acceso. Y seguían las frases y las preguntas sin respuesta y las respuestas a preguntas no formuladas, y la Clorinda pagó al cochero y los matungos iniciaron su trote desparejo y el ruido de los herrajes se fue perdiendo rumbo a la estación.

Y aún el grupo permanecía en la acera y unos chiquillos que jugaban al tejo en la plaza suspendieron la partida y se acercaron lentos y curiosos. Unas señoras muy pomposas entre frufrúes de enaguas que iban rumbo a la parroquia —era tarde de reunión del patronato— deshicieron camino por tácito acuerdo, para fisgar lo que acontecía en casa de Ernesto. El paco de punto en la Gobernación creyó su deber acercarse para inquirir si eran necesarios sus servicios. Hablaban todos, reían, auténticamente alegres, libres, como si no rodearan a un inválido, como si la silla-cama de ruedas, el tubo, las piernas colgantes y la cabeza en escorzo fueran tan naturales como los pájaros, su trino y su vuelo en el ópalo moroso de la tarde.

Este es el salón. Como en las venerables residencias victorianas que modelan el escenario en que se desarrolla la vida de Ernesto —como también su convivencia social se ajusta al formalismo inglés—, las paredes se recubren de cuarterones en que varillas de bronce opaco enmarcan paneles de seda adamascada, igual a la que tapiza los muebles de caoba.

Al fondo domina el piano de cola. Sería frío el conjunto sin las porcelanas, las platerías, los esmaltes, los cristales, los marfiles que María Soledad gusta distribuir junto con las plantas, las flores y el sahumerio que a fuer de insistente, arremansa el perfume del sándalo y el ámbar gris. Ernesto impone la estrictez del estilo. María Soledad esparce una fantasía un tanto literaria.

A Solita le gusta este salón. En primer lugar, porque a nadie se le ocurre venir aquí a buscarla. Luego, porque sus cortinas que bajan desde el borde mismo del artesonado hasta el *parquet*, le permiten maravillosos escondites para subrepticias lecturas cuando son de las ventanas o, si son de las puertas, la proveen de telones para escenarios, foro por donde ella aparece con disfraz o sin disfraz, pero identificada con cualquiera de los numerosos héroes de sus libros o de sus propias invenciones; y, además, el salón cuenta con una cajita de música que tiene en su repertorio ocho pequeñas melodías finas, quebradizas, casi balbucientes, como si le costara sacarlas de su viejo corazón metálico. Cajita que a veces, cuando ya hace rato, mucho rato que ha terminado de tocar, porque sí, modula una frase, despaciosamente complacida en su sonido de cristal.

Los grandes han salido esta tarde, invitados por doña Batilde a tomar té en su casa, con un señor muy importante que escribe en un diario de la capital. Han ido todos: Ernesto, María Soledad y María Mercedes. La Mademoiselle está en casa de Covadonga Sordo. Los niños han quedado a cargo de la Clorinda. Pero la Clorinda sabe que la mejor forma para hacer felices a los niños es dejarlos solos.

Daniel y Solita están en el salón, el niño en su silla-cama de ruedas, la niña frente a él, sentada a la oriental sobre la alfombra. El perro a su lado, el gato, como siempre, a cierta distancia, medio adormecido, pero vigilante.

—La verdad verdad —dice Solita pensativamente— es que a veces se los creería un poco distraídos, mirando para otro lado, pensando en leseras. Así se comprende que puedan pasar tantas cosas... Porque, al fin y al cabo, si Tatita Dios tiene un Angel Guardián para cada uno de nosotros, es para que nos libre de todo mal, como dice la oración. Y la verdad verdad es también que nos libran de bien poco. ¿No hallas tú?

—Hay tantas cosas que uno no entiende —contesta el niño con lentitud, fijo en algo que está lejos y que no es sino la visión de sí mismo en el pasado tan cercano, antes de su enfermedad.

—Los grandes dicen que somos muy chicos para entender, pero yo creo que ellos tampoco entienden nada y que dicen que entienden de puro "creídos", para darse importancia... —continúa Solita.

—Yo pienso mucho en esto, en poder entender las cosas...

Ambos saben perfectamente cuál es la verdad que buscan.

El niño sigue perdido en la visión de lo que él era "antes".

Solita lo contempla: el tubo, las piernas inertes, la cabeza obligada por el yeso a mantenerse en escorzo.

El niño tiene, como siempre cuando se remite a su pasado, la sensación deleitosa de la carrera rápida, del movimiento preciso, del mecanismo muscular que coloca el pie en la pelota y la envía donde quiere enviarla. El juego en la cancha del colegio. La carrera, el puntapié, la coordinación de los pases, el "gool", los "gooles" del triunfo. La algazara frenética de ese triunfo. La voz del profesor de gimnasia que dice: "Has estado bien, muchacho".

Solita sigue contemplándolo. Ve lúcidamente la criatura que está ahí tendida. Conoce de su existencia lo que él mismo le ha contado, desde que llegó, en la certeza de que puede "hablar", confiarle su más íntima miseria, su angustia, su desesperanza. La niña intuye que hay que dejarlo hablar, vaciarse. Lo mira fijamente, tal como está ahí, en la realidad de ese marco en que los colores van apagándose en la incertidumbre del crepúsculo. ¿Por qué no piensa nunca en el porvenir? Ella vive de proyectos: "Cuando pueda hacerme moño..., cuando tenga una casa mía, con marido, hartos niños y todo..." Proyectos que se mezclan en la más absurda ensaladilla: "Cuando sea más rica que ese señor que se llama Morgan..., cuando me reciba la reina de Inglaterra..., cuando ordene ahorcar al viejo pirata..." Y como la realidad y la magia son lo mismo para ella, la ensaladilla sirve para vivirla a cualquier hora y tan pronto arrastra tras de sí una cinta que es la cola de su traje de corte, como lanza al aire puñados de migas que son dólares, no a los pájaros en algarabía gozosa, sino a unos salvajes que el señor Morgan está civilizando... ¿Qué importa que las cosas sean o no, cuando se cree en ellas?

El niño repite:

—Es difícil entender...

Solita contesta apasionadamente, atropelladas las palabras, mirando el fondo de los ojos azul marino que, de regreso de la provincia de la felicidad que es el pretérito, se vuelven a su insistente llamado:

—Es que no habría a quién echarle la culpa... —Ella sabe lo que significa para Daniel la palabra "entender"—. Ni a tía María Mercedes ni al doctor, a los doctores, ni a nadie. —Baja la voz y prosigue siempre mirándolo—: ¿A Tatita Dios, entonces? Pero El es justo, es la justicia misma. ¿No será que a través de esta prueba horrible quiere hacer de ti algo muy grande? ¿Un santo? ¿Un artista?

—Preferiría ser un niño con buena salud —murmura sombríamente Daniel.

—La tendrás si sabes pedirle, si sabes "pedírsela". Pero tienes que creer en que "El" puede dártela si sabes pedírsela humildemente. —Está tal vez repitiendo palabras oídas al señor cura, a la madre, a la Mademoiselle, a la propia Clorinda. Pero algo le cruza por la frente y con otro tono, menos dogmático, pregunta para sorpresa de su interlocutor—: ¿Nunca le pides al Angel lo que necesitas?

—Al ángel... —repite el niño desorientado—. ¿A qué ángel?

—Al tuyo, al que nos cuida, al ángel de la guarda. ¿Nunca le pides nada?

—Sí, tal vez... Le rezo la oración. Esa, la que tú sabes...

Por Solita circulan corrientes eléctricas. Sacude la cabeza y por los ojos le pasan chispas. Muestra los dientecitos al sonreir. Medio se yergue. Acerca la cara a la cara del niño y dice de un tirón:

—¿Ves? Es eso. Rezar... Como si rezar no fuera decir sin pensar las palabras que no tienen nada adentro. Hay que inventar las oraciones, decirlas, hablar, pedir, contar. Yo no me atrevo mucho a hablarle a Tatita Dios, así, de frentón. Pero tengo el ángel, mi ángel, el mío, el que está aquí a mi lado, como a tu lado está el tuyo. Yo sé que está aquí, lo sé, lo siento. Con él converso y le digo todo. La verdad verdad...

—El ángel. No tengo mucha fe en el mío. No me cuidó, ves, no me cuidó... —Lo dice desolado, con desolación en progresivo aumento, hasta cuajar en lágrimas al borde de los párpados. Baja la voz, murmurando para sí mismo—: Cómo entender...

—Creyendo, creyendo —afirma la niña—; yo creo que mi ángel está aquí y él está —y confidencial—: Mira: a veces extiendo una mano y toco su traje flotante y suave. A veces me vuelvo de repente y tropiezo con el plumón de sus alas. —Brinca y queda de pie—. Hago esto: ¿ves?, ¿ves?

Está en el centro del salón, sobre una randa de *parquet* entre dos alfombras, pequeña figurilla erguida en la penumbra crepuscular. Levanta los brazos, toma impulso y gira, gira sobre la punta de uno de sus zapatos, como lo ha visto hacer a las bailarinas de la ópera. Gira. Con el vigor de su salud y un arte innato que hace liviano y armónico el movimiento. Súbitamente se detiene y estira los brazos como si atrapara algo al vuelo. Y grita:

—Lo toqué... Lo toqué... Toqué sus alas... Se me escapó... —Sus ojos deslumbrados de milagro buscan un rastro de vuelo. Se relaja y de rodillas sigue mirando arriba.

El niño también mira. Hay un silencio por el cual circula una espiral de aire. Inesperadamente, la cajita de música modula el encanto de una frase llena de reverencias palaciegas, no como suele hacerlo, morosamente: es un comentario gozoso que se enreda a los caireles de las lámparas y hace que los ecos musiten un indescifrable mensaje.

La racha ha pasado. La cajita calla. Los ecos se aquietan. El silencio es completo.

Los ojos de los niños se encuentran. No se atreven a decir palabra. Algo no debe romperse. Algo no debe comentarse.

Daniel hace funcionar las ruedas de su silla y avanza hasta Solita. Siguen mirándose. El anuncio de una sonrisa ronda sus ojos, tiembla conmovedor en sus labios. Solita levanta una mano y dulcemente la coloca en el brazo de la silla, junto a la mano del niño, sin rozarla.

OTROS CUENTOS

TIERRA BRAVIA

(Primer Premio en el concurso de "El Mercurio", de Santiago de Chile. Año 1929.)

Por la ventanita cuadriculada de vidrios diminutos, Juan Antonio echó una mirada indagadora al interior del despacho. No había nadie. Entonces entró, andando en puntillas, sonriente y emocionado, perdiendo a cada paso el equilibrio, que el equipaje en sus manos era pesada carga de kilos.

Cuando se acercaba al mostrador —dirigiéndose a la puerta que detrás comunicaba con el resto de la casa—, un perro blanco y café, un *fox-terrier* que dormitaba en un rincón, alzó la cabeza, dando un largo ladrido, sin moverse de su sitio, pero vigilando atentamente con los ojillos vivaces al recién venido.

—Ya voy —dijo adentro una voz desafinada de niña.

Juan Antonio miró con rencor al perro, puso el equipaje sobre el mostrador y aguardó, con la emoción golpeteándole reciamente el pecho.

Apareció en el vano de la puerta una jovencita que se detuvo acabando de trenzarse el pelo, con una cinta entre los dientes, entornados los ojos atentos a la obra de los dedos. Llegada al fin de la crencha castaño dorada, la ató con la cinta en lazo prolijo y, con un movimiento del busto que hizo diseñarse los pequeños senos adolescentes, echó la trenza a la espalda. Y entonces miró al recién llegado:

—Mariquita —dijo Juan Antonio saliendo de su asombro.

La tenía fija en el recuerdo tal cual la dejara ocho años antes, niña, y sin darse cuenta del tiempo transcurrido, esperaba absurdamente encontrarla igual. A pesar de la transformación, reconoció en seguida los grandes ojos café obscuro que a la distancia parecían negros, la naricilla respingona y la boca de cereza madura. Era el óvalo de la cara el que había cambiado, alargándose, definiéndose; era la expresión que tenía ahora una gravedad extraña, algo inquieto y enternecedor; era el cuerpo alto, vigoroso.

Se miraban: Juan Antonio estupefacto y encantado; Mariquita sorprendida y dudosa:

—Mariquita —dijo el joven—, ¿no me conoces?

—Usted..., usted es Juan Antonio...

Pero llegaba una mujer cincuentona, maciza, morena, con la cabeza demasiado chica, desproporcionada al resto del cuerpo. Los ojos redondeados, vivísimos, parecían cuentas de azabache; la nariz era chata, y la boca de labios delgados tenía color y frescura de juventud. El conjunto era feo, pero de extraordinaria simpatía.

—¡Mi hijo! —y abrió los brazos.

—Mamita... Mamita... —La besaba, abrazándola, sin atinar con otra palabra en su contento—. Mamita... Mamita...

La mujer se echó a llorar, con la cabeza hundida en el pecho del hijo. Pero tenía las sensaciones rápidamente dominadas por su gran carácter. Un momento después lo miraba casi tranquila, llena de preguntas y atenciones y mandados, que así era: inquisidora, bondadosa, dominante.

—¿Por qué no avisaste? No te esperábamos tan luego.

—Es que quería darles la sorpresa.

—¿Te viniste en el tren mixto?

—Sí, mamita.

—Estás más gordo. ¿Trajiste ropa de abrigo? No te vayas a enfermar, el clima aquí es muy traicionero.

—Traigo de todo.

—¿Cómo quedó la Rosa y el compadre?

—Muy bien. Muchos saludos le mandaron y unas cositas que vienen en el canasto.

—Vaya. Muchas gracias. ¿Almorzaste?

—Sí, mamita. ¿Y el taita?

—Por ahí andará... —Un amargor le desplomó las comisuras de la boca. Sacudió la cabeza como para espantar las moscas negras de una pena y volvió a sus preguntas rápidas:

—¿Traes bastante permiso?

—Veinte días. Fue imposible conseguir más.

—En fin: paciencia. Pero no nos estemos aquí como palos parados. Vamos para el comedor. ¿Tienes sed? Hay cerveza y Bilz, trae tus cosas. ¡Mariquita!... —gritó.

Y la jovencita, que estaba detrás de ella arrimada al mostrador, sorbiendo la escena, contestó cantarinamente, agudizando los finales:

—Mande, mamita Juliana.

—¡Bah! ¿Estabas ahí? Ven, pues, ven a saludar a Juan Antonio, a mi hijo, a mi hijo querido. ¿Te acordabas de ella? Está muy crecida. ¿Qué hubo, niña? Saluda. Esta chicuela a veces parece lesa.

—Tú..., usted..., bueno: ¿tú te acordabas de mí? Yo te conocí al tiro —dijo Juan Antonio.

—Sí, también lo conocí, pero no tan luego, después...

Se dieron la mano, cohibidos, sin saber renovar su fraternidad de antes.

—Miren los tontos. Desen un abrazo. ¡Por algo son como hermanos!

—Pero... —y Juan Antonio no hizo un movimiento, paralizado por una timidez invencible.

Mariquita lo miraba por entre las pestañas, esperando que hiciera un leve gesto de avance para huir despavorida, que súbitamente pensó que un abrazo de ese desconocido que tan poco tenía del Juan Antonio que ella recordaba, sería algo tan espantoso como un cataclismo.

La madre dijo riendo:

—¡Bueno el par de desabridos! En fin: dejarlos.... Mariquita, trae una botella de cerveza. ¿O quieres Bilz?

Cuándo la posibilidad del abrazo desapareció, Juan Antonio y Mariquita se sintieron livianos y alegres, y se miraron, larga y curiosamente.

—¿Qué quieres? —insistió la madre.

—¿No hay harina? Preferiría tomar agua con harina.

—Anda a moler en un volando y tú trae para acá tus cosas. Ahí se te quedan los diarios. Si viene gente, el perro avisa.

—¿Y el "Sultán"? ¿Todavía vive?

—Se murió. Este de ahora es muy habiloso. Se llama "Leal". Con la Mariquita hacen muy buenas migas.

Atravesaron un pasillo al cual abrían varias puertas. Al fondo, todo el largo de la casa lo ocupaba una galería que servía de comedor y de salita. En un extremo quedaban la mesa y un pequeño aparador, en el otro unos muebles de junco, la máquina de coser y el telar indígena con un choapino empezado. En el zócalo de madera, en la galería propiamente tal, una repisa se adornaba con macetas floridas. Una gran jaula con divisiones albergaba una colonia de pájaros inquietos y trinadores. Había varios cuadros, el retrato iluminado del Presidente Alessandri, una consola con figurillas de loza, mesitas, lanas y choapinos y flores por todas partes. Un interior modesto, pero extraordinariamente pulcro y agradable.

—Deja aquí tus cosas. Después te arreglaremos tu pieza. Está lo mismo que cuando te fuiste; lo único distinto es que le hice quitar el papel, por la humedad, y se forró con listones, así como éstos, aceitados después. ¡Es terrible la humedad en este pueblo! Yo cada día siento las piernas más reumáticas.

—¡Qué alegre se ve la galería! Parece que antes no era así. ¿Es que hay más luz?

—Está lo mismo. Fuera del hule de la mesa, que es nuevo, y de los muebles de mimbre, que se los compré a los gringos de Los Pellines cuando rematuron la casa del fundo, todito lo demás está idéntico.

—Pero antes no había plantas, ni flores, ni pájaros.

—Esas son cosas de la Mariquita. No piensa nada más que en eso. Todos los cajones vacíos los hace almácigos; todos los tiestos los arregla de floreros y cuanto pájaro pilla lo mete en la jaula. Antes vivía como cabra loca corriendo por la montaña: ahora no la dejo. Está siempre a mi lado, sí, siempre.... Es muy buena esta chiquilla, tan trabajadora, tan formal, tan cariñosa. ¡Pobrecita! ¡Ay, Señorito querío! —y nuevamente la boca de la mujer se desplomó de amargura.

—¡Con qué cara más triste celebra a la Mariquita!

—Pobrecita....

—Pobrecita; ¿por qué?

—Por nada. Ideas.

Hubo un silencio. De afuera —del pequeñito edificio aislado que era la cocina— llegaba el girar del molinillo deshaciendo el trigo tostado. En la jaula un chincol dijo una frase de sílabas trinadas, una pregunta que tembló largamente en la quietud.

—¿Y el taita? ¿Dónde anda?

—No sé —contestó rápida la madre, y luego, recelosa, mirándole bien a los ojos—: ¿Por qué lo preguntas?

—Por saber —lo dijo sosegadamente, con una especie de indiferencia.

—¡Ah! —y tranquilizada de una inquietud, explicó con amargura:

—Estará en la cocinería o donde la Micaela, jugando, emborrachándose o remoliendo. No hace otra cosa.

—¿No viene para acá?

—Demasiado, desgraciadamente.

A Juan Antonio no le chocó la frase.

Casada por cariño y contra la voluntad de sus padres con el telegrafista recién llegado a la estación, Juliana Silva pudo, luego darse cuenta de que todo lo malo que le dijeran de Abdón Vásquez era verdad. A los dos años de casada la ruptura era definitiva. Pero el calvario de esa desilusión sólo ella lo sabía, que, reconcentrada en su fortaleza, nunca se confió a nadie. El hombre jugaba y se emborrachaba. Esto, fuera de los enredos con mujeres. Era un ser extraño, de egoísmo e hipocresía. Servía bien su puesto. La pequeña estación de ramal tenía sólo movimiento diurno. A las ocho de la mañana, puntualmente, sin otro síntoma de excesos que la nariz enrojecida y los ojos lacrimosos en las cuencas hondas, Abdón Vásquez estaba en la oficina. Volvía para almorzar a la pieza en que vivía pobremente con Juliana y ya había sufrir para la mujer oyéndolo quejarse:

—Para comer estas porquerías me casé yo. ¡Hasta cuándo irá a vivir tu cochino de padre! ¿No hay vino? ¡Ah!...

Y seguía la cantinela amargadora, porque los padres de Juliana, poseedores de un despacho en el pueblo y de una hijuela cercana, disgustados con la hija por su matrimonio, no la veían siquiera y menos la ayudaban a vivir. Y era claro que Abdón Vásquez apenas tenía con el sueldo para satisfacer sus vicios. Y Juliana, al poco de casarse, tuvo que coser para poder mantenerse, que el hombre no sólo no le daba dinero, sino que exigía buen albergue, buena pitanza, buena vestimenta.

Por más que hizo Abdón Vásquez no consiguió reconciliar a la mujer con sus padres ni menos reconciliarse él. Y cada vez más cínico, acabó por perder el buen comportamiento en la oficina y quedar cesante, que lo despidieron, y entonces empezó para la mujer la peor de las épocas con el hombre escandalizando el día entero, borracho y lleno de deudas. Hasta que un día desapareció misteriosamente, dejando a Juliana con el niño pequeño, la vergüenza del recuerdo, el peso de las deudas y la amargura de su vida rota.

La recogieron sus padres.

Poco después el viudo de su hermana menor moría y Mariquita llegaba a refugiar su infancia en casa de los abuelos.

Así, Juan Antonio y ella crecieron como hermanos.

Y los años al pasar se llevaron a la abuela y después al abuelo y quedaron solos Juliana y los niños a cargo y propiedad del despacho. La hijuela la heredó la hermana mayor, casada con un empleado en las salitreras nortinas.

Ya muchacho Juan Antonio, el tío y padrino quiso llevárselo a la pampa, que los sueldos eran tentadores en esa época de auge salitrero. Allá podía formarse una buena situación. La madre lo dejó irse, ansiando para Juan Antonio mayor horizonte, otro porvenir más holgado. Quisieron que ella se fuera también, pero se negó, apegada al terruño firmemente.

La vida transcurría tranquila cuando apareció Abdón Vásquez hecho una miseria física y moral. No pedía sino que lo recibieran, que le dieran de comer. Era un perro vagabundo implorando una piltrafa. ¿Qué hacerle? Juliana lo recibió.

Al principio todo marchó bien. Limpio, remozado y humilde, Abdón Vásquez se levantaba temprano —le habían arreglado una pieza al lado de la bodega, en el fondo del sitio—, desayunaba en la cocina y se marchaba a la calle para volver a la hora de almuerzo. Se iba nuevamente, apareciendo a la hora de comer, algo alegrillo, pero sin llegar nunca a la franca borrachera. Comía y se acostaba.

Pero empezó a cobrar confianza. Quiso una pieza en la casa. Pidió dinero. Llegaba borracho. Formaba escándalos. Y para Juliana y Mariquita empezó una vida de sobresaltos, de vergüenzas y de sufrimientos.

Entonces Juliana le escribió al hijo que viniera.

Por eso a Juan Antonio no le chocó la frase. ¡Pobre mamita! Cuando ella, tan reconcentrada, dio el grito de auxilio que era su última carta, tenía que ser porque la situación se hacía intolerable. Y queriendo ver a Abdón Vásquez e imponérsele, temía ese momento Juan Antonio, que al fin dentro de él, contra la realidad y contra su voluntad, existía una idea de padre a quien querer y respetar, una sombra que le era grata y que pronto debía morir a manos del propio padre.

Llegaba Mariquita trayendo en una bandeja el tarro con la harina y una botella con agua, esa agua de fuente montañesa, tan helada que empaña el recipiente.

Allegó una mesita a Juan Antonio, puso la bandeja encima, fue al aparador en busca de una cuchara, un vaso y el azucarero, y al fin dijo:

—Sírvase.

—Muchas gracias.

El recuerdo molesto del padre se había alejado. Miraba a Mariquita pensando en que sería bueno recordarle la infancia correteando juntos por las montañas, las travesuras que disimulara para cargar sólo él con el castigo, las idas a la escuela con más deseos de holganza que de llegar a tiempo a clase, las tareas hechas en compañía, que si ella tenía facilidad para aprender la historia, la geografía y el castellano, nunca atinaba con los problemas de aritmética, de lo que sufrió al saber que iban a separarse, de la tristeza en un hogar extraño, en la desolación del paisaje pampino, de la alegría que eran sus cartas de cariñosa confianza, de su ansia por volver a verla. ¿Por qué no decirle todo eso?

La observaba a hurtadillas. Estaba de pie junto a la mesa, con los ojos entornados, muy negros entre las pestañas extraordinariamente tupidas y largas y crespas. Sobre el labio, un poco hacia la mejilla, un lunar era una pinta tentadora. Llamaba un beso. Juan Antonio no recordaba habérselo visto.

—¡Qué callados estamos! —dijo la madre—. Cuenta algo de mi hermana, ¿cómo está?

—Muy bien, da gusto verla con tanto hijo grande y ella tan joven, que parece la mayor de todos. Hace poco le pasó…

Y siguió contando, sin dejar de darle sus miradas al lunar de Mariquita, subiendo a veces la mirada del lunar a las pupilas obscuras, atraído y rechazado por esa juventud tan distinta y tan igual a la niñez que él dejara.

Acababan de comer cuando apareció Abdón Vásquez por la puerta de la galería. Venía de mal talante y a media borrachera.

Juliana echó una mirada de angustia al hijo. Parecía pedirle perdón por haberle dado aquel padre. Juan Antonio lo observaba atónito: por mucha ruina que esperara, no alcanzó a figurarse ésta.

El hombre venía en camisa, rotosa y manchada de vino; con el pantalón caído por las caderas, abolsado en el trasero y en las rodillas; a medio atar la faja, calzando un zapato y una ojota. La cara se perdía entre las barbas y los pelos revueltos. Asomaba la nariz, granujienta y rojiza, y los ojos de alegría borracha, de estupidez o de cinismo. Hedía. Andaba de medio lado, tambaleándose, deteniéndose, manoteando como si apartara algo frente a los ojos, hablando consigo mismo, con los presentes, con otros seres imaginarios.

—Coman no más. Claro, ¿no te decía yo? A ti no te toman en cuenta, ¿para qué? Come la señora, come la señorita, come el mozo, come el quiltro. Pero el caballero de la casa no come. ¿Ah? Mire, señor: le ruego que no me moleste..., ya hace rato que se lo estoy diciendo...; no friegue más... ¿Ah? Buenas noches, Mariquita...; buenas noches, m'hijita linda...; bue... No moleste, le vuelvo a decir... ¿Ah?

Había descubierto a Juan Antonio y lo miraba de hito en hito. Juliana dijo, como si las palabras le escaldaran los labios:

—Mire, Abdón, éste es Juan Antonio.

El hombre no entendió. Apartando la vista de Juan Antonio, volvió a hablar sin ilación:

—¿Ah? ¿Qué dice?... Yo llego a la hora que quiero. Por algo soy el caballero de la casa..., sí, de la casa... ¿Ah?... El patrón, el dueño... ¿Ah?... Mire, no vuelva a molestar... Oiga, Juliana, dígale que no me moleste... Yo llego a la hora que quiero... ¡Miren el mozo de porquería intruso!... ¿Ah?...

De unos pasos seguidos llegó hasta la mesa, yéndose de bruces sobre ella. Juan Antonio se había puesto en pie, con la intención de saludarlo. Un rechazo que casi era asco lo inmovilizaba.

—Mire, oiga —Juliana le hablaba a gritos—, llegó Juan Antonio, aquí está.

—¿Ah? ¿Juan Antonio? ¿Quién es Juan Antonio?

—Mi hijo.

—¿Ah? El hijo de nosotros... Vaya... Vaya... —Había logrado posar los ojos y la atención en el joven y, de pronto, enternecido, con esas súbitas transiciones de los borrachos, se abalanzó a abrazarlo—. Mi hijito..., mi hijito lindo... ¿Ah? Tanto que lo echaba de menos...

Juan Antonio se dejaba abrazar, dominando el asco.

—Mi hijo... Claro, pues, es mi hijo... ¿Ah? Mi hijito... Dile a tu mamita que me respete..., que me dé platita... Me tiene peor que pobre limosnero... ¿Ah? Y a la gata de la Mariquita dile que sea cariñosita..., cariñosita... ¿Ah? Mi hijito...

Juan Antonio lo separó, obligándolo a sentarse. Pero no quiso. Se alzó a abrazarlo nuevamente, para seguir con sus majaderías, sus babas y su hediondez. Tuvo una convulsión física de asco y de un brusco movimiento lo separó. Abdón Vásquez vaciló, apoyándose en la mesa para no caer. Dijo una palabrota.

—Váyase para su pieza —ordenó Juliana.

Le contestó con un insulto. Entonces, Juan Antonio, exasperado, lo cogió por un brazo y quiso empujarlo hasta la puerta. Pero el hombre se sujetó a la mesa y aumentó las injurias. Juan Antonio lo desprendió de un sacudón y en vilo lo llevó hasta el patio. Y volvió a entrar, cerrando la puerta con llave.

—¡Qué vida! —dijo la madre.

Juan Antonio la miraba con las cejas unidas en una horizontal de preocupación.

—Hay que irse. Hay que realizar todo esto e irnos los tres al norte. Es la única manera de que tengamos una vida tranquila.

—¿Y él?

—Se queda aquí. Se le paga pensión en alguna parte, se le da una mesada y asunto concluido.

—Es lo mejor. Ya lo había pensado yo antes; pero quería que fueras tú quien decidiera.

—¿Qué te parece a ti, Mariquita? —preguntó Juan Antonio, y se quedó espantado de verla tan desencajada, con tal temblor en la boca y tan hondo terror en los ojos. Dijo avanzando hasta ella—: ¿Qué tienes, qué tienes, niñita?

—Yo.... —y se echó a llorar, tapándose la cara con el pañuelo.

La miraba sorprendido. ¿Por qué lloraba? ¿Pena de irse? ¿Por qué? Faltaba que la chiquilla tuviera algún pololo.... ¿Un pololo? Le fue insoportable la idea de que pensara, de que sonriera, de que hablara de amor con algún muchacho.

—¿Por qué lloras? —preguntó violentamente, separándole el pañuelo de los ojos. Apareció la cara llena de lágrimas y contestó con los ojos de verdad en los ojos de ansia:

—Es de gusto porque nos vamos.... Le tengo tanto miedo.... —y con el gesto señaló a la puerta por donde saliera el borracho.

—¡Ah! —Se le aflojaron los músculos, y sonriendo, con la mano de ella entre las suyas, dijo alegremente—: Allá no tendrás miedo a nadie. Todos te queremos tanto.... Y vas a ver qué lindo es el viaje; vamos a andar en tren, en vapor; conocerás el mar, tu gran curiosidad. Porque tú siempre en tus cartas me decías que querías conocerlo. Nos iremos en un barco inglés. Lindo, ¿no?

—Sí. Tú me mandaste unas tarjetas con vistas de un barco. El "Oropesa". ¿No te acuerdas? Las tengo guardadas en la cajita japonesa que traía chocolates, la que me llegó para Pascua. ¡Oh, qué bueno que nos vamos!... ¡Qué descanso para todos, para la mamita Juliana y para mí!... ¿No es cierto, mamita? Oye, Juan Antonio, ¿llevaremos al "Leal"?

Hablaban encantados. Juan Antonio tuvo la sensación de que sólo entonces encontraba a la Mariquita que fuera compañera de su infancia. Y la muchacha, de pronto, notó que su mano estaba en la de Juan Antonio y nada hizo por retirarla, que de pequeños siempre estaban así, confiada y fraternalmente.

La madre, suspirando, se dejó caer en un sillón, como quien luego de una ruda jornada logra la quietud dichosa.

Emprendieron la excursión a media tarde, cuando un airecillo empezaba a refrescar el pueblo del bochorno de la siesta.

Atravesaron la calle principal de la aldea, una de esas aldeas sureñas, enclavadas en las montañas, con las casitas de madera y las gentes sencillas en apariencia. Pero con una fuerza de pasiones salvajes dentro, que cualquier choque hace estallar una tragedia. Ya en las afueras, tomaron rectamente hacia la montaña.

Adelante iba el perro, corriendo detrás de las mariposas, sin lograr nunca alcanzarlas; lo que atrapaba eran vilanos que traía a Mariquita, triunfalmente, con el rabo loco de alegría y los ojos humanos de expresión.

Entre los robles, los pellines, los palosantos, los raulíes y lingues alzaban las quilas sus largos brazos temblorosos, los maquis se veían negros de frutos maduros, los helechos se abrían en apretados mazos y las copihueras subían por los troncos en un vértigo de altura. Cantaban los pájaros su gozo del atardecer y el agua de las vertientes decía el contento.

Era una exuberancia de vida que aturdía, que embriagaba. Daban deseos de piruetear, de gritar. Mariquita dijo a Juan Antonio:

—Qué ganas de ser una abeja para volar alto o un pájaro que canta mucho o un animalito para revolcarme en el pasto. No te rías.

—Si no me río, es que estaba pensando lo mismo. ¿Te gusta mucho la montaña?

—La adoro —y abrió los brazos como para apoderarse del paisaje.

—La echarás de menos en el norte. A mí me costó acostumbrarme. Vieras que es triste allá.

—Estando con la mamita y contigo, yo me hallo en todas partes.

La miró, feliz con la afirmación rotunda.

Avanzaban cada vez más trabajosamente, que ya no había sendero y los palos secos y las enredaderas dificultaban la marcha. Iban hacia una hondonada que fuera testigo de sus juegos infantiles. Juan Antonio no recordaba el camino y Mariquita tenía que hacer lujo de explicaciones para hacérselo recordar.

—De este árbol nos robamos una vez un nido de diucas, y después, cuando sentimos a los pájaros, a la mamá diuca y al papá diuco, piar arriba con tanta pena, tuvimos lástima y tú volviste a poner el nido en su rama. ¿Te acuerdas?

—No, verdaderamente.

—Y te rompiste el pantalón y yo me puse a llorar pensando en que iba a retarte la mamita Juliana, y tú me consolabas y me abrazaste y me besaste.

—Te abracé y te besé...

Se dieron una rápida mirada, separaron los ojos y volvieron a unirlos: Juan Antonio, sonriendo maliciosamente; Mariquita muy serena. Y callaron.

Empezaban a bajar el flanco de la hondonada, resbalando un poco, rodando otro tanto, para llegar al agua que centelleaba en el fondo lleno de hierbas y briznas, oliendo a tierra bravía, acalorados, jadeantes y sedientos. "Leal" los esperaba con un palito en el hocico, que vino a traer a Mariquita.

Se sentaron.

—Tengo hambre —dijo Juan Antonio.

—Yo tengo sed.

Juliana les había preparado un paquete con vituallas. Lo abrieron golosamente. "Leal" se acercó, atento a sus movimientos, con un aire discreto de niño bueno que aguarda su turno pacientemente.

Aparecieron un pollo asado, huevos duros, manzanas, pan de dulce, tortillas de rescoldo, queso y dos botellas de cerveza.

—Yo tengo sed de agua —dijo Mariquita.

Fue hasta el riachuelo y sumió la mano hecha un cuenco. Pero el agua escurría entre los dedos y apenas si alcanzaba a beber unas gotas cada vez.

—Yo también quiero —dijo Juan Antonio acercándose.

—Toma, pues. Harta hay.

—Es que yo quiero en ese vaso...

—¡Ah! —y se quedó mirándolo perpleja, hasta que al fin, riendo, sumió nuevamente la mano en el agua y la alzó rápida hasta la boca del joven—. Ya, ya, que se está saliendo toda.

¿Bebía el agua? ¿Besaba la mano? No lo sabía, que era una embriaguez sentir la piel dorada, suave y fresca bajo sus labios. La muchacha parecía atenta sólo a que el agua no se escurriera, apretando los dedos con mayor tino. Desconcertante en su simplicidad.

Otra mujer haciendo eso hubiera sido una coqueta refinada. Otra mujer... ¡Juan Antonio había conocido tantas! Y le fue infinitamente querida por poder colocarla aparte, en sitio único, que sólo ella podía hacer lo que estaba haciendo, y ser sin malicia y dejarlo sin pensamiento turbio, pero temblando con la emoción de no sabía qué sentimiento.

Cierto que ninguna mujer era su hermana. ¿Su hermana? Mariquita no lo era. ¿Hermanos? Le fue insoportable esa idea hasta entonces familiar.

Volvieron en busca de las vituallas, vigiladas siempre por el perro, inquieto, bostezante, relamiéndose, que debía haber sido un suplicio tener todo aquello a su alcance y no tocarlo.

Mariquita despresó el pollo y alargó el cogote del ave a "Leal". El perro lo tomó delicadamente entre los dientes, dio una mirada a la muchacha y otra al resto de la pitanza, se alejó unos pasos y devoró presuroso.

—¿Qué quieres tú?

—Pollo.

—Sírvete, entonces.

Le dio fastidio verla tan tranquila. Le hubiera gustado que huyera los ojos a su mirada, que balbuceara alguna respuesta, que se ruborizara. Pero en los ocho días que llevaba allí siempre la encontró idénticamente serena. Le daban ganas de decirle un disparate. Pero no podía. Cuanta cosa iba a decirle se le volvía suavidad de terneza. ¡Lo que faltaba era que se estuviera enamorando de la chiquilla! Y que ésta no lo quisiera o que lo quisiera sólo como a un hermano y tuviera por ella el penar para siempre.

—¿Por qué estás tan callado?

—Pensaba...

—¿En qué?

—En que llegaremos al norte y te casarás.

—Las cosas tuyas...

—¿No te gusta esa perspectiva?

—No.

—¿Nunca has querido a nadie, Mariquita, querer de amor?

—No, nunca he querido a otras personas que a la mamita y a ti.

—¿A mí? ¿Me querrás, me querrás de verdad?

—Pero claro, pues.

No era la primera vez que le daba esa respuesta. Ya en otras ocasiones contestara en igual forma a sus preguntas.

—¿Se te pasó el hambre? No has probado nada. Y si te descuidas, entre el "Leal" y yo nos lo comemos todo.

El perro había vuelto a ocupar su sitio, digno y atento. Mariquita le alargó un hueso y "Leal" se fue al mismo sitio a comérselo.

Juan Antonio pensó una audacia y la dijo sin detenerse, esperando que al oírla la muchacha se enojara:

—Mariquita, ¿quieres dejarme que te bese el lunar?

Muy sosegadamente se limpió la boca con la servilleta y le presentó la cara, diciéndole:

—¿Por qué no?

—Mariquita... —reprochó.

—¿Qué?

—¿Así es que te dejas besar por cualquiera? —el reproche se hizo acritud.

—Tú no eres cualquiera, eres Juan Antonio, mi hermano.

—No soy tu hermano. ¡Dale con la historia del hermano! No quiero ser tu hermano. Hasta cuándo vas a entender. No quiero ser tu hermano, no quiero, no quiero...

Hablaba contra su voluntad, arrastrado por el deseo de molestarla, de herirla, de hacerla al fin romper su actitud. Sentía vergüenza de sus palabras y las lanzaba rápidas, duramente.

Mariquita lo escuchaba con los ojos dilatados de estupor y la boca temblorosa de pena. No quería ser su hermano... Renegaba de ella... Una ola de amargor la anegó. Sintió que iba a llorar, y como una criatura, con la voz engolada por los sollozos, dijo lamentable y deliciosa:

—Voy a llorar...

Y lloró grandes lagrimones, que transformaron a Juan Antonio, que lo hicieron perder toda otra idea que no fuera darle cariño consolador.

Se acercó a ella, obligándola a levantar la cabeza, para dar con sus ojos y secárselos y mirárselos y decirle toda su terneza y todo su arrepentimiento.

No supieron cómo se encontraron las bocas en un largo beso. Cuando las separaron, Juan Antonio murmuró:

—¿No ves que era imposible ser como hermanos?

Fue cosa rápida realizar el negocio, que estando bien acreditado hubo quien se interesara por el traspaso de las mercaderías y el arriendo del local.

A Abdón Vásquez le habían encontrado pensión en casa de la Micaela, una mujerota medio celestina que fuera la única en aceptarlo. Además, el maestro de escuela quedaba encargado de administrar los dineros que ellos enviarían.

No fue fácil hacer que el hombre se conformara a esta nueva vida. A las primeras palabras de Juliana formó un escándalo de protestas; sólo cuando intervino Juan Antonio lo aceptó todo. Pero vomitó sobre ellos maldiciones y promesas de venganza.

Ese mismo día trasladaron sus cosas a casa de la Micaela y desde entonces lo vieron tan poco que casi se olvidaron de él. A veces lo divisaban rondando la casa. Otras le mandaba un papelito con un chiquillo a Juan Antonio, para pedirle cinco pesos prestados.

Sin la presencia turbia del hombre en la casa había una atmósfera de quieta alegría. Juan Antonio y Mariquita se enredaban cada día más en su mutuo cariño y la madre —adivinadora— gozaba de esa dicha que se preveía firme y duradera.

Estaban próximos a partir, con el equipaje listo, un equipaje que costara muchas palabras a Juan Antonio, ya que las mujeres se empeñaban en cargar con mil inutilidades y el muchacho había de convencerlas de que era preciso llevar sólo lo indispensable.

Era la última noche que debían pasar en el pueblo. Dando Juliana un último vistazo a sus cuentas; acondicionando Juan Antonio unos paquetes, desesperado al ver los muchos que eran, tratando de reducirlos a uno solo; en grande e inútil actividad Mariquita, que con muchas zalamerías quería convencerlo de la absoluta necesidad de llevar al perro.

Pero Juan Antonio no se dejaba embaucar.

—Si es tan lindo. Fíjate cómo me sigue.

—No lo dudo.

—Si me dejas llevarlo te doy un besito.

—Ya me lo darás, aunque no lo lleves.

—Juan Antonio: eres malo y no me quieres.

Se hizo el desentendido y dijo:

—No sé cómo diablos voy a arreglar este mundo de paquetes. ¿No habrá por ahí un gangocho grande?

—Debe de haber en la bodega.

—Llama al mozo para que vaya a buscar uno. Con papeles es inútil arreglar todo esto. Y todavía, apuesto cualquier cosa a que antes de irnos salen con otros "paquetitos" que quieren llevar.

—Regañe, hijito, regañe, que así luego se pondrá viejo.

—¿Quieres llamar al mozo?

—Salió. Fue a la botica a dejarle a doña Filomena un recuerdo que le manda la mamita.

—Anda tú, entonces, ¿quieres? Tráete un gangocho que no esté muy sucio. ¿Te dará miedo?

—Pero no... Soy muy valiente..., ahora... —agregó, como mirando un motivo de terror que hubiera desaparecido.

Y salió, sonriéndole, luego de encender un farol y de tomar una llave del quicio de la puerta. El perro se fue tras ella.

Juan Antonio siguió su monólogo interno contra los paquetes. Unía los más pequeños, les buscaba ajuste para formar una masa cuadrada.

El perro, en el fondo del sitio, empezó a ladrar frenéticamente. De pronto dio un aullido doloroso, como si un golpe lo hubiera alcanzado. Y volvió a ladrar, luego de un silencio, con mayor frenesí aún.

Juan Antonio, absorto en su tarea, no le prestaba atención.

Llegó Juliana del despacho.

—Parece que anduviera gente en el sitio —dijo.

—Es la Mariquita que fue a la bodega a buscar un gangocho.

—¿Sola? —exclamó la mujer en un grito.

—Sí, ¿por qué?

—Abdón... —y salió corriendo.

Juan Antonio, despavorido por un presentimiento, echó a correr detrás de ella. Afuera había una noche opaca, que el cielo se estriaba con enormes nubarrones negruzcos. Una que otra estrella asomaba por los trechos de cielo, plateada y temblorosa. Corría viento norte, tibio y caliginoso, anunciador de lluvias. Y el perro seguía apedreando el silencio con sus ladridos.

Les sirvió de guía. Frente a la puerta de la bodega divisaron las sombras luchando.

—Suéltala..., condenado..., suéltala... —gritó la mujer.

—Ma... —alcanzó a decir Mariquita, porque Abdón Vásquez le echó la manta por la cabeza y le sofocó la voz.

Trataba de arrastrarla adentro y cerrar la puerta de la bodega. Encerrado, aunque los otros llegaran —sentía su carrera y sus gritos—, podía hacer tranquilamente lo que quería. La muchacha no atinaba a defenderse, medio ahogada. Pero "Leal" se aferró a una de las piernas del hombre, y por tirarle una patada, en lo que echó en volverse, Juan Antonio estuvo a su lado con tal horror en las entrañas por lo que podía haber pasado, que una niebla le tapaba los ojos, con tal ira en el alma por la monstruosidad aquella, que los dientes le castañeteaban.

—¡Ah! —rugió.

El hombre —a quien el deseo y el alcohol habían vuelto una fiera— buscó en la faja y rápidamente asestó una puñalada que rajó el pecho del hijo.

—Para que me las paguen todas juntas ahora...

Juan Antonio dio un gemido y se apoyó en la puerta tambaleándose. El hombre huyó.

Llegaba Juliana.

—Mariquita... Mariquita...

—Está ahí —contestó el joven, feblemente—. No le pasó nada a ella... La madre se desentendió de la chiquilla y se abalanzó a abrazarlo.

—Mi hijo... Mi hijo... ¿Que tienes?

—No es nada, mamita, no es nada...

—¿Qué tienes? ¿Qué pasó?

Y como tocara la humedad pegajosa de la sangre:

—¿Estás herido? ¿Herido? ¡Oh!...

—Si no es nada, si es un rasguño... Mire, déjeme moverme. Déme su pañuelo...

Mariquita se había quitado la manta y miraba con ojos estúpidos.

—Mamita... Mamita... ¿Qué pasó?

—Nada. Este que se hizo un rasguño. ¿Te duele?

—No mucho.

—¿Pero qué pasó?

—Dios averigua menos y perdona —contestó Juliana—. Tómate de mi brazo y vamos para la casa.

—Pero, mamita, ni que me estuviera muriendo.

Se pusieron en marcha. Adelante Juliana con el hijo, detrás la Mariquita lloriqueando y el perro a la siga.

En la galería Juan Antonio se sentó para que la madre le hiciera una curación. La herida era superficial. Los dos tranquilos y sin comentarios; Mariquita aún entontecida. Tenían la sensación de que allá afuera habían transcurrido años. Un mismo pudor les hizo callar. Juan Antonio y Mariquita se escudriñaban, como si temieran encontrarse distintos. Les parecía maravilloso verse idénticos.

Al joven no le bastó mirarla; alargó la mano y la atrajo para convencerse de que en realidad la tenía a su lado en cuerpo y alma. La madre, reconcentrada, parecía rezar con el temblor de los labios. No daba otro signo de emoción.

—¡Pobrecita! —dijo murmurando las palabras Juan Antonio—. ¡Cuánto tendremos que quererte para que olvides! ¡Piensa que desde mañana empezaremos otra vida!

—¿Con el "Leal"?

—Con el "Leal". Lo llevaremos. Y él también tendrá otra vida desde mañana.

—¡Otra vida! —dijo como un eco la madre.

—¡Otra vida! —murmuró Mariquita.

Y se quedaron silenciosos en la espera de ese mañana que era el comienzo de la nueva vida.

EL ZARCO

Más allá de la bajada de los Caracoles empezó la lluvia a darnos papirotazos con gruesos goterones. Era ya de noche en la quebrada que seguíamos, y arriba, sobre los picachos cordilleranos, unos nubarrones se unían a otros nubarrones, formando un espeso capote gris, negruzco, viejo, desgarrado a trechos, dejando ver la vestimenta azul del cielo en que un botón rutilaba esplendente. Ibamos al paso de las cabalgaduras, mulas hechas a estos caminos peligrosos, sabias en el andar firme, engullidor de leguas. Aún nos faltaba buen trecho que hacer para llegar al sitio donde pernoctaríamos, y cada vez la noche se espesaba más, subiendo por las laderas hasta llegar arriba y confundirse con los nubarrones, formando una masa densa que parecía entrarse por los ojos, por la boca, por los oídos. Solía pasar volando bajo un pájaro de presa, y en lo profundo de la quebrada el río decía su enfado con las piedras que le formaban remolinos de espuma. Las mulas llevaban un paso silencioso, con la madrina adelante, en tintineo jovial, y todos nosotros —capataces, arrieros y yo— fastidiados por aquella lluvia que nos deshacía el agrado del viaje "al otro lado" en busca de un piño de vacunos que mi padre comprara a un estanciero del Neuquén. Fastidiados: ellos, por lo que la lluvia podía significar para mí de molestia, mujer como era de ciudad sin curtidura de vientos, de soles ni de lluvia, creían ellos. Fastidiada: yo, por el prejuicio que mi vida ciudadana ponía en ellos respecto a mi resistencia, y queriendo a cualquier precio demostrarles lo poco que la lluvia me importaba. Pedí el poncho de castilla que en las noches me servía de abrigo cuando dormíamos a campo raso, lo eché sobre mis hombros, alcé el cuello, bajé las alas del cucho maulino y seguí estoicamente bajo la lluvia, que ahora hacía caer sobre nosotros una rociada fina y pareja.

—¡Condenado tiempo! —dijo un arriero junto a mí.

—Tenimos agua pa rato... —exclamó el viejo Pancho con inquietud— Lo pior es por usté, patroncita.

—No se preocupen por mí, voy muy bien...

Iba bien, sí, al comienzo, pero poco a poco la manta pesaba sobre los hombros, al par que en las piernas empezaba a sentir la caladura del agua. Y el demonio del cucho maulino, que era mi orgullo, se iba transformando en un trapo mojado que se pegaba a mi cabeza echando por las mejillas dos canales que desembocaban en el cuello, entrándoseme entre la manta y la chaqueta del traje de montar. Seguíamos andando, despacio, que la lluvia hacía resbaloso el camino otra vez en bajada. La ropa se me pegaba cada vez más al cuerpo, y ya transida, el camino se me hizo intolerable. Por eso, cuando el viejo Pancho dijo con su habla sentenciosa:

—Mejor será, patroncita, que subamos un poquito pa lo alto, buscando la casa de piedra del Zarco. De aquí allá no tenimos más de media hora de camino. Podimos alojar ahí. El Zarco es un chileno que vive por estos laos, medio ideoso, pero güena persona. En cambio, si seguimos pa lo del amigo Clodomiro, tenimos tres horas más de mojadura.

Cuando el viejo Pancho habló así, sentenciosamente, sentí tal terneza por su lealtad vigilante, que me hubiera echado en sus brazos como cuando do era pequeña y me cargaba para llevarme por la montaña —buscaba en ella al lobo de la Caperucita—, y cuyos caminos largos y ásperos me cansaban. Pero contesté por conservar mi empaque:

—Por mí no vale la pena desviar rumbo.

Y como, de pronto, me diera pavor ser creída, agregué muy ligero:

—Pero como las bestias han de estar cansadas, será mejor tirar para donde dice don Pancho. ¿Por dónde se va?

—Vamos llegando al atajo que debimos tomar.

La lluvia seguía cayendo fina y penetrante y en la cara era como una araña que tejiera una red complicada, enervadora, que hacía inclinar la cabeza buscando defenderse de sus hilos helados. Las manos me caían inertes sobre el arzón, y las riendas flojas estaban en poder de Pancho, que desde hacía rato llevaba mi cabalgadura de tiro. Y en el último retazo de camino en fuerte repechada, era yo una especie de pelele, sin músculos, sin ideas, fofa de cansancio y frío.

Hasta que, de súbito, la mula se detuvo, y una luz me dio en los ojos. Un cuadro amarillo se abría enfrente, una puerta y en su vano un hombre que parlamentaba con los arrieros que se adelantaran y que ya estaban descabalgados.

Me bajó el viejo Pancho de la silla y en vilo me depositó adentro, en la casa sin silueta, fundida a la montaña, a la sombra y a la lluvia. Afuera había movimiento: los hombres desensillaban y descargaban las bestias, hablaban, reían, pasaban y repasaban frente a la puerta abierta, abierta porque el viejo Pancho entraba y salía trayéndome la bolsa que contenía mis ropas, la caja de *picnic*, un brasero con carbones rojos, una tetera que se puso a cantar su canción de hogar, un vaso de aguardiente que me hizo beber aunque me ardiera al pasarlo. Y luego me dejó sola para que cambiara de ropa.

Hasta mucho después, ya con la reacción del fuego, del aguardiente y de la vestimenta seca, no empecé a curiosear con la mirada la habitación donde estaba, una extraña construcción de piedra en que se habían aprovechado oquedades de la roca viva. Una puerta comunicaba con el corredorcillo que corría afuera y otra puerta comunicaba con la segunda habitación, oquedad más pequeña que, como la primera, había sido trabajada a cincel para dar a las paredes superficies lisas. Había unos pocos muebles de rústica hechura, y en el piso —también de piedra— unos choapinos y unos cueros de puma eran la nota confortable. La pieza en que estaba era el dormitorio. La otra, el comedorcito. Todo ello en orden y aseo a la luz de un reverbero a parafina.

Salí al corredorcillo y como no hallara a nadie, grité:

—¡Pancho! ¡Pancho!

Una voz contestó cerca de mí, bajo la lluvia y desde la sombra:

—Ya viene, señorita; está acomodando a la gente en una cueva que hay más allá, en la cueva del Chivo, que le llaman.

—¡Ah! ¿Quién habla?

—Soy yo, señorita, el que vive por estos lados y al que nombran el Zarco.

—Buenas noches. Muchas gracias por su alojamiento. Lo vamos a molestar; perdónenos; pero llovía demasiado para seguir camino...

—Estoy muy contento de poderles servir a ustedes, a usted, sobre todo, señorita.

—Muchas gracias.

Y como hubiera un silencio y siguiera viendo al hombre frente al corredorcillo, impertérrito bajo la lluvia, dije, pensando en la sensación agobiadora que sintiera antes, recibiendo ese chorro continuo:

—Véngase acá, no se esté en esa forma calándose.

—¿Qué importa, señorita?...

Cuando estuvo bajo techo, dijo modosamente:

—Con su permiso...

Se sacaba la manta, y con un gangocho que cogió de un rincón se limpió las altas botas de cuero. Luego se lavó las manos, y entonces vino hasta cerca de mí, diciendo:

—¿Quisiera servirse algo la señorita? ¿Un matecito para calentarse? No es mucho lo que tengo para ofrecerle; hay que tomar en cuenta sólo la buena voluntad. Tengo charqui... Si gusta, le puedo hacer en un volando un valdiviano. También tengo huevos y queso y mantequilla y tortillas de rescoldo también... Leche no tengo nada, porque esta mañana me dieron vuelta el tarro los condenados de los perros...

Hablaba con una voz humilde, con pausas entre frase y frase.

—Amigo, me ofrece usted un verdadero banquete. Pero no se moleste. Esperemos que llegue Pancho con las provisiones que nosotros traemos.

—Ustedes son mis alojados y no me van a despreciar...

—Tiene usted razón, amigo. Acepto su pan y su sal.

—Hace mucho viento; mejor será que entre para acá.

Era verdad. La noche se helaba con ráfagas que sonaban como trallazos sobre los altos árboles, como silbidos entre la madera del corredorcillo. Entramos al comedor.

El hombre fue colocando sobre la mesa el mantel de burda tela, unos cubiertos, una fuente con tortillas de rescoldo, un plato con queso, otro con mantequilla, un salero, una soperita diminuta con ají. Y luego trajo un cántaro con agua, uno de esos cántaros que se hacen en Quinchamalí, trabajados en greda negra en forma de una mujer que toca la vihuela, ancha la falda, delgada la cintura, arqueados los brazos sobre el instrumento pequeñito, la cara risueña, y en la cabeza una chupalla abierta en la copa, vertedero para el líquido que se echa adentro, todo ello decorado con motivos indígenas, grafismos en rojo, blanco y amarillo.

—¡Bah! —dije—. ¡Una greda de Quinchamalí! ¿Dónde la consiguió usted?

—Me la mandaron de mi tierra —contestó el hombre lentamente.

—¿Es usted chillanejo?

—Sí, señorita, chillanejo.

—Yo también lo soy, amigo.

Hubo una pausa. Luego el hombre preguntó tímidamente:

—Me gustaría saber su gracia, por si yo conociera a su familia...

—Soy nieta de don Ignacio, el que tenía almacén en la Plaza de la Merced. Mi padre es Ambrosio...

—Cabalmente —y con voz cambiada, firme, grave y caliente de recuerdos, agregó—: Cuando la vi me pareció reconocer los ojos. Se parece usted a su padre. Lo conocí mucho y también a sus tíos... Ignacio Segundo, Manuel, Ramón, el que más queríamos todos; Darío, tan santito, que creíamos que se iba a meter de fraile... Y Rosita, la lisiada, que iba por las calles en su cochecito, bonita como una imagen, dando la gracia de su sonrisa, el consuelo de su palabra y la caridad de su dinero...

—¿Dónde conoció usted a mi padre y a mis tíos?

—En el colegio de doña Pepita Carretero (ahora lo llamarían un kindergarten), al cual íbamos todos los niños de las familias tradicionales. Ramón y yo nos sentábamos en el mismo banco; éramos inseparables...

—¿Y después?

—Después... —dice el hombre y se queda mirándome con una angustia que le atiranta la boca, que se la hace enternecedora como la de una criatura que fuera a llorar.

Lo observo. Tiene raza. Algo, no sé qué, en el porte, un llevar la cabeza donairosamente, unos pies que las botas burdas no alcanzan a deformar, unas manos que el trabajo no logró hacer rudas. Es alto, rubio, fuerte en su delgadez, con la cabeza pequeña y la cara de rasgos acusados, judaicos por la nariz de garduña y los ojos adentrados bajo el arco de las cejas, con las pupilas muy claras, desteñidas de azul, y la boca bellamente diseñada, fina y desdeñosa, mostrando los dientes puntudos, brillantes de pulcritud. El tipo que suele ser de repulsión por el ave de presa que sugiere, en este caso era de cabal nobleza.

Dije, siempre mirándolo y arrastrada por la curiosidad:

—Sí, después... Después de esa infancia... ¿Cómo ha llegado usted a esto?

Me miró a su vez, siempre con la boca en temblor patético, y fue diciendo como si las palabras le salieran amarradas en series, con pausas entre ellas, vaciándose en la confidencia lenta y dolorosamente, con otra construcción en las frases que al evocar el pasado parecían tomar de nuevo la modalidad culta que su educación le diera:

—Después de esa infancia... Después de esa infancia vinieron la ruina de mi casa y mi empleo en el norte, en las salitreras, adolescente aún, junto a un tío que me acogiera como a un pordiosero que es una carga. Así de ardua mi vida junto a él por muchos años... Muerta mi madre, muerta mi única hermana... Mi hermano (mayor que yo diez años) viviendo en Chillán Viejo, en una quintita que le daba apenas para mantenerse, trabajando en compañía de su mujer, vendiendo hortalizas, criando aves, cultivando colmenas. Así los años miserablemente... No sé qué ansia de mi tierra suave de clima me vino en el norte, una especie de idea fija de ver a mi hermano, de conocer a mi cuñada, de acariciar a mi sobrino... Seguía en las salitreras, en mejores condiciones económicas, libre de la tiranía de mi tío, pero el calor me echaba a perder cada vez más la salud y el ánimo, y no tenía otra ilusión que juntar unos pesos para volverme al sur y ver manera de trabajar en otras actividades que fueran más acordes con mis gustos. Me atraía el campo, de familia de agricultores como era... Y volví a Chillán por obra del destino... Vi de nuevo la ciudad de mi infancia, vi a mi hermano, conocí a mi cuñada y pude regalonear a mi sobrino... Había una limpia pobreza en casa de mi hermano. Y había la sonrisa cariñosa de mi cuñada y los juegos de mi sobrino para alegrarlo todo... ¿Cómo se hacen las cosas en uno, a pesar de uno? No quise quererla sino como a una hermana y la quise en distinta forma, a pesar de mí mismo, contra todo mi deseo, arrastrado por no sé qué mala fatalidad. Y a ella, la pobrecita linda, le pasó lo mismo, y aunque callábamos y nada decíamos, sólo sabíamos estar juntos, mirarnos, sonreírnos, sin un mal pensamiento, sin una pinta de maldad, pero queriéndonos, queriéndonos... Y un día... Un día... Sí, un día en que hacía más sol que el de costumbre y estábamos más contentos que nunca y el amor nos rebosaba como jamás nos rebosó, sin saber tampoco cómo, nos encontramos con las bocas en un beso... Y después de este momento de dichosa locura, vino el otro momento de horrenda locura... Porque nos habían visto, y mi hermano avanzaba hacia nosotros con el revólver en alto, apuntando al corazón de ella... Me interpuse, luchamos y el tiro que se escapó fue a herirlo a él, a matarlo a él... De entre la multitud que se agrupó, no sé cómo pude huir... Pero el caso fue que huí, y a pie por los caminos, trabajando aquí y trabajando allá, haciendo todos los oficios, fui ganando el sur, ganando después esta región hasta pasar la frontera, y aquí estoy, haciendo una vida de hombre primitivo, cazando nutrias, chingues y pumas, rastreando en el verano pepitas de oro en los esteros, viviendo en esta cueva, yendo una sola vez al año "al otro lado" para, desde Lonquimay, mandarle a ella el producto de mi trabajo... Esta es mi vida... Este es el "después" por el cual usted preguntaba...

—¿Y ella?

—Ella... Cuando supo dónde estaba, después de mucho tiempo de silencio, y cuando me atreví a mandarle la primera carta y el primer dinero, vino a reunirse conmigo, dispuesta a compartir mi vida... Y no pudimos...

—No pudieron... ¿Por qué?

—Porque con ella estaba el niño, su hijo, el hijo de él, del muerto, del muerto que nos estaba mirando siempre con las pupilas de la criatura, iguales, tan iguales a las suyas, que nos quedábamos a veces fríos de espanto, sin atrevernos a una palabra, a un movimiento, con ese testigo siempre pegado a la falda de la madre, huraño y testarudo, enfermizo y suspicaz. Era una vida imposible. Entonces ella partió... Se fue con el hijo y con los ojos del muerto que nos separaban... Así, lejanos, nos sentimos más unidos... Nos queremos siempre, siempre con el mismo encendido amor...

Calla. Está apoyado contra el muro, con la cabeza echada atrás y la cara desnuda a mi mirada. La emoción le ha afinado los rasgos, se los ha hecho de cera blanca. De pronto una mano con un gesto rápido parece quitar algo que estuviera sobre los ojos. Entonces veo la mirada que vuelve de muy lejos, de todo lo que acaba de evocar y que lentamente se apodera de lo que tiene delante: la habitación conocida y la mujer desconocida que por venir de las tierras familiares le abriera la válvula de la confidencia. Pestañea y dice con la voz primera y empleando los mismos giros serviles que usara antes:

—Perdóneme la señorita... Tanta lesera que le he contado... Y olvídelas, por favorcito... Por favorcito se lo pido, por lo que más quiera en el mundo...

Hago un gesto con la cabeza. Me mira profundamente, y en esta modalidad humilde sigue poniendo la mesa, al par que dice volublemente:

—¡Qué se ha demorado el veterano en acomodar a su gente! Con poquito más que se atrase va a encontrar la comida lista...

Y con la mano firme, cerrada la expresión del rostro corvino, empieza a picar pedacitos de charqui en una olleta de barro. Me vuelvo a mirar por la puerta abierta. Llueve parejo con gorgutir monótono. Estoy dentro, lejos de la lluvia, en la habitación caldeada de brasero; pero, lentamente, por una mejilla me rueda una gota de agua salada.

DOS HOMBRES JUNTO A UN MURO

En la parte alta del muro encalado, pequeñas ventanas eran manchas de sombras rectangulares. Había una clara noche estival, sin luna, con las estrellas de plata facetada dando reflejos azulencos en la atmósfera muy pura. Un camino cercaba el muro y una paz profunda decía reposo absoluto en seres y cosas.

Arriba, en el boquerón obscuro de un rectángulo, una mancha clara apareció lentamente, como surgiendo de las entrañas de las sombras: un rostro de hombre que se apegó a la cruz de los barrotes y largo rato se quedó tendido al silencio. Una campana en la ciudad dio la hora, dos largos y recios toques que fueron abriendo sus círculos vibrantes hasta perderse allá lejos, donde los cerros brumosos se fundían al horizonte también en bruma. Entonces la cara del hombre se apartó un tanto de la ventana. Dos manos se aferraron a los barrotes y tras una serie de movimientos que no producían el más leve ruido, la cruz se desprendió, rota por el sitio en que los hierros habían sido limados. Una cuerda delgada y fuerte, anudada a trechos, serpenteó muro abajo, hasta tocar el suelo. Aparecieron en la ventana los pies y las piernas del hombre, luego el cuerpo y al fin la cabeza. Los brazos seguían adentro, sujetas las manos al resto de los hierros. Se daba ahora a escuchar. Seguía el silencio hondo, taladrado sólo por un grillo. Súbitamente nació en él la vacilación. Miró la negrura de la celda. Aquello, a pesar de todo, era lo seguro. En cambio la claridad de afuera era lo desconocido, lo incierto por venir. Continuaba el grillo su trabajo sin tomarse una pausa de reposo. Y súbitamente, también, sintió que ese ruido en dos tiempos lo tomaba, lo motorizaba, empujando sus músculos a la tarea del descenso.

Las manos iban lentas y seguras apropiándose de los nudos que las afianzaban y los pies descalzos en la pared defendían el cuerpo del roce delator. El cric-crac del grillo se hacía más agudo y el hombre sentía que en el corazón otro grillo sonaba al par que aquél, estridentemente.

Cuando tocó el suelo tuvo una especie de vértigo de angustia, tomado siempre por las dos sensaciones opuestas: la seguridad que dejaba arriba y lo pavoroso que lo aguardaba tal vez en un segundo más. El grillo calló y el silencio fue una opresión intolerable. El hombre no se atrevía a aventurar un movimiento Estaba ahí, apoyado contra el muro, caídos los brazos, la barbilla sobre el pecho.

Era un hombre joven, cenceño, oliváceo, con los ojos encajados muy adentro en las cuencas sombrías. Un tic le atirantaba la boca en una patética expresión de niño que fuera a llorar. Las manos, de largos dedos duros de huesos, tenían gestos bruscos que trazaban el gesto inequívoco de su nerviosidad.

Seis meses pasan lentos cuando transcurren allí, pero al fin de esos seis meses por venir, soportados pacientemente, está la vida segura, la buena vida libre y sin tropiezos, que una experiencia dolorosa es bastante para abrir los ojos al bien y al mal. Alzó la cara y miró la cuerda, fina raya sobre lo blanco del muro. Seis meses... Una de las manos se alzó y se cogió sólidamente a un nudo. Volver arriba y dejar que un día sucediera a otro día y que muchos acumulados formaran los seis meses que le darían la libertad. Pero el grillo se echó de nuevo a taladrar las sombras y en el hombre se hizo inmediatamente el ansia que no admitía dilaciones.

Atravesó el camino y adosado a la pared de enfrente caminó unos pasos hasta llegar al sitio que tenía que escalar. Sacó del bolsillo una nueva cuerda con un garfio en la punta, especie de ancla que debía clavarse arriba. Con un gesto silencioso y preciso la lanzó sobre el muro y se quedó después un largo rato escuchando. Tiranteó la cuerda, que estaba firme y segura. Entonces, ayudado de pies y manos, subió hasta quedar tendido en la arista superior. Recogió luego la cuerda, lanzándola a la parte externa. Abajo se extendía un prado de suave pasto y más allá unos grupos de árboles limitaban en una reja.

Empezó a bajar. Reinaba el profundo silencio intolerable. La compañía del grillo se había quedado atrás. Cada vez tomaba más precauciones. Hubiera querido acallar los golpetazos sordos de su sangre y el roce casi imperceptible de las manos en la cuerda y el jadear oprimido de la respiración. Hubiera querido no ser, diluirse en las sombras. Cuando faltaban unos metros para llegar abajo, sintió unos pasos que avanzaban firmes y rápidos, acompasadamente. Le pareció que se moría, que la respiración se le quedaba dentro del pecho y que lo ahogaba, que el corazón le echaba a la cabeza una ola de sangre aturdidora, que en los oídos un rumor de marea lo dejaba sordo. Maldijo su ansia de fuga y las habladurías del Choroy, que lo impulsaran a ella. ¿Qué hacer? ¿Cómo era aquello? ¿Por qué a esa hora una ronda? ¿Cómo? ¿Cómo?

Quien avanzaba se detuvo junto a la cuerda y dijo:

—Ya está, bájate de una vez.

El hombre entontecido bajó sin saber lo que hacía. Era como vivir un mal sueño. Al poner pie en tierra se tambaleó. El que hablara —era un viejo de blancos pelos y ojos grises, serenos y tiernos— volvió a decir, con la voz de grave modulación teñida de reproche:

—Para hacer estas cosas hay que tener más ñeque y no andar desmayándose como una señorita...

Lo seguro estaba arriba, en la celda de estrecha ventanita, detrás de la cruz fría de los barrotes. Seis meses aún... ¿Y ahora? Lo cogió un escalofrío y un sollozo se le ahogó en la garganta.

—¿Qué es lo que te ha agarrado a ti de repente para hacer esta lesera? Siempre habías sido tan sosegado...

Quiso decir algo y la garganta sólo le produjo sonidos ininteligibles y lamentables. El viejo lo miraba severamente, sin temor a un movimiento que lo pusiera en fuga, sin temor a un arrebato que provocara una agresión. Conocía él bien a su gente...

—Yo... Yo... —barbotó al fin—. Me iba... Quería irme a ver si era cierto... Me había dicho el Choroy... Me dijo que... Me dijo el Choroy, el que está recién llegado..., me dijo...

—¿Crees que estás hablando con mucha claridad?

—Yo... Yo...

—Sí, te querías fugar. La que te espera con ésta... Pero ¿de dónde te bajó el arrebato de irte, a ti que pareces tan mosca muerta?

—Quería ir a ver si era cierto... Es que... Usted no sabe lo que es querer a una mujer y estar sin noticias de ella meses de meses, años de años, y de repente saber que vive con otro hombre. Usted sabe que yo no estoy aquí porque sea malo ni porque haya hecho lo que hice a conciencia. Si maté fue porque estaba borracho y con trago nadie es responsable de lo que hace. Hasta los mismos jueces se dieron cuenta de mi desgracia y me dieron una condena corta. Pero los años son despaciosos para pasar y la mujer viene cada vez menos a verme. Y de repente llega aquí un amigo que me cuenta que ella está viviendo con otro. ¿Qué quiere que haga, mi primero? Estoy como loco y sólo tengo la idea de saber la verdad, aunque me cueste la vida. No me importa nada, nada, sino ver lo que ella está haciendo, si me engaña o no me engaña. Lo prefiero todo a seguir en la duda, que es peor que un pájaro que le fuera a uno comiendo el corazón. Se lo pido por lo que más quiera, déjeme irme, mi primero. Le prometo que vuelvo en cuanto vea qué hay de cierto. Se lo prometo, se lo juro por esta cruz, por mi mamita, por ella misma, que es lo que más quiero en la vida... Déjeme irme, mi primero...

En los ojos del primero brillaba un enternecimiento. Miraba al hombre siempre fijamente, pero a través de él parecía mirar más lejos, algo que estaba en el pasado, doloroso y palpable.

El hombre seguía implorando:

—Hágalo por su mujer...; o hágalo por su madre o por sus hijos... Déjeme irme... A más tardar estaré de vuelta en unos dos días... Nadie me ha visto... No podrán hacerle a usted ningún cargo... Por favorcito se lo pido...

Lo interrumpió poniéndole una mano sobre el hombro al par que decía con seca voz que no admitía réplica:

—Vamos andando para tu celda. No metas ruido, anda despacito...

Pero al hombre se le aflojaron los músculos y todo el alto cuerpo endeble se le desplomó en un desmayo. El viejo le pasó un brazo por la cintura y lo alzó, llevándolo en vilo hasta la pieza en que estaba de guardia. Lo extendió sobre una manta, lo hizo tragar unas cucharadas de café y cuando el hombre empezó a reanimarse, dijo con la misma voz de metal, grave, pero en la cual vibraba ahora una nota de terneza:

—Te voy a contar una historia, para que sepas en lo que suelen parar estas arrancadas a ver una mujer que se quiere. Hace muchos años estuvo en esta misma cárcel un hombre joven que, al igual que tú, en una borrachera mató a su mejor amigo.

"El trago tiene la culpa de tantas cosas... Bueno. El hombre tenía una mujer a la que adoraba. Ya cumpliendo su condena no hizo otra cosa que trabajar en los talleres, en su oficio de ebanista. Su único objeto era juntar unos pesos para entregárselos a su mujer cada vez que ésta venía a verlo. Así pasaron los años. Buen obrero, llegó a ser el capataz de los de su oficio. Era el modelo de los presos. Llevaba más de la mitad de su condena cumplida, cuando cayó en la cárcel un amigo que también fuera amigo de su mujer y que le contó que ella vivía con otro hombre, desde hacía mucho tiempo, y que si seguía viniendo a verlo y le mostraba interés y cariño, era sencillamente por el interés de la plata. El hombre creyó volverse loco de pena y rabia. No sabía qué creer. Tuvo con la mujer una violenta explicación que lo dejó más lleno de dudas aún, ya que ella negó todo lo que el amigo seguía asegurando con detalles precisos. Entonces planeó la fuga. La planeó tan bien que una semana después estaba en su casa, en la casa que fuera la casa de su felicidad. Encontró a su mujer con otro hombre. ¿Qué se hace cuando los celos lo ponen a uno peor que una fiera rabiosa? Se insulta, se grita, se pega y se mata... Cuando el hombre volvió a la cárcel era con otro crimen encima. Había matado a su mujer, y si no mató al hombre que con ella vivía, fue porque éste huyó cobardemente desde el primer momento. En este nuevo proceso los jueces fueron menos benévolos y lo condenaron a cadena perpetua. Pero el hombre era un buen hombre, se lo aseguro, hermano. Tan buen hombre que en los años que siguieron no hizo otra cosa que trabajar y estudiar. Lo que menos esperaba le llegó un día: el indulto. Pero ¿para qué quería la libertad? Afuera, en el mundo, todo le era desconocido. Su vida era la vida del presidio, sus amigos eran sus compañeros, sus patrones eran sus vigilantes. Cuando le dijeron que podía irse pidió como un favor que lo dejaran en la cárcel en un puesto cualquiera, aunque fuera sin sueldo, pero que no lo echaran. Le permitieron quedarse. Y nadie se ha arrepentido

de esta resolución porque ha sido hasta ahora un excelente servidor...
Y nada más. Aunque los años pasen, siempre tiene en el corazón la pena
negra de su crimen, de la mujer muerta por él... La vida... La vida tiene muchas enseñanzas, hermano. Yo le digo ahora: quédese aquí tranquilo... Olvide... La mujer... A la mujer hay que dejarla... Y perdo-
narla... Eso es todo.

Un silencio.

—Vamos andando. ¿Cómo estás? ¿Mejor? Vamos, entonces... Mira
que después tengo que sacar los cordeles y arreglar los barrotes para que
no se den cuenta de... tu lesera. Ya... Despacito y no llores más...
No vale la pena llorar... Del mal el menos.

Son una gran sombra en los pasillos, una gran sombra que avanza lentamente, cautelosamente, hasta enfrentar la celda número 18, cuya ventana abre una pupila ciega en lo alto del muro encalado.

AVE NEGRA

Llevábamos toda la mañana y toda la tarde metidos en unos angostos desfiladeros, por los cuales debíamos marchar de uno en fondo, vigilando
atentamente el paso precaucioso de la cabalgadura.

Bordeábamos a gran altura el lecho de un río. Cortadas a pique, las
montañas rocosas se alzaban enormes y grises, con manchones de verduras aferrados a los salientes, con despeñarse fragoroso de manantiales ne-
veros, con riscos filudos cubiertos de verdín. La atmósfera era opaca y
fría. En las cimas se veía reverberar el sol poniente y esa tibieza que se
adivinaba arriba tornaba insoportable la humedad helada de la hondura.

Me iba cogiendo el cansancio. A menudo preguntaba al capataz:

—¿Falta mucho para llegar?

Y el hombre contestaba invariablemente:

—A l'otra güelta, patroncita.

Pero como conozco lo que es para el montañés "l'otra güelta", no me
fiaba mucho de la proximidad de la casa donde pernoctaríamos, propiedad de un hijuelero que tenía negocios con mi padre. Ibamos hacia una
laguna perdida entre los volcanes mallequinos y de la cual un pintor
amigo me hablara maravillas de belleza.

En un paso difícil hubimos de desmontarnos para ir a pie por lo peligroso. Una bandada de pájaros estaba inmóvil sobre nosotros, tan altos
que parecían puntos, estrellas de sombra en el cielo opalino. Un mozo
dijo:

—Son jotes qu'están aguaitando si alguno se desrisca pa venir a comérselo.

Tuve la sensación de que un pico corvo y duro me desgarraba las carnes. Me dio miedo y volví a repetir mi pregunta ansiosamente:

—¿Falta mucho para llegar?

Con una gran sonrisa alentadora, el hombre contestó:

—A l'otra güelta, patroncita.

—Pero es que esa vuelta no llega nunca... La noche se nos viene encima... Puede pasarnos cualquier cosa...

—Como pasar no pasa na, y si pasa algo es porque el Destino quería que pasara. Pero créame, su mercé, desde aquel altoncito vamos a divisar las casas.

Hice un gesto de duda y monté nuevamente.

Jirones de velos azulosos empezaban a flotar sobre el río, se movían lentos hasta alcanzarse, y unirse y formar una sola masa de sombra que subía por los riscos, metiéndose en las oquedades, enredada a las breñas, ascendiendo en lenta y firme progresión hasta cubrir las cimas. Había llegado la noche veraniega con un claror turquí, en que temblaban los estoperoles plateados de las estrellas.

—Allá está la casa —y el capataz señaló una luz en el flanco de la montaña.

Acabábamos de comer. Sentada a mi lado, la dueña de casa "cebaba" el mate con grandes prolijidades. Era una mujer cincuentona, que debía de haber sido bonita. Apenas unas pocas arrugas le marchitaban los ojos, extraordinariamente expresivos, brillantes, como si dentro tuvieran fulgores verdosos. Hablaba con viveza, accionando con vehemencia de nerviosa. Se veía que en la casa ella era el eje. El marido apenas si decía una que otra palabra. Tenía facha de burgués pueblerino, rectangular, ventrudo, con gran cabeza, grandes manos y grandes pies. Los hijos eran nueve, todas mujeres, colección de caritas anodinas, sin otra gracia que la piel de manzana y los ojos cándidos, parecidos a los del padre, grises, acuosos y pestañudos. Estaban las nueve amontonadas detrás de la madre, con los párpados bajos, pero llenas de curiosidad, con ganas de mirar, mirando a hurtadillas, huyendo los ojos en cuanto encontraban los míos. La menor tendría ocho años, y en el suelo, sentada en un choapino, fijaba en mí pupilas de animalillo, muy dilatadas, muy fijas, muy sin alma. Era la única que miraba de frente, sin recatarse. Cuando encontraba sus ojos, le sonreía. No parecía ver mi sonrisa. Seguía con la misma inexpresión.

Una hora de reposo, luego de llegar, y mientras daban los últimos toques a la comida, la comida misma que el hambre me hiciera encontrar deliciosa, me habían reconfortado por completo. Tenía todos los sentidos en alerta y ese sentirlos vivos me alegraba recónditamente.

Estábamos afuera, frente a la casita y a la cocina, en plena montaña, con la noche inmensa en torno y un haz de llamas en medio.

La mujer me ofreció el mate. Empecé a sorberlo despaciosa, mezclándolo a bocados de tortilla con queso.

Arriba pasó silenciosamente un ave negra, en vuelo lento, que describía grandes círculos.

—Un jote —dije, y lo seguí con la vista hasta que se ocultó en unos árboles.

Cuando volví los ojos al corro, vi en cada rostro una inquietud. Era como si el ave hubiera dejado una estela de pavuras.

—¿Era un jote? —pregunté.

—Tal vez, no..., los jotes no andan solos nunca...

Pero el mismo pájaro dio la respuesta, al lanzar su voz. Parecía un lamento de perro, o un reir estertorado de loco. O un tocar de sirena llamando a auxilio.

—¡Jesús! —exclamó la mujer. Y presta, con una rapidez inimaginable, se levantó, fue a la cocina y volvió con un puñado de sal, que arrojó a las llamas.

—Sal, sal, espíritu del mal —decían los demás con idéntica angustia.

—Dios te salve, María, llena eres de gracia; el Señor es contigo, bendita Tú eres entre todas las mujeres, y bendito sea el fruto de tu vientre, Jesús.

—Santa María, Madre de Dios, ruega por nosotros, pecadores, ahora y en la hora de nuestra muerte. Amén.

—Sal, sal, espíritu del mal.

—Sal, sal, espíritu del mal.

Lo repitieron tres veces y sólo entonces me explicaron.

—Es el chonchón.

—Es una bruja.

—El chonchón..., una bruja... —repuse estupefacta, más de esta explicación que de la escena anterior.

—Sí —dijo la mujer—, son las brujas que para salir a hacer el mal se vuelven pájaros la noche del sábado, se vuelven chonchones y gritan sobre las casas donde quieren traer la desgracia. Este ha venido ya varias veces, pero nunca nos encuentra desprevenidos y al tiro le hacemos el conjuro, "la contra", y tiene que irse.

—Pero todo eso son tonterías.

—Antes también creía yo lo mismo que su merced. Pero tuvimos una experiencia tan triste...

—¿Cuál?

—Mire a esta pobrecita. La fatalizó una bruja que vivía en la Montaña Negra, la fatalizó desde antes que naciera —y me indicaba con el gesto a la pequeña que, siempre en el suelo, con las piernas cruzadas, las manecitas en el regazo, y los ojos muy abiertos, seguía mirándome fija y estúpidamente.

—¿Es enfermita?

—Es... inocente —y la mano de la madre se llegó en una caricia hasta la cabeza de la niña, que no hizo un gesto—. Cuando yo recién la estaba esperando, Arturo, mi marido, tuvo un disgusto con doña Bernarda, una vieja que tenía fama de mala persona, medio meica, medio bruja, amparadora de cuatreros y de ladrones, avariciosa, capaz hasta de un crimen si le pagaban bien. La pelea con Arturo fue porque a éste le robaron unas vaquillas, y siguiéndoles las huellas fueron a dar a la Montaña Negra, justo en la hijuela de doña Bernarda. Arturo se le apersonó y le dijo que si no le entregaba al tiro las vaquillas iba a dar parte al retén de carabineros. La vieja se cerró en que ella no sabía nada, que no había visto nada. Y Arturo fue al retén y volvió con los carabineros. La vieja siguió negando. Nunca, en ninguna ocasión, le habían podido probar nada. Era muy matrera la diabla. Pero esta vez le fue mal porque Arturo no paró hasta descubrir las vaquillas en la hijuela de la vieja, escondidas en un monte. Se la llevaron presa. Pero antes juró vengarse de mi marido, en tal forma que la vida entera se arrepentiría de haberla demandado.

"Como le dije, yo estaba esperando guagua. Una noche, al poquito tiempo después, sentimos gritar el chonchón encima de la casa. No le dimos importancia, porque no creíamos en brujas. Al día siguiente amanecí enferma, con todo el cuerpo adolorido y la cabeza zumbando. No podía estar sino acostada. En cuanto me levantaba todo se me daba vueltas y caía sin sentido. A la semana estaba lo mismo, cuando volvió el chonchón a gritar sobre la casa. Era una noche de sábado. Me dio algo de miedo y llamé a mi marido.

"—Mira ve —le dije—, no vaya a ser doña Bernarda. ¿No dicen que es bruja?

"Arturo se rió. Me llamó lesa. Pasé otra semana enferma, empeorando día por día. El estómago no me aguantaba nada. Y tiritaba de que llegara el otro sábado y volviera el chonchón. Llegó el sábado y el chonchón gritó. Entonces me bajó fiebre y estuve tan mal, que, asustado, Arturo mandó a buscar a una de mis hermanas que es profesora en Di'lo, muy entendida en remedios y muy dada a estas cosas de hechicería. Se le contó lo que pasaba. Yo seguía peor. El sábado siguiente creyeron que me moría, con los ojos fijos, medio helada y estertorando. Mi hermana aleccionó a mi marido. Se preparó un puñal quemado en una llama y rociado con agua bendita. Cuando llegó la noche, que era de luna (tiene que ser así, noche de luna), Arturo y mi hermana esperaron al chonchón escondidos entre aquellos maquis, allí, en esa sombra. El ave llegó con su vuelo despacioso hecho en redondo. Un momento la luna echó su sombra en el suelo, entonces mi hermana, ligera como relámpago, clavó el puñal en la sombra, diciendo:

"—Sal, sal, espíritu del mal.

"Y mi marido contestaba:

"—Sal, sal, espíritu del mal.

"Rezaron el Ave María, repitiéndolo todo tres veces, tal cual lo hicimos ahorita nosotros. Y el ave, que estaba en el cielo, se desapareció, se hizo humo de repente.

"Mi hermana entró como loca a la casa, me abrazaba, me besaba, me aseguraba que mejoraría, me decía que el chonchón ya no vendría más, que la vieja había muerto, que ya no le haría mal a nadie. Y yo la escuchaba como refrescada con sus palabras, sintiendo alivio.

"Al otro día amanecí sin fiebre. Dos días después pude levantarme. Mi hermana llegaba a bailar de felicidad y a todos los que pasaban por estos lados les preguntaba por doña Bernarda, pero ninguno le daba noticias de ella. Sólo uno sabía que la vieja estaba en su hijuela hacía tiempo, porque le habían puesto en libertad bajo fianza.

"Pasó la semana. El sábado me empezó a dar un poco de miedo. ¿No iría el chonchón a gritar nuevamente? No dormí una pestañada en toda la noche y en toda la noche no sentí ningún grito. ¡Qué descanso! Al otro día no atinaba sino a reírme y a cantar, y mi hermana lo mismo, y hasta Arturo, que es tan callado, estaba como nosotras de hablador y alegre.

"Ese mismo día pasaron unos arrieros que eran del lado de la Montaña Negra.

"—¿Qué novedades hay? —les preguntó mi hermana.

"—Que murió de repente doña Bernarda. Hoy hace justo una semana que la encontraron muerta en la cama. Como no se levantaba, jueron sus hijas a recordarla y l'hallaron tiesa y helá. Debe habérsele reventado el corazón, porque tenía encima un moretón así tamaño.

"No le hicimos ningún comentario. Apenitas si después, entre nosotros, hacíamos alguno a media voz. Nos pasábamos rezando y a cada rato echábamos agua bendita por todas partes. Teníamos un miedo muy grande de que viniera el ánima de la vieja. Pero un alma tan mala tenía que estar en los infiernos y de los infiernos no se vuelve. Hasta que nos sosegamos.

"Pero nació la niña y creció y creció, y ya ve, su mercé... Así se lo pasa, es como una guagua, no habla, apenas si me conoce a mí..., y ya tiene los ocho años cumplidos. ¡Ella pagó por los demás! ¡Inocente! Y ahora hace como un mes que estamos sintiendo el chonchón otra vez. Creímos que sea la hija de doña Bernarda, la hija mayor, que está tomando fama de tan mala como fue su madre. Pero no podrá hacernos ningún mal, porque en cuanto la sentimos se reza el conjuro. Y ya ve, su mercé, cómo la experiencia que tuvimos fue bien triste. ¡Pobre mi niñita! —y la mano de la madre, con mayor insistencia, torna a acariciar la cabecita inmóvil.

Entonces la pequeña se vuelve lentamente y los ojos se posan fijos, abiertos, sin pestañear, en la cara materna, por donde corre una lágrima, que se prende a una comisura de la boca amargada.

No hablamos. Alargo el mate a la mujer. Y la rueda íntegra del mate se hace en silencio. Apenas hay una leve crepitación en el fuego. Arriba, los estoperoles de plata de las estrellas siguen brillando temblorosamente.

OJO FEROZ

La angustia le atirantaba la boca y hablaba a frases cortas, entre grandes pausas, en las cuales quería unir la voluntad hecha trizas y hacer con ella un puntal que le impidiera el llanto. Las manos estaban inmóviles en el regazo, apretadas fuertemente una contra otra, y las uñas marcaban, al enterrarse en los dorsos, pequeñas curvas blanquecinas. No quería llorar. Pero por las mejillas de tersa canela las lágrimas brillaban, prendidas un momento a la sombra del bozo para caer luego sobre el pecho, entre el encajito, ordinario adorno de la blusa.

La vieja la observaba con su ojo único, puesta de perfil y como las aves con la mirada al sesgo, fija y dura. Tenía de pájaro sólo eso: el mirar. La cara ancha, de pómulos salientes y nariz chata, acusaba el mestizaje. En la frente una cinta le marcaba un tajo rojo e iba a perderse atrás, entre las greñas blancas que a la manera india le caían en dos trenzas por la espalda. Las arrugas le barbechaban la piel requemada y los ojos oblicuos parecían perderse en los párpados hinchados sin sombra de pestañas bajo el hirsuto trazo de las cejas. Pesaban los párpados: tanto, que sólo uno de ellos lograba alzarse, y entonces aparecía la pupila inexpresiva y obsesionante. Nunca podía vérsela de frente. Buscaba la línea que mostrara su perfil, y entonces la mirada iba como flecha a clavarse en el blanco del que hablaba.

Lloraba. Sacó el pañuelo del bolsillo. Se limpió las lágrimas. Fue la puntilla dada a la voluntad. Se dejó anegar por la pena y sólo hubo en el banco un pobre ser sacudido por los sollozos, con las manos en gestos desacompasados que llevaban el pañuelo de la cara al bolsillo y del bolsillo a la cara.

Cuando al rato la vieja la vio tranquilizarse, habló con voz descolorida, monótona:

—Su caso es el de todas.

—Pero no por eso deja de dolerme —contestó hosca la muchacha.

—Y como el de todas tiene remedio si confía en mí —concluyó la vieja con tal continuidad en el tono que la interrupción pareció no existir.

—¿Y cree que volverá a quererme como antes?

—Lo mismo.

—¡Oh señora, por favor!...

—Comenzaremos al tiro el trabajo. Mañana usted me traerá los puros, que serán de esos que valen cuarenta centavos; me traerá diez, que me iré fumando de a uno por día. Por ahora me va a pagar cinco pesos y cuando le termine el trabajo a su entera satisfacción, me dará cincuenta. Yo soy muy clara en mis cosas y muy honrada. Hago mis tratos, pero hasta que no cumplo con mi clientela no cobro. Estos cinco pesos que usted me va a pagar ahora son por la consulta.

La muchacha iba asintiendo a cabezadas, pensando al propio tiempo de dónde iba a sacar aquella suma. Los huevos... Las verduras... Podría hacer pequenes y venderlos en la rancha... Y en último caso, llevaría al mercado una gallina... o dos...

—Trato hecho.

—Trato hecho —contestó la muchacha resueltamente.

Entonces la vieja se puso en pie. Tenía una extraña figura caída por atrás desde los hombros a los talones. En cambio, las curvas parecían haberse reunido en los senos enormes que le rebasaban sobre la otra comba del vientre. Los brazos regordetes terminaban en manos deformadas y fofas, a fuerza de hinchazón. Los pies iban envueltos en trapos viejos y limpísimos, atados con cintas rojas, y unas zapatillas de paño hacían el andar soportable a la hipertrofia. Empezó a moverse por la pieza y hasta salió a la cocina en busca de un braserillo que colocó sobre la mesa, trayendo además unas botellas, una bola de cristal, una redoma con agua y una cajuela de madera. Con todo este pertrecho se instaló frente a la muchacha, con la mesa entre ambas.

—¿Cuánto tiempo hace que su marido anda así? —preguntó.

—Un mes, justamente; lo noté de malas a la vuelta de un viaje que hizo a Rari-Ruca al otro día del Año Nuevo. Desde entonces ni me mira, ni me habla; se lo pasa caviloso, todas las tardes se va para el pueblo, llega a las mil y una y anteanoche llegó con el sol alto... —Se tuvo que detener, porque sentía la amargura de la pena cosquillearle la garganta y temió echarse a llorar con el desconsuelo de antes.

—¿No malicia usted en quién pueda tenerlo enredado?

—Me dijo la comadre Juana María que lo habían visto varias veces cerca de la estación, por ahí por donde queda el despacho de don Floro, conversando con una guaina que está empleada donde el gringo Müller, una guaina que recién llega al pueblo y que nadie sabe quién es.

—¿Donde el gringo Müller? —y una leve inflexión pareció vibrarle en la voz.

—Ahí mismo. Al principio la corrieron como lacha del gringo, pero, o no es cierto, o les hace a todos la gran sinvergüenza...

El ojo único estaba soldado a la cara de la muchacha. Tan fijo y tan espeso era el mirar que tuvo ella un sobresalto y hurtó el suyo.

—Bueno —dijo la vieja, siempre mirándola y con el perfil en alto—, ¿cómo se llama su marido?

—Manuel Eduardo Pérez, y yo, Micaela Soto, para servirla —y con una brusca transición que le endureció las facciones, pegó la mirada al ojo inalterable, terminando rencorosa—: Y esa perra se llama Luz Canales.

—Está bien —pareció recogerse, velando por primera vez el ojo fijo.

Luego de un rato, la pupila se mostró de nuevo y las manos —en gestos en que se adivinaba una liturgia— colocaron enfrente el braserillo, avivando el fuego con un soplador. En seguida puso entre ella y el brasero la bola de cristal y detrás de aquél la redoma con agua. Abrió la cajuela y sacó un puro y otro que con los dientes despuntó. Tomó una de las botellas y, rociando íntegro uno de los puros con aguardiente, dijo:

—Yo te bautizo en nombre del Padre, del Hijo y del Espíritu Santo, como Manuel Eduardo Pérez. En nombre de la Sacrosanta Majestad que está en los cielos, ya no serás más puro, sino que serás la persona misma de Manuel Eduardo Pérez.

Masculló unas oraciones entre dientes, una especie de salmodia en que se alcanzaban a oir unas cuantas palabras repetidas, repetidas con fuerza y que acompañaba un golpe sordo del pie sobre los ladrillos.

—Ardiente como un chivo... Manso como un cordero... Humilde como un perro... —El resto se perdía en un barboteo y sólo estas tres frases llegaban claramente hasta el oído de la muchacha.

Terminada la oración, sacó de la cajuela una trenza de papel, que arrimó a los carbones, encendiendo con ella el puro. Y empezó a fumar, dando siete chupadas cortas y rápidas, a cada una de las cuales correspondía un golpe del pie. Hizo una pausa, separó el puro de los labios y se quedó mirando el extremo encendido con su ojo fijo que al resplandor cercano tomaba un tinte sanguinolento.

—Mala está la cosa. Fíjese, no enciende. Este hombre está completamente frío con usted y en cambio, mire, mire acá.

La punta aparecía muerta entre un aro de ceniza, pero más arriba un punto rojo surgió en la hoja rugosa, pequeño cráter que se fue agrandando.

—Otra mujer lo tiene preso en su calor —interpretó la vieja— y es empresa dura sacarlo de su lado, porque ella le corresponde. Le corresponde —insistió la vieja con un leve tinte de expresión en la voz que podía ser de ira.

—¡Ay mi Diosito! —lloriqueó la otra.

Volvió la vieja a dar chupadas, siempre en grupos de siete con sus correspondientes golpes del pie en el suelo y las pausas en que observaba la progresión del fuego. Pero no hacía comentarios. Cuando la ceniza estuvo a punto de caer, la echó en el brasero y de nuevo se dio a fumar, tomada en tal forma por su tarea que parecía haber olvidado a la pobre que era toda esperanza sus manejos. De pronto el puro se apagó, y eso que sólo hasta la mitad iba quemado y que la vieja chupaba con largas aspiraciones y que el pie marcaba golpes sobre el suelo.

—No hay esperanzas —dijo entonces—; este hombre está por entero perdido para usted. Mi honradez me obliga a decírselo. Lo ha agarrado bien la sinvergüenza...

—La sinvergüenza —repitió la voz deshecha en sollozos.

—Vamos a ver qué piensa ella. La única esperanza que le queda es que esta mujer tenga a su marido así no más, por puro capricho, y que cuando se aburra y lo deje, vuelva él a ser el de antes.

—Sobras de otra... —hipó.

Tomó la vieja el puro restante, y con agua de Colonia que había en la otra botella, repitió el ceremonial bautizándolo con el nombre de Luz Canales. Y con idéntico rito fue fumándolo. Ardía el puro prestamente, concéntrica siempre la ceniza que casi hasta terminar no se desmoronó.

—Ya ve cómo la gran chusca se consume por él. Ahora sí que le aseguro que la cosa no tiene remedio. Ni la voluntad de su marido ni la de ella voy a poder torcer. Hay que hacer otra cosa.

—¿Cuál?

—Vamos a ver.

Sacó de la cajuela una cucharada de algo como tierra que echó en las brasas. Inmediatamente se alzó un humo espeso y perfumado; era aquella tierra mezcla de incienso, polvo de canela y raíces de una planta que llama el pueblo uña de la gran bestia. El humo subió alto en una sola espiral y de pronto se abrió en dos brazos descendiendo casi hasta tocar la mesa. La vieja miraba ya el humo, ya el agua al trasluz, ya la bola de cristal. Y el ojo en todo momento tenía una mirada fija, puesta la cabeza de perfil.

—Se tuercen los destinos..., se pierden dos vidas; todo lo que iba por buen camino se arrastra por el barro... Hay que recurrir a los grandes medios..., los que sólo está permitido tomar cuando hay que salvar una vida..., la que más vale..., la que más se quiere...

Uno de los brazos de humo continuaba a ras de la mesa y ahí pareció quedarse pegado. El otro se arrastró, hizo algo como un esfuerzo y, al fin, lentamente, empezó a alzarse en vellones que se fueron uniendo hasta formar una delgada columnilla que se perdió en lo alto.

—La mujer se libra —dijo la vieja, y una especie de sonrisa le atirantó la boca mostrando entre los labios tumefactos la sorpresa de una dentadura espléndida.

—¿Cómo? ¿Qué? ¿Qué pasa? —preguntó la otra, que no entendía nada.

—¿Está usted segura, segura de que la mujer se llama Luz Canales y que es la empleada del gringo Müller?

—Segura, segura no. No tengo otra seguridad que la que me dio la comadre Juana María. Yo no he ido al pueblo en este último tiempo, por la pena... Todo esto lo sé de oídas.

—¿Puede traerme un retrato de su marido? ¿Tiene algún retrato de él?

—Sí, sí, aquí mismito ando con uno que se hizo en el pueblo, cuando fue con mi suegra a ver doctor a Victoria... Aquí lo traigo en la cartera, siempre ando con él. —Le alargaba un retrato, postal de esas que se hacen en minutos. Allí aparecía un mozo joven, muy cohibido con sus arreos de huaso en domingo, de frente la mirada. No se podía negar que era un buen mozo y, por añadidura, simpático.

La vieja lo contempló de lejos, dándole distancia a su ojo feroz, que era présbite. Y otra vez la punta de los dientes magníficos apareció entre la crispadura de los labios, que bien podían sonreir.

—Váyase ahora tranquila. Antes de ocho días, cada cual tendrá lo suyo.

—¿Volverá a quererme? ¿Está segura? ¿Segurita?

—Váyase tranquila —repitió la vieja con su voz monótona, que por una extraña sugestión obraba cabalmente en el sentido que ella quería.

Y como quería que la muchacha se fuera muy en sosiego, ésta se marchó tras de pagar la consulta y dejarle el retrato en que el mozo miraba bien de frente el ojo prendido al cartón como algo táctil y punzante.

—Y te tienes que dejar de leseras y vivir la vida que yo te he hecho, que para eso harto que me he fregado y hartas amarguras y perrerías que he tenido que soportar...

—Yo sabré lo que hago y cómo lo hago —contestó taimadamente Luz Canales.

—Es que no es cuestión de que hagas lo que tú quieras; es cuestión de hacer lo que yo diga, lo que yo mande.

—Mire, señora: no le digo mamita porque hemos convenido en que le llame señora aunque estemos solas, para así acostumbrarme. Mire, señora —le tremolaba la burla en la voz y los ojos vivísimos se hurtaban tras las pestañas para que no le viera en ellos la picardía—, yo ya soy grandecita y sé cómo hay que tratar a los hombres. Déjeme a mí arreglarme con el gringo, que aunque algo le cuenten de mis conversas, sí, sí, "conversas" con Manuel Eduardo, nada malo hallará en ellas. Usted sabe que los gringos tienen su manera de ver las cosas y crea que no seré yo quien lo haga mirar en otra forma.

—Luz, mira que me estás tentando... ¿Creís vos que he tenío el trabajo y el sacrificio como el pan nuestro de cada día pa que al fin, cuando las cosas van por el mejor camino, vengái vos, y por un rotito de mierda lo echís too a rodar? No, m'hijita, no te vayái a creer que las cosas se deshacen así no más, de una patada, por el puro y santo gusto. —En la indignación que no lograba alterarle la voz, volvía a su habla pintoresca de montañesa.

—Le digo de una vez por todas que no se meta en mis cosas. Se habrá sacrificado lo que dice por mí, para criarme, pero, al fin y al cabo, si yo soy lo que soy del gringo es por culpa suya. ¿Que bien me paga? Al fin, hartos años que tiene y lo menos que puede hacer es llenarme de un todo. No puede quejarse de mí, que más de la mitad de lo que me ha dado para usted ha sido. ¿No es dueña de la hijuela? ¿Qué más quiere entonces? ¿Y las vacas, y los bueyes, y los caballos, y la mula, y el cochecito? Vaya, señora, se queja de pura llena. Ya tiene llena su ambición, déjeme, entonces, que me divierta a mi modo. Cada cual tiene sus debilidades... —y la misma expresión de picardía retozó en sus pupilas.

Charlaban a la salida del pueblo, en un sendero viejo que antes fuera lleno de movimiento porque iba a la Argentina, pero que ahora, con el nuevo camino que colgaba un puente interminable sobre el río y acortaba leguas de distancia, estaba totalmente abandonado. Allí solían darse cita madre e hija cuando la ambición de aquélla reclamaba de ésta alguna cosa concreta.

Tenía la vieja mala fama por sus brujerías, sus tratos con cuatreros, sus ensalmos, sus encubrimientos y hasta sus celestinajes. La temían, pero iban a ella como a una fuerza superior e incontrastable. La vieja sabía manejarse a maravillas, y aún entre los montañeses más cultos, aun entre las autoridades, aun entre los forasteros curiosos y los patrones escépticos, encontraba una tácita aquiescencia y hasta sus peores cosas quedaban impunes, protegida por la complicidad de todos.

Luz Canales era su hija, una hija habida en la juventud, cuando podía decirse que era una mestiza de chileno e india, extraordinariamente interesante. Parecía entonces una figura de sólida pulida greda. Educada en las monjas a costa de los patrones. Inteligente, pero descontrolada por el instinto. Luego rodó por ahí de hombre en hombre, de borrachera en borrachera, hasta que un día hizo presa en ella la enfermedad y con la enfermedad le nació la avaricia y con ella el furor de ahondar en ensalmos y brujerías como su madre, machi que fuera y cuya fuente estaba en ella misma como un residuo de la vieja raza. Le costó poco para hacerse con fama y cambiando de región llegó a aquella de Mariluán, donde arraigó.

La hija estaba, entre tanto, en el pueblo, interna en las monjas. Iba creciendo y transformándose en una muchacha atrayente por lo extraño del rostro, también de greda, pero más clara, menos rojiza, con los ojos enormes algo sesgados, pestañudos y centelleantes. La nariz era lo que

más acusaba el mestizaje, y la boca, roja, grande y fresca, dejaba ver los
dientes de maíz tierno, menuditos y albos. Los pómulos se teñían de rojo
vivo y las crenchas se arrollaban sobre las orejas en dos moños. Vestía
como una señorita, con cierta gracia en los detalles, y bajo el trajecito
de brin rojo se adivinaba el cuerpo de firme arquitectura.

—¿Así es que no querís cortar relaciones con ese guaina?

—No veo por qué.

—Testaruda, me la vai a pagar. Ten cuidado conmigo.

—Bien sabe que me río de sus amenazas...

—Ten cuidado. Ten cuidado. Conmigo no se juega. Cuando yo tengo
algo dispuesto, nadie lo tuerce, ni el mismo Malo.

—¿Y qué tiene usted dispuesto?

—Que sigái viviendo con el gringo hasta que te haga testamento, que
sigái con él hasta que se muera.

—No desvaríe, señora. Morirse, se morirá el pobre gringo, y puede
que luego, que hartos años tiene, pero en cuanto al testamento... Verdes están las uvas...

—Si te supierai dar maña... —insinuó la vieja—, si vos quisierai...

—Alguna tendré cuando le he sacado todo lo que usted tiene. Podía
ya darse por contenta... Pero usted es como pozo sin fondo.

—Yo miro sólo por tu porvenir. Ya vis lo bien que hasta aquí han
salío las cosas. Cuando te jui a buscar al pueblo y te aleucioné, harto
que te hiciste de rogar y hartos inconvenientes que pusiste. Y ya vis cómo
too salió a pedir de boca. Pero si seguís en esta lesera todo se irá a la
miéchica.

—Yo no pierdo nada —dijo Luz con indiferencia.

—Perdís una fortuna, ni más ni menos.

—Pero puedo ganar un hombre, un hombre. ¿Entiende? Ya es cambio...

—Un hombre, sí, un hombre; ¿y para qué te servirá el hombre una
vez que se te pase el calentón?

—Para tener un marido, una casa mía, unos hijos que no sean hua-
chos.

—¿Así que te ha hablado de matrimonio? —inquirió la vieja clavando
en lo lejos el ojo rapiñesco.

—Aún no, pero para allá vamos... —confesó Luz con cierto desencanto.

—¿Sabís qué familia tiene? ¿Sabís de su hacienda? ¿Conocís siquiera
su nombre?

—Vaya, mamita... —y corrigiéndose—: Vaya, señora... Las cosas...
Se llama Manuel Pérez y su padre es el mayordomo de Dillo, la hijuela
grande de la Beneficencia, por el lado de las Termas. El es mecánico y
gana su buen sueldo. Todo eso sé —terminó con gran satisfacción, como

si con aquellos breves datos la personalidad del mozo se hiciera inconfundible.

—¡Je ¡Je! ¡Je! —y esta vez la vieja rió francamente, perdiéndosele el ojo sano en el desborde de las mejillas—. ¿Y no te ha dicho también que es casao y que su mujer se llama Micaela Soto?

—¡No! —protestó airada la muchacha—. Mentiras, no. Vieja perversa, mala; con razón todo el mundo la odia. Vergüenza me da ser su hija. Mala, mala. Mentirosa.

—Micaela Soto... Micaela Soto... —repetía la vieja sardónicamente.

—Micaela —rugió Luz, y en un impulso que no detuvo, las manos se le fueron a sacudir a la madre, frenéticamente.

—¡Cuidao con tocarme! —El perfil se inmovilizó en el fondo luminoso del paisaje mañanero. La mirada del ojo fijo clavó a la muchacha en su sitio y le bajó las manos como si un resorte oculto se le hubiera roto en los hombros y le dejara los brazos colgantes—. Ya lo sabís. Tu guaina es casao. Si la esperanza de un matrimonio te apegaba a él, ya podís perderla. Ahora, si querís ser su quería, y compartirlo con la mujer legítima..., eso podís verlo tú y hacer lo que más te convenga... Me voy agora.

Subió trabajosamente al cochecito tirado por una mula que allí la aguardaba, y tomando las riendas, dio la vuelta para deshacer camino y seguir aquel que iba a su hijuela.

Hasta que se perdió en el próximo recodo estuvo la vieja de perfil, vuelta a la hija, que se quedaba en medio del sendero, estúpida, pelele al cual le quitaran el relleno de esperanzas que en ese último tiempo la hacía mantenerse en pie de felicidad.

Faltaba poco para que el meridiano aplomara el sol sobre la montaña y una atmósfera recalentada hacía que seres y cosas se enervaran en una laxitud incombatible. Comenzaba el trigal en el borde mismo de la montaña, linde en que unos árboles medio calcinados decían hasta dónde había llegado el roce. Desde esa masa verdinegra y profunda, el trigal bajaba por suaves laderas hasta la vega, abriéndose allí en una perspectiva inmensamente dorada. Un regato bajaba por la ladera y el cuchicheo de su agua decía algo a los sauces que inclinaban curiosamente las cabezas greñudas. Una chicharra se adelantó a la siesta girando su matraca adormecedora. Por el cielo empalidecido a fuerza de reverberación una bandada de cachañas pasó en holgorio de comentarios rumbo al robledal.

La yunta iba lenta guiada por el Choroy, que caminaba como un sonámbulo, más necesitado de reposo que cualquier otro, que para sus ocho años era duro el trabajo de guiar los bueyes desde el alba hasta el atardecer. Y era de creer que por el solo afán de molestarlo a él, al Choroy, el sol se quedaba allá arriba inmóvil, como si se le hubiera perdido el camino y estuviera pensando por dónde debía irse.

Avanzaban los bueyes y, con la picana al hombro, el chiquillo los manejaba desde un costado, mientras que —subido en el asiento de la máquina cortadora y emparvadora— Manuel Eduardo silbaba su felicidad, indiferente al calor pegado como una plancha a la espalda, pero atento al enjambre de ruedecillas y palancas que acababa de poner en movimiento, luego de echar la mañana en recomponer una falla.

—Ahora sí que anda como una seda. Fíjate, Choroy... Choroy de los diablos...

El chicuelo tuvo un sobresalto y abrió grandes ojos, porque la verdad era que iba dormido caminando y que él y la yunta habían hecho un ángulo que los metía trigal adentro.

—¡Puá! —dijo, restregándose los párpados—, me le estoy queando dormío...

—No tenís que decirlo... Güeno, la máquina está lista —y de un brinco se puso de pie en tierra, mirando su obra con ojos escrutadores que una vez más querían asegurar su afirmación.

El Choroy buscaba otra afirmación: la del mediodía en la sombra, pero no necesitó poner a prueba su ciencia innata, porque un silbido estridente rebotó por los campos enviado de quebrada en quebrada por el eco.

Una agilidad extraordinaria hizo que en un momento desenyugara el Choroy los bueyes y se fuera tras ellos, apresurándolos con sus gritos, camino de la rancha, del almuerzo y de una hora de siesta bajo las quilas, abrazado al perro que trotaba ahora a su lado alegremente.

Siguiéndolos iba Manuel Eduardo, pensando en el desagrado de llegar a su casa, donde lo esperaban los reproches de la mujer, cuando no su mutismo y sus malos modos, que aún lo exasperaban más. Pero aquello tendría un próximo fin: dependía todo de que él hablara y con la verdad decidiera a Luz a irse con él "así no más", en una unión libre y feliz. Se querían tanto... El último beso de la muchacha le reardió en la boca. Una oleada caliente se le fue por la sangre, llenándole los ojos de chiribitas luminosas.

Era curioso: las chiribitas le continuaban bailando allí al frente y le impedían ver. Mejor dicho: estaban dentro de sus ojos, haciéndole una sombra en que había luces y culebrinas de colores. Se detuvo y cerró fuertemente los párpados, dejando así transcurrir un momento. Pero en esa actitud las luces persistían. Volvió a abrirlos y no se atrevió a echar a andar, porque delante de él sólo había sombras y luces que estallaban como fuegos artificiales, como los que viera una vez en las fiestas del Dieciocho, en Victoria. Le dio miedo y gritó:

—¡Choroy!... ¡Choroy!... ¡Vení, Choroy!...

—¿Quééé? —preguntó el niño desde los cincuenta pasos que le llevaba de delantera, y volviéndose apenas.

—¡Vení, Choroy.... por favorcito!...

—¿Qué jué?

Y como lo viera avanzar unos pasos a trastabillones y detenerse para luego avanzar otros, casi cayéndose, el chiquillo olvidó su cansancio, su hambre y la sombra de las quilas, para correr en auxilio del que extendía las manos y daba voces angustiosas.

—¿Qué tiene? ¿Qué le pasa? —preguntó defendiendo la cara de las manos que lo palpaban afanosas.

—No veo... No veo... Estoy ciego... No veo, Choroy... Choroy... No me dejes solo, Choroy, por Diosito...

—No se asuste, don Manuel Eduardo... No es na... Es la calor... Un solazo... Déme la mano y vaya andando no más... No se asuste, porque es pa pior... En cuanto no más se le refresque la cabeza se le irá pasando...

—No veo, Choroy... No veo... Antes veía luces... Ahora lo veo todo negro... ¿Por ónde vamos, Choroy?... Por Diosito, no me vayai a dejar solo...

—Camine no más, ya estamos frente a los tranqueros del ocho. En un volando estaremos en su puebla.

Así llegaron al rancho: adelante la yunta que iba presurosa atraída por la querencia, atrás el grupo del niño guiando al enceguecido al par que acunaba su angustia con las palabras que su conocimiento de los "solazos" le daba. Y a su zaga, un poco al margen, como receloso, iba el perro, rabo entre piernas, olfateando no se sabía qué en el aire, erizado cada vez más el pelaje del lomo. Hasta que al llegar al rancho y entrar Manuel Eduardo y el Choroy, cuando empezaron a oírse las lamentaciones de la mujer, el perro se sentó en su cuarto trasero, alzó la cabeza y abriendo apenas el hocico dio ese largo lloro escalofriante con que los de su raza anuncian lo desconocido.

Quince días después Micaela Soto llevaba su desesperación a casa de la vieja machi: el marido estaba ciego y nada podía la ciencia humana contra su mal. Ni los médicos de Victoria sabían qué era aquello. Doña Bernarda, la meica de los contornos, decía simplemente que era "maleficio" y ni un remedio quería darle.

—Pierda la esperanza —dijo la vieja con la voz más sin timbre que nunca—; su marido no tiene cura. Pero no hay mal que por bien no venga... Usted lo quería para usted sola. Ahí lo tiene...; nadie se lo va a quitar...

La muchacha la miró con horror. El ojo estaba pegado a su cara, y el perfil, en la sombra del crepúsculo en el cuarto, tenía un vago contorno que lo hacía más obsesionante aún.

—Prefiero que mi marido se vaya con otra, pero que tenga sus ojos sanos —dijo Micaela Soto luchando con el pavor que empezó a producirle aquel ojo que no se le quitaba de encima.

—Pero yo lo prefiero como ahora, dependiendo de usted como un niño. ¿Qué más quiere?

—Quiero que mi marido vea. Algo le ha hecho usted, algún daño. Yo le pedí que me devolviera el querer de mi marido, pero no que lo condenara a este sufrimiento. ¿Qué le ha hecho? Diga..., vieja bruja..., ¿qué le ha hecho?

—Vieja bruja..., sí..., tal vez... Cuando necesitan de mí, soy la "señora"...; pero ¡Dios me libró de que las cosas no salgan a la medida del deseo de cada cual!... Y en este asunto no hay más voluntad que la mía, ¿entendís? ¿Qué le hice a tu marido? Poca cosa. Mira —y le enseñó el retrato del mozo, colgado en la pared con dos tachuelas, y en cada ojo, en aquellos ojos tan abiertos y asombrados de expresión, clavados bárbaramente dos largos alfileres de cabeza negra.

La muchacha conocía de oídas el sortilegio y anonadada se echó a llorar. La vieja dijo aún:

—A la Luz Canales se le olvidará el embeleco del mozo, bastante tiene con las muelas, que la tienen como loca...

Ella bien sabía por qué, y si Micaela hubiera abierto el cajón del velador de la vieja, habría visto el retrato de Luz muy sonreída y con los mismos alfileres largos de cabeza negra clavados en los dientes.

—Ya ve cómo todo resulta mejor. Usted tiene a su marido de nuevo a su lado. La Luz Canales se fue para el pueblo para ver dentista... ¿No es para que todos estemos contentos?

—Por favor, señora, por favor, devuélvale la vista a mi Manuel Eduardo; se lo pido de rodillas, por lo que más quiera en el mundo... No me importa que me engañe, no me importa...; pero que vea... Señor, ¿en qué hora fui a poner los pies en esta casa?

—Váyase —dijo la vieja, mirando no se sabía qué punto; y con la voz monótona que instaba a la obediencia concluyó—: Váyase y no vuelva y olvide lo que ha visto y oído. Olvídelo, si no quiere cosas peores para su marido y para usted... Váyase y olvide. Y no me pague nada. Váyase.

El ojo se había vuelto a la muchacha y su mandato era tan duramente imperioso, que ésta se alzó y lentamente ganó la puerta, saliendo al camino como si una fuerza superior la empujara.

Una dulcedumbre parecía envolver el paisaje en crepúsculo. Ya no se veía el sol, pero su reflejo estaba en la cordillera incendiando la nieve de los bonetes. De la quebrada subía el aliento húmedo del río y una que otra niebla se arrastraba ciñéndose luego a los troncos en fina espiral. Un sapo dijo que sí, otro dijo que no en la ribera fronteriza y luego fueron miles los que se trenzaron en la discusión interminable. Los pájaros se clavaban veloces en la masa de los árboles y a las cachañas aún les quedaban bríos para contarse, antes del sueño, un último comentario malévolo.

Un toro daba su reclamo imperativo. Un venado salió de la espesura. Llegó hasta el agua con su paso fino y saltarín, bebió y luego quedóse un momento con el cuello vuelto mirando azorado algo que lo hizo dar un salto, arco de elegancia suma hundido en la maraña del ribazo. Una estrella encendió su lámpara de plata y una luciérnaga aprovechó el momento para encender también sus pequeñas farolas celestes.

Micaela Soto seguía avanzando inconscientemente. De pronto la fuerza que la movía pareció fallarle y se detuvo vacilante. Hasta entonces el cerebro iba como vacío. Pensó en que sería bueno descansar y se sentó, a la vera del sendero, en unas lajas. La realidad la abofeteó horrendamente. Rompió a llorar, murmurando:

—Por mi culpa, por mi culpa...

LA MACHI DE HUALQUI

Anunció su llegada el ruido de un guijarro rodando cuesta abajo hasta caer en el agua inmóvil del remanso. Del punto que marcó al hundirse nació un anillo y de éste, otro, y de éste, otro más, hasta que el último se perdió en la ribera entre los finos helechos temblorosos. La muchacha distrajo la atención del libro que leía y se quedó mirando a la vieja que avanzaba despaciosamente, alta, escueta y bien plantada, desnudos los pies, ceñida entera por el chamanto que se prendía al pecho con una rodela de plata labrada. Los pelos blancos le caían por la espalda en dos trenzas peinadas a la moda indígena, sujetas por cintas rojas en que brillaban escamas metálicas. Pero si en la vestimenta hacía recordar a las indias, el tipo era de chilena entroncada en judíos, de los cuales heredara la nariz corvina y los ojos encajados muy adentro en las cuencas. Arrugas la surcaban íntegra. Toda la piel era de greda trizada finamente. Llevaba un tarro en una mano, un tarro vacío de parafina, al cual le habían puesto un asa de juncos trenzados. Y con la otra mano en la cadera caminaba lenta, fijos los ojos frente a ella en un punto único, noble en el gesto, inusitada en ese paisaje de montaña sureña, arisco y denso.

Así bajó hasta llegar junto al remanso. Medio oculta por unas quilas, la muchacha seguía mirándola. Un momento la vieja se quedó al borde del agua, de pie, bien unidos los talones y los ojos en el mismo punto frontero a ella, mirando no se sabía qué. Luego dejó el tarro en el suelo, se alzó y extendió las manos con las palmas abiertas sobre el agua. Pasó un minuto. Entonces los labios salmodiaron una especie de melopea que terminaba con un gemido cada vez más alto, cada vez más desgarrador. Las manos empezaron a trazar signos extraños en el aire. El cuerpo seguía fijo, ceñido por el chamanto que desde los hombros le llegaba hasta los pies desnudos, cruzados ahora uno sobre otro. La cara guardaba la misma inmovilidad de piedra que tenía el cuerpo y sólo los brazos aspeaban cábalas en movimientos rápidos.

Sin haberla visto nunca, la muchacha reconoció en la vieja a la Machi[1] de Hualqui, famosa por su leyenda de maleficios y daños. Vivía montaña adentro, en una casa de piedra, refugio para caminantes ahora abandonado, y desde allí repartía su saber diabólico, bien pagada por quienes requerían sus servicios. Se decía de ella esto y lo otro y lo de más allá. Las veladas camperas estaban bajo la sombra medrosa de sus hazañas y en toda voz una pinta de pavura ponía un trémulo de emoción.

La muchacha siguió mirando desde su atalaya. La Machi lentamente dobló las rodillas, hasta quedar sentada en los talones. Parecía serle familiar esta postura en que se la sentía cómoda. No canturreaba y un largo rato estuvo así, inmóvil en el silencio.

La primera noche avanzaba. Por los troncos de los árboles retazos de nieblas se enredaban esfumando los perfiles. Pasaban cachañas, jotes, pidenes. Decían aquéllas sus interminables charlas de comadres volubles, reidoras y chillonas. Tenían éstos un lento y bajo vuelo, esperanzados de carroñas. Auguraban lluvia los otros, "pedían agua" con una testarudez cansadora. Una ráfaga sacudió las copas en que ya no había polvo de sol.

Y en el cielo que se empalidecía, una estrella asomó su ojo tierno y azul. Entonces una rana empezó a croar.

La muchacha la sintió tan cerca, que la creyó al otro lado de las quilas, junto a la Machi, que seguía sentada sobre los talones, con las rodillas juntas y las manos rodeándolas, alta la cabeza y el perfil metido en la inmovilidad, como un bajo relieve en la medalla. La rana croó nuevamente y la muchacha tuvo un escalofrío al ver que los labios de la vieja se movían y que era ella quien daba a la montaña el canto monocorde. El agua del remanso se abrió junto a la orilla y una rana avanzó sobre las piedras lisas, deteniéndose a ratos para contestar a la rana que hablaba por la boca de la Machi. Porque se hablaban, de eso estaba la muchacha segura: la vieja entendía lo que decía la rana; ésta contestaba las preguntas de la vieja. Era un diálogo extraño, sentadas una frente a otra,

[1]Machi: bruja.

en una actitud que las hacía semejantes. Luego la Machi extendió las manos y tomó al bicho asqueroso sin que éste hiciera movimiento de escapar. Algo buscó entre los ojos, pasando un dedo suave sobre la piel, que ahí formaba una protuberancia. Pareció no encontrar lo que buscaba, porque la puso de nuevo sobre las lajas, y tras de renovar brevemente el diálogo interrumpido, la rana dio un salto y se hundió en el agua, produciendo un reflejo blanco-azul.

Por tres veces se repitió la escena. Croaba la vieja y una rana aparecía como imanada sobre las piedras, manteniendo el diálogo hasta el momento en que la Machi buscaba entre los ojos algo que por fin encontró, porque se puso en pie con la rana entre las manos, rezumando júbilo por el tajo enorme de la boca. Medio lleno de agua el tarro, echó dentro la rana, colocó aquél sobre su cabeza y andando a pasos lentos, erguida y mayestática, subió la cuesta hasta desaparecer en lo alto, fundida a las sombras de la noche que se espesaba.

El día siguiente la muchacha la buscó en su guarida, entre los altos robles de la montaña. La llevaba una curiosidad aguda, el deseo de ahondar en esa vida llena de ritos, de acercarse a esa alma solitaria que vivía aislada por el pavor de los demás, sin otro contacto con los humanos que los breves momentos en que aquéllos iban en busca de amuletos, de brebajes, de ensalmos. Y la llevaba, además...

La muchacha ató las riendas del caballo al tronco de un árbol y avanzó hasta la puerta de la casa, es decir, hasta el vano en que debía estar la puerta. Se asomó adentro y preguntó:

—¿Se puede entrar?

No contestó nadie. Un gato avanzó silencioso en sus calcetas blancas, lustroso y negro todo él, verdes las lentejuelas de los ojos indiferentes; se sentó en el umbral, arrolló la cola en torno a las patitas y se quedó muy quieto haciendo de esfinge.

La muchacha volvió a preguntar:

—¿No hay nadie?

Y como de nuevo no contestaran dio un paso que la colocó dentro de la pieza única de que constaba la casa, una habitación cuadrada de techo muy bajo, de paredes desnudas, con un camastro en un rincón y unos cajones repartidos aquí y allá en un desorden en que había limpieza. En el centro se quemaban unos carbones en el hogar, montón rojo entre, poyos de piedras, con un trípode encima en que una olla de greda barbotaba su hervor. En un extremo lucía un telar indígena con un choapino comenzado en colores chillones.

Como adentro no había nadie ni nada que atrajera su curiosidad, un poco desilusionada la muchacha salió de la casa y frente a ella se quedó pensando en qué haría, ya que probablemente la Machi no estaba por allí, sino en tren de buscar animalejos o hierbas.

Cerca del río que iba por el fondo del tajo y junto al camino abandonado que otrora llevaba a la Argentina, la casa se alzaba solitaria, sin ningún otro edificio en torno, sin ninguna manifestación de estar habitada. Ni un cobertizo ni una maceta, ni un animal, ni una chacrita. Nada. La casa con sus cuatro paredes de piedras superpuestas, groseramente unidas, con el techo de quilas y totoras. Y la montaña por todos lados tocando casi la casa, apretándola con su vegetación espesa, engarzándola con el verde de sus hojas, protegiéndola con la guardia de los troncos rugosos. Sólo el gato con su actitud doméstica decía que sí era aquello un hogar.

De pronto, a espalda de la muchacha una voz preguntó:

—¿Qué busca?

La muchacha se volvió rápida. Allí estaba la Machi, alta y cenceña, saliendo de la negrura del chamanto que esta vez la ceñía de pies a cabeza.

—¿Cómo está, señora?

—Me llamo la Machi de Hualqui y no quiero otro nombre.

—¿Cómo está, Machi? Venía... Venía...

Y no supo qué decir, porque los ojos de la vieja, brillando bajo la visera que le formaba el chamanto, tenían un brillo metálico penetrante que parecía meterse muy hondo por los ojos hasta verle adentro el pensamiento más recóndito.

La vieja dijo con su voz sorda, que parecía moler las palabras hasta dejarlas convertidas en harina de sílabas que no tenían sentido:

—Feo vicio el de la curiosidad. Ayer me vio junto al remanso en busca de ranas y de ahí que hoy venga a ver cómo es la Machi de Hualqui. Y la Machi de Hualqui es una mujer como otra cualquiera, un poco más vieja y un poco más triste que cualquiera, solamente. Eso es todo. Váyase ahora.

La muchacha protestó.

—Es que yo... Yo no tengo la culpa de haberla visto ayer... Es que quisiera... No he venido solamente por lo que usted cree... Quisiera...

La vieja sonrió y una gran O negra se le marcó entre las arrugas de la cara. Dijo:

—Déme la mano.

Entre las manos cobrizas y duras de la Machi, la mano de la muchacha era blanca, suave, con uñas de concha de perla lustrosa. Fue mirando las líneas que surcaban la palma y por fin otra O grande le manchó la cara. Y dijo:

—Cordera buena como la mía... También tiene el abandono de un hombre que la hizo sufrir, que la dejó por otra. ¡Pobrecita linda! Pero ya no habrá más alegría para ese hombre, no habrá más, no habrá... Entre.

Le indicaba la casa. Como sugestionada por el gesto la muchacha entró. Desde ese momento lo que fue pasando, lo que fue haciendo, lo que fue diciendo, lo vivió como en un sueño, como en esas pesadillas en que se obra a pesar nuestro, contra nuestra voluntad, forzada por poderes con los cuales no vale luchar.

—¡Siéntese! —Y le señaló una silla junto a la mesa en que acababa de extender un paño negro con una cruz blanca en el centro.

La muchacha se sentó y esperó ansiosa, toda ojos anhelantes, clavada allí y sintiendo, sin embargo, el deseo violento de huir.

—Dibuje aquí al hombre que la abandonó y que la hizo sufrir, tratando de que resulte lo más parecido posible.

El lápiz fue trazando los rasgos de la fisonomía, de la silueta. Era pintora y el retrato "del hombre que la abandonó y que la hizo sufrir" era una pequeña maravilla de parecido.

Cuando terminó el dibujo se lo quedó mirando, y ante esa imagen que la observaba desde el papel con los ojos profundos de ternura que ella le conociera, los suyos de agua clara se humedecieron de llanto. La vieja dijo:

—No llore la cordera linda. Ya la Machi de Hualqui sabrá vengarla.

La muchacha preguntó:

—¿Qué va a hacer?

—Vengarla.

—No quiero daño para ese hombre.

En los ojos de la Machi se encendió una chispa de alegría borracha.

—¡Ja! ¡Ja! ¡Ja!

—No quiero daño —insistió.

—Cállese y haga lo que le digo —la voz se había vuelto de metal duro y los ojos imponían su voluntad a los ojos claros que no podían hurtarse al mandato.

—Piense que este retrato no es el retrato, sino que es el hombre mismo. Piense. Piense. Piense.

Sobre la mesa había colocada una palangana grande tapada por un lienzo blanco en que había una cruz negra. Levantó el lienzo y apareció una rana sentada en el cuarto trasero, verde pintado de negro el lomo, blancas las patas y la panza. Los ojos tenían un estrabismo que fijó la atención de la muchacha. En la frente le brillaba algo, no supo qué, una especie de protuberancia que parecía una pupila ciega.

La Machi tomó el papel en que dibujara a "ese hombre" y lo plegó en varios dobleces triangulares, al par que iba diciendo palabras molidas, entre las cuales intercalaba el canturreo de la tarde anterior. Colocó entonces los pulgares sobre los ojos de la rana y el canturreo se desenvolvió en siete trozos, dichos en siete tonos. La rana parecía hipnotizada. Entonces la vieja le abrió la bocaza y la hizo tragar el papel doblado. Luego —siempre diciendo las palabras canturreadas en los siete cambiantes tonos— tomó una aguja en que había un largo hilo hecho con la tripa de un gato negro y fue cosiendo la boca de la rana con siete puntadas, a cada una de las cuales correspondían siete nudos. La rana no parecía sufrir, no se debatía entre las manos que la martirizaban. Cuando la Machi la abandonó sobre el lavatorio, se quedó inmóvil, sentada, con las patitas delanteras metidas entre las traseras. La boca tenía un débil estremecimiento y los ojos cada vez más abiertos, más fijos, no se separaban de los ojos de la Machi, que la miraba intensamente, aún con las palabras de la cábala en los labios.

Hubo un largo silencio. La muchacha sentía que la cabeza se le iba, que vacilaba todo a su alrededor, que aquello que tomara como un motivo de curiosidad y de esperanzas de no sabía qué, se iba tornando en un verdadero espanto. Seguía clavada en la silla, mirando a la rana y pensando en "ese hombre". Eso era lo que hacía y pensaba con una voluntad que no era la suya. Porque en el fondo, con los restos de su voluntad quería dar los pocos pasos que la sacarían de allí y los otros que la llevarían hasta el caballo para huir lejos de aquello. Había que huir, sí, había que huir, quería huir, pero no podía. El cuerpo estaba inerte sobre la silla, los ojos no se separaban de la rana, el pensamiento estaba fijo en una materialización de "ese hombre".

El vientre del animalejo empezaba a hincharse. La boca se festoneaba de baba. Las patitas pataleaban débilmente. Por los ojos pasaban ráfagas de sufrimiento. Pero no se movía, siempre sentada. Seguía la hinchazón. La baba se hacía espuma. Los ojos se salían de las órbitas. Iba a reventar. La Machi empezó de nuevo su canturria. Las manos hacían signos en torno a la cabeza del animalejo. Iba a reventar. Iba a reventar. Los ojos se desorbitaban. La piel se rajaba. Entonces, en la protuberancia que había entre los dos ojos de la rana y que cada vez se hacía más transparente, que cada vez tomaba mayor apariencia de una tercera pupila, en el preciso momento en que la rana reventaba, la Machi clavó siete veces un alfiler de cabeza negra.

Luego se volvió a la muchacha y dijo con su risa horrible:

—Váyase tranquila. Ya está vengada. Ya ese hombre no podrá hacerla sufrir más.

—¿Qué ha hecho? ¿Por qué ha hecho esto? —preguntó la muchacha, que empezaba a tomar dominio de sí misma.

—¿Qué he hecho? Vengarla. ¿Por qué? Porque les tengo lástima a las corderas blancas como usted, que penan por el olvido de un hombre. Cordera blanca la mía, zarca como usted, hija de caballero, con corazón de panal, y me la mató un hombre con sus desdenes, luego de haberla embelesado con palabras de amor.... Pero la vengué.... La vengué como pude.... Aprendí años de años este arte mío de los ensalmos. Me llaman bruja,... Me llaman la Machi de Hualqui.... No importa, no quiero otro nombre... Aprendí en las islas, allá lejos, en los canales de Ancud, toda la ciencia que da el poder del Bien y del Mal. Condenada estoy, lo sé..., pero con el goce que tuve de vengar a mi cordera linda, ya tengo para endulzar todas las penas venideras, así sean las del infierno... Nunca he hecho el mal sino para vengar a corderas como la mía y como usted.... Váyase tranquila.... No me debe nada... Estamos en paz....

La muchacha no supo cómo salió de la casa de piedra, cómo llegó hasta el caballo y montó en él. Tomó éste a buen paso, a montaña traviesa, camino de la querencia con ese instinto maravilloso de los equinos, cuidando de dirigir él mismo la marcha, ya que las riendas iban sueltas sobre su cuello. La muchacha sentía una especie de mareo, un girar de la montaña en torno suyo, una superposición de imágenes en que estaban los ojos del gato, los ojos de la Machi, los ojos de la rana. Luego se veía a ella misma, como si se mirara desde fuera, desdoblada, y se veía cerca de la mesa, mirando aquel tercer ojo que le brotaba a la rana en medio de la frente. Giraba la montaña. Los árboles pasaban rápidos a su derecha, doblaban su espalda y venían a colocarse a su izquierda, formando una especie de semicírculo que se abría solamente en el estrecho sendero. Y le daba angustia el prever que de pronto los árboles la cercaran, cerrando el círculo en torno suyo, dejándola ahí prisionera, ahogada por los troncos que se hacían compactos para mejor encerrarla, por las hojas que formaban una maraña espesa y consistente. Pero el sendero de la montaña desembocaba en el camino que llevaba a las casas del fundo. El caballo tomó un galope corto que luego detuvo para seguir a paso largo, ya que las riendas siempre sueltas sobre su cuello le advertían que algo insólito pasaba al jinete.

Un mozo ayudó a la muchacha a bajarse en el patio de la casa. Vacilando pudo llegar hasta una de las sillas largas que se extendían en los corredores coloniales y allí descansar de su extraña aventura. Tenía la impresión de estar viviendo dos verdades, dos vidas paralelas. La suya habitual en la placidez de la casa, entre los suyos burgueses, realizando los gestos de siempre y diciendo las palabras de cada minuto, y otra vida que había empezado allá en la casa de piedra de la Machi, una vida dependiente de un alma de pavura, llena de sobresaltos, inquieta de presagios, agobiada por no sabía qué remordimientos.

En la mañana siguiente la prensa de la capital trajo la noticia: "Ayer ha dejado de existir repentinamente de un ataque al corazón el señor..." Un hombre ilustre en las letras, frases de condolencia, la biografía del extinto, un retrato en que asomaba la cara filuda con la gran frente pensativa y los ojos perdidos en las sombras de las cuencas hondas, con la boca sensual y dura y la barbilla cuadrada de voluntarioso.

La muchacha se quedó mirándolo, mirándolo. Las letras empezaron a bailarle ante los ojos. El retrato giró y quedó al revés, cabeza abajo. Dio vuelta maquinalmente al diario. Las letras seguían bailando. Sintió que dentro de ella se derrumbaba algo y dio un grito. Se caía algo, sí, se caía algo dentro de ella. Se caía su personalidad, la de la muchacha en la casa de campo, entre los suyos serenamente burgueses. Y quedaba en pie la otra muchacha que naciera en la casa de piedra, con el alma tenebrosa y llena de espanto. Dio otro grito. Las letras bailaban, bailaban. En el centro de cada letra un ojo brillaba persistente. ¿El de la Machi? ¿El del gato? ¿El de la rana? No. No. Lo que ahora veía eran los anillos del agua rota por el guijarro. El agua. Las letras volvían a bailar, cada una con un ojo en el centro. ¿Quién hablaba? ¿Había que pensar en "ese hombre"? ¡Pobre hombre muerto repentinamente de un ataque al corazón! ¿Cómo decía el diario? ¡Qué difícil es leer cuando las letras se mueven bailando! La cordera blanca…. La cordera blanca ya estaba vengada… ¿Quién decía eso? ¿Quién? ¿La Machi de Hualqui? Hay que mostrarle a la Machi la venganza cumplida. Hay que leerle el diario. ¿Cómo se lee cuando las letras danzan y en el centro de cada cual un ojo reluce inmóvil? ¿Cómo? La rana…. La rana…. Hay que buscar el tercer ojo de la rana. Una voz canturrea y le manda buscar el tercer ojo de la rana. El tercer ojo de la rana…. ¿Dónde está el tercer ojo de la rana? ¿Dónde? ¡Ha muerto, ha muerto, ya no es más!…

Desde entonces, en la casa del fundo en que la muchacha vivía tan plácidamente con los suyos —el sentimiento hecho trizas se disimula muy bien en la indiferencia de los demás—, hay una pobre loca de claras pupilas visionarias, tranquila y acogedora, que se pasa los días vagando por los corredores, por las habitaciones y por el parque, seguida de una *nurse* que la cuida, y cuya inocente manía es acercarse a todo animal y buscarle algo entre los ojos. No habla. Suele canturrear una especie de melopea, y a veces, en los atardeceres en que la luna decora el crepúsculo, gusta de bajar el ribazo del río y cerca del agua croa a la par que las ranas, sentada en una extraña pose que la hace semejante a ellas.

LA NARIZ

Tenía unos enormes ojos de asombro, recién abiertos a la vida, obscuros e inusitados en la piel de pétalo de camelia, de camelia blanca igualmente recién nacida, caída de la mano de Dios para señalar el centro de la mañana.

La madre exclamaba, llena de alborozo:

—Ya me conoce...

El padre, inclinándose sobre la crespa marejada de batistas y encajes, repetía como un absurdo eco:

—Ya me conoce...

Contra lo tradicional, la abuela, desde su altiva condescendencia, se dignaba decir cuerdamente:

—¡Qué sabe ella de nadie, si es tan chiquita!

Porque en verdad sólo sabía de elementales deseos, de lentos descubrimientos, cómoda entre esas sombras que instintivamente aprendía a diferenciar, repartiendo entre ellas el pasmo de sus miradas, el imperativo de su lloro y la tierna magia de la sonrisa con que subraya los gorjeos.

Margarita cumplió su primer año. Miraba con los ojos de un obstinado negro, contemplando con avidez cada rostro, y su mano, que ya respondía a un propósito, señalaba la cara más cercana, y en esa cara la nariz. Cuando se allegaban en busca de la manecita, hacía una insinuación de caricia, algo vago y delicioso que provocaba el regocijo de todos y su propia sonrisa, mostrando ya la aljofarada menudencia de unos dientecitos.

Pasó el tiempo arrebatado por los vientos de esa zona austral, tironeando las noches dilatadas, haciendo de los días un fugitivo claror en que la nieve ponía la evidencia de su incertidumbre. Llovía a torrentes, sin que paloma alguna asomara la esperanza de un verde ramo. Luego creaba la neblina otra incertidumbre más desvanecida aún, y, de súbito, una mañana cualquiera era como la primera mañana del mundo, con su sol recién nacido y su aire liviano incontaminado de suspiros, sol que relumbraba entre algodones de nubes graciosas, puestas allí para hacer más azul el azul del cielo.

La niña cumplió siete años. Parecía un largo tallo de junco. La cabeza mostraba la melena de paje, cobriza, y bajo la neta línea del flequillo aparecían los ojos enormes, desproporcionados, inescrutables, mirando en cada rostro con sostenida fijeza el perfil de la nariz.

—Abuela, ¿por qué tu nariz no se parece a la de papá?

La abuela la miraba a su vez sostenidamente, dejaba la labor en el regazo y contestaba seca, cortés, muy erguida en el severo traje negro con que cultivaba, a la par que con otras vetustas tradiciones, el tipo victoriano, buscando poner en evidencia la gota de sangre inglesa de un lejano antepasado.

—Porque papá es hombre y yo soy mujer.

—Tú eres mujer, como tía Elena, y tu nariz tampoco se parece a la de ella.

—Pero, hijita, todos somos distintos. No tenemos las narices iguales, ni los ojos, ni nada. Nadie es igual a nadie. Ni siquiera los mellizos.

Bajo el borde del flequillo, los ojos se ahondaban insatisfechos. Su mirada también parecía ensancharse, abarcando mucho más que el tranquilo y suntuoso ambiente del salón familiar, en cuya chimenea ardían los troncos resinosos dando calidez a las caobas y a los bronces, animando con sus reflejos trémulos las desvaídas figuras de los tapices.

—Tu nariz es casi igual a la de mamá. Pero la de ella es más bonita y siempre está contenta. En cambio, la tuya parece que oliera cosas feas. Y que estuviera por enojarse. Porque tu nariz, abuela, se enoja antes que tú lo sepas. Ahora, por ejemplo. ¿Ves? Está enojada y tú no lo estás. Es decir, empiezas a enojarte también, porque el enojo ya no te cabía en la nariz.

Por toda respuesta, la abuela se encastillaba en su mutismo desdeñoso.

La madre contemplaba a Margarita con el mismo azoro de la gallina del cuento al patito feo. ¿Cómo era posible que de una misma pudiera salir una criatura tan absolutamente ajena?

No lo sería más si la hubiera recogido abandonada en medio de la calle. Margarita, sin decir palabra, mirando hasta ser molesta, y cuando llegaba a decir algo, era haciendo alguna observación absurda acerca de las narices.

—¿Las narices también se mueren, mamá?

No le gustaba salir, no jugaba ni sola ni con los niños. Lo mismo le daba un vestido que otro. No sabía qué quería, o, mejor dicho, no quería nada.

Ahora la sentía mirarla, no directamente, sino a su imagen reflejada en el espejo, los ojos de brillante azabache fijos en un punto.

—Tu nariz es más bonita que tú.

—¿Hasta cuándo vas a repetir esa insensatez? ¿No se te ocurre otra cosa?

—Es que es muy bonita tu nariz...

—Basta. Basta... Vas a terminar con mis nervios...

El gran refugio de Margarita era el cuarto de planchar, donde su niñera, Asunción —Sunta la gallega—, batallaba ahora con prolijas lencerías, introduciendo con eficacia la plancha entre los ángulos de los bordados, asomando por una comisura de la boca la punta de la lengua martirizada en el esfuerzo. Dejaba el trabajo al ver a la niña, preguntando con indignación apenas reprimida:

) 265 (

—¿Qué te pasa? ¿Te han reñido?

—No, no me riñó nadie. —Sin prisa se acomodaba en un banquito—. ¿Por qué iban a reñirme?

—Claro, lo mismo digo yo. ¿Por qué iban a reñirte? —pero tornaba a los corruscantes volados que el almidón volvía marmóreos, con un suspiro, porque, ¡claro!, reñirla no la reñían, pero todas "ésas" no hacían otra cosa que espantarla como si fuera una mosca inoportuna.

La observaba de reojo. Parecía estar en otro mundo, rodeada de silencio, con los ojos tan grandes, tan negros, sin saberse hacia dónde miraban. Asunción podía ignorarla mientras permaneciera así, quietita, fijas las pupilas, pensando en esas cosas tan raras de las narices. Porque la niña era rara. ¡Vaya si lo era! Aún queriéndola mucho y sin maldad alguna, tenía que reconocerlo. Con razón la gente decía esto y lo otro y lo de más allá. ¡Claro que boba no era! ¡Qué iba a ser boba!... Pero lo que es rara, eso sí.

Podía ignorar que Margarita estaba allí, sentada, hasta que sus ojos de pronto se fijaban en ella, en Asunción, desasosegándola al extremo de hacerla perder toda mesura, dando tirones que no debía a los volditos o llevando inútilmente la plancha hasta la cara para cerciorarse de su eficaz temperatura. Preguntaba, al fin, tratando de no dejarse ganar por la impaciencia:

—Bueno, ¿qué hay?, ¿por qué me miras tanto? ¿Vas a preguntarme algo de mis narices?

La niña decía, sin inmutarse:

—¿Dios tiene narices?

—¡Neña!... —exclamaba Santa, escandalizada.

—¿Tiene narices Dios? —insistía.

—Neña..., pues, tenerlas, ¡claro que las tiene! —contestaba de pronto, iluminada por remotas palabras que llegaban a su memoria desde la polvorienta sacristía donde repasaba en coro su lección de catecismo—. Como que Él nos hizo a su imagen y semejanza. Si tenemos narices, es porque Él las tiene. ¿Estamos?

Pero "no estaban". Ella misma dudaba, temerosa de que aquello no fuera una irreverencia, acaso una blasfemia. Podía imaginar los ojos terribles de Dios y su boca misericordiosa; pero las narices... Las narices eran tan —¿cómo se diría?—, tan poco propias de Dios. ¡Al diacho con la criatura que la metía a una en aquellos aprietos!...

—Quisiera verle las narices a Dios... Pero a Él mismo. No a esos cuadros en que dicen que está Él. Y que no es cierto, porque nadie le ha hecho un retrato a Dios, al verdadero que está en los cielos —hablaba con una voz sin sobresaltos, fluyente como un cauce melodioso, tranquila la expresión, abismados los ojos en esos ámbitos celestes que ansiaba conocer.

—¡Neña! ¡La mi neña! ¡Que dices unas cosas que huelen a azufre y chamusquina!

—Quisiera ver a Dios, verle el perfil —proseguía la voz tranquila, hablando para sí sola.

—¡Faltaba más que esto! ¿Quieres callarte? ¿No quieres jugar? ¿Es que no puedes hacer lo que hacen los otros chicos? —y se quedaba transida de pena al verla ponerse de pie despacito, e irse quedo, sin apuros, tan fina como irreal—. ¡Es para enloquecer! ¡Ay la mi madre! ¡Qué neñuca más rara! —y por largo rato se quedaba con los puños apoyados sobre las caderas, dura sobre las firmes piernas hechas para resistir siegas y galernas, pinas laderas y el "a lo alto y a lo bajo" de los regocijos romeriles. Hasta que tornaba a su trabajo murmurando rabiosamente—: ¡Que sea lo que sea!

Los otros niños... Margarita pensaba en cómo serían los otros niños, esos que le ponían siempre de ejemplo. Trataba de acercárseles, de interesarse en sus juegos; pero en seguida comprobaba con angustia su imposibilidad de ser como ellos. La llevaban a casa de amigas de mamá o de tía Elena, donde la esperaba el enjambre bullicioso; traían a su casa bandadas de niños que se enloquecían con sus juguetes, con las golosinas puestas al alcance de su gula en el comedor resplandeciente como un paraíso. Buscaron una niñita mayor que ella, a quien explicaron cómo debía conquistar su confianza; trajeron una criatura menor que ella, una suerte de muñeca adorable, que tampoco logró cautivarla.

—¿Por qué no quieres a los niños? —interrogaba la madre.

—Porque no tienen narices...

—¿Que no tienen narices? ¿Pero tú estás loca? ¿Oyen ustedes esto? ¿Así que los niños no tienen narices?

—No. Tienen nada más que un pedacito de nariz que no me gusta.

—¿Qué es lo que te gusta, entonces?

—Las narices. Las de la gente grande; ésas ya están hechas; son todas distintas y me gusta saber cómo son...

—¡Jesús y qué disparates! Pero ¿y por qué te gustan?

—Porque las narices siempre dicen la verdad. No saben hacer guiños, como los ojos, ni sonreír, como la boca. Cuando toda la cara dice mentiras, sólo la nariz se porta bien y dice lo que siente.

—¡Dios mío! Y fuera de las narices dichosas, ¿no te gusta otra cosa? ¿No quieres algo?

—No, mamá.

—Habría que mandarla al colegio —intervenía con aire magistral tía Elena, para añadir—: Hace tiempo que lo estoy diciendo: hay que mandarla al colegio para que se le vayan todas esas tonterías de la cabeza.

—¿Quieres una muñeca nueva? —seducía la madre—. ¿O un trineo?

—No, gracias, no quiero nada.

) 267 (

—¡Ay, ya sé! —y anticipándose al presunto deseo—: ¿Quieres un perrito blanco, peludito, un perrito chiquito?

Movía negativamente la cabeza, sonriendo, enigmática.

—No quiero un perrito. No quiero nada.

Era la neña rara que decía Sunta. Le gustaba estar sola. O mirar fijamente a cada cual. Solía decir algo insólito sobre las narices.

Triunfó finalmente el parecer de tía Elena. La mandaron al colegio. Resultó una alumna discreta, pero seguía aislada y silente. Continuaba siendo el eje de la vida familiar y el tema exasperado de las mujeres. Hasta el padre dejaba de lado momentáneamente las preocupaciones de los negocios para preguntar con una voz de lisura, sin apuros, prodigiosamente parecida a la de la niña:

—¿Es que ustedes tampoco pueden hablar de otra cosa?

—¡Como tú vives metido en tu escritorio y el resto del mundo no te importa! —exclamaba la madre, hallando desahogo a viejos resentimientos.

Se vivía entre destemplados diálogos y peligrosos pozos de silencio. Margarita sentía un desasosiego creciente, porque habían terminado por despertarle la conciencia de su rareza. Vivía espiándose a sí misma, tratando de semejarse a los otros niños, ceñida a las formas más insípidas de las buenas maneras, con una expresión mineral en los ojos que rechazaba toda intrusión, cuidando las palabras, eludiendo las observaciones que de alguna manera indirecta pudieran referirse a las narices. Pero era inútil. Las mujeres aguzaban sus suspicacias frente a ella.

—¿Por qué no me dices que mi nariz es más bonita que yo? Si te veo en los ojos que lo estás pensando —decía exasperada la madre.

—Hace tiempo que lo estoy repitiendo: ahora se hace la víctima... —continuaba tía Elena.

—Neña, la mi neña..., anda..., desahógate... Di algo de mis narices. Ya sabes que a mí, ¡maldito si me importa!... —y Sunta, como otrora, la envolvía en su inútil terneza.

Un día el padre la halló llorando en un ángulo del salón, mientras estallaban los cohetes entre las unánimes carcajadas de la fiesta infantil.

La alzó en sus brazos y se fue con ella a su escritorio. Por largo rato permaneció sentado, frente al hogar, meciendo suavemente a la niña entre sus brazos, mientras el hielo del silencio parecía licuarse en las lágrimas copiosas.

La sentía tan liviana, patética en la compostura que aun en su desolación trataba de guardar.

—No se lo digas a nadie... Por favor, papá... No se lo digas..., que no sepan que he llorado...; pero es que no puedo más..., no sé qué hacer..., todo les parece mal...

La acunaba sin palabras, temiendo entorpecer el fluir del río obscuro de su confidencia.

—...a los niños también les parezco mal..., se ríen de mí..., dicen que soy rara... —y con una voz blanca por la desesperación de lo que consideraba como una vergüenza—: Es por lo de las narices, ¿sabes?... Pero no soy mala, papá, puedes creerlo..., no soy mala...

Seguía meciéndola enternecido, ganado por la súbita conciencia de su responsabilidad, trazándose una conducta para el futuro. La niña se dejaba hacer, entre suspiros, repitiendo las mismas palabras mojadas de lágrimas, ganada por la certeza de ese maravilloso refugio que se le aparecía de pronto, adormecida por una especie de bienaventuranza, relegado ya su dolor a los lindes del recuerdo, sintiendo con el instinto que afinara el sufrimiento que una fuerza todopoderosa empezaba a crear a su alrededor una zona de paz invulnerable.

Al día siguiente la casa se convulsionó de sorpresa ante la inesperada partida del padre acompañado por Margarita. Iban hacia las propiedades que lindaban con la cordillera, junto a la órbita de un lago; a la casa de troncos con techo de rojas tejuelas que se destacaba en una puntilla sobre el verdor del césped, entre los cielos avellanados por morosas nubes y el agua mansa duplicando la callada belleza de ese azul y de ese blanco. Detrás estaban los cerros apretados de árboles; otros cerros se escalonaban en seguida, con igual verdor en la crespa marea de las copas, y luego, decididos, desnudos de todo verdor —última certidumbre detrás de las apariencias—, surgían los volcanes, con las cimas deslumbrantes de nieve, para terminar con la soñadora afirmación de su penacho de humo.

Margarita tenía la impresión de inaugurar un planeta, de estar en medio de un mundo prodigiosamente antiguo, aún no visto por ojos humanos. El padre le dijo apenas llegados a la casa:

—Arréglatelas como puedas. Yo tengo mucho que hacer en el campo con el administrador. Si necesitas algo, se lo pides a doña Damiana.

Doña Damiana era casi una ausencia, sin más atadero a lo cierto que su eterna sonrisa. El resto de la servidumbre aparecía con silente eficacia y desaparecía, con esa especie de cautelosa domesticidad de las gentes montañesas.

La niña pasaba la mayor parte de su tiempo —¡y qué suyo lo sentía!— junto a la chimenea, sentada en una actitud impecable que hubiera merecido hasta el visto bueno de tía María Elena, esperando no sabía qué, vagamente inquieta. Podía estar sola, podía estar en silencio, era la dueña absoluta de sus actos. Hasta podía no hacer cosa alguna. Pero no estaba preparada para tanta felicidad y no sabía qué hacer con esa inesperada riqueza.

¡Qué lejos la estridencia ciudadana, la necesidad de adoptar actitudes, de responder a mortificantes inquisiciones!

El reloj era el corazón de la casa, y desde sus complicadas tallas, el cucú anunciaba con infantil algarabía el paso del tiempo. Afuera solía oírse el ladrido de un perro que señalaba una presencia inesperada, o el relincho de un caballo tendido hacia la querencia, o el barullo de las cachañas detenidas por la curiosidad en su vuelo.

A veces, adelgazado por la distancia y obligando a un esfuerzo para percibirlo bien, se escuchaba el tañido de una campana que colmaba con su levedad la comba del cielo. El piso crujía, insinuando viejas confidencias imposibles, e inesperadamente un leño iracundo improvisaba una pirotecnia de chispas en el cálido regazo de la chimenea.

Margarita esperaba. ¿Qué? La voz de la madre dando una orden, los ojos fiscales de tía María Elena, la abuela con sus promesas a ras de labios, las impertinencias de las otras niñas, Sunta con la seguridad de su amparo. Tal vez nada. Sí. Terminó por no esperar nada.

El cucú aseguraba bullanguero la increíble noticia de que había pasado otra media hora, y al cerrarse las portezuelas minúsculas volvía el silencio, haciendo posible el tránsito de los pequeños rumores.

En aquella esquina final de su infancia, Margarita sentía la feliz certidumbre de que algo en su vida cambiaba definitivamente.

Un poco de soslayo, el padre se limitaba a inquirir a las horas de comida:

—¿Estás bien? ¿No necesitas nada?

—Nada, gracias.

El administrador, doblemente obeso, de kilos y labia, entre bocado y bocado comentaba embobado:

—¡Cómo crecen los niños! ¡Hay que ver!...

Pero el padre estaba al quite para defenderla de preguntas, desviando de inmediato la atención hacia problemas campesinos.

Doña Damiana, con la terneza que parecía fluir tangible de su figura hecha de roble, veteada de años y ancestrales sabidurías, osaba proponer humilde:

—¿No quere nada la niña? Le podíamos ensillar un caballito. O si es gusto salir en el bote chico, para dar una vueltita por el lago.

Margarita no quería nada. Pero ya no se quedaba inmóvil junto al fuego.

Miraba a través de las grandes puertas-ventanas el paisaje frontero a la casa. Después se aventuraba hacia la terraza y bajaba por el escalonado camino hasta el embarcadero. Cada uno de estos avances significaba una larga reflexión, un decirse y asegurarse a sí misma que nadie iba a impedírselo, ni a reprochárselo siquiera. Entre cada uno de sus pasos había siempre una pausa, durante la cual, con la cabeza ladeada y el oído alerta, parecía esperar las voces temidas, las admonitorias palabras.

Sólo había quietud a su alrededor, y en esa quietud pasaban los rumores apenas insinuados por la realidad que junto a ella también se deslizaban en puntillas.

Se sentaba en el banco del embarcadero. Pensaba: "Esto es lo que yo quería, sí, esto. Estar sola, no hablar". Miraba el lago, la superficie que copiaba en su espejo el cielo y el silencio. Su tersura se subrayaba con el tenue rizo de una onda temblorosamente acariciando las espadañas de la ribera.

Un pez fijaba en el aire su fugitiva puñalada de plata. Unos patos salvajes con sus graznidos ponían una síncopa en aquella armonía. Con el mismo lento ritmo con que ondeaban las aguas, el aire esparcía el perfume de las resinas de los pinares, de los canelos desollados, del fino y fresco césped, del ceremonioso incienso de los malvones estallando en manchas escarlatas, de los lirios procesionales con sus áureas tocas monjiles.

Margarita empezaba a sentir el goce de separar los rumores, de individualizar los perfumes, de distinguir el silencio que sucede a la algarabía de las cachañas del que prolonga el llamado de la capillita distante.

Empezaba también a dejarse conquistar por la mansa caricia de los ojos color de miel del cachorro que encontrara una mañana, empeñado en seguirla, husmeando ruidosamente su rastro, con las fuertes patas aún apresadas en la felpa de una torpeza pueril que lo desequilibraba ridículamente al pretender seguirla trotando, para terminar con las orejas a ras de tierra, todo él transido de súbito amor hacia ella, y sin saber en su apasionado y azorado corazón de perro cómo demostrárselo.

Margarita lo miraba de reojo, desconfiadamente. La verdad era que le tenía miedo, un miedo que la humillaba porque lo comprendía sin sentido. Trataba de desentenderse de su compañía, de no mirarlo, pero cada vez la preocupaba más esa tozuda presencia. El perro la esperaba inopinadamente en cualquier recodo, e iba tras ella, adelantándola luego, deshaciendo camino en festivas cabriolas, en saltos de blando algodón, insinuando inquietantes aproximaciones. Parecía sentir con su seguro instinto que aún no había llegado la hora de la amistad y procuraba adelantarla saliendo a su encuentro. Y tanto hizo, que la hora llegó. Margarita terminó por mirarlo, por tender una mano tímida hacia una cabeza más tímida aún y que se humilló bajo el peso de tanta dicha. Y una pequeña voz sonó incierta:

—Eres un perrito feo..., feo..., feo.

El perro se deshizo de felicidad, arrastrándose, gimiendo, con los ojos mirándola humanizados. Se fue acercando a esa mano. La niña se atrevió a ensayar una caricia sobre la frente rugosa. Los ojos del animal se entrecerraron en la plenitud del gozo. Ya tenía un nombre: "Feo". Y tras el nombre, una amiga.

Salían por los alrededores. Iban por el borde del lago en interminables caminatas que cada vez los unían más al internarlos con un alegre espíritu de conquista por matorrales, bosques y cerros.

El perro iba adelante, rastreando imaginarias liebres, muertas hacía siglos por los ilustres antepasados de su estirpe de cazadores. A veces se paraba tembloroso, como clavado en el suelo, la cola rígida, y Margarita sabía que de alguna parte partiría la zumbante flecha de una perdiz despavorida. El perro se volvía entonces a mirarla con una perplejidad desmedida hacia su ídolo incomprensible que no respondía al instinto con el instinto, y la niña se reía acercándose a él, rascándole en compensación las sedosas orejas, entablando uno de esos diálogos tan comunes ahora entre ellos, mezcla de abrazos y zarandeos, monosílabos, tiernas onomatopeyas por un lado, y gruñidos y ladridos por otro.

Bordeaban el lago. La niña se detuvo, acercando el rostro al tronco frío de un arrayán, deleitosamente recibiendo en su piel ese frescor. El perro escarbaba con ahínco por ahí cerca.

Largo rato duró el afanado pujar del animal, que parecía azuzarse a sí mismo con ladridos entrecortados. Hasta que desenterró un trozo de madera que llevó triunfante a Margarita. Era un leño retorcido, pulimentado por la intemperie, patinado por las largas lluvias del sur y la humedad del suelo.

Una extraña forma alucinante, que pugnaba por expresar algo.

Margarita lo tomó con recelo, porque parecía estar vivo, lleno de malignidad vital. Lentamente lo hizo girar en el aire. Y de súbito algo la deslumbró: allí, en esa forma de enérgico perfil, que de pronto revenía sobre sí misma, descubrió una nariz... De pronto pensó que hacía mucho tiempo que no pensaba en las narices... Pero aquello en verdad no era pensar: allí estaba en sus manos, inesperada, salida de la tierra, evidente.

La rama en el aire, a contraluz, era igual a la nariz de su padre. Idéntica. Comprendió que la nariz no bastaba: ¡si pudiera completar todo el rostro!

—¡Busca!... ¡Busca! —ordenó al perro, como si del instinto del animal dependiera su existencia.

Buscaron los dos. Buscaron todo ese día, todo el siguiente: troncos, pedazos de raíces engrifadas como si defendieran su identidad contra toda ajena suposición de forma; piedras, cerradas en su mudez de siglos, a las que era preciso golpear, manosear para que adquirieran sentido y "dijesen" algo. En informe montón fue arrinconando en la casa aquellos dispares materiales.

—No me toque estas ramas ni estos cascotes, doña Damiana. ¡Que nadie me los vaya a botar!

La vieja miraba, con ojos igualmente maravillados en su comprensiva ignorancia que los del perro, el desconcertante capricho de la niña, para quien parecían ser un tesoro todas aquellas basuras. Con idéntica obediencia, respondió al pedido de Margarita, que seguía diciendo:

—Déme un martillo y cola para pegar, y clavos y alambre que no sea muy grueso y un, un ..., ¿cómo se llama? Una de esas tijeras para cortar alambres.

El padre la halló sentada en el suelo, indescriptiblemente sucia, con el perro al frente despatarrado en su cuarto trasero, cabeceando somnolento. Una larga rasmilladura serpeaba por una de las piernas de Margarita. Un trozo de lienzo atado a uno de sus dedos mostraba huellas de sangre. Con mueca voluntariosa endurecía la boca y en sus ojos esplendía la fiebre de trabajo, mientras las manos autoritarias manejaban y vencían la tenaz oposición de la larga liana de un alambre, fijando una rama con otra, una raíz a una piedra.

Al ver de pronto al padre, mostró triunfalmente su obra.

—No dirás que no es tu retrato...

La intención de una sonrisa que se aprestaba a juzgar un juego de niñas fue desvaneciéndose al contemplar aquel inesperado y heteróclito conjunto.

—A ver, a ver...

La niña puesta de pie, echando atrás la cabeza y entrecerrando los párpados, con el gesto del que necesita abarcar un conjunto, miraba su obra. El padre la atrajo tiernamente a su lado, sin quitar los ojos del amasijo de donde surgía evidente, aun de sus errores, el resplandor de un sentido. Una tensión, una fatiga que no era producto de sus afanes del día, se desvanecía en él súbitamente. ¡Al fin! ¡Y qué sencillo y natural era todo! ¡Y qué hermosamente terrible sería todo en adelante!

—¿No hallas que se te parece?

—Si hasta me da un poquito de susto...

—Ya verás cuando esté terminado. Aún le falta trabajo... Pero me tienes que comprar muchas cosas. Herramientas. Una caja. Y otros alambres que no sean tan duros. Te voy a hacer una lista para que no olvides nada.

—El administrador puede prestarte algunas.

—No, no. Yo quiero que mis herramientas sean mías.

"Yo quiero." Ciegamente, desde siempre, había pujado aquella voluntad que al fin irrumpía lúcida. Sí, era realmente maravilloso percibir de pronto el sentido oculto que allí se manifestaba.

—Ahora ya sé por qué me gustaban las narices...

Lo miraba, miraba su nariz, sonriente, maliciosa, tierna y adorable. También lo sabía ahora el padre. Era como si deletreara símbolos sin sentido. Que Margarita aprendería a leerlos. A leerlos de corrido. Y a escribir en ese idioma. La niña continuó con la misma mezcla de expresiones:

—¡Lo que tendremos que pelear con "ellas"! Porque no "les" va a gustar nada que yo haga estas cosas. Pero "nos" defenderemos, ¿no es cierto?

—Nos defenderemos —afirmó suavemente el padre, tendiendo hacia ella una mano, como quien continúa un juego.

Pero no era a la niña, era a sí mismo a quien se prometía la custodia de esa pequeña llama surgida mágicamente entre leños y pedruscos.

LA MUJER Y "ESA"

Despertó como siempre: súbitamente, pasando del sueño a la vigilia y a la angustia de las horas en espera de que la rutina cotidiana fuera iniciándose en la gran casa. No cambió de postura: de costado, con un brazo sirviéndole de almohada y el otro a lo largo hasta apoyar la mano en el muslo poderoso. ¡Qué congoja el insomnio! Ese quedarse quieta repitiendo con obstinación: "Uno más uno, dos. Dos más uno, tres". Hasta alcanzar enormes cifras. Porque alguien le dijo que era sistema para provocar el sueño. O ese beber esperanzado el vaso de leche caliente. O ese recurrir a las drogas. O ese deslizarse por las habitaciones silenciosas, entre la sombra, la penumbra y los mínimos ruidos inexplicables, creadores de miedos ancestrales. Todo ello impulsada por el deseo de dormir, pesadamente, mineralmente, sin sobresaltos, sin pesadillas. Como dormía "ésa".

Se incorporó para mirarla.

Los almohadones la mantenían semirrecostada, con la cabeza en escorzo, apoyada la mejilla en la funda color rosa y, en la tenue claridad de una minúscula ampolleta, tenue ella misma. Durmiendo plácida. Como si los años no hubieran transcurrido, como si la enfermedad no le hubiera trizado el corazón. Perdurables su fineza y su encanto.

Un ramalazo de ira la irguió, echó atrás el embozo, giró con pesadez el cuerpo graso y quedó sentada al borde de la cama, buscando sin mirarlas, con los propios pies, las babuchas siempre perdidas. Metía entretanto los brazos en las mangas de una bata, con los mismos movimientos pesados, pero al propio tiempo enérgicos. Con algo que parecía gesto de amenaza a invisibles enemigos.

Fue hasta el balcón y bruscamente levantó las persianas y abrió una puerta. La luz era azulenca y una orla rosa opalescente anunciaba que el sol subía tras la cordillera. Cantó un gallo y el obstinado ladrido de un perro se hizo insoportable. Olía a humedad, a insistente humedad de tierra vegetal, de fronda, de huerto, de rocío multiplicado en cada pétalo. Olía a campo.

La casa continuaba en silencio.

Sin preocupaciones, la mujer levantó ruidosamente otra persiana.

Se acercó a "ésa". Ahora, a mayor luz, en el rostro enflaquecido, la piel ámbar claro mostraba el fino trazo de las arrugas. Las cejas apenas se dibujaban grises, de igual tono plateado que el pelo corto y crespo. Pero las pestañas eran obscuras y sombreaban las mejillas hundidas, y en la boca de pura línea descolorida, las comisuras sonreían tiernamente. Toda ella menuda entre el rosa de camisa, sábanas y cobertores.

La miró con rencor. Como siempre: ya fuera despierta o dormida, en la enfermedad o en la salud, aparecía serena y seductora.

¿Y ella?... Sin dormir. Su sueño se había perdido. Lo había perdido ella misma al correr del tiempo. Porque alguna vez durmió como dormía "ésa", sueño color de rosa entre rosadas cobijas. Sueño de los quince, de los dieciocho años... ¿Cómo perdió ella el sueño?

¿Y si en vez de quedarse ahí, de pie, mirando a "ésa", intentara dormir? A veces, a esta hora, luego de beber la leche que le dejan en un termos, se adormila, logra adormilarse arrellanada en un sillón.

Cierra con la misma brusquedad las persianas. Corre las cortinas, las dobles cortinas: de tul y de antigua labrada felpa. Es una nueva incierta noche. Bebe. Busca el sillón. Apoya la cabeza en el respaldo muelle, propicio al reposo. Aprieta los párpados. Cuenta: "Uno más uno, dos". Hay que hacerlo con cierto ritmo. Insistió mucho en ese detalle su amiga recién llegada de Oriente al darle la receta. Además, debe pensar en algo obscuro. Como la cortina de un altar en Semana Santa. "Cinco más uno, seis..."

Un impulso irrefrenable la deja de pie junto a la cama de la dormida, remeciéndola a la par que grita:

—Despierta... Despierta...

—Qué... ¡Ay! Qué... ¿Está temblando? —dice con su pequeña voz musical.

—No, no tiembla... Pero es hora que despiertes, ¿entiendes? ¿Hasta cuándo vas a dormir?...

—¿No tiembla? ¡Qué bueno! Pero ¿por qué me has despertado? Tengo tanto sueño. Déjame dormir. Tengo tanto sueño... Tanto... —continúa quejosa.

La alza con sus poderosas forzudas manos. La sienta, acomoda los almohadones.

—No, no..., quiero dormir... Tengo sueño... es tan temprano... —protesta.

—No es temprano... Ya es de día...

—No, es de noche. Está todo obscuro.

—Es necesario que despiertes... —y agrega perentoria—: Tengo que hablar contigo... Tenemos que hablar...

—No quiero... ¿Vas a empezar con tus cosas? No quiero hablar, quiero dormir.

—Vamos a conversar... —Toma un tono ligero—. Es tan lindo hablar, hacer recuerdos...

—Déjame —plañe—, lo único que quiero es dormir.

—Para no pensar —ahora su tono es sarcástico—. Ha sido tu manera de deshacerte de tu mala conciencia.

—No tengo conciencia, ni mala ni buena...

—Eso ya lo sé. Lo he sabido, lo hemos sabido todos... Pero es necesario que hablemos..., que me cuentes... —Del sarcasmo ha pasado en sus últimas frases a un tono que pretende ser convincente...

—No quiero contar nada... Quiero dormir... Déjame en paz. —Cierra los ojos y en la boca cambia la insinuación de la sonrisa por una insinuación de lloro.

—Sí, el cuento es no molestarte, no echar a perder la placidez de tus horas... Las preocupaciones, las dudas, las angustias, los sufrimientos: eso para los demás... Para mí, que soy el burro de carga... —ha vuelto a la violencia y las palabras adquieren una pesadez de piedras.

—Es que todo eso te gusta —musita.

—No me gusta... Pero tengo que soportarlo. Tengo, he tenido que soportarlo por culpa tuya..., tuya... —sigue de pie junto a la cama, imponente en su volumen por el que circulan rachas de eléctrica ira.

—La vida es así... —contesta como hablando para sí misma—. Da un poco, quita otro poco...

—Quita... Quita cuando hay alguien capaz de quitar. De robar... Cuando hay alguien como tú... ¡Asquerosa!

—Tengo sueño... —insiste—. Quiero dormir...

—No vas a dormir ni a hacerte la dormida ni la enferma... No tienes nada... Tienes que has hallado una manera de seguir viviendo cómoda y de que todo gire en torno tuyo... ¡Asquerosa!...

En las comisuras de los labios reaparece la habitual expresión. Y no responde.

—¡Ay! Yo te haré hablar... Al fin vas a hablar... —cambia el tono por otro neutro—. No sé cuándo te acostaste con él por primera vez. Antes de que nos casáramos o después... No importa... Pero si fue antes, como animales, en cualquier sitio, nada sacaste, porque se casó conmigo, ¿entiendes? Conmigo, que era la novia de su niñez, cuando se juega a ser novios, la novia que él eligió y que siguió siendo su novia, la mujer que sería para su hogar, para madre de sus hijos. ¿Te acostaste con él antes? Dilo... Dilo... Confiesa de una vez...

—Si tú crees que me acosté con él, ¿qué importancia tiene que fuera antes o después? —contesta sin abrir los ojos, sosegadamente.

—Entonces, ¿te acostaste? Fuiste su querida...

—¡Qué feas palabras!... No debes emplearlas, tú, tan fina, educada en las monjas... Que las emplee yo, pase. Pero tú... Acostarse..., querida...

—Si te acostaste antes... —se interrumpe y vuelve al tono violento—: Hablo como me da la gana... Hablo... Y no eres tú nadie para venir a darme lecciones... La perla... —parece reflexionar—. Si te acostaste antes, tiene que haber sido en el campo, por ahí en el propio suelo, como las bestias, en el pasto, emboscados... Dilo... Confiesa...

—El pasto suele ser apretado y suave. Huele bien: a tierra, a humedad, a pequeños perfumes desconocidos. Y la sombra de los árboles es un hermoso toldo, máxime cuando cantan los pájaros al atardecer o en la noche hay misteriosos rumores que no se sabe de dónde vienen —sigue sosegada, con los ojos cerrados y ahora sí que abiertamente sonríe.

—Entonces, ¿fue así? —pregunta con una suerte de pasmo.

—Estoy recordando algo que leí hace tiempo...

La mujer reacciona entre dolida y colérica.

—Me vas a matar... me vas a matar... ¿Cómo no voy a pasar desesperada, dándole vueltas a todo esto de día y de noche? ¿Por qué no hablas de una vez, por qué no dices de una vez por todas la verdad entera?

—Estoy hablando. Y eso que tengo sueño. ¿No quieres dejarme dormir? Me gustaría tanto. Tú eres muy buena y muy dije... Ernesto lo decía siempre. ¿Por qué no me dejas dormir?...

—¿Así es que te hacía confidencias? ¿Te hablaba de mí? Eso no es cierto. No iba a contarte cosas mías a ti, que eras su querida. Porque eras su querida, ¿no es cierto?

Hay un silencio.

—No te hagas la dormida. Contesta. ¿Cuándo te acostaste con él?

—Ya te he dicho que "querida" y "acostarse" son palabras feas. No es correcto usarlas. Alguien dijo alguna vez delante de mí: "Dulce amiga". Hablaba también de "identificación feliz". Son aciertos del lenguaje. ¿No te parece? ¿Por qué no los adoptas?

—¿Te lo decía él? —pregunta desorientada, porque en especial el segundo juego de palabras no tiene sentido para ella.

—Lo decía alguien no sé dónde. O tal vez lo leí...

—Claro. Conozco de más lo que te gusta apabullarme con tu sabiduría. Cuando no quieres decir una cosa, dices que se te olvidó. O te quedas callada. O tienes sueño. O te sientes mal. Y otras veces, cuando no quieres decir quién te dijo algo, resulta que no te lo dijo nadie, que no sabes quién te lo dijo o que es algo que has leído. Tan leída que eres... Claro: con la vida entera para no hacer nada... No como una: con marido, con casa, con un hijo... Vaga... ¿Y con qué plata te pagabas todo eso, con qué plata? ¿Con la tuya? De dónde ibas a sacarla, aunque hicieras todas esas cosas en el teatro. ¿De dónde? De mi bolsillo, estoy segura de ello; del bolsillo de Ernesto. Ladrona, quitándome el pan de la boca...

—No debes quejarte... Has tenido el pan y la mantequilla. Mucha mantequilla... Así estás de gorda...

—Pero ¿de dónde sacabas la plata para vivir como has vivido, como una reina, con departamento, con vestidos, con fiestas, con auto, con viajes? ¿De dónde? De Ernesto. Plata mía... ¡Ladrona!

—Hombres necios... —murmura—. Perdón: es algo que en una época me gustó mucho recitar... Y lo hacía mejor que Berta, te lo aseguro. Es de Sor Juana Inés de la Cruz, la mexicana, ¿sabes? ¿Quieres que te lo diga entero?

—Quiero que no me vuelvas loca. Que me digas la verdad. ¿No ves que no puedo vivir en esta duda, que mis días son un martirio y mis noches un infierno? Por favor: ¿no quieres decirme alguna vez la verdad? Te sería tan fácil. Mira: en cuanto me digas la verdad, te lo prometo, nunca más te pregunto nada. Hagamos un trato: me dices la verdad y punto. Ni una palabra más. Te lo juro. Por el eterno descanso de mi inolvidable hijo, que se murió tan jovencito.

—¿La verdad? ¿Pero es que alguien sabe la verdad de algo? ¿La suya para comenzar? ¿Qué verdad quieres que te diga, si yo no he podido nunca saber cuál es mi propia verdad?

—No me enredes con palabras. Yo soy una mujer sencilla. Mi verdad es como yo: sencilla. Viví adorando a Ernesto, para él, por él, y el día que murió y encontré en su billetera un retrato tuyo, empecé a sospechar que entre ustedes había existido algo. ¿Por qué tenía en su billetera, en un compartimiento secreto, un retrato tuyo? Una vieja billetera que él llevaba siempre sobre su corazón, una billetera que cuidaba siempre que quedara bajo su almohada, cerca de su cabeza. Yo lo embromé alguna vez: "Ni que creyera que le voy a sacar plata". Me besaba riendo y decía: "Es que aquí tengo mi varillita de la virtud". ¿Por qué tenía ese retrato? ¿Por qué?

—De nuevo me has contado esa historia, obligándome una vez más a escucharla con paciencia y a decirte que los retratos de los artistas los tiene cualquiera...

—En casa había, hay retratos tuyos... Pero ése era otro, distinto a todos, una instantánea, apenas del tamaño de una estampilla. Tomada por él, acaso, y tú mirándolo con una expresión divina...

—Gracias por el cumplido...

—Es que es la verdad. Es como si por dentro tuvieras una luz...

—Las artistas deben dominar todas las expresiones.

—¿Y lo de la varillita de la virtud? ¿Cómo lo explicas, tú que para todo tienes salida?

—Yo no explico nada. Convendrás en que la vida está llena de cabos sueltos... Pero sí, pensándolo mejor... A cualquier cosa podemos atribuirle poderes mágicos. Yo tuve de chica un caracol al que achacaba todo lo bueno que me acontecía. ¿Tú nunca tuviste un talismán?

—Nunca perdí mi tiempo en tonterías —asegura desdeñosa, y continúa obcecada—: ¿Así es que no te dijo que eras su varillita de virtud?

—Escucha esto, que es muy curioso. Alguien me dijo una vez...

La mujer interrumpe cortante:

—Alguien cuyo nombre no recuerdas...

—Por cierto... He conocido tal cúmulo de gente... Pero escucha. Me dijeron que si a cualquier objeto le adjudicábamos insistentemente un poder, ese objeto terminaba por ser poderoso. —Se interrumpe y pregunta—: ¿Y por qué Ernesto iba a darle a un retrato mío ese poder? Entiendo que en su billetera había muchas cosas... Cualquiera de ellas podía ser su varillita de la virtud.

—No sigas embarullándolo todo... La verdad es que lo único inesperado que allí había era tu retrato. ¿No dirás que no era motivo para despertar sospechas? Empecé a vigilarte, a mirarte, a averiguar cosas tuyas, de tu vida. Habías pasado tan lejos de mí. ¿Qué sabía de tu persona? Era lo mismo que si estuvieras en otro planeta. Empecé a hilar cosas, a buscarles sentido a otras, a preguntar, a juntar este detalle con este otro. Cuando supe que ustedes se veían fuera de mi presencia, mis dudas aumentaron. Quise cerciorarme, entonces, de que esas dudas tenían una base sólida. No me era posible vivir como un detective.

—Por favor; ¿hasta cuándo vas a ser majadera?... Erraste tu destino. Debías haber sido eso: detective. Con estudios, se entiende. Así habrías aprendido a agotar y a abandonar una pista.

—Cuando supe que estabas enferma y pobre... —continúa impertérrita, y la mira con sostenida fijeza—. No deja de ser curioso que te enfermaras justo cuando murió Ernesto y que también entonces se te terminara la plata...

—Los artistas somos así: cuando no podemos trabajar por enfermos, nos espera el hospital. ¿No lo sabías?

—Entonces me dije: ésta es la mía. La voy a buscar, la traigo a casa y lo averiguo todo.

—Y aquí estoy. Mejor dicho: aquí me tienes, según tus palabras, como una reina. Pero pagando bien caro este pensionado.

—¿Y qué más pretendes? Te cuido yo misma, te doy de todo, hasta duermo a tu lado por si algo necesitas en la noche. Te cuido lo mismo que cuidé a Ernesto. Puedes estar segura...

—Espero que no lo atormentarías con preguntas.

—Ya sabes que tu retrato lo encontré después que murió... Pero sí le hacía preguntas: "¿Me quieres, me has querido siempre, te has arrepentido alguna vez de haberte casado conmigo?" Y él contestaba lo que siempre me contestó: "Te adoro, soy inmensamente dichoso, nunca me arrepentiré de haberte hecho mi mujer". Sí. Le hacía muchas preguntas. Esas maravillosas preguntas que se hacen los casados felices.

—Y los no casados... —musita.

—¿Te las hizo alguna vez, se las hiciste tú?... —interroga premiosa.

—No creerás que me he pasado los años sin que un hombre me dijera: "Eres mi alegría..., pequeña almohada para mi reposo..., dulzura..."

—¿Te lo decía Ernesto?... —está frenética—. ¡Mentirosa! ¡Mentirosa!... Lo que pretendes es que me vuelva loca de veras, porque ya no puedo más... Ya no duermo..., ya no doy para más...

—Pero comes... —apunta suavemente.

—Porque así me tranquilizo... Es igual que tener en el estómago algo que se está moviendo y cuando una come se sosiega... Pero eres una mentirosa... Eres una canalla mentirosa... "Pequeña almohada". ¿Te cuento lo que me decía siempre cuando llegaba tarde? Ya que tú no quieres contar nada, te contaré yo, te contaré lo que me decía. —Cambia la voz tratando de imitar al marido—: "Señora, ¿me presta su hombro para dormir?" —Recupera su obscura voz agresiva—. Eso me decía, y, aunque yo tuviera el hombro acalambrado, pasaba la noche en vela, incómoda, pero feliz al verlo como una criatura en el abandono del sueño. Mío, mío.

La boca de la enferma se entreabre como para decir algo. Pero se cierra con un brusco avance de la mandíbula inferior, que coloca el labio como un cerrojo sobre el otro labio.

La mujer presiente que algo se ha roto, que un choque emocional ha dejado a "ésa" sin defensa. Insiste frenética:

—¿Vas a hablar? ¿Alguna vez dejarás de hacer teatro? Vas a decir la verdad. ¡Al fin! Vas a decirme si te acostaste con él antes de que se casara conmigo. O después. ¿Cuándo? ¿Cómo empezó eso? ¿Cómo pudieron hacer para que nadie se diera cuenta del asunto?... ¡Habla! ¡Perra!

Una mano aparece, traslúcida, y se posa sobre la boca, aherrojando más aún lo que no quiere decir. La mujer continúa:

—Y si fue antes y no se casó contigo, fue porque era mi novio. ¿Entiendes? Y nos casamos, se casó conmigo, con su novia que él adoraba. Y no contigo, que andabas a sus vueltas... Haciendo memoria, me he dado cuenta de cómo lo rondabas... Perra caliente...

La mano baja, la boca se entreabre de nuevo, pero no emite un sonido. Está blanca, ceñida entera por un intolerable sufrimiento.

La mujer se detiene bruscamente, mirándola inquieta, pero recupera su furia y prosigue:

—...y fuimos inmensamente felices. Y me tuvo noche a noche en sus brazos, y fui suya, suya, y tuvimos un hijo que desgraciadamente murió, y no tuvimos más hijos, pero él estuvo siempre a mi lado, para hacerme dichosa en una vida tranquila, sin preocupaciones, sin celos... Sin celos... Nada..., nunca... Hasta que murió... Y hallé el retrato... Asquerosa... Tal vez venía de tus brazos cuando llegaba a casa, cansado, deshecho... ¿Qué hacía contigo? ¿Cómo te amaba? Tal vez su cansancio se lo dabas tú, vaga, que andabas suelta por el mundo y con cuántos vicios. Llegaba cansado, a bañarse, a tomar un vaso de leche y a pedirme el hombro para dormir... Pero no tan cansado que no me abrazara, besándome tanto, que a veces me daba miedo morirme antes de que no supiéramos nada, sino que nos íbamos como para otro mundo, como si nos llevaran volando. Cada vez más alto, más hechos un solo sacudón de felicidad...

La está mirando fascinada. La cara de "ésa" es cada vez más pálida, hasta tomar un tono gris; la mano como una araña corre y encuentra por sobre la sábana el sitio en que duele el corazón, en que una saeta lleva el dolor hasta el paroxismo.

—¿Qué pasa? —Aguarda la respuesta que no llega—. ¿Qué te pasa? —insiste. Se inclina. La toca. Y súbitamente empavorecida grita—: No..., no te mueras..., no..., tienes que decirme... —Pero de más allá de la suspicacia, de los celos, del odio, del horror, aparece en su boca venida de la lejana infancia, una voz que repite plañidera—: Hermana... Hermana...

NOCTILUCAS

Sin levantar la cortina, deslizándose entre la pesada tela y el muro, la mujer se introdujo en la sala. Venía de la noche esplendente de estrellas, de la playa en que las olas dejaban la fosforescencia de las noctilucas. Por un momento no vio nada. Pero las pupilas se le fueron habituando y de lo azul del humo cortado por luces giratorias empezaron a surgir las parejas que bailaban, las mesas vacías o rodeadas de gentes, el bar en el fondo, los mozos estereotipados en actitudes profesionales y, en un balcón saledizo, la orquesta arrastrando emperezada un son antillano.

Se quedó inmóvil, pegada al muro. Tenía una singular figura que evocaba los bajos relieves egipcios. Empinada sobre tacos como agujas, desde los pequeños pies hasta las axilas, la línea subía apenas marcando curvas. Los hombros eran anchos, fina la cabeza y el pelo negro, tirante, mostraba un alto moño huidizo. Bajo la piel morena, la arquitectura ósea era firme, y esa misma característica tenía la mirada de los ojos verdes, un tanto oblicuos, retocados artificiosamente, lo mismo que las cejas y el dibujo de la boca, buscando la acentuación del tipo exótico. Un traje sin mangas, ampliamente escotado, a rayas transversales en dos tonos de gris plata, la vestía modelándola como una funda. No se le podía adjudicar edad. Ni decir que era bonita, ni bella, ni linda. Lo que sí podía decirse y lo repetían todos: que era interesante.

Un momento estuvo ahí, quieta, al acecho.

La vieron dos hombres.

Uno, sentado en una alta silla, junto al bar, miraba vagamente el vaso de *whisky* que mantenía en la mano, por un gesto reflejo de conciencia. Alto, enjuto, canoso, salpicado de pecas, maduro, pero con algo de extremadamente infantil en la expresión desamparada, en los ojos azules, en la nariz corta, en la boca grande de labios sueltos. La recia mandíbula equilibraba esa puerilidad que a veces lindaba en la estulticia.

Desvió los ojos y halló a la mujer. Se puso de pie, saludó levantando el vaso, hizo un gesto cordial, un brindis silencioso y bebió sin dejar de mirarla. En seguida dio media vuelta y se acodó en el mostrador pesadamente.

La mujer respondió al saludo con una inclinación leve, sin inmutarse.

El otro que la vio de inmediato bailaba desganado, manteniendo enlazada apenas a su compañera, sin mirarla, sin hablarle. Joven, más que mediano de estatura, duro de músculos. Firmes los rasgos de la fisonomía bronceada de sol y viento.

La vio y hubo un cambio en su expresión. El cuerpo se agilizó. El rostro se iluminó sorprendido y gozoso.

No debía haber entrado. No debía... ¿Para qué? ¿Para encontrar al marido? ¿Para encontrar al amigo?... No debía haber entrado. Que ni uno ni otro la supieran paseando por la playa, llegada recién de la oficina salitrera ubicada en medio del desierto. Manejando ella misma el coche, deslizándose por la pampa, camino abajo entre suaves ondulaciones, paisaje color de cobre claro, de cobre oscuro, veteado de tonos grises, de tonos azules, de tonos verdes, metálicos, opacos: alucinador en todo instante. Llamada. Atraída. Diciéndose que era la llamada, la atracción del mar. Del mar abajo, más allá del horizonte herrumbroso. Diciéndose que eso era el preludio de un largo viaje.

No. ¿Para qué engañarse? La verdad era otra. No debía engañarse. La verdad era eso que fue infiltrándose subrepticiamente en ella. ¿Cómo? ¿Desde cuándo?

Arriba, en la oficina, cualquiera, un empleado, se lo presentó:

—Señora, me permito presentarle al doctor Jeldres, el nuevo jefe del hospital.

Había ella conocido tantos médicos de oficina. Tanto empleado de más alta categoría que su marido, de más baja categoría que su marido. Había sido ella misma, en otro tiempo, la mujer de un empleado, pero empleado técnico, que lentamente escala todos los peldaños hasta llegar al más alto. Años hacía de todo eso... Desde que en otro puerto, más al norte, una amiga le dijo a media voz:

—Parece que le gustas al gringo nuevo... No te quita los ojos de encima.

Ella miró curiosamente al gringo nuevo. De ahí nació un rápido *flirt* que desembocó en una iglesia, entre alegres compañeras que lucían trajes color verde agua y unos muchachos sonrientes y bromistas vestidos de etiqueta. Y el baile en casa de sus padres. Y su padre solemne como lo que era, como un ministro de apelaciones, y su madre, joven y encantada de casar bien, apenas salida de la adolescencia, a otra hija. Y el barullo y el arroz y el zapato colgando del parachoques del auto. Y bueno; la vida que empieza color de rosa y sigue rosa, porque se tiene una linda casa, un marido atento que aun en la cama, para iniciar ciertos nocturnos acercamientos, que ella acepta sin pena ni gloria, dice *"Excuse me..."* Y los cambios al albur de mejores destinaciones, de cargos más importantes. Viajes en cabinas de lujo, en aviones ultrarrápidos. Y nuevos escenarios y nuevos rostros y por fin, al cabo de un tiempo que suma décadas, el regreso a la patria, con el marido de gerente general y ella —¿ella?— mirándolo inquieta, apegado cada vez más a la bebida, sin decir en la cama: *"Excuse me"*, porque ya no hay entre ellos acercamiento alguno nocturno y él posee su propio dormitorio y en el día lo ve como podría ver a un conocido dentro de las reglas de una refinada educación y ella tiene una deslumbrante joya en cada aniversario matrimonial y una nueva piel para su santo y una caja con mil chucherías para Navidad, y si lo desea, viajes al sur o al norte y libertad para todo y dinero para hacer posible esa libertad.

¡Cómo se embota la inteligencia! ¡Cómo va apagándose la inquietud! ¡Cómo desaparece el entusiasmo! ¿Será proceso de años? Porque ella, alguna vez, también en el pasado, necesitó música, lecturas, exposiciones, espectáculos, intercambio de ideas. Buscó todo eso apasionadamente. Lo tuvo al azar de los viajes, en que seres excepcionales le brindaron el don de su creación artística y de sus especializaciones. Inquietud de algo nuevo, siempre otra cosa. El marido asentía cortésmente:

—¿Le agrada, *darling*? Vaya. Haga una invitación si le place. Pero *excuse me:* tengo un trabajo enorme. Estoy realmente cansado. ¿No puede invitar a un amigo para que la acompañe?...

Eran dos paralelas. ¿Es que alguna vez fueron eso maravillo que es la identificación de dos seres que se aman? Pero si no el milagro que puede alcanzarse a través de un auténtico amor, había en ella la certidumbre de un compañero atento, un hombre fino, una voluntad de hacer de la vida de ambos algo confortable y respetable.

Eso cambió lentamente. Como había cambiado ella misma. ¿Proceso de edad? Tal vez... Como era proceso de edad el haberse desgastado el deseo de vivir en escenarios propicios a su afán de música, de exposiciones, de conferencias, de trato con personalidades, mientras subrepticiamente sus huesos se hacían notorios deformando articulaciones y a veces una manchita percudía su piel. Un desgaste que la apoltronaba, la fijaba, no en la inmovilidad física —seguía siendo la misma mujer deportista de sus años juveniles—, pero asentada en lo intrascendente de una vida rutinaria.

Sí, se llega a eso insensiblemente. Por idéntico lento camino que el marido había llegado a la borrachera insensiblemente. Señora rutinaria ella. Una entre el montón. Viajes, trapos, canastas, fiestas, comentarios. Gerente general él. Eficiente. Correcto hasta en la borrachera.

—¿No podrías dejar de beber? Bebes demasiado... —le dijo un día.

El la miró extrañado, con un asomo de escandalizamiento en el azul de porcelana del iris.

—*Excuse me*... No he entendido bien. ¿Qué insinúa?

—Que bebes demasiado. Creo prudente...

—*Excuse me*... Nunca he dejado de ser un *gentleman*...

—No es eso...

—Es lo único que tiene importancia, *darling*...

Lo dijo con el mismo tono con que rechazaba a los representantes del sindicato un pliego de peticiones.

Ella se encogió de hombros y él dio por terminado el diálogo con una reverencia.

Siguió bebiendo a toda hora. Parecía no poder separarse del vaso de *whisky*.

Un viernes sin fecha, advirtió cortés y firmemente:

—*Excuse me, darling*... Iré por el fin de semana al puerto.

Y se fue, haciendo de esos viajes una costumbre. A su vez seguía ella viajando sin objeto. Volvía cansada de lo que en el norte o en el sur la esperaba, lo mismo: el grupo familiar, las antiguas amigas, las tiendas, las compras superfluas. El azar le proporcionaba a veces un concierto, una exposición, una conferencia. Nada nuevo. Nada que la sacudiera de esa especie de modorra que iba en aumento, irremediablemente.

Dejó de viajar. ¿Para qué? A veces se sorprendía mirándose las manos en que una nueva manchita atestiguaba implacable el correr del tiempo.

"¡Qué cansancio de todo!... —murmuraba para sí misma—. Sería bueno morir..."

Se obligó a enseñar a leer en la escuela. Frecuentó la policlínica. Discretamente se adentró en los lacerantes íntimos problemas de los demás. Pero no era eso... ¿Qué necesitaba entonces para asidero? ¡No haber tenido un hijo!... ¿Un hijo? Semilla de sufrimiento. Un hijo para la angustia, como en el caso de su hermana, con un hijo prófugo, o, como en el de su hermano, con una hija abandonada por el marido con cinco niños y cero pesos. Mejor era no haber tenido hijos. Pero tener, sí, un motivo digno para sentir que la vida valía la pena. Algo más que un borracho...

Así vegetaba cuando alguien le dijo:

—Señora, me permito presentarle al doctor Jeldres, el nuevo jefe del hospital.

"¡Qué apellido!", pensó jocosamente mirando al joven bien plantado frente a ella y serenamente mirándola.

Le sonrió con su linda sonrisa de mujer mundana. Hizo las preguntas de rigor, obteniendo breves respuestas: "¿Lo acompañaba su familia?" "No, su familia vivía en el sur, en un fundo de la frontera." "¿Mujer? ¿Novia?" "No. Solo. Hacía apenas algunos meses que había regresado de Estados Unidos, donde permaneció un año gracias a una beca." "¿Le gustaba la pampa?". "No, nada, pero todo era cuestión de costumbre."

Al correr de los días alguna vez jugaron canasta, se hallaron en reuniones. Una amistad circunscrita al molde corriente.

Una tarde pasó lo inesperado.

En su salita. En el apresurado invernal atardecer. Una chimenea encendida y un microsurco llenando el ambiente con la gracia de un rondó.

Anuncian una visita.

—¿Una visita? ¡Qué fastidio! ¿Quién es? ¿No entendió?... Bueno. Que pase. Sí. Aquí. Vaya... —Y refunfuña para sí: "Qué estúpida es esta chinita que nunca entiende el nombre de las gentes"...

Una voz gozosa. Una voz que desde tan lejos resuena aún en lo más íntimo de su ser. Una voz que exclama:

—¡Qué maravilla!

Y alguien, sí, el joven médico, se sienta a su lado, tan cerca en lo muelle del sofá que su cadera adhiere a la suya. No han hablado más. Las notas del rondó se esparcen en la intimidad de la salita, creando un clima, una dimensión. Un clima en que los músculos se distienden y aflojan todas las defensas conscientes. Una dimensión en que lo contenido en el subconsciente fluye en su exacta medida. En que nada significa nada. Sino ellos, los dos, ella y él. Mujer y hombre. Puros. Puro sentimiento en la armonía musical. Desmaterializados. Puro sentimiento. Sí. Pero ¿qué sentimiento?

Es como pasar de un mundo a otro. Como nacer a un mundo inédito. Y hallar allí el encantamiento de las coincidencias, de los gustos similares, de las negaciones acordes; de esa identificación mágica en que una frase se termina simultáneamente, en que los silencios están poblados de apacibles presencias. Sí. Un mundo inédito, un mundo que se llama felicidad.

—Jeldres no sale de tu casa. ¿Tu marido no dice nada?... —pregunta tiempo después una amiga.

Ella contesta reflexiva en su sorpresa:

—¿Y por qué había de decir algo?

La otra desliza una mirada maliciosa entre sus pestañas cargadas de *rimmel* y añade pesadamente:

—Te lo advierto: no hay otro comentario en la oficina...

Se encoge de hombros. Y la vida sigue en el mundo recién inaugurado. Todo es puro, nítido, ausente de materia.

Lenta y progresivamente, la clara atmósfera empieza a cargarse para ella de efluvios, de corrientes eléctricas, de inquietantes señales que capta con sentidos hiperestesiados. Los silencios no tienen lo apacible de los remansos, ni la proximidad significa una serena compañía. No persiste la comunicación de dos espíritus deshumanizados. Los cuerpos están ahí. Lo humano está ahí. Ella está ahí en su integridad física. Está ahí sin atreverse a movimiento alguno, con los nervios vibrando y una tensión en las entrañas que la empavorece. ¿Es tan sólo ella quien se ha transformado? ¿Qué siente este hombre ahora silente, mirándola dubitativo, con salidas intempestivas de falsa alegría o de preguntas deshilachadas, todo para regresar al mutismo y a la contemplación?

Al albur de estudios y de viajes, él ha tenido compañeras, alegres o taciturnas muchachas que sólo quieren el presente en un libre y desinteresado juego del instinto, episodios a los cuales se refiere con una naturalidad desconcertante. Ella ha conocido del amor la reacción física de un hombre correcto que dice: *"Excuse me..."*, preludio nocturno de una especie de rito geométrico y aséptico en el que ha sido una pasiva colaboradora.

Ahora sabe. Sabe. Conoce esa angustia, ese vértigo de la espera. Esa atracción en que las manos enfrían y zumban las sienes. Sabe.

—¿Qué hay de tu asunto con Jeldres? Todo el mundo dice que te separas y te casas con él...

—¿Yo?

Ese es también otro mundo al que entra asombrada. ¿Separarse? ¿Casarse de nuevo? ¿Ella?

Reflexiona por primera vez. Repasa hechos como en un film. ¿Cuándo comenzó eso? ¿Cuándo arribaron al plano de las confidencias, de las largas caminatas a caballo, de la lectura, de las horas apacibles oyendo música, de los pozos de silencio? Sí. El rondó... Eso fue el comienzo. Y ahora, esto pavoroso y maravilloso, este sentir que oscila, que va a rodar ¿Hacia dónde? No; rodar no. Eso nunca. La sensación es oscilar y ascender. Quemarse en el vértigo ascendente. Bueno. Frases... Pero él nunca ha dicho nada. Nada. ¿A dónde va? ¿A dónde va ella? ¡Qué dice la amiga, la que siempre está en dos pies sobre la tierra, firme en los prejuicios, en la moral corriente, en la Moral! Dice: "¿Vas a separarte? ¿Vas a casarte con Jeldres?"

Absurdamente sonríe. Jeldres. Este apellido sureño al que aún no se acostumbra. Jeldres. La señora de Jeldres.... Del joven médico de la oficina.

Mira sus manos percudidas. ¿Cuántos años tiene? ¿Cuántos años tiene él?

—A Jeldres lo han trasladado al sur —informa el marido un día como otro cualquiera, sentado frente a ella en el comedor.

—¿Sí? —contesta con su voz habitual, un poquito ronca y que le parece salir de una garganta que no es la suya. Y agrega—: ¿Pidió su traslado?

—Lo han trasladado. —Tal vez ha puesto cierto énfasis en el "lo han" y continúa con su tono de exquisita cortesía—: Los Belluci telefonearon invitando para mañana. ¿Podemos aceptar?

—No hay inconveniente de mi parte. Podemos aceptar si lo deseas —contesta no menos cortés.

Se va. Sin una explicación. Se va.

Ella espera. ¿Qué? Espera. Pero en la espera algo ha crecido a su alrededor. Una piel fría, una piel que la aísla, adherida a su propia piel que arde. ¿Tiene fiebre? No, no tiene fiebre. Pero la piel le arde bajo esa otra piel helada y aisladora. Algo se encierra en ella. Algo se hace incomunicable.

Llega a la hora habitual.

—¿Sabe? Me voy. Me han trasladado. No, no diga nada. Tengo que irme. "Debo" irme.

Un silencio en que siente que su nueva piel es aún más adherente.

—Me voy. Bajo al puerto y en días sigo al sur.

Otro silencio agónico.

El la mira. Con una expresión de desamparo, de perdido niño de los cuentos de hadas, en el bosque y en la negrura.

—"Debo" irme —y luego insiste en la pregunta—: "Debo", ¿verdad?

No contesta. Luego de una espera, él añade con la voz impersonal anterior a.... ¿A qué? Sí, a la tarde del rondó....

—Estaré unos días en el puerto. En el hotel. La vida está llena de esquinas y en alguna hemos de hallarnos. Gracias por todo. —Se vuelve bruscamente y sale.

Así se regresa del mundo de la felicidad.

La amiga comenta, curiosa, sin saber cómo lograr que estalle la confidencia:

—Una lo cree tonto al gringo. Pero la verdad es que sabe hacer bien las cosas... Y ahora, ¿qué haces tú?

—¿Yo? —se encoge de hombros, con un gesto habitual, y calla, perdida en nebulosas conjeturas, rígida en su nueva piel, inmensamente desolada.

Ahora está ahí, adosada al muro, en la *boîte* de un hotel, en el azul del humo y entre las curvas de girantes luces de colores.

No debió venir. No debió dejarse seducir por esas esquinas que llenan la vida.

Se vuelve y regresa a la noche.

Atraviesa la terraza, baja escalones, camina sobre la arena suelta de la playa, recta al mar. Hasta llegar a la espuma que dejan las olas y a su fosforescencia. Andar. Andar. Dejar que el potente romper de las olas le llene los oídos con su insistencia y le asorde el pensamiento, la amargura que la corroe, la indignación contra sí misma. ¿Para qué ha venido dándose la excusa de un viaje?

Andar. Correr. Huir. Sabe que la sigue. Que es inútil todo. Y se detiene, súbitamente, firme, fría en esa piel que súbitamente también ha adherido a la suya como otras veces.

—Viniste —dice el hombre con la alegría de quien recobra su juguete mágico.

—Me voy mañana a Estados Unidos —contesta.

—No te engañes. Viniste a buscarme. Maravillosa... —y coloca en su brazo una mano que se desliza hasta la mano de ella y enlaza los dedos a sus dedos.

La mujer no intenta desprenderse. Está tranquila, abroquelada en su segunda piel.

—Ven —continúa diciendo—. Caminemos. Será maravilloso.

Caminan. En la soledad, entre cielo y mar, en la noche de espejeantes estrellas y en la réplica de esas estrellas en el mar poblado de noctilucas.

Habla alegremente, autoritario.

—Tengo ya mi pasaje a la capital. La verdad es que la vida aquí es de opa. Si no hubiera sido por ti... —la tutea. Aprieta sus dedos y ella siente la palma caliente aun a través de la otra piel—. Puedes cambiar de ruta. Quédate en Lima y dentro de un tiempo regresas y te vas a juntar conmigo. Yo tengo allá mi departamento, que ya sabes que se lo dejé a un compañero. La gran vida... Tú haces lo que quieras, pero las tardes, las comidas y el resto son para mí. Y el cacharro... ¿Sabes?, me compré un cacharro. Me lo llevo, es claro... —Habla deliberadamente buscando restarle importancia a lo que dice.

—Es un lindo plan de vida. Pero creo que no voy a participar en él...

Se detiene. Se desprende de ella y pregunta súbitamente cambiando el tono:

—¿Por qué? Has venido. Eso basta. Estás aquí a mi lado. Hemos vivido la maravilla de los últimos meses allá arriba. Y has venido. Es más que palabras, es más que una aceptación. Entre nosotros no valen las palabras. Todo está dicho. Vale esto. —La enlaza y violentamente adhiere los labios a esa boca que no responde, que se deja besar, pero que no besa.

La suelta y dice, embriagado por su propia embriaguez:

—¿Cuándo vuelves, cuándo llegarás a la capital?

—No llegaré. Puede estar seguro de eso. Como puede estar seguro de que me voy mañana a Estados Unidos...

La mira reflexivamente.

—Habrá que hablar. Y es tan maravilloso lo que no se dice y se siente —murmura.

—No hay nada que hablar. Usted no sé qué ha supuesto de mi venida, que era por usted, por verlo. He venido porque salgo para Miami. Eso es todo. —No sabe con qué voz habla, pero se oye modular tranquilamente esas palabras.

—"Todo" es lo que nos liga. Lo de allá arriba, las tardes, las conversaciones, los silencios, la música, la lectura. La voz de nuestra sangre. La maravillosa voz de nuestra sangre. El impulso que nos echaba a uno en brazos del otro y que supimos resistir. No era posible allá. Un escándalo. ¿Para qué? Un escándalo inútil. Lo que tiene que pasar, pasará. Eres tan mía como si te hubiera poseído, como si hubiera entrado en ti y juntos, ¿entiendes?, juntos, hubiéramos llegado al límite del gozo. Eres mía, enteramente mía. —La voz se le asorda, pesada de deseo.

—No, no soy su pertenencia —insiste en el usted—. Soy su amiga, en una amistad casi increíble entre un hombre joven y una mujer que puede ser su madre.

—Cállate —grita—, lo increíble es lo que estás diciendo.

—Es lo cierto. Pongamos que sí, que usted y yo nos quisiéramos. Que fuera amor, el amor, lo que hay entre nosotros. Para mí es una amistad, una, empleando esa palabra que le es tan grata, maravillosa amistad. Pero pongamos que sea amor. ¿Qué significaría este amor para usted? Un episodio. ¿Y qué tiempo duraría ese episodio?

—¿Por qué se hace estas preguntas? —No se da cuenta de que de nuevo la trata de usted—. ¿Qué importancia tiene la edad, la suya, la mía? Yo la quiero, la quiero íntegramente, con su edad, con la que tenga, con su cuerpo de adolescente, con sus ojos de venadito tierno y con su alma rebelde y pura. ¿Sabía usted todo eso? ¿Se lo dije antes? ¿Se lo dije? No. Pero usted lo sabía. No, mi rebelde, no hay necesidad de palabras, porque todo está dicho entre nosotros y la vida por vivirla maravillosamente.

—¿Por cuánto tiempo?

—Por el que sea. No tengo otra cosa que ofrecerle que un amor sin tiempo. Puede que sea de un minuto, puede que sea por la vida entera. Pero puede también que esta vida no sea sino un minuto.

—Es que la vida resplandeciente es suya. Y no mía, que ya vivo para el fin...

—Pobre viejecita —dice él reidor—, la viejecita más joven que la más joven muchacha. Y que, sea como sea, es la mujer que quiero, que deseo...

—Que deseo... —repite dulcemente ella.

—Sí, que deseo. —Ella siente la brasa de ese deseo y tiembla—. Hacerte mía, saber el contorno de tus senos y el sabor de tu lengua. Mía.

—¡Ay! —musita ella como si le doliera el alma.

—Sí, ¡ay!, pero de placer, tú y yo.

Pasa el brazo bajo el suyo, la mano se desliza por la piel desnuda y los dedos enlazan de nuevo los de la mujer. Y caminan.

Si fuera siempre así. Si la vida fuera caminar por una playa, junto al mar, en el retumbe de las olas y el doble titilar de estrellas y noctilucas. Pero la vida no es eso. No sería eso en lo porvenir. Sería la mentira, el doblez, el disimulo. El marido aquí y ella allá. El marido aquí y ella allá viviendo del nombre y del dinero del marido. Y... ¿Es que él no piensa en eso?

—Yo no tengo dinero —dice.

—Yo tampoco —contesta él—. ¿Y qué?

—¿Y de qué viviría yo en esa vida que usted me presenta como la suya y mía en lo futuro?

Contesta maquinalmente:

—Del dinero del gringo.

Ella se detiene, se libra de su mano y dice seca:

—No entiendo.

El reflexiona y contesta con lentitud:

—Entonces, ¿cómo? Las cosas han sido así hasta ahora...

—No han sido así. Lo que usted presenta así es lo por venir.

—Es que tendrían que seguir como hasta ahora.

—¡Ah!

—Todo puede hacerse sin escándalo. No seríamos los primeros.

—No me gusta que me sumen a los demás —advierte cortante.

—Ya lo sé. Y eso es lo que la hace tan maravillosa.

—Todo esto es tan inútil. Me voy mañana. Lo repito. Me voy. Y usted partirá, vivirá en su departamento y pronto tendrá una linda compañera. La tendrá. Todo hace preverlo.

La mira con fijeza, tratando de descubrir la verdad. ¡Curiosa mujer! Después de todo lo pasado, del romance, de lo que está seguro de que significa para ella, de lo que representa para él como interés sentimental y atracción física, de lo imaginado, de lo que es casi una realidad. Y ahora esta resistencia, esta tozudez, este rechazo. Sonríe, recordando la frase de un amigo: "Siempre quieren casarse".

—El casamiento vendrá después. Puede hacer su divorcio en México y sin saberlo siquiera estaremos casados. El aviso llega siempre días después... —quiere frivolizar, pero siente que está actuando en falso y que la mujer lo sabe.

—No. —Hay un gran cansancio en ella—. No. Por favor, no continuemos. Esto no tiene sentido. Hay una equivocación. Allá arriba lo extraordinario de nuestra amistad pudo engañarlo. Se lo aseguro formalmente. Tengo por usted un sentimiento excepcional de ternura, de lealtad, de protección. Creo que este último es el que predomina ahora. Protegerlo de su propio engaño. Allá no había muchachas de su edad ni de su condición. La vida es monótona. Las señoras apegadas a sus pequeñas costumbres burguesas. Me encontró a mí, menos vieja que ellas y menos aburridora. Se apegó a mí. Era natural. Y de ahí el error. En cuanto usted se sume a la vida que ha sido siempre la suya, verá claro que yo soy tan sólo un recuerdo amable.

—Basta —interrumpe—. Si usted quiere seguir en esta comedia, siga. Pero déjeme a mí decir mi verdad. Y vivirla dolorosamente, se lo aseguro.

Era peor que la fiebre. Tenerlo ahí, a su lado, sentir la presencia de su cuerpo, el halo de su sentimiento, fuera el que fuere, la certeza de su deseo y estar separada de él, separada por la piel fría pegada a la suya. ¿Es que esta piel regía sus decisiones, agrupaba sus palabras, acondicionaba sus gestos? Hasta ese momento no lo había pensado... Tiritó. Tuvo miedo de que le castañetearan los dientes. Había que terminar.

—Creo que lo mejor es que regrese al hotel. Su linda compañera debe de estar esperándolo. No me guarde rencor. Crea que obro por su bien. La vida para usted tendrá mil halagos: una mujer joven que responda a su edad, hijos... —Sintió que la voz se le quebraba. Reaccionó tragando saliva, que le supo acremente—. Tendrá un hogar normalmente constituido. —Le parecieron tan grotescas estas palabras, que calló abrumada.

Él la miraba dubitativo. ¿Era la burguesa aferrada a sus posibilidades sociales y económicas? ¡Qué curioso! Hasta ese momento no lo había pensado. La certeza del mutuo sentimiento había cerrado para él toda duda de desencuentro de opiniones, de planes. ¡Que nunca pudiera saberse nada de nadie! Y menos de una mujer. Y de una mujer como ésta, habituada a la holgaza, a la riqueza, a las normas sociales. La había sentido tan suya, tan entregada a su voluntad, llevara ésta a donde llevara... ¿Qué había sido entonces para ella? ¿Lo que aseguraba ahí, frente a él, sombra en la noche, con una voz reposada, monótona? Un amigo. Una manera de llenar las horas estúpidas de la vida en la oficina. Música, lecturas, paseos, conversaciones largas, largos silencios. ¿Una farsa? Tal vez esta mujer era justamente lo que pensó al conocerla: una frígida. Embotada por la indiferencia del marido borracho y por los prejuicios de una sociedad del tamaño de un alpiste. Sin valor para romper barreras. Fue su primer juicio. Y después... ¿Cuándo? Desde el rondó... —sonrió sarcásticamente—. ¿Quién las entiende? Tal vez su error fue no tumbarla sobre el sofá, en lo obscuro de las tardes invernales y al resplandor de la chimenea y poseerla en la violencia del pavor a ser sorprendidos. Tal vez... Como lo era tal vez ahora no asirla violentamente y tumbarla en la arena y al ritmo del mar hacer de ella algo íntimamente suyo. Tal vez. Seguía mirándola y a la par que hilaba posibilidades, encontrados sentimientos iban anegándolo.

Ella insistió:

—Vuelva al hotel... Quiero pasear sola... El auto me espera al fin de la playa. Quiero descansar, ya que mañana tendré un día pesado en el avión... Adiós —y le tendió una mano firme.

No la tocó. Se inclinó ligeramente, con algo de burla, con algo de despecho, con algo de rebeldía, con algo pesado en el corazón.

—Adiós... —Dio media vuelta y echó a andar con paso largo.

Ella también empezó a andar, lentamente. La recorrían escalofríos. Su segunda piel había desaparecido. La suya propia quemaba. Ahora sí que tenía fiebre. Le dolía adentro una entraña imprecisa. No era un sufrimiento padecido por el alma, lo era por el cuerpo. Como apaleada. Ardiendo corrían las lágrimas sollamándole las mejillas. De la garganta subían sollozos. Creyó que iba a aullar, como esos perros atropellados, moribundos, que a veces se encuentran al borde de los caminos. Se llevó una mano a la boca para atajar el grito. Y siguió andando, hecha un puro sufrimiento.

Los altos tacos se le hicieron intolerables. Bruscamente tiró lejos los zapatos. Siguió andando por el borde de la ola y de la espuma. Un camino zigzagueante y alucinante. Pensó en un camino sin término en lo por venir, deliberadamente elegido.

Los pies se le helaban, agarrotados.

Se dijo a media voz, mordiendo las sílabas:

—Mañana te dolerán los huesos...

IRREMEDIABLE CAIDA

Sobre la estrecha manga negra la mano mostraba los dedos de marfil viejo. Recordó la mano de marfil al término de un cabo de ébano con que la abuela dulcemente se rascaba la espalda, en esa hora que seguía al desayuno y en que los niños tenían acceso al dormitorio para darle los buenos días. Una mano de marfil con los dedos unidos en suave comba y una pulsera de fino dibujo labrada sobre la muñeca. La abuela la manejaba con la gracia con que otrora manejara el abanico, desde el pericón de papel hasta el isabelino bordado de lentejuelas o aquel de plumas y carey que usara el día de su presentación en la Corte y que, para orgullo de la familia, lucía entre los cristales de una vitrina en el saloncillo Regencia. La abuela volteaba la cabeza y dejaba ver el ir y venir de su mano, preciosa como la otra que terminaba el cabo. Era cosa sorprendente que ella, tan cautelosa de sus gestos íntimos, entregara a los ojos de los nietos aquel de rascarse mientras que con una voz de modulación cantante, contestaba a sus buenos días diciendo un tierno:

—¡Dios los bendiga, niñitos!

Sonrió con una sonrisa que lejana, lejanamente, semejaba a la que antes aparecía en su boca. Sonrió a la evocación pueril, comprobando que esas imágenes nada tenían que ver con "aquello". La comprobación hizo añicos el cuadro. Pero de inmediato debía aferrarse a otro pensamiento. Debía pensar en algo, obligarse a pensar en algo que no fuera "aquello".

Mano de marfil viejo la suya allí sobre la manga negra. Sin ningún parecido con la mano que usaba la abuela ni con la mano de la propia abuela.

¿Qué trabajo estaba haciendo en ella el tiempo? Primero apareció en el dorso de sus manos una manchita amarilla, una inocente peca de esas que gusta pintar el sol en la nariz de los niños durante las mañanas playeras. Otra peca asomó cerca y otra más, archipiélago que observó distraída por el capricho de las formas que le parecían, como cuando era pequeña, un misterioso mensaje que no se le mandaba como entonces desde ignotos mundos por intermedio de las nubes, sino que ahora sobre su propia piel se iba tatuando gradualmente. Luego advirtió que las pecas se obscurecían, haciéndose color de café y que al tacto eran densas. La piel, por contraste, se veía más pálida. Pero en seguida cobró un tinte amarillento, opaco. Después un dedo índice se hinchó, dolió y, una vez curado, quedó con las articulaciones deformadas. Proceso que fue repitiéndose en los otros dedos, hasta que todos quedaron así, señalando distintos puntos cardinales, anquilosados y monstruosos.

El médico explicaba, protector, feliz de diagnosticar algo menos complicado que su neurosis:

—Reumatismo. En este clima húmedo todo el mundo lo padece.

Ella lo oía, irónica por dentro y sin piedad.

"Si me vieras el alma —pensaba—; si me vieras las deformaciones, el retorcimiento de mis raíces íntimas; si me vieras los hongos, el verdín, la calamidad en que parecen haber obrado el fuego, la lluvia, el viento, bosque consumido por el roce y librado a los elementos del sur antártico. Si me vieras..., entonces sabrías lo poco que me importa esto..."

Pero el médico no veía sino una figura alta, magra, vestida de negro, sin edad aparente, rostro ajado y patético, con lentos párpados siempre entornados y que raramente dejaban ver el gris del iris que, a plena luz, transparentaba un fondo azul, como de neblina sobre el cielo, pero que entonces se sabe que en cualquier momento desaparecerá, porque siempre hay un rastrillo de viento que se la lleva, mientras que la neblina de estos ojos era allí permanente, fija, sin remedio. Y la boca de labios finos, tercos, empecinados en el silencio, solía a veces esbozar una sonrisa que era un simple gesto, el extenderse de una comisura.

El médico veía esa estampa hecha al carbón, trabajada por el amarillo del abandono, y a veces, escandalizado, como si certificara que la obra de arte se descomponía dejando aparecer la pacotilla de bazar, murmuraba para sus adentros: "¡Fíese uno de bellezas!"

Y pensaba en su mujer, que tenía más o menos la misma edad que aquélla y se conservaba fuerte, ágil, pomposa de kilos y de colores, enredada apasionadamente a mínimos problemas, parlanchina, celosa, combativa, agobiadora, agobiadora, sí —¡ay!—, agobiadora, pero rotundamente jovial.

Y se iba dejando una prolija enumeración de alimentos, dieta a la que ella se ceñía sin esperanzas ni rebeliones, matizándola con medicinas distribuidas a través de las horas.

Nunca había oído las palabras que el médico se decía frente a su ruina física ni aquellas otras con que la comparaba a su mujer. Pero era absolutamente igual que si las hubiera oído, tanto afloraban a su rostro de mico marrullero. Como las oía en el silencio atónito de las gentes con que sorpresivamente se hallaba al albur de cualquier salida.

De repente tuvo la sensación de desdoblarse y estar mirándose a sí misma en un primer plano, sentada voluntariamente incómoda, dando la espalda a un mar que repitiera obstinado idéntico golpeteo, mirando un sombrío paisaje de trasmundo, empavorecedor: brazos de troncos tendidos y retorcidos, ondulantes despojos de algas, osarios de cal, gasas de telas de araña y una mano de mujer, cercenada; cercenada y manando sangre, y abajo un lago de sangre congelada, y allí, patinadora de pesadilla, una informe sombra que aullaba como si fuera el perro lunero de los malos daños.

Se echó atrás, adosada al respaldo del sillón, adherida a su terciopelo, buscando poner lejanía entre el cuadro y ella. Pero fue el cuadro el que empezó a retroceder, esfumándose los contornos, paulatinamente desapareciendo hasta ser tan sólo un punto, blanco, bolita blanca, pequeña pelota dando y rebotando en una invisible paleta, pueril juego de pimpón, paleta en mano de niña, volteando a derecha, a izquierda, con un preciso mecanismo muscular. Tac... Tac... Tac... Tac...

A veces el corazón se hace presente. Quiere que se sepa que está allí, caballero de la vida. Se dice: "Te quiero de corazón". O se dice: "Me lo ha dicho el corazón". Y no es verdad que el corazón quiera o que haya dicho nada. Pero se recurre a él porque es el caballero de nuestra vida y da importancia a palabras fútiles. Pero, circunstancialmente, el corazón se hace presente y advierte su existencia con una larga punzada que obliga a retener el aliento, y cuando la punzada pasa, tan sólo entonces, con lenta precaución nos atrevemos a respirar y con las yemas que han tomado una calidad endurecida de frescas uvas se comprueba que por la frente rueda una gotita de transpiración. Pero no ha sido nada, tan sólo el corazón que quiere que sepamos que está ahí en el pecho, un poco al costado, y que puede no tan sólo advertirnos su presencia con esa violenta punzada, sino que también diciendo: Tac... Tac... Tac... Tac...

Ahora hay una pausa. Un apaciguamiento en que no tiene conciencia de su cuerpo físico. Ni tampoco de su pensamiento. Está pensando que no piensa en nada. Pero inmediatamente piensa que está pensando que ese apaciguamiento y ese no pensar en nada son lo habitual antes que pase "aquello".

Se ve plácidamente en el automóvil, entre la madre y el marido, joven, bonita, llena de gracia, arrullada por la ternura de la madre, por el amor del marido, circulando por el mundo en la bandeja de plata de la fortuna. Oye la voz admonitiva del marido:

—No vaya tan ligero, Paco...

Su mirada distraída se fija en el bulto pardo que sale de la cuneta. El choque es instantáneo. El coche vuelca, rueda por el precipicio. Hay gritos, retumbos, quebrazón de vidrios. Después... Sí. ¿Después? Siente sus roncos alaridos, su voz inhumana, tan imposible en su garganta que se calla. Quiere moverse. No logra un movimiento. Nada ve en el amasijo de chatarra. Halla su voz cotidiana para llamar a la madre, al marido. Repentinamente percibe una mano inerte, con una enorme herida por la que mana la sangre como agua de canilla. Grita de nuevo, sabe que está gritando, porque su boca se abre y la garganta se contrae. Pero no se oye. Algo la lanza por los aires y tiene la angustia de una caída sin fin, vertical, desde no sabe qué altura hasta tampoco sabe qué fondo: caída que debió ser la de Luzbel a los profundos infiernos, no peores que el infierno en que ella sobrevive.

La mano deforme, esa mano de marfil amarillo, se posó empuñada sobre el corazón que de nuevo tableteaba su: Tac... Tac... Las articulaciones se marcaron en blanco por la fuerza adhesiva. El tableteo se detuvo dentro de ella, salió fuera y entonces se arrimó a sus oídos, puertas a las que siguió golpeando: Tac... Tac...

"¿Es que nunca voy a poder librarme del recuerdo? ¿Nunca?"

Se puso de pie y dio unos pasos trabajosos por el salón. Hasta enfrentar un muro y quedárselo mirando, sin verlo.

Había vuelto a dejarse invadir por "aquello". ¿Pero es que la invadía desde afuera? ¿No estaba dentro de su ser, tierra en que enraizar la maraña de las arterias, savia para los nervios, material de su arquitectura, razón torturadora de su existencia? ¿Para qué luchar? ¿Para seguir el consejo del médico, que decía: "No hay que pensar en eso, señora", y que solía añadir: "Cuando sienta que la asalta el recuerdo del accidente, póngase a contar: Uno y uno dos. Dos y uno tres. Tres y uno cuatro. Hasta cansarse"?

Miraba al frente. Fue tomando conciencia de los volúmenes y de los colores. Hasta ver sobre la seda rosa que limitaba con las enmaderaciones verde y oro, medio a medio del panel, el retrato obra de Boldini que la representaba en la época de su matrimonio, alta la cabeza, sonriente, prodigiosamente rubia, azules los ojos, con una mano sujetando la cola del traje de tul negro, con el abrigo de chinchilla sobre el respaldo de un sofá, y en el peinado alto el vuelo de un colibrí de piedras preciosas, tocado absurdo complemento de la elegancia suntuosa y frívola que el cuadro parecía simbolizar.

Tendió una mano y la dejó en el aire, junto a la otra deliberadamente alargada que se entreveía en la pintura. Como si una mano de bruja se acercara a la de un ángel.

Dio la espalda al retrato y volvió al sillón que dejara. Metió las manos en los bolsillos del traje de casa y, agobiada, pareció aquietarse en una especie de soñolencia. La puso dentro de la vigilia la voz del marido, que decía: "No vaya tan ligero, Paco..."

¿Cuántas veces había revivido esa escena? ¡Qué cansancio!

Primero confusamente en la clínica, después absolutamente nítida en la casa de salud, después en forma más espaciada en el chalet a orillas del lago sureño, espejo sin apuro para copiar el cielo, las nubes avellonadas, un disperso vuelo de pájaros, el cabeceo adormilado de los pinos y el cono del volcán con su capuchón de nieve. Más tarde, matizada con obscuras visiones empavorecedoras, la revivió y seguía reviviéndola en la quinta de tranquila arquitectura, de muebles de sólidas caobas, de corredores propicios a las mecedoras, al sostenido trinar de un canario, al aroma arremansado de los jazmines y a los ojos súbitamente espejeantes de los gatos. Quinta rodeada de los árboles que trajo de España el abuelo, de otros árboles que trajo de Francia el padre y de más árboles que trajo de todas partes del mundo la madre. Sobre el césped las estaciones escribían su nombre con el múltiple matiz de las flores.

Se acurrucó aún más en el sillón. Como si tratara de hacer algo que nadie debía percibir sacó una mano, luego sacó la otra mano de los respectivos bolsillos y cruzó los brazos sobre la cintura, echándose hacia adelante hasta apoyarlos en los muslos. Cerró los ojos. Se quedó inmóvil. Como las viejas indias. Las había visto tantas veces con renovado asombro en la infancia de las curiosidades; horas de horas sin moverse, a veces junto al brasero, otras junto al hogar primitivo hecho en el suelo, dobladas sobre sí mismas, remedos humanos, sin la quietud viva del animal en acecho o en hartazgo, vacías, cortezas de seres cuya quietud se torna intolerable.

Así estaba ella, cáscara de su propia vida, sentada en un escalón circular junto a un mínimo ruedo. Hacia arriba —los sentía a sus espaldas, a sus costados, al frente, los sentía; tenía la perfecta certidumbre de su existencia—, había otros escalones circulares en aumento progresivo, anfiteatro cuya boca estaba arriba, a ras de la tierra en que los seres eran felices y desgraciados en una equitativa proporción. Le decían que en el poder de su voluntad estaba el volver a esa superficie. Donde era exacto el contorno de las flores y las estrellas desparramaban su temblor por claros cielos, en que la palabra felicidad hacía retardar el paso a los enamorados y en que cuando se decía "hay que resignarse", era pensando en la actitud de un árbol junto a un blanco muro, sin negar su sombra, dócil al aire, indiferente al sol, esperando con mansedumbre los elementos que trasmutarán su esencia.

Violentamente se enderezó, se puso de pie y los brazos se tendieron suplicando una seña, algo a qué prender la terca esperanza del instinto.

Cuando los brazos se le cayeron de cansancio, aún permaneció largo rato de pie, volteada la cara, mirando hacia arriba. Como a los brazos, el cansancio le volteó la cabeza.

Estaba en el último escalón de un anfiteatro. Avanzó un pie que no halló plano más bajo. Pero tuvo la sensación de haber descendido al ruedo, de estar en el fondo. Trabajosamente se sentó en la alfombra, cruzó los brazos y tomó la misma actitud que las viejas indias junto al ojo ceniciento de los rescoldos. Igual.

Y esperó sin tortura ni resistencia que, subrepticiamente, por algún resquicio de sí misma, apareciera "aquello".

) 297 (

EL ESPEJO

Sobre la consola el espejo se adosa al muro con bollones de bronce labrado. Lo pusieron allí para que su fría lámina abriera profundidades recónditas al estrecho pasillo hacia el lado del ensueño. Del pasillo aprisionado en la penumbra que media entre la puerta de acceso al departamento y una cortina obscura, tras la cual se supone el comienzo de la intimidad. La luz no entra al abrirse la puerta porque el rellano es ciego, y a su vez las gentes no favorecen la imposible intrusión, apresuradas por irse más allá de la cortina, a esa gran habitación que finaliza con un muro de cristales, balconada florida sobre el aire de un parque.

Del cielo raso del pasillo pende una farola cuyos bronces hacen juego con los bollones del espejo. Permanece perdida en las tinieblas aún más densas del techo, pero solían encenderla "cuando había invitados" Y cómo se obstinaban en evidenciarse las luces en aquellas contadísimas ocasiones, fuera de lo común en ese hogar en que un hombre y una mujer regían pacífica y aisladamente su vida por horas inmutables, ya previsiblemente engranadas en sus correspondientes acontecimientos.

Alguna vez, encendida la luz al azar, el mármol de la consola, la bandeja de plata que allí espera imposibles tarjetas de visitantes y la superficie del espejo aparecen infinitamente desamparados en su respectiva soledad, perdidos en el desencuentro de aquella súbita iluminación, como despertados, no de un sueño, sino de un doloroso insomnio interior. Apagada la luz, la penumbra devuelve al pasillo su inexistencia, su condición de tránsito ajeno a lo familiar.

Un día que la mujer repasa lenta y prolija la suavidad de una gamuza sobre el espejo, repara en la mancha. Frota con mayor energía. Piensa en voz alta, como suele hacerlo:

—¡Vaya, por Dios! —demorándose en cada sílaba que tanto tiene de súplica como de anticipada resignación, alargándolas con la misma paciencia que pone en su gesto—. ¡Vaya, por Dios!

Porque aquello no es mancha sobre la faz del espejo, su rebeldía a la suave insistencia de la gamuza lo revela, sino algo más definitivo: falla del azogue, desvaída lepra amarillenta del tiempo que allí esparce sus implacables líquenes.

Enciende la lámpara para mejor observar el defecto. Una escandalosa luz de haces refractarios desnuda súbitamente sus dormidas espadas contra el blanco de las paredes, resbala por la piel fría de la consola por el peto reluciente de la bandeja, y al multiplicarse en el espejo, hace pestañear a la mujer que busca adueñarse de nuevo de su visión.

Es a sí misma a quien halla aprisionada por las estrías rojinegras entre opacidades neblinosas, entre diminutos percudidos que cubren al espejo como calofríos de su superficie. Se queda mirando, mirándose, mirándose, no a sí misma, sino mirándose en aquella extraña, mirando a esa mujer manchada, deshecha, deforme, borrosa como en un mal recuerdo, hundida en un pantano, sí, deforme con la boca abierta, con los ojos despavoridos con que afloran sobre las aguas los ahogados que han perdido entre el légamo del fondo su verdadera figura.

Permanece rígida en la contemplación. A su alrededor el aire se hiela en zonas que van adhiriéndose a su cuerpo hasta formarle un preciso revestimiento de calco. Y no es su propia forma la que el aire ciñe, sino la forma de la otra. Huecos inconfesables, huecos que sólo la muerte puede colmar median entre su ser y el molde que el aire finge en su torno. Sigue mirándose, pero escucha ahora en su interior el denso silencio de su sangre. Rodeada de frío, inmóvil. ¿Esa es ella? ¿Ella misma? ¿O una intrusa que hubiera osado penetrar por la puerta de acceso y aprovecha esa puerta de un rellano ciego para insinuarse en su destino? No puede habituarse a su rostro. Despacito, con una precaución que implica miedo a que los músculos no la obedezcan, hace un movimiento, corriéndose de costado. Otra cara, igualmente ajena a la suya, la mira desde este nuevo ángulo con idéntico pasmo, al que la ausencia de toda ironía torna insoportable.

Oye el eco de antiguas voces diciendo desvaídas frases. "¡Qué belleza!" Voces oídas ¿cuándo? Más allá del espejo, en una lejanía por la que transitaba su sangre niña como un alborotado torrente secreto. Sí. Allá en el pueblo fluvial de su infancia, en la época en que su delantal blanco revoloteaba por la avenida ribereña al volver de la escuela con el bolsón de los cuadernos apretado bajo el brazo. Sí. Entonces. La voz única de la madre, la plural e indiferenciada habla de las tías y el parloteo de las buenas vecinas desbordadas en los batones caseros, anchas de siestas y de benevolente indolencia. "¡Qué belleza!"

Y ella corría en busca del espejo para pedirle confirmación de esa belleza, que, de ser cierta, la empavorecía un poco. Y sólo hallaba unos ojos de azorado terciopelo negro y las gruesas trenzas obscuras y la boca y la nariz y todo su rostro moreno hecho de apretada leche y canela. Y continuaba contemplándose sin hallar belleza alguna, esa cosa terrible que entendía ella como belleza, y que debía abrasar el rostro que la soportara.

Sólo sabía que le gustaba estarse silenciosa, que le dieran obligaciones hogareñas, porque el trajín era una manera de hurtarse a la escuela y a las gentes, al quehacer tan de su gusto, tan insensible que se tornaba en un no hacer, en un ocio animado y feliz que a veces le dejaba sobre la palma de la mano abierta la levedad de una verde hoja, de un desamparado pétalo, de una vívida gota de agua.

Sabía eso y que el cuerpo incomodaba con una exuberancia que sentía ajena, tropezando con sus desacostumbrados pequeños pechos, con sus pesadas rebeldes creencias agobiadoras, descompasada con el juego aún torpe de sus caderas empeñadas en insinuar un idioma incomprensible. Sí. Todo eso era misterioso e inquietante. Descubrir algo ajeno aflorar de sí misma, como ciertas inflexiones de su propia voz de súbito asordada, reclamo de una vieja sabiduría que estaba allí, mucho antes de que ella naciera, que su sangre percibía al mismo tiempo que pintaba de rojo sus mejillas y encendía la frescura de ascua de su boca. "¡Qué belleza!" Belleza de niña, de muchachita, de joven, de mujer ya cabal. Belleza realzada por la transparencia con que era inadvertida, intacta por no haber sido goce de su propia dueña, ofrecida sin mácula para el asombro y la alegría de quienes la contemplaban.

Nadie sabe cómo —ella lo sabe menos que nadie— un día un hombre se sitúa a su lado, tranquilo, naturalmente, sin sobresaltos, pero también sin dudas, como llega la siesta tras el frescor de la mañana. Y otro día ya ese hombre tiene el distintivo natural de marido, fructificación de aquella otra palabra: novio, que tampoco supo cómo ni cuándo tuvo su origen. Todo va sucediendo con esa serena fluencia no exenta de recóndita majestad de ciertos destinos, en los que cada estación encuentra la justa correspondencia de su clima. Es feliz. Tiene un marido. Tiene una casa. No tiene hijos, y como no los tiene, no los ambiciona. No hay dolor en esa ausencia. No hay ausencia siquiera. Es que su vida tenía que ser así: su afán está en el presente y el presente es inviolable: no puede ser sino como es. Lo vive intensamente, en profundidad, con la sabiduría específica de su condición de mujer. Tiene un marido, tiene un hogar. A su hora sabe para qué sirve el cuerpo y cómo por la red de sus nervios puede fulgurar el instantáneo pez del placer, dejándose entrever en su deslumbramiento la lejanía de sus límites interiores.

¿Cómo habían pasado los años? Lo ignora. ¿Es que realmente habían pasado? Aquel lento deshojar de almanaques sucesivos, aquel arrancar las hojas que levemente estrujadas por sus manos iban a parar al cesto de los papeles, ¿tenía alguna relación íntima con ella? ¿No era algo desconectado con su ser, mecánico, desprovisto de toda eficacia frente a la persistencia de su identidad? Pero las horas que parecen volar dispersas arrastran tras de sí a los días, y de pronto se advierte que tantos días han formado un año. Y mientras ¡pasan tantas cosas! Nunca grandes cosas, eso no. Las grandes cosas siempre tienen algo desvergonzado en su evidencia. Pero los mínimos acontecimientos, como las lentas lloviznas, inadvertidamente calan hasta lo hondo. Y cosas pequeñas se suceden.

Ya no se vive en una pensión, sino en la buhardilla de una gran casa. Y después en un departamento. Y se compran muebles. Y se compran más muebles. Y se añaden algunas chucherías con las que antes ni se soñaba. Y hoy es un reloj de pulsera. Y mañana un abrigo de pieles.

Parsimoniosamente crece la cuenta de la caja de ahorros. Sí. Porque se prospera, y a un ascenso sigue otro. Y eso que no se advierte, es eso que de advertirse se llamaría felicidad. Cada hora entraña una obligación. Todo tiene en la casa el secreto ritmo de los vegetales, cuya savia circula sin latidos, lentísima, manteniendo el verdor del follaje y la tersura del fruto. Cuando se queda sola están los quehaceres, y cuando está el marido existe una atmósfera llena de cálidos puntitos luminosos en que la ternura resplandece mágicamente a través de la costumbre.

Sonríen. Conversan.

¿De qué hablan? De esas mil menudencias que no es necesario ni escuchar siquiera, de los mínimos detalles cotidianos, tanto de la oficina como de la casa, en monólogos que se interfieren sin llegar a unificarse en diálogo. Porque el secreto está en prescindir del sentido utilitario de las palabras, en usarlas tan sólo para oir y hacerse oir, como un contacto verbal.

Eso era antes. Hace ya tiempo el silencio insinuó su lenta marejada, cada una de cuyas olas fue ganando imperceptible pero irrevocablemente terreno, socavando la convivencia. ¿Qué han hablado hoy durante el almuerzo? El ha dicho:

—Otra vez llegó tarde ese Gutiérrez. Ya no se puede más con él.

—Deberías dejarte de contemplaciones y decírselo al jefe.

—Es muy fácil aconsejar eso: pero cuando se piensa que tiene mujer y tantos hijos...

Ella ha callado ante el argumento repetidamente eficaz, porque eso se ha dicho esta mañana, como se dijo antes de ayer y la semana pasada. Infinitamente ese Gutiérrez incurrirá en su falta, como un tedioso fantasma al que no es posible arrancar de su destino; reiteradamente será perdonado en gracia a la mujer desvanecida detrás de la neblina del impreciso número de hijos. Lo han repetido tantas veces, con igual tono, con semejantes palabras, que ya no significa siquiera una defensa contra el silencio, sino una forma de callar en voz alta. Y así todo, aun de esos temas baladíes, hablan cada vez menos que antes, que ese "antes" lleno de acontecimientos tan infinitesimales que sólo pueden diferenciarse en que se produjeron en la pieza de la pensión, en la buhardilla de la gran casa o en este departamento. Como los tres consabidos escenarios de las comedias en tres actos que suelen ir a ver los domingos por la tarde. Pero lo que pasa en los tres escenarios de su propia vida es tan monótono que no podría hacerse una comedia con todo ello. No... Ni un drama tampoco.

Mueve la cabeza dentro de su molde de hielo, y los ojos que han estado mirándose y no viéndose se prenden de nuevo sorprendidos a la imagen que flota entre esas densas aceitosas aguas.

Allí hay una mujer desconocida que la observa. No, no es ella la que contempla a esa mujer desconocida, sino que es la desconocida quien la

) 301 (

mira a ella, a la que ella cree que es. Una mujer gorda, con los ojos inexpresivos de betún sin lustre, de alquitrán, de cualquiera materia espesa y opaca. Debajo de cada uno de ellos hay una media moneda en una bolsita de piel muy fina, amarillenta, incontablemente rayada. Y la flaccidez de las mejillas rebasa sobre el cuello en doble comba, unificándose en la doble papada. Y los pechos otrora increíbles, derrumbados sobre el vientre. Caída, toda ella caída en un desmoronamiento informe, de grasa desparramada, de carne rebelde a toda arquitectura ocultando en sus densidades el esquema ideal de sus huesos, en cuya muerte aún persiste paradójicamente la finura de la muchachita.

—¡Vaya, por Dios! —repite, e insiste en frotar el espejo aunque tiene ya conciencia de la absoluta inutilidad de su gesto.

Algo levanta el eco de morosos diálogos pretéritos:

—Sería bueno que te compraras un vestido.

—Para lo que salgo...

—De todas maneras. Deberías cuidarte un poco más de tu apariencia.

Súbitamente desentraña ahora la expresión con que el marido se la quedó mirando, con mirada que no iba de los ojos de él hacia ella, sino hacia más adentro, buscando algo que no alcanzó a ver, porque debió atender las tostadas que se pasaban de punto en la cocina. Pero ahora comprende la falsedad de la palabra "apariencia" aplicada a una mujer. Que es mucho más que apariencia, que puede ser lo más dramático de su realidad. Ahora sabe que su marido estaba mirando a esa que está ahí, en el espejo, tratando de resucitar en ese esperpento a la que ella creía seguir siendo, la que suscitara las pretéritas voces de la admiración pueblerina: "¡Qué belleza!" La certidumbre de la vejez la penetra de pronto con su relente maligno, emanado de las detenidas aguas del espejo. No siente ya que sea una desconocida quien la mira desde su fondo, sino que es ella, ella misma, súbitamente desposeída del encanto que no supo defender contra el tiempo; ella, a la que hay que comprar un vestido para disimular las deformidades, y también arrebolarle las fláccidas mejillas y teñirle piadosamente las canas. También, ¿por qué no?

Un gesto le enarca la boca y un insidioso escalofrío recorre su imagen. Se queda instantáneamente endurecida, cual si la alcanzara la solidificación del espejo, con la sensación de que no logrará jamás un movimiento. Algo tiembla en su interior y repercute dolorosamente en su corazón. A su ritmo asordado la sangre se precipita por el intrincado ramaje de sus arterias. Aprieta los dientes conteniendo la respiración, tensa cada fibra de su cuerpo. Luego, con brusquedad, aspira el aire, jadeante, y por un momento logra tranquilizar el corazón, devolviéndolo a su ser habitual. Mira reposadamente los ojos de su imagen que le devuelve con idéntica calma su mirada. Y es por allí, por esa mirada, por donde el miedo penetra en ella, colmando su pecho, extendiéndose tumultuoso, anegándola toda. Terrible miedo irrazonado, miedo puro, no sabe a qué, acaso a sí misma. Miedo puro inexorable. Girar de paisajes sumergidos, y en central remolino su cara, la de ella, la de la otra, enfrentadas en única soledad, con los ojos de ahogada aferrándose a ella, tironeando de ella hacia el fondo de pavorosas honduras.

Tiende los brazos con las manos abiertas buscando no ver su imagen, y tropieza con las manos de la otra, que adhieren a sus palmas buscando su apoyo para saltar fuera de las inmóviles aguas.

—¡No quiero! —grita—. ¡No quiero! —Las palabras rebotan sobre el cristal a la par que sus manos, ahora empuñadas en frenético trabajo de destrucción, en mágica impotencia para desvanecer un terrible conjuro.

Jadea, caen sus brazos derrumbados por el cansancio. Espera para recobrar el aliento. Agarra la bandeja de plata. Por un segundo la costumbre le devuelve el orgullo que el peso de su noble metal le proporciona. Pero eso es sólo un ramalazo del pasado. La empuña y golpea, golpea tensa, eficaz, trabados los dientes, empecinada, pega contra la lámina del espejo que fracasa en ángulos en dispersas luces desmoronadas, en filudo estrépito. E insiste en cada trozo, minuciosamente en cada astilla.

Muele aún, con mecánico brío, a la hora en que se abre la puerta, porque es la hora en que debe ser abierta, y da paso al estupor del marido.

CUENTOS PARA NIÑOS

BUSCACAMINO

Resulta que en una montaña del sur vivía un señor Chuncho al cual los otros pájaros llamaban Buscacamino. No creas tú que lo llamaban así por sus grandes ojos, relucientes como esos focos que encienden por la noche los autos para encontrar la ruta extraviada. No. Le dieron ese sobrenombre a raíz de un gran servicio que les prestara. Pero antes debo advertirte que hasta ese momento nadie quería al señor Chuncho. Este no hacía otra cosa que augurar calamidades:

—*Usted se va a enfermar... Ya le había dicho que chocaría contra ese árbol... Dése cuenta de que tiene el moquillo... Mañana vendrá el Peuco.*

Con estas frases nada alegres, desde que anochecía hasta el alba presagiaba desgracias. Y resultaba que nadie gustaba de su compañía en la montaña, como ya te dije, y como era lógico.

Y aunque las señoras Cachañas son muy amigas de la sociedad y del comadreo y a los señores Pidenes les encantan los corrillos, no querían tampoco relacionarse con el señor Chuncho, y el pobre terminó por andar completamente solo, mejor dicho, terminó por irse todas las noches a un alto roble que dominaba la montaña entera, quedándose allí melancólicamente, muy correcto en su chaqué, diciendo a toda voz sus vaticinios para tener siquiera en el amable Eco alguien que le respondiera.

Pero resulta que una vez, en una primavera muy fría y muy llena de heladas y de neblinas y de lluvias, en una de esas primaveras en que parece que el invierno no quiere irse, los pobres pájaros, ateridos por el Viento que bajaba furioso de la cordillera, vieron un día que la neblina se espesaba en tal forma que la poca luz que dejaban pasar las nubes vestidas de luto se iba perdiendo y que a media tarde se formaba una noche llena de miedos y de sobresaltos, porque todos los pájaros andaban lejos de sus nidos, buscando algo que comer. Y piaban desesperadamente, llamándose unos a otros, buscando los papás a las mamás y ambos a sus hijitos. Y como nadie encontraba a nadie, sólo se escuchaba en la montaña un solo piar lloroso.

Mientras tanto, el señor Chuncho había despertado y después de dar varios bostezos, de estirar las alas y de rascarse un poco —como es de rigor al salir de un buen sueño—, puso atención a lo que los pájaros decían entre desolados sollozos:

—¡*Periquito! ¡Periquito!*

—¿*Has visto a mi Tío Agustín?*

—¡*Jesús! ¡Jesús!*

—¡*Aquí! ¡Aquí!*

—¡*Allí! ¡Allí!*

Era para volverse loco.

Pero el señor Chuncho no se afligió con tanto grito ni con tanta confusión. Se puso las botas y el impermeable, y con su paso de grave notario salió de la casa, dejando la puerta bien cerrada para evitar robos. Guardó la llave en el bolsillo de atrás del pantalón y realizado ese gesto precautorio se fue de un vuelo hasta "el árbol de enfrente", donde una señora Diuca lloraba a mares llamando a su marido.

Con los ojos bien abiertos y bien brillantes en la obscuridad, el señor Chuncho le fue alumbrando el camino una vez que averiguó dónde vivía. La dejó en su casa, arropada y tranquila, yéndose en seguida a otro árbol, donde una señorita Cachaña gritaba como si la estuvieran matando, rodeada de sus hermanas, que ya no gritaban, porque se habían quedado roncas. Y las llevó a su casa, donde papá Choroy y mamá Cachaña estaban rezando una letanía para que San Cristóbal les trajera con bien a casa.

Y en esta forma, auxiliando a unos y a otros, el señor Chuncho logró poner orden en la montaña y que cada cual llegara sano y salvo a su domicilio. Tan atareado estaba que olvidó sus anuncios de calamidades.

Desde entonces, los pájaros de la montaña tienen por el señor Chuncho un gran afecto y le llaman cariñosamente Buscacamino, y, aunque él siga presagiando todos los males, lo oyen con gran cortesía y hasta suelen contestarle con algún monosílabo. Claro es que en la mayoría de los casos están pensando en otra cosa, pero como el señor Chuncho no lo sabe, se considera el más feliz de los habitantes de la montaña.

Esta es la historia del señor Chuncho, a quien sus compañeros llaman Buscacamino.

LA FLOR DEL COBRE

Resulta que una vez había un matrimonio que vivía en un campito, cerca de un pueblo en el sur. Los dos eran viejos, reviejos. Y resulta que el marido era tan flojo que nunca había trabajado en cosa alguna, y en cuánto le hablaban de hacer algo, se quejaba a gritos de sus muchas enfermedades y se iba a la cama, diciendo que ya poco le iba faltando para entregar su ánima al Tatita Dios. Y resulta también que la pobre mujer, a pesar de sus años, tenía que seguir comidiéndose para ella sola mantener el hogar.

Con la terrible pereza del marido, a quien llamaban don Quejumbre-No-Hace-Nada, el campito estaba hecho una maraña de zarzas y la casa se caía a pesar de los puntales que le habían arrimado algunos vecinos misericordiosos. Pero esto no era impedimento para que don Quejumbre-No-Hace-Nada siguiera durmiendo o lamentándose de sus males. Y resulta que un día estaba doña María Soplillo —que así se llamaba la mujer— zurciendo los pantalones de don Quejumbre-No-Hace-Nada cuando sintió que éste llegaba muy contento del pueblo, donde había ido en busca de remedios para las muelas.

Apenas la divisó le dijo:

—Figúrese la suerte, vieja...

—Usté dirá. Aunque sería mejor que diera antes las güenas tardes...

—Güenas tardes. Pero no interrumpa. Figúrese la suerte... A la primera güelta del camino me le encontré con una señora muy encachá, que me preduntó pa'ónde iba. Yo le contesté que pa'l pueblo a mercar medecinas pa'l dolor de muelas. Entonces ella me ice qu'es meica y que me puede dar un remedio no sólo pa las muelas, sino que es pa toititos los males conocíos. Y voy entonces yo y le predunto: "¿Y qué remedio es ése, Misiá?" Y ella al tiro me contesta: "Es la Flor del Cobre". "No la conozco, ni nunca la había oído mentar", le respondí. Y ella va y me ice: "Aquí tiene la semilla, váyase para su campito y la siembra, y en cuanto florezca verá cómo se alivia de sus muchos achaques".

—¿Y qué le dio, viejo?

—Esta bolsita con semillas. Mire. Al tiro las voy a sembrar.

Entonces doña María Soplillo se puso en pie, muy contenta al ver a su marido tan dispuesto y alegre. Y le preguntó:

—¿Dónde las va'sembrar?

—Aquí, no más, en la huerta. Pero la Misiá me'ijo tamién que tenía que sembrarlas toas y en tierra limpia y bien barbechá. Por suerte que no son muchas las semillas.

Y don Quejumbre-No-Hace-Nada se fue en busca de la pala, el azadón y el rastrillo, que estaban por ahí, en un cuarto, todos llenos de telarañas y moho.

Por la tarde se pasó arreglando un retazo de tierra, sacando maleza, arrancando raíces, arando y rastrillando. Cuando llegó la puesta del sol estaba el retazo de huerta convertido en una lindeza de barbecho. Y don Quejumbre-No-Hace-Nada se fue a acostar completamente rendido, dispuesto a levantarse al alba para sembrar las semillas de la planta del cobre, cuya flor habría de mejorarle la salud.

Pero resulta que a la mañana siguiente, cuando comenzó a esparcir la semilla —que estaba en una bolsita de cuero no más grande que una mano cerrada—, ésta no terminaba nunca, y aunque don Quejumbre-No-Hace-Nada lanzaba grandes puñados al surco, el contenido de la bolsa no menguaba. ¡Y ya no había dónde sembrar más!

—¿Qué haré? —le preguntó a doña María Soplillo.

—Usté sabrá —dijo la mujer modosamente—. Pero, según ijo usté ayer, la Misiá le recomendó que sembrara toititas las semillas.

—Así no más jué —dijo el viejo.

Y se puso a preparar otra porción de tierra más grande que la que barbechara la víspera.

Pero al día siguiente pasó exactamente lo mismo: la semilla no llevaba trazas de disminuir. Al gran holgazán de don Quejumbre-No-Hace-Nada le dieron ganas de no seguir en la empresa; pero, justamente, en ese momento, le dieron unas fuertes punzadas en las muelas, tan fuertes como no las había sentido nunca. Y esto lo hizo decidirse a barbechar un pedazo del potrerillo, en vista de que la huerta ya estaba toda sembrada y que las semillas parecía que no se hubieran empleado nunca.

Y al cabo de diez días de trabajos y de rezongos y de decir que no daba una palada más y de volver a dolerle las muelas y de volver entonces a trabajar, don Quejumbre-No-Hace-Nada se encontró de repente con todo su campito limpio, barbechado y sembrado, y que empezaban a brotar unas hojitas verdes y que había que regarlas, cuidando de que en los camellones no fuera a salir de nuevo maleza, y que había, además, que vigilar los caracoles y los gorriones y que, por lo tanto, había que seguir levantándose al alba y trabajando el día entero.

Y resulta que a don Quejumbre-No-Hace-Nada se le había olvidado quejarse y ni una mala lipiria le daba. Y resulta también que cuando más crecían las plantas de la Flor del Cobre más parecían matas de maíz y al fin don Quejumbre-No-Hace-Nada tuvo que convencerse de que no había tal Flor del Cobre, sino unos choclos lindos que empezaron a comer hechos ricas humitas por mano de doña María Soplillo, cuando no eran cocidos y en unos pasteles con pino y todo. Y como los choclos cada vez cundían más, resolvieron cosecharlos y venderlos en el pueblo. Pero eran tantos, tantos, que dejaron una parte en la casa para hacer chuchoca y otro poco para darles a las aves, y el resto, en la carreta del compadre Juan Pablo Retamales, que se las prestara, lo llevaron al mercado, sacando por él un buen precio.

Entonces compraron ropa para el invierno, una olleta grande, una vaca y un burro, tres gallinas, un gallo y dos conejitos blancos con manchas rubias y ojos negros. Y una pala y un arado y un rastrillo. Y muchas cosas para comer.

Y aunque hicieron tanta compra, aún le quedaba a don Quejumbre-No-

Hace-Nada plata amarrada en una punta del pañuelo de yerbas al volver a su campito.

Entonces le dijo a doña María Soplillo:

—Aquella Misiá que me dio la semilla, güen dar que me pitó...

—Si no hubiera sío por ella, a estas horas seguiría siendo pobre y enfermo, güeno pa na. No sea mal agradecío —contestó la vieja.

—¡Cierto no más es!

—Con razón le dijo la Misiá que se le quitarían toítos los males. Hace tiempo que no lo oigo quejarse e na. Y la Flor del Cobre sus güenos cobres y chauchas y pesotes que le ha dao...

—¿Y quén sería la Misiá?

—Pa mí qu'era la mesma Mamita Virgen de los Cielos...

—Hasta que al fin di con quén era...

—Entonces le vamos a dar al tiro las gracias y le vamos a rezar un Ave María con harta devoción.

Y esta es la historia de "La Flor del Cobre",
que volvió diligente y sano a un hombre.

GAZAPITO QUIERE COMER TORTA

Resulta que una vez había un conejito blanco llamado Gazapito. Y resulta que era muy goloso y siempre estaba robándole a su mamá, Largas Orejas, zanahorias y betarragas, que para los gazapos es algo tan exquisito como los chocolates y los caramelos para los Niñitos-del-Hombre. Y aparte de los castigos que mamá Largas Orejas le imponía al descubrir sus merodeos por la despensa, sufría Gazapito unos tremendos dolores de estómago, tan tremendos que a veces requerían la intervención de doña Rata-Sabia-Yerbatera.

Y como a pesar de los castigos y de los dolores no escarmentaba, pues resultó que al fin enfermó gravemente y hubo que ponerlo a régimen estricto de yuyitos tiernos y agüita de boldo.

Bueno.

Resulta que una tarde estaba muy triste Gazapito pensando en lo amarga que era la existencia sin un poquito de zanahoria o de betarraga que la endulzara, y dando suspiros y más suspiros se quedó medio dormido debajo de una gran col, en la huerta de don Pedro Pérez, que lindaba con el bosque. Y a poco despabilóse muy asustado, oyendo cercanas voces de niños.

Una de las voces decía:

—¡Qué torta más rica! Es de pura almendra... Y tiene huevo mol...

Gazapito sabía que las tortas eran dulces, condimentadas con azúcar que, según doña Rata del Campo, era lo más delicioso en la despensa del Señor-Hombre. Y al pobre goloso de Gazapito se le hacía la boca agua al ver que los niños de don Pedro Pérez daban grandes mascadas a unas tortas redondas y blancas. Porque Gazapito, al oir hablar de comida y de dulce, había separado un poco las hojas de la col y asomaba un ojo curioso de mirarlo todo.

Entonces a Gazapito le dio verdadero antojo por comer torta redonda y blanca, con almendra y huevo mol.

Y tan preocupado se quedó que esa noche no pudo dormir, y en su inquietud daba vueltas y más vueltas en su cama de suave musgo, y al fin, pasito, salió de la cueva en que vivía con mamá Largas Orejas y sus hermanos Gazapillo y Gazapeta. En cuanto a papá, Ojo Colorado, había muerto en un accidente de caza.

(No había que hablar de esto delante de mamá Largas Orejas, porque le daban ataques de pena y agitaba las manitas desesperadamente, lo mismo que si tocara el tambor.)

Resulta que Gazapito se internó esa noche en el bosque, moviendo las orejas a cada ruido que le traía el Viento, arriscando la naricilla, desazonado por cada olor desconocido, representándosele en cada cosa aquella torta blanca y redonda con almendra y huevo mol...

Y en esto... ¡Oh!..., sorpresa, Gazapito vio ante sus ojos, en el fondo de un hoyo al cual se asomara por casualidad, pues nada menos que una torta blanca y redonda, que tenía que ser de almendra con huevo mol y todo.

Y dando un brinco: ¡Zas! ¡Brrr!

Gazapito cayó al fondo del hoyo, justamente sobre la torta redonda y blanca.

Y resulta que como el hoyo era mucho más profundo que lo que imaginara, ese ¡Brrr! que tú ves, lo dio Gazapito de susto. Pero lo lamentable fue que al hacer ¡Zas! se percató de que con la impresión le había pasado una cosa terrible, que no se puede contar, pero que lo obligaba a levantarse en la punta de las patitas para no mojar la bata de piel blanca que llevaba puesta.

Y todo acongojado, sin acordarse más de la torta, ni de las almendras, ni del huevo mol, se echó a llorar a toda boca, como un conejito chiquitito que era. Además, el hoyo estaba muy obscuro y el miedo aumentaba sus sollozos.

Andaba por allí, volando, en el bosque y cerca del hoyo, una mariposa llamada Falena, que al oir a Gazapito preguntó asomándose al boquerón negro:

—¿Quién llora?

—Yo. Gazapito, que me caí por casualidad..., de puro distraído...

) 312 (

—No es verdad —dijo misiá Rana Vieja, que todo lo sabía y era muy chismosa—; se cayó porque el tonto quería comer torta... La torta que vio en el fondo del hoyo...

—¡Cállese, la acusete! —dijo el señor Grillo, que no porque hablara dejó de darle cuerda a su reloj.

—¡Tengo miedo! ¡Tengo miedo! ¡*Tengo miedo*! —decía entre tanto Gazapito.

—Voy a avisarle a tu mamá. ¿Dónde vives? —preguntó Falena.

—No, no. No hay que decirle nada a mamá, que me castigará por haber salido sin su permiso —contestó entre sollozos Gazapito.

—Avísele, avísele —gritó misiá Rana Vieja—, para que le den su merecido por meterse en casa ajena. Para que le den sus buenos coscorrones...

—No, por favor, no le digan nada... Pero sáquenme de aquí... ¡Tengo miedo! ¡*Tengo miedo*!

Entonces Falena —que es muy buena a pesar de cierto atolondramiento que se le reconoce— fue a avisar a las señoritas Luciérnagas, para que vinieran a iluminar el hoyo y pudiera Gazapito salir fácilmente. Estas señoritas Luciérnagas son bailarinas de oficio y están siempre dando representaciones nocturnas al aire libre, vestidas con coseletes de azabache y luciendo sus lindos ojos de luz celeste. Y como también son muy serviciales, vinieron en seguida e iluminaron el hoyo formando guirnaldas y ruedas y estrellas de cinco puntas, todo ello con esos ojos lindos de luz celeste que ya te dije que ellas tienen.

Le dio entonces a Gazapito una vergüenza enorme, ya que todas se iban a enterar de lo que le había pasado y que, tú sabes, eso que lo obligaba a ponerse de puntillas para no mojar la bata de piel blanca. Pues bien: resulta que al ver con claridad lo que había en el hoyo, se dio cuenta Gazapito de que era aquello una poza, vivienda de misiá Rana Vieja, y de ahí sus protestas. Y que lo que creyera una torta no era otra cosa que la señora Luna Llena reflejada en el agua, y que esta agua en que se empinaba no era eso terrible que él creyó que le había pasado con el susto al caerse...

Ya con más bríos y sin ninguna vergüenza, Gazapito se dispuso a salir del hoyo, pero no alcanzaba a saltar hasta afuera. Entonces pasó una cosa maravillosa, que te sorprenderá: pues nada menos que las raíces de un gran Sauce Llorón que por allí asomaban, se fueron moviendo lentamente hasta tomarse de la mano unas con otras, formando una escalera, por donde ágil y retozón subió Gazapito.

Y resulta que al poner éste pie afuera, Falena se posó en su mejilla, con la intención tal vez de darle un beso, pero el caso fue que Gazapito sintió un cosquilleo en la nariz, dando un estornudo formidable:

—¡Achís!

Y entonces despertó lleno de sobresalto —con la noche encima y un gran Estrella dorada mirándolo atentamente—, debajo de la col donde se había dormido. ¡Porque todo esto no había sido otra cosa que un sueño!

YO SI... YO NO...

Resulta que hace miles de años vivía un matrimonio de Sapos que se querían mucho y que lo pasaban muy bien a orillas de una charca. La casa en que vivían era de dos pisos, con terraza y todo, y en el verano salían de excursión en una barca hecha con un pedacito de pellín y una vela que les tejiera una Araña amiga. Se mostraban muy elegantes con sus trajes de seda verde y sus plastrones blancos. Y no eran nada de feos, con sus grandes bocas y sus ojos de chaquira negra.

Por la única cosa que a veces peleaban era porque al señor Sapo le gustaba quedarse conversando con sus amigos de la ciudad Anfibia y llegaba tarde a almorzar y entonces la señora Sapa se enojaba mucho y discutían mucho más aún y a veces las cosas llegaban a un punto muy desagradable.

Y resulta que un día llegó el señor Sapo con las manos metidas en los bolsillos del chaleco, canturreando una canción de moda, muy contento. Y resulta también que ya habían dado las tres de la tarde. ¡En verdad que no era hora para llegar a almorzar! Como nadie saliera a recibirlo, el señor Sapo dijo, llamando:

—*Sapita Cua-Cua... Sapita Cua-Cua...*

Pero la señora Sapa no apareció. Volvió a llamarla y volvió a obtener el silencio por respuesta. La buscó en el comedor, en el salón, en la cocina, en el repostero, en el escritorio, en la piscina, hasta se asomó a la terraza para otear los alrededores. Pero por ninguna parte hallaba a su mujercita vestida de verde.

De repente, el señor Sapo vio en una mesa del salón un papel que decía:

> ALMORCÉ Y SALÍ. NO ME ESPERES EN TODA
> LA TARDE.

Al señor Sapo le pareció pésima la noticia, ya que no tendría quién le sirviera el almuerzo. Se fue entonces a la cocina, pero vio que todas las ollas estaban vacías, limpias y colgando de sus respectivos soportes. Se fue al repostero y encontró todos los cajones y armarios cerrados con llave.

El señor Sapo comprendió que todo aquello lo había hecho la señora

Sapa para darle una lección. Y sin mayores aspavientos se fue donde la señora Rana, que tenía un despacho cerca del sauce de la esquina, a comprarle un pedazo de arrollado y unos pequenes para matar el hambre.

Pero como este señor Sapo era muy porfiado y no entendía lecciones, en vez de llegar esa noche a comer a las nueve, como era lo habitual, llegó nada menos que pasadas las diez.

La señora Sapa estaba tejiendo en el salón; y, sin saludarlo siquiera, le dijo de mal modo:

—*No hay comida.*

—*Tengo hambre* —contestó el señor Sapo, con igual mal humor.

—*Yo no.*

—*Yo sí.*

Y como si uno era porfiado, el otro lo era más, y ninguno de ellos quería dejar con la última palabra al otro, pues a medianoche todavía estaban repitiendo:

—*Yo no.*

—*Yo sí.*

Y cuando apareció el sol sobre la cordillera, el matrimonio seguía empecinado en sus frases:

—*Yo sí.*

—*Yo no.*

Y resulta que esto pasaba poco tiempo después del diluvio, cuando Noé recién había sacado los animales del Arca. Y resulta también que ese día Noé había salido muy temprano para ir a darles un vistazo a sus viñedos, y al pasar cerca de la charca, oyó la discusión y movió la cabeza desaprobatoriamente, porque no le gustaba que los animales del Buen Dios se pelearan. Y cuando por la tarde pasó de nuevo, de regreso a su casa, llegaron a sus oídos las mismas palabras:

—*Yo sí.*

—*Yo no.*

Le dio un poco de fastidio a Noé, y, acercándose a la puerta de la casa de los Sapos, les dijo:

—¿Quieren hacer el favor de callarse?

Pero los señores Sapos, sin oírlo, siguieron diciendo obstinadamente:

—*Yo sí.*

—*Yo no.*

Entonces a Noé le dio fastidio de veras y gritó enojado:

—¿Se quieren callar los bochincheros?

Y San Pedro —que estaba asomado a una de las ventanas del cielo, tomando el fresco— le dijo a Noé, enojado a su vez porque hasta allá arriba llegaban las voces de los porfiados discutidores:

—Los vamos a castigar, y desde ahora, cuando quieran hablar, sólo podrán decir esas dos palabras estúpidas.

Y ya sabes ahora, Mari-Sol de mi alma, por qué todos los Sapos de to
das las charcas del mundo dicen a toda hora y a propósito de toda cosa
—*Yo sí.*
—*Yo no.*

MAMA CONDORINA Y MAMA SUAVES-LANAS

Resulta que una vez el señor Cóndor andaba buscando algo que llevarl
de almuerzo a su familia, que vivía en un alto risco cordillerano. Con la
alas abiertas moviéndose apenas, se mantenía como suspendido en el a
re, tan alto que desde la tierra era invisible. Su ojo de mirada prodigio
vigilaba desde esa distancia un rebaño de Corderos triscando por el valle
con el Pastor cerca y el Perro dando vueltas desconfiadas alrededor.

Pero resulta que era ya la hora sin sombra del mediodía y el Pasto
sacó de sus alforjas el pan y el charqui majado que eran su almuerzo,
el Perro vino a sentarse a su lado muy discretamente, como esos niño
buenos que esperan sin alboroto que la mamá les sirva su ración. Y en
tonces los Corderos aprovecharon para jugar entre ellos, dándose topadas
haciendo corvetas y lanzando balidos de contento. Y resulta que entonce
el señor Cóndor —que estaba arriba esperando el momento de atacar
se dejó caer como una piedra a plomo sobre mamá Suaves-Lanas. Y co
ella entre las garras se elevó vertiginosamente hasta gran altura.

Y es claro que el Pastor y el Perro se pusieron en tren de defender e
rebaño. El primero tomó su honda y empezó a lanzar piedras al que huía
El otro ladraba con frenesí, mordiendo entre ladrido y ladrido las patita
traseras del rebaño espantado y disperso, hasta lograr reunirlo y tranqui
lizarlo.

Pero si el Perro al fin logró éxito, el Pastor sólo daba pedradas e
el aire.

Mientras tanto, el señor Cóndor iba acercándose a su casa. Quedab
ésta en la saliente de un risco, así es que tenía una preciosa terraza, dond
lo esperaban mamá Condorina y sus tres polluelos: Condorito, Condoril
y Condorica. Y como todos estaban con grande apetito, apenas divisaro
al señor Cóndor con su presa, para demostrar su contento empezaron un
danza guerrera algo parecida al baile del pavo.

Lleno de majestad el señor Cóndor hizo un vuelo planeado y aterriz
en su aeródromo particular, depositando a los pies de su señora la caz
para el almuerzo.

La pobrecita Suaves-Lanas venía medio muerta de miedo y llena, ade
más, de dolorosas heridas, porque las garras duras del señor Cóndor s
le clavaron en las carnes. Pero ¿qué era todo eso comparado con su es
panto al verse cerca de la muerte y pensar que su hijito Copito-de-Niev

quedaba abandonado en la tierra, sin mamita que lo cuidara y le diera de comer? Los ojos redondos de mamá Suaves-Lanas se llenaron de lágrimas pensando en el destino de su pobre hijito huachito...

Mamá Condorina dijo entonces:

—¡Buenos días, señor Cóndor! ¡Qué rica cazuela vamos a comer hoy!

—¡Con chuchoca, mamita, la queremos con chuchoca!... —exclamaron los tres polluelos a la vez.

Entonces mamá Suaves-Lanas dijo con voz temblorosa, dirigiéndose a mamá Condorina:

—Sus hijos tendrán hoy almuerzo, en cambio el mío, que está en la tierra, no hallará quién le busque su ración de pastito tierno ni quién le dé sus sopitas de leche... ¡Pobrecito mío, muerto de abandono y de hambre!

Mamá Condorina se puso muy pálida y después muy colorada. Miró para un lado. Miró para otro. Mamá Suaves-Lanas continuó, a la par que lloraba grandes lagrimones:

—Un solo favor le pido antes de que me maten: que cuando el señor Cóndor vuele del lado del valle, le diga a mi comadre Chincola que, por favor, de vez en cuando, vaya a darle un vistazo a mi hijito, y que le cante esa canción que a mi Copito-de-Nieve tanto le gusta. ¿Lo hará usted, mamá Condorina?

Mamá Condorina seguía mirando para uno y otro lado y los tres polluelos empezaban a hacer pucheros, tentados de seguir el ejemplo de mamá Suaves-Lanas, echándose a llorar con ella.

—No tengo nada de hambre, mamita —dijo Condorito.

—Yo voy a comer piñones, que son tan ricos —aseguró Condorillo.

—Y yo voy contigo... —agregó Condorica.

—Tenga usted lástima de esta mamita que quiere mucho a su hijito, tanto como usted a los suyos... —y mamá Suaves-Lanas dio una mirada a mamá Condorina capaz de ablandar una roca.

Pero en esto mamá Condorina dejó de mirar de soslayo y, sin esperar consultarse con su marido, dijo a mamá Suaves-Lanas:

—Voy a llamar al señor Cóndor para que vaya a dejarla a su casa. No es posible que su hijito se quede sin mamita que lo cuide...

Y como era bastante mandona, se puso a llamar a grandes voces al señor Cóndor, que estaba descansando de su largo viaje matinal.

—Ya le he dicho que no me traiga mamitas para la comida. ¡Hay muchas otras cosas con qué alimentarse! Fíjese bien en lo que hace... Y vaya inmediatamente a dejar a su casa a mamá Suaves-Lanas, que su hijito debe estar llorando sin consuelo... ¡Váyase ligero, le digo!...

Al señor Cóndor le pareció pésimo el mandado, ya que tenía que hacer otro viaje, exponerse a las piedras del Pastor, buscar otra presa y volver a casa sabe Dios a qué hora, para almorzar a las tantas...

Pero ya te dije que mamá Condorina era muy mandona, así es que el señor Cóndor preparó un instante su equipo volador, abrió las alas, tomó su carga, dio la partida y se lanzó a los aires, buscando el rebaño donde debería dejar su fardo.

Todo pasó tan rápidamente, que mamá Suaves-Lanas ni siquiera alcanzó a darle las gracias a mamá Condorina, ni a decirles algo cariñoso a los polluelos.

Como piedra, a plomo, igual que antes, bajaba el señor Cóndor hasta acercarse al rebaño. Dejó la oveja dulcemente en el suelo y de nuevo se elevó, desapareciendo en lo alto. Y resulta que todo esto sucedió en el espacio de un segundo. El Pastor sólo alcanzó a lanzar una piedra, que silbó inútilmente su furia, y el Perro no alcanzó tan siquiera a dar un ladrido.

El Pastor y el Perro se dieron cuenta, entonces, de que el señor Cóndor devolvía a mamá Suaves-Lanas. Al Pastor se le abrió tamaña boca de asombro, y en cuanto al Perro, con la impresión pasó dos días sin poder menear el rabo.

Y resulta que todo el rebaño vino a saludar a mamá Suaves-Lanas y la rodeaban y le daban topetoncitos llenos de afecto y balaban con gran contento, porque ya todos la daban por muerta y verla allí, viva, les parecía cosa de milagro. Y ella les contaba lo que había pasado en casa de mamá Condorina y todos movían la cabeza, en señal de maravilla, porque lo que iba diciendo era verdaderamente prodigioso.

Y el más contento era Copito-de-Nieve, que había llorado mucho buscando a su mamita y que, luego del momento de alborozo al hallarla, se puso a tomar su papa bien apurado.

LA TERRIBLE AVENTURA DE DON GATO-GLOTON

Resulta que una vez había un señor don Gato-Glotón, negro y reluciente, con ojos de lentejuelas y grandes bigotes de paco de otros tiempos. Y por eso le llamaban Paquito. Pero tú y yo le llamaremos don Gato-Glotón. ¡Hay que ver lo que comía el animalito! Sopitas de leche. Pan con mantequilla. Filetitos de ternera. Pechuguitas de pollo. Alas de perdiz... Siempre andaba gazuzo, y con los años el apetito le iba en aumento, a la par que se le refinaba.

Porque este don Gato-Glotón, en sus años mozos, comía buenamente lo que se le ponía delante, sin refunfuños ni desdenes. Pero al correr del tiempo fue tornándose mañoso y sólo aceptaba lo mejorcito que se guisaba en la casa. Claro que mucha culpa de estos dengues tenía doña Tato, o sea, la cocinera, que era la dueña de don Gato-Glotón y su consentidora.

Resulta también que en aquella casa habitaba un Gato-Sin-Nombre, es-

nirriado y hambriento, sin otro dominio que las bodegas ni otro alimento
que las ratas. Cada vez que hacía una aparición por la cocina, doña Tato
e enviaba un escobazo sobre el lomo y don Gato-Glotón, el más fiero de
sus bufidos.

Pero como bien dice el refrán: "Más sabe un hambriento que cien le-
rados", el pobre Gato-Sin-Nombre, a fuerza de meditar en la injusticia de
os humanos —y también de los gatos—, inventó una treta para vengarse
de los desdenes y amenazas de don Gato-Glotón y de los escobazos de
doña Tato.

En aquella casa había un gran parque, y en la galería que abría sobre
sus prados, en una alta mesa con bandeja y aro, el Papagayo-Tornasol
daba vueltas majestuosas diciendo todas las palabras de su gran repertorio.
Sabía versos. Sabía el *Cielito lindo* y hasta sabía refranes. Y unas palabras feas, muy feas, que no se sabía quién le había enseñado.

Y resulta que una vez el Gato-Sin-Nombre se encontró en el tejado con
don Gato-Glotón, que andaba por allí de paseo. Y desde lejos dijo, muy
suavemente, casi sin dirigirse a él, como si hablara para sí mismo:

—¡Qué bella piel tiene Paquito! (Recordarás que sólo para nosotras
dos se llamaba don Gato-Glotón.)

Y prosiguió diciendo, como si siempre hablara solo:

—*Es el más hermoso gato que mis ojos han visto. Bien se conoce que
sólo se alimenta de aves. Era de creer que le habían dado papagayos, que
son el alimento que produce mayor belleza.*

Claro que don Gato-Glotón estaba muy atento a lo que el Gato-Sin-Nombre decía y, como era un gran vanidoso, le pareció muy bien el elogio que
aquellas palabras encerraban. El otro siguió diciendo:

—*Bien hace doña Tato en alimentarlo con papagayos tornasoles...
¡Qué piel!... ¡Qué seda!... ¡Qué terciopelo!... ¡No es milagro que se
vaya a casar con la Gata Morisca que anda por los tejados!...*

En este momento don Gato-Glotón, como si no hubiera oído nada, siguió
andando, porque, justamente, las palabras del Gato-Sin-Nombre le recor-
daron que su novia lo esperaba.

Pero su vanidad y su glotonería hicieron el efecto que el muy ladino del
Gato-Sin-Nombre aguardaba.

Al día siguiente, don Gato-Glotón se mostró completamente displicente
con cuanta golosina le presentaran, para gran desesperación de doña Tato.
Y por la tarde se fue a colocar cerca de la alta mesa con bandeja y aro
en que el Papagayo-Tornasol daba sus vueltas y más vueltas. Y don Gato-Glotón, por más que miraba en todas direcciones, no atinaba a averiguar quién hablaba por esos lados.

Y sin saber cómo, pasó el accidente. Don Gato-Glotón dio un salto y
agarró al Papagayo-Tornasol de las plumas del cuello, saliendo con él a
la rastra como una flecha, parque adentro. El Papagayo-Tornasol se asus-

tó tremendamente al principio, pero después recobró el habla y empez
a dar los más terribles chillidos, diciendo en tropel todas sus palabras
que ya sabes que eran muchas y algunas muy feas, de esas que no se
deben decir.

Y resulta que don Gato-Glotón casi se murió de susto cuando sintió que
el Papagayo-Tornasol hablaba, porque él creía que eso sólo lo podían ha
cer los Señores-Hombres. Y fue tal su espanto, que soltó su presa y se
quedó mirándola, erizados todos los pelos, que eran su orgullo, muy abier
tos y redondos los ojos.

Y aquí cambió la escena, porque el Papagayo-Tornasol, enfurecido, se
le fue encima y de cada picotazo que le daba eran mechones de pelo que
le iba quitando. Esto, entreverado con palabras y palabrotas.

¡Para qué te digo cómo maullaba don Gato-Glotón!...

Hasta que llegó doña Tato y con su escoba, que tan bien manejaba
pudo separarlos y librar a don Gato-Glotón del más extraordinario de los
peluqueros.

Y mientras esto pasaba, el Gato-Sin-Nombre se reía silenciosamente de
su pequeña venganza.

HISTORIA DEL SAPETE QUE SE ENAMORO DEL SOL

Resulta que una vez había una familia de Sapos muy feítos, muy negrucios y muy saltones, que vivían en el fondo de un pozo hondo y obscuro.
Y resulta que en esta familia había un Sapo muy joven que se llamaba
Sapete, y que se pasaba la vida mirando para arriba, para la boca del pozo, allí donde el cielo ponía una moneda de plata azul o de oro rubio, o
por donde echaba la lluvia sus largos hilos de agua o por donde se mos-
raban los clavos refulgentes con que la noche sujeta su toldo. Y Sapete,
cuando bajaba el balde en busca de agua, tenía unas grandes tentaciones
de echarse en él de cabeza, para que lo subieran a conocer todo eso que
había arriba y que, según decían, era el mundo.

Pero una vez que expresó este deseo delante de su familia, le dijeron
que no pensara más en tal cosa, porque allí estaban los Señores-Hombres,
que matan de un escobazo o de un pisotón a los Sapitos negrucios, y es-
aban también las aves que hallaban muy sabroso comerlos.

En verdad —según la familia sabihonda—, en la tierra sólo calamidades
esperaban a los Sapos.

Pero a Sapete estas pavorosas perspectivas no le hicieron gran mella.
Y un buen día, cuando el balde se llenaba de agua, dio un saltito y se
dejó caer en él. Empezó el balde a subir y un gran gozo fue inundando a
Sapete y luego una claridad lo deslumbró, y cuando llegó arriba y unas
manos tomaron el balde para volcar su contenido en un jarro, oyó gritos
de asco y apenas, dando un brinco prodigioso, pudo librarse del zapato
que amenazaba reventarlo.

Pero logró ocultarse entre unas matas.

—¡El Sol!

Fue tal su sorpresa cuando vio el Sol que un largo rato lo estuvo mirando con ojos redondos de asombro. No sabía qué era esa especie de
gran redondel brillante que iba cayendo allá a lo lejos, en una especie
de charca de agua blanca con ribetes rojos. Tampoco sabía qué era la
yerba, ni las flores, ni los arbustos, ni los árboles, ni el cielo. El conocía
sólo el pozo negro con su agua obscura y el balde que bajaba y subía. Y
el pobre Sapete creyó que el Sol era también un balde que iba a buscar
agua en aquella extraña charca blanca ribeteada de rojo.

Y en el corazón de Sapete nació el deseo violento de llegar hasta aquel balde y echarse dentro para llegar al país que está más allá de las colinas. Y se puso a andar, saltando, saltando, como andan los Sapitos, hasta que se hizo noche obscura y el cansancio y el miedo lo hicieron buscar un refugio para dormir.

A la mañana siguiente el balde apareció en lo alto, por el lado contrario al que desapareciera. Subía el Sol y Sapete lo miraba fascinado subir y subir. Hasta que empezó a bajar. Y entonces Sapete empezó también a andar, saltando saltando, como andan los Sapitos, deseoso de llegar al país de las colinas junto a la charca blanca ribeteada de rojo y allí esperar el balde prodigioso y dejarse caer en él de un salto. Pero la noche se le vino encima y no alcanzó su objeto.

Desde entonces la vida de Sapete no fue sino una constante marcha en pos de ese balde lejano, sin desanimarse, sin una duda, firme en su esperanza, mirando siempre a lo alto.

Pero resulta que una mañana en que iba a descubierto por un prado de tierno trébol, lo vio desde arriba un Aguila que se descolgó como una flecha sobre él, aprisionándolo para llevarlo a su cría como desayuno.

Sapete no supo que iba a morir. Sólo pensó que lo elevaban y que iba a alcanzar el gran balde, el Sol, el Sol que recién amanecido era aún una bola roja. Tuvo un momento de perfecta dicha y luego murió, sin dolor, entre las fuertes garras que lo aprisionaban.

Y aquí acabó la triste y bella historia de Sapete, el enamorado del Sol. Esta historia que, como todas las que siguen, me la contó Mama Tolita hace muchos, pero muchos años, cuando era yo una niña tan niña como lo eres ahora tú, Mari-Sol.

HISTORIA DE POR QUE LA LLOICA TIENE EL PECHO COLORADO

Resulta que una vez, hace muchos, pero muchos años, andaba por unos potreros un Hombre, morral al hombro y escopeta lista, viendo si veía algún pájaro para hacerle la puntería. Y en esto se encontró con una Lloica, muy distraída en una rama de un roble, cantando una tonada que recién había aprendido. Verla el Hombre, hacer puntería y disparar fue todo uno.

Pero resultó que la escopeta estaba mal cargada y el tiro reventó, hiriendo en la cara al Hombre, en tal forma, que quedó medio ciego, dando grandes gritos de dolor y auxilio.

Por los contornos no pasaba un alma.

La Lloica, mientras tanto, había volado a un árbol lejano, y desde allí, muy asustada por el peligro que acababa de correr, miraba al pobre Hombre bañado en sangre y quejumbroso.

—Socorro... Socorro... Me he quedado ciego... Auxilio...

Y sus gritos se perdían por las quebradas inútilmente.

Poco a poco el Hombre dejó de gritar. Daba ahora ayes y suspiros y al fin pareció perder el conocimiento y se quedó inmóvil, recostado en el pasto y con la cara mirando al cielo.

La Lloica, mientras tanto, se había ido acercando lentamente, de árbol en árbol, hasta quedar sobre aquel que cobijaba al herido. Desde ahí siguió un rato observándolo. Y cuando se convenció de que estaba como muerto, de un vuelo se dejó caer sobre el pecho del Hombre, escuchando atentamente si el corazón latía aún.

La Lloica era una buena avecilla del bosque, temerosa del Hombre y de su malignidad que se distrae matando. Pero al propio tiempo tenía por el Hombre un gran respeto y admiración: por el hombre que sabe cantar, que sabe silbar, que sabe hablar y en cuyas manos están el Bien y el Mal de los habitantes de los bosques. Y la Lloica, que nunca había visto abatirse y morir a un Hombre, tuvo una gran compasión por éste que ahí alentaba apenas.

Entonces la Lloica fue hasta el río y trajo unas gotitas de agua, que echó en la boca del Hombre, y fue de nuevo al río y trajo otras gotitas que refrescaron sus heridas, y fue hasta la montaña y trajo hierbas medicinales que fue poniendo sobre las llagas que eran los ojos, y de nuevo trajo agua y de nuevo trajo hierbas, y tanto trabajó la pobre y con tanta inteligencia, que al fin el Hombre dio un suspiro hondo y pareció recobrar el conocimiento.

Entonces la Lloica llamó a la Brisa, que todo lo sabe porque hasta por las rendijas se mete para curiosear, y le preguntó dónde vivía el Hombre. La Brisa dio la dirección y la Lloica se fue de un vuelo hasta la casa que estaba en la colina rodeada de jardines. Ahí llamó al Perro y le dijo:

—Avisa a tus patrones que el Hombre está herido en el potrero, al comienzo de la montaña.

El Perro empezó a ladrar desesperadamente, a correr, a aullar. Hasta que llamó la atención del Hombre Viejo y del Hombre Joven, que salieron detrás de él, encontrando al herido.

Mientras tanto, la Lloica estaba feliz en la rama del roble viendo cómo, con grandes precauciones, se llevaban al Hombre en una improvisada camilla. El Hombre estaba salvado...

Pero resulta que entonces oyó a la señora Cachaña que le decía:

—¡Qué linda pechera roja tiene usted, comadre Lloica! ¿Dónde la ha comprado?

La Lloica se dio cuenta de que la sangre del Hombre le había man chado toda la pechuga.

Y la señora del Jote —que ni siquiera tiene nombre, y que estaba po allí cerca— se dirigió a la Lloica en forma insidiosa y llena de envidia

Pero resulta que aquel día San Pedro había bajado a la Tierra a to mar un poquito de fresco a la sombra de unos huelles y había visto tod lo pasado. Entonces se acercó a las aves y les dijo:

—Atestiguo que la Lloica tiene el pecho manchado por obra de un buena acción. Y en premio de ella, con la venia del Padre que está e los cielos, desde hoy en adelante tendrá sobre su noble pecho un escud escarlata.

Y ya saben ustedes por qué la Lloica tiene esas plumillas rojas qu le hacen tanta gracia.

PRIMERA HISTORIA DE PERROS Y GATOS

No sé si ustedes saben por qué el Perro y el Gato se odian.

Resulta que una vez había un matrimonio de chinos —porque este cuen to es chino— que tenía un Gato y un Perro. Y tenían también un anill muy bonito, que era un anillo de virtud; pero ellos no lo sabían. Y po obra del anillo siempre había de todo en la casa del matrimonio, que er de viejos campesinos. Bueno. Resultó que un día al viejecito se le ocurri vender el anillo en la ciudad para comprar un par de bueyes; y no hiz más que venderlo, y en su casa todo se puso patas arriba, como se dice

Las siembras se perdieron, el ganado estaba tan flaco que no se podí tener en pie, las verduras de la huerta estaban quemadas por la helada las gallinas tenían "la pepa" y los viejos estaban baldados por el reuma

El Perro y el Gato ya no hallaban qué hacer, muertos de hambre, sir un solo hueso que roer y sin ratones, siquiera, para engañar el diente.

Entonces el Gato le dijo al Perro que él sabía que el anillo era de vir tud y que había que ir a buscarlo a la ciudad. Y los dos se fueron po el camino, corriendo a todo correr, para traer el famoso anillo.

Llegaron a la ciudad, y el Gato se entró por una ventana abierta a la casa del hombre que había comprado el anillo y que estaba rico y re queterrico por la virtud del anillo. El Perro se quedó en la calle, haciend de "loro", para que no fuera a venir alguien y los pillara.

El Gato sacó el anillo y empezaron los dos a correr de regreso a la ca sa; pero no se fueron por el camino, sino por el medio de los campos para así llegar más ligero. Y pasó entonces que el Gato, cuando hallaba una casa que les interrumpía el paso, se subía por una pared, atrave

aba el techo y daba un salto al otro lado; mientras que el Perro tenía
que dar vuelta alrededor de la casa. Con esto, el Gato le ganó terreno y
legó donde sus amos mucho antes que él. Y los viejos creyeron que sólo
el Gato se había comedido para ir a buscar el anillo de virtud.

Cuando llegó el Perro, encontró al Gato muy caballero comiéndose un
plato de sopas de leche tamaño de grande, y a los amos, sanos y felices
con el anillo. Los campos estaban otra vez preciosos de pasto, las verdu-
as bien lindas, el ganado gordo y las gallinas vueltas locas cacareando
porque habían puesto un huevo. Y tanto el viejo como la vieja estaban
llenos de cariño por el Gato, que les aseguró que él solo había ido a buscar el anillo y que era de virtud; y se enojaron mucho con el Perro, que
se pasaba los días sin hacer nada, vagando por los campos, ladrándoles
a las nubes y a la luna llena.

Entonces al Perro le dio mucha rabia con el Gato y quiso explicar lo
que había pasado; pero le dieron un buen escobazo y lo echaron para
fuera.

Desde entonces, el Perro está en el patio y el Gato en la casa, y desde
entonces, también, el Perro aborrece al Gato y le llama hipócrita.

SEGUNDA HISTORIA DE PERROS Y GATOS

Resulta que me encontré con una niñita española, y me dijo que ella había leído el cuento chino del Gato y del Perro, y de por qué el Perro le
tiene odio al Gato, y entonces me dijo que en España su abuelita le había contado a ella el cuento de otra manera.

Resulta que cuando el Gato y el Perro estaban en el Arca para el diluvio universal, había tantos animales que Noé no hallaba qué hacer para
cuidarlos, y entonces llamó al Gato y le dijo que se hiciera cargo de las
Pulgas. Entonces las Pulgas dieron un salto, se subieron al lomo del Gato
y sin mayores miramientos se pusieron a picarlo, porque tenían mucha
hambre. El Gato se puso furioso y fue a quejarse donde Noé, pero éste no
le hizo caso, porque estaba colocando a los animales en forma de que
unos cuidaran a otros. Pero el Gato siguió a Noé, diciendo que él no estaba para ser la niñera de una gente tan mal educada como eran las Pulgas. Y Noé, cansado de oírlo, le dio un escobazo, y el Gato, cada vez más
enojado, tuvo que arrancar a perderse.

Entonces el Gato se puso a pensar qué haría. Y tras mucho pensar y
pensar, se fue donde estaba el Perro, cuidando a los niñitos de Noé, y le
dijo:

—No te creas que sólo tú tienes aquí privilegios. Nuestro padre Noé me

ha hecho el gran honor de darme a cuidar las Pulgas. Figúrate, las Se
ñoras-Pulgas, las grandes acróbatas; tú las conoces, ¿verdad?

Y el Perro, que era rebueno pero que no sabía nada de nada, para
que no se le viera la ignorancia hizo un gesto de aprobación, meneó el ra
bo y le echó una media sonrisa al Gato, para hacerle ver que se dab
cuenta de la importancia que tenía el cuidar a las Pulgas.

Entonces el Gato siguió, con su más suave voz:

—Si tú quisieras hacerme un favor, te lo agradecería mucho.

—El que quieras —contestó el Perro, ya que se sabe que es muy ser
vicial.

—Mira, quiero ir a estirar un poco las patas por allá por las vigas de
techo del Arca, pero me da miedo que a las Señoras Pulgas, por lo mism
que son acróbatas, les pueda pasar algo y que después nuestro padre No
se enoje conmigo. ¿Quieres tú cuidarlas mientras yo subo?

El Perro aceptó muy gustoso. El Gato se sacó las Pulgas y se las ech
al Perro. Y dando un brinco subió por las vigas y las cuerdas del Arca
hasta lo más alto del techo, donde se quedó, muerto de risa, viendo a
Perro hacer al principio toda clase de gestos de sorpresa al sentir lo
picotones que le daban las Pulgas. Y poco después el Perro empezaba
rascarse y hasta a llorar de desesperación, con el hocico en alto, com
cuando lloran porque han visto un ánima en pena y tienen miedo.

Pasó por allí Noé, y le preguntó qué le pasaba. El Perro contestó:

—El Gato me dejó a las Pulgas, a las Señoras Pulgas acróbatas, par
que las cuidara mientras él daba un paseo por las vigas del techo. Y la
Pulgas, aunque sean tan señoras, son unas mal educadas y no hacen otr
cosa que picarme, y me tienen como loco. Haga el favor de llamarlo
entregárselas.

Y Noé, que andaba muy de malas porque los animales no hacían otr
cosa que molestarlo con reclamos, le dijo al Perro con un gesto avinagrado

—Te quedarás con las Pulgas. El Gato es un fresco sinvergüenza. Per
tú eres un tonto de remate.

Y desde ese día el Perro se puso a odiar al Gato tinterillo con tanta
ganas como el Perro del cuento chino odió al Gato hipócrita.

TERCERA HISTORIA DE PERROS Y GATOS

Este es el cuento chileno de por qué el Gato y el Perro se tienen odio
Resulta que un día, en el Paraíso, que era como un fundo grande bie
bonito, se le ocurrió a Adán ir con Eva de paseo por unas lomitas qu
rodeaban su puebla, y como el Gato era el más casero, lo dejaron encar

gado de cuidar la despensa y hasta le entregaron las llaves. Al Perro le encargaron que vigilara la puerta. Este Perro era un puro quiltro no más, medio amarillento, con un pelo quiscudo, pero con los ojitos que le bailaban de picardía y unas ganas de chacotearse que no sabía con quién emplearlas, ya que los otros animales del Paraíso eran todos muy dados a la gravedad. Y con Adán y con Eva no se podía contar, que también eran ensimismados y llenos de ponderación. Y el pobre Quiltro no tenía más remedio que jugar a pillarse el rabo y correr carreras con su propia sombra.

Resulta que ese día, una vez que se fueron Adán y Eva, el Gato se hizo un rollo y se echó a dormir. El Quiltro dio unas vueltas, les ladró a unos chercanes, tomó agua del arroyuelo y terminó por hacerse también un rollo y quedarse dormido. Despertó tardecito, cuando ya el sol se estaba poniendo. Entró a la casa para ver si Eva había llegado y preparaba la comida. No había nadie. Y el Gato seguía durmiendo. Lo despertó al rato al notar que se hacía noche y que nadie llegaba. Salieron ambos hasta la puerta y ahí se quedaron escuchando si el viento traía el eco de los pasos de los amos. Pero ni un ruidito se enredaba a la brisa. Era ya noche cerrada cuando llegó el Loro a traerles un recado, diciendo que Adán y Eva se quedaban fuera, más allá de las lomas y de la llanura, en las rocas que acantilan la costa, porque querían ver amanecer en el mar. Y le encargaban al Gato que hiciera la comida para ambos.

Al Gato le pareció pésimo el recado por aquello de hacer la comida. Ya se sabe que este personaje es lo más perezoso que existe. Dio un bostezo, se afiló las uñas en el tronco de un árbol y dijo displicente:

—Yo no tengo ganas de comer. ¿Y tú?

—Yo estoy muerto de hambre —contestó el Quiltro—. Date cuenta de que no hemos probado bocado desde esta mañana.

—Pues yo no tengo hambre —y dio otro bostezo.

—Lo que tú no tienes es ganas de preparar la comida. Pero deja que yo la haga. Verás cómo sé preparar algo bueno. Por algo estoy siempre cerca de Eva en la cocina.

El Gato habló, entre dos bostezos:

—Puedes hacer lo que gustes. Siempre que prepares algo apetitoso, porque te aseguro que no tengo ganas de comer...

—Haré —dijo el Quiltro—, haré... pancutras...

—Me parece bien. Es plato que me gusta.

El Quiltro tomó las llaves que le alargaba el Gato, se fue a la despensa, se comió todo el charqui que Eva tenía para el invierno, sacó luego harina y se puso a preparar unas pancutras a su modo y manera, en tal forma que cuando el Gato metió el hocico en la fuente que le sirviera muy cortésmente, se quedó pegado al engrudo que había hecho el muy pícaro.

El Gato dio un bufido y para ayudarse a despegar el hocico metió allí una pata, que se quedó pegada, y metió la otra, y también se quedó pegada, y a fuerza de tirones consiguió levantar un poco el hocico y respirar dificultosamente, pero las patas seguían presas y el Quiltro se moría de risa y daba carreras y ladraba y movía el rabo, viendo las cosas tan raras que hacía el Gato para poder desprenderse, sin conseguirlo.

Así pasaron la noche y el Gato solía decir medio ahogado:

—Ya llegarán los Patrones y te darán tu merecido... Una buena paliza te darán.

Y el Quiltro ladraba, todo entero dado a su contento. Pero cuando ya estuvo el sol alto y sintió de repente los pasos de Adán y Eva, que venían muy apurados a tomar desayuno, al Quiltro le dio miedo de que lo castigaran y salió de la casa y echó a correr por el Paraíso, y corrió y corrió durante días y noches, y tanto corrió, que vino a dar a esta tierra de Chile, y aquí se quedó viviendo para el resto de su vida.

El gato —que es muy rencoroso— no olvidó nunca la burla de que había sido objeto, y les inculcó a sus hijos el odio al Perro, sobre todo al Quiltro chileno, que ha sido el único que logró engañarlo y reírse de él en sus bigotes.

HISTORIA DE LA SEÑORA RATA DEL PUEBLO DE LOS RATONES

Resulta que una vez había una señora Rata muy buena dueña de casa, limpia y económica. Cuando llegaba del trabajo su marido, cargado de queso, de pan, de azúcar y de otros comistrajos, la señora Rata separaba siempre una pequeña parte y la guardaba en la despensa, cada cosa en su lado, muy en orden todo. Al señor don Pericote no le gustaba nada este sistema y siempre estaba protestando, y diciendo a la señora Rata que era una roñosa, y a veces las cosas se ponían tan feas que los chillidos del matrimonio se oían desde la bodega, con gran inquietud del señor don Gato.

Pero la señora Rata era inflexible, y aunque el señor don Pericote pusiera el grito en el cielo, ella siempre dejaba un poquito aparte para fondo de economía.

—Podrías tomar ejemplo de la comadre Ratona —decía el señor don Pericote como último argumento—; en casa de ella hay siempre abundancia, en la mesa hay de todo sin medida, las fuentes están llenas y cada cual se sirve a su antojo. No como tú, que haces las raciones en cada plato y no hay manera de repetirse. Vivimos peor que pobres cesantes. ¡Todo el mundo se ríe de nosotros!

—Déle gusto a la boca, hijito... Pero no saca nada con rezongar. La comadre Ratona vivirá como se le antoje. Ya sabemos que tienen por lema en su casa aquello de: "Reventar antes que sobre". Pero ya veremos si el tiempo no me da a mí la razón...

Y, sin mayores palabras, la señora Rata guardaba en la despensa un buen terrón de azúcar, una cáscara de queso y un puñadito de porotos coscorrones.

Resulta que en esto los Patrones decidieron irse por una temporada a la costa y dejaron todo cerrado, con una cuidadora que venía tan sólo una vez por semana a abrir las ventanas para echar un barrido y unas pasadas de plumero. Y todo el pueblo de los Ratones era dueño de la casa, pero no había nada que comer, nada absolutamente, y si la ausencia del señor don Gato, que estaba con los Patrones, los hizo felices los primeros días, al poco empezaron a notar que el hambre les hacía unas cosquillas muy desagradables en el estómago.

Todos se pusieron de muy mal genio. No se oían sino disputas, chillidos, arañazos, y a veces llegaban a tal punto las peloteras, que hasta heridos quedaban en el campo, y una vez hubo un muerto. Y todo esto era por ver quién se comía una miga de pan que descubrían en un rincón del repostero o una nuez que hallaban en la bodega.

Mientras tanto, la señora Rata tenía a su familia alimentada a satisfacción, dentro de una medida muy parca, eso sí. Pero nadie podía decir que sufría hambre. Y el señor don Pericote no acababa de maravillarse con la inteligencia de su mujer, que había sabido prever el futuro y economizar pensando en malos tiempos.

Cuando hubo esa pelotera tan grande en que murió un Ratón, que era justamente el hijo de la comadre Ratona, todo el pueblo de los Ratones se reunió en consejo, para acordar medidas y ver qué se hacía ante la situación que cada vez era más grave.

Un Ratón Viejo dijo que lo mejor era emigrar, irse a otra casa. Otro propuso comer aserrín, todo sería cuestión de acostumbrarse. Otro manifestó que el ayuno era cosa buena y que en un diario él había leído que se practicaba cuando la gente estaba en la cárcel, presa. Otro habló de salir a la calle a medianoche, para merodear por los tarros de la basura, y que lo que se consiguiera sería para la colectividad. Pero como cada cual quería que su idea fuera la puesta en práctica, y como ya la discusión estaba tomando caracteres de batahola, se adelantó al medio de la reunión la señora Rata, y agitando una mano impuso silencio, hablando luego de esta manera:

—Siempre ha sido objeto de crítica mi afición a la economía, pero ahora podrán ustedes darse cuenta de los beneficios que trae. Gracias a la economía tengo mi despensa bien surtida, y mientras dure este estado de cosas, mientras lleguen de nuevo los Patrones, todos tendrán su ración diaria de alimento que les será distribuida por mí a las nueve de la mañana, en mi domicilio particular. He dicho.

Como ustedes comprenderán, una gran ovación acompañó a la señora Rata hasta llegar a la puerta de su casa. El señor don Pericote, muy orgulloso, contestaba a los aplausos como si hubiera sido él quien los merecía. Y como era un poco fantasioso, al poco rato decía, con un aire de suma importancia:

—Yo he sido el que le ha inculcado a mi señora el hábito de la economía. Siempre le estaba diciendo: "Si tienes tres, guarda uno". Y ya ven ustedes los resultados: si no hubiera sido por mí, a estas horas sabe Dios lo que sería de todos nosotros...

La señora Rata, mientras tanto, estaba afanada haciendo las raciones con suma prudencia, porque sabía —por una conversación que había oído— que la ausencia de los Patrones duraría un mes, y aún quedaban tres semanas en que ella sola debería alimentar con las reservas de su despensa a los muchos habitantes que formaban el pueblo de los Ratones.

Y tan bien se manejó, que todos pasaron sin hambre, hasta que una buena mañana llegaron los Patrones, para contento de todos, aunque la llegada del señor don Gato no los contentara así tantito.

UNA HISTORIA QUE PASO NO MAS...

Resulta que una vez la tía Olita dio una fiesta para celebrar el cumpleaños de Manuelito y había muchos niños invitados, todos muy elegantes, y en la mesa había tortas, dulces, helados, bonetes para cada uno y sorpresas de esas que hacen ¡PUM! cuando se las rompe, y antes de pasar al comedor hubo números de circo con tony y payaso, y uno de esos señores que sacan conejos chiquitos de los sombreros y banderas también. Y todos estaban muy contentos y se divertían mucho.

El primo Manuelito es muy moreno, con el pelo liso muy corto y los ojos como uvas negras que llegan a ser azules. Es muy dije, y como tiene una Miss que lo cuida, está tan bien educado que nunca se olvida de limpiarse la boca antes de tomar agua, ni pone los codos en la mesa ni se olvida tampoco de decir: "¡Perdón!", cuando tropieza con alguien en la calle. Y habla en inglés de corrido. Bueno; en cambio los otros primos hablan francés bastante bien, según dicen la madre Arlette, del Jeanne d'Arc, y el hermano Pierre, de otro colegio que nunca me acuerdo cómo se llama.

Resulta que todos estaban muy contentos y cada uno tenía su lindo bonete y bailaban y cantaban y sobre todo comían. Había muchos niños y no sé por qué todos eran morenos, con el pelo negro o muy obscuro, castaño, como se dice. Y resulta que había un niño muy elegante, con traje de esos que se ponen para ir a los matrimonios cuando son pajes de honor. Manuelito dice que se llama traje "Eton". Bueno. El caso es que este niño —que por primera vez iba a la casa— no hacía otra cosa que dengues y no quería comer y dijo que no se ponía el bonete porque se iba a despeinar. Era un niño rubio con el pelo todo crespo y largo. Claro que era bonito, pero claro también que parecía un ángel de esos que sujetan los candelabros en las iglesias. No quería jugar con nadie y tampoco quiso bailar cuando la prima Bebita lo invitó con mucha gracia. En verdad que era un pesado antipático y nada más.

Y resulta que en la mesa, cuando estaban todos callados, de repente, resulta que entonces este niño dijo, con una voz muy aflautada y muy alta, para que nadie dejara de oírlo, al lindo:

—En mi casa dicen que tengo el pelo como un canastillo de oro...

Todos lo miraron. Ya les dije que su pelo era rubio, rubio y lleno de crespos largos. Pero era bien divertido que él dijera eso... Entonces siguió diciendo, con su voz bien chillona y fuerte:

—Siempre me dicen que tengo el pelo como un canastillo de oro...

Uno de los primos le preguntó, entonces:

—¿Le damos recibo?

Y todos se echaron a reir.

Pero él volvió a repetir muy ufano:

—Yo soy rubio, por eso tengo el pelo como oro.

—Como un canastillo de oro... —le corrigió el primo Alfredo.

—En cambio, ustedes tienen el pelo negro y lacio, como los araucanos. —Los miraba con insolencia, de uno en uno. Parecía el ángel malo de los libros de la Historia Sagrada.

Le hubiera pegado. Miré a los primos, a los otros niños. Todos tenían una cara de aflicción, casi de humillación. Pero Manuelito rompió el silencio y dijo, muy serio, muy doctoral:

—Nosotros no le damos importancia a eso de tener el pelo rubio o de otro color. Ya ves. Nosotros somos todos rubios, mucho más que tú, pero como estamos de luto, nos lo hemos teñido de negro. Eso es todo.

Y como nos quedamos muy seriecitos, haciendo con la cabeza señales de asentimiento, el niño rubio como un canastillo de oro no volvió a mencionar más lo que lo tenía tan orgulloso.

Y resulta que después, todos los otros niños se reían tanto, que la tía Olita creyó que les había hecho mal el dedito de vino dulce que les había dado.

HISTORIA DEL RATON QUE ENGAÑO A LA ZORRA

Resulta que una vez don Ratón del Campo andaba muerto de hambre e iba muy triste caminando por una alameda, en una noche de luna linda, tan clara que parecía puro día.

Andando, andando, llegó don Ratón del Campo al puente sobre el río, se subió a la baranda y allí se quedó mirando la luna reflejada en el agua, tan grande y tan redonda y tan blanca. Don Ratón del Campo suspiró, se puso una mano en la cintura y la otra en la mejilla y se acordó de unos versos que decía siempre su abuela, doña Rata del Palacio, que había sido dama de muchas campanillas. Eran algo parecido a esto:

> *Por pintar la luna,*
> *un pintor con hambre*
> *pintaba aceitunas.*

Y el pobre Ratón del Campo veía que la luna grande y redonda y blanca se transformaba en una bandeja, y por obra del hambre veía allí no sólo aceitunas, sino pan, nueces, queso, azúcar. Y a don Ratón del Campo se le hacía la boca más agua que la que llevaba el río.

En esto llegó doña Zorra Montesa, que venía de las casas del fundo, llena de contento porque se había robado un queso y se figuraba cómo se saborearían sus hijos Zorrino y Zorrina con la comida que les llevaba. Con las buenas maneras de los animales de la montaña, se saludaron con muchas ceremonias.

—Buenas noches, mi señora doña Zorra.

—Buenas noches, don Ratón.

—¿Adónde va tan buena moza y con tanto apuro?

—A darles de comer a los niños; pensaba hacerles un pollito, pero el mercado estaba pobre y sólo pude conseguir un queso. En cuanto a lo de buena moza, es favor que usted me hace no más. Ya se sabe que usted es hombre galante.

Don Ratón del Campo, mientras así hablaba doña Zorra Montesa, estaba pensando una treta para apoderarse del queso que llenaba el aire con su exquisito olor. Y dijo con grandes aspavientos, señalando la luna reflejada en el agua:

—¿Qué le parece el gran queso que está ahí, flotando en el río?

—¿El queso? ¿Qué queso? —exclamó la Zorra Montesa extrañada.

—¿No lo está viendo? Se le cayó de las árguenas hace un rato no más a un hombre que pasaba por el puente. Si yo tuviera la fuerza suya, la destreza suya, mi señora doña Zorra, me echaría al agua para sacarlo. Pero, ¡pobre de mí!, soy tan chiquito y tengo tan poco ñeque...

Doña Zorra Montesa apoyó las patas delanteras en el pretil del puente y se quedó mirando la mancha blanca, redonda y grande que se veía en el agua. Pensó que aquel queso era mucho más grande que el que ella llevaba y golosamente hizo sus cálculos. ¡Por lo menos había para comer una semana! Y don Ratón del Campo seguía diciendo, con su voz más convincente:

—Ay, si yo tuviera la maestría que tiene usted, mi señora doña Zorra, para nadar. ¡Si yo tuviera su gran hocico y sus fuertes dientes! ¡Qué panzada de queso me daría!

Doña Zorra Montesa no vaciló más. Dejó sobre el puente el queso que llevaba, se subió de un brinco sobre el pretil y de otro se lanzó al agua, nadando presurosa hacia el queso blanco, grande y redondo. Ya lo alcanzaba. Abrió el hocico lo más que pudo y lo cerró sobre el queso. Con la fuerza del mordisco que se cerró sobre la nada, doña Zorra Montesa se hirió la lengua. Muy sorprendida y dolorida, volvió a abrir más grande aún el hocico, queriendo tomar cuidadosamente su presa, para que esta vez no se escapara. Y mientras doña Zorra Montesa luchaba hasta convencerse del engaño y salir del agua tiritando y furiosa, don Ratón del Campo estaba ya en su casita, comiendo alegremente con su señora doña Ratona y sus hijitos Perico y Perica el queso rico que doña Zorra Montesa abandonara en su ansia de otro queso más bueno y más grande, y que era sólo el reflejo de la luna.

HISTORIA CON DOS GATAS

Resulta que una vez en una casa muy grande donde vivían dos señoras muy viejas, muy viejas, había dos Gatas que tenían cada cual un Gatito chiquitito, negro y todavía con los ojitos cerrados. Y resulta que a una de las Gatas —que se llamaba Linda— se le murió su hijito y ella no hallaba qué hacer de pena, y se lo pasaba maullando y recorría todas las piezas de la casa, porque la pobrecita no quería convencerse de que su Gatito había muerto.

Y andando, andando, Linda llegó al sitio donde estaba la otra Gata, con su hijito. Esta Gata se llamaba Pinta. Y resulta que Linda creyó que el Gatito de Pinta era el suyo y se puso furiosa y dio un maullido terrible, diciendo que aquél era su hijo, y el rabo se le erizó y los ojos le brillaron y las uñas parecían alfileres de esos bien puntiagudos. Y al ver esta actitud, Pinta contestó que el Gatito era suyo, y tomando la defensiva, empezaron a pelear como fieras salvajes.

Volaban los pelos, sangraban las narices, las orejas eran las que padecían los peores mordiscos y los maullidos que daban eran como rugidos de puma. Y tanta fue la pelotera que llegaron las dos viejas señoras con las viejas sirvientas y a fuerza de escobazos y hasta de jarros de agua consiguieron separar a las dos Gatas, medio locas de rabia y hechas una compasión.

El caso fue que las dos quedaron tan malheridas que al día siguiente Linda no pudo salir de su cajón, porque apenas veía con los ojos hinchados por los arañazos y mordiscos. Pero la pobre Pinta estaba descaderada por un feroz palo que le dieran al querer separarlas, y se sentía tan mal, la infeliz, que pensó en que iba a morirse y en que no era posible dejar a su Gatito abandonado, sin nadie que le diera de mamar ni que lo cuidara siquiera.

Entonces Pinta tomó al Gatito en el hocico —como ustedes saben que hacen las Gatas— y andando con suma dificultad, arrastrándose, mejor dicho, llegó hasta el cajón en donde estaba Linda, medio ciega y llena de tristezas y de rencores.

Fue Pinta la que habló primero, porque la otra no hallaba qué pensar ni qué decir al verla.

—No vengo en son de pelea, Linda. Bien caro nos ha costado lo de ayer. Siento todo esto por mi Gatito, yo voy a morir, estoy segura de ello. Nuestro instinto no nos engaña, ya lo sabes. Y no quiero que mi Gatito quede solo en el mundo, sin una mamá que lo cuide y lo alimente. Te lo traigo. Te lo doy. Tú has perdido a tu hijito. Quédate con este mío y sé buena con él.

Linda se alzó en su cajón, pero, como no veía, se quedó esperando que Pinta le entregara al Gatito. No podía contestar de emoción. Cuando sintió el blando paquete que Pinta echaba suavemente a su lado, se hizo un rollo formándole un nido en que su nuevo hijito se acomodó lleno de regalonerías. Entonces habló:

—Puedes confiar en mí. No te imaginas cuánto te agradezco que me lo hayas dejado. Lo cuidaré como si en verdad fuera mi hijito, mi Gatito mío. Puedes morir tranquila.

Y empezó a lamerle la cabecita al Gatito, que se había puesto a almorzar. Pinta los miró un rato y después, silenciosamente, con mucho trabajo se fue arrastrando hasta un rincón obscuro de la bodega, para morir al poco rato.

Linda crió al Gatito con todo cariño, lo mismo que si hubiera sido su hijito. Y resulta que lo más curioso de esta historia, ¡es que es cierta!

HISTORIA DEL LOBO CUANDO SE ENFERMO

Resulta que una vez el señor Lobo estaba muy enfermo y nadie se comedía para ir a darle un traguito de agua ni para hacerle un remedio. El Lobo era el mismo que se encontró en el bosque Caperucita Roja, el que se fue a la casa de la Abuelita, se la comió, se vistió con su ropa y después esperó metido en la cama que llegara la niña para decirle que entrara, que las orejas le habían crecido para oir mejor y que los dientes eran tan grandes para mejor comérsela.

Bueno, todo esto ya lo saben ustedes.

Pero no saben que después que llegó el Leñador, cuando ya el mal Lobo se había comido a Caperucita Roja, y que abrió la guata del Lobo y sacó de su estómago a la viejecita aterrada y a la niña muy tranquila, ésta hizo que aquélla, muy ducha en medicinas, cosiera el animal dañino, y con ciertos emplastos de hierbas de la montaña lograra que las heridas cicatrizaran y volviera el Lobo a su cubil, arrepentido y contrito dispuesto por solemne promesa a nunca más comerse a las niñitas que atraviesan el bosque, ni a las abuelitas que las esperan en la cama rezando el rosario.

El Lobo cumplió su promesa. Pero no por eso dejó de comer corderitos y otros indefensos animalillos. Y siempre era él muy temido y odiado. Y, es claro, cuando se enfermó gravemente, nadie quería ir a darle un poquito de agua ni a hacerle un remedio.

Y resulta que entonces el Lobo empezó a dar unos grandes ¡ayes! de dolor, de hambre y de miedo, porque creía que de un momento a otro iba a morirse solito en su abandono. Y el Eco —que ya saben ustedes que es muy bueno para repetir recados— se fue corriendo a contarle lo que pasaba a Caperucita Roja, que estaba ese día terminando de bordar un cubrepiés que le iba a regalar a su Abuelita.

Y como ya saben ustedes que la niña está llena de bondad, pues inmediatamente que supo la noticia se puso su capa roja, de la cual le venía el llamarla como todos la llamamos. Y muy ligero se fue por el bosque, hasta llegar a casa de la Abuelita, y pedirle que la acompañara a ver al Lobo enfermo.

Y resulta que juntas y con el canastito en que la Abuelita guardaba sus hierbas medicinales, atravesaron el bosque, camino del cubil del Lobo.

Este estaba hecho un grito, con un dolor terrible en el costado, porque lo que tenía era gripe.

Los Animales del bosque las vieron pasar llenos de aprensión, sabiendo que iban tan de prisa por ver al Lobo. El Eco había contado la noticia a todo el mundo. Y como las buenas acciones dejan siempre surco, tras los pasos de la Abuelita y Caperucita Roja se fueron todos a ver cómo estaba el enfermo, un poco novedosos y otro poco deseosos de servir.

Y resulta que cuando llegaron al cubil del Lobo, iba tras ellas una verdadera procesión que encabezaba la señora Zorra, siguiéndola la señora Rata del Campo, el señor Culpeo, la Sapa-Verde, la Sapita Cua-Cua, el Jote-Calchón y muchos amigos nuestros, todos en fila india para no molestarse unos a otros.

Bueno. ¡Hay que ver cómo estaba todo de sucio en el cubil del Lobo y cómo estaba éste de enfermo! Inmediatamente Caperucita Roja se puso a barrer y a limpiar. Y la Abuelita se puso a preparar sus remedios. Pero aquí fue lo lindo; cada uno de los Animales que venían detrás de ellas quiso ayudar en algo, y la señora Zorra del Campo, con su larga cola, se puso a barrer, y el Jote-Calchón y sus niños sacaron la basura, y la Sapa-Verde y los Sapitos-Guainas echaron agua en el suelo, y los Chincoles trajeron hierbitas suaves para hacer una cama nueva, y así cada uno ayudó en la medida de sus fuerzas, y al poco rato el cubil del Lobo era una verdadera casa, limpia y todo.

Y entonces la Abuelita le puso una cataplasma y le dio una taza de tilo, y ya el Lobo empezó a sentirse mejor. Y como se quejara de frío, pues nada menos que las señoras Ovejas del Prado vinieron a acurrucarse a su lado para darle calor con su lana.

Y el Lobo estaba cada vez mejor y en esto se quedó dormido dando unos tremendos ronquidos, que tenían muertas de risa a las Cachañas, que ya saben ustedes que son muy alegres.

Así pasó un largo rato, y era ya casi media tarde cuando el Lobo despertó, muy contento porque ya se había mejorado. Caperucita Roja y la Abuelita le dijeron lo que habían hecho por él los Animales, y entonces el Lobo dijo que él iba a ser el Lobo Bueno y que todos iban a ser sus amigos desde ese día.

Y cumplió su promesa y murió de viejo, cuidado por todos sus compañeros del bosque y por los hijos de Caperucita Roja, que eran sus más queridos amigos.

HISTORIA DE SAPOS

Resulta que ésta es una historia de Sapos.

Bueno.

Una vez vivía en una charca una señora Sapa-Vieja, allegada a la casa de un sobrino casado y con muchos hijos. Esta señora Sapa-Vieja todo el tiempo estaba diciendo, con aire profético:

—No coman mucho, porque la comida se va a terminar y entonces nos moriremos de hambre.

Y tanto hablaba y tanto ponía los ojos en blanco y daba gritos cuando alguien quería comer un poco más, que toda aquella familia estaba tan flaca, que los vestidos les colgaban de los hombros de una manera lamentable.

Y no sólo gritaba y se enojaba la señora Sapa-Vieja cuando comían, sino que le parecía pésimo que se fueran a bañar al estero, porque, según ella, de tanto mojarse los trajes de seda verde con que los había dotado la naturaleza se iban a gastar y no tendrían luego de dónde sacar otros.

Y cuando los Sapos-Guainas de la familia querían salir de excursión y jugar a la ronda o a las carreras o dar saltos mortales, la terrible señora Sapa-Vieja se ponía como una furia y hasta solía darles sus zamarrones cuando ellos se empecinaban en salirse con la suya. Y todo porque temía que se les rompieran los zapatos y los zoquetes del mismo color que llevaban puestos.

Y como la señora Sapa-Vieja era muy dominante, quieras o no imponía su voluntad, pues todos los Sapos de la familia, desde el sobrino y su mujer hasta el más chiquito de los Sapitos, que era aún renacuajo, estaban casi muertos de hambre, de falta de baño, de necesidad de sol y de ejercicio.

La Sapa-Verde —la mujer del sobrino— no hallaba ya qué hacer para poner fin a esta situación y fue entonces a pedirle consejo a la señora Zorra-del-Monte, que vivía por los contornos y tenía fama de muy sabia persona.

La señora Zorra-del-Monte estaba esa mañana muy de buen humor, porque sus correrías de la noche anterior habían dejado por seña un buen montón de plumas en el gallinero de don Pedro Chaparro. Oyó todas las calamidades que la Sapa-Verde le contaba y después de meditar un rato le dijo:

—Ándate tranquila para tu casa. Yo haré que el Jote-Calchón ponga remedio a estas cosas.

Y resulta que al día siguiente, cuando la señora Sapa-Vieja estaba gritando para impedir que los Sapitos-Guainas se comieran unas lombrices que habían descubierto, pues llegó de improviso el Jote-Calchón y dándole un buen golpe con una de las patas a la señora Sapa-Vieja en el hombro, le dijo con voz muy severa:

—Si otra vez vuelves a decirle a alguien de tu familia que no debe comer porque la Tierra se va a terminar o que no debe bañarse porque se van a gastar los vestidos, o que no deben jugar porque se van a romper los zapatos, pues verás lo que te pasa a ti... De un solo picotazo te voy a romper el espinazo. Y no va a ser malo el banquete que tendrán mis Jotecitos-Sin-Plumas en su nido.

Y resulta que a la señora Sapa-Vieja le dio un susto tamaño de grande, y nunquita más volvió a molestar a nadie con las leseras que tenía por costumbre decirles.

Y hay que ver ahora cómo está de gorda la familia de los Sapos, con los vestidos que ya se les revientan y los zapatos que apenas les caben, pero que no por eso se rajan ni se rompen. Y da gusto verlos chapoteando en el estero, bien limpitos y bien contentos.

Y resulta que la señora Sapa-Vieja del disgusto que tuvo la primera vez que los vio comer a sus anchas, sin poder decirles nada por miedo al Jote-Calchón, pues reventó como un guatapique.

HISTORIA DE LOS ALBATROS SABIOS

Resulta que había una vez una isla muy linda, rodeada de agua —lo que es muy natural, ya que era una isla—, con su festón de espuma y su faro y todo. Se llamaba la isla de los Albatros, porque en los acantilados vivían innumerables pájaros de esa familia. Se me olvidaba decir que el agua que rodeaba la isla era salada, de mar Pacífico, verde y llena de peces.

Bueno.

En la isla de los Albatros habitaba una cantidad de hombres ocupados en cultivar la tierra, rica en toda siembra, y que, además, en las tardes echaban las redes al mar, retirándolas al alba rebosantes de pescados llenos de susto y de escamas de plata azul. Cada cual tenía su terreno y su casa de techo rojo, y el mar, el cielo y al aire eran de todos, como también lo era el trabajo que equitativamente se repartían. Y eran todos felices, simples y puros en esa vida primitiva en que no se conocía el dinero.

Pero de pronto todo cambió, porque un hombre se entregó al feo vicio de la avaricia. Este hombre se llamaba

DON BERNABE PEÑA

según rezaban sus tarjetas de visita.

Este DON BERNABE PEÑA era antes sencillamente Bernabé Peña, uno de los tantos pobladores de la isla de los Albatros, con risa y canto en la boca y en los ojos, con felicidad en el corazón y en su claro hogar, con satisfacción en su trabajo de labriego y pescador.

Pero un día le avisaron a Bernabé Peña que un tío suyo había muerto en el Continente, dejándolo por heredero de su fortuna. Y algún tiempo después le entregaron un baúl lleno de monedas y de billetes, un baúl que llegó en un vaporcito, con cuidadores y carabineros, lo mismo que si fuera un gran personaje.

Cuando uno de los guardianes entregó el tesoro a DON BERNABE PEÑA, le dijo:

—Es usted poderoso. Con este dinero puede comprarse toda la isla. Sería usted el amo y señor, igual que un rey. Lo felicito.

Y desde entonces comenzó la infelicidad de Bernabé Peña y la de todos los habitantes de la isla de los Albatros. Y desde entonces también Bernabé Peña fue transformándose en DON BERNABE PEÑA.

Porque resulta que al principio miró con cierto desdén y con un poco de desconfianza el famoso baúl con dinero, pero poco a poco se fue habituando a contar las monedas y los billetes y los hacía montoncitos y los hacía fajos y a unos les ponía papeles azules y a otros cintitas verdes. Y la comprobación de su riqueza hizo germinar en su cerebro la idea que le insinuara el guardián, de comprar casa por casa y parcela por parcela la isla de los Albatros, hasta convertirse en su dueño único.

Fue de habitante en habitante, ofreciéndoles dinero a cambio de su hacienda, dinero, esa cosa maravillosa por cuya posesión los hombres del Continente se afanan y se pelean y se matan. *Dinero.* Y los habitantes todos de la isla de los Albatros cayeron en la tentación y entregaron a cambio de las monedas y de los billetes sus viviendas y sus tierras a DON BERNABE PEÑA. Pero cuando tuvieron el dinero y se les pasó la novedad de contemplar las redondelas de oro en sus manos, vieron sorprendidos que con "aquello" no se comía e inquietos miraron las tierras que ya no les pertenecían y las casas cuyo alquiler debían pagar y las barcas pescadoras que tampoco eran suyas. Protestaron. Dijeron "injusticia". Hubo gritos. Y riñas. Y heridos. Y hasta muertos. Pero todos terminaron por inclinar la cabeza y seguir trabajando en la tierra y en el mar, como jornaleros de DON BERNABE PEÑA, llevándose éste todos los beneficios y haciendo sentir en todo momento que era el AMO.

Y a las riñas siguieron la miseria y el odio.

Y el hombre poseedor de toda la isla de los Albatros era profundamente infeliz, sin risa y sin canto en la boca, rodeado de maldiciones, con la avaricia haciéndolo fraguar nuevas maneras de explotación, con el corazón destilando recelos y amenazas.

Y resulta que entonces en la isla de los Albatros pasó algo muy extraño que nadie supo explicarse, pero que yo les voy a contar a ustedes.

Resulta que una noche se juntaron en una roca que caía de golpe en el mar, todos los Albatros de la isla, capitaneados por uno que le llamaban Patachueca, porque en verdad tenía volteada hacia adentro la derecha. Por viejo y por haber vivido en todos los puertos del mundo en sus juventudes, era el Jefe y habló a los demás, que lo oían muy calladitos y atentos:

—*Los hombres de la isla van a terminar por matarse unos a otros, enloquecidos por la miseria y por el odio. Hay que impedirlo.*

—*¿Cómo?* —preguntaron a coro.

—*Hay que hacer desaparecer el dinero de Bernabé Peña y el poco que aún tengan los demás. Para este trabajo tenemos por aliadas a las señoras Ratas, que ya están prevenidas. Ellas romperán los sacos y los baúles en que están guardados los dineros y nosotros los tiraremos al mar. Hora de consigna para comenzar el trabajo salvador: medianoche.*

Un Albatros joven pidió la palabra, que le fue concedida:

—*¿Y no vamos a castigar al hombre de corazón duro como su nombre? ¿No es acaso el causante de todas estas desgracias? ¿No fue acaso él quien lo emponzoñó todo con su maldito dinero?*

Patachueca contestó:

—*En cuanto el dinero desaparezca será Bernabé Peña el buen hombre de antes.*

Todos los Albatros dieron un graznido de asentimiento y de esperanza. Y como la Brisa llegara a avisar que era el filo de la medianoche, cada cual tomó distinta ruta, buscando las casas de los hombres y el dinero que ya las señoras Ratas ponían a su alcance.

Y resulta que cuando los hombres de la isla de los Albatros despertaron a la mañana siguiente, se encontraron con que habían sido robados misteriosamente y que nadie, nadie, ni el mismísimo DON BERNABE PEÑA, tenía una sola moneda ni un billete.

Gritaron de nuevo, se echaron la culpa unos a los otros. Hubo gestos de amenaza y rostros convulsos de ira. Una vez más se apalearon. Otra vez fueron apaleados por DON BERNABE PEÑA, enloquecido de rabia. Y hubo un muerto. Pero empezaron a convencerse de que nadie tenía el dinero. Creyeron en piratas venidos del Continente. Y poco a poco la calma se fue haciendo en los corazones. Y como DON BERNABE PEÑA no tenía con qué pagar el trabajo de sus jornaleros y no tenía tampoco qué comer, tuvo que volver a su trabajo de antes y a dejar que cada cual habitara su casa y trabajara su campo y aparejara su barca —lo que le había pertenecido por ley de trabajo antes que el dinero hiciera su aparición siniestra—, volviendo la isla de los Albatros al feliz tiempo en que todos eran felices.

Y lo curioso es que DON BERNABE PEÑA dejó al poco tiempo de ser DON y las letras de su nombre se fueron achicando en la conciencia de todos, al par que lo veían descender de su pedestal de avaricia y orgullo, para terminar al mismo nivel que los otros habitantes de la isla, campesino y pescador. Es decir: volvió a ser el mismo Bernabé Peña de sus comienzos, con canto y risa en la boca y en su hogar una clara felicidad.

HISTORIA DE LOS AMIGOS DE AZULINA

Resulta que Azulina estaba muy triste y que en el patio último de la casa —allí donde la señora Parra se empina sobre cuatro rodrigones— no hacía la niña otra cosa que estarse muy quieta sentada en su sillita, mano sobre mano, mirando con ojos distraídos no se sabía qué. No jugaba con los hermanos, no paseaba a la muñeca en el coche, no tejía cantando esas alegres tonadas que embelesaban al Jilguero, no reía a la par que el agua del surtidor. A tanto llegó el ensimismamiento de la niña, que muy de mañana hubo un conciliábulo en el patio.

El primero en hablar fue el Jilguero. Dijo:

—¿Qué tendrá Azulina? ¿Estará enferma?

—No, porque entonces la dejarían en su camita, como en el invierno, cuando se resfrió. Debe tener una grave preocupación —contestó la señora Parra, que sabía mucho, a fuer de vieja.

—Y ¿cómo podremos averiguar lo que le acontece? —Esto lo dijo el Grillo, que estaba ya asomado a la puerta diminuta de su casa.

—Azulina sólo sabe suspirar y yo..., yo..., yo la he visto limpiarse disimuladamente una lágrima. —Para decir esto la Araña detuvo un instante su trabajo de tejedora.

—¿Y cómo sabremos lo que pasa? —agregó el Agua.

Todos guardaron silencio, mirando de reojo a la señora Parra, que tenía prestigio entre ellos por sus buenos consejos.

—Creo que lo mejor es encargar al Jilguero que descubra lo que le pasa a la niña. Por una vez puede permitirse ser indiscreto: escuchar detrás de las puertas, mirar por el ojo de la llave, leer cartas ajenas, trajinar en los cajones... Y en cuanto sepa algo, nos lo dice.

El Jilguero aceptó el cargo e inmediatamente se fue a esconder entre las hojas de un rosal, frente a la habitación de Azulina, en el otro patio.

Al rato vio a la vieja Ñaña entrar a la habitación llevando la bandeja con el desayuno de la niña. Luego observó cómo Azulina abría de par en par las ventanas, que estaban entornadas —ella sabía que hay que dormir con aire para tener lindos sueños— y en seguida la vio desaparecer por la puerta del baño, en compañía de la vieja Ñaña.

Entonces, de un vuelo, entró a la habitación, posándose en lo alto de la lámpara.

Por las paredes, pintados en colores, corrían alegres payasos. Sobre una repisa, muy serios, estaban los juguetes de Azulina. La muñeca en su cuna, durmiendo, no abrió los ojos. En el escritorio los cuadernos y los libros lucían en gran orden. Sobre la cómoda había una imagen de la Virgen María con el Niñito Dios en brazos, amorosamente sostenido, y a cada lado un florero azul con rosas blancas. Y en la mesita de luz vio un cuaderno con tapas de cretona, sobre el cual unas letras decían, escritas en cadeneta de oro:

MI DIARIO

El Jilguero pensó que ahí estaba el secreto de Azulina. Pero ¿cómo abrir el cuaderno? ¿Cómo levantar la tapa y dar vuelta las hojas? Entonces el Jilguero se acordó de su amigo el Viento y salió en busca de la señorita

Golondrina —que es mucho más rápida que él en sus vuelos—, pidiéndole por favor que fuera a rogar al viento que viniera a soplar sobre el cuaderno de Azulina hasta lograr abrirlo.

Y la señorita Golondrina se fue ligero, ligero hasta la Cordillera, donde vive el Viento, entre altos picachos nevados, y apenas supo éste lo que esperaba de él su amigo el Jilguero, echó a correr por los caminos del cielo, silbando en las curvas para evitar accidentes. Y en un instante estuvo en la habitación de Azulina, y con un fuerte soplo abrió las tapas del cuaderno y fue dando vuelta las hojas, para que el Jilguero leyera lo que todos los días iba la niña escribiendo. Y al llegar a las últimas líneas, el Jilguero casi lloraba de emoción.

Entonces, el Jilguero le dio las gracias al Viento por el favor que le había hecho, y éste regresó a su casa de la Cordillera llevando de la mano a su hija la Nube, que, sin su permiso, había venido siguiéndole.

Volvió el Jilguero al último patio, y ante todos los amigos reunidos y silenciosos, dijo:

—¡Qué buena es la niña nuestra, y cómo la quiero!

Todos hicieron un movimiento de impaciencia, porque aquello no era una novedad para nadie. El Jilguero prosiguió:

—Supe lo que le pasa leyendo su diario. Feo es curiosear en lo ajeno...

—El fin justifica los medios... —y la señora Parra, después de decir esta sentencia, que era muy de su agrado, tomó un aire de suma importancia.

—Lo que pasa —y el Jilguero estiró un ala para imponer silencio— es que Azulina quiere hacerle un regalo al hermanito que en estos días traerá la señora Cigüeña, pero, desgraciadamente, todos los ahorrillos los gastó por Pascua y no tiene una moneda siquiera para comprar lana, lanita para tejer un abriguito chiquitín, que ella quiere que sea el primero que se ponga el bebé. Y como no quiere tampoco pedirles dinero a los papás, pues por eso está triste.

—¿Y en qué forma podremos ayudarla? —preguntó el Grillo, que seguía en la puerta de su casa.

—Nosotros dinero no tenemos... —y el Agua del surtidor, al decir esto, se puso a llorar grandes lagrimones, muy afligida.

Habló entonces una voz tan bajita que todos tuvieron que contener la respiración para oírla. Era el Pensamiento, que levantaba al pie de la señora Parra su carita graciosa e interrogativa. Por lo común no se atrevía a intervenir en las conversaciones de los otros, pero el amor por Azulina le dio valor para opinar.

—Creo que lo mejor, ustedes perdonen, es que entre todos hagamos algo que sirva a Azulina para regalárselo al hermanito que traerá la señora Cigüeña. Sé que la señora Rata tiene en su bodega mucha lana guardada para el invierno, el Agua podría lavarla y la Araña la hilaría y la tejería.

Todos lo oían pasmados, y hasta la señora Parra olvidó decir alguno de sus refranes y sentencias. Luego, a coro, con gran alborozo, aprobaron el plan del Pensamiento.

El Grillo fue a buscar a la señora Rata, que trajo la lana, y el Agua la lavó, y entre el Jilguero y la señorita Golondrina la tendieron sobre la señora Parra, y el Sol, que desde arriba lo había oído todo y estaba muy alegre, la secó en un momento. Entonces el Rosal dio su perfume para que bien oliera, y la Araña se puso muy afanosa a hilarla y a tejerla después, y el Grillo contó los puntos, y doña Rata volvió de nuevo, trayendo un lacito rosa para que lo pusieran al cuello del abriguito, y el Pensamiento lo miraba todo muy serio y contestaba amablemente a las consultas que le hacían, porque hasta la señora Parra había abdicado su afán de mando y le preguntaba su opinión sobre toda cosa.

Cuando estuvo terminado el abriguito, por indicación del Pensamiento fue el Jilguero en busca de la Lora, que vivía en el primer patio, y ésta fue encargada de llevar el tejido hasta la habitación de Azulina y decirle un pequeño discurso de ofrecimiento. Por cierto que la Lora quedó encantada con el encargo, porque ya se sabe que siempre está con ganas de hablar.

Cuando Azulina llegó esa tarde a su habitación, encontró sobre el escritorio el abriguito muy bien doblado y a la Lora que, muy solemne, le espetó este discurso:

—Azulina: todos tus amigos sabíamos que estabas muy apenada porque no tenías nada que regalarle al hermanito que traerá la señora Cigüeña. Entonces...

...doña Rata la lana nos dio...,
...que fina y alegre el Agua lavó...
...El Jilguero la lana tendió...
...y bien la Parra la sujetó...
...El bello rosal la perfumó...
...y el Sol, contento, nos la secó...
...Luego la Araña hiló y tejió...
...puntos que el Grillo todos contó...
...y la Lora que te la entrega, ésa soy yo...

(Todo esto lo dijo la Lora como si recitara una poesía, con harto sonsonete.)

Y terminó diciendo, ya sin recitar:

—Es un abriguito.

Y Azulina volvió a reir para contento del Agua, y a sentarse a la sombra de la vieja señora Parra, y a cantar para que el Jilguero aprendiera sus tonadas, mientras el Pensamiento la miraba amorosamente, alzando su carita graciosa, y el Grillo continuaba asomado a la puerta diminuta de su casa.

ALELUYAS PARA LOS MAS CHIQUITOS

CONEJIN EL TRAGON

Conejito y Conejita
tenían una casita

con su ventana y su puerta,
su jardincillo y su huerta,

donde no faltaba nada:
coles, nabos y ensalada,

y en septiembre y en abril
un poco de perejil.

Un arroyo que murmura
les da en verano frescura,

y un árbol de tronco eterno
leñitas para el invierno.

Su goce no tuvo fin
cuando nació Conejín.

Fue la cuna del pimpollo
hecha de hojas de repollo,

y un rabanito le mete
su mamá como chupete;

pero era tanta su hambruna,
que tragó chupete y cuna.

En una linda mañana
se escapó por la ventana;

verdurita que veía
a mordiscos la comía,

su guatita estaba llena
de ajises y berenjenas.

Tomando el huerto por suyo,
pronto no dejó ni un yuyo;

no bien un retoño asome,
come, come, come, come.

Tragó al sentirse en ayunas
cuatro docenas de tunas.

Conejín, de puro hambriento,
pasó por muy mal momento;

creyó que tenía anginas,
pero eran las espinas.

Pronto, y no les digo cómo,
le asomaron por el lomo.

Conejín y Conejita
volvían de una visita.

En cuanto abrieron la puerta
quedaron con boca abierta

al ver a su Conejín
transformado en puerco espín.

Conejita, como loca,
se clava apenas le toca,

y el Conejito papá
en busca de auxilio va,

en tanto que Conejín
cree llegado su fin.

Trae Conejito en seguida
a una Liebre muy sabida

en curar en un bendito
el mal de un animalito.

Llega y con mucha cachaza
le receta *una tenaza*.

Todas las púas de tuna
va sacando, una por una.

Deja, untándole con sebo,
a Conejín como nuevo.

Conejita, muy excitada,
le da una buena palmada,

mas Conejín, inocente,

de contento, ni la siente.

Papá Conejo, aliviado,
aún se hace el enfurruñado.

Por que la cura celebre
mil pesos le da a la Liebre.

Conejín nuevo calambre
siente en la guata de hambre.

Conejita, con afán,
le prepara un charquicán.

Le da acelga y betarraga
y Conejín traga y traga,

se atiborra en la cocina
de espinacas sin espinas...

Y su guatita sin fin
nunca llena Conejín,

por eso aquí le verás
roe que te roerás,

y se nos va de esta historia
comiendo una zanahoria.

EL MUNDO AL REVES

La tienda *El Mundo al Revés*
compra a cuatro y vende a tres.

Consigue así tal clientela
que vende que se las pela;

por eso cuesta un horror
llegar hasta el mostrador,

y el parroquiano apurado
compra todo equivocado.

La Tortuga, siempre quieta,
lleva una motocicleta;

la Hormiga, no la Cigarra,
se ha comprado una guitarra,

y la Cigarra adquiría
—a plazos— una alcancía.

¿Para qué querrá una silla
si no descansa esta Ardilla?

Un Tigre con mucha prisa
exigió un libro de misa,

y el fiero Lobo Estepario,
cuatro cirios y un rosario.

Este Gallo por señora
elige una incubadora,

y el Pato hace un chiste malo:
pide una pata... de palo.

El Perezoso, ¡qué horror!,
hoy usa despertador,

y el pacífico Cordero,
un laque de cogotero.

Un Canguro saltarín
adquirió allí un trampolín.

"¿Un peso el cuello? ¡Qué estafa!",
protestaba la Jirafa.

Por si son cortos sus trancos
pidió la Cigüeña zancos,

y el Oso —es pura verdad—,
un manual de urbanidad.

La Cebra —¿no te desmayas?—
se encargó un vestido a rayas.

La Liebre salió algo inquieta
llevándose una escopeta.

La Tórtola arrulladora

quiso una ametralladora,

y el Rinoceronte fiero
pues eligió un sonajero.

El Burro (sin comentario),
diez tomos de diccionario.

Una Polilla muy fina
entró a comprar naftalina.

La Foca de modo extraño
probóse un traje de baño.

Entró un Ratón a deshora
pidiendo un Gato de Angora,

y un Ciempiés al poco rato
se llevó un solo zapato.

Llega un Bisonte, arremete
y sólo quiere un chupete,

y en cambio el Conejo grita
que le vendan dinamita;

quiere el Elefante, en fin,
que le entreguen un violín.

Como ya no hay quién se entienda,
cambian de nombre a la tienda.

El dueño, muy satisfecho,
le puso: *El Mundo al Derecho*.

Y al terminar tal teatro
compra a tres y vende a cuatro.

Pero la verdad ha sido
que ahora es menos divertido.

Don Camello la ha comprado
y dice: "Me han jorobado".

HISTORIA DEL OSITO GOLOSO

Doña Cigüeña en su estuche
trajo a este Oso de peluche.

Mamá Osa y Papá Oso
lo encontraron amoroso.

El los contemplaba absorto
peludillo y rabicorto.

Iba mostrando la guata
al caminar en dos patas.

Si un pajarillo cantaba,
al son del canto bailaba;

por ser sus patitas flojas,
de popi cayó en las hojas;

pero, contento y feliz,
olvidó el duro desliz.

Quiso un día su destino
hacerle trepar a un pino

entre cuyas ramas viejas
había un panal de Abejas.

Al distinguir su pelambre
se alborotaba el enjambre.

La Reina, loca de miedo,
se puso a rezar un credo,

y los Zánganos ociosos
se despertaron rabiosos,

Y Osito, trepa que trepa,
sin importarle una pepa...

Don Chuncho se ha desvelado

ante tal desaguisado.

Y abriendo un ojo le dice
que hacia abajo se deslice

y que no piense en la miel,
que no fue hecha para él.

Desoye Osito el consejo
del sabio Don Chuncho el viejo,

y aunque él mucho menos sepa,
intrépido trepa y trepa.

Tordito negro le canta
hasta romper su garganta,

diciéndole: "Si no dejas
de robar a las abejas,

te podrá costar muy caro,
aunque te parezca raro".

Pero el Osito ladino
siguió trepando en el pino.

Pasaba una Mariposa
muy colorina y hermosa,

bailando a su alrededor
hizo lucir su color

y le dijo muy bajito:
"Vuelve para abajo, Osito".

Y él contestó algo muy feo,
pues repuso: "Huichicheo".

Doña Araña, que tejía,
sus agujas detenía

diciendo: "Cesa en tu carga,
la miel puede serte amarga".

Por tener muy duro el chape
trepó Osito más a escape.

Hasta que hundió por su mal
las manos en el panal.

Las Abejas industriosas
se revolvieron furiosas

y, con fieras intenciones,
clavaron sus aguijones,

convirtiéndole el hocico
en abultado acerico.

Le hacen, sin oir sus quejas,

orejones las orejas.

Y una Abeja audaz y sola
le picó sobre la cola,

y Osito debió aguantarse
un mes sin poder sentarse...

Pero lo peor para él
fue que ni probó la miel

y tras de tanto trabajo
se cayó del pino abajo.

Don Chuncho, que lo veía,
gravemente le decía:

"¡Quien lo ajeno quiere hurtarse,
que tenga dónde rascarse!..."

HISTORIA DE LA GALLINITA NEGRA

Esta era una gallinita
como el carbón de negrita.

Hizo un día algo muy feo:
fue sin permiso a paseo.

Y se halló un portón abierto
que daba a un hermoso huerto.

Andando muy señorita
encontróse una Chinita,

que tenía la cuitada
el ala izquierda quebrada.

Iba a saciar su apetito,
cuando oyó un pequeño grito:

"No me comas, desdichada,
soy la princesa encantada.

Me encantó una bruja odiosa
porque era fea y yo hermosa.

No me comas, Gallinita,
cúrame mejor mi alita".

Para poderla curar
fue al Gato-Sabio a buscar,

quien llegó muy complaciente,
en un auto reluciente.

Don Gato, que es curandero,
le tomó el pulso primero,

luego le puso un ungüento
y el dolor se fue al momento.

La Chinita sin herida
se sintió muy agradecida,

y como buena princesa
no quiso hacerse la lesa.

Pagó al Gato con decoro
un ratoncito de oro

y a la Gallinita sola
le dijo: "Mira tu cola".

Vio dos plumitas con brillo
de oro sobre el popillo.

"Cuando estés en un apuro
haz —le dijo— este conjuro:

*Que se cumpla mi deseo
ma-chi-pu-chi-bi-cho-feo."*

Alzó la Chinita el vuelo
y se perdió por el cielo.

Con sus plumas sin igual
se volvió para el corral.

El Gallo, al ver tanta gala,
se puso a arrastrarle el ala;

su comadre, la Gallina,
le dijo que "era divina",

y los Pollitos, a coro:
"Pío, pío y son de oro".

La Gallinita orgullosa
se empezó a poner chinchosa.

Peleó con doña Gallina,

diciendo que era cochina,

y cuando el Gallo cantaba,
"Ka-ka-ka-ra-ká", remedaba.

Engreída con su cola
todos la dejaron sola.

Y a pesar de tanto brillo,
un día tuvo moquillo.

Temblando de escalofrío
no pudo decir ni pío,

creyó que se moriría
porque nadie la asistía.

Don Gallo y doña Gallina
se fueron hasta la esquina,

los Pollitos, tan campantes,
fueron al jardín de infantes.

Al sentirse morir sola,
Gallinita habló a su cola:

*"Que se cumpla mi deseo,
ma-chi-pu-chi-bi-cho-feo".*

El moquillo se curó
y al tiro una voz habló:

"Pedir pudiste una estrella,
y te quedaste sin ella,

hacerle a todos favores,
y sólo quisiste honores.

Lo que pediste tendrás,
mas sin plumas quedarás".

En medio de un triste lloro
perdió las plumas de oro.

De nuevo fue servicial
con las aves del corral,

a su amiga la Gallina
la ayudaba en la cocina,

y cuando el Gallo cantaba
Gallinita ni chistaba.

Y al fin, tan bien se portó,
que la Chinita volvió.

"Como prueba de amistad,
ten otra oportunidad."

De nuevo apareció el brillo
en las plumas del popillo.

Porque el oro no destiña
prometió ser buena niña,

y su palabra cumplió
porque a todos ayudó.

De mañana lo primero,

aseaba el gallinero;

si hallaba un Pollito triste,
le daba sopa de alpiste,

y al pobre Patito feo
lo sacaba de paseo.

Por linda y por hacendosa,
todos la quieren de esposa.

Pero el Gallo entaquillado
era el más enamorado.

De alborada en alborada
le decía su tonada,

y cuando ella le dio el sí,
él cantó; "Ki-ki-ri-kí".

En el casorio la Clueca
con el Gallo bailó cueca

y las plumitas de oro
de todos fueron tesoro.

EL TRIBUNAL DE LOS PAJAROS

Esta es una selva umbría,
con harta pajarería,

donde libres y felices
viven Garzas y Perdices.

De noche, muy satisfecho,
da el Ruiseñor do de pecho;

al despuntar la mañana
canta la Alondra muy ufana.

y a cualquier hora del día
el Pollito pía y pía.

En tanta paz la Cigüeña
duerme en una pata y sueña

que en un pañal, muy rollizos,
se trae cinco quintillizos.

Cual saliendo de un reloj
canta el Cu-cú sobre un boj.

De pronto se turba un día
tan excelente armonía;

todo fue por un Pichón
chiquitito de Gorrión.

Su Papito muy ufano
le traía un gran Gusano

y tuvo un escalofrío
al ver el nido vacío.

Llega mamita Gorriona
y mucho más se emociona.

Se arma un tremendo revuelo
entre las aves del cielo,

y ningún chisme se ahorra
la charlatana Cotorra

y dice: "Muy bien sé yo
quién al Pichón se llevó,

conozco la parte flaca
de mi comadre, la Urraca.

Quien sabe robar botones,
¿por qué no ha de hurtar Gorrio-
[nes?"

Ante tal acusación
tiembla papito Gorrión

y exige que caso tal
se lleve ante el tribunal.

Hace de juez la Lechuza
y redondo el ojo aguza;

gozoso de oler el mal,
hace el Cuervo de fiscal.

Pedrito, el loro hablador,
actuará de defensor,

y al alegar se le escapa:
"Pedrito quiere la papa…."

La Tenca, el Zorzal y el Mirlo
se retacan al oírlo,

y con Pecho Colorado
forman parte del jurado.

Dos Halcones inciviles
actúan como alguaciles,

traen de muy mala manera
a la Urraca prisionera.

Sentada en duro banquillo
se rasca algún piojillo.

Muy segura de su ciencia,
la Lechuza abre la audiencia,

no toca la campanilla
por una causa sencilla:

rápida como una luz
se la tragó el Avestruz.

Envarado como un huso
habla el Cuervo y dice: "Acuso…"

Pedrito le pesca al vuelo
y ataca diciendo: "Apelo…",

cuando ya el fiscal le abruma:
"¡No se dice a-pelo, a-pluma!"

El Avestruz saltarín
se mueve y hace *tin-tin*…

Calmando a los oradores
dice el Chuncho: "Orden, señores".

y el severo juez sanciona:
"La Urraca es buena persona".

De pronto, sobre el estrado,
dos Pichones han llegado,

Al Cuervo le sabe mal
tan venturoso final.

mamá Gorriona da un grito
al ver a su Gorrioncito

Y Pedrito exclama al punto:
"¡Por mí se ganó el asunto!"

que apenas si se destaca
junto al Pichón de la Urraca.

Les dieron a los Pichones
alpiste con cañamones,

A todos los congregados
miran los dos, asustados,

mas la Cotorra susurra:
"Yo les daría una zurra,

declaran ante testigos
que son los dos muy amigos.

la Gorriona debería
cuidar mejor a su cría".

Entre el general contento
todo se arregla al momento,

Mas nadie la escucha ya,
y alguien trina: "¡Do-mi-fa!"

UNA HISTORIA CON PINGÜINOS

Después de tanto invernar
llegaron a este lugar

hicieron los nidos suyos
con piedras y cochayuyos.

de la Antártida famosa
por lo nevada y ventosa,

Mamá Pingüina probaba
el charquicán, cómo estaba,

una tribu de pingüinos
muy correctos y muy finos.

papá Pingüino traía
su pesca de la bahía,

Como ya era primavera
relumbraba la ribera

cada Pingüino chiquito
corre moviendo el rabito.

con un sol resplandeciente
y suaves brisas de oriente.

Sólo el menor ha llorado,
diciendo: "¡Quiero un helado!"

Los pingüinos ya casados,
como estaban entrenados,

Todos terminan la cena
con la guatita bien llena.

A los mayores pichones
dice el Papá estas razones:

"Hijos míos, ya estáis hechos
unos pingüinos derechos,

y el momento ya ha venido
en que forméis vuestro nido,

que nuestra ley determina:
un pingüino, una pingüina.

Búsquese, pues, cada cual,
una pingüina cabal".

Se van un tanto mohínos
los mocetones pingüinos.

Uno, con aire muy fiero,
fue haciéndose el pendenciero.

Al verlo tan maceteado,
todos se le hacen a un lado.

El otro, que era muy dije,
se daba facha de pije,

los pingüinitos lo admiran
y las pingüinas suspiran.

Andaba alegre y jovial,
muy de florcita al ojal.

De pronto, sin saber cuándo,
se encontró escuchando un bando.

Redobló el tamborilero
y dijo así el pregonero:

"Manda el Gran Rey de Pingüinia
que todos anden en línea

y ni un soltero ha de haber

en edad de merecer".

Pingüinita se espabila
y forma en primera fila.

Pingüinillo, que la vio,
ante ella se paseó.

Contoneándose estaba,
por ver si la enamoraba.

Le trajo de la barranca
una piedrita muy blanca,

pero la muy consentida
se hizo la desentendida.

A sus plantas, con afán,
trajo otra azul el galán.

Pingüinita, rabitiesa,
siguió haciéndose la lesa,

hasta que ya harto el Pingüino
tomó por otro camino.

Vio a Pingüinilla preciosa,
que lo miraba amorosa.

Como prenda de su amor,
buscó piedras de color

y una roja vio brillar
a la orillita del mar.

Pingüinilla, ruborosa,
dice que será su esposa.

Se van en un periquete,
muy contentos del bracete.

Ya están rebién instalados
junto a los demás casados.

En su lindo nido nuevo
Pingüinilla puso un huevo.

No les digo lo dichosos
que son hoy ambos esposos,

Pingüinilla y Pingüinillo,

con su Pichón, que es muy pillo.
. . . .
Al Pingüino maceteado
por soltero han condenado

a que se vaya muy solo
a buscar camorra al Polo.

HISTORIA DEL GATO GÜIÑA Y LA GATA MORISCA

Hoy les voy a contar una
curiosa historia gatuna,

de la Gatita Morisca,
mimosa y bastante arisca,

y un gatazo bandolero
remalo como el primero,

amigo de gresca y riña,
que se llama Gato Güiña.

Como les iba diciendo,
Gato Güiña era tremendo,

si a un perruquillo encontraba
en seguida le atacaba

y alegre por su agresión
la cola hacía florón.

Si algún pajarito oía
de gula se relamía,

y atacó, ¡vean qué cosa!,
a una linda mariposa.

¡Desgraciado el conejito
que encontró al Gato maldito!

Se le tiraba al cogote
y no salvó ni el bigote.

Y hasta más de un cazador
al verlo sintió pavor,

y huyendo de tal gatazo
se libró de un arañazo.

El propio Lobo Feroz
le tenía un miedo atroz,

pues un día se hizo el bravo
y el Güiña le mordió el rabo,

y en la lucha despareja
perdió el Lobo media oreja.

Luego, a partir de aquel día,
todo el mundo al Gato huía,

y así quien a todos asusta
a sí mismo se disgusta.

Harto al fin de soledad,
quiso ir a la ciudad

y haciéndose el roto vago
el Güiña llegó a Santiago.

Corren noticias muy feas
por tejados y azoteas,

cada gato se ha escondido
al acercarse el bandido

y éste va sacando pecho,
pasando de techo en techo,

sintiendo que en realidad
es el rey de la ciudad.

Orgulloso, sin empacho,
el Güiña tuerce el mostacho.

Su curiosidad se excita,
pues ve a una linda Gatita.

Por si sueña se pellizca
ante la Gata Morisca,

que lleva como aderezo
un gran lazo en el pescuezo,

y sin miedo y sin enojo
mira al Güiña de reojo,

luego, haciéndole un mohín,
se arrellana en su cojín,

y ante su asombro tremendo
se hace la que está durmiendo.

Güiña siente un gran disgusto
porque ella no tiene susto.

Entonces el muy bandido
lanza su peor maullido,

un "¡Remiau!" que el sueño altera
de la más valiente fiera.

La Gatita, tras oir,

dice: "Déjame dormir,

no vuelvas a hacerte el leso,
no me das miedo con eso".

Viendo que así le provoca
se queda abriendo la boca,

mas no con mala intención,
sino con admiración:

nunca vio Gata tan niña
el pobre Gatazo Güiña,

y antes que piense otra cosa,
la pide allí por esposa.

Pero la Gata Morisca
comienza a ponerse arisca,

y al verlo ya en tales trotes
se le ríe en los bigotes.

"No puede ser mi marido
—le dice— un Gato Bandido".

El Güiña se desespera
al verla tan altanera;

de inmediato le propone
que su pasado perdone,

y que al partir del presente
será un Gato muy decente.

Como el Güiña es tan buen mozo
la Morisca arde de gozo,

pero oculta sus extremos
y sólo dice: "Veremos...

Mi mano la pedirá
solamente a mi Papá".

El Güiña vuela hecho cisco
buscando al Gato Morisco,

y lo encuentra en su tejado
en silla de oro sentado,

pues es, y no te hagas cruces,
el Rey de los Micifuces.

Le impone por condición
no dejar vivo un ratón,

y el Gato Güiña en seguida
no deja laucha con vida.

Como es tan habilidoso,
le aceptaron por esposo.

Gatitas muy peripuestas

vinieron para las fiestas,

y bailó cuecas y jotas
el propio Gato con Botas.

Hubo pavo en escabeche,
pescado y arroz con leche.

Estaba desconocido
el pobre Gato bandido,

pues le había colocado
la Gata que iba a su lado

gomina en todo el bigote
y corbata en el cogote.

No sé si fueron felices.
Si lo sabes, me lo dices.

NOVELAS CORTAS

MONTAÑA ADENTRO

1

Un crujido seco y la máquina cortadora de trigo tumbóse a un lado. A pesar del empuje de los bueyes que inclinando la cerviz hundían en la tierra las patas tensas por el esfuerzo, la máquina quedó inmóvil.

—Parece que s'hubiera quebrao algo —dijo el que dirigía la yunta.

—Así no más parece —contestó Segundo Seguel desde lo alto de su asiento, al par que miraba afanoso por entre la complicada red de hierros.

Luego bajó de un salto a tierra, se estiró, desentumeciendo los músculos, y agregó:

—Güen dar con el asiento duro; tengo el cuerpo toíto molío.

Apoyado en la picana, el otro lo oía indiferente.

—Nos llegó, compañero. Es la ruea grande la que se quiebró. Vení'aguaitarla, me parece qu'esto no lleva remedio.

Tendidos de vientre sobre el suelo, los dos hombres examinaron largamente la avería. Ya en pie, se miraron perplejos.

—Hay qu'ir avisar —dijo Segundo Seguel.

—Mal trago.

—Y tan remalo.

—Mejor será que desenyuguemos y vamos los dos.

—Ya está.

Seguían el rastro: adelante los bueyes, atrás ellos, preocupados por el enojo del administrador, que estallaría bravo cuando supiera el percance. Onduleaba el trigal impulsado por el puelche. Abajo, en la hondonada, el río Quillen regañaba en constante pugna con las piedras. El agua no se veía oculta entre los matorrales y eran éstos a lo largo del trigal como una cinta verde que aprisionara su oro. De roble a roble las cachañas se contaban sus chismes interminables, riendo luego con carcajadas estridentes terminadas en í. En la vega que se extendía más allá del río roncaba jadeante el motor, lanzando al cielo su respiración grisácea. Se detallaban ya los trabajadores que silenciosamente hacían la faena. Ni un canto, ni una risa, ni una frase chacotera salía de sus labios. Harapientos, sucios, sudorosos, iban y venían con cierto mecanismo en los movimientos que les daba aspecto de autómatas: hasta el mirar angustiaba por la falta de espíritu. Autómatas y nada más eran aquellos hombres que el administrador vigilaba desde una ramada. Que alguno perdiera el equilibrio de su mecanismo y la frase cruel lo flagelaba:

—¡Así no, pedazo de bruto!

Lo temían. Seguro de su omnipotencia, irascible, cualquier falta lo hacía despedir al trabajador. Y era eso lo que más temían, prefiriendo acatar todas sus arbitrariedades antes que perder el puesto. En los tiempos difíciles que corrían costaba encontrar trabajo y más aún conseguir puebla en algún fundo.

En viendo a los dos hombres, don Zacarías se alzó amenazador.

—¿Qué les pasó?

—Na, patrón —contestó con voz insegura Segundo Seguel.

—¡Cómo que nada!... Y entonces, ¿por qué se vinieron?

—Es que la ruea grande e la máquina se quiebró por el eje —explicó con voz entera Juan Oses, mirando bien de frente al administrador.

—Se quebró... Se quebró... La quebrarían ustedes, rotos de miéchica... Apostaría que echaron la máquina por las piedras. ¿Es que no tenís ojos vos pa mirar por onde echái los güeyes?

En su ira, para mejor darse a entender, acudía a los modismos de ellos.

—La máquina queó onde mesmo se averió. Vaiga a verla y se convencerá de que no ha chocado con nenguna pieira.

—Entonces seríai vos, que manejaste mal las palancas —hablaba ahora a Segundo, que entontecido por su mirada roja de ira, con movimiento de péndulo movía acompasadamente el cuerpo.

—No ha sío na tampoco él; la rotura es en la ruea, por el lao del eje —contestó Juan Oses viendo que el otro se callaba.

—Vos cerrái tu hocico, fuerino sinvergüenza. Vamos al alto y pobre de ustedes como hayan piedras... Sinvergüenzas...

Montó rápido a caballo, partiendo al galope. Se perdió entre las quilas que festoneaban el río, apareciendo en la subida fronteriza como un móvil punto obscuro que alejándose se empequeñecía. Los hombres lo siguieron por un atajo.

Lo encontraron gateando bajo la máquina al par que lanzaba sordas exclamaciones de amenaza. Convencido de que la rotura no llevaba remedio, se puso de pie haciendo jugar las palancas: funcionaban todas. Buscó entonces bajo las ruedas y en el rastro la piedra que pudiera haber motivado el percance: no había ninguna. Volvióse entonces a los hombres con la mirada más negra aún:

—El tonto soy yo, que busco las piedras, como si antes de avisarme no las hubieran sacado. Den gracias a que tenemos que cortar a mano, si no los despedía al tiro. Toma mi caballo, Juan, y ándate al galope a Radalco a decir que mañana de alba manden la otra máquina, y tú, Segundo, anda a llamar a los medieros que están en el potrero quince y diles que se vengan para acá a cortar. Hay que terminar hoy con este potrero, no nos vaya a llover.

—Quea hartazo trigo parao entoavía —se atrevió a observar Segundo.

—Se trabaja hasta tarde. Si no fueran una tropa de flojos a las ocho podrían terminar. Ya está. Váyanse...

En distintas direcciones partieron los hombres. Quedó solo el administrador mirando con ojos torvos la máquina inservible. Una fila de carretas emparvadoras lo sacó de su abstracción. Avanzaban lentas, balanceando el alto rombo de gavillas; sentado sobre ellas, el emparvador dirigía la yunta con gritos guturales. Un quiltro de raza indefinible seguía el convoy: era un perrillo joven con cierta gracia ingenua en los movimientos y una luz de alegría en los ojillos redondos. Dando saltos que torcían de lado su cuarto trasero, llegóse al administrador olfateándole los zapatos. Con un formidable puntapié lo envió el hombre lejos, dolorido y aullando. Largo rato aún, entre los tumbos de las carretas y las voces de los emparvadores, se oyó el llorar del perro que se alejaba cojeando.

Una bandada de cachañas se posó en un roble.

—¡Aquí! ¡Aquí! —gritaban, contestándole otra bandada desde el monte.

—¡Sí! ¡Sí!

—¡Allí! ¡Allí! —y ya todas unidas bajaron a tierra en busca de los granitos de trigo que tras ellas dejaran las carretas.

Oleaba el trigal rumoroso y sobre su oro dos mariposas de púrpura se perseguían, para luego no ser más que una, temblorosa y flameante.

Por ser noche de luna, pudo trabajarse hasta las nueve; a esa hora tocó descanso el motor y los peones se alejaron en grupos camino de la rancha. Iban silenciosos y de prisa, impelidos por el hambre que arañaba sus estómagos. Nueve horas de rudo trabajo habían desgastado sus energías y necesitaban reponerlas con alimento y reposo.

El camino polvoriento, blanco de luna, tenía a cada lado una barrera de palos, troncos de árboles enterrados uno junto a otro, grises, negros, estriados. Dejando atrás el trigal, bajaron dos quebradas atravesando dos veces el Quillen, que se complace en serpentear por los potreros entrebolados. Los grupos de árboles formaban macizos obscuros sobre la alfombra muelle y bienoliente, y en el perfil de las lomas, los robles, maitenes y raulíes tomaban aspectos fantásticos de animales prehistóricos, enormes y aterrorizantes. En la paz de la noche el reclamo de un toro en el monte se enroscaba frenético y obstinado al silencio. Una fogata encendió su haz de llamas en la lejanía: porque allí había algo que remedaba grotescamente el hogar, los hombres apresuraron el paso. Una última repechada y llegaban.

—Linda l'hora e llegar —regañó una voz de vieja en los tranqueros—. Güenazas estarán las pancutras.

—No rezongue tanto, veterana. Con l'hambre que traímos un diaulo asao que nos dé encontramos rico —contestó alegremente Chano Almendras.

La vieja alta y magra se hizo a un lado. A la luz de la luna y en el fondo rojo de la hoguera, parecía una bruja camino del aquelarre. Otra figura femenina, juvenil y agraciada, se destacó en la puerta de la sórdida casucha.

—Abreviar, niños, que las pancutras estarán como engrudo —exclamó con una voz áspera y desafinada que azotaba los nervios.

—Ya estamos listos. Güenas noches, Catita —contestaron los hombres.

2

Desde la muerte de su marido, que fuera mayordomo de la hacienda, doña Clara y su hija Cata ocupaban el puesto de cocineras de los trabajadores. Bravas para el trabajo, se daban maña para amasar, cocinar, tostar y moler el trigo, dejando aún tiempo libre para hilar lana y tejer pintorescos choapinos que luego vendían a buen precio en la ciudad.

Felices en su despreocupación, lo único que por muchos años atormentó a doña Clara fue aquella afición desmedida de la muchacha por "chacotear con los guainas".

—A vos te va pasar una mano bien pesá —solía advertir, al verla charlar coqueta con algún peón.

A ella, que había sido "honrá", la sacaba aún de quicio el recuerdo del día en que Cata —el otoño anterior— le había dicho tranquilamente:

—¿Sabe, iñora, que voy a tener guagua?

Y a sus alaridos de indignación, con la misma tranquila indiferencia, había contestado narrando "su mal paso".

Fue su aventura rápida y vulgar. Un asedio que despertó todos sus instintos, noches de placer bajo el toldo cobijante de las quilas y luego, al anuncio ruboroso del embarazo, el retroceso brutal y abierto del hombre que no quiere trabas ni responsabilidades.

—¿Estái segura siquiera de qu'es mío?

La mujer no tembló bajo la injuria.

—Tú bien sabís...

—Yo no sé na....

—Tampoco te pío na yo. M'hijo es mío. Con su maire pa mantenerlo tendrá de un too —tomaba camino de la rancha, vibrante de desprecio.

—Aguardá, mujer, no seái tan arrebatá...

No quiso oir nada. Pasó la noche sorbiendo silenciosas lágrimas de fuego y haciendo esfuerzos sobrehumanos para no dejar estallar los sollozos. Con el clarear del día clareó también en su espíritu la conducta que debía seguir en lo futuro. Ante todo contarle "su fatalidá" a doña Clara.

La vieja la oía aniquilada.

—¿Y por qué no conseguís que se case con vos? —preguntó.

—¡Bah!, era lo que me faltaba. Tener por marío a ese canalla.

—¡Vos sí que soi canalla! Sinvergüenza no más... Aguárdate, cochina, que habís venío a manchar mis canas —se irguió amenazadora esgrimiendo la tranca.

La muchacha pudo esquivar el golpe y con aquel su mirar relampagueante fijo en la madre:

—¿Es que quere matar a m'hijo? —preguntó.

Abatióse la vieja murmurando amenazas y maldiciones.

Durante semanas de semanas no dirigió la palabra ni mirada a Cata. Se pasaba los días acurrucada junto al brasero, rezando rosario tras rosario, probando apenas los alimentos, sorda a preguntas, llegando su estado de estupor a inquietar a Cata.

—Ya está, mamita, no sea ideosa, coma no más. ¿No ve que se está debilitando con tanta lesera?... Lo hecho ya no tiene güelta... Hay que tener conformiá. Ya está, coma, no sea lesa, pue... Hay que conformarse con el destino...

No salió de su hurañez hasta que nació el niño. Indiferente al sufrimiento de Cata, los primeros vagidos del nieto la hicieron alzarse rápida, acudiendo junto a aquella carne de su carne que envuelta en pañales por las torpes manos de la "iñora curiosa" que en los contornos oficiaba de partera, parecía llamarla desde el cajoncito arreglado a modo de cuna. Reconciliada con Cata, volvió a sus antiguos hábitos de trabajadora, cuidando al niño con verdadera pasión.

Después de su aventura creyó doña Clara curada a Cata del mal de amores. Por mucho tiempo pareció que la maternidad había embotado en ella todo otro sentimiento. Mas, con la llegada de los fuerinos que acudían a los trabajos de las cosechas, la vieja sintió renacer sus recelos viendo cómo Cata aceptaba las atenciones de Juan Oses.

—¿Es que entoavía no estái curá de leseras? —preguntaba agriamente.

—Este no es como l'otro, mamita.

—Toos son lo mesmo...

—No, mamita, éste no es como toos...

—Toítos son lo mesmo..., te lo güelvo a'icir.

Y por eso aquella noche, a la llegada de los trabajadores, Cata sonrió largamente a Juan Oses al contestar su habitual pregunta:

—¿Cómo le va, Catita?

—Muy bien, Juan, ¿y a usté?

Con las polleras arrolladas en torno a las piernas, en cuclillas junto al canal, doña Clara lavaba afanosa. A fuerza de años y de disgustos tenía ciertas inocentes manías, como ser: hablar sola, ofrecer en sus angustias padrenuestros y rosarios a toda la Corte Celestial, no reir en viernes, porque en caso contrario había de llorar en domingo, dejar los zapatos cruzados al acostarse para ahuyentar al Malo... Hablaba sola esa mañana, aprovechando los momentos de indignación para apalear con furia la ropa.

—Era lo que faltaba no más... Y si'hace la lesa conmí, pero agora no le valen tretas. El año pasao estaba muy ciega yo... Pero lo qu'es agora le va salir bien caro conmí... Aguárdate, no más, que te güelva a pillar dándole conversa a Juan Oses... Na sacái con icirme qu'éste no es como l'otro... Toítos son lo mesmo, palabrería vana... Te muelo a palos si te güelvo a encontrar con él... Así... Benaiga m'hijita y lo coltra que mi'ha salío... Pero me la vis a pagar toas juntas por cochina... ¡Ah!

Se puso bruscamente en pie, equilibrándose sobre las grandes piedras lisas. Un momento, con el cuello tenso y la boca abierta para mejor oir, escuchó los rumores que el viento traía.

—Está llorando el mocoso. ¡Ya voy!... ¡Ya voy!... —agregó alzando la voz, como si la criatura pudiese oir y comprenderla.

Hizo un atado con la ropa y a grandes pasos, que parecían desarticular sus caderas enjutas, tomó el camino de la puebla.

Era ésta un edificio miserable, en que las tejuelas ralas por la ve'ez dejaban rendijas tapadas malamente con tablas sujetas por grandes piedras. La puerta, amarrada al quicio con alambres, había que levantarla en peso para hacerla girar. El interior lo formaba una sola habitación, sin más luz que la proveniente de la puerta abierta y la escasa que filtraba por las innumerables rendijas laterales. Sólo el costado norte estaba protegido de las lluvias por trocitos de listones, clavados pacientemente uno junto a otro a lo largo de las rendijas. No había cielo raso ni piso y amoblaban el tugurio: un catre, un camastro, una caja guarda-ropa, varios cajones, otros tantos pisos, una mesa enana, un brasero y una tabla sujeta a la pared a modo de vasar.

Diez metros más allá alzábase la cocina: otro edificio análogo, pero aún más miserable. Detrás, protegido por tablas y ramas, quedaba el ho no. Enfrente, una ramada servía de comedor a los peones cuando el tiempo lo permitía: lloviendo se comía en la cocina, sentados en la tierra endurecida y negruzca, rodeando el montón de leña que ardía en el centro. Olletas, tarros de parafina vacíos, una batea de amasar y, sobre una zaranda, tarritos de conserva arreglados mañosamente con un alambre a modo de asa para servir de vasos. Platos, fuentes y cucharas de latón: todo ello misérrimo, pero limpio.

Más allá aún estaba ese horror que en los campos sureños se llama la rancha: tablas apoyadas en un extremo unas contra otras, formando con el suelo un triángulo y todas ellas una especie de tienda de campaña donde duermen hacinados los peones fuerinos, es decir: aquellos que están de paso en la hacienda trabajando a jornal o a tarea durante los meses de excesivo trabajo. Treinta o más hombres duermen en esas condiciones bajo la rancha que se agranda a voluntad con sólo agregarle más tablas. Duermen vestidos sobre un poco de pasto seco, y en esa región montañosa, en que aún se usa la ojota, ni siquiera la molestia de descalzarse tienen... Hay peones que optan por dormir bajo los árboles, mas, en lloviendo, tienen que guarecerse forzosamente en la rancha nauseabunda poblada de parásitos: germen de roñas físicas y morales.

—A la rurrupata..., que viene la gata... —Lloraba el niño y la voz de doña Clara desafinaba en vano por calmarlo—: Cállese, mi lindo; cállese, mi guachito di'oro... Mire que ya viene su maire a darle la papa. A la rurrupata... Tutito, mi lindo..., y una garrapata... ¡Chus!..., ¡ah, pollo! Tutito, tutito... No sé por qué se me le imagina qu'este angelito está afiebrao... Ayer estuvo lloronazo tamién... Que viene la zorra... Tutito, mi lindo... Ehi está la Cata... Tutito, mi precioso... ¡Hasta el cabo llegaste!

—He tenío que dar la güelta del choco. El llavero estaba en el molino y allá tuve qu'ir a buscarlo y golver después pa la boega. Vengo como macho e cansá.

Llegaba Cata acompañada del chiquillo que durante las cosechas la ayudaba en sus quehaceres. Arreaban una mula cargada con las raciones.

—Mete too en la cocina —agregó, dirigiéndose al chiquillo— y te ponís al tiro a cerner l'harina p'amasar lueguito.

Vestía un traje de percala clara cortado sin arte ni gracia alguna, pero que no lograba quitar su armoniosa proporción al cuerpo. Toda la belleza del rostro estaba en los ojos emboscados entre tupidas pestañas negras: eran verdes y un polvo de oro danzaba en ellos. El resto de la cara era vulgar. Frente estrecha, cejas pobladas que se enarcaban sobre la cuenca del ojo, nariz respingona, boca grande que al reir ahondaba un hoyuelo en cada mejilla, dejando ver los dientes de nívea blancura. Una cabellera crespa, negra y lustrosa, se arrollaba en un moño sobre la nuca ambarina. Muy moreno el cutis, dos placas rojo obscuro arrebolaban las mejillas.

—Parece qu'el niño estuviera enfermo —observó la vieja, preocupada.

—¿Por qué?

—No ha querío dormir. Desde que te juiste casi no ha parao e llorar.

—Tráigalo p'acá, es hambre no más la que tiene.

Prendió la boquita al seno, mas luego lo soltó, prosiguiendo en su monótono lloro.

—¿Sabe que no está descaminá, mamita? ¿Qué será lo que tiene?

—Falta qui l'haya hecho mal el piacito e sandilla que le di antiayer —dijo la abuela, vacilando a cada palabra.

—¿Hasta cuándo le voy a'icir que no me le dé na al niño? —Bailaba el polvo de oro sobre las esmeraldas que se obscurecían.

—Si jue pa que no se le juera a romper la hiel. Apenitas si le unté la boquita...

—No me venga con esculpas; usté hasta que no me mate al niño no va'parar.

—Eso sí que no... ¡M'hijito lindo! Yo lo hice con güen fin y si no me creís, ehi está la mamita Virgen por testigo... ¡Ay, Señor!... ¡Ayayay!...

Sabía doña Clara deshacer los enojos de Cata; empezó a lloriquear secando con fuerza unas lágrimas imaginarias.

—Ya está, pue, no llore. No llore, l'igo, y vaya'sentar la tetera pa darle'Aladino una poquit'agua e manzanilla.

—¡Ay, mamita Virgen! Era lo que me faltaba agora... Mamita quería, te ofrezco un rosario si mejorái al niño.

Era la de doña Clara una religión muy singular. De Dios tenía una idea muy vaga y si guardaba los mandamientos divinos no era por amor a Dios, sino por miedo al infierno. Pero tenía una verdadera pasión por la mamita Virgen, con la cual siempre andaba en tratos, ofreciéndole rosarios y rosarios en cambio de tal o cual cosa.

—Este rosario pa que mi librís del infierno —murmuraba—, estotro pa que a las gallinas no les dé el achaque y éste pa que m'encuentre un nial e perdiz.

Sucedía a veces que la mamita Virgen no se prestaba a estas negociaciones; entonces doña Clara iba al despacho de Rari-Ruca en busca de una vela que devotamente encendía en el alto del Quillen, en el promontorio que marcaba el sitio donde años antes fuera asesinado el compadre Juan Anabalón. Pero el compadre también solía hacerse el sordo...

Siendo joven doña Clara hubo en la hacienda unas misiones, pero de aquellas enseñanzas poco recordaba. Años después llegó para una cosecha un fuerino que era "canuto" y el cual, en las noches, predicaba sus doctrinas a los peones, que ningún caso le hacían. Sólo doña Clara le oía encantada narrar las parábolas, que eran para ella cuentos maravillosos. Fuera de estas historias y de aquello de no confesarse, la demás doctrina del "canuto" le era odiosa. ¡Bah! ¡Cómo que no! ¡La mamita Virgen era la mamita Virgen!... Tomando un poco de aquí y otro de allá, hizo una religión para su uso particular.

—Mi Diosito —solía decir por las noches al acostarse—. Tú que too lo vis y sabís, sabrás cuáles son mis pecaos y me los habrís ya perdonao. Amén.

La religión de Cata era más difusa aún. Muy pequeña en la época de las misiones, fue entonces bautizada; su instrucción religiosa le venía de doña Clara. La muchacha reía oyéndola: ella no creía en "esas leseras". A su hijo no lo había siquiera bautizado. Le llamaba Aladino en recuerdo de la historia que un segador contara una noche, en cosechas anteriores.

4

Tres días habían pasado y Aladino no llevaba trazas de mejorar; antes por el contrario, parecía quemado por la fiebre, y esa noche, ya muy tarde, velaban madre y abuela junto al cajoncito que servía de cuna. Doña Clara rezaba. Caían a veces sus párpados y así cerrados parecían los ojos pesar en la cabeza que lentamente se iba inclinando hacia adelante. Luego despertaba sobresaltada, prosiguiendo en su atropellado musitar oraciones.

Un golpe discreto en la puerta. Cata fue a abrir extrañada.

—¿Quién es? —preguntó antes de quitar la tranca.

—Yo, Juan Oses.

—¿Qué quería?

—¿Cómo sigue el niño?

—Lo mesmo no más...

—Le traigo un remedio... Abra.

Forcejeó Cata y ya abierta la puerta, la alta figura del hombre se perfiló a la incierta luz del chonchón.

—Güenas noches, Juan Oses.

—Güenas noches. ¿Cómo le va, doña Clara?

—¿Cómo quere que me vaiga?... —contestó la vieja con mal modo—. Mal, pue...

—¿Qu'es lo que trae pal niño? —preguntó Cata ansiosamente.

—Yo quería icirle que cuando estuve empleao onde don Casimiro Catalán, en Temuco, s'enfermó la guagua mesmamente como Aladino. Yo vide muy bien los remedios que l'hicieron, ¿no ve qu'era mozo e la casa? Si ustedes son gustaoras, los mesmos podían hacerle'Aladino.

—¿Estaría con fiebre la guagua esa?

—Sí, le vino porque l'ama le dio a probar harina.

—¿Y qué remedios l'hicieron?

—Aceite lo primero y na más que agüitas e anís pa darle a pasto. Y pa bajarle la fiebre lo bañaban en agua bien calientita y l'arropaban después bien arropao pa que suara harto. Y lueguito se refrescaba.

—¿Y mejoró? —indagó recelosa la abuela.

—Clarito, pue.

—¿Y lo bañaban?

—Sí, iñora, en agua bien tibiona.

—¿Qué te parece a vos, Cata?

—Qui'algo hay qui'hacer. Pior es estarse con las manos cruzás. Podimos aprobar...

—Eso es —dijo Juan, contento al ver su éxito—; al tiro podimos bañarlo. Yo voy a sentar l'olleta grande con l'agua; en un rato más estará lista. Acomoden el tiesto pa bañarlo y la ropa p'arroparlo qu'esté bien sequita.

Salió Juan Oses. Tenía el mozo un no sé qué de simpático y fino en las maneras y el mirar de sus ojazos negros atraía por la lealtad que emanaban. Grande y musculoso, había en él signos de otra clase afinada por la cultura; las manos y los pies proporcionados y aún no deformes por la rudeza del trabajo, la amplitud de la frente, la suavidad del pelo que se quebraba en ondas. Entre los peones corría el decir de que era "hijo de rico".

—¿No creís vos, Cata, que bañarlo será pior?

—Cuando Juan Oses asegura que l'otra guagua mejoró...

—¿Así es que si Juan Oses lo ice va'ser cierto?... —la vieja comenzaba a sulfurarse.

—Pero, mamita...

—A vos te tiene hechizá este hombre y entoavía querís negar...

—Yo no niego na... L'único que le güelvo a icir es qu'éste no es como l'otro.

—Toos parecen muy güenos hasta que logran sus fines. La mujer que les da oíos está perdía... Ya vis vos las penas qu'estamos pasando por haberte creío del otro...

—Este no, mamita, éste no es como l'otro.

—Te igo yo que toítos son iguales. Palabrería vana... Promesas... Too son palabras que se lleva el viento...

—Este no... Este no... Este es distinto...

—Toos son güenos hasta qui'hacen una grande...

—No, mamita, no. Yo tengo mis motivos pa creer qu'éste me quere con güen fin.

—Icemelos —y como la muchacha callara, la vieja agregó enfureciéndose gradualmente—: Güeno, ¿no? Lo que vos querís es engatusarme pa que yo te dé larga... No me creái tan lerda... Pa una vez estuvo güena mi ceguera.

—Benaiga, mamita... ¡Hasta cuándo va fregar!... Mejor será que se ponga a secar las mantillas.

Ahuyentando sus recelos, la idea del nieto enfermo obsesionó a doña Clara.

—Tres rosarios pa que l'haga bien el baño —empezó a murmurar, no llevando ya cuenta de lo que ofrecía y levantando la voz en medio de sus angustias—, un rosario pa que se quee dormío. Otro rosario pa que no se lamiente tanto.

—Ejese de tanto ofrecimento y de tanta lesera y veng'ayudarme.

Sobre un cajón colocaron el lavatorio y todo ello junto al catre. Luego arrollaron las ropas calientes, tapándolas con el plumón.

—Ya está too listo, voime agora a ver l'agua.

—Abrígate, niña, no te vayái a cotipar.

Cata se arrebozó en el chalón. Salió. Había afuera negrura de noche opacada por enormes nubarrones. En las rendijas de la cocina, randas de luz. De la rancha llegaban los ronquidos en todos diapasones de los trabajadores dormidos.

—¿Está ya l'agua? —preguntó desde la puerta.

—Creo que ya está güena —contestó Juan Oses, que en cuclillas junto a la lumbre la avivaba con un soplador.

—Allá está too listo.

—Llevémola, entonces. No, deje. ¿Cree que no me la pueo?

—No vaiga a trompezar.

—Si veo lo más bien.

Ya en la habitación, volcaron el agua en la palangana. Estaba muy caliente y Juan Oses tuvo que salir por agua fría al estero. Desvistieron a la criatura, que no pareció sentir ninguna impresión al meterla en el agua.

—No, así no. Hay que ponerle la mano aquí, entre los hombros, pa sujetarle la cabecita; a ver, yo lo sujetaré... —Juan Oses se arremangó rápidamente las mangas de la camisa y con suavidad insospechable en sus manos de peón, mantuvo al niño a flote.

La madre lo dejaba hacer atenta a los movimientos del enfermito. Doña Clara mullía el colchón de la cuna, deshumedeciendo después el cuero de cordero que hacía más caliente el nido.

De pronto Aladino movió de uno a otro lado la cabeza, los brazos se agitaron y por fin los ojillos se abrieron en una luz de beatitud.

—Parece qu'está a gusto —observó Juan.

—¡M'hijito querío!...

Otro rato en que ambos siguieron anhelantes el bracear del niño.

—¿Ya estará güeno que lo saquemos? —preguntó Cata.

—Ya estará. L'agua s'está enfriando.

—Pase las mantillas, mamita. No se quee dormía.

—No m'estís levantando testimonios —abría los ojos fatigados, alzándose trabajosamente.

—Traiga p'acá, iñora…

Bien arropada la guagua, la taparon una vez acostada con frazadas y chales. Un largo rato se quedaron los tres en silencio. Doña Clara, hecha un ovillo junto al brasero, empezó a dormitar. Juan y Cata cambiaban largas miradas en que apuntaba una esperanza.

Cuando media hora después alzaron los cobertores buscando la carita del niño, vieron que dormía apaciblemente. Gotitas de transpiración perlaban la naricita afinada por los días de enfermedad.

—Se queó dormío —dijo apenas la madre.

—¿No ve como mi remedio era güeno?

—¿Cómo le voy a pagar estos servicios?

—El cariño se paga con cariño, Catita…

—Juan.

—¡M'hijita quería!…

Un silencio.

—Usté no sabe, Juan. Yo tengo qu'icirle… El niño…

—Na tiene qu'icirme —atajó el mozo—. Su hijo es m'hijo. Mi mama tamién tuvo su fatalidá, pero halló un hombre que la quiso de veras y se casó con ella. Y jue hasta que murió una mujer güena y respetá y su marío me quiso mucho y supo hacer de mí un hombre güeno y trabajaor.

—¡Ah! —doña Clara se despabilaba asustada—. ¡Ah! ¿Qué jue?

—Aladino se queó dormío —anunció Cata jubilosa, disimulando.

—Mañana le vamos a dar aceite —dijo Juan.

—Pero no tenimos na. Habría qu'ir a Selva a mercar.

—Eso es lo de menos. Mañana di'alba voy yo.

—Dios se lo pague —contestó Cata—. Pero —agregó con inquietud— va a perder su mediodía. Enantes m'ijo el mayordomo que mañana domingo iban a trabajar toíto el día.

—No importa, e toas maneras mañana di'alba voy.

—¡Benaiga tu vía, ñato! —exclamó doña Clara entusiasmada.

—Güenas noches, acuéstense al tiro, qu'están muy trasnochás.

—Aguárdate, niño, voy a darte los cobres.

—Deje, doña Clara, despué arreglaremos. Güenas noches.

—Dios se lo pague, Juan.

—Güenas noches.

—Hasta mañana, Catita —y salió.

5

—De los pobladores de la hacienda puedo responder. Son gente honrada que hace años de años sirve sus puestos. Al ladrón hay que buscarlo entre los fuerinos.

Era el administrador el que hablaba dirigiéndose a San Martín, el primero de los carabineros de servicio en Rari-Ruca.

Este San Martín había sido en sus mocedades famoso cuatrero. A raíz de una larga condena cumplida en Talca y merced a la protección de cierto terrateniente, había sentado plaza de carabinero. A sus descubrimientos de animales robados, cuyo rastro seguía como un perro, debía sus ascensos. Ultimamente, a orillas del río Negro, había sorprendido a la cuadrilla del Cojo Pérez —su sucesor en fechorías— haciendo vadear el río a un piño de animales robados en Cochento. Bien armados con carabinas recortadas, los forajidos hicieron frente a los carabineros. Pero la puntería de San Martín la tenían pocos, y el primero en caer mortalmente herido fue el Cojo Pérez. Sin jefe, la cuadrilla huyó abandonándolo todo. En la fuga dos hombres más fueron muertos por San Martín, que "donde ponía el ojo ponía la bala".

Era el carabinero un hombretón alto y desarticulado, con una gran cabezota caballuna. Pelos rojizos, foscos e hirsutos coronaban aquella figura magra. Una luz de crueldad lucía en los ojillos pequeños, como abiertos a punzón: ventanas del espíritu, parecía que la naturaleza se avergonzara de su alma negra, dejándola asomar lo menos posible al exterior.

Ya que no era posible —le había costado muy largos y penosos años de encierro—, ya que no era posible matar y apalear gente por cuenta propia, los mataba y apaleaba en nombre de la justicia.

—Yo tengo mis sospechas de Segundo Seguel; ayer anduvo tomando en Rari-Ruca —dijo San Martín.

—Verdad que ni ayer ni hoy salió al trabajo.

—¿Qué otro de los fuerinos no ha salido estos días al trabajo?

—Muy fácil de averiguar. Aquí tengo justamente las cartillas.

—El robo ha sido el sábado en la noche —prosiguió San Martín mientras don Zacarías buscaba el libro en un estante— y es claro que han tirao pa Selva o pa Curacautín a vender los choapinos; allá ya se avisó a los retenes, aunque yo más creo que han escondío el robo en el monte.

—A ver... Seguel... Seguel, Segundo... ¡Aquí está! Faltó ayer todo el día y hoy tampoco salió. Y no hay más. ¡Ah, sí!... Aquí hay otro: Juan Oses, que faltó ayer en la mañana, sólo salió después de almuerzo.

—¿Qué hombres son?

—Ambos forasteros. Juan Oses es primera vez que trabaja en la hacienda. Bueno para el trabajo: algo atrevido no más. En cuanto al otro, es también buen trabajador, pero cuando "la agarra" se pone de lo más pendenciero.

—¿Qué me viene a contar a mí, cuando ayer formó el boche padre en el despacho, peliando con Campos? Tuvimos que darles unos güenos rebencazos a los dos pa que se sosegaran.

—¿Así es que se los lleva a los dos?

—No hay más que llevarlos p'hacerlos cantar.

—No me los machuque mucho. Mire que los dos son bravos para el trabajo.

—Se tendrá en cuenta, don Zacarías. Me voy pa la rancha a buscarlos.

—Güenas noches.

—Buenas noches, San Martín.

Afuera lloviznaba. Dos carabineros lo esperaban cobijados en una ramada. Montaron a caballo y al galope se dirigieron a la rancha.

Los peones acababan de comer en la cocina. Las pancutras bien condimentadas y en su punto habían calentado los cuerpos, trayendo a los espíritus una ráfaga de alegría que se exteriorizaba en cuentos y chistes coreados por grandes risotadas. Cata estaba en la puebla haciendo dormir al niño; presidía el grupo doña Clara, que irradiaba alegría porque Aladino seguía mejorando. Todo aquel contento se heló con la llegada de San Martín, que violentamente entró en la pieza. Algunos hombres se pusieron de pie, cohibidos y en guardia, como quien espera un golpe. Eran muchos —¡ay!— los que conocían al primero San Martín.

—Segundo Seguel y Juan Oses, que me sigan —ordenó con voz tonante.

—¡Yo! ¡Yo! —tartamudeó Segundo, que de su pasada borrachera conservaba el espíritu en nieblas y el habla estropajosa.

—Vos mesmo, borracho cochino. Ya está, caminen, si no queren que los arre'a palos.

—¿Tendrá la bondá d'icirme por qué me lleva preso?

Era Juan Oses quien, entre bocado y bocado, se dirigía tranquilamente a San Martín.

—Na tenís que preduntar. En el retén se les dirá.

—Es que yo no me muevo di'aquí sin saber por qué me llevan. Y contra mi voluntá es difícil llevarme. ¿No le parece, mi primero?

—¡Dios te guarde, ñato! —exclamó doña Clara.

—Lo que me parece es que te voy a virar a palos —avanzaba San Martín amenazador con el rebenque en alto.

Juan Oses se levantó rápido y con un solo movimiento certero de su puño envió por tierra a San Martín. Los dos carabineros acudieron en auxilio de su jefe, pero éste ya se ponía en pie escupiendo sangre y palabrotas y se abalanzaba como una fiera sobre Juan Oses. Los dos hombres le ayudaban, pues era fuerte el adversario; en vez de pegar como ellos sin cuidar de defenderse, paraba los golpes con el brazo izquierdo, usando sólo el derecho para atacar.

—Habrá que matarte como un quiltro —rugió San Martín, retrocediendo.

Los peones se amontonaban silenciosos e inquietos en un rincón Segundo parecía estúpido: temblorosa y babeante la boca. Doña Clara chillaba desesperadamente a cada golpe, como si fuera ella quien los recibiera. Entre chillido y chillido hacía sus habituales promesas:

—Un rosario pa que no lo maten... Mamita Virgen, otro rosario... ¡Ay! ¡Ayayay! Señorcito querío... ¡Ay!

—¿Qué, se han güelto locos? —llegaba Cata atraída por el vocerío.

Habituada a todos los horrores de esas comarcas, no la sorprendió la escena. Con una mirada hízose cargo de lo que pasaba y resuelta se interpuso entre Juan Oses y San Martín.

—¿Quí'ha pasao? —El tono, el gesto y el llamear de los ojos exigían una respuesta y San Martín la dio:

—Qu'este niño diaulo no quere que lo lleven preso. Parece que a su mercé le escuece muchazo que lo lleven preso por lairón.

—¿Por lairón? ¿Y qu'es lo que se ha robao?

—El sábado en la noche se robaron tres choapinos nuevecitos y dos prevenciones de las casas de Rari-Ruca. Rompieron el candao de la puerta trasera. Uno d'estos dos caballeritos ha sío el de la gracia, si no han sío los dos en compaña.

—Si m'hubiera dicho eso l'hubiera seguío al tiro —observó modosamente Juan Oses.

—Vos te callái tu hocico...

—El sábado en la noche Juan Oses estuvo en la puebla hasta bien tarde con nosotras, ayuándonos hacerle remedios a mi guagua qu'estaba en erma. Mi mamita tamién lo puee atestiguar. Bien di'alba Juan Oses se jue pa Selva a mercar aceite e castor pa darle a mi niño; golvió como a las once. Luego almorzó aquí en la rancha; toos lo pueen icir y despué se jue pal trabajo con toa la cuairilla. —La voz de Cata, comúnmente ronca, vibraba más profundamente aún, pero las palabras salían rápidas y nítidas de la boca descolorida que no temblaba.

—Y de Segundo Seguel, ¿no puee icirme na?

—Sí, qu'el sábado se jue en la noche pal pueblo y golvió esta tarde no más.

—Muy bien. Mañana pueen bajar después de doce pal retén pa que declaren allá. Eso no pone reparo pa que yo me lleve estos niños a dormir al retén. Allá estarán mejor... —Había tal ferocidad en el tono y en los ojillos grises que todos, hasta Juan y Cata, sintieron un escalofrío recorrer sus nervios—. Agora, ¿quere su mercé que l'amarremos las manos? Tenimos que llevarlo en ancas y no tenimos seguridá alguna con su mercé librecito...

—Es pior que se resista —dijo Cata muy bajo, volviéndose a Juan.

El mozo extendió las manos, San Martín las amarró cruzadas sobre el estómago y aunque el látigo se incrustó en la carne amoratando las uñas, la cara de Juan permaneció impasible.

—¡Ya está! Caminen. ¡Anda, borracho sinvergüenza!...

Salieron. Afuera caía siempre una fina llovizna y grandes ráfagas de puelche sacudían los árboles. Sin ayuda alguna —a pesar de las manos apresadas— saltó Juan Oses en las ancas del caballo que jineteaba San Martín. A Segundo Seguel hubo que alzarlo, asegurándolo con una amarra a su guardián.

—¡Yo no he sío na! —repetía obstinado—. ¡Yo no he sío na!...

Cata los había seguido sin quitar los ojos a Juan. Cuando ya partían, todo el coraje de la mujer murió entre silenciosas lágrimas. Juan las vio. ¿Cómo?, si la noche obscura estaba además empañada por la llovizna. Las sintió en el corazón, y tiernamente, en voz muy baja, murmuró inclinándose:

—No s'aflija, m'hijita. No será na. Vaiga a darle el remedio a la guagua.

—Güenas noches, Catita. ¡Que sueñe con los angelitos! —Era San Martín, que algo había alcanzado a oir, quien así se despedía.

Partieron y largo rato la mujer escuchó anhelante el galopar ensordecido que se alejaba. No sentía la lluvia que poco a poco iba calándola. No comprendía bien qué pasaba en ella, ni por qué estaba allí llorosa y desolada. Nunca un sobresalto igual había trastornado su corazón. Se sorprendió a sí misma murmurando fervorosamente la promesa de doña Clara:

—¡Mamita Virgen, un rosario pa que no le pase na!...

6

Llovió hasta el amanecer. En la mañana un recio viento arrastró las nubes, y en la tarde, cuando Cata y doña Clara llegaron a Rari-Ruca, quemaba el sol desolando los campos. En el extremo del puente que atraviesa el Rari-Ruca, un hombre tendido de bruces sobre las tablas parecía dormir.

—¡Ay! ¡Señorcito! Si es Juan Oses —gritó Cata adelantándose.

De rodillas junto al hombre, trató de levantarlo: pesaba el cuerpo lacio y fueron vanos sus esfuerzos.

—Aguárdese, mamita, déjeme sacarme el manto. —Tomó entonces a Juan cuerpo a cuerpo y, alzándolo, consiguió, ayudada por doña Clara, dejarlo boca arriba.

—¡Ay mamacita Virgen! ¡Ay Señorcito! ¡Ayayay! —clamaba horrorizada la vieja.

—Menos mal qu'está vivo —gimió resignada Cata.

Apenas si se distinguían las facciones del mozo bajo la costra de sangre y tierra. Trazos más obscuros atestiguaban por dónde había pasado el látigo. A través de la camisa desgarrada el busto mostraba moretones, rasguños, heridas y grandes coágulos de sangre.

—¡Mi Diosito! Cómo lo'ejaron esos condenaos..., hecho una pura lástima y la ropita hecha güiras... ¡Ay mi Diosito!

—Vaya a buscar un pichicho di'agua al río, mamita.

—En qué te la traigo, m'hijita quería...

—Tome, en la chupalla. Algo puee que llegue.

Sujetándose a las quilas logró la vieja bajar el talud resbaladizo; la ascensión fue más penosa y lenta.

—Aquí está.

—Vaiga agora onde la Margara pa ver si lo llevamos pa su puebla d'ella, mientras podimos llevarlo pa la rancha.

—¿Vos querís llevarlo pa la puebla e nosotras?

—No lo vamos a ejar aquí, botao como un quiltro sarnoso, con too lo qu'hizo por Aladino.

—¿Y qué va'icir la gente? Vos sabís lo reparones que son.

—A mí no se me da na... Ejelos qui'hablen.

—Pero el cuento es que vos no te vayái a enrear con él... Vos sos muy bien retemplá.

—¿Hasta cuándo le voy a icir qu'éste no es como l'otro?

—Güeno... Vos sabrís lo que vai'hacer... Pero cuidaíto, ¿no?

—Ya está. Camine ligero.

La vieja se alejó presurosa. Cata mojó su pañuelo y suavemente empezó a lavar la cara miserable. Pero la paja absorbía toda el agua y pronto la chupalla empapada no contuvo una gota. Entonces la mujer se acurrucó en el suelo, incorporando la cabeza, que recostó en su regazo. ¿Qué podía hacer? Miraba obstinada el espejear del sol en los vidrios del chalet de los patrones. Algo muy obscuro se aclaraba para ella en su interior: la simpatía que sintiera primero por aquel mozo que la cortejaba respetuosamente, el agradecimiento por los cuidados que prestara al niño durante los angustiosos días que estuviera enfermo y la piedad que esponjaba sus entrañas a la vista del pobre cuerpo flagelado se fundían en un solo sentimiento vago y dulcísimo que trajo lágrimas a sus ojos, haciéndola acariciar con dedos trémulos los párpados violáceos. Creyó que se estremecían. No. Nada. Seguía el hombre como muerto. Volvió ella a su obstinado mirar los vidrios relampagueantes.

—La Margara viene... pisándome los talones... Pero ice qu'ella... en na puee ayuarnos..., porque San Martín ijo qu'él que ayuara a Juan Oses... tenía qui'habérselas con él... —hablaba doña Clara jadeante, cortada la respiración por la rapidez de la caminata.

—Güenas tardes, Catita. ¿Cómo le va yendo? —preguntó Margara.

—Aquí me tiene con este pobre crucificao. No sé quí'haremos con él.

—Yo tengo mucha voluntá p'ayuarla, pero San Martín está como un quique con Juan Oses porque cuando quisieron apaliarlo se de.endió y apenitas entre San Martín y los dos carabineros pudieron echarlo al sue lo. Entonces se cebaron con él. San Martín estaba enrabiao esta mañana cuando avisaron de Curacautín que soltaran a éstos, porque los lairones ya los tenían confesaítos y too en el retén di'allá.

—¿Y d'ónde eran? —indagó doña Clara.

—Eran unos qu'iban arriando piño pa Lonquimay y qui'alojaron aquí el sábado; alojaron al otro lao del Cautín, pero yo los vide rondando los chaletes al escurecer.

—¡Ay, mamita Virgen! ¡Cómo permitís tanta maldá!...

—¡No se lamiente tanto, iñora!... Si vieran a Segundo Seguel. Si ést'es una compasión, pior está l'otro. Anoche no podimos dormir una pestañá en toíta la noche; en llegando éstos empezó la función. A este po-bre lo apaliaron hasta que más no quisieron, y al otro, aluego que lo apaliaron, lo amarraron e las patas, ejándolo a toíta la lluvia, me.io col gao con la cabeza p'abajo. No lo escolgaron hasta que clareó. Icen qu'e tá como loco. ¡Por Diosito! Si con este hombre e San Martín ya no se p.ee vivir tranquila. Vieran lo que me contaron quí'había hecho en Radalco con un hombre que se robó una oveja. Primeramente lo apaliaron casi too en la cabeza, hasta que lo ejaron bien entontecío; entonces lo encerraron en la boega y al otro día lo encontraron que se había ahorcado con su cin-turón de una viga. ¡Señorcito! Lo encontraron men.ándose di'aquí p'allá y con así tanta lengua afuera... Yo me lo paso iciéndoselo a Campos: "No nos vaiga a tomar pica San Martín, porque entonces es d'irse pa'otro pueblo".

—¿Descargarían las carretas de l'hacienda? —preguntó Cata, aprove-chando una pausa de la mujer.

—Descargando estaban. No tardarán ya en golver p'arriba. ¿Y Aladino se mejoró? Se me le había olvidao preduntarle.

—Está lo más bien ya. Lo ejé onde la comaire Rosa Abello pa que no se asoleara.

—Me alegro mucho que si'haya mejorao. Figúrese que al mocoso e la Clara Luz Conejeros...

Se embarcó en otra historia interminable. Era el perfecto tipo de la campesina montañesa, robusta, coloradota, zafia, chismosa y pendenciera; capaz de recorrer leguas de leguas para llevar a una lejana puebla un chisme destructor de paz, capaz también de "malcornarse" en el fuego de la disputa con la contraria, en la seguridad de quedar vencedora.

Doña Clara la oía embelesada, pero Cata sólo estaba atenta a los ruí-dos que venían de la estación. Pronto los tumbos de las carretas y los gritos de los carreteros la hicieron incorporarse dejando en tierra a Juan Oses. A la vista el convoy, dejó pasar las primeras carretas, dirigiéndose a un viejo de blancas barbas patriarcales que dirigía la última: un instante hablaron en voz baja.

—¿Entonces está con éste agora la Cata? —preguntó Margara a doña Clara, señalando con el gesto al herido.

—¿Qué te habís imaginao vos?... ¡Somos conocíos y na más!...

—¡Bah!, iñora, no s'acalore tanto... ¡El del año pasao tamién sería conocío na más! —sonreía aviesamente mirando a Cata, que por fin parecía ponerse de acuerdo con el carretero.

Bajóse éste y entre todos alzaron a Juan Oses colocándolo acostado sobre la carreta. Cata se acomodó poniendo en su regazo la cabeza del mozo, doña Clara se hizo un montón junto al pértigo y tras despedirse Cata de Margara y mirarla sulfurada la vieja, lentamente los bueyes empezaron a subir la empinada cuesta.

7

Por no ser pedregoso el camino no daba tumbos la carreta, pero con la repechada el cuerpo del hombre resbalaba y apenas si los esfuerzos unidos de ambas mujeres conseguían mantenerlo quieto. Ya subida la agria cuesta, se dejó un largo rato descansar la yunta.

Hecho a dinamita en el flanco de la montaña, el camino bordeaba un precipicio. Hacia arriba, en el vértice de la pared granítica, abrían los pinos sus parasoles de prolijo encaje; montaña abajo no se veía un ápice de tierra. Era aquello un compacto matorral en cuyo fondo se adivinaba el río. Más allá, a la izquierda, asomaban los chalets de la hacienda y el retén de los carabineros rojo como la ira. Una extraña ciudad rodeaba la estación; así, desde lo alto, parecían viviendas primitivas, de cerca eran enormes rumas de maderas laboradas. La estación, la casa del jefe y la bodega eran sólo techumbres de zinc que reverberaban al sol.

Aún más hacia la izquierda está el pueblo pintoresco; luego se extiende la ancha vega del Cautín, que el río atraviesa centellante. Al fondo se escalonan las montañas verdinegras cuyos perfiles dentados se destacan nítidos en el fondo radioso del cielo de media tarde, intensamente azul. Dominando ríos plateados, valles verdegueantes, montañas azulosas y cordilleras pardas, álzase la testa nívea del Llaima, empenachada de levísimo humo.

Retumbantes caían en el silencio de la siesta los golpes de las tablas que los peones encastillaban en la estación. A la derecha el Cautín y el Rari-Ruca charlaban bulliciosos al encontrarse, siguiendo luego unidos su caminata hacia el mar. Zumbaba un moscardón de lapislázuli girando en el aire sobre sí mismo, loco de sol.

) 377 (

—¡Arre, "Tomate! ¡Oh, "Clavel"! —El viejo se había sentado en la carreta junto a doña Clara y desde ahí dirigía la yunta con la larga picana.

Iba ahora el camino atravesando una ondulosa vega entrebolada; árboles calcinados por el roce, grises o negruzcos, espectrales o atormentados, alzaban su desolación aquí y allá. Otros escapados a la voracidad de la llama deliberaban en grupos musitándose al oído frases que luego los agitaban en reir gozoso. Una cerca de palos a pique corría a lo largo del camino, pareciendo encajonar el tierral suelto que lo formaba.

Dejaron atrás los corrales de Radalco y los edificios de la administración aparecieron al punto: la casa riente por los geranios que se asomaban a las ventanas, las bodegas y los galpones, en uno de los cuales se ahorcara un hombre enloquecido por los golpes.

Cata se estremeció al recuerdo y sus manos unidas —suaves y disimuladas— cayeron sobre la cabeza de Juan con movimiento protector.

Empezaba la quebrada de Collihuanqui y el camino descendía áspero e interminable. Daba recios tumbos la carreta y el herido pareció salir de su sopor; quejábase y abrió un momento los ojos, que erraron inciertos sobre seres y cosas, volviendo a cerrarse.

La cuesta seguía internándose montaña adentro, serpenteando entre los árboles que se hacían más compactos, hasta no dejar libre el bosque más que el lomo pardo del camino. Si en la montaña de Rari-Ruca se necesitó dinamita para tallar la roca dura, aquí el hacha fue pacientemente derribando árboles colosales que arrimados luego al borde del camino hacían de cerca. Buscando claros de bosques que alivianaran la tarea, el hacha hizo el camino zigzagueante e inacabable, bellísimo e imponente.

Por fin, y tras una última curva violenta, oyeron cantar el río y la carreta entró al puente. Dieron descanso a la yunta y el viejo carretero aprovechó la parada para saciar el sueño a la sombra de unas quilas. Doña Clara dio suelta entonces a los sentires que viniera rumiando en el trayecto.

—¡No t'icía yo, no t'icía yo!... Con esto'e llevarnos a Juan Oses pa la rancha la gente va'hablar hasta más no poer... ¿No vis? Ya empezó la Margara.

—¿Pa qué da oíos a esas leseras? Pa pasar malos ratos no más.

—Como vos sos una fresca, na t'importa el icir e las gentes; pero yo no soy gustaora e que se limpien la boca conmí...

—¡Mal haya su vía, mamita!... ¿Quere'ejarme tranquila?

—Vos tenís la culpa e too, ¿pa qué lo juimos a trer?

—¿Y qué quere qu'hiciera? ¿Ejarlo botao en medio del camino, muriéndose? ¡A lo menos hay que ser agraecía!...

—Es que aluego e too lo qui'hablaron e vos el año pasao, no es cosa e andar otra vez en la boca e la gente...

—¡Maldita sea nunca!...

—Es inútil que t'enojís...

—Es que usté no entiende...

—Las esgracias me han güelto matrera.

Un largo silencio.

—¡Cata!

—Mande.

—Si se quisiera casar con vos... Parece güeno este mozo.

—Es güeno, mamita. El m'ice que se quere casar.

—Si vos sabís comportarte...

Otro silencio.

—De toos moos y maneras yo no m'escuidaré de vos... Y agora goime a ver si encuentro unos palitos e natri pa darle agüitas y matico tamién pa las herías, que no hay naíta en la puebla —hablaba doña Clara mirando a Cata con una luz de complicidad en los ojillos acuosos.

Una frescura de subterráneo reinaba junto al río. Los robles, los raulíes, los palosantos, los lingues, los laureles se alzaban centenarios juntando en lo alto las testas locas de azul. Por los troncos ceñidos por el tiempo, que año a año ahondaba el sello de su abrazo, subían las copinueras cuajadas de sangrientas floraciones. Fucsias rojas, violáceas y blancas sacaban burlescamente la lengua a las humildes azulinas que estrellaban el tapiz de verde musgo. Los maquis se inclinaban al peso de los frutos maduros. Pensamientos diminutos levantaban entre las hojas sus caritas interrogadoras. Rosados, carnosos los pétalos, los chupones ofrecían su pulpa jugosa, al par que las murtillas perfumaban apetitosamente la atmósfera húmeda. Un pitío quejábase obstinado en unas quilas. Coqueteando con los árboles, el agua se deslizaba murmurante y reidora sobre las pulidas piedras, formando a veces remolinos de blanca espuma.

—De toíto encontré, niña. Mira: matico pa las herías..., natri pa refrescarlo, yerba plata pa darle agüitas..., toronjil pa que olorose, y menta tamién.

Salía doña Clara de la verdura cargados los brazos de hierbas y ramas, rebosante la chupalla —colgada del brazo por las bridas— de murtillas y chupones.

—Ya será güeno que vaigamos caminando.

—Voy a recordar a don Florisondo. Ejalo no más, después lo'arreglo too pa que no vaiga a quer.

—Abrevee, iñora, qu'es tardazo ya.

—¡Don Floro!... ¡Don Florisondo!... ¡Recuerde, don Floro!...

—¡Ah! ¿Qué? Tan bien qu'estaba durmiendo.

—Ya estará güeno que nos vaigamos —advirtió Cata—, si no vamos a llegar con noche y yo hago falta en la rancha.

Emprendieron la subida, y si la bajada fue lenta, penosa e intermina-

ble, aquella cuesta no tenía trazas de terminar jamás. El herido se quejaba, y las mujeres, tomándose con una mano a la barandilla, ocupaban
la otra en sujetar a Juan, que se resbalaba. Una larga hora tardaron en
subir, y si ya en la meseta no sufrieron malas posturas, en cambio los árboles se fueron enraleciendo y pronto el sol quemante de febrero cayó
enloquecedor sobre ellos.

Con su chupalla tapó Cata la cara de Juan Oses, ahuyentando con una
rama de maqui los tábanos que se echaban en las heridas mal restañadas.

Iban amodorrados con el calor el viejo y doña Clara. La evaporación
de la lluvia caída en la noche anterior hacía la atmósfera pegajosa y fa-
tigante.

Indiferente al calor y al cansancio, Cata se aislaba en sí misma. Tenía
la muchacha ese fatalismo que hace acogerlo todo con igual calma. Dichas,
pesares, enfermedades, muerte, son para ella poderes contra los cuales no
vale rebelarse. ¿Para qué, si es el Destino? Ignorancia, miseria, malos
instintos, el crimen mismo, son para ella poderes contra los cuales no vale
luchar. ¿Para qué, si es la Fatalidad?

Embotada por el calor y el polvo, torpemente iba coordinando ideas:
"Si en vez de venir este año hubiera venío el año pasao Juan Oses. Este
no hubiera venío a las torcías como l'otro... ¿Onde andará agora ese
canalla? Juan Oses se habría casao y tendríamos una puebla... Y cómo
la tendría yo e limpia y bien arreglá. Pero ¡jue fataliá! Llegó l'otro y yo
me golví loca con su palabrería vana y..., en fin..., ¡cosas del destino!
Lo pior sería qu'éste s'echara p'atrás y no quisiera na casarse. Con lo
templá que me tiene, yo soy capaz d'irme y vivir con él así no más...
Pero no, éste es güeno..., éste me quere de veras..., éste se casará y
naiden podrá entonces limpiarse su boca en mí. ¿Y si no quere? ¡Ay,
Señorcito!"

Y bajo el sol de fuego, la carreta, lentamente, seguía...

8

Por ser fin de cosecha y día de pago en la hacienda, Rari-Ruca estuvo
ese domingo muy animado. Constantemente llegaban grupos de campesinos
a caballo llevando en ancas a las mujeres vestidas con percalas de tonos
claros, terciado el manto puesto a modo de chal, la cabeza cubierta por
chupallas de ancha ala y copa baja, adornada con un manojo de flores
silvestres. Lucían los hombres mantas de colorines, grandes sombreros y
espuelas descomunales que tintineaban a cada paso. Las cabalgaduras,
también endomingadas, ostentaban sobre la silla un choapino muelle y
las prevenciones hechas con lanas multicolores.

Era alegre y pintoresco el desfile que, pasando frente a los chalets, torcía camino del despacho.

Más tarde llegaron los fuerinos, también en grupos, cansados y polvorientos con la larga caminata a pie. Iban con la echona y el hatillo miserable al hombro, caminando sin rumbo fijo hacia el sur en busca del pan. Algunos se detuvieron en el pueblo, los más siguieron su triste peregrinación.

A la hora de almuerzo la cocinería de don Rafo se hizo pequeña y sus hijas Norfa y Diña apenas si bastaban para atender tanto parroquiano. ¡Que cazuela aquí! ¡Que pebre allá! ¡Que vino a éste! ¡Que ají a este otro!

A las tres las cabezas estaban algo abombadas por la digestión dificultosa y el mucho alcohol. A esa hora apareció Campos con la Margara, que traía la vihuela. Tras un pulsearla que hizo cabrillear los nervios, la voz de la mujer se alzó, enronquecida y sensual:

> *La carta que t'escrebí*
> *en un pliego e papel*
> *verís cuando la estés lendo*
> *lágrimas se t'han de quer...*

¿Qué decían aquellos versos? ¿Qué había en la voz lacrimosa de la mujer que los hombres sintieron correr fuego por las arterias y en los ojos de las mujeres brilló húmeda una luz de aquiescencia?

Se formaban parejas y el zapatear de la cueca hizo pronto estremecerse el bodegón.

—¡Benaiga, m'hijita!

—¡Hácele, ñato!...

—¡Aro! ¡Aro!

—¡A su salú, prenda!

Ardía la fiesta cuando llegó solapadamente San Martín. Era tal el entusiasmo que la presencia del carabinero no fue advertida. Se acercó, tras un rápido mirar de sus ojillos de paquidermo, a la mesa en que varios mozos solos bebían con gran algazara.

—Güenas tardes —los saludaba bonachonamente, desconcertándolos.

—¡Ah! —una ráfaga de odio y miedo pasó por las fisonomías rubicundas, animalizadas por el vino—. Güenas tardes —contestaron los hombres por fin.

—Da gusto ver tanta gente en el pueblo. Parece que hoy han bajao toos los de l'hacienda.

—Así no más es —contestó Chano Almendras—, andamos toitos.

—¿Y la cosecha estuvo güena?

—Según y cómo... La d'avena estuvo como nunca e güena, pero en en cambio el trigo es una compasión, chichito y negrucio..., un puro vallico no más.

—¡Vaya! ¡Vaya! ¿No me queren conviar un traguito? ¡No sean tan mezquinos, pue!

—¡Con su amigo! —exclamó Chano Almendras, que por estar medio borracho olvidaba fácilmente sus rencores en contra de San Martín.

—Y agora —dijo éste tras de apurar el vaso—, agora los voy a conviar yo con un trago e juerte que me van a aceutar toítos. ¡Diña!

—¡Mande, mi primero! —sonreía la muchacha que acudió prestamente.

—Tráete una botella e coñaque pa conviar a estos amigos.

—No hay na coñaque, mi primero, pero si es gustaor pueo ir en un volando al despacho a buscar una botella.

—Ya está... Toma y anda corriendo. No hay como la Diña pa ser bien mandá.

Los hombres se miraban interrogándose con los ojos: aquellas maneras de San Martín y aquel su convite teníanlos perplejos. Acostumbraba el carabinero sacarlos a rebencazos y empellones del bodegón cuando "la fiesta" se prolongaba los días de pago. Mas, como ninguno tenía las ideas muy lúcidas, se acomodaron a su nuevo modo de ser, si bien al principio con cierto recelo que los mantenía en guardia, con una total confianza cuando volvió Diña y el coñac fue paladeado.

—¿Cómo le va, mi primero? —dijo acercándose uno que entraba.

—¡Pereira! ¡Bah!, hombre, ¿cuándo llegaste? —contestó San Martín.

—Agorita, no más, en el tren pagaor.

—¿Estái de carrilano entonces?

—Y muy a gusto. Güenas tardes, niños; ¿no s'acuerdan de mí?

—Güenas tardes, Pereira —contestaron algunos, y otros, como Chano Almendras, se pusieron en pie, cambiando efusivos saludos con el recién llegado, un hombre joven, pequeño y musculoso, muy pagado de la ruda belleza de sus facciones, talladas en ámbar.

—Tome asiento.

—Sírvase no más.

—Gracias —el mozo apuró hasta las heces el vaso desbordante—. ¿Y qué novedades hay por aquí?

—Ni'unita, too sigue lo mesmo.

—La única novedá —dijo San Martín muy despacio y remachando la frase con un reir malicioso—, la novedá grande es que la Cata se casa...

—¿La Cata?... —las pupilas de Pereira se dilataron sorprendidas, para luego esconderse rápidas tras los párpados.

—La Cata, sí, la mesma...

—Harta suerte qui'hace —terció Diña—; el hombre es bien trabajaor y honrao. A guapo no se la gana naiden.

—Sí, ¿no? —dijo Pereira distraído.

—Están con toíta la suerte, yo jui antiayer a ver a la Cata pa que

) 382 (

me cortara una blusa. Juan Oses ya está tan alto y sale al trabajo, y como murió don Sánchez, el ovejero, en casándose les dan esa puebla y Juan Oses quea con el destino pa siempre.

—Sí, ¿no? —volvió a repetir maquinalmente Pereira.

—A la Cata lo que la tiene más contenta es que Juan Oses va pasar por el cevil a Aladino como hijo d'él. Doña Clara no, porque está loquita e contenta la veterana.

—¿Qué icís vos de too eso? —preguntó San Martín al recién llegado.

—Yo no igo na... ¿A mí qué m'importa? —contestó hosco—. Salú —agregó luego, bebiendo.

—A la salú e los novios y a la suya tamién, Pereira, que hacía tantazo tiempo que no lo veíamos por aquí.

Bebieron.

—¡Diña! —llamó San Martín.

—Mande.

—Vaya, mi palomita guacha. No sea tan arisca y alléguese p'acá...

—¡Déjese! ¡Déjese no más!...

—Sírvase un poquito e coñaque, aquí en mi mesmo vaso.

—Muchas gracias —y limpiándose la boca con el delantal agregó coqueteando—: Voy a saber toítos sus secretos.

—No tengo ni'unito.

—Quizá...

—Yo sé uno —interrumpió Chano Almendras, a quien el alcohol ponía más y más confianzudo—. Yo sé que a vos te gustaba la Cata y que le tenís pica a Juan Oses porque se la lleva...

—¿Estái loco, niño, o estái borracho? Al único que le podía sacar pica el casorio e la Cata es a Pereira, y ya vis vos lo sin cuidao que lo tiene.

—¿A mí? —vociferó Pereira, dando un fuerte puñetazo sobre la mesa—. ¿A mí?

—Sí, hombre, a vos mesmo.

—Yo no tengo na qui'hacer con la Cata.

—Jue de vos y cuando un hombre es hombre no se deja arrebatar así a su guaina.

—Poco m'importa la Cata...

—No vengái con disimulos. Harto agarrao te tuvo el otro año, y si no hubierai sío casao, te habríai casao con ella pa tenerla segura.

—Lo pasao es lo pasao...

—Lo qui'hay e cierto —dijo Chano—, es que vos le tenís mieo a Juan Oses y no te atrevís a ponértele...

—Cómo voy a esafiar a una persona que no conozco.

—Así será...

—Así es...

—¡Es que vos sos un cobarde no más!...

—¡Vos serís el cobarde! —contestó enfurecido Pereira, lanzando a la cabeza de Chano la botella vacía de coñac.

Chillaron las mujeres, calló la guitarra y en todos hubo un movimiento enloquecido de retroceso.

La botella no hizo blanco, yendo a estrellarse contra la pared. Con un gesto rápido San Martín cogió en vilo a Pereira, llevándolo hasta la puerta.

—No, pue, mi amigo, boches no —dijo, empujándolo hacia afuera.

—¡Así se trata a los cobardes! —gritó Chano, que en su borrachera creía haber librado gran refriega con el adversario.

Pereira quiso de nuevo entrar al bodegón, mas San Martín lo envió de una bofetada al medio de la acera polvorienta.

—Ya l'igo que boches no —y trancando la puerta dijo a los de adentro—: Esto no ha sío na... ¡Que siga la fiesta! Con vos voy a bailar esta cueca, m'hijita linda... ¡Hácele, Margara!

9

Pereira logró ponerse en pie y dolorido y trabajosamente llegó hasta la puerta cerrada, que golpeó con furia. La única idea que tenía en el cerebro era abrir aquella puerta: la golpeó, la arañó, le dio de empellones. Cambiando de súbito de idea, dio media vuelta y caminó hacia el despacho, donde estuvo tomando y tomando fuerte, al que aun agregaba trozos de ají. Cuando salió, al atardecer, apenas si se sostenía. Hacía ya rato que el tren pagador había partido, tras mucho pitear llamándolo.

Frente al bodegón de don Rafo la palabra "cobarde" le vino a la mente.

—Ti'han llamao cobarde..., ¡hip! A vos, Peiro Pereira, ti'han llamao cobarde. Cobarde, ¡ay!, sí —tararareó de pronto con el motivo de la cueca—. No, vos no sos na cobarde, porque si jueras cobarde serías..., ¡hip!, cobarde. Esculpe, iñor —había tropezado con un caballo atado al "varón" que protegía el negocio de don Rafo—. Esculpe, iñor; jue sin querer. ¡Hip! ¿Sois vos, bestia e miéchica, que t'atrevís a ponértelas conmí? —y de pronto enternecido, abrazándose al cuello del animal—: ¿Creís que soy cobarde yo, Peiro Pereira? Vos sos l'único que me querís. ¡Hip! ¿No es la pura que no me creís na cobarde? ¡Hip!, mi guachito di'oro que li'han llamao cobarde —se dirigía lloroso y patético tan pronto al caballo como a sí mismo—. ¿No te da pena cómo han insultao a tu hermanito? ¡Hip! Pobrecito vos que ti'han insultao. Vámonos, ¿quele? ¡Hip! ¡Hip! ¿Quele que nos vaigamos? Vámonos, no más, m'hijito querío...

Tras muchos esfuerzos y fuertes porrazos consiguió subir a caballo, que a buen paso tomó el camino de la querencia: era el caballo del mayordomo de la hacienda que "fiesteaba" con los demás en el bodegón. Por un milagro de equilibrio el mozo no se caía. Al empezar la subida de Rari-Ruca se inclinó sobre el cuello del animal, abrazándose fuertemente a él, y pronto se quedó amodorrado.

Despertó a media cuesta de Collihuanqui, en plena montaña, donde el caballo se había detenido ramoneando los brotes tiernos de las quilas.

Se desperezó el mozo reconociendo el sitio y un largo rato tardó en coordinar ideas que lo hicieran comprender por qué estaba allí, en la quebrada de Collihuanqui y no en su puesto del tren pagador que a esa hora debía haber llegado a Púa.

—Me agarró el coñaque; lo pior es la multa —murmuró entre bostezos.

Era prima noche y las estrellas al amparo de las sombras curioseaban mirando hacia la tierra: algunas asomaban un instante su pupila de plata y se perdían llamando a otras para luego aparecer juntas. Un vapor azuloso subía del fondo de la quebrada; en la vaguedad de ese azul había también estrellitas de plata, pero estrellitas errantes y gemelas: luciérnagas que encendían sus pupilas de luz celeste. Regañaba el río con las piedras, haciendo burla de su afán el viento con los árboles. Una lechuza lanzó en lo alto de un roble su ulular agorero y un escalofrío sacudió a Pedro Pereira, que se irguió amenazador.

—¿Tamién vos venís a reírte e mí, chucho del diaulo? Era lo que me faltaba. Y a vos, ¿quién te dio permiso pa pararte a comer, bestia e porquería? Vamos andando... Vamos galopiando, te igo yo... Güeno no más... ¿No querís? ¡Toma!... ¡Toma!... Galopiando, galopiando y galopiando... Cuanto antes que lleguemos es mejor. Andale, t'igo. Esa Cata me las va pagar bien recaras..., y el Juan Oses tamién..., y Chano Almendras..., y San Martín..., y vos tamién, bestia sinvergüenza. ¿Hasta cuándo te voy a icir que galopís? Me la van a pagar caro toos... Toítos...

Resistíase a galopar cuesta arriba el caballo, mas en cuanto aflojaba el paso los talones del hombre se hundían en sus flancos y el rebenque caía rápido y brutal sobre las orejas. A veces el bruto se encabritaba, no consiguiendo con sus botes desprender al jinete, que parecía atornillado a la silla.

Así llegaron frente a la rancha. De un brinco el hombre se bajó atando el caballo sudoroso a los tranqueros, y silenciosamente caminó hasta la cocina, por cuyas rendijas salían hilos de luz. Pegó la cara a la más luminosa y miró.

Sentados muy juntos, Cata y Juan charlaban cerca del fuego misericordioso del hogar. Doña Clara raspaba una olleta, en el fondo, entre penumbras. Hablaba Juan Oses y las pupilas de Cata se deslumbraban como ante un paisaje lleno de sol; algo más íntimo la hizo inclinar la cabeza; entonces Juan miró indagadoramente atrás, y viendo a doña Clara de espaldas continuar en su afanoso raspar, atrajo hacia él la cabeza de la mujer, hundiendo la cara en la maraña obscura de los cabellos.

Una violenta crispación agitó los nervios de Pedro Pereira. Pausadamente se quitó la chaqueta, se ajustó la faja, y tras de escupirse las manos y apretar los puños, haciendo jugar los músculos, abrió resuelto la puerta, entrando en la cocina. No sabía bien lo que lo hacía obrar, mas una fuerza superior lo empujaba.

—Güenas noches.

—¿Ah? Güenas noches —contestó doña Clara.

Cata se desprendió rápidamente del abrazo, y con voz que la emoción enronquecía más aún, preguntó:

—¿Qué andái haciendo aquí?

El intruso contestó con otra pregunta:

—¿Conqu'era cierto lo que m'ijeron?

—¿Qué t'ijeron?

—Que t'ibas a casar con ése —señalaba con los labios estirados a Juan.

—La pura no más t'ijeron, ñato —contestó doña Clara desde su rincón.

—Es que yo no soy consentior d'ese matrimonio.

—¡Bah!, era lo que nos faltaba. Tenerte que peír permiso a vos pa que la Cata se case... ¿Qué tenís vos que ver con ella?

—Eso lo sabe ella tan bien como yo... Ella ha sío mía y yo no quero que sea e naiden.

—Andate p'ajuera, mejor, borracho sinvergüenza. ¡Cochino! —exclamó la vieja, alzándose amenazadora con la olleta en alto.

—Tenga o no tenga usté razón, lo pasao pasao está. Y yo no consiento que venga aquí a molestar. Váyase y no güelva más por estos laos si no quere que lo echen de mala manera —hablaba Juan Oses sosegadamente tratando de convencer al borracho.

—No tenís pa qué hablarme a mí, roto cobarde... Cobarde... Vos sois el cobarde y no yo —parecía enloquecido por la palabra que lo quemaba—. ¡Cobarde!... ¡Vení a medirte conmí si t'atrevís... ¡Cobarde!...

Juan Oses se puso en pie.

—¡Válgame, mi Señorcito! —vociferó doña Clara—. ¡Mamita Virgen!

—No l'hagás caso, Juan —interrumpió Cata—; es una bestia inofensiva que no li'hace guapos más que a las mujeres.

—¡Vos te callái, perdía!... ¡Baboseá!...

—¡Por vos, que sois un canalla!... ¡Cobarde! ¡Pégale, Juan, que pague de una vez too lo que m'hizo penar!... ¡Echalo de una vez!... ¡Pégale duro!...

Con la cabeza baja, lo mismo que un toro que embiste, con la misma mentalidad y el mismo fin, se arrojó Pereira sobre Juan Oses. Pero éste lo esperaba: en guardia el brazo izquierdo, que rechazó el golpe; ligero el derecho que hizo rodar al agresor hasta la puerta. Ahí, con un puntapié, lo lanzó fuera.

—¡Mentiroso!... ¡Levantaor!... ¡Cochino!... —seguía vociferando doña Clara.

—Mamita, cállese por favor —rogó Cata, avergonzada.

—Está como cuba —dijo desde fuera Juan Oses, que se demoraba viendo cómo Pereira se ponía lentamente en pie—. Con esta leución creo que no quedrá más.

Con su habitual modo tranquilo, volvióse Juan para entrar. Mas el otro esperaba el momento y de un salto prodigioso cayó sobre las espaldas de Juan Oses esgrimiendo el corvo traidor que se hundió hasta el puño.

—¡Ay! —se desplomó Juan Oses fulminado.

—¿Juan? ¿Qué pasa? —preguntó desde dentro Cata.

Silencio. Luego el galopar de un caballo que se alejaba.

—¿Juan? ¿Juan? —la muchacha se adelantó inquieta—. Traiga el chonchón, mamita.

—Mi Diosito, ¿quí'ha pasao?

Un doble grito de horror al encontrar el cuerpo inerte.

—¡Ay! ¡Señor! ¡Señor!

—¡Juan, mi Juan! —sollozó Cata, abrazándose al cadáver.

—¡Ay, mamita Virgen, tres rosarios pa que no esté na muerto!...

—Me lo mataron... ¡Juan!... ¡Mi Juan!... ¡Oyeme, soy yo, tu Cata!...

—Pero si agorita no más estaba vivo...

—¡Juan!... ¡Ay, Señor!... ¿Qué fataliá tengo yo?

—¡Ay! ¡Socorro!... ¡Vengan, vengan, por Diosito!...

—¡Quero morir yo tamién!... ¡Mátame a mí tamién!... ¡Cobarde!...

En la desolación de la rancha desierta los gritos de ambas mujeres resonaban pavorosos. La vieja sollozaba convulsa. Cata aullaba su dolor abrazada al cadáver. Algo tibio, húmedo y pegajoso que empezaba a filtrar a través de la blusa la hizo alzarse completamente enloquecida.

—Sangre —murmuró, mirando la mancha que se destacaba sobre la blancura de la percala—. Sangre —volvió a repetir balbuciente, cayendo de bruces sobre el cadáver.

—¡Ay, Señorcito! ¡Qué fataliá tan grande! —gemía en un hipo doña Clara.

Cuando al atardecer del día siguiente dieron San Martín y sus hombres alcance a Pedro Pereira, que huía por Collihuanqui, camino de la cordillera, el fugitivo, al verlos y comprender que estaba perdido, aflojó las riendas del caballo murmurando entre dientes:

—¡Sería mi destino! —y esperó indiferente que lo apresaran.

BESTIA DAÑINA

1

—Diez... Veinte... Treinta... Aquí tiene su semana, maestro Flores.

—Diez... Veinte... Treinta... —contó pausadamente el viejo, estirando con fuerza los billetes que luego lió y guardó en una cartera de cuero negruzco—. Conforme, patrón, muchas gracias y hasta el lunes.

—Oiga, maestro, ¿no sería posible que mañana saliera a trabajar? Quisiera que me arreglara unos estantitos en el escritorio.

—Yo no trabajo en domingo.

—Lo sé, don Flores, pero un día es un día... Ya está, diga que sí.

—Yo trabajo toa la semana, es mi deber, es mi obligación, pero el domingo descanso. Pa eso hizo Dios el domingo; pa descansar.

—Convenido. Pero por esta vez no podría...

—Ya l'ije que no —atajó el viejo firmemente.

—Se tendrá en cuenta su buena voluntad —dijo molesto el joven.

Hablaban el patrón —o sea el administrador de la hacienda— y don Santos Flores, a través de la ventana del escritorio del primero que, protegida por una reja de hierro, abría sobre el corredor.

Llegaba la noche con un silencio hondo, con una paz de vida que se aquieta, buscando en el reposo pujanza para la brega del siguiente día. Diversos rumores, al turbarlo, hacían luego más profundo ese silencio: un último aletear de pájaros en busca del nido; el paso de un gañán que horqueta al hombro caminaba hacia su puebla; el trote brioso de un caballo relinchando por la piara; el grito de una mujer que decía: "Vení, condenao", con estridencias broncíneas en la voz; el ulular de una lechuza anunciadora de la noche.

Con todas las gamas del azul desvanecíase el paisaje en una especie de niebla: azul verdoso los prados; azul sombra los montes; azul negro las cordilleras; azul ópalo el cielo; azul plata las estrellas.

—¿Mi güena voluntá pa servir a l'hacienda desde que nací? Bien puee tomarse en cuenta... Sesenta años tengo y ni un día e trabajo hei faltao a mi obligación. Usté lo sabe y los patrones lo saben mejor que usté —hablaba don Santos sin reproche, pero con una voz íntegra que no admitía discusión.

—Bueno, bueno —contestó el joven conciliadoramente—, allá usted con sus razones. Hasta el lunes.

—Hasta el lunes, patrón.

Era interesante el viejo carpintero, recia figura hecha en músculos que los años iban enjutando. Sólo eso y blanquear los cabellos había conseguido el tiempo, porque el cuerpo se alzaba de un firme trazo único. A hachazos parecía haber sido hecha la fisonomía resuelta, de empecinado: cuadrada la barbilla, filudas como aristas las quijadas, delgados los labios descoloridos, recta la nariz, horizontales casi las cejas, rectangular la frente amplia, cerrados de expresión los grandes ojos de iris gris acero que iban derechos en busca de la mirada del interlocutor. La voz acordaba con el resto: fría, sin modulaciones, lenta, iba buscando con tino las palabras que mejor tradujeran su pensamiento.

"Es como un peñasco —pensó el administrador al verlo fundirse al azul de la noche en el fondo de la alameda—. ¡Y que vaya a casarse!"

2

Venido de varias generaciones que nacieran y murieran en la hacienda, Santos Flores —como todos los hombres de su familia— fue carpintero.

Muy niño aún, ayudaba a su padre en cuanto sus fuerzas le permitían. Las horas de solaz que para los otros chiquillos eran correrías locas a través de los potreros en busca de nidos y frutas, para Santos eran paciente trabajo de carpintería que daba por resultado una cajita, una repisa, un banco. A los diez años entró a formar parte del personal de la hacienda como ayudante de carpintero, bajo las órdenes de su padre.

Desde entonces no se le conoció otro goce que el trabajo, ni otra distracción que salir los domingos a dar una vuelta a caballo por los caminos comunales, ni otro afecto que el cariño a sus progenitores.

En la austeridad de una vida hecha de deber cumplido pasaron lentos y monótonos los años. Murió el viejo maestro carpintero y Santos Flores lo reemplazó en el puesto.

Entre los montañeses aislados de la ciudad por enormes distancias, se conserva íntegra la tradición casi feudal del vivir de nuestros abuelos. El patrón es el señor omnipotente del cual se soporta todo sumisamente, aunque en lo hondo se lo reconozca injusto. Ese sentimiento es mudo. La primacía del señor sobre el inquilinaje la ejerce en la puebla el padre, el marido o el hermano mayor sobre el resto de la familia. Así como el patrón lega al morir cuanto posee a sus descendientes, el montañés deja a los suyos el oficio que tuviera, con algo que más aún semeja su idiosincrasia a la del señor de otros tiempos: es el hijo mayor quien lo sucede.

Santos Flores reemplazó a su padre en la carpintería y en el hogar.

Tenía un carácter de hierro. Los principios morales y religiosos que la madre le inculcara se modelaron en ese metal, y nunca, nada ni nadie, pudo borrarlos. Mientras vivió el padre fue un obediente a su mandar, luego tomó la dirección de la familia, reducida solamente a la mama Rosario, y bien supo ésta que era el hijo tan despótico como fuera el marido.

—¿Por qué no te casai? —pregunta a veces, tímidamente, mama Rosario.

—Porque aún hay tiempo pa tener un hijo.

—La Juana del molino me gusta hartazo. Es limpia y comedida y de cara no es naíta e pior. Es l'única que me gustaría pa nuera.

—Entoavía no pienso en casarme.

Recién cumplía Santos Flores cuarenta años cuando la mama Rosario, de una gripe, fuese al otro mundo en busca de "su finao", que según ella la esperaba en la puerta del cielo.

Este golpe rompió el equilibrio de sus hábitos. Por volver a ellos, inmediatamente, Santos Flores resolvió casarse.

Eligió a Juana —la que tanto le gustaba a su madre—, una mujercita bondadosa que sólo se ocupaba en bruñir el hogar modesto, plegándose humilde a cuanto Santos decía. Siempre taciturno, jamás contrariado, adivinado en sus menores deseos, el hombre fue bueno con ella y la hizo feliz a su modo.

Lo que no podía perdonarle, y en sus raras y frías cóleras le reprochaba como falta propia, era que en vez de un Santos Segundo Flores que siguiera la tradición de maestros Flores en la hacienda, le hubiera dado, con dos años de diferencia de una a otra, tres hijas que se llamaban María Juana, María Mercedes y María del Tránsito.

Cuatro años después, al dar a luz un hijo varón que nació muerto, Juana murió, sumiendo a Santos en un dolor silencioso, tanto más hondo y persistente cuanto menos se deshacía en palabras y gestos.

Junto al dolor —superándolo a ratos— estaba el sentimiento de humillación que el no tener un hijo le producía. En esos momentos pensaba en casarse nuevamente. Pero la recta visión de sus deberes paternales lo hacía desistir de ese propósito, por no darles madrastra a las niñas. Cuando estuvieran mayores... Sí, entonces, ¿por qué no casarse y lograr el ansia del hijo?

La madre de Juana quiso reclamar el cuidado de las nietas. Santos Flores cortó todo proyecto de la molinera con esta frase sin vuelta:

—Mis hijas son mías y naiden más que yo las criará.

María Juana —que tenía a la sazón diez años— tomó el trabajo de la casa. Don Santos y ella se levantaban al amanecer, aseaban la puebla, ordeñaban la vaca, preparaban el desayuno. Cuando el padre se iba, María

Juana vestía a las pequeñas y toda la mañana se le pasaba cuidándolas juiciosamente, al par que vigilaba la olla con los porotos y tenía lista la leche para el ulpo.

A mediodía llegaba don Santos. Almorzaba de prisa y al pitar la sirena volvía el hombre a su trabajo. A eso de las cinco la mujer del campero Silva venía a lavar, a tostar, a moler trigo, a hacer, en fin, todos los trabajos que María Juana no podía realizar.

Y la niña se esmeraba en su papel de madrecita que a sus propios ojos le daba importancia y —alma de servidumbre— vivía pendiente de los deseos de los demás, tratando de imitar en todo "el modo de los grandes", seria y razonable por naturaleza, obsesionada como su padre por el cumplimiento del deber.

María Mercedes —Meche familiarmente— era en lo físico idéntica a don Santos, pero en cuanto a carácter, el polo opuesto. Risueña, parlanchina, impulsiva, caprichosa, vivía en perpetuo movimiento que impacientaba al padre. Y cuanto más crecía la niña, más rudos eran los choques de ambos caracteres. El padre exigía sumisión y obediencia pasiva; la hija quería libertad y obedecer sólo a su idea. A veces la discusión subía de tono, y el padre —exasperado— le pegaba. Pero ni razones ni golpes conseguían hacerla obedecer.

—Sos pior que macho —decía don Santos.

—Pior que yo es usté. ¿Por qué no m'eja ir a jugar con los chiquillos e don Silva?

—Ya t'ije que no.

—Es que yo l'igo que voy no más...

—Vos m'andái buscando las manos.

—Si quere pegarme aquí me tiene —y se lo quedaba mirando, desafiadora, con sus ojos de acero tan semejantes a los del padre, que unos parecían reflejo de los otros.

Eran luchas que sumían a María Juana en un mar de estupores. Para ella, llevarle la contraria a don Santos era algo horrendo y, aunque le dolieran como recibidos en carne propia los golpes dados a Meche, encontraba muy naturales aquellas palizas.

María del Tránsito —la Tatito— era un pobre ser de timidez que vivía en perpetuo sobresalto de desagradar, un ser de recogimiento que únicamente se encontraba tranquila al estar sola, y que en presencia de don Santos transpiraba de angustia, no sabiendo qué hacer de su persona para disimularse. Las riñas de su padre con Meche la aterrorizaban hasta el punto de demayarse cuando llegaban a hechos.

Ya más grandes, empezaron a asistir a la escuela: juiciosa y aprovechada María Juana; díscola, pero admirable de comprensión cuando se interesaba por el tema, Meche; opaca en su medianía Tatito, que sólo cobraba vida e inteligencia en la clase de religión.

Al correr el tiempo se acentuaron en ellas sus diferentes personalidades, y al cumplir dieciocho años, María Juana era una agradable muchacha, atrayente por la bondad que emanaba de ella, óptima dueña de casa, hábil tejedora de lamas y choapinos, seria, humilde y, como su padre, rígida en sus principios y aferrada al deber.

Meche seguía siendo la desesperación de todos, pues a sus características de niña agregaba ahora una coquetería endiablada que traía locos a los mozos de la hacienda. Mas tenían que contentarse con mirarla de lejos al pasar frente a la casita: conociéndola a fondo y temiendo una aventura que le costara la honra, tanto don Santos como María Juana la vigilaban estrechamente.

—El que venga a las derechas que hable conmigo —decía don Santos.

La pequeña vivía en éxtasis desde que hiciera la primera comunión en Curacautín. La religión fue un sedante para su angustia. Suave y opacamente, desprendida de toda pasión humana, se le iban los días rezando, arreglando altares, mirando estampas.

La pubertad le trajo innumerables trastornos físicos. La anemia roía su pobre cuerpecillo endeble, desmayos y vértigos la asediaban periódicamente y a tanto llegó su flacura que don Santos se asustó y, acompañado por la abuela molinera, fue con la niña a Victoria a consultar médico.

Siguiendo un régimen alimenticio muy nutritivo alternado con remedios, sin hacer otra cosa que hilar, pasaba Tatito días enteros sentada en un sillón, tirando de la hebra mecánicamente, muy delgada, muy blanca, señoril en su pose arcaica, toda ojos visionarios la cara comida por la enfermedad, extraña en aquel medio de rostros rudos, de figuras recias, de almas roqueñas.

Una mañana don Santos las llamó a su pieza luego de desayunar, y pausadamente, con voz resuelta y expresión cerrada, dijo:

—Ustedes ya están grandes y una madrastra no las irá hacer sufrir. Yo quiero casarme y ya tengo palabreá a la Chabela Rojas. Ya está too arreglao. A mediados del otro mes será el casorio.

Las muchachas lo oían estupefactas y un mismo impulso las hizo protestar.

—Pero... —alcanzó a decir Tatito, abriendo enormes los ojos.

—¿Se quere casar? ¿Usté se quere casar? —dijo María Juana.

—¡Ja! ¡Ja! —rió Meche, insultante—. Se quere casar con la Chabela... El veterano templándose y mientras las hijas encerrás a candao pa que naiden las vea. ¡Ja! ¡Ja!

—Cállate —ordenó el viejo.

—No quero. ¿Por qué voy a callarme? Si es pa morirse e la risa. ¡La Chabela es de la mesma edá que la María Juana!

) 393 (

—Ya t'ije que te callaras.

—Y yo l'ije que no quería callarme na... La Chabela Rojas e madrastra e nosotras. ¡Qu'irrisión más grande!

—Ustedes serán las honrás. Ella es muy señorita y muy güena y too se lo merece.

—¿La Chabela se lo merece too? ¿Usté está malo e la cabeza? Bien pue ser que le haigan hecho tomar alguna cosa... La Chabela Rojas muy señorita... Predúnteselo al patroncito..., él le pegaría el señorío...

—Eso sí que no te lo aguanto. Cállate o te costará caro.

—No me callo..., aunque me pegue... Predúnteselo tamién a don Fanor, el sobrino del señor Rodríguez. Predúnteselo... ¡Ay!... ¡Ayayaycito!

—¿No te querís callar? ¿No te querís callar?

—Predúnteselo a los dos. ¡Ay! ¡Ay! ¡Ayayay!

—Toma... Toma... Mala bestia...

—Taitita lindo... ¡Por Diosito! —gemía, implorando, María Juana.

—Mi Señor, la va a matar... ¡Ay! Creo en Dios Padre... —musitaba Tatito, alba como un lienzo y a punto de desmayarse.

—Mala bestia la Chabela, qu'es una perdía —un bofetón más fuerte alcanzó a Meche en la boca y dando un traspié cayó de lado, sangrando abundantemente por la nariz.

—Me vis acriminar —dijo el viejo, pesaroso.

María Juana acudía a la otra, a Tatito, que había caído desmayada sobre la cama.

—Vos tenís la culpa —prosiguió don Santos, dirigiéndose a Meche, que en el suelo, arrodillada, sollozaba convulsa—, me volvís loco con tus porfías. Con ésta creo que no quedrás más leución. El casorio es pa mediados del otro mes. No hay güelta. Y no pongan malas caras y prepárense p'arreglar la casa. Hay mucho qui'acomodar pa recebir a la nueva señora. Ya lo saben.

Cuando el viejo salía, Meche se irguió y dijo frenética:

—Si usté se casa con la Chabela me voy puerta afuera. ¡Por ésta se lo juro! Ya lo sabe.

No contestó don Santos. Bien sabía que la última palabra era siempre de la rebelde. Pero mala hasta el punto de inventar una calumnia no la imaginaba. ¿De dónde sacaría las feas historias que achacaba a Chabela? Le amargó el día el saetazo de la frase: "Predúnteselo al patroncito. Predúnteselo..." Tanto le hería, tanto lo hacía sufrir, que en la tarde, al ir a ver a Chabela al despacho donde vivía con sus padres, le contó el incidente, taladrándola con sus ojos de acero.

La muchacha lo oyó tranquila, sonrió mimosa y dijo:

—Puras envidias. Cosas piores ha d'inventar la Meche pa que no se case conmigo.

Y el viejo volvió a la confianza por obra de los ojos que tan serenos y verídicos parecían. Además su amor —un amor que llegara callado, tomándolo íntegro y sin vuelta— no pedía sino que le adormecieran recelos.

Meche trató en otra ocasión —cuando tuvieron que dejar a la novia el dormitorio que ellas ocupaban, la pieza más espaciosa de la casita— de volver a su protesta de macho taimado que se niega a dar vueltas a la noria, por el solo placer doloroso de recibir una paliza que lo haga más consciente de su esclavitud.

Fue su último grito de rebelión. Desde entonces hasta el día del matrimonio cosió, hiló, tejió, ayudó en todo a la par que las otras, en los preparativos que se hacían rumbosamente.

Don Santos parecía haberlas olvidado. Absorto en sus pensamientos, sólo salía de su mutismo para dar breves órdenes. Además, lo veían poco. Almorzaba y comía en el despacho. Llegaba a acostarse. Se levantaba al alba, desayunaba servido por María Juana, revisaba la labor hecha por las muchachas el día anterior, hacía algunas indicaciones y se iba, tras de mirarlas muy fijo con sus ojos agudos como puñales.

3

Y llegó el día del matrimonio. En alegre caravana media hacienda se dirigió a Curacautín para asistir a la ceremonia.

Trotaban los caballos levantando nubes de polvo que el sol de estío doraba, envolviendo en un nimbo la montaña resonante. Flameaban las mantas colorinas, los estoperoles de las monturas brillaban con destellos de plata, las prevenciones policromas se henchían con las vituallas apetitosas, tintineaban las enormes rodajas de las espuelas, restallaban bajo la cruda luz matinal las percalas rojas, verdes, amarillas, azules, de los trajes de las mujeres. Las chupallas de ancha ala sombreaban los rostros tostados por el sol, rostros de greda clara en que los ojos brillaban maliciosos y reían las bocas mostrando la deslumbrante blancura de los dientes. Frases picantes iban de uno a otro grupo, como saetas que trataran de hacer saltar al novio.

En ancas de los caballos, las mujeres se arrebolaban con la intención de las frases más picantes que el ají; algunas bajaban los ojos, creyéndose en el deber de fingir pudor, mas, de pronto, a otra frase, los abrían en la dilatación de un placer sensual que encendía su sangre.

Y las miradas de todos convergían en la figura hosca de don Santos Flores que, jinete en su caballo blanco, caminaba pensativo y silencioso

) 395 (

—como siempre—, sin conceder una mirada a la novia que cabalgando una yegua mampata iba junto a él.

Ni bonita ni fea, la novia. Pero extremadamente seductora con su frescura de manzana, apetitosa y prieta, sin más belleza que los ojos negros, enormes y sombreados por tupidas pestañas crespas. Ojos de malicia que sabían mucho, que dejaban adivinar lo que sabían y que a su antojo cambiaban de expresión tornándose cándidos.

A veces los ojos, alzándose, se posaban en don Santos y la malicia reía en las pupilas como diablillo maligno. A veces, luego de mirarlo, la boca se fruncía en un mohín despectivo que después —al tocar sus manos el género de su rico traje— se tornaba en sonrisa complaciente y la sonrisa se hacía risa sonora al sentir cómo, sobre su cabeza, movía el viento la pluma del sombrero de lustrosa paja que la protegía del sol.

Traje y sombrero eran regalo del novio, comprados por ambos en Victoria en la mejor tienda del pueblo. Y la cadena y el reloj y el anillo con piedras verdes y las caravanas: todo era regalo de don Santos. Bien valía aquello el sacrificio de entregar su juventud a un viejo... y ya habría tiempo en lo porvenir para resarcirse de aquella venta...

María Juana llevaba en ancas de su caballo a Tatito y en ambas la pena se cuajaba en silenciosas lágrimas. Un sentimiento de postergación se unía a la pena de la mayor, al pensar que las riendas de la casa tendrían que ser por ella entregadas a Chabela. Y una ira sorda que pugnaba por salir al exterior le henchía el alma, haciéndola abominar de la intrusa.

La pequeña se afligía con la aflicción de las otras; ya que luego de mucho pensarlo acabó por convenir en que su padre era muy dueño de casarse, que ella le debía respeto a padre y madre, que tal vez esa pena sería la cruz que Dios le mandaba para purgar sus faltas. Pero sensible como era, no podía ver llorar a sus hermanas sin sentir que las lágrimas corrían por sus mejillas enflaquecidas.

Meche iba en ancas del caballo de Víctor Alfaro, un mocito hijo del mayordomo que no aparecía por la hacienda sino cuando había fiesta: bautizo, boda o entierro en que comer, beber, bailar, emborracharse, reñir y enamorar sin consecuencias.

Trabajaba a jornal en "La Bayona", acarreando tablas a la estación en una carreta chancha que le había dado su padre, por ver si así se veía libre de él; carreta y bueyes que cuidaba amorosamente, con un celo increíble en un remoledor de su especie.

—A mí me contaron una vez el cuento de la gallina que ponía los huevos di'oro —solía decir riendo— y la gallina mía son los güeyes y la carreta. A l'hora que los pierda no tengo con que pagar la fiesta. Yo trabajo toa la semana pa remoler el domingo...; lo pior es qui'a veces el domingo se m'alarga pal lunes y la semana me resulta e cinco días...

Vestida de percala roja, terciado el manto, caída sobre los ojos la chupalla que un manojo de amapolas adornaba, excitada y excitante, coqueta y locuaz, Meche charlaba con Víctor. A cada mal paso —abundantes en el camino de montaña— la muchacha se asía vivamente a la cintura de Víctor, o, con muchos melindres, arrollaba la falda a las piernas, so pretexto de que el viento la levantaba, cuando lo que ella misma hacía era ponerlas en descubierto y mostrárselas a Víctor, muy encandilado con todo ese tejemaneje.

Sucedió de pronto que un palo seco se enredó a la falda de Meche, que la tela se rasgó, que la muchacha dio un grito y que Víctor detuvo en seco su cabalgadura. Y los demás siguieron adelante, dejándolos en mitad del camino: en tierra Víctor, que desenredaba cuidadosamente el género; en el caballo Meche, que, inclinada, echaba el aliento por la cara del mozo.

Callaron hasta que el último de la pandilla se ocultó en un recodo del camino.

—Muy bien qu'hizo en romperse —dijo entonces Meche con un gestito de picardía—. Así alguna vez hablaremos sin testigos. Aguaite, ya no se ve a naiden.

—Solitos los dos... —canturreó el mozo, y después, con una caricia que no se atrevía a más, pasó un dedo por el cuero rojo del zapatón que calzaba Meche—. ¡Güen dar con el zapato tan bien rebonitazo!

—¿Na más que el zapato le gusta?

—Vos, pue, que me gustái más que toos los zapatos del mundo.

—¡Mentiroso no más!

—Cierto. La purita le estoy diciendo... Siempre m'habís gustao hartazo, pero le tengo mucho respeto a don Santos. Pa él no hay más qui'un camino: este que va pa l'iglesia y pal cevil..., y a mí más que los caminos me gustan los atajos...

—¿Y cómo sabís vos si a mí tamién me gustan los atajos?

—Meche —y animado por la sonrisa de ella las manos subieron, aprisionando el talle—. Mechunguita preciosa...

—¿Por qué no me lo predunta? —insistió.

—¿De veras que vos querís ser mía, así no más, librecitos dambos? ¿De veras, mi palomita guacha? ¿De veras? Diga que sí y hace feliz a este pobre roto que la quere a morir —la atraía hacia él, bajándola del caballo.

—¡Sí! ¡Sí! —y apasionadamente, con fulgor de acero que relumbraba al sol en los ojos, con fiebre de odio en las mejillas, con temblor de resolución desesperada en la boca, semejante a su padre en la firmeza de la idea, dándose sin retorno a la vida que la esperaba en los brazos del mozo, siguió diciendo las palabras que el otro creía nacidas del amor y que sólo había engendrado el odio—: Sí quero. Llévame con vos p'onde querás, pero llévame. Yo na te pío, na, sino que me llevís lejos....., onde no oiga mentar a mi taita, ni a la Chabela tampoco. Los odio a los dos, malo es que lo'iga, pior que malo, es pecao, pero a mi taita no pueo quererlo... Siempre ha sío como pieira con nosotras..., no nos ejaba ni mirar p'ajuera..., encerrás en la casa trabajando siempre como bestias..., pegándome sin compasión..., y él mientras templándose e la Chabela... ¡Ja! ¡Ja! —y con brusca transición—: No quero reírme. No quero. No quero. ¡Ja! ¡Ja!

Y ya sin freno los nervios, se abandonó al abrazo del mozo, que —apaciguado a su vez por las lágrimas en que terminaran las carcajadas de Meche— sentía volverse ternura toda su fiebre de deseo.

—Mi florecita... Mi tenquita mañanera... Mi linda, ya está, no llore más, aquí tiene a su Víctor p'hacerla bien feliz... Ya está, pue, no llore...

—No quero golver más al infierno e mi casa —seguía diciendo—. Llévame bien lejos.

—Mi guachita quería, nos vamos p'onde vos querái. Si yo hubiera adivinao antes este cariño que me tenís, ya estaríamos viejos e vivir juntos. Nos vamos no más, ando bien platuado, nos vamos p'onde vos querái: pa Victoria, pa Temuco. Vos dirís qui'hacimos.

—P'onde sea más lejos...

—Aguárdate. En acabando el casorio nos vamos con toos los otros a celebrar la fiesta onde on Conejeros, y cuando se vaiga almorzar y esté la fiesta qui'arda, nos vamos, vos primero y yo más atrás, pa l'estación, tomamos el tren pa Rari-Ruca, allá nos bajamos y vos agarrás el camino pa Púa. Yo voy a buscar la carreta y los güeyes qu'están en la posá, recojo mis chatres onde on Rafo y en un volando ti'alcanzo. La carreta y los güeyes hay que pasarlos a buscar, mi linda, porque son el pan pa comer... Esta noche podimos alojar en Púa y mañana las echamos pa Temuco o p'onde querái. ¿Hace?

—Sí, pa Púa, pa Temuco; cuanto más lejos mejor.

—A ver, mi tenquita... Hágame una tenquita; así: ¡Tas! ¡Tas! ¡Tas! —metiendo la cara bajo la chupalla, Víctor chasqueaba la lengua en un juego que quería ser pueril.

—¡Tas! ¡Tas! ¡Tas! —contestó ella mimosa, vuelta nuevamente a su modo de ser.

—¡Tas! ¡Tas! ¡Tas! —insistía él.

—¡Tas! ¡Tas! ¡Tas! —y huyendo la cara al beso—. Miren el atrevido... Eso quea pa después. Ya está, vamos, mire que si sospechan algo nos sale mal el negocio.

Subieron a caballo. La muchacha se apretó a la espalda del mozo y siguió aturdiéndolo con su palabra regalona a ratos, mordaz a otros, adormecedora como un anestésico que fuera poco a poco matando sus escrúpulos, no de conciencia por la mala acción que el rapto significaba, sino de miedo por las represalias que don Santos podía tomar después. Por la justicia poco podía hacer, porque tanto Meche como él eran menores de edad. ¡Pero era tan resuelto el viejo!

Ya unidos al grupo, Meche calló y en el hervidero de sentimientos encontrados que bullía en ella, uno solo fue agigantándose, tomándola por entero: era la libertad conseguida, aunque fuera envileciéndose. Todas las vacilaciones que antes tuviera y que fueran muchas y poderosas —sus hermanas, su hogar, su honra—, todo desaparecía ante la liberación al yugo paterno.

Había tenido siempre la idea de escaparse, de irse a la ciudad a servir, pero la retenía el miedo a lo desconocido y, además, ¿con qué dinero huía cuando su padre, si bien cuidaba que nada les faltase, jamás les daba un centavo?

Llegado con otros muchos de Rari-Ruca la noche antes para asistir a la boda, cortejándola siempre, medio en serio, medio en broma, Víctor le pareció el salvador, y astutamente fue planeando la fuga.

Y el Destino la ayudó, al hacer que el propio don Santos le pidiera a Víctor que la llevara en ancas de su caballo.

"Que sufra —pensaba, apretándose contra Víctor, sin olvidar un punto su papel de seductora—. Que sufra mi taita como habimos sufrío nosotras con él... Que se retuerza las manos y se las muerda pa no gritar... Que tenga vergüenza como la tengo yo al ver qu'el puesto e mi mamita lo va' ocupar una coltra como la Chabela... Que sufra... Que no puea dormir esta noche pensando que yo estoy lejos con un hombre... Que se desespere, alguna vez que sea..."

4

La cocinería de don Conejeros era lo mejorcito como cocinería en Curacautín. Frontera a la estación, pintada de un verde rabioso que saltaba a la cara y parecía arañar los ojos, tenía en lo alto un letrero que rezaba con letras muy floreadas: *"El Trompesón"*, y más abajo, en letras pequeñas: *"Armuerso y Comida Con"*, y como el resto no cupiera, el pintor había terminado abajo: *"Ejeros propietario"*.

Dentro había una gran sala con dos puertas y dos ventanas a la calle y otras dos puertas diminutas en el fondo, una detrás del mostrador que ocupaba un ángulo, y otra que enfrentaba las mesas de los parroquianos y que daba a una habitación reducida, comedor en casos excepcionales y de común salón de la señora Carmela Rojas de Conejeros, tía de la novia y esposa de *Conejeros propietario*.

A media tarde estaba la fiesta en todo su auge. Las puertas que daban a la calle habían sido clausuradas y en redor de la gran sala —adornada con guirnaldas de follaje y banderas de papel— una hilera de bancos se adosaba a la pared. Las mesas habían sido amontonadas en un rincón luego de almorzar y todo el centro despejado lo ocupaban las parejas que bailaban cueca, llegando en su entusiasmo por taconear a sacar astillas de los tablones en bruto que solaban la habitación.

En un testero campeaba la Chanfaina por los kilos, la lozanía y rasguear la guitarra con que se acompañaba al cantar, Era famosa la Chanfaina en los contornos por su voz, su destreza en tocar la vihuela, su apetito, su fuerza que derribaba a un hombre de un manotazo y su capacidad de odre para beber.

Se ganaba cumplidamente la vida cantando en bautizos, bodas y velorios, acompañada siempre por el lindo Pérez, un guaina "que vivía con ella así no más", haragán, sinvergüenza y borrachín, muy pagado de sí mismo y encantado de la mujer que le costeaba vida y diversión. Pero tenía sus defectos la Chanfaina... Celosa y pendenciera, se pasaba en continuas reyertas con las demás mujeres, creyendo siempre que querían arrebatarle a su buen mozo. Como era alta y musculosa, salía generalmente vencedora de aquellas riñas, si bien algunas veces iban todos a parar al retén de los carabineros. Acabaron por tenerle miedo y dejarla vivir a su antojo, desgañitándose para atender a las necesidades del mozo, refocilado en su ociosidad como un cerdo en la charca.

Si en aquella pieza todo era alegría que desbordaba en canto, en baile y en frase, muy distinta era la actitud de los invitados que charlaban en el salón.

El gran sofá —cubierto en el respaldo con paños tejidos a crochet— estaba ocupado por la novia, que asumía una actitud modesta y pudorosa; por don Santos Flores, siempre callado, y por la señora Carmela, muy tiesa, muy solemne y muy oprimida por un demonio de corsé que le martirizaba las carnes fofas, sin lograr reducirlas de volumen.

En sus años juveniles la señora Carmela había sido sirvienta en la ciudad y de ese contacto con la civilización trajo al volver a su pueblo una serie de refinamientos que admiraban a sus familiares. Usaba guantes, corsé, sombrero y velo; hablaba poco, bajo y mesurado; trataba a los de su clase con un desprecio olímpico y a los de categoría más alta con una irritante familiaridad; tenía sirvientas y se bañaba en agua tibia todos los sábados... En todo momento era la señora Carmela Rojas de Conejeros. Propietario, según sus propias palabras al presentarse.

El resto del amoblado —cuyo tapiz era tan agresivo como el color que pintaba exteriormente la casa— estaba ocupado por los padres de la novia, dos seres poco simpáticos en sus tipos de montañeses; por María Juana y Tatito, por el mayordomo de la hacienda y su mujer y por otras gentes, invitados de importancia que la señora Carmela admitía en su salón.

Don Conejeros se desvivía haciendo los honores de la casa con una esplendidez que, ciertamente, él no pagaba. Pasaba ofreciendo ponche, galletas, frutas, refrescos. Y no sólo hacía los honores del salón, sirviendo de preferencia a la señora Carmela, sino que dirigía a las mujeres que hacían circular las golosinas en la sala grande, perdiendo entre aquella alegre gente joven la solemnidad que su señora esposa le inculcara.

—Sírvase otro rosco, Chabelita —decía solícito a la novia.

—Muchas gracias —contestaba ella.

—Sírvase no más.

—Aceptaré pa no despreciarlo.

—Y usté, don Santos, ¿quere dulce o un traguito e ponche?

—¡Qué más dulce que la Chabelita! —dijo en son de broma Zenón Alfaro, el mayordomo.

—¡Ja! ¡Ja! ¡Ja! —rió su mujer, una campesina sencilla y buena, que estaba como los demás muy intimidada con los aires señoriles de la dueña de casa.

—¿Usté no quere servirse na, señora Carmela? —a tanto llegaba su sentimiento de inferioridad: trataba de señora a su mujer.

—Quisiera un pedacito de torta de almendra de turrón, de la que se encargó a Victoria. Tráigamela en un platillo con servilleta, tenedor y cuchillo; ya sabe lo mirada que soy para comer —hablaba lentamente, con una pronunciación forzada que alargaba las sílabas.

—Ya será güeno que vaigamos pensando en d'irnos —dijo con sosiego don Santos—. En lo que demoren las mujeres en acomodarse serán las cinco y tenimos tres horas e camino pa llegar a l'hacienda.

—¿Usté tendrá hartazas ganas e que llegue la noche? —apuntó Zenón Alfaro, sonriendo maliciosamente.

—¡Ja! ¡Ja! —rió su mujer, que se tapó la boca, asustada por la mirada furibunda de la señora Carmela.

—Aquí tiene, mi señora —volvía don Conejeros trayendo el plato con la torta, la servilleta y el cubierto encima, puesto en cruz.

La señora Carmela extendió la servilleta sobre la comba de su pecho, colocó el plato en las rodillas y empezó a trinchar con mucha pulcritud el bizcochuelo que se deshacía. Los meñiques se levantaban rectos mostrando las sortijas falsas y un gran reloj de pulsera relumbraba en la muñeca. Al meter el tenedor en la boca los labios se abrían con tino y un diente postizo amarilleaba entre los otros.

La mujer del mayordomo la miraba atónita y venciendo su timidez no pudo menos que decirle:

—¡Tan bonito su diente!

Y la otra se dignó contestar con una fuerza de catapulta en las sílabas:

—Es de oro puro...

Don Santos se puso en pie.

—Ya está, Chabelita, vámonos.

Y como los demás protestaran queriendo prolongar la fiesta, agregó el viejo:

—Los que sean gustaores puen quearse. Don Conejeros sabe cómo los debe tratar... Pero nosotros nos vamos. Ya está, Chabelita, despídase.

Abrazos, felicitaciones, risas, voces, algazara que aumentó al beberse un vaso de ponche a la salud de los novios; más risas y mayor algazara al concluir de cantar la Chanfaina una copla peor que pimienta y ya en la puerta un: "Vivan los novios" ensordecedor. Y aún más abrazos y felicitaciones, hasta que en el momento de montar las mujeres, María Juana preguntó asustada:

—¿Y ónde está la Meche?

—Meche... Meche —gritaron varias voces.

—Yo hace hartazo rato que no la veo —dijo Chano Almendras.

—¿Estará en el güerto? —preguntó alguien.

—No, yo vengo di'allá y no la vide.

—En alguna parte habrá di'estar. Meche... Meche...

—No se cansen llamándola —terció la Chanfaina—; hace mucho rato que la vide salir pa la calle.

—¿Pa la calle? —había extrañeza en la pregunta que hicieron varios.

—Sí, agarró pa l'estación —y con mal fulgor en los ojos, agregó la mujer—: Víctor Alfaro salió pisándole los talones.

—¡Ah!

—¡Ya! ¡Ya!

—Naíta e lesos...

—¡Ja! ¡Ja!

—Miren la mosca muerta...

—¿Con m'hijo?

—¡Ay, Señor mi Dios!

—¿Por qué no mi'avisaste? —interpeló rudamente don Santos, cogiendo por una mano a la Chanfaina.

—Suelte —gritó la mujer, y como don Santos no la soltara, de un brusco sacudón que hizo vacilar al viejo se desprendió—. Tenga cuidado —dijo rabiosa—, ya sabe que tengo las manos pesás.

—Sinvergüenza —rugió don Santos—. ¿Por qué no mi'avisaste?

—Porque a mí no m'importaba.

—¡Señor! ¡Señor! —decía Tatito abrazada, llorando, a María Juana.

—Ya está, m'hijita... Ya está, m'hijita... —y la mayor no atinaba con otra frase en su desconcierto.

—Este hijo mi'acabará con la vía —murmuró apenado Zenón, el mayordomo—. ¿Con qué cara lo voy a mirar agora, don Santos?

—Usté e na tiene la culpa.

—Hay que buscarlos —gimió la madre de Víctor.

—Claro, en algún sitio tienen qu'estar.

—Podimos ir a l'estación y al retén tamién, a preduntar si los han visto
—propuso Chano Almendras.

—Vamos los dos —contestó Zenón Alfaro.

Los demás volvieron a la sala preocupados, inquietos, sin atreverse a
comentarios por respeto a don Santos, figura en granito, fría e impenetrable, siempre en primera línea por la fuerza de expresión y el poder de
sentimientos concentrados que había en él.

Las mujeres se fueron dentro, a la pieza de la señora Carmela, llevan-
dose a Tatito desmayada y a María Juana que hipaba sin poder llorar y
calmarse.

La señora Carmela y Chabelita quedaron en el salón, rabiosa con el
barullo la primera, irónica la segunda.

—Venir a elegir mi casa para dar este escándalo —decía en sordina la
señora Carmela—. ¿Por qué no se arrancó de la suya? Y éstas son las
niñas cuidadas como oro en paño...

—Las niñas que la miran a uno por encima del hombro porque cualquiera li'hace fiestas...

—¡Jesús! Bueno que grita esa María Juana. Y la otra con nervios y
ataques. Esas cosas están buenas para las señoras como una...

—Mire, tía Carmela, ¿le digo la pura verdá? Mi'alegro harto qui'haya
pasao esto. La Meche era muy pará y mi'hubiera costao trabajo bajarle el
moño. Y con esto, las otras pobres lesas no si'atreverán a icirme na si
algún día ven cualquier cosa...

—¿Qué cosa?

—¡Bah! —e hizo un gestillo picaresco.

—Ten cuidado con el viejo, que es muy bruto.

—Ya sabe que no soy lerda...

Se miraron y una doble risa contenida resonó en el salón.

Volvían Zenón Alfaro y Chano Almendras. Y como ninguno de ellos
se atrevía a comenzar, don Santos preguntó con voz que no temblaba:

—¿Quí'hubo?

—Es que... —dijo Zenón.

—Icen que tomaron boleto pa Rari-Ruca —prosiguió Chano Almendras,
viendo que el otro callaba cohibido—; hay varios conocíos que los vieron
juntos en el tren.

—Hablamos con el primero San Martín, qui'anda por asuntos e servicio en el pueblo —la voz de Zenón tremolaba—, y dice que se puede
avisar por teléfono pa que los tomen a la llegá del tren. Ella es menor...

—Y él tamién, así que no es na responsable —gimoteó la madre de Víctor, horrorizada de que su hijo cayera en manos de San Martín.

—¡Hi! ¡Hi! —lloraba María Juana desde la puerta.

—Usté dirá lo que si'hace —insistió Zenón, dirigiéndose a don Santos.

—Na —dijo éste fieramente—; como ice su señora, Vítor no es responsable. La mujer que se pierde es porqu'es una perdía... M'hija Meche ha muerto pa mí. Ya lo saben toos. Y agora vámonos, qu'es muy tarde.

—Pero cómo se va d'ir...

—Vámonos no más.

María Juana y Chabelita lo siguieron dócilmente.

—¿Y la Tatito? —preguntó la madre de Víctor.

—La llevo yo en brazos. Vayan saliendo, mientras la voy a buscar. Ya está.

—Pero, don Flores —intervino Zenón—, piénselo bien, no vaiga luego arrepentirse d'este pronto.

—Yo nunca m'arrepiento de lo qui'hago. Güelvo a icirlo: m'hija Meche murió pa mí —y salió.

5

Pasando a través de los árboles, la luz blanca de la luna fingía quimeras sobre el camino de la montaña. Susurraban las hojas sus eternas historias al oído del viento y, de rato en rato, la risa clara de un manantial comentaba alegremente la narración. Las luciérnagas proyectaban sus focos de luz celeste en el aire tibio de la noche veraniega y abajo, en la quebrada que hundía el río, las ranas croaban en la obstinación de una pregunta que sólo contestaba el eco burlescamente.

Adelante iba Chabelita malhumorada por lo despacioso del retorno, mas íntimamente satisfecha por el giro que tomara la fiesta. Y por distraerse, iba hilvanando proyectos para lo porvenir.

La seguía María Juana, que agotada por el sufrimiento, lacia y con el pensamiento vacío, se zangoloteaba pesadamente al paso largo del caballo. Parecíale a ratos todo aquello una pesadilla horrenda, de la cual acabaría por despertar.

Cerraba la marcha don Santos. Sobre una manta colocada en el arzón iba Tatito, apoyada la cabeza en el hombro del viejo, que la sujetaba firmemente por la cintura.

Semiinconsciente aún, abría la niña los ojos y, sintiéndolos llenos de luces que giraban, los volvía a cerrar con una fatiga que obligaba a don Santos a sujetarla con más tino, temiendo que resbalara.

A veces balbucía algo confuso que el padre no alcanzaba a comprender, porque los dientes castañeteaban y al entrechocarse comían las palabras. Pero tenía tanta impresión en el cerebro que todo aquel caos fue saliendo afuera en palabras sueltas al principio, en frases completas después, en un hablar febril más tarde:

—Meche... Me... che... Meche... ¡Ay!... Se jue... Se jue... La Meche se jue... ¡Ay! Tatita, es pecao, se va condenar... Tatita, por Diosito, corra y alcáncelos... Tatita, por favorcito... Meche... Meche... Se jue con un hombre... ¡Ay!... ¡Cómo arden las llamas del infierno!... Es pecao... Misericordia, Señor...

Un momento pareció recogerse en la oración, para luego seguir con mayor vehemencia:

—¿Pa qué se jue a casar, tatita lindo? Si no si'hubiera casao na, la Meche no si'hubiera arrancao... Se jue con un hombre, se jue... —De pronto, alzando la cabeza y mirando a los ojos del viejo, preguntó apasionadamente—: ¿Por qué se casó? ¿Por qué se casó, tatita? ¿Por qué?

Y como el viejo no contestara:

—¡Si no si'hubiera casao na!... —prosiguió—. Icen que la Chabela es mala. La Meche icía qu'era una bestia dañina. Que no se casaba con usté na más que por casarse y poer luego hacer cosas feas..., pecaos... ¡Ay, Señor! ¿Pa qué se casó? Si la Meche se jue la Chabela tiene la culpa... ¿Cuántos eran? —preguntó de pronto, roto el hilo del pensamiento.

—¿Quénes? —preguntó a su vez el viejo, que se sentía contagiar por aquella fiebre.

—No mi'acuerdo... Dígamelo usté, tatita, que yo no mi'acuerdo na... ¿Cuántos eran?

—¿Quénes? —volvió a preguntar don Santos, perplejo, empezando a temer que se hubiera vuelto loca.

—No lo sé —dijo la niña con fatiga—; me preduntaron algo y se mi'olvidó.

Calló un rato y luego indagó con más ahínco:

—¿Pa qué se casó, tatita?

—Pa tener un hijo —contestó involuntariamente, tal vez con la vaga idea de que callara al sentir una respuesta.

—¿Y no nos tenía a nosotras?

—Ustedes no llevan mi nombre.

—¿Y por qué jue a elegir a la Chabela?

—Porqu'es guaina.

—¿Usté la quere?

No contestó don Santos y la chiquilla se quedó un largo rato callada, como rumiando aquellas ideas.

—Se casó pa tener un hijo —murmuró de nuevo—. Oye, Meche, se casó pa tener un hijo... Oye, Meche... Oyeme, pue... ¿Por qué no me querís oir? Se casó pa tener un hijo... La Chabela es guaina, pero es mala... La Meche lo icía... Me...che... Meche... Pobre Meche... Se jue con Vítor Alfaro... ¿Onde estarán agora? Meche... Meche... Pobre Meche... ¿Cuántos eran? Me lo preduntan otra vez y no mi'acuerdo...

Bajaban ahora el flanco de la montaña, buscando el puente que abajo atravesaba el río. Descendía el camino en zigzagues violentos y los árboles, más compactos, juntaban en lo alto sus ramas, formando una obscura bóveda por donde avanzaban lentos los caballos.

"Tenimos entoavía una hora e camino —pensó don Santos—, una hora más e sufrimiento oyendo esvariar esta pobrecita."

Muy en lo hondo una especie de remordimiento lo hurgaba. Como decía Tatito, aquello: la fuga de Meche, la pena de María Juana, el estado mísero de la niña, su propia pena, honda y callada, la vergüenza que la huida de su hija echaba sobre su nombre, no era sino consecuencia del matrimonio.

La causante de todo era Chabela, la bestia dañina, como la llamaba Meche, que por primera vez en su vida de hombre morigerado había despertado en él la pasión, tanto más fuerte cuanto más tardía; Chabela, que entornando los ojos con tan pudoroso recato le hacía olvidar todo lo malo que de ella se susurraba; Chabela embrujándolo con su voz cantante adormecedora de recelos; Chabela que le prometía un hijo —¡al fin!— con su juventud sana y pletórica de vida; Chabela...

"¡Malhaya sea l'hora!... —alcanzó a pensar, pero luego, resignado, fatalista, murmuró encogiéndose de hombros la frase que sigila el pensar del roto—: Sería mi destino..."

6

Ocho meses habían transcurrido desde el matrimonio de don Santos y el hijo que su vejez se prometía no llegaba, ni parecía tener miras de llegar.

Las primeras semanas de la unión fueron duras para Chabela, ya que los caracteres exasperados por el dolor estaban agriados y tanto María Juana como don Santos aislaban a la recién llegada. Pero la muchacha era hábil y empezó por buscar la compañía de Tatito y cuidarla sencilla y fraternalmente. Debilitada por tantas emociones, Tatito no podía abandonar la cama sin sufrir desmayos. So pretexto de cuidar a la enfermita, tuvo Chabela el buen tino de dejar que María Juana siguiera manejando la casa, y asumiendo una actitud reposada y al mismo tiempo atenta, aquietó los recelos del viejo que ella, sagazmente, sentía rondarla vigilante.

Y acabó por no inspirar aversión a María Juana, ni horror a Tatito. La primera conversaba mucho con ella y hasta, en ciertas ocasiones, solicitaba su ayuda para menesteres caseros: lo que a María Juana le parecía un homenaje y que en realidad para Chabela —holgazana en extremo— era un fastidio que soportaba pacientemente. La pequeña, al verla cuidarla, al mirarla buena, acabó por quererla, muy arrepentida de haber pensado mal de ella. Y hasta llegó a pedirle perdón ingenuamente.

Por su parte, don Santos cada día se abandonaba más al ascendiente de la mujer y, penetrado de su juventud —y como agradecido del don que recibiera—, se mostraba más comunicativo, más condescendiente, y sus hijas, admiradas, lo oían a veces reir.

De Meche se sabía que estaba en Temuco con Víctor Alfaro. El mozo seguía tan remoledor como siempre, gastando cuanto ganaba, y la mujer se vio en la necesidad de buscar algunos lavados que le dieran para mantenerse. Estaba embarazada y, según San Martín, que trajo estas noticias a la hacienda, Víctor Alfaro se mostraba muy satisfecho con la próxima llegada del hijo, por motivos que definía así:

—En naciendo el chicuelo, se lo llevo a mi mama pa qu'ella lo críe como Dios le dé a entender. La Meche si'emplea di'ama y yo queo librecito otra vez... Estoy hasta la coronilla de mujer propia..., aunque sea por detrás de l'iglesia...

Jamás en la casita del carpintero se mentaba a Meche, y Chabela —a quien comunicó las noticias San Martín— sólo se las dijo a María Juana. Tatito seguía viviendo su anterior vida de éxtasis, y en cuanto a don Santos, nadie se atrevía a tocar el tema en su presencia.

Con la llegada de la primavera la vida de trabajo se intensificó en la hacienda. Al peso de la nieve el techo de un galpón en las alturas de Collihuanqui se hundió y al tratar de repararlo se vio que los "chocos" de la base estaban podridos. Se lo deshizo y en su lugar se empezó la construcción de otro galpón, con mayor capacidad aún para los fardos de pasto aprensado.

Don Santos se iba a caballo de alba y no regresaba hasta la noche. A mediodía iba María Juana —también a caballo— a dejarle el almuerzo, y en uno de esos viajes se encontró en el camino con el nuevo herrero de la hacienda, un mozo bastardo de alemán que a sus características de montañés de Malleco unía el exotismo de unos claros ojos azules y de un pelo rojo cobre. Y María Juana, al contestar a su saludo modoso, no supo si se abochornaba porque el sol caía a plano sobre ella o si porque la mirada insistente del mozo se le quedara fija en el corazón.

Una noche, en la semana siguiente, luego de comer y mientras charlaban todos en el corredorcito que daba al jardín, llegó inopinadamente el herrero a preguntar a don Santos cuántas alcayatas necesitaba para la puerta del galpón.

El viejo lo recibió bien. María Juana no sabía qué hacer de las manos y miraba obstinadamente la punta de sus zapatos bastos que le parecieron de pronto feos y sucios. Tatito sonrió a las estrellas, y Chabela, con su intuición de hembra, se hizo cargo de la situación.

—Las alcayatas son doce, ya se lo'ije esta tarde —contestó don Santos, algo sorprendido.

—Disculpe, se me había olvidado —y vacilando—: Buenas noches, no quiero molestar más.

—Pase —dijo Chabela amistosamente—, la conversa no será muy güena, pero es agradoso hacer tertulia con esta fresca.

—Con su permiso.

—Pase no más —agregó don Santos, que ya estaba habituado por Chabela a recibir visitas.

—Güenas noches. Usté es el nuevo herrero, ¿no? —preguntó la mujer adelantándose y dándole la mano.

—Sí, señora, Federico León, para servirle. Buenas noches, don Flores.

Era un muchachón alto y musculoso, con fisonomía abierta y simpática, con nervudos brazos que terminaban en unas manazas enormes, rojas y callosas, con señales más claras que marcaran las chispas con que se defendiera el hierro al ser batido en el yunque. De la raza paterna le venían una simplicidad de maneras y una alegría pueril que desconcertaban a los huraños montañeses. Ya que no su apellido, el padre le había dado cierta instrucción en una escuela industrial y se expresaba con soltura, pronunciando correctamente las palabras. Cohibido y audaz, serio y jocoso, era esa noche un balancín en que la sangre del padre y de la madre pesaban intermitentemente.

—Güenas noches —contestó don Santos—. Estas son mis hijas. Saluden, niñas.

—Tránsito Flores —murmuró distraída Tatito.

—Federico León —y el mozo tomó con cuidado la manecita de cera amarillenta.

—Güenos días —dijo María Juana, completamente desconcertada, y como él riera bullicioso, se cortó más y más e inclinó la cabeza.

—Vaya, Juanita, que anda adelantada usted... —exclamó alegre, deshaciendo con la fuerza del apretón la mano de la muchacha.

—Parece que la María Juana está muy apurá —dijo Chabela, envolviéndolos en la malicia de su mirada.

—Cuidado conmigo, que soy también muy apurón.

—Entonces bien puee ser que ya haiga amanecío... ¿Por qué no van al jardín a ver si divisan el sol?

—Por mí no quedará. ¿Vamos, Juanita?

—Es que... —y miró a don Santos, sin saber qué hacer.

—¡Qué tanta lesera! Vayan no más.

Y salieron, ambos muy embarazados, pero unidos por el mismo deseo de soledad.

—Chabelita —dijo don Santos con reproche.

—Mire, no vaiga'enojarse. Na tiene de particular. Desde aquí los estamos viendo. Hay qui ayuarse en estas cosas, mi viejito querío. Las muchachas a este paso se van a quear pa vestir santos. Hay que darles ocasión a los mozos pa que las conozcan. La Micaela Silva me contó qu'éste era un güen partío. Gana harto y no tiene a naiden e familia.

—¿Vos creís, entonces, que le gusta la María Juana?

—¡Bah! Usté tiene telarañas en los ojos, viejito querío... Pasa a cada rato frente a la casa y cuando logra ver a la María Juana se la come con los ojos. Aguaite: mire lo apichonados qu'están.

El jardincillo eran diez metros de terreno cubierto de flores humildes que separaba la casa del camino, lo cerraba una reja de madera; una araucaria y un manzano lo sombreaban, protegiendo cada árbol un banco rústico.

En uno de ellos charlaba animadamente el herrero, oyéndolo, prendida de sus ojos, María Juana.

Se hizo costumbre que Federico León viniera a la casa noche a noche. María Juana y él hacían sus apartes cada vez más embargado uno en otro. Hasta que el mozo preguntó, atragantado por las sílabas:

—¿Se quiere casar conmigo?

Y como ella callara largamente, dijo tartajeando y apenas perceptiblemente:

—¿No me contesta?

—Yo... —y María Juana se echó a llorar, metiendo su mano en la manaza del mozo, que se hizo leve en la presión amorosa.

—¿Se quiere casar conmigo?

—Sí.

—¿Me quiere un poquito?

—Sí.

—¿Mucho o poco? A ver, míreme.

—Mucho. Me da vergüenza..., no pueo mirarlo.

—¡Juanita! ¡Mi mujercita!

Callaron y en la dulzura del sentimiento que los llenaba se quedaron quietos, mano en mano, serenos en la confianza de un porvenir de dicha, de paz y de trabajo.

Casada María Juana a principios de diciembre, se fue con su marido a vivir a la herrería, en la hondonada del molino, frente a la casa de su abuela.

Como Tatito no hacía nada, la carga del hogar se hizo insoportable para Chabela, que exigió un chiquillo o una mujer que la ayudara. Don Santos prefirió un chiquillo porque, según él, las mujeres sólo sabían comadrear y enredar con chismes. Buscando un muchacho que fuera ágil dieron con el Chincol, un niño de catorce años metido en un cuerpo ce trino y enjuto, con una fisonomía de mico en que bailaban dos cuentas de azabache por ojos y un carácter maleable que por un dinero se desvía.

Chabela descansó en el Chincol y poco a poco volvió a desligarse de todo trabajo. Tanto ella como Tatito hacían vida de holganza, levantándose tarde, tejiendo luego en el comedorcito o en el jardín, si el tiempo lo permitía. Almorzaban servidas por el Chincol, y en cuanto don Santos se iba, ambas salían a pasar la tarde en el despacho, que quedaba en la puerta de la hacienda, en el ángulo formado por el camino vecinal y el camino principal del fundo.

Allá las recibía doña Paulina —la madre de Chabela— con mucho agrado. Don Rojas estaba trabajando a tarea en la corta de trigo y casi nunca llegaban parroquianos, ya que todos se ocupaban en los trabajos de la cosecha.

Mientras madre e hija charlaban en el despacho, Tatito se distraía en el dormitorio mirando las ilustraciones de una historia sagrada, cuando no deletreando las parábolas maravillosas.

A Tatito no se le ocurrió nunca pensar que aquellas tardes pasadas fuera de la casa eran ignoradas por don Santos; la niña no hablaba si no la interrogaban, y por su parte, el viejo no pensó jamás que sin pedirle permiso las mujeres fueran a salir tardes enteras. Chabela mantenía el equilibrio sin dificultad, y en cuanto al Chincol, estaba bien amaestrado y sabía lo que debía callar.

Cuando Tatito leía interesada, Chabela se instalaba junto a la ventana que abría al camino vecinal. Harta del amor metodizado de don Santos con una sensualidad que ansiaba mayor vida, con una inquietud de imprevisto pronta a saltar sobre la aventura, decidida y astuta, paciente y calculadora, estaba segura de que por aquel camino pasaría al fin don Fanorcito.

Y pasó una tarde, sonriendo al saludarla, mientras ella lo miraba intensamente con sus ojos que sabían tanto, que ahora dejaban ver lo que sabían y que prometían mucho más.

El joven se aburría a morir, obligado por su tío y tutor a pasar las vacaciones en el campo, sin tener siquiera ese año la compañía del patroncito, retenido en la ciudad por una grave enfermedad de su madre.

Colindaban las dos haciendas, y en veranos anteriores Fanor había descubierto la gracia picante de Chabela al venir a ver a su amigo y compañero de andanzas por los contornos.

A su vez el patroncito había reparado en Chabela y ambos la asediaban inútilmente, porque la muchacha tenía su plan y de él no salía. Ella no estaba para perderse, quería casarse, después... ya habría tiempo para aventuras. Y se lo decía a ambos, riendo cínica y prometedora. Mientras, se dejaba cortejar, regalar, abrazar y hasta besuquear por ellos. Pero de ahí no pasaba.

La tarde que viera a Chabela, Fanor regresó muy animado a su casa y tras algunos rodeos indagó del ama de llaves noticias de la joven. La mujer, encantada al verse oída con tanta atención, contó prolijamente el matrimonio de don Santos, la fuga de Meche, el casamiento de María Juana, la enfermedad de Tatito, "que parecía ánima", y hasta el Chincol salió a relucir en la larga narración.

"¡Bah! —pensó el joven, solazándose de antemano—. Esto es pan comido."

Al día siguiente enderezó el paso de su cabalgadura en línea recta al despacho, se detuvo, saludó a Chabela amistosamente y enredó charla con doña Paulina, que salió a ver qué se le ofrecía, pidiéndole un vaso de cerveza.

Otro día se apeó y —animado por la sonrisa de Chabela— se fue a conversar con ella, mientras doña Paulina se afanaba, bruñendo el mejor vaso en qué servirle un refresco.

—¿Te acuerdas, Chabela? —preguntaba muy bajo.

—Sí... —decía ella, haciéndose la ruborosa.

—Tú me prometiste...

—¡Ay, don Fanorcito, por favor! No mi'acuerde d'esas cosas, que me da mucha vergüenza.

—¿Tú sabes que lo prometido es deuda?

—Quizás...

Pero la vieja nunca los dejaba solos y Fanor tuvo que buscar un pretexto para alejarla y poder tener una explicación decisiva con la mujer.

—¿Ponen mucho sus gallinas? —preguntó una tarde a doña Paulina, exasperado al verla entrometerse en todo lo que hablaba con Chabela.

—Regularcito no más, patrón.

—Vaya a buscar todos los huevos que tenga. Yo se los compro. Esta mañana oí decir en la casa que no había ninguno.

—Voy a ver cuántos habrán —y se fue adentro.

El joven esperó verla desaparecer y vivamente se acercó a Chabela, que tejía, inclinada la cabeza sobre la labor.

—Te quiero, ¿oyes? —y la besó frenético en la nuca de ámbar, co[n]
un largo beso silencioso que hormigueó por los nervios de ambos como
un contacto eléctrico.

—No sea loco, don Fanorcito... —pero si en la voz había reproche, l[a]
cara se levantaba, presentándose a los besos enloquecidos.

—Te quiero mía, mía, ¿oyes?, mía, mía...

—Sosiéguese...

—Di que sí.

—Sí... Pero sosiéguese.

—¿Dónde? ¿Cuándo?

—Yo le avisaré. Ya está, pue... Mire que viene mi mama.

La vieja volvía con los huevos, muy sosegadamente, ni buena ni mal[a]
en aquel celestinaje, sino tonta de capirote.

Ahora faltaba a Chabela un solo paso que dar para entregarse al pla[-]
cer, y teniendo tanto hecho en cerca de un año de laborar sosegando re[-]
celos, no se atrevía a dar el aviso al joven, paralizada por un súbito mied[o]
a don Santos.

Del Chincol, que serviría de recadero, estaba s[e]gura; de Tatito, des[-]
prendida de este mundo, no había que temer; María Juana vivía absort[a]
en su dicha; nadie iría a venderla en caso de sospechar algo, dado e[l]
compadrazgo que estas aventuras crean en los espectadores.

Pero... era tan bruto don Santos. ¿De qué no sería capaz si descubrí[a]
algo?

Lo espiaba y acabó por tranquilizarse al verlo fijo en su nueva moda[-]
lidad, serena y afectuosa.

Fanor notó la vacilación de la mujer y una tarde que la apremiaba [a]
cumplir su promesa, colocó en la muñeca de Chabela su propio reloj d[e]
pulsera, agregando estas palabras:

—Para que me digas a qué hora debo ir.

Y el Chincol llevó el día, el sitio y la hora...

La impunidad los fue tornando poco a poco en audaces y muchas veces[,]
por bravata, se veían a media tarde en la casa de Chabela, mientras Ta[-]
tito dormía agotada por el calor de los roces y el Chincol vigilaba el ca[-]
mino desde el jardín, a la vez que echaba sus cuentas de los pesos que
le llevaba dados don Fanor.

Don Santos estaba construyendo otro galpón en las alturas del Quille[n]
y se iba de alba llevando su comida en crudo, para que allá se la coci[-]
nara la mujer de don Florisondo, que cerca tenía su puebla. Y no re[-]
gresaba hasta la noche.

—Chabela y Tatito almorzaban temprano y de prisa. Apenas termi[-]
naban, Chabela instaba a la niña para que se acostara; ella misma l[a]
llevaba a la cama, la tapaba con una manta y esperaba que se durmier[a]
para irse. Cerraba entonces la puerta, atravesaba el comedor que sepa[-]

raba ambas habitaciones e iba a dar la señal al Chincol, que salía disparado a campo traviesa, para avisar a Fanor, emboscado entre las quilas
del monte, más allá del potrerillo.

Volvían ambos oteando el paisaje, aunque ningún peligro de ser vistos
tenían. A esa hora la gente de la hacienda almorzaba y bajo el sol cani-
cular, en la atmósfera pesada por los roces que ardían en el horizonte,
ni un insecto rumoreaba, atontada la naturaleza por el calor.

Atravesaban un paso en la cerca que cerraba el potrerillo, cruzaban el
huerto y el corral, y por la puerta trasera entraban directamente a la
pieza de Chabela, que los esperaba anhelante, sintiendo los nervios ati-
rantados por el placer del peligro que corrían, patéticos los ojos humedecidos, temblorosa la boca ávida de besos.

Y la puerta se cerraba tras ellos por el Chincol, que, dando vuelta a
la casa, se iba de atalaya al jardín.

Un día pasaron un buen susto porque llegó María Juana a que le pres-
taran la paila grande. El Chincol la recibió muy tranquilo; le dijo que
Tatito dormía su siesta de todos los día, que Chabela se había también
recostado porque le dolía la cabeza y que probablemente estaría durmiendo.

La otra, que sólo venía por la paila, dio vuelta a la casa con el chiquillo,
llegó a la cocina, cogió el artefacto y se fue deseando mejoría a Chabela,
sin que la más leve sospecha la hubiera rozado.

Si el Chincol estaba tranquilo y supo jugar a maravilla su papel, los otros,
que sintieron voces, estaban pálidos de espanto, sin saber qué hacer, dilatadas la pupilas, abiertas las bocas para mejor percibir el sonido de las
palabras.

Cuando sintieron que María Juana se iba y la puerta de la reja se cerró,
tras ella, el terror se hizo risa y beso. Como si aquel peligro salvado hubiera
sido el único posible, se dieron en adelante con más confianza a sus horas
de amor.

8

Una lagartija asomó la cabeza chata por una hendidura del tronco y saliendo de su guarida, el animalejo corrió por el manzano hasta alcanzar un
rayo de sol. Y se quedó muy quieta, verde la vestimenta que en el lomo se
estriaba en oro, blanca la panza, de esmalte los ojillos vivaces que buscaban una mosca que almorzar.

Con una lentitud silenciosa, avanzando paso a paso, el Chincol puso
frente a la cabeza del bicho un junquillo terminado en un nudo corredizo.
Hormigueaba el sol en el cuerpo del niño a fuerza de envolverlo en sus
rayos, ya oblicuos, porque avanzaba la tarde, pero el Chincol lo soportaba

) 413 (

todo en el placer de la caza, esperando pacientemente que un movimiento de la lagartija la echara al dogal.

—Chincol, anda buscar mi caballo qu'está en las tranquillas. Pónelo en el galpón y suéltale la cincha no más. Tengo que golver al tiro pal trabajo.

Era don Santos quien hablaba al niño. Había tenido que hacer en la herrería y pasaba a la casa a refrescarse con un vaso de agua con harina.

La sorpresa rayana en estupor abrió los ojos, la boca y las manos del chiquillo, que miraba a don Santos avanzar hacia la casa.

En su aturdimiento no perdió la cabeza y contestó hablando a gritos para que oyeran los otros:

—Ya voy..., don Santos..., don Santos...

—¿Te habís güelto loco? ¿Pa qué gritái tanto? —preguntó el viejo sorprendido e intrigado.

—Si no grito..., don Santos..., don Santos...

Y como el viejo, tras de encogerse de hombros, se dispusiera a entrar al comedor, el Chincol, perdido el tino, gritó desesperadamente:

—Chabelita... Llegó don Santos... Chabelita... Chabelita...

El viejo volvió a detenerse y un largo minuto se quedó pensando en el porqué de aquella alarma, de aquel vocear que era un aviso y, cogido por la sospecha, avanzó rápido hasta la puerta del dormitorio, que no cedió a empuje.

—Chabela... —dijo, e instintivamente se quedó escuchando.

Adentro sonó un golpe, algo que se volcó, sin duda, y unos pasos precipitados iban y venían tratando de disimularse.

Como no abriera —ya con la certeza del delito—, don Santos arrimó el hombro a la puerta que cedió al empellón.

—Ave María —dijo la mujer con una sonrisa que era una mueca—. Tan apurao que viene... Me recordó de repente.

Estaba en enagua y a pie descalzo, envuelto el busto en un chal y con movimientos desordenados trataba de sujetar la crencha negra de sus cabellos que le caía por la espalda.

Don Santos la taladraba con sus ojos metálicos que habían tomado la antigua expresión: ella seguía sonriéndole con un tic que tiraba del labio inferior y ponía en descubierto los dientes que castañeteaban, pero los ojos mantenían la mirada del marido.

—¡Canalla! ¿Con quén estabas? —rugió opaca y pavorosamente.

—Con naiden. ¿Con quén quería qu'estuviera?

—Mentirosa... Canalla... Sinvergüenza...

—¿Por qué me trata así?

No contestó el viejo, que ahora examinaba la pieza: la cama deshecha, la mesa derribada, las ropas de la mujer por el suelo, la puerta que daba al patio entreabierta, a los pies de Chabela un cuello de hombre con corbata de seda azul.

—¿Y esto? —preguntó, abalanzándose—. ¿Y esto de quén es?

Y como ella, ganada por el terror, no contestara:

—Perdía..., perdía.

La mujer huyó los ojos y dio un paso, tratando de acercarse a la puerta, pero el viejo le cortó el camino y a la par que hablaba azotándole el rostro con las palabras, ella iba retrocediendo y él avanzando.

—¿Qu'es esto, mala bestia, sino el cuello e tu querío? Canalla... Perdía —y en un paroxismo de ira que afinó sus facciones endureciéndolas y tornándolas grises, continuó diciendo—: Te di mi nombre y lo habís escarnecío... Te traje a mi casa y l'habís manchao... Me golviste loco con tu querer mentiroso y desoyendo too me casé con vos... Esperaba que me dierai un hijo y no me lo diste na... Por tu culpa se perdió la Meche... Por tu culpa morirá la Tatito... Por tu culpa me voy'acriminar... ¡Ah, perdía!...

Llegaba Tatito con los ojos desorbitados por el espanto, quiso gritar algo, movió la boca convulsivamente, se aferró a la puerta al caer de rodillas y despés se fue de bruces sobre el suelo.

—¡Perdón! —decía Chabela—. Perdón, mi viejito querío...

—Tu viejito querío que habís escarnecío —prosiguió don Santos, que de un brusco tirón la echó sobre la cama—, tu viejito querío q e te va a matar aquí mesmo onde ti'habís revolcao con l'otro..., aquí vai a morir... Perdía... Bestia..., no sos más qui'una bestia dañina y a las bestias se las mata... ¡Ah!... Así...

—¡No! ¡No!

—¡Perdía!...

—¡No! ¡No! ¡No!... Socorro... Fanor...

Fue lo peor que pudo haber dicho. Las manos del viejo se cerraron sobre su garganta y apretaron hasta sentir el cuerpo lacio.

—Perdía... Mala bestia...

—No... Ah... Agggggggg... —alcanzó a borbotar aún.

—Ya no l'harís mal a naiden... Perdía... —le dio dos o tres sacudones más para convencerse de que estaba muerta.

Entonces la soltó y se la quedó mirando de hito en hito. Tenía afuera los ojos sanguinolentos, hinchada la boca por la que salía una piltrafa que era la lengua, congestionada la cara, rojas las marcas que sus dedos dejaran en la garganta, que —corrido el chal en la lucha— se mostraba desnuda.

—Haber vivío toa una vía e trabajo pa terminar en esto —murmuró, tomado por un desfallecimiento que aflojó sus músculos.

Pero otro impulso lo empujó hacia la puerta del patio, con la intención de correr tras el que huía.

—No —volvió a murmurar—; era ella l'única que me debía respeto.

Fija la mirada bajo el cerrazón del ceño, se volvió para salir por la puerta del comedor.

"Más vale que se muera —pensó al evitar el cuerpo de Tatito desmayada—; así sufrirá menos."

Y rígido, frío e impenetrable —carátula de tragedia tallada en piedra—, salió a darse preso a las gentes que ya acudían llamadas por el Chincol despavorido.

MARIA ROSA, FLOR DEL QUILLEN

Una tarde, en la rancha, dijo Pancho Ocares, jactanciosamente:

—La mujer que yo quero es mía.

—¡Bah! —contestó Chano Almendras, cansado de oírle aquel estribillo—. Claro que la Margara, o la Pata e Piñón, o la Pascuala, ésas, ¡psch!, cualquiera las tiene... Pero otras...

—Otras... ¿Cuáles?

—¿Cuáles? La Carmela Rojas, por ejemplo.

—¡Ja! ¡Ja! —rió Pancho—. Una vieja pelleja...

—No es tan veterana —dijo Santos Mujica.

—Y es harto güena moza —agregó la cocinera.

—Está muy averiá —hablaba Pancho Ocares con desprecio—. No me la mienten a la Carmela Rojas...

—Y de la María Rosa, la Flor del Quillén, ¿qué m'ice?

Un momento Pancho Ocares se quedó pensativo, evocando la figura gentil de la mujer.

Era un mozo fuerino de mediana estatura, que parecía hecho en bronce, tanto el viento y el sol habían tostado su piel. Tenía como belleza en el rostro la dentadura espléndida que le brillaba al reir o en los momentos de cólera, cuando un tic nervioso le respingaba el labio superior. Los ojos redondos y vivos, negros como maqui, estaban demasiado a flor de cara, dándole aspecto de sapo, semejanza que aumentaba la nariz chata y la boca grande, de labios delgados y descoloridos. Decentón en el vestir, dicharachero y bien plantado, se daba aires de conquistador al pasar frente a las pueblas, elástico el paso, bien ceñido al cuerpo el pantalón por la faja de lana roja, abierta sobre el pecho musculoso y velludo la camiseta a rayas, al hombro la chaqueta, adornada con una flor la chupalla que le sombreaba el rostro. A la mujer que encontraba se detenía a mirarla cínicamente, con una pregunta muda en los ojos y un chasquear la lengua en la boca que las hacía enrojecer de placer o de vergüenza.

La fama de conquistador, que él mismo se encargaba de propalar, le hacía en torno una atmósfera que atraía misteriosamente a las mujeres, a cierta mujeres, pues si en realidad podía ufanarse de batallas amorosas libradas con éxito, eran sus contendoras mujeres fáciles que sólo esperaban un leve signo para enredarse a la aventura.

Enamorado de su fama, tornadizo y voluble, iba el mozo de una a otra mujer, preocupado de que sus conquistas fueran muchas y levantaran comentarios. El goce de amor no existía para él. En sus aventuras únicamente estaba en juego el deseo carnal, pero siempre supeditado al ansia de acrecentar su nombradía.

Y por eso gustaba de atacar las torres sin puertas, de fácil acceso. Cobarde en lo hondo, huía lejos de una posible derrota.

Sentados en la cocina de la rancha, rodeando el fuego que atemperaba el frescor de la tempestuosa tarde de febrero, los peones comían presurosos en el deseo de ganar pronto reposo de sueño.

Afuera soplaba recio el puelche, amontonando sobre las montañas pesados nubarrones grises, negruzcos, cargados de lluvia. Remolinos de polvo y de hojas se alzaban en espiral para ir a caer sobre el pasto tembloroso de los potreros. Al empuje del viento los árboles se contorsionaban gemebundos. Medio carbonizados por el roce, los troncos altos como mástiles oponían al vendaval su impasibilidad que a veces se abatía, haciendo repercutir fragorosamente los ecos al troncharse.

Los pájaros huían en grandes bandadas, piando lastimeros, ciegos con las nubes de polvo, desorientados por el viento que los arrastraba. Las cachañas pasaron girando enloquecidas, sin rumbo, disgregadas, llamándose con chillidos agudos.

A cada embestida del viento temblaba la cocina, amenazando caer. Por las rendijas pasaban silbando rachas heladas que hacían vacilar las llamas del hogar, obligando a los peones a arrebujarse friolentos en las mantas.

La puerta estaba abierta para dejar salir el humo, pero a veces humo, polvo y viento entraban por ella, cegadores. Los hombres y la mujer carraspeaban hurtando la cara y seguían comiendo con una pasividad de bestias. ¿Qué hacerle? La vida es así...

—La María Rosa —dijo al fin Pancho Ocares—, la María Rosa tiene que ser como toas. Guaina y casá con viejo, es seguro qui'acabará buscando consuelo... Too es saber proponérselo. Mire, compañero, la mujer que no quere por la güena, quere por la mala; la que no quiso poniéndole linda carita, quere cuando li'han dao una frisca. Son muy caprichudas las mujeres. A unas les gustan los cariños, a otras los palos. El cuento es saber entenderlas y ser muy hombre.

—O muy farsante —concluyó Cachi Roa, el fogonero, con la superioridad que le daban los muchos años pasados en la ciudad y sus puños como mazos.

Pancho lo miró por sobre el hombro y, volviendo la cara con un gesto despectivo, dijo sin dirigirse a nadie:

—Cuando un burro rebuzna...

—Toos los demás burros se callan, y el primerito que debe callarse es usté, que es el más burro e toos —contestó Cachi, buscando su mirada.

—Es que... —y los ojos de sapo huyeron de los ojos que adivinaban retadores y se fueron por la puerta abierta, quedándose prendidos a las lejanías nebulosas.

Dentro le bullía el deseo de pegarle a Cachi. Lo detenía el miedo de ser vencido, porque al medir fuerzas con otro mozo obraba con el mismo fin que al asediar a una mujer: teniendo en cuenta la fácil victoria. Y aquel Cachi con sus manazas era capaz de deshacerlo de un golpe.

Callaron un largo rato.

—¿Querís más? —preguntó la cocinera a un muchachón que, habiendo terminado de comer, la contemplaba embobado.

—Güeno, pue —y le alargó la fuente.

Mientras la mujer lo servía llena de melindres, los peones cambiaron una mirada y una sonrisa maliciosa. Aquellas coqueterías y aquellas atenciones indicaban quién estaba de turno, pues aunque Chano Almendras no la incluyera en la lista, tenía ella perfecto derecho a figurar junto a la Margara, la Pata de Piñón y la Pascuala.

—¡Caramba con la nochecita! —exclamó un viejo.

—Vamos a tener frío como diaulos —dijo un mozo.

—Too será que la rancha con este viento no se nos venga encima.

—Más abrigaos estaríamos, ¡je! —rió Santos Mujica.

—¡Condenao! —aspeando los brazos, la cocinera se alzaba furiosa.

—¡Ah! ¿Qué? —exclamaron los hombres mirándola, sorprendidos e interrogadores.

—¡Ah, perro! ¿Hasta cuándo vis a lamber l'olla? —prosiguió la mujer, vociferando iracunda.

Y como el perro, con la cabeza sumida en la olla, no le hiciera caso, le arrimó al cuerpo una rama ardiendo que lo hizo huir enloquecido, aullando el dolor de la quemadura.

Los hombres contemplaron la escena con indiferencia y luego volvieron a lo que los preocupaba.

—Lo mejor sería que durmiéramos aquí —propuso el viejo, que se había puesto en pie y desde la puerta examinaba el crepúsculo desapacible.

—Ya está que cae l'agua —dijo Santos Mujica.

—Aunque aquí haigan goteras, nunca son tantas como en la rancha.

—Yo no sé hasta cuándo vamos a dormir en ese chiquero.

—Hasta que se declaren en huelga —contestó Cachi Roa—; en el norte estas cosas ya no se ven. Aquí ustedes viven muy atrasados y se dejan atropellar por cualquiera.

—No sé cómo serán las cosas en el norte —hablaba el viejo sosegadamente, transido de amargura—, pero el cuento es qui'aquí too es distinto. Acuérdense de los apuros que pasamos en el otro año por hacerle caso a ese fuerino qu'estuvo pa la cosecha y qu'era federao. Hicimos la huelga, juimos onde los patrones a pedir más salario pa nosotros, mejores pueblas pa la familia y escuela pa los mocosos. Si no nos hacían estas mejoras naiden trabajaba. Tres días estuvimos sin contesta, afligíos con la espera. Y al tercer día llegaron los carabineros, al fuerino lo tomaron preso y en toas las pueblas se dio orden de desalojar. ¿P'ónde íbamos a d'irnos? Nos echaban a toos, a toítos. ¡Jue terrible! No tuvimos más qui'agachar la cabeza y seguir trabajando en las mesmas condiciones. Pa leución ya habimos tenío bastante...

—¡Eso jue pura cobardía! ¿Por qué no se jueron?

—¿P'ónde? Cuando se tiene familia: mujer, chiquillos y bestias, está uno muy amarrao pa moverse así no más.

—Pero el cuento es que siguen viviendo pior que perros.

—¡Quí'hacerle! Hay que conformarse con el destino.

—Esas son leseras. Ya ve yo. Llegué este año, al tiro puse mis condiciones y me las aceutaron. Tengo ocho pesos al día, comida y una güena pieza pa dormir en la casa del mayordomo.

—Será suerte suya. Nosotros quisimos poner condiciones y ya ve cómo nos jue.

—Se güelve a la carga, se porfía, se mete mieo en último caso.

—Y acaba uno en el retén, molío a palos... No, compañero, nosotros no tenimos más que conformarnos con el destino.

—Si es gusto... —se puso en pie, metió la cabeza por el cuello de la manta de Castilla y se dispuso a salir—. Me voy antes que mi'agarre l'agua. Güenas noches.

—Tan bravo que lo han de ver y le tiene mieo a l'agua —dijo Pancho Ocares con ironía que buscaba caer en gracia.

Hacía rato que esperaba la ocasión de molestar a Cachi Roa.

—¿Qué? —preguntó el fogonero, que no alcanzara a oir.

—Na —contestó la cocinera, queriendo evitar un choque.

—Ice que tan bravo qu'eres y le tenís mieo a l'agua —dijo Chano Almendras, que aburrido con las fanfarronadas de Pancho quería darles fin.

—A una mojadura le tengo mieo, pero lo qu'es a usté, no —exclamó Cachi con fiereza.

Un momento se detuvo, esperando qué actitud tomaba Pancho; mas, como lo viera fingiendo indiferencia seguir sentado, perdidos los ojos en la negrura de la noche que llegaba, hizo un movimiento despectivo con los hombros, dio nuevamente las buenas noches y salió.

—Sos como quiltro —dijo Chano con voz punzante—, sos como quiltro no más... Le hacís guapos a toos y cuando vis peligro arrancái a perderte. ¡Pua!

Pancho había vuelto la cara y con la cabeza gacha lo miraba por entre las pestañas, mostrando los dientes brilladores en el gesto familiar a sus cóleras. Comprendía que había que pelear para no quedar en ridículo, para no mostrarse cobarde. Chano Almendras no era un adversario tan temible como Cachi Roa.

—¿Yo? —y se alzó como disparado por el banquillo, cayendo sobre Chano desprevenido.

—¡Ah! Bestia.

—Pégale duro —dijo el viejo a Chano.

—Rómpele los hocicos —aconsejó otro.

—Pa que no alardee tanto —concluyó la cocinera.

Chano se repuso al instante y de dos golpes dominó al agresor; de otro, dado como le decían, en los hocicos, lo tiró violentamente contra las tablas de la pared.

Aturdido, Pancho lo miraba con ojos estúpidos. Luego se pasó la mano por la boca y escupió sangre.

—Pa que aprenda hacerle guapos a los hombres —díjole Chano, que volvía a sentarse.

—P'otra vez me las pagarás bien caras —contestó el otro con rencor.

—Y en cuanto a mujeres, conténtate con la Pata e Piñón —volvió a decirle Chano con burla que hizo reir a los demás.

—Eso lo veremos. Bien puee ser qu'en vez de contentarme con la Pata e Piñón, me contente con la Flor del Quillen. —Y antes de que nadie tuviera tiempo de contestar, con gran empaque, soberbio en su derrota, salió sumiéndose en la boca negra que abría la puerta sobre la noche.

Afuera, en la obscuridad pegajosa por la llovizna que empezaba a caer, el mozo se defendió del viento y caminó presuroso hasta la rancha.

Iba lleno de ira que no sabía contra quién volverse.

Abrió violentamente la puertecilla desgoznada, y ya dentro, gateó hasta el fondo, por ver si allí colaba menos el viento.

Las tablas apoyadas unas contra otras en un extremo, separaban el otro lo suficiente para formar un callejón triangular y hondo, cerrado en un extremo por una quincha, en el opuesto por la puertecilla. Abajo había paja para servir de lecho.

Aquello era la rancha, esa lindeza que el terrateniente sureño ofrece como vivienda al peón que de paso en la hacienda —por un salario mínimo— le deja su esfuerzo transformado en oro de sementeras, en cobre de barbechos, en plata de taladuras.

El mozo se tendió de bruces, cruzó los brazos y en ellos apoyó la cara, quedándose ensimismado.

¿Qué creían de él los peones? ¿Que todas sus queridas eran de la calaña de la Pata de Piñón, esa china mugrienta? ¿Que no era capaz de conquistar a la Flor del Quillen?

) 421 (

Las mujeres, ¡bah!, bien las conocía... En el fondo todas eran iguales. Unas demoraban más en entregarse, otras menos; unas querían cariños, otras, palos; unas rodeaban de secreto su pasión, otras la decían a gritos. Pero el fin de todo ¿no era el mismo?

¿La Flor del Quillen? A lo mejor resultaba que aquella mujer, que todos creían santa, estaba harta del vejestorio del marido y de inspirar tanto respeto, ansiando en su corazón que llegara uno bastante audaz para tomarla y hacerla suya. ¿Por qué no? Cosas más raras había visto él.

Todo consistía en avistarse disimuladamente con la mujer y ver cómo recibía las primeras insinuaciones. Si la aventura se presentaba bien, inmediatamente empezaría a propalarla, y ¡cómo rabiarían y lo envidiarían todos!

¿Y si la mujer lo rechazaba?

Volvía a formularse la pregunta con recelo creciente, porque, en lo hondo, muy agazapado, estaba el sentimiento de verdad, que quería alzarse para recordarle muchos desdenes recibidos y ocultados cuidadosamente. Pero esa voz él no quería oírla y no la oyó.

Si la mujer lo rechazaba. ¡Bah! Ya sabría inventar algo... ¿Que nadie lo creería? Tal vez. Pero aun sin creerlo, dentro llevarían la duda.

A María Rosa —la Flor del Quillen— la casaron sus padres tres años antes con don Saladino Pérez, un viejo sesentón, acartonado por el trabajo rudo de campero, sin reparar en la diferencia de edades, que en lo futuro podía hacer surgir una tragedia en la vida del matrimonio.

Tenía María Rosa una agradable figura de adolescente. Alta, delgada, morena, apenas diseñadas las formas, vestida pulcramente, un aroma de honestidad parecía envolverla. La cara de óvalo alargado; la frente amplia, los ojos verdes, anchos, húmedos, pestañudos; la nariz aguileña, la boca grande un tanto caída en las comisuras, la barbilla aguzada; el conjunto todo, que parecía enflaquecido por el crecimiento, le daba a los dieciocho años un aspecto de niñita, en la cual el tiempo no ha terminado su obra de modelar.

Los movimientos eran ágiles, pero sin armonía, y hasta la voz destemplada en los agudos era característica a la pubertad.

El carácter era serio, reservado, observador. Era dulce y ensoñadora. Muy nerviosa, una alegría o un dolor la impresionaba hasta lo hondo haciéndola huir de todos para ocultar su contento o sus lágrimas. Desde muy pequeña se aplicó a los quehaceres domésticos, evitando las algaradas de sus hermanos mayores, y desde entonces fue habituándose a oir murmurar estas palabras a sus padres: "Como la María Rosa no hay ninguna".

Y la convicción de que no había ninguna como ella le hizo lentamente un alma de orgullo, cerrada y fiera, que al correr de los años creció hasta ser la base de su personalidad.

A veces —niña al fin— sentía bullir en ella el ansia de irse con los hermanos potrero adelante, corriendo y gritando como bestezuelas montaraces; pero el deseo de mostrarse distinta la inmovilizaba junto al huso, hilando pacientemente, resarcida de su sacrificio cuando al llegar los chiquillos, desarrapados y sudorosos, felices y jadeantes, la madre les señalaba a María Rosa, diciendo las palabras rituales:

—Fíjense en la María Rosa. Así debían e ser. Cierto que como ella no hay ninguna.

La niña inclinaba la cabeza, sin dejar ver la alegría de sentirse por aquel elogio colocada en sitio único.

Mansamente transcurrieron su niñez y su adolescencia. Era una excelente dueña de casa. Sólo en ese sentido se habían desarrollado sus aptitudes: el cerebro estaba vacío de toda instrucción: en el corazón, por ahí perdida en un repliegue obscuro, se hallaba una pinta de piedad religiosa, una vaga idea de Dios, a quien temía, y una tibia devoción por la mamita Virgen. Era todo.

Ya jovencita, un día le dijo su madre con júbilo que irradiaba en su mirar y en su sonreir:

—¿Sabís? Don Saladino Pérez se quiere casar con vos. Se lo ijo a tu taita enantes no más, di'amigo amigo. ¿Qué te parece tu güena suerte? Cierto que vos too te lo merecís... Es un hombre tan comedido don Saladino Pérez. Y trabajador como pocos. No s'hubiera fijao en cualesquiera. Ya vis vos los años qui'hacen que se le murió la finá y hasta agora no había encontrao ninguna que le gustara. ¡Güeno la suerte grande qui'habís tenío!

María Rosa aceptó sumisa y gozosamente el novio que le proponían. Desde pequeña oyó hablar del matrimonio como del único fin a que debe aspirar la mujer. Cuanto más jovencita se llega a esa meta, tanto mejor: más pronto se libra de un "mal paso".

Porque pasada cierta edad sin conseguir marido, en la vida de la montañesa, librada sin defensa alguna a sus instintos, irremediablemente, fatalmente, surge el amante. Sin religión, sin instrucción, viviendo en contacto directo con la naturaleza, la gran fuerza acaba por echarlas en brazos de un hombre, marido o amante, poco importa, con tal de seguir el obscuro e imperioso deseo.

Se guarda a la jovencita en espera de que llegue el marido, porque, ya que no la religión y la moral hacen preferible el marido al amante, lo hace la conveniencia de gozar de cierto prestigio por estar "bien casá".

Se guarda a la jovencita. La jovencita espera con los ojos bien abiertos. ¿Qué misterio habrá para ella si vivió con sus padres en un cuarto común, si la naturaleza que la rodea revela también a cada paso su secreto?

Espera, espera, espera... ¿Pasó la flor de la edad? ¿No tiene ya la tez el aterciopelado de los duraznos? ¿No está la carne prieta y apetitosa? Entonces... ¡Bah! La fruta madura cae, si una mano no la coge a tiempo.

La joven... ¿Cayó? ¿Rodó? Ella bien sabía. ¡Para qué fue tonta! Y la vida, indiferente, sigue su canción de goces, de dolores, de noblezas, de vergüenzas.

Para María Rosa llegó a tiempo don Saladino Pérez con su vejez mantenida sana y viril mediante una vida morigerada. La muchacha tenía por entonces los sentidos embotados. Después..., después... Las aguas dormidas son las peores.

A pesar de sus sesenta años, don Saladino podía tenerse tieso junto a cualquier mozo. Ninguno como él resistía las pesadas jornadas arreando piños de animales vacunos desde la Argentina; ninguno plantaba un lazo con mayor destreza; ninguno caracoleaba el caballo con mayor donosura en los días de holgorio.

Mediano de porte, arqueadas las piernas, de atleta el tórax, una cabeza de patriarca suavizaba cuanta fiereza había en la figura. Los pelos y las barbas blancos dejaban solamente libres la frente estrecha, los ojos enormes —color de tabaco, dulces y leales—, la nariz huesuda y la bocaza sumida por la falta de los dientes superiores que le volaran al caerse, siendo muy joven, de un potro chúcaro que domaba.

De su anterior matrimonio le habían quedado dos hijos, bravos muchachos que permanecieron en la hacienda hasta hacerse mozos. Entonces se echaron a "rodar tierras", empujados un poco por ese vagabundaje latente en todo chileno y otro poco por el horizonte que abriera ante sus ojos la instrucción primaria recibida en la pequeña ciudad cercana. Ellos no se avenían con la vida paupérrima del gañán montañés: tenían rebeldías y altiveces que escandalizaban a don Saladino. Hasta que cansados de batallar en vano con la administración de la hacienda, exigiendo mayor salario y mejores pueblas, partieron los dos mozos en busca de la ciudad prometedora de holgura.

El padre —apegado con un ciego amor a la tierra que lo viera nacer— reconocía, allá en lo recóndito, que tenían razón los mozos, pero tras mucho cavilarlo acababa por decir, moviendo lentamente la cabeza:

—Los pobres habimos nació pa trabajar y sufrir.

Era un padrazo como había sido un buen marido y un excelente hijo: por bondad natural que fluía de su corazón, callada y perennemente, oponiendo a la miseria, al dolor y a la muerte, un fatalismo resignado y una esperanza en otra vida eterna y feliz.

La soledad en que lo dejaran los hijos al partir lo hizo formar la idea de volver a casarse. Buscó en torno una mujer que le conviniera, y por bonita, buena y prolija lo atrajo María Rosa, la hija pequeña de su compadre Pedro Quezada.

De acuerdo con los padres, se decidió don Saladino a cortejar a la muchacha, que a su vez, prevenida por aquéllos, se dejaba ir por el suave descenso de su noviazgo tranquilo, que pronto terminó en matrimonio.

De recién casada a María Rosa la habían rondado insistentemente los hombres, atraídos por el verdor de su juventud que el viejo desdentado tal vez no alcanzaría a saborear. María Rosa rechazaba firme e indignada hasta la sombra de un coqueteo. Le daba pena y rabia que pensaran en ella "para esas maldades". Era un sentimiento complejo que la hacía apegarse a don Saladino, queriéndolo más, sirviéndolo mejor, agradeciéndole que la hubiera hecho una mujer honrada y no una perdida, como era el deseo de los otros. Luego, de esa gratitud, surgió un manso afecto que la hacía feliz junto a aquel marido aceptado indiferentemente.

Pero lo que más la ufanaba, lo que le esponjaba el alma, era el verse la más bonita de las mujeres de la hacienda, la que gozaba de mayores consideraciones, la que poseía más comodidades en la puebla. Era un orgullo humilde que vivía en el fondo de sí misma, sin exteriorizarse, alimentado en la conciencia de su propio valer.

Cansados de rondarla en vano, acabaron los hombres por mirarla con respeto, haciéndole en torno una atmósfera legendaria, llamándola la Flor del Quillen, sin atreverse a un chicoleo ni a una mirada audaz.

Vivía el matrimonio en lo alto de una quebrada, junto al río Quillen. La puebla tenía por fondo el monte, compacta masa de árboles verdinegros en que los robles viejos ponían la nota plateada de sus troncos desnudos. Entre el monte y la casa se extendía la huerta cerrada con "palo botado", árboles medio carbonizados o secos, restos de roces y taladuras que, a larga unos sobre otros, servían de cerca. Dentro se alineaban los camellones con papas y cebollas, una ringla de repollos prietos y pomposos verdeaba en un extremo, las remolachas asomaban sus hojas rojizas más allá y el resto lo llenaban las arvejas al trepar por los tutores.

Un hilo de agua que venía del monte pasaba callado y transparente por la huerta, yendo a formar fuera de la empalizada una poza que servía de bebedero a las aves de corral.

La puebla estaba compuesta por dos edificios y un cobertizo, todo ello construido con maderas toscamente elaboradas. La casa habitación sólo tenía una pieza sin cielo raso, sin solar, sin luz. Pero dentro estaba el menaje tan limpio, que cobrara el interior aspecto amable.

Delante la casa tenía un corredorcillo, luego venía el jardín policromado por flores humildes; amapolas, bellas, pensamientos, violetas, cosmos y una que otra rosa. Una cerca de coligües cerraba este tesoro, aislándolo del camino.

Después empezaba el descenso de la quebrada hacia el río Quillen. No había árboles y un trébol bienoliente llegaba hasta el borde del agua, abajo, en la hondonada. En la otra orilla aparecían los árboles, dispersos, dibujándose nítidos en la falda de la montaña, con la sombra proyectada sobre el amarillo del trigal segado. Detrás, otra montaña mostraba su lomo azul por la lejanía.

El camino bajaba serpenteando hasta meterse en el puente de cimbra y luego, bordeando la ribera fronteriza, se perdía en una violenta curva.

En el extremo del jardincillo un maitén esférico se alzaba sobre el pulido tronco cilíndrico, tan perfectamente recortado que parecía un árbol de juguete o un dibujo modernísimo, simplificado hasta el infantilismo.

Bajo su sombra, sentada en un banco, María Rosa tejía, penetrada obscuramente por el ardor del sol sobre la tierra mojada. No alcanzaba a comprender lo que alegraba su ánimo ni lo que hacía ágiles sus dedos; se dejaba vivir gozando inconscientemente de la dulzura del momento.

El resto del asiento lo ocupaba "Perico", el gato, bola de sedosos pelos negros que dormitaba placentero. Se le oía ronronear en la enorme quietud de la tarde montañesa, como también se percibía el bullir de unos pájaros que tenían su nido en el maitén.

Era un silencio en que la naturaleza parecía extasiarse. Con las hojas recién lavadas por la lluvia los árboles se inmovilizaban bajo el sol que los bruñía, haciendo fulgurar las gotas de agua.

Un agrio olor que embriagaba subía de la tierra en germinación y ese trabajo sordo era lo que tal vez daba a la naturaleza su gracia maternal.

En la atmósfera radiante el paisaje tomaba contornos nítidos, deslumbradores en sus tonos sin sombras. El trébol tenía una sola gama verde y el trigal segado un solo matiz amarillo; abajo el río era azul reflejando el cielo, el camino se diseñaba negruzco y el puente rojo flameaba en lo hondo de la quebrada.

María Rosa tejía contando los puntos a media voz:

—Uno..., dos..., tres..., dos cadenetas..., vuelta...

"Perico" dormitaba hecho una rosca.

Entró al jardín, zumbando, una abeja, y "Perico" abrió un ojo verde, uno solo, enorme, con una estría negra al centro, y se quedó mirando al insecto de oro que volaba alto, demasiado alto, debe haberse dicho "Perico", porque cerró el terciopelo negro del párpado y siguió dormitando.

—Uno..., dos..., tres..., vuelta... —contaba María Rosa.

Se sentían pasos por el camino y la mujer alzó los ojos de la labor, mirando curiosamente por sobre la cerca.

Era Pancho Ocares que, siguiendo su plan, venía a otear el terreno. Al ver de pronto a María Rosa —que hasta entonces ocultara la cerca—, perdió todo su aplomo y apenas si atinó a sacarse el sombrero y a decir balbuciendo:

—Güenas tardes.

—Güenas tardes —contestó la mujer.

Y como el mozo, ya cubierto, siguiera bajando hacia el río, María Rosa se quedó pensativa, preguntándose para dónde iría por aquel camino que sólo llevaba a los potreros trigueros, ya segados.

Había conocido a Pancho Ocares en la emparva, cambiando con él una que otra frase ritual e indiferente. Luego no volvió a verlo. ¿Adónde iría por aquel camino?

Como no encontrara contestación a la pregunta, María Rosa acabó por encogerse de hombros y seguir tejiendo afanosa.

Una hora después volvía Pancho Ocares cargado de maqui.

Absorta en su labor, la mujer había olvidado su anterior pasada. Al sentir ruido levantó vivamente la cabeza, y al reconocerlo le sonrió, sin perder la expresión reservada de su fisonomía.

También "Perico" interrumpió su ocupación de acicalarse los bigotes, quedándose con una mano en alto y la cabeza vuelta en un violento escorzo —gracioso y elegantísimo—, mirando al extraño con redondos ojos recelosos.

—Está que da gusto el maqui al otro lado del río —dijo Pancho Ocares.

Aunque traía preparada la frase y contaba con detenerse para ofrecerle una rama a la mujer, la desconfianza le engoló la voz, empujando sus piernas camino adelante.

—Hay hartazo —contestó ella maquinalmente.

Por la noche, cuando llegó su marido, díjole María Rosa que "Perico" llevaba cazadas dos lauchas, que Pancho Ocares —el fuerino— había pasado para el otro lado del río a buscar maqui, que la gallina calchona tenía ya tres pollitos, que las tortillas estaban ricas, que...

El viejo, derrengado en un piso, mascaba la comida despaciosamente, medio adormilado por el tonillo cantante de la voz que narraba las menudencias cotidianas.

Para María Rosa la pasada de Pancho Ocares no tenía importancia ninguna, ni ninguna les dio a las que hizo en los días siguientes.

Una tarde, de regreso del río, el mozo se detuvo junto a la cerca, alargando a María Rosa un gajo de maqui negro de frutos dulcísimos.

—¿Quere aprobarlo?

—Muchas gracias —y recibió la rama.

Hubo un corto silencio embarazoso.

Pancho Ocares la miraba a hurtadillas, tratando de adivinar qué camino debía seguir con aquella mujer que lo acogía naturalmente, sin rubores ni sobresaltos, mirándolo a los ojos, serena y reservada.

Le llamaban la Flor del Quillén, porque ninguna mala historia se enredaba a ella. Decían que era una señora, una verdadera señora en su comportamiento. Pero, ¡bah!, también las señoras tenían sus debilidades, por muy señoras que fueran...

¿A María Rosa le gustaba ser señora? Pues a tratarla como tal. Y se hizo humilde, pequeñito, con ese anulamiento de su personalidad que el peón sureño finge necesariamente ante el superior despótico.

Y tratándola como a una señora dio en el punto vulnerable de la mujer.

—Yo quería icirle que l'otro día no me alimé a ejarle una ramita e maqui... Me dio tanto mieo que juera a creer qu'era falta e respeto...

María Rosa lo escuchaba halagada y la sonrisa que sólo estaba en sus labios subió a los ojos, encendiendo en ellos una luz de orgullo.

—Me voy ya —prosiguió el mozo—. Cuando se li'ofrezca, ya sabe ónde tiene un servior... pa todo lo que usté quera mandar... Pa mí, usté es como si juera otra patrona... Güenas tardes, señora María Rosa...

—Güenas tardes —contestó, sonriéndole con íntimo gozo.

Ido Pancho Ocares, aquellas palabras quedaron repiqueteando alegremente en su interior. Era como si en ellas hubiera el mozo cristalizado el sentido de su vida íntima.

Casi todas las tardes pasaba Pancho Ocares frente a la puebla. A veces sólo cambiaban un saludo, otras charlaban brevemente, diciendo frases esparcidas por silencios en que sonreían al mirarse. Y Pancho iba congratulándose del buen cariz que llevaba la aventura, diciéndose que tenía mucha razón al juzgar iguales a todas las mujeres.

Mientras, María Rosa quedaba haciendo cuenta de las atenciones del mozo, encantada de provocar en un fuerino todas aquellas muestras de respetuosa admiración.

—Pancho Ocares pasó pal monte —decía a don Saladino— y a la güelta me trajo cóguiles.

—¡Mira qué comedido! —decía el viejo con su lenta voz de sordina que solía enredársele a una sílaba, haciéndolo balbucir.

—Es muy fino y muy respetuoso. Así debían e ser los mozos e l'hacienda y no tan lerdos como son... Apenitas saben dar los güenos días.

Pero al viejo le interesaban otros asuntos y cambiaba el tema:

—Figúrate qu'el "Corbata" se nos enmontañó y no lo habíamos podío encontrar. ¡Es toro muy fregao!

—¿Y qué van hacer?

—Mañana vamos a d'ir toos al alba, pa ver si lo sacamos. Lo pior es que carga, el remañoso.

—No les vaiga pasar algo.

—¡No te apurís por eso!

Transcurrían monótonamente los días y Pancho Ocares se impacientaba porque María Rosa no se daba por apercibida de su asedio. Hasta que una tarde —cansado de rodeos y de frases vagas— expuso a la mujer, estupefacta, su sentir y su esperanza.

—Si no me quere por la güena, me quedrá por la mala, pero querer, me tendrá que querer. Como mi Rosita es una pura miel, me quedrá por la güena. ¿No es cierto, mi Rosita di'oro?

La mujer lo oía sin interrumpirlo. ¿Era a ella, a la María Rosa, a la Flor del Quillen, a la que aquel sinvergüenza se atrevía a dirigirse así? Y a fuerza de asombro lo miraba con pupilas dilatadas, extrañas, que el mozo creyó de aquiescencia y que lo animaron a acercarse y a buscar con la suya de sapo la flor de amapola que era la boca de María Rosa. El movimiento sacó a la mujer de su estupor.

Recién pasado el meridiano, el calor extenuante adormecía la naturaleza en un pesado letargo. Aumentaba el bochorno un roce que ardía en el horizonte, con el humo espeso, inmovilizado encima. A veces se sentía el fragor de los árboles al caer, que los ecos enviaban de una a otra quebrada con larga porfía. Otras veces un golpe de viento arrastraba el humo sobre los campos, dejando la atmósfera impregnada de un olor acre y pegajoso.

Pancho Ocares y María Rosa charlaban en el cobertizo. A sus pies se amontonaba la leña para la hornada del siguiente día.

Bruscamente, María Rosa se inclinó a coger una gruesa rama y, alzándose amenazadora, dijo al mozo con voz que flagelaba:

—¿Qué te habís figurao vos, cochino? Andate al tiro, si no querís que te alime los perros.

—¡Ah! —exclamó Pancho, sorprendido por la actitud ofensiva de la mujer.

La miraba con las cejas juntas sobre los ojos, en que se concentraba toda la fuerza de su deseo. Esperaba que su declaración fuera recibida con tímidas protestas, con fingido rubor. Comprendió que esa ira tan sincera sólo se podía dominar con audacia y lentamente fue avanzando, buscando sus ojos los ojos en que brillaba el desprecio, buscando su boca la boca que sellaba el asco.

—Mi Rosita —decía con voz de caricia—. Mi Rosita preciosa... ¿Querís pegarme? Güeno, pégame no más... Pégame... ¡Mi palomita! Pégame...

Las manos alcanzaban ya las manos crispadas sobre el madero, los ojos hipnotizaban los ojos estrábicos por la sorpresa, la boca estaba tan cerca que el aliento del mozo se le entraba a María Rosa por la boca que le abría el paroxismo del terror.

Lo veía acercarse pensando que estaba sola en la puebla, que los perros dormían la siesta en la cocina, que luchando llevaría la peor parte, que huir era lo mejor.

Pero antes de echar a correr bajó el palo con todas las fuerzas de su miedo sobre una de las manos que avanzaban a tomarla, y huyó como loca a encerrarse en la casa.

—¡Ah! Bestia... Me las pagarás bien caras —gritó Pancho.

Ella creía que la había seguido y desplomada junto a la puerta, la empujaba con todo el cuerpo, castañeteándole los dientes, con chiribitas en los ojos, queriendo mirar por una rendija qué sucedía afuera y sin poder ver hasta pasado el vértigo del terror.

Pancho permanecía en el mismo sitio, caído el brazo que recibiera el golpe, cerrado el ceño en una horizontal de odio.

El despecho lo llenaba de un feroz deseo de venganza. ¿Por qué no realizarlo inmediatamente? ¿Por qué no avanzar a derribar la puerta? ¿No estaba la mujer sola a su merced?

Dio un paso y el movimiento hizo nacer un dolor agudo que corrió de su mano al hombro. Se detuvo. Sobre el dorso de la mano, una ancha línea roja empezaba a levantarse hinchada. Entonces cambió de dirección y lentamente se allegó al bebedero de las aves, mojó el pañuelo y envolvió la mano, que le dolía más y más.

Esperaría. Total: lo mismo. Antes o después, la mujer sería suya. Mientras, él seguiría tejiendo la red de insidias que ya iba mermando quilates a la reputación de la Flor del Quillén.

Siguió andando, alejándose. De pronto se detuvo, volvióse y con el puño cerrado amenazó la puebla.

María Rosa —que con la cara pegada a la rendija seguía atenta y angustiosamente sus movimientos— tuvo la sensación de recibir el golpe que aquel puño enviaba desde lejos y cayó desfallecida, dándose de bruces en el suelo. Fue un desfallecimiento de un minuto. Cuando se alzó a mirar de nuevo, el hombre no se veía.

Entonces se puso en pie. Le temblaban las piernas y dando trastabillones pudo alcanzar la cama, tumbándose deshecha en sollozos.

¿Por qué lloraba? Primero fue el miedo, la tensión nerviosa lo que la hizo sollozar. ¿Después? No sabía... Era algo confuso, una serie de sensaciones rápidas y agudas: tristeza porque el mozo se había reído de su buena fe, cantándole alabanzas mentirosas; rabia contra sí misma por haberse dejado engañar como una tonta; vergüenza por lo que Pancho esperaba de ella.

¿Entonces cualquiera podía llegársele, decirle palabras quemantes, proponerle, o, más exactamente, no proponerle nada, sino que luego de la declaración avanzar a tomarla como cosa propia?

Recordaba los hombres que la habían cortejado de recién casada. Cierto era que aquéllos iban desde las primeras palabras dejando ver su juego; las lagoterías de Pancho Ocares no las había tenido nadie. A los que habían venido abiertamente, también abiertamente los había rechazado ella. Pero de Pancho, ¿cómo maliciar?

) 430 (

Hacía una especie de examen de todas las entrevistas que tuvieran y nada sospechoso encontraba en la actitud del mozo, ni ninguna coquetería alentadora veía en su propia actitud. ¿Cómo empezó? ¡Ah! Sí. Estaban hablando de que la leña de espino era la mejor para calentar el horno. Después de un largo silencio había dicho: "Mi Rosita quería..."

¡Oh, qué horror! De no haber huido, ¿qué no hubiera pasado? Y esto, "lo que hubiera pasado", le sublevaba las entrañas en un espasmo repulsivo que le humedecía el cuerpo.

Volvió a ver la cara del mozo, cerca, cerca, casi tocando la suya. Veía los ojos que inmovilizaban su mirada. Sentía el aliento cálido metérsele ser adentro. ¡Oh!

De un brinco se tiró al suelo, quedándose en medio de la habitación alelada por la ola extraña que un momento la cogió en su rodar. Parecía observarse, esperar algo, no sabía qué, pero algo enorme y pavoroso que iba a suceder de pronto.

Lo que pasó fue que sus piernas se doblaron, cayendo de rodillas, llorando angustiosamente, retorciéndose las manos con gestos bruscos, desesperada porque sentía en la carne tremante la fiebre de "lo que no había pasado".

Eran cinco las carretas entoldadas que lentamente iban subiendo montaña arriba, en busca del claro en que permanecerían mientras durara la cosecha de piñones.

El camino abandonado, lleno de pedruscos y baches, trepaba en curvas violentas hacia la cumbre. Era la última repechada que faltaba por ascender en aquella sucesión de montañas que se escalonaban hasta llegar a las primeras estribaciones de la cordillera.

A trechos se daba un descanso a los bueyes. Detenida la caravana en terreno plano, bajaban todos a desentumecer los músculos, platicando alegremente, embriagados de holganza y contento.

Pero luego daba don Saladino la voz de partida, se instalaba en su carreta, que era la primera, María Rosa se acurrucaba a su lado, y con un largo: "¡Arre, güey!", el viejo, ayudado por la picana, ponía en movimiento la yunta.

De baranda a baranda llevaba la carreta un toldo de coligües cubierto por una colcha abigarrada; abajo, varios sacos, mantas y choapinos servían de asiento a María Rosa. De las barandas colgaban un canasto, un tarro, una olleta, unas prevenciones y una guitarra. Dos perros lanudos trotaban detrás.

Las otras carretas iban aperadas más o menos lo mismo, con la única diferencia notable que una llevaba amarrado a una soga un cerdo que a veces se negaba a caminar, provocando divertidos incidentes. Varios chiquillos bajaban entonces de las carretas con ligereza de monos y con grande algazara, entre los gritos de los hombres, los chillidos de las mujeres y los ladridos de los perros, arreaban al cerdo, obligándolo a caminar. Pero como estas escenas fuéranse haciendo cada vez más frecuentes, acabaron por liar al cerdo en un saco, amarrarlo y echarlo a la carreta con gran holgorio de todos, ya que el prisionero berreaba protestando, desesperado y ensordecedor.

La vegetación era más salvaje que en la hacienda. Allí el hombre había pulido su belleza, sacando a luz mediante el hacha y el fuego la tierra aterciopelada de pasto, dejando ver en lo hondo de las quebradas los ríos rumorosos, echando por los potreros la bendición de los canales fecundadores, trazando las sierpes brunas de los caminos, dibujando las líneas grises de las cercas de palos.

Aquí no. Aquí los árboles lo llenan todo. Arboles verde claro, verde obscuro, verde negro, pequeños, medianos, grandes, enormes, alegres, meditativos, atormentados, florecidos, en fruto, semillados.

Verde claro el palosanto que da a los vientos su perfume exquisito; verde obscuro el maitén pomposo que pide decorar un parque; verde negro el lingue de hojas gruesas y lustrosas como esmalte; pequeño el michay espinudo punteado de negro por los frutos azucarados; medianas las quilas esbeltas y flexibles, susurrantes y secreteras; grandes los raulíes greñudos; enormes los robles de troncos rugosos acusadores de vejez; alegres los avellanos en el cambiante color de sus bolas rojas, amarillas y negras; meditativas las araucarias que añoraran el pasado glorioso; atormentados los árboles secos próximos a ser derribados por la muerte; florecidas las fucsias en campanas rojas y violáceas que asoman el badajo blanco; en fruto los cóguiles que gustan a chirimoya; semilladas las copihueras que amorosamente se abrazan a los troncos.

Arboles, árboles, siempre árboles...

Ya arriba, en el claro que se abría en círculo, las carretas hicieron el alto definitivo. Bajaron todos y un gran movimiento empezó, yendo y viniendo entre grandes voces y risas, hombres, mujeres y niños, ocupados en desenyugar, en buscar leña, en traer agua, en prender fuego, en recoger piñones, en preparar la comida.

—Que se me haiga olvidao la sal... ¿No tenís vos una poquita que me dis? —dijo Clementina.

—Ya voy a darle —contestó María Rosa, que, de pie en la carreta, descolgaba sus trastos.

—Hasta los mesmos calzones se te ven, condená... Mira, aguaita quén te está mirando que te traga.

María Rosa se dejó caer de rodillas en la carreta y volviendo la cara al sitio que Clementina le indicaba con el gesto, se encontró con Pancho Ocares que la miraba fija y sostenidamente.

—Me tiene más fregá este mozo... —murmuró molesta.

—Sus gabelas tiene ser la Flor del Quillen —dijo Clementina, riendo luego con todo el cuerpo en una alegría bestial que en lo hondo era sólo envidia.

—Yo no sé di'ónde han sacao esa lesera de mentarme así.

—Pero, niña, ¡no seái tonta! Ejate querer y ríete e too. Si no juera por la risa, nos pasaríamos la vía llorando. ¡Ja! ¡Ja! —y reía, convulsionada, jadeante, terminando en hipo prolongado.

—Cada uno tiene su moo e ser.

—El tuyo agora me está gustando hartazo. Tenís razón, hijita, pal güey viejo no es el pasto tierno... —La miraba con una malicia aguda en las pupilas muy negras.

—¿Qué querís icir con eso? —preguntó la otra violentamente.

—Tú bien sabís...

—Yo no sé na..., y no me gustan las medias palabras—. La barbilla le temblaba en la ira y los ojos, como puñales, se hundieron en los de Clementina, que bajó los párpados.

—Güeno, güeno —dijo disculpándose, y agregó humildemente—: ¿No me querís dar la sal?

—Aquí está. Tome.

María Rosa refrenó su ira y sin alteración aparente abrió el canasto, entregando un puñado de sal a la mujer.

—Muchas gracias. Ya sabís que si en algo pueo servirte con too gusto lo haré... —Sonreía taimada, contraponiendo las palabras y el tono a la intención oculta.

Y se alejó sonriendo siempre, saco de sebo lleno de feas malicias, pero saco prometedor de placeres carnales que encendía una chispa de lujuria en los ojos masculinos que encontraba al paso.

Era una mozarrona exuberante de formas que vivía con el mayordomo "así no más", teniendo fama de mujer fácil y temible por lo chismosa y enredadora.

Ceñuda la miraba María Rosa alejarse, pensando que entre Pancho Ocares cortejándola descaradamente y aquella mala hembra de Clementina con sus suposiciones ofensivas, iban a amargarle los días que pasaran en la montaña.

Como en años anteriores con otros pobladores de la hacienda, don Saladino y María Rosa iban en busca de piñones, el alimento básico del montañés durante los largos meses de invierno, cuando los caminos son barrizales intransitables y la lluvia y la nieve aíslan las pueblas del villorrio cercano.

Los días que siguieron a la declaración del mozo fueron para María Rosa de angustioso alerta. No se sentía en seguridad sino en la casa, encerrada, a obscuras. Los quehaceres la obligaban a salir de su guarida y era para ella un suplicio ir de la casa a la cocina, con los ojos avizores escudriñando los horizontes, con el oído tenso a todo rumor, hiperestesiados todos los sentidos por la posibilidad de un encuentro con el mozo. No dejaba que los perros la abandonaran un instante, y para mayor certeza de defensa, traía un rebenque colgado a la cintura.

Estos sobresaltos y estas precauciones eran bien inútiles, porque Pancho Ocares no daba señales de vida y María Rosa fuese poco a poco tranquilizando, diciéndose que la fiereza de su actitud había ahuyentado para siempre al mozo y que, además, había hecho bien ocultando el incidente a don Saladino.

Pero a medida que este sentimiento de seguridad aumentaba al correr de los días, iba notando que otro sentimiento de desencanto, de vacío, de tristeza inmotivada, surgía del fondo de su ser.

A fuerza de preguntarse anhelante todas las mañanas: "¿Qué irá a pasar hoy?" y ver por la noche que no había pasado nada, pero absolutamente nada, el día en que María Rosa se convenció de que no debía esperar nada, de que ya nunca pasaría nada, de que su vida sería una sucesión de días iguales, sin nada, pero nada que diferenciara uno de otro, se echó a llorar desesperadamente, sintiendo que en realidad su vida entraba en la nada.

Entonces se refugió en el recuerdo de Pancho Ocares, reviviendo con una intensidad que llegaba a hacerle daño cuanta entrevista tuvieran. Tenía la carne limpia de fiebre de deseo. Aquel vértigo que la cogiera en su espiral una tarde, había pasado. Ahora vivía sólo de recuerdos proyectados sobre la tela blanca de sus horas.

La reacción, la vuelta a la ira, se produjo al ver a Pancho formar parte de la caravana, agregado a la carreta de Clementina, y comprender que alguna confidencia le había hecho, ya que en cuanto la viera empezó la moza a lanzarle pullas, alusiones y bromas malévolas.

¿Qué mentira le contaría Pancho para que así se atreviera a hablarle? Y no sólo era Clementina quien la hostigaba. María Rosa veía en todos los ojos una muda pregunta maliciosa. ¿Qué quería decir aquello? ¿La creerían acaso en relaciones con el mozo?

Queriendo parecer natural, componía una actitud afectada. Hasta entonces —en ocasiones semejantes— se la rodeaba de atenciones, consultándola para todo, haciéndola palpar el sitio aparte en que la tenían. Ahora los hombres la trataban familiarmente, de igual a igual, y las mujeres —salvo Clementina— la aislaban, convirtiéndola en blanco de miradas y cuchicheos.

Sin saber cómo sacó de las prevenciones un pedazo de charqui, un trozo de repollo, papas, cebollas, choclos, ají verde, colocándolo todo en una olleta, y con ella en una mano y en la otra el tarro, se fue a la fogata que en el centro alzaba su lengua roja, vahorosa de negro humo.

Atardecía en una dulzura infinita de gamas. Nubecillas rosadas se iban disgregando en jirones traslúcidos, apenas perceptibles, que terminaban por diluirse en la tonalidad azul del cielo. El sol bajaba palideciendo y ya su enorme disco podía mirarse sin que cegara. Y cuanto más descendía, más perceptible se iba haciendo la luna en creciente, fuentecilla de plata, bebedero de ensueños de todos los sedientos.

Al roce del sol la cordillera se teñía de rosa para luego ser azulina. En los flancos del Lonquimay los rodados marcaban su paso con una línea blanca, deslumbradora, que iba a perderse en la sombra de un precipicio; el Llaima se chaperoneaba con una nube opalina y el Mocho mostraba las aristas agudas de su molar, fulgurantes de nieve.

Hacia el poniente el paisaje se perdía en la verde masa de los árboles rumorosos y fragantes, manchados de ocre por los claros y de plata por las torrenteras.

Un airecillo suave hacía de todos los olores de la montaña un perfume único por lo intenso. No se olía solamente aquel perfume: se gustaba al pasar el aire por la boca camino de los pulmones, dejando sabor a menta, a polvo, a resina; se veía cuando las hojas se inclinaban como para mejor echar su aliento exquisito; se sentía cuando los dedos del viento dejaban en la cara la frescura de su caricia; se oía en el rumor insistente y secretero de la montaña.

Con breves cantos de llamada los pájaros buscaban sus cobijas. Una lechuza voló silenciosamente hasta una rama alta, se aferró sólida, torció la cabeza y con los ojos fijos en el horizonte quedóse de atalaya hasta que se hizo noche. Entonces ululó sus agorerías y se fue ahuyentada por la lluvia de piedras que los chiquillos echaban sobre ella.

—¿Onde andará Saladino? ¿Lo ha visto usté, Zoilita? —preguntó María Rosa a una mujer que como ella, junto al fuego, preparaba la comida.

Sentía la imperiosa necesidad de hablar, de sentirse acompañada. Antes, en su aislamiento voluntario, era feliz; ahora la soledad en que la dejaban la hería como un insulto.

La mujercita —era buena y vivía además lejos de todo comentario— contestó modosamente:

—Se jue con los otros a buscar piñones.

—¿Le queó a usté algo di'agua?

—Naíta, l'eché toa en l'olla.

—Válgame Dios... ¿A quén mandara a buscar?

—Aquí estoy yo pa servirla —dijo Pancho Ocares, adelantándose con una decisión que enfureció a María Rosa—. ¿En qué le traigo l'agua? ¿En el tarro?

—No preciso sus servicios. Gracias —contestó muy seca, mirándolo a los ojos con un reto que fue un acicate más para el capricho del mozo.

—No sea mala... —y acercándose, con ademán lento y firme, le quitó el tarro de las manos—. Ejeme servirla..., es l'único que quero en el mundo..., es usté...

Aturdida por la audacia, temerosa de que Zoila se hubiera dado cuenta del juego de palabras, avergonzada porque un grupo de mujeres miraba desde lejos la escena cambiando entre ellas risas y cuchicheos, María Rosa soltó el tarro e inclinó la cabeza, buscando ocultar la cara que le ardía el rubor.

Pancho la miró un instante gozando su triunfo, luego dio una mirada en torno para comprobar qué efecto hacía ese triunfo en los espectadores y, sonriendo satisfecho, se fue a buscar agua a un manantial que brotaba allá, entre unas piedras, bajando un poco de camino.

De pie junto a la fogata, desconcertada, con vagos deseos de llorar, sin saber qué hacer, María Rosa miraba sin verlo el baileteo de las llamas. ¿Qué haría? ¿Avisar a Saladino? ¿Provocar un incidente que sería un escándalo?

"Lo mejor es hacerse la lesa y aguantar", se dijo mentalmente, recobrando un tanto el aplomo.

Afanosa se dio a pelar papas y cebollas, a deshojar choclos, a picar repollo, preparando los ingredientes del puchero que sería su comida. Fue a la carreta a buscar sal, volvió a ir por una cuchara.

—¿Va amasar usté? —preguntó Zoila.

—Traje pan pa hoy. Mañana haré tortilla e rescoldo.

—Yo me veo tan alcanzá e tiempo... —para Zoila era un sedante narrar sus tristezas—. Los chiquillos no m'ejan parar cosa... Entoavía no saco el pan de l'horno, cuando ya se lo comen. Son como güitres y son tantos y tan condenaos... Mire, aguaite cómo están que se matan comiendo piñones crúos; después son las lipidias y los empachos... ¡Ay, Señorcito! ¡Dame paciencia!

Se la veía deshecha por el trabajo, extenuada por los hijos, deformado el cuerpo por otra próxima maternidad, marchita la cara por una vejez prematura. Vestida pobremente, era un montón de harapos bajo los cuales los músculos relajados sólo pedían descanso. Descanso de hambres, de fatigas, de miserias, de embarazos, de sufrimientos.

—¿Quere que l'ayude en algo? —preguntó María Rosa.

—¡Dios se lo pague! —y emocionada por la atención la miró con ojazos húmedos, de bestia agradecida—. ¿Quere ayudarme a pelar papas? Les voy hacer charquicán.

—Yo le voy a traer un piacito e charqui pa que l'eche. No será mucho, pero siempre agarra gusto.

—¡Dios se lo pague! —volvió a decir agradecida, mas, de pronto, amargada, recónditamente envidiosa, agregó—: Usté puee darse esos gustos..., usté no tiene chiquillos...

—¡Y es too lo que quisiera! Usté no se imagina lo triste qu'es no tener guagua.

—Es que usté no sabe..., por lo mesmo que no los ha tenío. ¡Los hijos acaban con too y hacen sufrir tanto!... A veces, cuando ya está uno criao, ¡zas!, de repentito, en un decir Jesús, va y se muere y una casi se vuelve loca e pena. Hay veces que me desespero tanto con ellos, que me dan ganas de tirarme al suelo en un rincón y ejarme morir...

—No iga eso, que Dios la puee castigar. ¿Qué harían esos pobrecitos sin madre?

—Puee que se murieran toos y al fin sería lo mejor pa ellos. La vía del pobre es tan perra, ¡pua! —Hablaba con una desesperación tan honda, tan arraigada en lo inconsciente, que no era ella quien pronunciaba esas palabra, sino toda la serie de antepasados obscuros que saborearan el pan agrio de la pobreza.

—Está mala de la cabeza usté hoy —le reprochó María Rosa con dulce voz persuasiva que pareció volverla a la realidad.

—Son estos mocosos —dijo haciendo un gesto vago—. A veces los quero a morir y otras veces los molería a palos. No s'entiende una...

Volvía Pancho Ocares.

—Aquí está l'agua. ¿Qué más se li'ofrece? —preguntó solícito, buscando los ojos de María Rosa que huían los suyos.

—Na, gracias.

Sin mirarlo cogió el tarro, echó agua en una fuentecilla para lavar las verduras y, como si el mozo no existiera, continuó preparando la comida al par que ayudaba a Zoila a preparar la suya, charlando con ella, aferrada la atención a cuanta tristeza le contaba, con la esperanza de distraer el pensamiento de la presencia turbadora y punzante de Pancho Ocares.

Luego de comer, hombres y mujeres formaron un círculo, sentados los más en el suelo y sólo unos pocos en pisos y mantas. Mientras pasaba la pereza de la digestión se distraían contando cuentos, en espera de que cantara María Rosa, y era claro que el canto traería baile.

Algunos chiquillos dormían acurrucados en un choapino. Otros rodeaban muy despabilados el tarro donde cocieron los piñones, y ya ahítos, mordían la envoltura café rojizo, jugando a quién, apretando la vaina, hacía saltar más lejos el piñón.

Las cinco carretas se esparcían por el claro con el pértigo en el suelo y la sombra junto en un remedo grotesco.

La fogata apagada era un montón de carbones con una que otra manchita roja, tenue por la ceniza.

Los perros dormitaban cerca del rescoldo, menos uno que, mezclado con los niños, dormía con ellos fraternalmente, sirviendo de almohada a la cabeza obscura del más pequeñín.

Se sentía ramonear los bueyes entre los árboles. Un ave nocturna solía pasar aleteando recio y las corgüillas daban al silencio sus dos notas únicas, repetidas obstinadamente.

Alta la luna en el cielo muy azul, su luz blanca apagaba las estrellas, poblando el paisaje de fantasmagorías alucinantes.

En el corro don Saladino llevaba la voz. Decía a Pancho Ocares:

—Es malo reírse d'esas cosas...

—No me río, pero es que hallo muy divertido que al pasar frente a una pieira en el camino pa Lonquimay, l'ejen alguna cosa pa tener güen viaje. Si ehi hubieran matao alguno.

—Entonces se l'ejarían velas —dijo el mayordomo.

—Y si no hay finao, ¿a quén l'ejan cosas?

—Yo no sé na... Es una costumbre e los indios que habimos agarrao nosotros los d'estos laos. No sé si hay ánima o qué hay, pero el cuento es que si uno pasa sin ejarle algo a la pieira, una desgracia le llega lueguito —explicó don Saladino sentenciosamente.

—Se l'eja cualesquier cosa —agregó el mayordomo—: un cigarro, un palo e fósforo...

—La pieira es pitaora entonces —dijo Pancho con burla.

—No eche la cosa a risa —aconsejó don Saladino muy serio—. No le vaiga a pasar lo mesmo qui a Peiro Fáez.

—¿Qué le pasó a Peiro Fáez? —había siempre burla en la voz del mozo.

—¿Peiro Fáez? —preguntó Clementina, abriendo mucho los ojos en un pueril gesto de espanto—. ¿El que se reía del pino hilachento?

—¿El pino hilachento? ¿Qu'es eso? —preguntó casi simultáneamente Pancho Ocares.

—Es un pino qu'está en el cajón del Llaima y al que tamién se l'eja cualesquiera cosa, una hilacha que sea.

—Por eso lo mientan así —completó el mayordomo.

—¿Y qué le pasó a Peiro Fáez?

—Le pasó, le pasó... Güeno, les contaré toa l'historia. —Un momento don Saladino se concentró coordinando sus recuerdos; luego, con grandes pausas en que esperaba que la lengua se le desenredara, fue diciendo lentamente—: Eramos tres los que arreábamos piño desde l'Argentina, un gaucho que se llamaba Peiro Fáez; Tránsito Hernández, qu'era de Chile Chico, y un servidor de ustedes. Al gaucho lo conocimos al otro lao y lueguito nos gustó por su hombría, su güen genio y lo simpático qu'era. La familia la tenía en el Neuquén, en Catan-Lil, l'hacienda e don Arze, ese caballero argentino que toos queríamos tanto. Tenía madre, mujer y un chiquillo chico que ya gateaba; a los tres los quería a morir y siempre los andaba mentando pa contar cosa de la mujer, dichos de la veterana y gracias del güeñicito.

"A naides he oído cantar con más sentimiento. Sabía unos tristes que daban ganas e llorar oyéndolos y unos pericones alegres como diachos y unos tangos compadritos más picantes qu'el ají. Nos tenía tan entreteníos que no sentíamos pasar las horas.

"Cuando llegamos a la cumbre nosotros empezamos hablar del pino hilachento. Peiro Fáez se reía a morir y nos llamaba "sonsos" porque creíamos en esas cosas.

"Entre broma y broma llegamos al pino hilachento, qu'estaba lleno, pero lleno d'hilachas, de cigarros, de fósforos, de plata argentina, de plata chilena...; hasta un pañuelo e narices tenía.

"Es un pino d'estos que dan piñones, viejo y grandazo como no hey visto otro. Es muy raro, no sé lo que parece. Tiene el tronco pelao, y arriba las ramas como brazos. Parece talmente uno d'esos candeleros que hay en las iglesias con muchas velas.

"En fin: el cuento jue que yo le puse una chaucha, que Tránsito Hernández le puso un cordón e zapato y que Peiro Fáez no quiso ponerle na.

"Por primera vez casi nos peliamos, porque quería barrer con toa la plata que tenía el pino pa comprarle con ella juguetes a su mocoso. Nos costó convencerlo: "Si tal hacís te va a pasar algo grande", l'icíamos y él se reía y nos golvía a llamar "sonsos" con su moo tan simpático.

"Poquito más acá encontramos al patrón que nos estaba esperando, y Peiro Fáez se volvió pa su tierra, con gran sentimiento e nosotros, qui'habíamos aprendío a quererlo. El hombre tamién nos quería. Se despidió con bromas de que l'iba a sacar toa la plata al pino... y se jue, riéndose siempre y llamándonos fantasiosos.

"¡Y no supimos más d'él!

"Hasta qu'en l'otra primavera llegaron unos qu'eran del Neuquén, y tomando noticias de los amigos d'esas tierras les preguntamos por Peiro Fáez.

"Resulta que cuando Peiro llegó al Neuquén s'encontró con su mujer muy enferma, tan enferma que al poquito e tiempo después murió. Peiro queó como atontao con la pena; se lo pasaba cavilando sentao en un piso, sin querer trabajar, sin hablar palabra. Apenitas hacía una semana que había enterrao a la finá, cuando se cotipó el mocoso, le vino fiebre mala y tamién se murió.

"Entonces Peiro se puso bien malo e la cabeza. Se lo pasaba hablando solo, iciendo que por su culpa se habían muerto la mujer y el niño, que toas esas egracias eran venganzas del pino hilachento porque le había robado la plata y que tenía qu'ir a devolvérsela pa que no se juera a morir la veterana.

"Hasta que un día aperó la bestia, llamó al perro y las echó pa Chile sin atender razones e naiden.

"Na más se supo d'él, porque el invierno ya estaba encima y lueguito se cerró la cordillera.

"La primera arriá que pasó en setiembre s'encontró un esqueleto colgao del pino, la bestia y el perro estaban en el suelo y eran tamién puros güesos. Por la montura y una libreta qui'hallaron se supo que Peiro Fáez era el ahorcao.

"Unos creyeron que como estaba tan malo e la cabeza s'ahorcó e puro local. Otros creyeron que se queó embotellao con las primeras nevazones y que antes de morirse di'hambre y frío prefirió matarse. Toos son sup estos. Nada se sabe..., pero el cuento jue así —terminó diciendo don Saladino.

Un momento se quedaron todos en silencio, cogidos por la emoción de la tragedia lejana. Luego vinieron los comentarios, breves y rápidos.

—Eso jue una pura casualidá —dijo Pancho Ocares.

—Yo creo qu'el pino está hechizao —dijo con voz medrosa una jovencita.

—Too lo que pasa tiene que pasar porque es el Destino —exclamó sentenciosamente el mayordomo.

—Sí, es el Destino —lo decía Zoila con desaliento infinito, aplanada por ese poder oculto y omnipotente al cual el montañés confía su vida entera.

—En estas cosas lo mejor es creer. Entre ponerle y no ponerle, lo mejor es ponerle —con su desparpajo habitual, Clementina sonreía pícara.

—¡Pobre Peiro Fáez! —murmuró María Rosa compasivamente—. De hoy p'adelante le voy a rezar a su ánima.

—Mejor será que rece por una intención mía —dijo Pancho Ocares.

—Vos tenís muy malas intenciones —le contestó un mozo muy simpático que se llamaba Lucho Guerra.

—Cállate tu hocico. —Clementina le dio un manotón en un brazo y luego, sonriendo siempre, con malicia que hería como un estiletazo, dijo a María Rosa—: Hácele caso a Pancho..., no seáis lesa. Yo respondo por él.

—¿Y por vos quén responde? —preguntó Lucho Guerra.

—¡Ah, diaulo mañoso! —y le dio otro manotón, riendo con tales ganas que los demás, contagiados, rieron largamente.

—¿Entoavía no cree en el pino hilachento? —preguntó a Pancho el viejo campero.

—Yo no creo en na... En l'único que creo es en que la María Rosa va cantar.

—Deveritas, pue.

—¡Ya, María Rosa!

—¿Onde está la vigüela?

—Yo l'iré a buscar —y don Saladino se puso de pie, yendo hasta la carreta.

Volvió el viejo con el instrumento. María Rosa lo acomodó en sus rodillas y lo empezó a afinar, sacando unos acordes ásperos como latigazos, a los cuales siguió un rasgueo frenético, terminado por un palmetazo seco sobre las cuerdas.

Entonces la voz de la mujer, muy pura, muy cristalina, con un dejo infantil en los agudos, empezó a cantar apoyada en una nota que comentaban los acordes:

¡Que vivan las señoritas!
Yo vengo de l'Angostura
a cantarle esta letrita,
que compuso la Ventura,
¡ay!,
que compuso la Ventura.

El día que la compuso
aquella niña malvá,
mi taita y mi tío Cucho
se reían a carcajá,
¡ay!,
se reían a carcajá.

El día que la cantaron
jue el día del taita Pancho,
de tanta gente qui había,
botaron la puerta el rancho,
¡ay!,
botaron la puerta el rancho.

Al ver la puerta en el suelo,
aquí mi ñaña, enojá,
mandó quitar la guitarra
y dijo: —No canten na,
¡ay!,
y dijo: —No canten na.

La fiesta acabó a pencazos,
qui había e suceder,
siendo remolienda e huasos,
así tenía que ser,

¡ay!,
así tenía que ser,
¡ayayay!

Tras el último ¡ay! plañidero, con otro palmetazo seco sobre las cuerdas, María Rosa calló la guitarra, quedándose muy seria, con los ojos bajos, escuchando como distraída los aplausos y las exclamaciones con que la animaban a seguir.

—¡Bravo!

—¡Dios la bendiga, m'hijita!

—Muy bien.

—¡Otra! ¡Otra!

—Una cueca agora.

—Pa bailarla con la Clementina —dijo Pascual Brito, poniéndose en pie.

—Clarito, pue —contestó Clementina, saliendo al ruedo.

—Cueca... Cueca...

—¡Ay, sí! —tarareó Pancho Ocares.

—Hacele, María Rosa.

Pascual Brito y Clementina estaban en el centro del corro. Arrogante el mozo, vestía pantalón alto y una chaquetilla corta adornada con profusión de botones; un pañuelo rojo arrollado al cuello flameaba las puntas sobre la camisa blanca. Con una mano en la cadera y la otra caída a lo largo del cuerpo empuñando un pañuelo, miraba el mozo a Clementina con ojos risueños y desafiadores, porque ambos tenían fama de buenos bailarines y les gustaba lucir juntos sus habilidades por ver quién tenía más.

María Rosa volvió a rasguear las cuerdas y empezó:

En la puerta de mi casa
voy a poner un tablero,
con un letrero que diga:
Vendo l'aloja, casero.
Rica l'aloja, ¡ay!, qué güena,
fresca y barata,
se vende por medio real,
lo que sobra doy de yapa.

Con los ojos bajos y una sonrisa a flor de labios, Clementina —moviendo los pies en un compás de vals— iba y venía rodeada por el mozo que le cortaba el camino zapateando recio y dibujando primores con el pañuelo en el aire. Y había que admirar la incitación que la mujer ponía en su cara —ya de común picaresca— y el dejo con que desalentaba al hom-

) 442 (

bre cuando éste apretaba el círculo en torno a ella o la coquetería con que lo buscaba cuando se iba lejos.

El sereno de mi calle
anoche se m'enojó,
porque gritaba tan juerte;
Vendo l'aloja, señor.
Rica l'aloja, ¡ay!, qué güena,
fresca y barata,
se vende por medio real,
lo que sobra doy de yapa.

El corro seguía el compás de la guitarra palmoteando entusiasmado. Y como todos estaban atentos a la pareja que bailaba y más que todos don Saladino, aprovechó Pancho Ocares el instante para llegarse a María Rosa, ponerse de rodillas a sus pies e ir diciendo a la vez que tamborileaba en la caja de la guitarra:

—Mi Rosita... Mi Rosita quería...

Apenas movía los labios para murmurar estas palabras que se infiltraban en María Rosa como un mosto nuevo que la embriagara. Pero siguió rasgueando con ímpetu las cuerdas en la esperanza de no oir aquella voz de demonio, ni que los demás la oyeran.

¡Que ya s'acabó l'aloja!
¡L'aloja ya s'acabó!
La plata qu'hemos ganao,
la remolimos los dos.
Rica l'aloja, ¡ay!, qué güena,
fresca y barata,
se vende por medio real,
lo que sobra doy de yapa.

—No esté enojá con este pobre guacho que sólo sabe quererla —seguía diciendo Pancho Ocares por lo bajo, quemándola con el aliento, turbándola hasta el punto de que la voz se le estranguló en la garganta y tuvo que suspender el canto.

—¿Qui'hubo, María Rosa? —preguntaron varias voces extrañadas por la interrupción.

—Estás bien lesa —gritóle Clementina—, no mirís tanto a Pancho.

—Falta el cogollo —gritó a la vez que Clementina Pascual Brito, buscando que don Saladino no tomara sentido a lo que su pareja insinuaba.

María Rosa no supo cómo pudo seguir cantando:

> *¡Que viva la Clementina!*
> *Cogollito verde s'hoja,*
> *si quere yo le sirvo,*
> *una copita d'aloja.*
> *Rica l'aloja, ¡ay!, qué güena,*
> *fresca y barata,*
> *se vende por medio real,*
> *lo que sobra doy de yapa.*

La pareja redoblaba su entusiasmo y en un último despliegue de gracia Clementina levantaba la falda, dejando al aire sus pantorrillas rollizas, y el mozo "cepillaba" un paso brioso que sostenía el palmoteo general.

—¡Aro!

—¡Cueca más bien bailá no hey visto en mi vida!

—Güena la parejita...

—Harto güena...

—Sírvase, Clementina.

Terminado el baile, habían ido a una carreta en busca de la damajuana y servían vino que animó más aún las fisonomías. Se cruzaban frases intencionadas que como saetas iban a clavarse en Clementina: estaba de pie en medio del grupo, contestando con desgaire cuanta picardía oía, exuberante de contento y de ganas de fiestear, como decía con su gruesa voz de bordón.

María Rosa aprovechó el movimiento general para ponerse en pie e ir a reunirse con don Saladino.

Pancho Ocares también se levantó, yéndose tras ella porfiadamente.

La mujer, que lo sentía seguirla, tuvo la tentación de volverse y decirle una palabrota, de írsele encima y arañarlo, de escupirlo y tirarle el pelo. Fue un momento de exasperación que pasó como un relámpago, dejándole nuevamente la sensación de embriaguez, de cansancio gozoso al comprender que "no podía" abominarlo.

Un resto de orgullo, un último alarde de independencia, una bravata desesperada que se volvía contra ella misma, hiriéndola, la hizo obrar. Pero era como si cuanto decía lo dijese otra y ella, muy lejos, muy alta, se aislara en la dulzura de sentirse vencida.

—Me duele la cabeza —dijo a don Saladino.

—¡Vaya por Dios, m'hijita! —La miraba asustado, porque la cara de la mujer estaba desencajada—. ¿Qué le haría mal?

—Quizás si sería el sol.

—¿Le duele mucho?

—Muchazo... —y como en realidad la excitación nerviosa le atirantaba los músculos, no necesitaba fingir para revelar su sufrimiento.

—¡Qué pena! —contestó Pancho Ocares con voz dolorida.

Estaba furioso en lo íntimo porque después de la escena de la tarde creía a la mujer cosa propia y ahora sentía que se le escapaba con una firmeza sorda que lo desconcertaba, llenándolo de un furioso deseo de venganza —mitad despecho y mitad amor propio herido—, que en caso de tenerla a su merced, más que a besar lo impulsaría a pegar.

"Por la buena o por la mala", le había dicho él. Ya había ensayado bastante por la buena; era hora de buscarla por la mala...

La voz de que María Rosa enferma se retiraba llenó de consternación al grupo.

—Póngase unos parches de papa —aconsejó Zoila, muy compungida.

—Ejate e leseras... Tómate un trago y verís cómo al tiro se te pasa —dijo agriamente Clementina.

—Yo no tomo. Puee que durmiendo se me pase. Me voy a acostar y si no me alivio, mañana di'alba me voy pa mi casa —y desafiadora, miró primero a Clementina, que hizo un mohín de fastidio, y luego a Pancho, que sostuvo impasible la mirada.

Había tomado de súbito la resolución de huir. Irse, irse, alejarse del vértigo que le producía Pancho Ocares, dejar atrás todo eso y volver a la calma de su vida de antes, aunque le encogiera el corazón el recuerdo de la puebla solitaria en que sus días volverían a la nada.

—Con tu gusto, hijita... Pero éjame que me ría e tus leseras. ¡Ja! ¡Ja! ¡Ja!

—Ríase hasta que le dé puntá. Güelvo a icirle que cada uno tiene su moo e ser.

—En eso estamos conformes. Cada uno tiene su moo de matar las pulgas. A mí me gusta matarlas a la vista e toos. A vos...

—¿Qué? —preguntó bravamente.

—Na... ¡Ja! ¡Ja! ¡Ja! Lo que siento es que nos aguás la fiesta.

—Yo tamién lo siento. Güenas noches —dijo María Rosa, que ya no deseaba otra cosa que huir.

—Güenas noches. Que se alivie —contestaron todos.

—Hasta mañanita —se despedía don Saladino, tan afligido por la enfermedad de su mujer que las frases últimas no alcanzó a penetrarlas.

—Yo creo que no será na —y Pancho Ocares sonrió socarronamente.

—Dios lo quera... —dijo Zoila con gran candor.

La pareja se alejaba camino de la carreta.

—¿Y a esta gata mañosa la llaman la Flor del Quillen? ¡Pua!, qué irrisión —comentó riendo a carcajadas Clementina.

María Rosa cumplió su amenaza de volverse a la puebla. De alba emprendieron el descenso. Don Saladino iba doblemente preocupado, pues a la enfermedad de la mujer se unía el cuidado por la cosecha de piñones que tuvo que confiar a Pascual Brito. María Rosa guardaba un silencio huraño. Tan pronto se sentía feliz y cada paso de los bueyes le daba la sensación de alejarla de un peligro, tan pronto la cogía, angustiándola, el vacío hacia el cual caminaba lentamente.

Entre esas dos corrientes era una pobre cosa flotante, desesperada por no encontrar un asidero que le devolviera la estabilidad. La única ansia que tenía era verse en su casa, entre los objetos familiares, sola, pensando, viendo si podía ordenar cuanta impresión traía en el cerebro para ver claro en ella misma.

Y deseando llegar la horrorizaba ese fin de viaje, porque en la casa, sola, pensando, viendo claro en ella misma, tenía la absoluta seguridad de encontrar que el amor por Pancho Ocares lo llenaba todo. Esta certidumbre le daba fiebre, haciéndola tiritar.

Fue un triste viaje interminable. Llegaron de noche a la puebla e inmediatamente María Rosa se acostó, molida por las dos jornadas, sintiendo un círculo de hierro en torno a la cabeza adolorida.

El cansancio físico la sumió en un sueño poblado de pesadillas horribles. Cuando don Saladino al levantarse de madrugada la despertó trajinando por la pieza, tuvo una sonrisa de alivio al verse en la casa.

—Lo mejor es que no te levantís. No te aflijas por la comía; con un piazo e charqui y unos cuantos mates yo estoy del otro lao. Voy a d'ir a las casas a ver si me dan una poquita e leche pa vos. Hablaré con la patrona mesma. Y no sería malo agarrarse de que vos estás enferma pa que nos den una vaca pa lecharla. ¿No te parece?

Hablaba don Saladino yendo y viniendo por la pieza. María Rosa lo escuchaba distraídamente, sentada en la cama, arrebozada en el chalón.

—¿Te vai a levantar? —preguntó don Saladino.

—¡Ah! —volvía de tan lejos—. Clarito, pue; más rato me visto.

—¿No será mejor que te quedís en la cama?

—Es pior, más se mi'acalora la cabeza.

—Vos sabrís lo que hacís. Yo voy a buscar la leche y a la güelta pasaré a tu casa a contarle a tu mama qu'estás enferma.

—Tráete a "Perico", entonces. Dile a mi mama que me mande un piazo e tela plástica. Eso me aliviará hartazo. Y le dai muchos saludos.

—Al fin creo que jue mucha lesera venirnos como locos...

—¡Eso es! Y si sigo enferma y me pongo pior, ¿qué habías hecho conmigo allá arriba?

—Güeno... Güeno... Vos sabís que en tus cosas yo no me meto. ¿Te quisiste venir? Aquí estamos y sanseacabó.

—Dile a mi mama que si sigo enferma tiene que mandarme a una de las chicuelas e la Ramona pa que me cuide.

—Güeno.

—No te vaigas olvidar del "Perico". Pídele a mi mama el canasto pa traerlo; ella lo guardó.

—Güeno.

—Y la tela plástica.

—Güeno. Na se me olvidará. Hasta lueguito.

Ya sola, María Rosa levantó las rodillas hasta la altura de la cara, las rodeó con las manos unidas y se quedó pensando en que ya era hora de pensar.

Iba lentamente, miedosamente, buscando el recuerdo de las impresiones recibidas. Nunca encontraba una sola: junto a la vergüenza de lo que todos suponían estaba la alegría áspera como un cilicio de volver a encontrar a Pancho Ocares; junto a la ira que le causaban sus audacias estaba la dulzura de sentirse inmóvil viendo girar en torno ese torbellino; junto al pavor que le inspiraba el porvenir estaba la dicha aguda de ver cómo el Destino la echaba en los brazos del mozo.

En la mujercita los sentimientos obraban violentamente, llevándola de uno a otro extremo con una fuerza impetuosa que no la dejaba acogerse a ninguna conclusión.

¿Quería a Pancho Ocares? ¿Lo quería lo bastante para...?

Estiró los brazos con un gesto de pereza que hizo temblar los breves senos firmes, desnudos bajo el lienzo de la camisa. Las cosas familiares se le aparecían en la penumbra de la pieza cerrada con una vaguedad turbadora. De un clavo colgaba la manta de don Saladino con la chupalla encima.

María Rosa la miraba fijamente, pensando que era igual a la que Pancho usaba. Igual: roja con dibujos blancos y negros. La miraba. Y a fuerza de mirarla llegó a sugestionarse y por la intensidad de su deseo no vio allí la gaya policromía de tejido burdo y colgante, no; las líneas tomaban relieve, el sombrero se levantaba y una cara morena asomaba bajo sus alas, unos ojos sonreían a los suyos febriles y una boca dejaba ver la punta de los dientes deslumbradores.

—¡Pancho! —murmuró estremecida.

Y estiró los brazos a ese fantasma, levantando la cara para que al avanzar mejor pudiera besarla.

—¡Pancho! —volvió a decir.

Pero esta vez el sonido de su voz la trajo a la realidad y en lo obscuro de la pieza sólo vio el sombrero y la manta, colgando lacios del clavo. Pero también vio en sí misma el impulso que de haber estado allí en cuerpo y alma Pancho Ocares la hubiera echado en sus brazos, ansiosa de caricias, quemante de pasión.

—Lo quero..., lo quero... —empezó a repetir con una alegría de ebriedad.

El amor la acogía en su recta de gozo que lleva hasta los astros. Hubiera querido gritar a todos los vientos su secreto para que la montaña entera se estremeciera a su eco. La ola de terneza hacía de miel su alma y a toda cosa hubiera querido comunicar dulzor.

Levantó las manos con un gesto suave y acarició sus mejillas quemantes, sus párpados cerrados por la plenitud del sentimiento. Una voluptuosidad recorrió sus nervios y con un movimiento vivo se arrebozó en el chal.

—Pancho..., Pancho... —volvió a repetir como si el mozo estuviera a su lado, oyéndola—. Te quero, Pancho...

De repente sus párpados se abrieron, la cabeza se echó atrás como hurtándose a un roce y el cuerpo entero cobró una rigidez de repulsa.

En su espíritu acababa de surgir la visión de su vida futura. Se veía empujada a los brazos de Pancho por una fuerza superior a su voluntad. ¡Sería su destino! Su vida tan clara, tan nítida, se complicaba, se hacía obscura, entraba en el círculo de las mentiras, de los disimulos, de las traiciones, de las hipocresías. Ya no podría decirse con íntimo orgullo que como ella no había ninguna y que bien hacían llamándola la Flor del Quillen. Sería una mujer igual a todas, como la Clementina y la Pascuala. Bueno ¿y qué? Ella era dueña de su persona y si cedía a la tentación era porque amaba. Las otras se daban por dinero: eso era sucio, era feo. A ella no la movía ningún bajo interés. Amaba tanto como la amaban. Pancho la quería. Ella quería a Pancho. El fin natural de esa atracción recíproca era la posesión. ¿Qué mal había en ello?

Seguía siendo la Flor del Quillen y aun en la falta encontraba un sitio aparte en qué colocarse.

Volvía a ceder, dándose mil disculpas que adormecían su conciencia, y era por la fiebre de la carne y la audacia del pensamiento la querida del mozo.

El comentario malévolo no la inquietaba. Sin serlo, los demás la daban por amante de Pancho Ocares. En la montaña, al sentir por primera vez el alfilerazo de la malicia, se encabritó rebelde. Ahora se consideraba por encima de todas esas pequeñeces, aislada, abroquelada por ese fluido que el amor crea en torno del ser que lo padece. Para ella sólo existía una verdad y todas sus potencias tendían a penetrarse de esa verdad: el amor.

¿Y don Saladino?

Volvió a ponerse rígida, porque asomaba el marido engañado en el cuadro de sus figuraciones y hasta entonces esa figura tan principal había estado borrosa en el fondo.

Y aferrada desesperadamente a cuanto quedaba en pie de su antigua personalidad, se dijo que nunca, nunca, nunca sería tan mala como para engañar a ese pobre viejo bondadoso.

Nunca. No era posible. No podía darse al amor. Aquella embriaguez de ilusión había que olvidarla. En su vida no habría caricias, ni besos, ni charlas, ni miradas, ni esperas, ni sobresaltos, ni miedos, ni iras, ni rencores, ni remordimientos. En su vida no habría nada.

Y lloraba con angustia porque, por segunda vez —voluntaria y definitivamente—, sus días volvían a la rutina que los aplastaba.

María Rosa bordaba en el corredorcillo. Dos días habían pasado; repuesta de su enfermedad, hacía la vida de siempre. Don Saladino acababa de marcharse a Dillo en busca de una partida de animales.

Un poco triste, adolorida por el sacudón sufrido, la mujer se anegaba en el renunciamiento, buscando pedestal para su orgullo en ese hecho: ninguna hubiera sido capaz de huir el amor por deber; ninguna.

"Perico" avizoraba un vilano errante. Agazapado, con los músculos como resortes en presión, al tenerlo cerca saltó, dio bote, volvió a saltar, giró sobre sí mismo pirueteando. El vilano subía, bajaba, enredado a la espiral de aire creada por el movimiento del gato, enredado al gato mismo hasta el punto de inmovilizarse en su piel, adherida seda contra seda.

En la cocina se sintió caer un tarro. María Rosa alzó la cabeza vivamente y tras de quedarse un rato cavilando se puso en pie al par que murmuraba:

—No vaigan a darme güelta l'olla e la leche. Son tan maldaosos estos quiltros.

Salió por la puerta trasera de la casa, atravesó el corralillo y entró a la cocina, rectamente hacia el vasar del fondo.

La puerta se cerró de golpe y alguien que se escondía detrás de su hoja única la trancó, cruzándose luego de brazos, apoyada la espalda contra el quicio.

María Rosa se volvió al golpe, y el estupor le dilató las pupilas; frente a ella estaba Pancho Ocares.

El primer impulso de la mujer fue avanzar a abrazársele, balbucirle su amor, implorar sus caricias, humillarse en un ansia de anulamiento, de ser en sus manos cosa propia de la cual se dispone. Alcanzó a dar unos pasos; el hombre la miraba fijo, respingado el labio, fiera la expresión. La inmovilizó el terror. Vio lo que iba a pasar. Contra la fatalidad no se lucha. Si hasta entonces pudo defenderse fue porque su hora no había llegado. El destino se cumplía con ella o sin ella. ¿Para qué rebelarse?

El hombre avanzó amenazador.

—¿Creís que conmigo se juega así no más? ¿Qué te habís imaginao? Ya me tenís cansao con dengues. Miren la señorona... ¿Sabís lo que sos? Una china no más, una china como cualesquiera otra, ¿entendís?

Le hablaba casi boca contra boca. Cortaba las frases bruscamente, arrojándoselas como piedras. Siguió diciendo:

—¿Creís que voy a ejar que toa l'hacienda se ría e mí? No, pue, hijita. Toos saben que me vine a tu siga. Toos saben que sos mi guaina. Güeno: no lo sos entoavía, pero aguárdate un poco. Y no me vengái con malos moos. Ya l'ije que por la güena o por la mala... Hace cualesquiera cosa no más y te muelo a combos...

Alzaba un puño amenazando la cara de la mujer.

—No me pegue —rogó María Rosa humildemente, amorosamente.

Un momento el mozo la miró con desconfianza, buscando la verdad de su expresión. Luego, brusco, brutal casi, la atrajo contra sí, uniendo sus labios a los otros que no besaban, pero que se abandonaban a toda caricia.

Pancho Ocares fumaba sentado cerca de la puerta entreabierta, como atalayando el camino. De pie, frente a él, María Rosa lo miraba estupefacta, temblando toda con un pavor irrazonado a cosas extrañas. Le parecía que de pronto la casa se iba a desplomar, o que la tierra se abriría tragándolos o que el río aumentaría su caudal de aguas hasta anegarlos. Y otra angustia apremiante que le humedecía los ojos le nacía de la falta de terneza en Pancho Ocares. Su abrazo fue fiesta de sensualidad únicamente. Y ella ansiaba el gesto tímido y la palabra balbucida de la ternura.

Pancho seguía fumando con grande indiferencia. Estaba ahíto y una especie de embotamiento le adormecía el cerebro, dejándolo sólo pensar en su triunfo, en lo que dirían los otros cuando lo vieran.

María Rosa avanzó unos pasos, hasta quedar junto al hombre. ¿Por qué no la miraba? ¿Por qué no la atraía a sí en abrazo suave? ¿Por qué no le acariciaba las manos? Hasta que llorando grandes lagrimones balbució:

—Pancho...

—¿Qué? —dijo secamente.

No le guardaba ningún reconocimiento. Nada lo atraía en ella. Al contrario; le daban deseos de maltratarla para vengarse de los muchos desdenes, de la larga espera.

—¿Qué? —preguntó nuevamente con agresividad.

—Pancho —y los ojos buscaban tímidos los ojos de él—. Pancho, ¿me querís?

—¿Quererte? ¡Je! Pa eso tenís a tu viejo.

—Entonces... —y las pupilas se le inmovilizaron en un punto de la pared.

¿Entonces no la quería? ¿No la quería? Y casi sonrió al pensar que aquello era una broma.

—Tan bromista qui lo han de ver...

—No es broma. No te quero. ¿Por qué iba a quererte? Pa mí sos como una cualesquiera, hasta si querís te pueo pagar, pa que no tengái por qué quejarte e mí.

—Pancho..., Pancho...

) 450 (

—¿Qué? Pancho me llamo. ¿Qué?

—Sos un canalla.

—Hace un ratito no más no icías eso.

—Hace un ratito yo estaba loca...

—Loca, loca —y de pronto, rabioso, perdido todo miramiento—; sí, loca... Búscate disculpas agora. Hace un rato eras lo que sos, una mujer igual a toas; yo no sé cuándo se te va a bajar el moño. ¿Creís que te quero? ¡Ja! ¡Ja! No voy a perder mi cariño en ti... Ni pa guaina servís... Jue pa ganar una apuesta que vine p'acá. Ya está, ya lo sabís too. ¿Qué?

Se puso en pie amenazador. María Rosa lo oía con los ojos cerrados, temblando a cada palabra, recibiéndolas como puñaladas en medio de su amor, de su dignidad, de todos sus sentimientos.

—¿Qué? —decía el hombre en una especie de furia vengativa—. ¿No contestái? ¿Sabís por qué no me voy entoavía? Porque Chano Almendras y Melchor Candia me van a venir a buscar aquí a tu casa tuya, pa convencerse de que sos mi guaina y pagarme al tiro l'apuesta. ¿Qué?

La mujer había abierto los párpados y ahora lo miraba fijamente, con tal concentración en el poder visual que las pupilas se le obscurecieron hasta ser casi negras.

—¡Canalla! —dijo, y con un movimiento que Pancho no alcanzó a prever, cogió el rebenque de un clavo y azotó la cara del mozo.

—¿Qué? ¡Ah! Bestia... ¡Ah!

Le pegaba en las manos que querían defenderse, en la cara, en las manos, en la cara. Era un movimiento rápido y mecánico, como si el brazo hubiera cobrado un resorte que lo echara de uno a otro lado, dando seguramente en el blanco.

El hombre retrocedió y abrió enteramente la puerta, tomado íntegro por la cobardía latente en él. Los golpes lo aturdían. Salió huyendo. Libre por la distancia, se volvió vomitando injurias. La mujer gritaba:

—"Mininco"... "Lolenco"... —y silbó a los perros, que acudieron prestamente—. Agarra, "Mininco"... Agarra, "Lolenco"... Agarra, agarra, agarra...

Se le fueron encima, y entonces, perdiendo su actitud retadora, echó a correr hasta el camino, con los perros detrás, ladrándole, tirándole tarascones a las piernas. Corrió hasta el camino.

Pero ahí se detuvo bruscamente: Chano Almendras y Melchor Candia —que llegaban a caballo— miraban su huida con la burla ardiendo en los ojos. Los perros, sorprendidos con la presencia de los mozos, también se detuvieron.

—¡Je! —rió Chano—. ¡Parece que no te jue muy bien!

Y como Pancho Ocares intentara explicarse, los perros, azuzados nuevamente por la mujer, lo atacaron con mayor furia.

—Agarra —gritaba María Rosa—. Agarra, "Lolenco"... Agarra al sinvergüenza canalla... Agarra, "Mininco"... ¿Qué se había imaginado el bandido qu'era yo? ¿Creía el cochino que no me iba a defender?

Pancho Ocares se aislaba a puntapiés de los perros. Los mozos reían, sin compartir aún la indignación de la mujer, tan grotesca era la figura del otro. María Rosa avanzaba hasta el camino y les decía con las palabras tremolando de ira:

—Corretéenlo, péguenle, es un canalla, un criminal. Péguele, Chano... No le dejen hueso bueno... Péguele, Melchor...

Era sincera en su ira. El hombre se había destruido a sí mismo en el sentimiento de la mujer. María Rosa había olvidado cuanto pasara en la casita un momento antes. Recobraba su personalidad de Flor del Quillen. Mentir, simular, hacer cualquier cosa, provocar un escándalo, llegar al crimen, pero que nadie supiera nada, que todos creyeran en una agresión, basándose en su protesta iracunda.

A su vez Pancho Ocares quería explicarse, pero entre su deseo de hablar y el pavor a los perros, sólo conseguía balbucir palabrotas.

Chano Almendras y Melchor Candia dejaban de reir para dar mejor cabida a la indignación. Levantaron los rebenques, echando los caballos sobre el mozo. Pero no alcanzaron a tocarlo, que el otro, al verles la intención, sin ninguna esperanza de ganar la partida, saltó la cerca que cerraba el camino, corriendo por el potrero hasta perderse en el monte. Los perros siguieron tras él, pero al llegar a las quilas se quedaron allí tirándole ladridos, mirando tan pronto la casa como los árboles, andando y desandando camino, en la inquietud de no haber cumplido exactamente su deber.

—No era na lo que quería el peine... —comentó Melchor Candia, mirando a María Rosa con ojos de admiración.

—La Flor del Quillen na más... —dijo Chano con orgullo.

Con su empaque señoril de siempre, María Rosa, sonriendo con la boca aún en temblor de ira, los invitó amable:

—Bájense a tomar alguna cosa. Así me acompañarán hasta que llegue Saladino.

LA MAMPARA

Cuando a las siete salía Ignacia Teresa rumbo a su trabajo, ya estaba cada uno de los vidrios repasado prolijamente, brilloso el bronce del tirador y de la chapa, como asimismo el encerado de la madera. La puerta abierta, estrecha y alta, parecía anularse para dejar lucir la mampara en todo su esplendor de vidrios rojos, amarillos y azules, mosaico de formas geométricas con un rosetón al centro.

El timbre del despertador abría un hoyo en su sueño, y por ese boquerón, trabajosamente, pasaba Ignacia Teresa a la vigilia del nuevo día. Pero no sólo pasaba ella, sino también la madre, instantáneamente levantada y arrastrando las zapatillas por la casa, y luego bajando por la escalera —¿llovía, trasminaba el viento, ardía el sol, la niebla desintegraba los cuerpos?—, la sentía llenar el cubo de agua e irse por el patio y el pasillo a ese su quehacer primero y obsesivo.

Que no impuesto por su propia voluntad, ¡pobrecita! Y miraba de soslayo, no sólo de soslayo la mirada, sino el alma, a Carmen dormida plácidamente, alzada sobre almohadas, que así los rulos le duraban más. Bueno. Y este bueno, enérgico, echaba hacia abajo la protesta y el amargor que iban a decir algo que ella, Ignacia Teresa, no quería decir.

Saltaba de la cama, rápidamente, vistiéndose entre idas y venidas a encender el anafe y poner agua a calentar y la leche, y tomar de prisa el desayuno, y salir corriendo para hallarse con la madre en el patio, darle a beber y como a una criatura el café con leche, sopeado, sí, sopeado, con una súbita terneza, con una desesperada terneza que hubiera querido alzarla y volverla a lo tibio de la cama, y decirle palabras sin sentido y darle a beber como a una criatura el café con leche, sopeado, sí, sopeado, como a ella le gustaba —"Déjala que coma a su modo, y que si quiere sopee"—, y seguirle diciendo palabras sin sentido, con son de nana hasta que se durmiera. Pero no, no, había que besarla, apretando los labios fuertemente contra la mejilla, y correr después por el pasillo, tan largo pasillo, tan largo, estrecho, entre un palacete y un edificio moderno. Túnel largo, estrecho, con el piso desgastado y en los muros percudidos, pintadas por la humedad geografías de extraños países emergiendo del verdín.

"¿Qué mundos serán?", se preguntaba Ignacia Teresa al mirarlos, al no querer mirarlos y quedarse a pesar de su prisa prendida a ellos, detenida, absorta en la gota de agua que lloraba un mar desbordado. Pero había que avanzar, seguir la línea del pasillo, sesenta y cinco metros de pasillo, sesenta y cinco pasos muy largos, muy largos. Hurtando la vista a las paredes, mirando al fondo, la mampara, su rosetón, los losanges rojos, los triángulos azules, los pequeñitos cuadrados amarillos. A veces el sol, que estaba al frente, aguardándola en la plaza con los pájaros y la maraña verde de los árboles, la hacía súbitamente olvidarse de todo, perdida en su reflejo, en la cambiante atmósfera de arco iris que creaba al atravesar los vidrios, halo de santo en ámbitos celestes, luz en la que se sumergía con la extraña y deliciosa sensación de perder gravedad y avanzar suspendida milagrosamente, flotando, hasta toparse con la mampara y los gestos que inexorables la devolvían a la vida real.

Pero no siempre esperaba el sol. A veces la lluvia la agarraba a la salida misma de la casa, en la puerta que daba al largo balcón saledizo de donde partía la escalera, que llevaba al patio. La lluvia estaba allí. Como la esperaba en otras ocasiones la niebla. Y en otras el viento que parecía bajar su zarpa hasta el empedrado y desperdigar hojas, papeles, fino polvo cuando más no fuera, furioso y silbante. Todos los elementos podían estar allí esperándola, menos el sol, que en caso de esplender, sólo lograba llegar hasta el patio a mediodía, aplomado y fugaz.

Porque la casa, lo que ellas llamaban "casa", que de alguna manera había que llamarla, era la bodega de un palacete al correr del tiempo transformado en consultorios de médicos, bodega cuyo altillo se había también transformado, buscando una renta que por todos medios debía aumentarse.

La bodega servía de guarda-muebles a otro inquilino. El altillo constaba de dos cuartos, una cocina pequeñita y un pequeñito baño, todo ello incómodo, obscurecido de sombras de muros, en una atmósfera de verde pozo, con las ventanas del palacete descaradamente siempre curioseando, subidas las persianas, abiertas las maderas, no sólo dejando salir la curiosidad, sino que con una especie de desvergüenza mostrando un baño, el aburrimiento de las salas de espera, un escritorio en que un hombre atendía un teléfono y tomaba apuntes.

Pero esa casa, esos fondos aislados más allá del patio, entre muros para rebotar las miradas, entre ventanas de agresiva vulgaridad, tenía un pasillo, largo pasillo de sesenta y cinco metros para sesenta y cinco largos pasos, y una mampara con vidrios de colores que parecía haberse escapado de una catedral, con los ángeles y los santos perdidos en la fuga, y una vez abierta, como la abría vivamente Ignacia Teresa, estaba el sol que la esperaba esa mañana, dorado y ralo, apenas tibio y resbalando por las hojas y por los trinos, sedosa malla en que ella hubiera querido arrebozarse, revolcarse, acurrucarse, y a la cual tan sólo presentaba la cara, cerrados los párpados, un instante, un segundo, porque había que atravesar ligero la plaza y esperar el tranvía...

—Tran...vía..., tran...vía... —ajustaba el paso al ritmo de esas sílabas, pero de pronto extendía una mano y tomaba una moneda de oro que el sol dibujaba en el suelo y subrepticiamente la guardaba en un bolsillo, con gesto pueril.

La madre, entre tanto, había dejado el cubo, la escoba y los estropajos en la pileta bajo la escalera, y subía lentamente, dándose un descanso en cada escalón, aferrada al pasamano. Pero una vez arriba algo pareció acuciarle los movimientos, a la vez que se los asordaba. Se quitó la bata y las zapatillas y se vistió. Cuando se asomó al espejo halló una cara blanda, de mujer ajada, sobada por el sufrimiento, que no por el tiempo, y que debió ser hermosa. Los párpados abombados sesgaban hacia abajo los ojos de extraordinaria dulzura, un poco pasmados, un poco de vaca que rumia perdida en lo verde del potrero. Las comisuras de la boca también se habían caído. Como si toda la piel pesara hacia abajo, piel de un rosa obsoleto rebasaba sobre el cuello cerrado por un lazo. Se escudriñó, como si no fuera ella quien se mirara, sino otros ojos que no perdonaban fallas en el arreglo. Luego se miró los pies, aún en las zapatillas, anchas, felpudas, amorosas al cansancio, envolviéndolo en lo holgado y lo mullido. Suspiró y con cierta torpeza se puso los zapatos de medio taco. Y con otro suspiro afianzó al pelo de guedejas blancas el sombrerito con un moño arriba, discreto y trivial. Tomó la cartera y los guantes y se dispuso a bajar de nuevo la escalera, esta vez sólidamente aferrada al pasamano, mal equilibrada en los tacos y con un vago miedo de rodar hasta abajo.

Ya en el patio lo atravesó en puntillas y sólo en el pasillo se dejó andar libremente, taconeando fuerte, indiferente a los muros, a lo luminoso de los vidrios en el fondo, avanzando en forma mecánica, vacía de toda idea, alta, fuerte, desbordadas las carnes por sobre la faja, oprimida por las ballenas, ahogada y con los brazos en jarras. Abrió y cerró la mampara, aspiró profundamente, una vez, dos veces, y puso el pie en la acera, andando de prisa, todo lo de prisa que le permitían la gordura y la faja. En una esquina esperó el paso de un coche para atravesar sin sobresalto. Una mujer pasó ante ella, gorda, alta la cabeza en que se arrollaba un moño cano, con una bata de percal en que una hilera de botones chiquitos marcaba la comba de los senos y la otra comba del vientre, anchos los pies, contentos los pies en unas alpargatas. Y en la mano, casi a la rastra, un bolso de hule viejo, desbordaba verduras y el olor del apio iba tras ella, perro a su siga que no siguiera a nadie sino a sí mismo.

La mujer atravesaba delante de ella, perezosamente, deliberadamente arrastrando las alpargatas. Y sintió de súbito ganas de echarse a llorar, de sentarse en el umbral de una puerta, de relajarse en una postura cómoda, de ser, como esa otra, una buena mujer que va y viene de compras, regateando el precio de cada cosa, metiendo los ojos por las puertas abiertas, saludando al vigilante, preguntando al diarero las noticias en letras grandes de las novedades del mundo, deteniéndose para ver dos chicos que se pelean, moviendo la cabeza y arrastrando los pies y el bolso de la compra, sueltas las carnes dentro de una bata como aquélla, que marcaba todas las curvas con una fila de botones pequeñitos, ser una buena mujer, y no una pobre mujer equilibrándose en los tacones, oprimida, siempre temerosa de perder un paquete en que mal se disimulaba el asado de tira, o el hueso del puchero, o las papas, o las pastas, todos ellos unos sobre otros, paquetes en papeles de madera —¡ay!; contarlos, son cinco; ¿están todos?; todos, sí, no falta ninguno—, para bien aparentar que se es una "señora", una señora que sale de compras, como quiere Carmen que sea.

"¡Dios mío! ¡Dios mío! ¿Por qué en las aceras habrán puesto estas baldosas llenas de intersticios, trampas que parecen para los tacones?"

Había que mirar al suelo, ir con los ojos bajos, atenta al piso, a los ladrillos sueltos, a las ranuras, a los altibajos que cavan las entradas para coches. Ir equilibrándose, sujetando la cartera, los guantes, los paquetes. Llevaba gastado cerca de un peso. Postre no necesitaría, porque serían suficientes las batatas de ayer. ¿Entonces?... Pero no debe pensar en ello, recién han salido... Los alcauciles deben valer una fortuna...

"¡Dios mío! ¡Dios mío! Aún faltan cinco cuadras para llegar a casa. Porque, eso sí, ella se costea hasta la feria libre; mercado, eso sí que no, no lo acepta. La compra la hace ella y ella sabe dónde la hace... Faltaba más...", y taconea fuerte, metiendo la barbilla fofa en el aire indiferente al desafío.

—Mamy, ¿me ha llamado alguien?
—¿Es que ha sonado el teléfono?
—Mamy, ¿nunca aprenderás a contestar lo que te preguntan? ¿Me ha llamado alguien?
—Que yo sepa...
—¿Me ha llamado alguien, sí o no? ¿Es que no puedes contestar sí o no?
—No..., no... Mientras yo estaba aquí, no ha llamado nadie... Ahora, si han llamado mientras yo salí y tú dormías...

—Siempre empeñadas tú y Nacha —dirá Nacha, insistirá en decir "Nacha", nombre de gente, y no Ignacia Teresa, que es de cocinera— en hacerme creer que tengo un sueño de piedra...

—Entonces, ¿para qué preguntas si te ha llamado alguien? El teléfono está al lado de tu cama...

—Parece una contestación de tu hija Nacha...

Rebulle bajo el embozo y al fin insiste:

—¿Entonces, no ha llamado nadie?....

—¡Ay! Criatura, ¿cómo quieres que te diga que "no" ha llamado nadie mientras estaba yo en casa?

Hay un silencio en que Carmen rumia su mal humor. Al fin saca una mano con la cual aplasta el embozo, y apoya allí la barbilla para decir mimosa:

—Mamy, ¿quieres traerme el agua caliente?

La madre dice desde la otra pieza, a gritos:

—Ya voy, ya voy; recién he puesto el agua al fuego. Vengo llegando ahora, no más, déjame ponerme cómoda. Ya voy, ya voy...

Carmen contesta, también a gritos:

—Mamy, ¿quieres venir? Sí, ya sé, lo de siempre; no hay agua caliente. ¡Qué hacerle! Esperaré. Pero ¿es que no quieres venir?

Y cuando la madre aparece, al fin desparramada dentro de un batón de percal que le marca la montaña de los senos y del vientre, desparramados los pies en las zapatillas que chancletean, Carmen añade, con la voz de mimo con que conquista la obediencia:

—Mamita, alcánzame las zapatillas. Supongo que me tendrás planchada la blusa... y la falda... Mamita, creo que el saco tiene una manchita en la solapa... Mamita, me gustaría comerme una mandarina. —La voz simula un gran asombro y cada vez tiene mayor arrullo—. ¿No hay mandarinas? ¿Por qué, mamita? Bueno, las batatas no se oponen a las mandarinas. Ya te he dicho que prefiero un vaso de jugo de mandarina o de naranja al café con leche. Mamy, ¿por qué eres tan porfiada? Yo quiero jugo de frutas, jugo de frutas, ¿no te es lo mismo? No quiero café con leche, no lo quiero, quiero jugo de frutas, ¿me lo darás mañana? ¿Sin falta? ¿Me lo prometes? Mamita, te has puesto muy mentirosa, ¿sabes? Porque ayer me dijiste que hoy me lo darías, sin falta. Y ya ves... Bueno, mamita, pero haz memoria.

La madre trajina. Va. Viene. Carmen está en medio de la pieza, haciendo gimnasia. De súbito pregunta inquieta:

—¿Hay un lindo día?

—En este hoyo no se sabe qué día hace.

—Mamita, ¿es que nunca aprenderás a contestar lo que se te pregunta? ¿Hay un lindo día?

La madre suspira y contesta:

—Hay un lindo día.

Carmen sigue haciendo gimnasia. Bajo el camisón luce un cuerpo de firme goma, un soberbio cuerpo de veinte años, cuyos músculos se extienden y distienden flexiblemente.

—Mamy, ¿no hay "aún" agua caliente? ¿Es que nunca voy a conseguir que se me dé un poco de agua caliente para lavarme? No es mucho pedir, creo... —La voz sigue siendo cariciosa, raso, vaina para lo duro metálico, punzante y cuyo filo se adivina que de pronto puede surgir y herir.

—Voy..., voy... —dice la madre.

Carmen entra al baño y se siente caer la lluvia. Cuando regresa trae una toalla con la cual se seca, y la madre hurta los ojos del cuerpo desnudo.

Bajo el raso lo punzante. Sabe que la mayor ofensa que puede hacerle a la madre es mostrarse así, desnuda. Y lo hace. Revancha porque a su alrededor algo no se ordena a su gusto. Ahora se viste, despaciosa, cuidando cada detalle.

Suena el teléfono. Carmen avanza y contesta. Un instantáneo rosa aflora en su cara, pero deja caer violentamente el fono en la horquilla, al decir endurecida:

—Equivocado.

En la madre trabaja la ofensa del cuerpo desnudo y murmura, dando salida por cualquier lado al enojo:

—Pagar teléfono tan sólo para llamados equivocados...

—Lo pago yo.

—Lo pago yo, que aquí no hay más dinero que el mío.

—¿Y el dinero de "Ignacia Teresa"? —pronuncia los dos nombres con igual tono que los peores insultos.

—Es dinero que ella me da a mí, a su madre, para ayudar a los gastos de la casa.

—Ya sé que la única que no ayuda a los gastos de la casa soy yo.

—Nadie te lo echa en cara.

—Eso crees tú... Me lo echas en cara a cada instante, a la menor ocasión. Ahora mismo acabas de hacerlo.

—Carmen...

—Sí, ya lo sé, yo tengo la culpa, la culpa de todo es mía siempre... Pero queda en limpio que el teléfono lo pago yo, que se paga con lo que debería gastarse en mi almuerzo. Mi bife diario que no se me compra sirve para pagar el teléfono, porque yo me voy todos los días a almorzar con mis amigas. O me quedo sin almorzar..., que "eso" lo sé tan sólo yo...

—Pero se tiene teléfono...

—A costa de mi hambre...

—O de tu porfía...

—De lo que sea. Pero yo tengo teléfono, y si mis amigas quieren llamarme o quiero yo comunicarme con ellas, ahí está...

Mira a la madre y no la ve como otras veces, presa en la red de sus palabras, entregada a su voluntad. Hoy la siente evadida a su influencia. Como vuelta a sí misma, al otro lado de la zona en que ella impera. Sigue mirándola. La madre, con la barbilla en alto, se va a la cocina y de nuevo el teléfono deja oir su llamado.

—¡Hola! —grita, no ya dejando sentir adentro del raso la dureza del metal, sino que mostrando el filo.

Pero el mismo rosa instantáneo de antes se extiende sobre su cara, se prende a sus mejillas, y la voz, toda definitivamente de raso, dice en un bisbiseo:

—Sí, sí..., soy yo... ¿A qué hora? Sí..., sí..., oigo bien... Entendido... Hasta luego... Sí... Gracias...

La comunicación ha terminado y aún tiene ella el fono en la mano, sonriente, arrebolada, blanda, tierna, amorosa a la madre, que le dice secamente:

—Ahí tienes tu agua.

Y ella contesta:

—Gracias, mamita, eres un ángel, un ángel gordo y en chancletas, pero un ángel al que adoro.

Y cuando la besa, la madre no sabe si rechazarla o apretarla a su ancho seno y la deja ahí, adherida a ella un instante, cálida y suavecita, súbitamente criatura, como la lejana criatura que acunara en sus brazos.

Se viste rápidamente, canturrea, besa a la madre, persigue al gato, espanta al gorrión que piratea en la ventana de la cocinilla, ríe, gira. Ya está vestida. ¿Qué lleva puesto? Un traje cualquiera. Una redecilla le sujeta la melena de un desbordado oro. Las piernas son maravillosas; las manos nunca han hecho otra cosa que mostrar la gracia de los dedos ahusados; los ojos se asombran, grandes, grandes, abiertos infantilmente, azules como azulina del campo; la nariz al sonreir forma unas arrugas que acentúan la infantilidad del conjunto. Sólo la boca, carnosa, pulpa de un violento rojo, sobre los menudos blancos dientes, perfectos, deshace lo pueril, se contrapone a lo niño, rotundamente madura a lo sensual.

Atraviesa el patio, entra al pasillo, un poco a saltos por sobre las losas desparejas, evitándolas con una gracia consciente de las caderas de gimnasta. Abre y cierra la mampara. No la ha visto hasta entonces. Pero la ve, detiene la mirada en ella, y comprueba su pulcritud. Ya en la acera, se vuelve y abarca la puerta, el umbral, el dintel, el número. No importa lo que haya adentro. Siempre es grato poder decir:

—Sí, vivimos en Montevideo, al mil doscientos...

Suena el teléfono interno. Ignacia Teresa gira el taburete y contesta:

—¡Hola! —y se queda oyendo, y a la par que oye, mira el reloj cuyas manecillas están por cruzarse sobre las doce. Pone atención a lo que le dicen y cuando la voz del gerente calla, contesta modosamente—: Conforme, señor,

Pero dentro de ella no está conforme. Le han dicho que le mandan una lista de antecedentes del año anterior, que debe buscar en el archivo las notas que corresponden, mandarlas al gerente y esperar órdenes. Que no se vaya a almorzar aún.

Conoce su archivo y a ojos cerrados puede hallar cualquier papel. Minutos después envía al gerente varias carpetas. Y espera.

Las manecillas del reloj, como las de una niñita bien educada al filo de una blanca mesa, se han cruzado sobre las doce; luego, lenta e inflexiblemente, regidas por un mecanismo inhumano, van separándose, se abren en un ángulo recto, y después son una vertical. Ignacia Teresa espera, inactiva, con la cartera y los guantes sobre el escritorio en que todo está en orden. Aguarda, inmóvil, con una especie de desesperación en los ojos que siguen el avanzar de las manecillas y dentro de ella el remusgo del hambre. ¿Hasta qué hora debe esperar? Es ya la una. No alcanzará a ir a casa. Su madre debe sentir el rebote de su angustia. ¿Qué hacer? Cuando suena de nuevo el teléfono, algo se detiene dentro de ella.

Nuevas órdenes. Apunte. Le dan una lista de números, hay que buscar las cartas que les corresponden. Año 41. Mándelos y no se vaya.

No hay un cadete con quien enviarlos. Pregunta:

—¿Puedo ir yo misma a dejarlas?

Le contestan:

—Suba.

El gerente está al borde del escritorio, mar de papeles en que dos secretarios se afanan por hallar el pez esquivo de un dato. Ella espera con la bandeja en las manos.

—Déjela ahí.

Otra voz añade:

—Gracias.

La voz primera ordena acuciosa:

—Espere. No se vaya.

Las tres cabezas se inclinan. Se oye tan sólo rozarse los papeles. Hasta que alguien exclama:

—Aquí está. Vea...

Hablan. Los tres a un tiempo. Luego el gerente ordena:

—Inmediatamente haga el telegrama. Aquí mismo, en mi máquina.

Un teclear rítmico. El rodar del papel y un silencio. Los tres hombres hablan de nuevo, aproximados por la ansiedad de la búsqueda, contentos del éxito. No hay gerente y secretarios. Hay sólo tres hombres que han encontrado una fecha que vale la ganancia de un pleito.

Ella está allí, abandonada, sin saber qué hacer, silenciosa y quieta. De pronto los tres hombres dan con ella, con su presencia y su espera. El gerente dice:

—Gracias, señorita. Puede retirarse —y como maquinalmente ha consultado el reloj, añade—: Es preferible que almuerce por acá cerca. Pase un vale a caja por su almuerzo. Hasta luego. Ustedes pueden volver a las tres —y sale.

Ignacia Teresa es una estatua más de sal que la bíblica. No ha mirado atrás, pero sabe que detrás de ella, en la casa, la madre sigue esperándola. Que detrás de ella, en la cartera, sólo hay treinta centavos para sus viajes en tranvía. Que detrás de ella está, a esa hora, la caja vacía, jaula de la cual se ha evadido el cajero. De sal, regustándole en la boca lo salado del hambre con lo salado de las lágrimas al borde de los párpados.

Los muchachos la preceden, ajenos a su pequeño drama, libres de la oficina y su carga, alegremente sacudiendo los hombros, metidos en su propia vida, hurtándose a todo lo que no sea la corriente vital que los empuja hacia sus hogares.

Ella está allí, sola, retumbando sus pasos en el vestíbulo, devueltos por la alta cúpula en un eco que la amedrenta y la acerca a los muros, con ganas de aferrarse a las cortinas de hule que cierran el arco de medio punto, cortinas, polleras de madre para susto de niño.

Llega a su oficina, toma despaciosamente la cartera y los guantes. Ante todo tiene que avisarle a la madre. Ella se ha prometido que nunca, nunca usará el teléfono. Y hay que usarlo, romper la promesa jurada violenta y apasionadamente. ¡Dios mío!... ¿Por qué la oficina queda tan lejos de Montevideo al mil doscientos?

Marca el número y espera. Por lo menos, que Carmen no esté en casa, que esté como de costumbre almorzando con amigas.

—¡Hola! Mamita, sí, soy yo. No te asustes... No, no ha pasado nada, me dejó el gerente buscando unos papeles en el archivo. No pude avisarte. Sí, no me esperes... Almorzaré aquí... Sí, sí, me han dado un vale por mi almuerzo... Sí, mamita, no te apures, por favor... —Traga saliva—. ¿Estás sola? —y cuando oye la contestación—: Por favor, mamita, que no "sepan" que te he llamado por teléfono... Gracias, mamita. Adiós... Sí, sí, pero quédate tranquila... Adiós...

El gato está echado en el suelo, con el vientre contra las losas, apegado a su calor. Se diría que no tiene patas, o que las hubiera guardado dentro de sí, y que sólo fuera una piel de brillante negro, con la cola a la larga extendida. Todo él inmovilizado en la bienaventuranza.

El patio está solo, tibio del sol que acaba de salir de su rectángulo, prodigiosamente silencioso para cualquier oído que no sea el del gato, que abre con cautela un párpado y muestra una media luna verde que se hace luna creciente, y luna llena después, para mirar arriba un insecto que gira y zumba, en espirales que lo muestran dorado al sol y negro en la sombra. Gira, zumba, sube, baja, baja, baja, y cae cerca del gato, que no se ha movido, que no ha abierto el otro ojo, y que de pronto salta sobre ocultos resortes para aplastar con las patas delanteras el moscardón, que se diría de metal, azulenco y plateado, caído de un cielo de juguete para regalo del felino.

El gato se detiene en una pirueta prodigiosa y mira receloso arriba, esta vez al balcón, y vuelve tranquilo a su juego. Que su consentidora mayor está allí, mirándolo y sonriente.

La madre baja, arrastrando las zapatillas, desbordada en la bata. Deja en los últimos escalones la bolsa con la labor y sigue hasta el lavadero, donde abre la ropa que amuña en una mano, soltando el agua que hace al gato, prudentemente, llevarse su juego al otro extremo.

—Buenas —dice una voz desde una ventana.

La madre mira.

—Buenas.

—¿Está sola?

—Sí, las chicas andan cada cual en lo suyo.

—Entonces, voy a aprovechar para ir a echarles una manito a los muebles. ¿Quiere abrirme?

La madre se seca las manos, y se mete en el pasillo que está lleno de una rubia luz que termina en la mampara.

—Gracias —dice el hombre.

—Se las merece —contesta la madre, y cuando reflexiona en la frase que ha dicho maquinalmente, tiene una especie de sobresalto, como si la hubieran sorprendido en una falta y oyera la voz de Carmen, seda con el filo abajo, diciendo: "Terminarás por hablar lo mismo que ellos".

Regresa al patio y el hombre la sigue. Un viejo fachoso, huesos que se mantienen aplomados, con la carne enjuta, color de oliva verde, con una cabeza de halcón, orgullosamente metida en la atmósfera, con los ojos vivos en lo hondo de las cuencas, fina la nariz, finos los labios sobre las encías en que ralean los dientes, fina la barbilla en que termina la mandíbula ancha, de pescador vasco, de campesino vasco, de hombre vasco que debió ser pescador o campesino, y que en la aventura de América halló la vejez en la portería de un inmueble.

—Con su permiso.

—Es suyo —contesta la madre.

Se entregan a su trabajo. La bodega sirve de guarda-muebles. Hay que removerlos, sacarlos al patio, pasarles el plumero, lustrar las maderas, sacudir los tapices. La madre lava, jabona, pasa la escobilla, refriega. El gato medita, adherido al piso que no tiene ya el halago de lo caliente, largo a largo extendido, con el moscardón entre las patitas delanteras, el moscardón inmóvil, haciéndose el muerto, jugando también su juego. El gato medita: llevarse el moscardón arriba es tarea difícil. Quedarse allí con el rumor del agua que lo escalofría, y lo molesto de los golpetazos con que se remueven los muebles, no resulta grato. La punta del rabo oscila indecisa: pero al fin desdeña el juego, sube la escalera, brinca a la baranda del balcón, y allí se queda inmovilizado en un nuevo sueño.

La madre se demora tendiendo la ropa, estirando ligeramente el género, alisando los encajitos. Cuando se sienta en los últimos escalones y toma el tejido, las sombras blancas de las blusas, levemente mecidas por el aire, la angustian con sus extrañas formas vivas de cuerpos mutilados, espantapájaros que así, a la distancia y para sus ojos que empiezan a fallar, parecen adquirir una mágica vida sobrecogedora.

La mañana ha tenido el ritmo de siempre: la mampara, el pasillo, el patio, la ida a la compra, el regreso a la casa para atender a Carmen, ordenar, limpiar, preparar el almuerzo. Hasta ahí ha sido todo como siempre en los últimos tiempos. Pero luego se abre la inquietud por la demora de Ignacia Teresa, que nunca trastrueca hábitos, que jamás crea preocupaciones. Los minutos parecen ir pesándole en el corazón, pequeñas losas que se superponen hasta no dejarla respirar. ¿Un retraso en el tranvía? ¿Y si fuera un accidente? Le entra en la carne un temblor de espanto: siente en alguna parte el estrépito de un choque, los gritos, los ayes. Le pasan por los ojos en un film enloquecedor todas las fotografías de accidentes que la prensa publica. ¡No puede más! Se asoma al balcón, sale al patio, atisba por el pasillo. De súbito siente que una ola de serenidad la inunda y casi sonríe. ¿Hasta cuándo irá a estar previendo tragedias, después de haber vivido aquella pavorosa de la muerte repentina del marido?... Y mueve la cabeza de uno a otro lado, buscando huir a los pensamientos visionarios de horrores. Se pasea. Se aprieta las sienes, que laten, como si allí tuviera el corazón un eco doloroso. No quiere mirar el reloj. No quiere. Lo repite en alta voz, para mejor convencerse. Pero piensa que el reloj puede estar adelantado, este pobre viejo reloj que a veces pierde la cabeza y marca el tiempo a su capricho. Sube a la casa con una prisa desconocida para sus piernas, comprueba la hora a través del fono. ¡Dios mío! Sí, sí, es ésa la hora, la exacta hora, la una y diez... ¿Qué hacer?

Vuelve al patio, avanza por el pasillo, se apega a la mampara, asomada a los vidrios rojos que le dan un paisaje de sangre y la hacen exhalar un gemido; se asoma entonces a un vidrio azul, color de noche, de eternidad, y ahí se queda, en suspenso, con los segundos resonando en ecos quejumbrosos en su corazón, donde repercute todo como en un cuarto desmantelado. Su incertidumbre sólo aspira a salir a la calle y preguntar —¿a quién?— dónde está Ignacia Teresa, por qué no llega. Y de súbito se le ocurre lo más sencillo, lo que no comprende cómo no ha hecho antes, lo que hace luego de subir la escalera con prisa aún más acentuada que antes: llamar a la fábrica y preguntar por Ignacia Teresa.

Cuando entra a la casa, el teléfono suena y es Ignacia Teresa, la voz de Ignacia Teresa, sin estertores, sin agonía, sin acentos ultraterrenos, con su perfecta entonación de siempre, la que explica que se ha quedado retenida por un trabajo... imprevisto...

Eso acaba de pasar. Ha pasado. Pero de nuevo se alza como un imperativo presente dentro de ella, y revive cada minuto con igual angustia.

Remueve la cabeza de uno a otro lado, con un gesto que le es habitual, y con el cual quisiera deshacerse de la red insistente de sus penas. ¡Hasta cuándo, Dios mío!... ¡Hasta cuándo sufrimientos!

La gruesa lana se desliza por sus dedos y los palillos marcan un fino son al entrechocarse brillando. A veces piensa que es un descanso el tejer. Una especie de embotamiento para el cerebro, que se obliga al recuento de los puntos. Pero a veces lo que tiene dentro emerge por sobre ese vaivén que se diría de olas monótonas rompiendo en una playa, y por sobre ellas el pesamiento suelta sus nubes pesadas de recuerdos, y entonces se llena de imágenes que reviven el pasado en lo plácido de la provincia, casada jovencita con un hombre que la hizo dichosa, con las dos hijas, mimándolas, un poco absorta en su hogar, egoísta en su dulce destino, con el tiempo pasando sin marcar otras diferencias que un año más para cada chica, y el goce de verlas crecer y asomarse a la vida con tan distintos caracteres, celebrándoles y consintiéndoles todo, fomentando el estudio de Ignacia Teresa, su firmeza serena, su manera tranquila de deslizarse por la niñez y la adolescencia, y fomentando la pereza de Carmen, su gracia, la forma instintivamente coqueta con que sabía hacerse servir y adorar. Esa fue su vida, años de años.

Después, la súbita muerte del marido, la dolorosa certidumbre de que no había dinero para seguir viviendo, que no se podía prolongar más la existencia en el medio habitual, lo dubitativo, la ayuda de los amigos, los consejos de los parientes. Hasta llegar a la capital en busca de no se sabe qué posibilidades de trabajo.

Se queda con el tejido abandonado en el regazo. Hoy le cansa este querer aferrarse a la cuenta de puntos y no lograrlo, porque el pensamiento arrastra demasiada carga de tempestuosas señales.

La mañana siempre es preferible, agobiadora de quehaceres, preferible ir por las calles, cansada, envidiando a las buenas mujercitas que se esponjan en las alpargatas y cargan la bolsa de la compra. Que estar así, inerte, combatida de recuerdos, asaltada por lo doloroso del pasado y por lo obscuro y empavorecedor del porvenir.

Porvenir para las chicas... ¿Qué puede esperarles a ellas? ¿A Ignacia Teresa, serenamente metida en su trabajo, sin protestas, aceptando obligaciones y responsabilidades con una mansedumbre que a ella le parece un milagro, por el cual siempre debería estar dándole gracias a Dios? No es ella el problema, sino Carmen, discutiendo su autoridad, quisquillosa, rebelde, terca, mordaz, subyugante, independizada de toda tutela, adversaria latente de la hermana. Encantadora y tierna a veces. ¿Cómo encauzarla? Es irreductible. Lo único hacedero y prudente es aceptar su voluntad, buscando que haya siquiera una aparente calma. ¡Dios mío, qué atroz es hallarse de pronto ante un hijo fundamentalmente distinto a todo lo que se esperó de él, a todo lo que se creyó que era, como si escondida en la estampa familiar hubiera un extraño ser que responde a desconocidos mecanismos!

No tiene casi tiempo para pensar en su vida de antes, en su calma dicha. No tiene tiempo. Cuando, como ahora, la evoca, le parece hallarse en falta, haber eludido un deber hacia el marido, hacia el hombre que la hizo feliz, y sonríe, mirándolo en el recuerdo, confusa, explicándole lo que él tiene que saber en esa otra vida en que lo ha ubicado, cielo de bienaventuranzas. Que no hay tiempo para pensar sino en Carmen. Para pensar en el interrogante que significa.

¡Si se casara! Sí, si hallara un marido en ese medio al que se aferra. Un marido. ¡Es tan linda! ¡Tiene tal gracia cuando quiere, tal encanto!

Parece sosegarla de pronto la evocación de la muchacha. Como si se apoyara en su pecho, sonriente, regalona, diciendo con la voz que sabe tener tan cariciosas modulaciones: "Eres un ángel, mamita, un ángel gordo con chancletas, pero un ángel al que adoro..."

Suspira, toma el tejido.

El viejo ha seguido en su remover muebles.

Ahora limpia con lenta prolijidad, con retardados gestos que tienen algo de tierno rito, los muebles, el menaje todo, modesto y simple, que fuera suyo cuando vivían ellas, su mujer y su hija, y para los tres se alzaba la pequeñita casa de los suburbios con su amoroso cobijo. Aquí apoyaba la cabeza su mujer en las siestas veraniegas, justamente, aquí. Y pasa unos dedos de larga caricia sobre el respaldo de brin deslavado, en busca de lo hundido, de lo tibio, de la huella que allí dejara, absurdamente borrando tiempo e irremediables circunstancias, tal cual si ella acabara de abandonarlo para reintegrarse al trajín hogareño. Suspira y con igual precauciosa dedicación limpia una taza, tazón de desayuno, grande, en que se pintan, sobre un fondo tropical de flores gigantes, dos cotorritas, una contra otra, con algo de humano en la mirada, pareja que parece la clásica de novios pueblerinos, fijando frente a la cámara fotográfica una instantánea actitud de estereotipada felicidad. Son dos cotorritas azulceleste, trabajadas finamente como si cada plumita hubiera sido pintada por un paciente artista chino. Tazón para el desayuno de su hija, con un platillo alargado en que su mujer colocaba las tostadas color de oro relumbrosas de mantequilla, orgullo de sus manos de repostera. Tostadas para su hija que golosamente las saboreaba.

El pensamiento de la niña se le asocia a otra criatura. Sobresalta a la madre, preguntando:

—¿La niña está bien?

La madre lo mira, volviendo de otro mundo. Lo mira, penetra el sentido de la pregunta y contesta, con una especie de paciente sonsonete en la voz:

—Sí, don Fabián, muy bien.

Para el portero sólo existe Ignacia Teresa, que le sonríe, que conversa con él, que lo oye, que tiene en la voz la misma paciente inflexión que la madre para comentar la triste historia, repetida siempre con iguales palabras, de su hija que murió y de su mujer, muerta de pena. Historia que es como su sombra, tras de sí, apegada a sus plantas, deformándolo, ahuyentando a los demás, dejándolo solo en una zona de evocaciones, atento a sí mismo, a sus voces, a sus imágenes, al poder de los recuerdos, mecánicamente realizando su trabajo, minucioso, remoto.

Tiene ahora una mirada de soslayada complicidad para la madre:

—"Ya" mañana es domingo. "Ya" encargué las flores. "Ya" hablé con Hipólito, que pasará a buscarme en el carro. Les llevaré rosas que les gustaban... —Piensa algo y añade, bajando la voz en la confidencia—: Cuando limpio "su" taza, es como si le estuviera limpiando la frente.

Desde pequeña asocia ideas, busca símiles, piensa en imágenes. No es que le guste, porque eso indicaría preferencias y en ella esto es algo tan innato, como lo es tener los ojos azul obscuro, de uva, que parecen negros y que de pronto se observa que no lo son. Ahora anda por las calles del pueblo suburbano y fabril, que nunca recorrió, ya que el tranvía la deja en la esquina de la fábrica y la lleva de regreso a casa, desde la otra esquina, pensando que el hambre es una ratita blanca que le araña el estómago. Le duele un poco la cabeza, aro que la oprime, que se marca más sostenido sobre las cejas y que a veces la hace ver chiribitas.

¿Dónde se puede comer cuando se tienen treinta centavos, de los cuales tan sólo hay que gastar veinte? Pero de pronto piensa que después estará el cajero de nuevo en su jaula, y ella podrá pedir que le paguen su vale. "Pase un vale a la caja por su almuerzo."

¡Qué lejana y como perdiéndose por un embudo suena la voz que dijo esas palabras!

La confitería la asusta con su lujo de cortinas y espejos. El mostrador del café, tan luciente de mármoles y níqueles, la atrae y rechaza, porque en ese café tan sólo se puede tomar café, y la ratita blanca apoya con mayor ahínco sus uñitas, diciendo que ella quiere algo más sólido para su hambre. ¿Entonces?

Hay otros cafés, llenos de cubileteos de dados, voces y humo, miradas que se prenden a ella, frases que la siguen como una sucia polvareda y la espantan. ¡Qué cosa tonta y desamparada y afligida es una chica sola, en las calles nunca recorridas de un pueblo suburbano y fabril, con una ratita blanca en el estómago, y un miedo desparramado en el alma a no sabe qué peligros y encrucijadas, y pensando en lo que no se debe hacer, y en su hambre, y en una mampara detrás de la cual está lo familiar, y el bistec, y la ensalada, y un vaso de leche, y el gato, y el sol aplomado en el patio y la prisa empujándola después por el centro de la plaza, y el tranvía que no llega, y lo rutinario, y la seguridad de los gestos que son siempre uno sobre otros calcados y apaciguantes!

También estas manecillas parecen regidas misteriosamente, reloj de pared, esfera que mueve una fuerza invisible, ángulo que indica que le quedan quince minutos para comer, para hacer que la ratita se calme, que no raye su ansia ahí, justamente, bajo la mano que intenta inmovilizarla.

Quince minutos... Está frente a una lechería. Maquinalmente entra. Oye un siseo que no cree que le está dirigido, y avanza hasta sentarse en un alto taburete.

—Tenga, niña... —y un muchachote le tiende un *ticket*—. Y para otra vez ponga atención cuando la chisten. —Lo dice sonriendo y sus ojos de terciopelo de criollo sumiso a la mujer la envuelven en un limpio reclamo del instinto.

—¿Qué va a tomar? —pregunta el mozo.

Ella mira el *ticket* que tiene en la mano y luego lo mira a él, súbitamente despavorida, sin saber qué hacer, y dominando apenas el deseo de escapar corriendo.

El mozo la mira pacientemente. ¡Estas mujeres! ¡Nunca sabrán lo que quieren! Y le sonríe con la misma expresión de joven animal que ha tenido el muchachote.

Ella dice, entonces, en voz baja, pero extraordinariamente clara la dicción:

—Sólo tengo treinta centavos. Dígame usted qué puedo servirme con estas monedas.

El mozo reflexiona y contesta, un poco solemne, protector, casi tierno, mirándola tan menuda, tan inverosímilmente joven, tan deliciosamente confusa y resuelta al propio tiempo:

—Vea. Lo mejor es que tome café con leche, y un *sandwich* de jamón o de queso, como sea de su mayor gusto.

—De jamón —dice ella, que de pronto se ha tranquilizado.

Es estúpido haber perdido media hora vagando calles, asediada por el hambre y por el pavor más grande aún de entrar a un bar, a un café. En verdad, ha sido una tonta. Sonríe, apoya los pies sólidamente en el travesaño del taburete con un gesto de posesión, y abarca con una mirada serena todo lo que hay en su contorno.

No es mucho. Un mostrador en forma de herradura, limpio, limpísimo. En un extremo la caja, con el muchachote adentro mirándola amistoso y doméstico, con algo en la expresión que le recuerda vagamente, sin poder precisarlo, un cachorro en el zoológico y que la hace mirarlo también amistosamente, con esa ausente mirada que se desliza por lo familiar. En el otro extremo hay un armario con tarros de dulce. Detrás del mostrador el mozo manipula misteriosos artefactos. Alrededor del mostrador está tan sólo ella.

Observa al mozo que le pone delante la taza y, sobre una servilleta de papel, el pan por entre cuyo corte asoma el rosa tierno del jamón. La ratita da un salto en su estómago. Alegremente trata de inmovilizarla y se lleva la taza a los labios.

Pero ahora hay alguien a su lado, figura de hombre que no ha distinguido sino como grande, y que ha tomado asiento en el taburete vecino. Saborea el café, deja la taza y entonces, abriendo mucho la boca, muerde el pan. Sus ojos caen sobre una mano en el mostrador, dejada allí, como sola, como si no correspondiera a nadie, mano fuerte, tranquila, ancha la palma y los dedos parejos, sin nudos, mano un poco cuadrada, sana, de piel sana de hombre joven, absurdamente velluda, dejada allí como si estuviera sola, desprendida de todo, viva y tranquila, en espera de algo. Y súbitamente siente la imperiosa necesidad de poner la mano suya, su pequeña mano de piel sana y morena, de mujer joven y tierna, bajo esa otra mano abandonada, que ya no estaría sola, que tendría su mano para protegerla, para darle calor, para llevarla por la vida. Mano de hombre para la suya de mujer. Mano de fuerza en reposo para otra mano indecisa y cansada.

Sigue mascando y sin quitar los ojos de la mano. Si hubiera de súbito desaparecido, algo se habría roto dentro de ella. Sigue mascando mientras mira la mano. Cuando deja el resto del *sandwich* en el papel, despacito, naturalmente, coloca su mano junto a aquella otra mano. Quedan las dos, una junto a otra. Grande, fuerte, velluda, tranquila. Chiquita, morena, endeble, tranquila también. Como si al fin se hubieran hallado y ellas lo supieran, y se quedaran una junto a la otra, destino para siempre de estar juntas, una al lado de la otra, mientras llega el momento de estar una dentro de la otra.

La deja ahí y sigue, como si fuera zurda, comiendo con la otra mano, sin quitar los ojos a las que están próximas. Sonriente, con la rata quieta en su interior, con el corazón adormecido de felicidad, mirándose a ella, a Ignacia Teresa, en una lechería, con un hombre al lado que no sabe qué cara tiene, con una mano junto a la de aquel hombre, mano para su mano de él, para ir por la vida mano sobre mano. ¿Absurdo? ¿Por qué? ¿Por qué absurdo?

En algún momento él, que la miraba desde que la percibiera al entrar, dijo algo, le dijo algo. Ella se volvió simple y serenamente, y con igual simple serenidad contestó algo. El tiempo. El calor. La hora. Cualquier cosa. El dijo algo, sí, que era español, refugiado, que tenía allí cerca una librería. Ella contó de la fábrica, del archivo, de los papeles que hubo de buscar, de su vagancia por las calles desconocidas, de su miedo irrefrenable, ese miedo que está hecho de mil miedos que a través de una vida se van aposando en el alma, hasta dejarla sin movimiento alguno. "Cuidado... Ten cuidado... Hay que tener cuidado... Toma cuidado..." ¿Es que hay que defenderse de tantas cosas?

"Chiquita"..., piensa él con súbita terneza, refrenando el movimiento que pondría su mano sobre la otra menuda, para llevarla por caminos sin acechanzas.

Con un dedo en alto, Tel dibuja en el aire un nombre. Está de espaldas en la cama, sin importarle arrugar el traje, sin importarle arrugar el cobertor de seda. Las persianas están semicorridas y una escalera de luz y sombra se extiende por el piso y sube a medias por una pared. Tel sigue en su juego. Dibuja un nombre, siempre el mismo. Primero con su letra, angulosa, letra "de monja". Luego imita la letra ancha y torpe de papá. Después la de mamá, tan redonda, tan como ella misma, como equilibradas circunferencias una sobre otra. Entonces, porque se le ha cansado el brazo, lo deja caer a su costado y alza el otro, y ahora escribe el nombre imitando la propia letra de aquel a quien pertenece. Y toda ella es una sonrisa beatífica mientras perfila una ele enorme, mayúscula que enlaza simples curvas.

Sería bueno cerrar por completo las persianas y dormir como Carmen. Pero la pereza la relaja y ahora sólo se conforma con decir articulando muy bien cada letra, pero sin producir sonido alguno: "Luis... Luis..."

Las letras se van separando. Empieza a sentirlas independizadas, cada una con su vocalización exacta, pero sin que una y otra le den el familiar sentido. Ele..., u..., i..., ese... Luego las cierra como un acordeón bruscamente dolorido, y el nombre torna a su fonética y a su significado. Ahora lo repite a media voz: "Luis... Luis... Luis...", y de repente le suena a extraño, a no ser un nombre, a ser un objeto, sin forma, desconocido, y sin embargo familiar en un tiempo, que no recuerda bien cuándo fue, incertidumbre que la angustia, como un salto que la arrojara al vacío.

Y de repente también se sienta en la cama, frías las palmas de las manos, y como si volviera de una brusca fría inmersión, anhelante y empalidecida.

Se sopla las yemas, sonríe y de un brinco se echa sobre la otra, la que está dormida, y la sacude gozosamente:

—Carmen, Carmen, que son las no sé cuántas y hace no sé cuánto también que duermes. No seas marmota, despierta...

Carmen regresa de un país de nebulosa y, sin saber en qué ribera se halla, se vuelve malhumorada e intenta seguir durmiendo. Pero Tel la sacude, brinca sobre la cama, que se agita en un vaivén de embarcación; canturrea, la abraza, da cortos chillidos, la besa y no interrumpe esta brega hasta que logra ponerla en la realidad, sobre la cama de Nina, a media tarde, en la casa de los amigos de otros tiempos, cuando el padre era el consejero obligado de aquella firma industrial que se iniciaba tan prósperamente.

—Son las cuatro, son las cinco, son las no sé qué hora; hay que avivarse, vestirse, estar prontas, que nos vendrán a buscar; ya deben estar por llegar, ya deben estar ahí, ya vamos saliendo, ya nos estamos divirtiendo como unas locas. Ya, ya...

Carmen se despereza. Se ha sacado el vestido, los zapatos, las medias. Tiene la melena prendida sobre la coronilla, una gotita de transpiración resbala por su nariz; en los ojos con sueño, la escalera de luz y sombra, que ahora llega hasta el techo, hace danzar franjas de polvo de oro que la deslumbran y descomponen todas las dimensiones.

Aparece doña Alina: "patitas cortas, barriguita redonda, cabecita chica —así la define Nina, para terminar con una voz cavernosa— y un corazón grande, grande, que no cabe en ningún sitio". Doña Alina, sonriente, arreglada como para ir a un *cocktail*, con dos brillantes que son una fortuna en una mano, y una *plaquette* que vale otra fortuna prendida al cierre del escote, que por más pequeño que sea, siempre deja ver curvas indiscretas. Mueve la cabeza, sonríe, entorna los ojos miopes, se le agitan los rizos que diariamente fija un peluquero, se observa las uñas que diariamente repasa una manicura, se mira los zapatos, el traje, todo ello con una complacencia de chica provinciana que estrena vestido el domingo para ir a misa. Sonríe a todo: a Tel, a Carmen, a la escalera de luz y sombra que la enceguece, al cuarto en que hay un lujo discreto —el gusto de Tolín—; sonríe a sí misma, a la vida grata, al destino pródigo, a los negocios que cada día marchan mejor, a las treinta filiales de la gran casa de medias "Cupido" que enfundan impecablemente un millón de piernas femeninas en el territorio nacional.

—Ya sé —dice Carmen, bruscamente despabilada y sentada en la cama, porque ha visto el paquete.

—¡Ah! Picarita... Y tú también, picaronaza... Las dos saben... — y abre el paquete ante los ojos de las dos chicas, asomadas gozosamente al jardín de flores y pájaros de la tierra prometida que doña Alina extiende ante ellas.

—Este para ti, Carmen; éste para Tel. Y en cuanto a Nina —suspira y todos los brillantes de la *plaquette* tiemblan a la par que la circunferencia en que se asientan—, sí, Nina lo elegirá ella misma.

Carmen y Tel cambian una mirada de entendimiento. Carmen se alza de un brinco y se abraza a la pequeña señora, anegándola en una lluvia de besos. Tel tironea de ella, y hasta que logra desprenderla no ceja, y en los tirones caen sobre una cama. Y las dos ríen y al fin son las tres las que están sentadas al borde de la cama, risueñas y jadeantes.

Carmen dice:

—¡Qué belleza! Mira qué amor... —y junta a su cara la seda, en que sobre un fondo azul se abren y cierran alas de mariposas.

Tel ha recordado algo y dice, arrancándole el género de las manos:

—Hay que vestirse, hay que arreglarse; mamita, eres un amor, te daría mil millones de besos, pero ahora no tenemos tiempo, que ya estamos atrasadas y hay que vestirse. Apúrate, tú que eres la más demorosa; anda a peinarte, yo te buscaré tus cosas; pero, por favor, apúrate...

Doña Alina las mira sonriendo siempre, meneando la cabeza, entrecerrados los párpados, esplendiendo los brillantes, mirando sus uñas, las telas sobre la cama, una pantufla que está como afligida en su abandono en medio de la habitación, el polvo dorado que baila en la atmósfera, el cuarto todo en que auténticos muebles franceses muestran tan sobria elegancia. ¡Ay! ¡Qué agradable es tener millones y poder gastarlos en la dicha propia, y en la dicha de los demás! ¡Ay, sí, qué agradable es ser generosa y hacer feliz a todo el mundo!

Pero la sonrisa se queda fija en sus labios, en su cara, en su figura toda.

—Buenas —dice secamente la que llega.

Doña Alina contesta cautelosa:

—Buenas —porque no se puede contar con que esta hija viva como ella y su marido, como Margarita y Tolín y Tel, en un mundo de blando regocijo.

—¿Todavía están aquí ésas? —"ésas" rezuma desprecio.

Doña Alina contesta con mucha dignidad:

—Tu hermana Tel y Carmen están ahí, en el baño.

Hay un silencio en que la recién llegada, acentuando la brusquedad de los movimientos, abre un *placard* y rebusca en un cajón.

—Sería agradable esta casa si cada una de nosotras, de las hermanas solteras, pudiera tener su pieza. La fatalidad de ser gemela con Tel no puede considerarse, creo, como una cadena que me amarre para toda la vida a ella. ¿Hasta cuándo te vas a empecinar en no consentir que tenga mi cuarto propio?

) 471 (

Doña Alina mira desolada los muebles auténticamente franceses —gusto de Tolín—, las camitas gemelas, los doseles coquetamente alzados, las enmaderaciones claras, los amorcillos sobre las puertas, los caireles de las lámparas, el *petit point* de los sillones, la fragilidad de las porcelanas.

—¿Es que no te gusta esta pieza?

—Me gusta para verla en un museo, para mirarla en el *stand* de una exposición, para saber que es de Tel, pero no para pieza mía, ni menos para compartirla con otra.

—Nunca pueden todos estar contentos, es una desgracia..., una desgracia enorme... —Lo dice tan afligida como si comprobara la pérdida de un hijo, o de un brillante, o la excusa de la señora del ministro que no puede "por inconvenientes de último momento" acudir a su *brigde*.

—Yo pido sólo el peor de los cuartos de la casa, una pieza de servicio, pero que sea mía, amueblada a mi gusto, donde nadie me moleste y donde pueda estudiar, fumar, leer, oir música, recibir a mis amigos.

Doña Alina la mira, cada vez más desolada, cruzando las manecitas sobre el pecho, como una diva en el momento del sí sobre agudo.

—Pero si tienes el estudio...

—El estudio es pertenencia de Tolín y sus amigotes. Y de los amigotes de Tel y de Carmen. En cuanto a Margarita...

—Por favor...

—Sí, ya lo sé, Margarita es tabú. Para eso se ha casado con Tolín Quiroga...

—Por favor —insiste doña Alina, que parece ahora la diva pronta a morir en el cuarto acto, defendiendo heroicamente su honor, que intentan ultrajar.

—¡Buenas! —dice Tel, que entra, y Carmen, que la sigue, repite como si fuera su eco:

—¡Buenas!

Pero Nina no contesta, enfurruñada, metida en su enojo y reprimiendo su deseo de reir, porque al sesgo está mirando a la madre e irreverentemente ha pensado en una clueca, sin saber qué hacer ante el patito feo.

Pero se mantiene en su silencio, haciendo caso omiso de las otras, que siguen arreglándose, y que al fin salen, bulliciosas y despreocupadas.

Doña Alina, entonces, se pone de pie, y empieza a doblar las telas que se mezclan y amontonan arrastrando por el suelo.

Nina se vuelve a mirarla, plantada en los zapatos deportivos, alta la cabeza peinada como un muchacho, rectos los ojos, atrás las manos y toda ella franca, honesta, como lavada por fuera y por dentro.

—Ya veo que le "has" comprado un nuevo regalo.

—Me da pena oírte, sí, me da pena oírte. No me gusta verte mezquina. ¿Por qué no voy a regalarla a la pobre chica? Si le gustan los trapos, si es natural que a su edad le gusten, si es tan bonita y los luce tan bien, si tiene que andar con Tel, que no puede pasarse sin ella, y no es posible que una vaya como un figurín y la otra con un vestidillo cualquiera, ¿y qué me cuesta hacerla feliz a la pobrecita, que bastantes estrecheces tiene que padecer en su casa? Me da pena oírte, me da pena... —Haría un puchero, cada vez más afligida con esta hija empecinada siempre en discutir, en buscar el sentido, el fondo, la verdad de las cosas; definiéndolo todo, metiéndolo en casilleros, desesperando a la familia, a ella, al padre, a Margarita, a Tolín, a Tel; combativa, sublevada, díscola, imposible de adaptar al medio en que cada vez se enquistan más sólidamente, gracias al trabajo del padre, a su buen éxito; a la preocupación de ella, para que las chicas se eduquen en los mejores —los más caros— colegios, y se relacionen, y reciban a sus amigas, y así se llega al matrimonio de Margarita con Tolín, que es como emparentarse de golpe con toda la vieja aristocracia criolla... Y ahora que todo parece la materialización de un plácido sueño, esta chica es el reactivo, el poso amargo que nadie soporta. Y lo peor es que a veces suele convencer al padre —no muchas, por suerte—, aferrándose ambos a viejos prejuicios, insoportables, que desencadenan abiertas tempestades agobiadoras. Y es tan delicioso vivir en calma, sin discusiones, hallando la vida buena, la gente simpática, sonriendo y aprobándolo todo...

Pero no hay manera de hacerla cambiar de idea, ni de hacerla callar.

Ahora Nina dice:

—¿Pero no ves que estás ayudando a deformarla, a mantenerla en un falso medio? ¿Que esta chica, como su hermana, debe trabajar, y no pasarse la vida corriendo de casa en casa, esperando que aquí la inviten a almorzar y allá a cenar, que aquí le regalen unos zapatos y más allá un vestido? ¿No ves que es fomentar un parásito?

—Pobrecita... Pobrecita... No hables así, que me da pena, que parece que estoy oyendo a tus amigotes, esos chicos imposibles que me traes de la Universidad, que no se sabe quiénes son, y que creen que con palabras van a arreglar el mundo...

—Por lo menos saben que el mundo anda mal y que hay que arreglarlo. Algo es algo...

—¿Se puede? —preguntan en la puerta.

—¡Ah! Sí, entre.

—Que dice la señorita Tel que si la niña Nina puede ir al estudio, que el señor Hans desea saludarla —silabea la doncella con una voz de papagayo que repite finamente la lección.

—Voy —dice de mala gana Nina, pero va, porque es una manera de no seguir discutiendo con su madre.

Están las altas cortinas del estudio corridas, y aunque la tarde empieza tan sólo a descomponer sus rosas y malvas crepusculares, hay una atmósfera nocturna, hecha de humo de cigarros, de círculos luminosos que reúnen a los grupos, de entrechocarse cauteloso de frases y cristales. Afuera debe haber un jardín, porque un pájaro devana en un carrete áspero su pregunta interminable, y también porque por debajo de las cortinas suele entrar una brisa que trae a la zaga el olor a tierra húmeda recién regada después de una tarde de calor detenido por horas sobre lo verde del césped.

—¡Aquí está la doctora! —dice una voz, nasal, cantante, y que en el término de las frases se destempla en una nota aguda.

—¡Qué tal la doctora! —dice otra voz, tan semejante a la primera que parecería la misma, insistiendo en la palabra "doctora", que suena regocijada y despectivamente.

Nina parece aplomarse más que nunca en las piernas fuertes, en los anchos zapatos deportivos; levanta la cabeza, los repasa con la mirada honesta de los ojos tan tranquilamente inteligentes, y contesta con el tono justo que debe contestar, como si las palabras que la acogen fueran las únicas que se podrían decirse en su honor:

—¡Qué tal! Buenas tardes —y se dirige a un hombre alto y fuerte plantado con una actitud muy parecida a la suya y que conversa con Carmen.

—Buenas tardes, Hans. ¿Quería usted hablarme?

Siente los ojos fríos de Carmen que la miran burlescos, mientras el hombre contesta:

—Yo quería saludarla. Yo no la hallé, y entonces pregunté por usted. Su hermana, muy amable, la hizo llamar. Es todo. —Construye las frases con cierta lentitud, buscando dubitativamente las palabras que recién aprende, que a veces deforma, y que siempre arrastra sobre las erres.

—No es mucho —dice Nina.

—¿Esperabas algo más? —pregunta Carmen con su voz más de seda, más de seda con el filo escondido, pero duro dentro.

—¿Yo? No. ¿Esperar algo más de Hans que su cortesía de mundano? No. Creo que tan sólo eso puede esperarse de él. Y en estos tiempos en que escasea todo, hasta lo cortés, y más en un hombre, ya es esperar y hallar bastante.

—¿Whisky? —pregunta Tolín acercándose.

—No, gracias. Cerveza.

El cuñado hace un gesto divertido con la nariz, va al bar, y vuelve con una jarra en que no desborda el copete de espuma: auténticamente bávara, loza vidriada y estaño, elegida por él, por Tolín.

Están los cuatro de pie y Hans como un árbol al que los otros se arrimaran. Nina alza un poco la cara para verle bien los ojos, y después, con una de esas miradas fugaces y rápidas con que siempre lo abarca todo, ve a los otros dos, perrunos ante esa sombra, como achatados esperando la migaja de una atención.

Llega otro muchacho y cuando empieza a hablar —mezclado a la conversación en que parecería que cada cual sólo se empeñara en tocar el punto vulnerable del otro— su voz y la de Tolín tienen exactamente las mismas inflexiones, el mismo son nasal que desafina agudo al fin de la frase. Como están vestidos casi iguales. Como ambos apoyan una mano en la cintura y en la otra, con idéntico gesto, sostienen el vaso. Y Nina repara en que también éste, a la sombra de Hans, tiene la perruna mirada que espera la seña del amo.

Las voces similares se esmeran en decirle "doctora"; Carmen parece haber olvidado su presencia, y Hans, como distraído, como al margen de los otros tres, habla con su voz asordada, obliga a estar atento a su frase trabajosa.

Nina lo mira cara a cara, rectamente dentro de los ojos. Dejándole ver el: "No te molestes, no te canses, que conmigo no valen artimañas", que a veces le dan deseos de decirle, palabra por palabra, cuando, como ahora, lo ve en este avanzar y retroceder piezas, frase destinada a ella, sonrisa destinada a Carmen, algo, no sabe qué, una súbita inflexión en la voz, destinada a los otros dos. Sí, a los otros dos...

Y bruscamente vacía su jarra de cerveza y dice no menos bruscamente asqueada:

—Mis excusas. Tengo que salir.

Ahora hay más noche afuera y nuevos círculos de luz se iluminan en el estudio.

Margarita está acurrucada sobre un diván, mostrando pródigamente las piernas perfectas y desnudas en las sandalias, rojas las uñas como las de las manos, flexible toda ella, fina, "estilizada", según la frase predilecta de la madre; elegida por Tolín, hija de auténticos millonarios, bonita, decorativa, con una dosis de memoria que le permite repetir con discreción las frases que quedan sueltas en cierto ambiente social, que sabe callar a tiempo, que no crea problema alguno. Margarita conversa con un grupo de mujeres, todas ellas jóvenes, elegantes, con igual peinado, con parecidos trajes, con joyas que firma el mismo diamantista, con movimientos calcados de un molde común, con voces afinadas por idéntico diapasón. Conversan sobre un tema, que nunca se sabe quién ha puesto en el tapete y en el cual se clavan frases como en un acerico alfileres de similares cabecitas de perla hueca.

Otro grupo rodea la greda última modelada por Tolín. Porque el estudio se justifica con sus actividades artísticas.

—*Dilettante* no más... —dice, risueño, misterioso, frívolo, como quitándole importancia a un obscuro pecado.

Es un torso masculino. Se opina:

—Soberbio...

—Me recuerda algo griego.

—Una belleza...

—Regio, regio, regio...

—Soberbio.

Ya no hay más que decir. Entonces se desplazan hacia el bar.

Carmen baila. Tel también. Tel baila con Luis, desmañado, grandote, torpote, pero tan cuidadosamente tierno en no perder el compás, en no pisar sus pies chiquitos, él, que parece andar todavía enredado a los terrones, venir del campo, pecoso de sol, y con los ojos un poco asombrados de hallar a la niñita de otrora, vecina en la provincia, cuando los padres comenzaban a enfilar los negocios hacia la fortuna, hallarla convertida en esta muchachita para seguir adorándola.

Carmen baila con Hans. El parece distraído. Baila extraordinariamente bien, llevándola apenas, sujetándola apenas, poseídos todos sus músculos por la música. Carmen siente el ritmo negro por la sangre desparramado como un maleficio que despierta al son de las marimbas, y se agita, y tiembla, y baja los párpados, y entreabre los labios, y deja ver la blancura de los dientes en un leve, levísimo jadeo.

Carmen baila. Hipnotizada. Alguien ha abierto las cortinas y la terraza aparece azul de noche y húmeda de combas de agua de riego. Hans apoya apenas una mano en su cintura, y la dirige hacia esa sombra. Siguen bailando entre platabandas, sillas de junco y surtidores, bajo toldos, en un hálito de noche y de frescor. El dice sin dejar de bailar, y es como si las palabras cristalizaran un hechizo:

—Ten una aventura...

Ella no contesta, como otras veces, como siempre que él repite esa frase, con distintos tonos, desde que la conociera. ¿Cuándo? Hace una semana. Que en ese medio las etapas se recorren pronto y en seguida se puede decir:

—No me interesan las *jeunnes filles*. Ten una aventura. ¡Oh!, conmigo no..., con otro. Después...

Ella lo oye sin demostrar que lo oye, bajos los párpados, con algo que pudiera ser la sombra de una sonrisa esfumada en las comisuras de la boca. El deja caer las manos, y los cuerpos, enfrentados, sin perder la distancia, siguen agitándose en el ritmo del baile. Giran, avanzan, retroceden, giran, él vuelve sin apuro a apoyar las manos en el cuerpo de ella, levemente, sin insistir, como tampoco parece insistir cuando repite:

—Ten una aventura...

Ahora Hans está junto a la victrola y elige discos. Tolín se acerca, y también inclinado sobre los álbumes, dice:

—No la inquietes más, perverso...

Hans pregunta sin mirarlo:

—¿Te interesa a ti?

—No "me interesan"...

Cambian una rápida mirada. Nada más. Hans coloca los nuevos discos y la música se echa a bailar, precediendo a las parejas, contorsionada, machacada, tambor de tam-tam, son de maracas, ¡ay!, de negro que muele sortilegios y sensualismos bajo la media luna, entre las palmeras, contra un cielo amarillo de trópico, en un candombe acondicionado, lustrosos sus charoles, para no desentonar en esa compañía en que perduran los ecos de su llamado ancestral.

Conoce el juego. El de Hans resulta más perfecto, eso sí. Porque tiene en su favor lo remoto de su vida, la leyenda de su nombre, la precipitada fuga a través de los países en que la guerra estalla bajo el talón mismo de su pie; su evasión como de primer actor de cine, en que los elementos han sido previamente preparados, y que en su caso sólo prepara el destino, y así, después de meses, de entre el escombro y la humareda, aun bajo la lluvia de esquirlas, emerge del obscuro mundo de los desaparecidos, y a la vera de un nuevo mundo para una nueva vida plácida, sin sobresaltos, sin inquietudes, de artista detrás de su pipa, o de mundano detrás de su pareja, o de *clubman* detrás del vaso en que se enfría el whisky, perdidamente en el círculo de lo más frívolo. Calculadamente frío, hermético, ajeno.

"Como los otros", piensa Carmen. Pero también infinitamente más peligroso. Los otros pueden mostrar sus cartas, pero sabe bien que sólo las volverán si ella da margen para el riesgo. Hans no. Este actúa sin esperar tácitas aprobaciones. Seguro de que el triunfo es suyo. Seguro de sus recursos, de lo magnético de su presencia, de su mirada, de su voz, de sus manos, de su cuerpo, de su leyenda, calculando efectos, hurtándose al riesgo, midiendo las reacciones. Con éste no vale ninguna táctica.

"Ten una aventura. Ten una aventura. Que sea otro el "primero". Que las responsabilidades las arriesgue otro. Pero yo no te pierdo de vista, estoy ahí, en la sombra, como lo tremendo instintivo, como dentro de ti misma te trabaja el deseo. El justificativo de esa aventura soy yo. Lo que hallarás en mí de violento y pasional, la vida ancha y fácil. Todas las posibilidades a tu alcance. Menos el matrimonio: el que me case contigo. Ten una aventura... Ten una aventura...

"Soy un civilizado, un producto de otras tierras, de viejas tierras y viejas culturas. No un primitivo en busca de la mujer virgen. Nada de matrimonios, de compromisos, de amarras. Libres, compañeros. Tú y yo. Ten una aventura... Cualquiera puede servir para ella. No soy celoso. Los celos son flor de salvajismo. Después... Yo estaré atento a ese después... Tienes la boca de un violento rojo; me gustan tu boca que tan desdeñosamente se curva, y tus ojos asombrados, tan asombrados de todo lo que ya saben. Porque tú sabes muchas cosas, muchachita, muchas cosas que para mejor ocultarse se muestran en el fondo de tus ojos tan enormemente abiertos. Ten una aventura... No es tan difícil, créemelo. Siempre habrá un imbécil que se preste a ella..."

¿Quién habla? Parece la voz de Hans arrastrando las erres, pero nunca Hans ha dicho tantas palabras, y, además, palabras que así aclaren su pensamiento. ¿Quién habla? ¡Qué tarde interminable entre baile y baile, y whisky y whisky! ¡Pero no iban a salir, Tel, Luis y ella, para ir al golf a tomar el té? ¿Por qué, entonces, han permanecido en el estudio, bailando, bebiendo, entre el humo y el ritmo sincopado de las marimbas? ¿Quién habla? ¡Ah! ¿Es Hans, realmente, junto a ella, costado a costado de ella, sintiendo el calor de su ancho muslo, en el pequeño coche que anda por una calle larga, bajo toldos de árboles, en qué ciudad, en qué país, bajo qué cielo? ¡Cómo le duele la cabeza! ¿Quién pregunta dónde está su casa? ¿Hans? No, no es Hans. Es don Fabián. Don Fabián... ¡Qué risa! Pero ¿es que está dormida y viviendo una pesadilla? ¿Quién habla? ¿Por qué le preguntan de nuevo: "¿Pero en qué número?"?

Ahora reconoce, de súbito, la calle, la plaza, el borde de la acera que forma comba. El palacete. El edificio moderno. Sí, ésa es su casa. La alta puerta, sí, ahí mismo. Esa es la mampara.

Hans la ayuda a bajar. Tiene la sensación de que las piernas no fueran suyas, mejor dicho, de que no tuviera piernas, y por las manos le hormiguea una torpeza que las hace inertes. Hans la sostiene con un seguro brazo que pasa por su cintura, la obliga a estar de pie, avanza con ella. Cuando va a tocar el timbre, Carmen lo impide, risueña y tartajosa:

—No, tengo llave.

Se afianza en su brazo y busca en el bolso. Pero lo frío de la llave parece abrirle el mundo familiar, y de pronto recobra el control de sus músculos, el aplomo del porte, la dignidad del habla.

—Creo que he tenido un ataque de sueño. Mis excusas. Y gracias por haberte molestado en traerme. Hasta mañana, Hans.

El la mira buscando los ojos que se le esquivan en la sombra de la entrada.

—Hasta mañana no. Salgo dentro de unas horas en avión para el sur; de ahí sigo viaje al Pacífico.

Carmen siente que algo se enfría en su pecho. Pero avanza una mano que no tiembla.

Hans toma esa mano y busca la palma sobre la que fija un beso fugaz:

—Ten una aventura —repite frívolamente, pero algo sube del fondo de su instinto y lo obliga a envolver a la muchacha en sus brazos, contra su pecho, adherido a ella, hundiendo los labios en los otros que no tienen tiempo para hurtarse, que no previenen el asalto, y al inesperado roce van abriéndose como fruta al sol, hasta que el hombre halla la semilla dura de los dientes y la enervante pulpa de la lengua.

Aunque buen actor, Hans siente que el personaje se apodera de él por obscuros caminos de sangre. La abandona, la deja trabajosamente, buscando equilibrarse en la tierra, a la que vuelve desde vertiginosas curvas siderales, y repite, entre dientes, asordado e imperativo:

—Ten una aventura... Volveré pronto... Ten una aventura...

Ha cerrado la puerta. Ha cerrado la mampara. Avanza a tientas por el pasillo en tinieblas. Tirita y el frío en el corazón se hace intolerable, la obliga a detenerse y a poner la mano allí, las dos manos. Apoya la espalda en el muro, pero se cae, se cae, de aserrín desmoronándose hasta quedar como un montón sobre el suelo, vacía de sensaciones.

La humedad de las losas empieza a revelarle que de nuevo entra en sí misma y se posesiona de sus sentidos. Mueve la cabeza de uno a otro lado, como negándose a ese retorno. Al voltear la cara roza el muro, áspero y blando, cemento mal fraguado, arenilla y cal chafarronienta, intolerable al olfato. Las sombras, lo húmedo, lo miserable vergonzante: todo entra en ella de golpe y se le aposenta en el alma llena de resentimientos, de vanidades, de humillaciones, de ambición y de tenacidad. No le caben dentro tantas cosas. Parece que fuera a estallar algo en su cerebro. El corazón sigue frío. En cambio, en la garganta le arde un escozor, un anudársele y desanudársele la respiración, hasta que ese calor baja al pecho y lo anega, para hacer subir y brotar las lágrimas. Llora desesperadamente, silenciosa, abandonada, caída la cabeza en el regazo, echándose atrás, restregando las mejillas en lo áspero del muro. Llora indefinidamente, cree ella que indefinidamente, que nunca podrá hacer otra cosa que estar así, caída y llorando. Se sorprende cuando comprueba que las lágrimas terminan. Se queda aguardándolas de nuevo. Pero no retornan. Echa el pelo atrás, se alza con torpeza y se llega a la pileta en busca de agua que la refresque. Arriba arde la luz de las vigilias maternales, y no deben verle la cara de desesperada loca que debe tener.

Por un momento el que no deben verla le anula toda otra impresión. Se saca los zapatos y sube silenciosa la escalera, detenida a cada instante, alerta a cualquier rumor, hasta entrar a la habitación de la madre, a la que ha sorprendido el sueño semiincorporada sobre almohadones, con el tejido en las manos. La pequeña luz de la veladora de enfermos parpadea amarillenta.

Carmen apaga esa luz y despaciosamente se desviste. Ahora está sentada sobre su cama, con las rodillas en alto y los brazos sujetando las piernas, dura, fija en su rencor, pan amargo que le llena la boca y que masca, así le parece de tangible, regustando y regustando cada hincada de dientes, como cuando era pequeña y la abuela la obligaba a comer lo que no era de su agrado, e interminablemente lo revolvía en la boca. El recuerdo le produce náuseas. ¿El recuerdo? No. No ese recuerdo de infancia. El recuerdo de lo que acaba de vivir. De lo que está viviendo.

En lo obscuro mira el sitio en que se arrima la cama de Ignacia Teresa. Siente suspirar a la madre. Un gesto le atiranta media boca. ¡Las pobres tontas que la creen feliz, viviendo en la inconsciencia, gozando del reflejo de la buena vida de los demás! ¡Pobres! El gesto es la caricatura de una sonrisa. Se llena de despectiva piedad. Ellas, viviendo la rutina y lo mediocre, sumisas al destino, manteniendo tan sólo una actitud, porque saben cómo las vigila y hostiliza. ¡Ellas! Si estarían felices en un conventillo, en el peor barrio, amistadas con los vecinos, dándole gracias al Altísimo porque el trabajo les proporciona lo imprescindible para subsistir.

No, no son ellas quienes sufren lo peor desde que la súbita muerte del padre marca la vertiginosa caída hasta el fondo del patio, tras la mampara que decorosamente las protege de miradas indiscretas. Es ella, Carmen, aferrada a su educación, a su grupo social. Ella, con el oído atento al teléfono, misterioso cordón, conducto para la savia que necesita y que la mantiene como una flor, bella y fina, para emerger radiante a la vida que está más allá de los vidrios de colores de la mampara. Carmen, ansiosa a la voz que debe llamarla, que quedó en llamarla, adaptándose, teniendo que sonreir aquí, saber guardar silencio allá, ser despreocupadamente frívola, o envolverse en una compostura melindrosa acullá, y devolver en el aire una frase levemente cínica en aquel otro círculo. Cambiar, aparecer o desaparecer, tener el color del clima del grupo en que actúa. Saber que cuenta con un solo aliado; su maravillosa adaptabilidad. Porque el otro aliado, que es su belleza, a veces se le torna un enemigo que levanta siembra de celos. Hasta su belleza tiene que saber adaptarse a las circunstancias y ser brillante o pasar inadvertida.

Nadie conoce —ni debe conocer— sus pocas ganas de salir a veces. Su deseo de quedarse en casa, largamente tendida en la cama, oyendo a la madre trajinar, mirando el juego del gato, liada a sus propios pensamientos. Floja, sin hablar. Pero hay que vestirse, mover el telar de las llamadas telefónicas, si es que no existe un previo convite: "¿Tú me llamaste? ¡Ah! ¿No? Perdona, es que en casa no supieron darme bien un recado que dejaron para mí, creí que serías tú. ¡Como hace tanto tiempo que no te veo y tengo tantas cosas que contarte!..."

O mover ese otro juego de enormes piezas con que se ganan los regalos: "Mira qué amor, me lo ha regalado la señora de Pérez, tú sabes, tan amiga de mamita, hasta somos parientes por el lado de la abuela López. Es un amor, ¿verdad? ¡Qué feliz es la gente con fortuna, que puede permitirse el lujo de los regalos!"

Batallar por una invitación, por un obsequio. Estar en todas partes, ser la infaltable invitada a todas las recepciones, poder comentar el último estreno, la exposición recientemente inaugurada, el baile de las debutantes, el paseo en yate, el casamiento aristocrático, y el velorio del anciano prócer. ¡Cuánto cuesta todo eso!

Pero no es ahí donde ella quiere llegar al hacerse esa larga exposición, al llorar este miserere sobre sus sacrificios, sobre la sorda lucha con que mantiene su posición social. No. Quiere llegar, y llega, repentinamente enfrentándolo, a Hans y su frase: "Ten una aventura... Sí, tenla, para disfrute mío. Para que yo esté cómodo en la vida, para que pueda alargar la mano cuando me plazca y tomarte como quien toma una manzana que otro hizo desprender del árbol". ¡Miserable! Se le enciende en ira todo lo que hay en ella de honesto. Todo lo que queda de honesto, zona clausurada porque es el tesoro con que se logra la meta matrimonial. Sí, miserable. ¿Qué cree Hans que es ella?

Sonríe de nuevo con media boca. Amarga. Amargada. Sollamada por dentro. ¡Qué cómodo el señor! "Ten una aventura"... Tres palabras para marcarle un destino. Tres. Eso cree Hans que merece ella.

Aprieta las manos y le duelen las articulaciones por la tensión a que las somete. No importa que le duelan... Su humillación y su rencor quisieran volcarse en algo, en alguien a quien herir o zaherir, y sólo halla su propio cuerpo y en él desahoga la violencia que le anda por los nervios.

Se clava las uñas en las manos. Sus mandíbulas se traban en una apretazón de dientes.

Algo cae sobre ella, presencia inesperada que la sobrecoge. Hans enrareciendo el aire, acercándose a ella, pegándose a ella, atrayéndola al fondo de su abrazo, al fondo de su beso, y dejándola vacía, sorbida por una succión en que se pierde toda realidad.

Se lleva las manos a los labios y da un gemido.

La madre rebulle y pregunta somnolienta:

—¿Estás ahí, Carmen?

—Sí, mamita. Hace rato que llegué.

El siseo ha inquietado a Ignacia Teresa, que voltea la cara y la apoya en la mitad de su sueño de ella, del sueño de su sueño en que una mano le sirve de tierna almohada.

—Hans... Hans... —Carmen rechaza la imagen, la empuja más allá de su presencia, de su círculo, de su recuerdo. Suspira. Y se queda vigilando su posible vuelta, frenética, indignada, sacando de sus resentimientos, de sus humillaciones, fuerzas para volverla a lo obscuro de un pasado que quisiera lejano para seguir en el presente su tarea agobiadora, medio a medio de un perfecto círculo que de súbito empieza a moverse en multicolores losanges, rectángulos, triángulos, formas que se confunden, roseta del centro de la mampara, girando ahora tan ligero que es un embudo alucinante por cuyo extremo se desliza a mundos subconscientes, caída en un sueño poblado de figuras inconexas y empavorecedores matices; frenéticos rojos, verdes venenosos, atrabiliarios amarillos.

Afuera, en el patio, se espesan capas de sombras que se suman a otras, hasta hacerse palpables, densificada la atmósfera por el relente que rezuman los mares desdibujados de los muros, envolviendo en su lenta insidia nocturna la tersura de los vidrios en que insisten, tácitos, los abolidos colores que defienden la realidad del disgregador asalto de los sueños.

NOVELAS

BIENVENIDO

Para mi madre, que quería una no-vela rosa.

1

Juan Ramírez detuvo el caballo y se quedó contemplando el paisaje con las pupilas deslumbradas por la luminosidad meridiana.

Lleno de sombras, resonante por el despeñarse de la cascada, húmedo por la evaporación de las aguas, el estrecho desfiladero terminaba bruscamente en un altozano, atalaya que abría sobre el valle.

Los árboles desaparecían, las montañas se separaban a ambos lados, para luego, en línea recta, encajonar la vega: en la perspectiva se unían en una niebla azul. De ese fondo en que se escalonaban los volcanes blancos, las cordilleras pardas y las montañas verdegueantes, bajaba el río en una lonja de plata que a ratos esplendía al sol, que a ratos se ocultaba entre matorrales. En las cercanías del desfiladero se ensanchaba el río, llenando la cuenca formada por las montañas próximas, y una laguna oval, de aguas quietas, profundas, reflejaba el cielo moteado de nubes blancas.

Aquella agua inmóvil desbordábase de la hoya por el boquerón del desfiladero, precipitándose abismo abajo en catarata fragosa, para seguir en el fondo del tajo su curso de río turbulento que va buscando el mar.

La montaña Negra —que abría a la izquierda— iba siguiendo la marcha del agua, bordeando primero la laguna, bordeando luego el río. Era una montaña virgen, compacta de árboles, en que todos los tonos de verde se encontraban. A la derecha quedaba la montaña Mocha, que justificaba su nombre con las calvas ocres de sus peladeros: en tiempos anteriores había sido talada, grandes claros se pintaban con el verde tierno de los renovales y los troncos de los robles viejos parecían mástiles de plata que al viento tendieran la vela desgarrada de las copihueras.

Un centenar de metros la montaña Mocha bordeaba la laguna, dejando sólo espacio al camino entre su flanco y la ribera; luego se iba hacia la derecha, formaba un ángulo, y en ondulaciones tendíase hacia la lejanía azul.

Frente al centro de la laguna se alzaba una casa de madera rodeada de tres edificios más pequeños. Una avenida de araucarias la ligaba al embarcadero. Atrás quedaba la huerta, luego un potrerillo: todo ello cerrado por una empalizada.

Ya en la vega, había dos grandes galpones que parecían iglesias; después quedaban los corrales y una casa diminuta que a esta distancia semejaba un cajón.

La vega continuaba perdiéndose en la perspectiva, parejo el tono verde de su pasto, que sólo interrumpían la sierpe roja del camino y una que otra mancha de matorrales. En el faldeo de la montaña blanqueaba un rebaño de ovejas y a lo lejos una tropilla de caballos trotaba detrás de la yegua madrina.

Con los oídos ensordecidos por el rumor de la cascada, con los ojos encandilados por la radiación del paisaje, con el alma cantante por la belleza de la montaña, Juan Ramírez espoleó su caballo, siguiendo el camino que llevaba a las casas. El mozo —que se mantenía a cierta distancia— se fue detrás.

El rumor de la cascada se hacía menos intenso, era ya imperceptible al oído y otros nuevos rumores llegaban en confusa polifonía: balar de las ovejas, cencerros tintineando, ladridos de perros, agudos gritos de pastores, cachañas en algarabía de malas comadres. Cuando un paréntesis de silencio se abría sobre estos rumores, otros más quedos llenaban de suave música el paisaje: runrún de abejas, parlar de agua, zumbidos de tábanos borrachos de sol, risas de hojas locas de aventuras. Cerraba el paréntesis una racha de viento y los rumores del valle volvían en crescendo.

Llegado frente a la casa, Juan Ramírez se apeó, y sus ojos, que miraban sorprendidos los edificios de madera, tan extraños para el hombre del valle central, encontraron en la puerta de la casa habitación otros ojos que lo miraban llenos de curiosidad.

—Es la Peta. mi mujer, y los dos güeñis, pa servirlo, patrón —explicó el mozo que lo acompañaba.

—¿Cómo les va? —dijo Juan amistosamente.

—Muy bien, patrón —contestó la mujer, cantando la frase.

Los chiquillos se escondieron detrás de la madre, y como ésta quisiera obligarlos a saludar, huyeron despavoridos por la avenida de araucarias. Un perro de lanas rojizas, feo como un demonio, salió persiguiéndolos, ladrando alegremente.

—Están muy lobos estos condenaos, patrón. Su mercé esculpará.

—¿Esta es la casa del administrador? —preguntó.

—Sí, pue, patrón.

—¡Ah!

Había muchos puntos admirativos en aquella exclamación. La casa edificada sobre "chocos", bajita, con techo de tejuela también de madera, con una gran puerta y ventanas anchas y bajas, con persianas al exterior, le pareció horriblemente inconfortable a Juan Ramírez, y un desaliento lo cogió al pensar que esa casa sería su hogar, tal vez por muchos años. Rechazando la mala impresión, dio un paso para entrar.

—Pase, no más, patrón —dijo la mujer, haciéndose a un lado.

La puerta daba al vestíbulo, que tenía todo el largo de la casa y recibía luz por una galería que lo cerraba al fondo. A cada lado abrían tres puertas sobre otras tantas habitaciones comunicadas a su vez entre sí. A la derecha quedaba el escritorio con una ventana mirando a la laguna y otra a la montaña; seguían un dormitorio y el cuarto de baño. Al otro lado estaban el comedor y dos piezas vacías de muebles.

Las piezas eran cuadradas, forradas de listones machihembrados puestos verticalmente para formar zócalo; venía luego una moldura y en seguida los listones horizontalmente llegaban hasta el cielo raso. Todo estaba barnizado: paredes, puertas, ventanas, techos, dando un tono rubio miel al interior simpático y acogedor.

Juan Ramírez miraba con ojos alegres. El menaje era modesto: uno que otro mueble indispensable. En cambio, el cuarto de baño estaba completo, y en el centro de cada habitación pendía una lámpara a gas acetileno.

—¿Hay agua potable? —preguntó al matrimonio, que lo seguía dándole explicaciones.

—Sí, patrón. Cuando estuvo el finao don Enrique, hace muchos años, trajeron l'agua de la montaña y pusieron tamién lámparas d'éstas —contestó la Peta.

—Hay un tarro de carburo en la bodega. Don Samuel, cuando venía l'echaba a la máquina. Si su mercé quere, esta tarde podimos cargarla. Yo le tengo mucho recelo...

—¿Y los muebles que yo mandé?

—Están toos en la bodega pa que su mercé mesmo iga ónde hay que ponerlos. Pa mientras le arreglamos las piezas con los muebles que había, con los muebles de don Samuel.

—¿Pasaba mucho tiempo aquí don Samuel?

—Dos o tres días no más. Cuando el finao patrón estaba vivo, él sí que se pasaba aquí semanas de semanas. Icía que de toos sus fundos el que más le gustaba era éste, por la laguna. —Como su mujer, Pancho cantaba las frases con un dejo melodioso. Era el llavero. Tenía una fisonomía de pehuenche, mezcla de sangres india y chilena. Mediana la estatura, recios los músculos, pequeña la cabeza de cabellera hirsuta, estrecha la frente deprimida, redondos los ojos negros y tristes, chata la nariz, grande la boca de labios gruesos. Alma de credulidad llena de leyendas, de fantasmas y de recelos, vivía en perpetuo sobresalto, viendo en lo más inocente augurios de desgracias que anulaba por medio de secretos de la naturaleza o por palabras sortílegas que ahuyentaban el mal.

—Si el patrón quere comer, le tengo un pollito asao con ensalá y tortilla —dijo la mujer.

—Ya está. Traigo mucho apetito.

—Le pueo hacer güevos asaos, entonces, patrón.

—No, no, con el pollo tengo bastante.

—En un volando güelvo —y salió.

Estaban en el escritorio. En el centro había una mesa con recado de escribir y cuatro sillas. En un estante esquinero se apilaban unos libros. Las ventanas estaban abiertas. En el rectángulo de una de ellas se destacaba un trozo inmóvil de la laguna, sobre la cual volaba lenta una avutarda.

Juan miró los dos paisajes: de la montaña llegaba un acre perfume a resina; de la laguna, rachas de frescor húmedo. Se quedó pensativo mirando sin ver. La vida allí le sería grata. Trabajar esos campos maravillosos de belleza, más que una obligación remunerada sería un placer. Compenetrarse con esas gentes rudas y sencillas había de ser interesante.

¿Su hogar chillanejo? ¿Su madre? ¿Su hermana? No. No tenía derecho para dejarse coger por la añoranza de la familia. Tenía que poner toda su voluntad al servicio de labrarse un porvenir. Bastante habían hecho su madre y su hermana trabajando para darle ese título de ingeniero agrónomo que ahora le permitía administrar uno de los fundos de la sucesión Gana, en ventajosas condiciones. Ahora empezaba su turno de ayudarlas. Ahora llegaba para ellas la holganza de una vida descansada. ¡Sería él quien trabajara!

Pancho lo miraba sin saber qué hacer: si irse con la Peta a la cocina o entablar una cháchara que le bailaba en la lengua.

—Hay animal del agua en la laguna —dijo de pronto, lleno de a propósito, y encantado con su tema favorito.

—¿Sí? —preguntó el joven volviéndose, con un súbito interés en los ojos que un momento antes sólo veían su propia visión interior.

—Sí, patrón, llora en las noches tan triste, tan triste, que dan deseos de llorar tamién. Otras veces grita con un lamento largo y entonces es cuando se muere alguen. L'última vez que le oyimos a los poquitos días después se murió el compadre Juan Pedro Abello.

—¿Usted ha visto alguna vez al animal?

—¡Ay, patrón, no quero acordarme! —La emoción le ponía trémula la voz y los ojos tristes se le extraviaron en un pavor retrospectivo—. Verá su mercé... Golvía en el pasao setiembre de Quilquilco, y cuando llegué a la laguna con tanto encargo que mi'había hecho la Peta, era ya de noche entrá. Había llovío hartazo en esos días y la bestia se me pegaba en los barros. En esto llego por allí —señalaba las totoras que festoneaban la laguna—, cuando veo una ñeula azul que sale del agua, una cosa larga como cogote de caballo y una cabeza de pájaro con pico y todo, pero con orejas grandes, como orejas de macho. Los ojos le brillaban y me miraban fijo. Yo estaba helao y tiritaba. En esto el animal da un resoplío que me paró todos los pelos y siempre mirándome fijo se jue sumiendo pa dentro del agua. Tenía los ojos así tan grandes, redondos, brillantes como si jueran lámparas. Casi me muero de susto. Cuando llegué a la casa, la Peta tuvo que acostarme lo mesmo que a los güeñis, porque nó atinaba con na...

—¡Hombre! —dijo riendo Juan, que lo oía interesado—. ¿No habría tomado unas copas de más?

—Por ésta se lo juro que no, patrón —besaba los dedos puestos en cruz—: no había tomado ni un trago...

—¿Y pasó alguna desgracia?

—A los poquitos días un caita le pegó una corná a uno de los arrieros y ahí mesmo lo dejó muertecito.

—¡Vaya!

—Puede ser que su mercé alguna vez l'oiga cómo se lamenta. Tiene que cortarse al tiro un mechón de pelo y enterrarlo al lao de la laguna. Es pa qu'el Mal se vaiga. Tamién es güeno icir: "Vete pa tu casa, animal del agua, que Dios te mira y el Malo te traga".

—Ya está servío, patrón —dijo la Peta desde la puerta con una gran voz que sobresaltó a Pancho.

Juan atravesó el vestíbulo y entró al comedor, idéntico en menaje al escritorio, con la diferencia de que la mesa estaba cubierta con un hule floreado, y en ella, sin orden alguno, se desparramaban un cubierto, varios platos, un vaso, una botella con agua, un salero, un tarro de conserva vacío lleno de rosas silvestres de perfume penetrante, un plato de greda con el pollo asado, entero, con los muslos en alto, dorado, jugoso, bienoliente; otro plato contenía ensalada de romaza picada con huevo duro y aliñada sólo con sal y vinagre. En una fuente estaban las tortillas tapadas con una bolsa harinera, descosida y arreglada como mantel. Todo ello era modesto, pero limpio, dando una sensación de vida primitiva, fuerte, sana y potente que encantó a Juan.

Un esquinero igual al del escritorio ocupaba un ángulo y en él se amontonaban el resto de la vajilla y varios tarros de cierre hermético que contenían artículos de primera necesidad: azúcar, café, arroz, fideos, sal, té.

Mientras despresaba el pollo, la Peta iba diciendo:

—Apenitas supe que su mercé venía de administrador, mandé a Pancho a mercar lo más urgente al pueblo. Como estamos en verano, fue a Curacautín. En el invierno no se pue ir más que a Quilquilco. Güeno, ¿le pongo ensalá al tiro?

—Sí, muchas gracias. —Empezó a comer con apetito, mientras la mujer rondaba la mesa acercándole la sal, sirviéndole agua, destapando las tortillas.

—De toíto l'encargué —prosiguió la Peta—: azúcar, mate; ¿su mercé no toma mate?

—No —contestó Juan, divertido por la pregunta.

) 489 (

—Güeno: entonces, con permiso de su mercé, me queo yo con la yerba. De toíto l'encargué: azúcar, yerba, arroz, sal, harina flor. Estas tortillas están amasás con harina flor. ¿Cómo las encuentra, su mercé?

—Muy ricas —y como probara la ensalada y extrañara el aceite en el aliño, preguntó—: ¿No hay aceite?

—¿Aceite? ¿Pa qué? —dijo perpleja la mujer.

—Para aliñar la ensalada.

—No, patrón... Yo no sabía... Aceite... Aquí no hay más que aceite de linaza...

—Mañana haremos una lista de lo necesario y se mandará un mozo al pueblo.

—Sírvase otra presa, patrón.

—A este paso me voy a comer todo el pollo.

—Cómaselo no más... Pa la noche ya le tengo otro en adobo. Aquí no hay más que comer pollo o lechón. Antes Pancho salía a cazar, pero desde que una vez se le descargó sola l'escopeta, le tomó tanto mieo que agora es inútil que salga. Es muy bien remiedoso este hombre mío...

—¿No pescan en la laguna?

—Hartazo, patrón. Pa mañana li'haré salmón frito.

—¿Pescan con terrible?

—No, patrón, con redes —y como viera que había dado fin al pollo—: Le tengo miel pa postre.

—Venga la miel.

Cuando la tuvo en el plato, un perfume exquisito le dio en la nariz.

—¡Qué bien huele! —comentó probándola.

—Es que las abejas hacen la miel con flor de ulmo y por eso olorosa tan bien.

Paladeándola, Juan miró detenidamente a la mujer que estaba de pie frente a él. Parecía una caricatura: pequeña, gorda, con los pechos enormes y fláccidos cayendo sobre el vientre hidrópico, que mentía una próxima maternidad; con los brazos demasiado cortos y las manos de betarraga; con la cabeza muy chica y el moño muy parado; con la frente estrecha, las cejas juntas y los ojos bellísimos de expresión sumisa; con la nariz respingona y las fosas nasales como trompetas al viento; con la boca reidora, los dientes deslumbradores y un hoyuelo cavándole el mentón; con el cutis de cochayuyo curtido por el sol y el viento.

Era grotesca, mas no movía a burla ni a risa, antes bien apiadaba por su fealdad, y atraía por no sé qué de bondadoso y maternal que emanaba de ella.

—¿Usted es de aquí? —preguntó Juan.

—Sí, patrón, soy hija del mayordomo que había antes. Me casé con Pancho, qu'era arriero, y luego después le dieron el puesto que ahora tiene.

—¿Su padre es siempre mayordomo?

—Murió, patrón, y mi mama se golvió a casar y se jue pa Pailahueque con su marío y mi otra hermana. ¡Como aquí había tan poco trabajo!

—¡Ahora volverá el trabajo!

—¿De veritas, patrón? ¿Van a trabajar otra vez en los aserraderos?

—Sí, mañana iré a ver cómo están y luego se pondrá todo esto en movimiento.

—¡Qué güeno, patrón! Viera, su mercé, antes había aquí un grimillón de peones.

—Y otro "grimillón" habrá luego...

—Ojalá, patrón....

Juan se puso en pie, fue al vestíbulo por su sombrero y, lento, sacando un cigarrillo, salió a dar una vuelta por los alrededores para conocer más concienzudamente aquel valle en que se realizaría su porvenir.

2

En los años posteriores a la revolución del 91, don Enrique Gana remató a precios ínfimos miles de hectáreas de terrenos fiscales en las provincias de Malleco y Cautín. Preveía lo que aquellos campos atesoraban y su fortuna entera fue empleada en la adquisición de enormes extensiones. Luego movió sus grandes influencias para que el ferocarril de Púa a Curacautín se realizara y así multiplicó hasta lo fantástico el valor de los suelos. Al morir, años más tarde, don Enrique Gana dejaba millonarios a su mujer y a sus tres hijos.

La viuda, doña Rosario Rodríguez de Gana, era una santa señora toda benevolencia y dulzura. Había sido muy bonita de joven y aún conservaba una cabal belleza. El cutis era delicado, terso, grande la boca que apenas se teñía de rosa, aguileña la nariz, bellísimos, enormes y candorosos como los de un niño los ojos, finas las cejas, ancha la frente levantada, ondeado el pelo recogido sencillamente en la nuca por un peine de concha, regular la estatura, enjuta de carnes. El conjunto daba una sensación de paz espiritual que hacía confiarse a ella en la seguridad de encontrarla piadosa a toda humana falla. Sabía ver, sabía comprender, sabía consolar, sabía perdonar.

Se decía que don Enrique la había hecho muy desgraciada; que otra mujer lo alejaba de su hogar; que de esa aventura había nacido una hija; que la niña se educaba en un convento; que, muerta la mujer, había impuesto la bastarda a doña Rosario; que la señora, para evitar un escándalo, ayudaba a su marido a ocultar el origen de la niña, haciéndola pasar por hija de una amiga que, al morir, la confiara a la tutela de ambos.

Se decía mucho, pero nunca se supo nada por la boca de labios descoloridos, sellados en un gesto de resignación.

Verdad o no lo que se susurraba, el hecho era que desde hacía algunos años, cuando en las vacaciones venía la familia a la hacienda, los acompañaba una niñita dos años menor que Enriquito. Se llamaba Filomena Silva y era tímida, buena y gentil: acabó por hacerse grata a todos.

Los hijos del matrimonio eran tres: Eliana y Gabriela, muchachas bonitas, desenvueltas, frívolas y coquetas; Enrique, cuatro años menor que Gabriela, niño mimado y terrible, sin más ley que su capricho.

Muerto don Enrique repentinamente, hechas las particiones, las hijas, que estaban de novias, se casaron, yéndose a Europa en busca de un escenario menos severo para el luto, y doña Rosario quedó en la ciudad acompañada de Enrique, que tenía a la sazón quince años. En cuanto a Filomena Silva, continuaba interna en las monjas.

La tutela de la señora era un trabajo ímprobo, dado el carácter de Enrique: díscolo y engañador, fantástico y engreído, creyéndose dueño del mundo por gracia de su nombre y de sus millones.

Tres años después, convencida de que el joven, por ineptitud, era incapaz de seguir una carrera, decidió doña Rosario mandarlo al fundo, junto a don Samuel, el viejo administrador general, encargado de ponerlo al corriente del manejo de las propiedades que habían de pertenecerle en lo porvenir.

Este trabajo era encantador tomado como lo tomaba Enrique; ocho meses acompañaba a su madre en la ciudad, los cuatro restantes los repartía entre el fundo y las playas de moda: el fundo y los baños termales donde se juega fuerte, el fundo y los viajes a la zona austral, en busca de panoramas nuevos.

Los terrenos dejados por don Enrique se dividieron en cuatro partes: la hacienda El Rosario —cuyas casas quedaban a un centenar de metros de la estación de Selva Obscura— pertenecía a la señora; las haciendas Radileo y Dillo eran de las hijas y estaban arrendadas; la hacienda Malleco quedó para Enrique. El joven fue una vez a visitarla y volvió furioso, diciendo que aquello era un desierto. Un desierto, sí, pero un desierto de arenas de oro que daba para mantener muchos oasis de divertimiento.

La señora se instalaba en El Rosario a principios de diciembre, esperando a sus hijas, que cuando más estaban una semana con ella y se marchaban presurosas a la vida mundana que las atraía. Enrique, por su parte, llegaba "ansioso de trabajo", según sus propias palabras, y con el magín lleno de proyectos descabellados: un arrozal que sembrar en la vega del Cautín y que una avenida arrasó; un molino holandés que se llevó el primer viento recio de otoño; una esparraguera que en vez de espárragos dio siempre hilos verdes. A la semana de afanes se cansaba y partía súbitamente Enrique, dejando los trabajos a medio hacer, dejando a doña Rosario escandalizada recónditamente, dejando a don Samuel furioso, renegando por lo bajo.

La acompañante de doña Rosario era Filomena, siempre tímida, suave y gentil, con un no sé qué de vago en la figura que hacía recordar esas miniaturas de antaño desvanecidas por el tiempo.

Don Samuel Oliva servía el puesto de administrador general desde los tiempos de don Enrique. Seco y cetrino como un peñasco, era tan duro con los humildes cual zalamero se mostraba con los superiores. Estaba casado con una buena mujer que sólo se ocupaba en echar un hijo al mundo por año; ya llevaba catorce, y para entrada de invierno esperaba otro.

Doña Rosario confiaba completamente en la pericia y honradez del administrador general. El hombre se manejaba tan bien que ya tenía casa en Victoria y un fundo en Cherquenco; esto con ochocientos pesos de sueldo y talaje para veinte animales. Vaya a saberse merced a qué especulaciones don Samuel mantenía con ese sueldo a su familión, teniendo aún economías que le permitían ser propietario.

Cuando el administrador se oponía risueño y tenaz a alguno de sus fantásticos proyectos, Enrique, despechado, hacía notar esta anomalía a doña Rosario.

La señora se quedaba pensativa, diciendo al fin la frase predilecta que resumía todo su sistema filosófico:

—Hijito, allá él con su conciencia...

Como al par que en años, aumentaba Enrique en necesidades, y dando mucho dinero la hacienda Malleco no lograba cubrir sus gastos, se acordó impulsar la elaboración de maderas abandonada desde la muerte de don Enrique, intensificando al mismo tiempo la crianza de ovejunos.

Para este trabajo se necesitaba un hombre joven y activo, que tuviera su residencia fija en la casa de la laguna. Buscando, buscando, dieron con Juan Ramírez, que recién se recibía de ingeniero agrónomo y presentaba excelentes recomendaciones y garantías.

3

Hasta los quince años la vida de Juan Ramírez fue la de cualquier niño de familia pudiente, que no piensa en lo porvenir, porque todo le sonríe en torno.

Su padre, don Juan Antonio Ramírez, tenía un fundo en las cercanías de San Ignacio y una casa habitación en Chillán: las vacaciones se pasaban en el campo; el año escolar en la ciudad.

De figura tosca y genio alegre, don Juan Antonio era adorado por su mujer —alma de anulación que vivía por reflejo de la vida de los demás— y por sus hijos Enriqueta y Juan.

La niña tenía un carácter extraño. Desde que en sus manos cayera un cuento —uno de esos cuentos que en minúsculos cuadernillos edita don Saturnino Calleja para deleite de todos los niños de habla castellana—, desde entonces, Enriqueta se sustrajo al ambiente familiar. Las horas que le dejaba libre el colegio las pasaba leyendo. Cuanto dinero conseguía era empleado en la adquisición de nuevos cuadernillos. La desventura de una princesa la emocionaba hasta las lágrimas; la llegada del príncipe que venía a libertarla de encantamientos la hacía palmotear jubilosa. Cuando estaba bien posesionada de una historia, la vivía a su modo.

Se envolvía en una cortina, arrollaba en torno a su cabeza una guirnalda de flores, tomaba un abanico y se iba al jardín, haciéndose la dormida en un banco, en espera del príncipe que vendría a desencantarla.

En el fundo jugaba a ser la Caperucita Roja. Se ponía la capa de agua de Juan, metía los pies en unos zuecos, tomaba un canasto y se iba al bosque de eucaliptos que espaldeaba la casa, oteando entre los árboles la aparición del lobo, con el corazón palpitante de emoción y esperanza.

Luchaba horas enteras con el sueño para poder levantarse sigilosamente a media noche, trémula de horror y de frío, e iba a esperar la salida de las brujas por la chimenea de la cocina, montadas en rabos de escoba para ir al alquelarre.

Lo curioso era que nunca desmayaba en su esperanza. Si el príncipe no llegaba, si el lobo no aparecía, si las brujas no salían, encontraba en sí misma motivos de disculpas, siguiendo siempre aferrada a lo fantástico.

Ya más grandecita, trabó conocimiento con el cine, y no eran cuentos sino películas lo que ahora la obsesionaba. Se peinaba como Pola Negri, se vestía como Bebe Daniels, gesticulaba como Constance Talmadge. De los diarios le interesaban solamente las noticias cinematográficas, de los magazines, las fotos de los artistas. Su pieza estaba materialmente empapelada con los retratos, y sobre la cama, en todas las actitudes que lo hicieran célebre, estaba el predilecto: Rodolfo Valentino.

Conocía la vida de los artistas con detalles escabrosos que azoraban a la madre.

—Lya de Putti es la que besa más largo —decía.

—¡Pero, niña! —exclamaba doña Teresa.

—Es como lapa —agregaba en el deseo de deslumbrarla con su sabiduría—. Figúrese que tiene besos de veinte metros.

—¡Pero, niña! —Esos besos de veinte metros eran un misterio para ella, que cuando iba al cine se dormía apenas apagaban la luz.

—Debe ser matador que a una la besen así...

—¡Pero, niña!

—Ninguna artista usa corsé. A los hombres les gusta mucho eso.

—¡Pero, niña! —y se quedaba con la boca abierta, pensando en quién le enseñaría todas esas cosas a Enriqueta.

La mayoría de las veces la chiquilla no sabía lo que decía, repitiendo frases que se le quedaban en la memoria luego de leerlas. Presentía, eso sí, que eran inconvenientes, y delante de don Juan Antonio no se atrevía a repetirlas con tanto desenfado. Cuando alguna frase se le iba al descuido, el caballero murmuraba moviendo la cabeza:

—Estas niñas de hoy día son el diantre...

Juan sólo se interesaba por el fundo, los trabajos agrícolas, sus estudios y la carpintería. Habituado desde pequeño al caballo, a la montura chilena, al poncho, a las espuelas, al lazo y a la chupalla, vivía en el verano al lado de su padre, ayudándolo en cuanto podía, enamorado del campo, penetrado ya del sentido de la tierra.

Seguía las humanidades en el liceo del pueblo. Era inteligente y aplicado; sus exámenes resultaban brillantes. Las aficiones de carpintero se exteriorizaban en pequeños mueblecitos que siempre estaba haciendo.

Mirándolo con orgullo, el padre preguntaba:

—¿Qué quieres ser tú?

—Agricultor —contestaba el niño firmemente.

—¿Y tú? —se dirigía a Enriqueta.

—Yo quiero irme lejos en un yate mío, filmar películas, luchar con un tigre, casarme con un millonario, divorciarme, viajar nuevamente.

—¡Ja! ¡Ja! No es nada lo que quieres... —interrumpía Juan riendo.

—Bueno —decía el padre conciliador—; Juan será ingeniero agrónomo, modernizará los trabajos del fundo, ganará mucho dinero, y aunque no sea en un yate propio, podrá llevarte a Yanquilandia, en busca de tu millonario.

—Lo malo será —agregaba Juan, siempre riendo— que para entonces estarás vieja y nadie se querrá casar contigo.

—Tonto leso... —y Enriqueta hacía el mohín favorito que aprendiera de Mary Pickford.

—¡Pero, niños! —exclamaba la madre.

Y todos reían al verla mezclarse con su eterno estribillo a la conversación.

No sabían que eran dichosos, hasta que un día...

Un buen día de sol estival en que estallaba el oro de las espigas en la trilla clásica y las yeguas giraban en torno impelidas por los gritos de los peones, don Juan Antonio, que por allí vigilaba, sufrió un ataque de parálisis que lo echó al suelo desde su cabalgadura.

Después del primer momento de enloquecimiento se lo trasladó al pueblo, haciéndolo examinar por varios médicos: la enfermedad no tenía remedio y lentamente iría tomando todos los músculos. El cerebro estaba averiado y nunca la lengua conseguiría traducir un deseo. Cuando quería agua, tartajosamente decía otra cosa. Era desesperante, porque nunca empleaba la misma palabra para designar lo mismo. Al ver que sus familiares no atinaban con lo que quería, se impacientaba, lanzando agudos chillidos que desconcertaban más aún a los otros.

Fue una agonía que duró cuatro años. La mujer no se daba por vencida, y en interminable sucesión los médicos y los remedios se eslabonaban en torno al enfermo queriendo librarlo del sufrimiento.

Como no había quién lo gobernara, el fundo se arrendó, pero no dando el canon para el mantenimiento de la familia, se lo gravó con una hipoteca y luego con otra, trámites que la señora confió a un abogadillo de mala ley.

Normalizada la vida junto al enfermo, los hijos seguían haciendo la vida de siempre: Juan terminaba los últimos años de humanidades; Enriqueta había salido del colegio y hacía vida de sociedad provinciana, yendo a los paseos con las amigas, asistiendo al cine, bailando en las tertulias, vendiendo en los bazares de caridad, pololeando desaforadamente, en la esperanza de hacerse con un marido, aunque no fuera millonario yanqui.

Al morir el paralítico y tratar de liquidar la herencia, se vieron envueltos en una serie de papeles, demandas y pleitos que se llevaron todo el dinero que diera el remate judicial del fundo, quedándoles sólo la casa del pueblo como único bien.

Decidieron dividir la casa, reducirse ellos a la más pequeña parte, y arrendar la otra. Con esa renta tenían para vivir pobremente.

La madre tomó estas nuevas desgracias como otras tantas pruebas a que Dios la sometía y valientemente llevaba su cruz sin protestas ni aspavientos. Los hijos no; el dolor lo esperaban; hacía ya cuatro años que rondaba en torno a ellos. Pero la pobreza...

Enriqueta quería lutos suntuosos, tocas de crespones y velos que envolvieran la figura en sombras misteriosas. Cuando se logró convencerla de que no había más remedio que salir a la calle con un velito en la cabeza y mandar a teñir los trajes de color, que había que despedir a la servidumbre conservando sólo a la vieja cocinera, y que la mayoría de los muebles se rematarían por no caber en la fracción de casa que habían de habitar, entonces la muchacha se encerró en su pieza, sin querer ver a nadie, no atendiendo razones, prefiriendo dejarse morir antes que vivir la vida que la esperaba.

En Juan la pobreza tuvo otro efecto: al ver pasar a otras manos el fundo y sentir el holgorio de los extraños que ocupaban la mejor parte de la casa, al ver a su madre ocuparse de quehaceres domésticos y a Enriqueta encerrada sin tomar alimentos, una ira enorme contra el Destino fue llenándolo, despertando en su alma un afán de desquite.

—Abre, Enriqueta —dijo a la puerta del dormitorio de la joven.

Como no contestara, de un violento empujón hizo saltar la cerradura. Se acercó a la muchacha, que lo miraba con ojos torvos y febriles.

—Mi pobre chiquilla —murmuró acercándosele—, mi pobrecita que creía que la vida era un cuento de hadas... Vamos a hablar como en la vida real. Oyeme.

—No quiero... Quiero morirme... —decía Enriqueta, tapándose los oídos.

—Vamos, no seas porfiada —se sentaba junto a ella, tratando de convencerla dulcemente—. Tú siempre has sido una mujercita valiente, una verdadera heroína de novela...

Tomándola por ese lado consiguió que escuchara sus proyectos. El quería recibirse de bachiller e irse luego a Santiago a cursar la carrera que siempre lo había atraído, tratando, además, de conseguir algún trabajo que le permitiera costear sus gastos personales.

Para realizar este sueño era necesario que ella fuera enérgica y diera ejemplo de fortaleza a la madre. Había que resignarse a pasar unos años de pobreza, mas luego que él tuviera su título y obtuviera la administración de un fundo, ¡cómo se abriría el porvenir en claridad de dicha!

A ella, que amaba lo novelesco, lo imprevisto, la vida le ofrecía ser la protagonista de una novela estupenda.

Y Enriqueta aceptó. No sólo aceptó, sino que, dispuesta a jugar su papel a maravilla, se puso la obligación de trabajar, empujando a la vieja sirvienta hacia una tienda de modas donde solicitaban tejedoras a palillos. Con el apasionamiento característico a su temperamento, se aferró a esta nueva modalidad con un nuevo entusiasmo, que desconcertaba a doña Teresa y hacía sonreir a Juan.

Lo único que Enriqueta exigió fue que la puerta de la casa permaneciera cerrada para todos durante ese tiempo: ella no quería que nadie la viera sin su marco habitual.

Fueron unos años de rudo batallar para Juan y de silenciosa labor para doña Teresa y Enriqueta. Hasta que un día recibieron el telegrama anunciador de la posesión del título. A poco llegaba Juan, partiendo en seguida para Quilquilco, adonde administraría el fundo Malleco.

4

El primer invierno pasado en Malleco fue duro para Juan, que a pesar de su juventud y resistencia física, tuvo días negros de malestar y tristeza. Llovía incesantemente y apenas era posible mandar en las escampadas un mozo a Quilquilco en busca de la correspondencia y de los artículos de primera necesidad.

Interrumpido todo trabajo, se veía obligado a pasarse los días en la casa, haciendo muebles ayudado por Pancho o leyendo diarios, revistas y libros al amor del brasero.

A veces se hostigaba de todo, abandonaba el banco de carpintero, miraba los diarios y libros con ojos hoscos y durante horas de horas se sentía en el vestíbulo su ir y venir desesperado. Hasta que la fatiga lo tumbaba en un sillón. Entonces buscaba distracciones pueriles, contaba las tablas del techo, hacía solitarios, dibujaba en un papel juegos de niños, sacaba charadas. Un día se sorprendió hablando solo:

—Me voy a volver loco —murmuró.

Y desde entonces vivió más íntimamente con Pancho y su familia. Les enseñaba a leer a los chiquillos, le mostraba a Pancho las noticias gráficas de los diarios y revistas, le leía recetas caseras a la Peta, que las repetía muy de prisa para no olvidarlas. Hizo que de Victoria le mandaran un perro chiquitín, del cual cuidaba enternecido como si fuera una criatura. Escribió a Concepción pidiendo una remesa de libros.

Pero a pesar de estas distracciones, a las cuales se aferraba desesperadamente, varias veces se vio asaltado por la tentación de renunciar al puesto e irse a otros parajes más clementes. Cada vez que pluma en mano iba a dar forma a su resolución, la figurilla menuda de la madre se le aparecía como una instigadora a la perseverancia.

Entonces sacaba del cajón del escritorio las últimas cartas que recibiera de Chillán.

Mi querido Tom Mix: Estoy muy contenta. Me compré un traje de terciopelo chiffon *regio; lo haré adornar con rosa, que es la furia. Tengo un prete, ¿sabes? No te digo quién es. Ayer vi una película estupenda de Vilma Banky, con unos besos para morirse. No te escribo más, porque tengo que salir. Muchas gracias por tu último regalo. Te quiere, tu hermana.*

ENRIQUETA.

Y más abajo escribía la madre:

Mi hijito querido: Te estoy tejiendo un chaleco con lana bien gruesa. Dime cómo te quedaron de pie los calcetines que te mandé. Tengo tantos deseos de verte, mi niño tan recordado. Abrígate mucho, no te vayas a enfermar. Dile a la Peta que te deshumedezca el colchón y las frazadas todos los días, diles también. . .

Seguían las recomendaciones interminables.

"Pobre mamá", pensaba enternecido, olvidando la frivolidad de la hermana, y confortado por esa ternura vigilante que desde lejos lo envolvía, encontraba voluntad para soportar el aislamiento, el frío y el tedio.

Los chiquillos ya sabían conocer la "o", que es redonda, y la "i", que es un palito con un punto encima. Sabían también contar hasta diez. Esto era mucho adelanto, dada su mentalidad de paquidermos. El perro había crecido, se llamaba "Boby", tenía el pelo rojizo con las puntas negras en el lomo, y la panza más clara. Era de raza policial y Juan se encantaba con su inteligencia.

Cuando batallaba horas enteras con los chiquillos para conseguir que conocieran una letra y encontraba de pronto los ojos vivos y cariñosos del perro fijos en él, se reía pensando que quizás "Boby" hubiera ya comprendido la lección y no supiera cómo decírselo. Al verlo reir, los chiquillos se quedaban espantados, muy abiertos los ojos redondos y tristes, iguales a los de Pancho. El perro movía el rabo, inclinaba las orejas y venía a colocar el hocico sobre sus rodillas al par que gemía muy bajito.

Los pedidos de libros se hacían ahora mensualmente a Concepción, y ya que su vida era un remanso, Juan seguía ávido la corriente de las vidas que se desarrollaban en las novelas. Hasta entonces no tuvo tiempo de leer. De niño lo habían absorbido por entero el campo y los estudios, de joven, las horas libres de clase tenía que emplearlas en trabajar para costearse su carrera. Pero el desquite llegaba y los libros se sucedían encadenándose y encadenándolo. Ahora se preocupaba del movimiento bibliográfico mundial, leía las críticas, se apasionaba por las polémicas que despertaban algunas obras. Esperaba los diarios, revistas y remesas de libros con el afán con que se espera a un amigo querido.

Mientras en la casa la vida se deslizaba monótonamente serena, afuera los campos desaparecían bajo los charcos de agua. Caía ésta incesante: suave o agresiva, pero siempre, sin tregua: días, semanas, meses.

Desde la casa sólo se distinguían la avenida de araucarias y un retazo del agua turbia de la laguna. Lo demás del paisaje se velaba en el tul grisáceo de la lluvia, y apenas si el perfil de las montañas se dibujaba en el otro tono grisáceo de las nubes.

En agosto nevó varias veces, más no en cantidad suficiente para ennoblecer la miseria dejada por el invierno, y era otra tristeza ver los copos albos encenegarse en los barrizales o en el espejo sucio de la laguna.

A fin de septiembre empezó a romperse la niebla que todo lo envolvía y de sus desgarrones surgió la naturaleza desolada y aterida. Juan salió, entonces, con los camperos en busca de los animales emboscados en los montes. La bonanza y el hambre los hacían bajar al valle flacos y vahorosos. Se hizo recuento en un rodeo y eran decenas los que faltaban. Habían muerto de hambre o de frío o aplastados por los "angelitos", árboles que el viento troncha cayendo sobre los animales desprevenidos.

En cambio, de los establos donde habían invernado, los ovejunos salían gordos y triscadores, moteando el valle al pastar en sus faldeos.

Puntitos verdes manchaban las ramas de los árboles y el campo entero se cubría de un verde tierno que se iba acentuando cuanto más el sol aparecía. Avanzaba tímidamente la primavera, obligada a bruscos retrocesos por las heladas que quemaban su obra. Había heladas tan persistentes que a mediodía, cuando el sol lograba romper las nubes, aún espejeaba el hielo en los techos de las casas, los árboles se irisaban en mil fulguraciones y la laguna esplendía cegadora.

A fin de noviembre se afirmó el tiempo, después de unas tronadas horrísonas, y una temperatura suave y pareja acabó de fecundizar la tierra.

Bullía la vida en torno a la laguna. Ayudados por los perros, los pastores arreaban los rebaños valle arriba, hacia Tolhuaca. Los piños de animales vacunos iban y venían desde El Rosario a Malleco. Unos, los que iban, para ser vendidos; otros, los que venían, para engordar en las vegas pastosas.

En los galpones que cobijaban las máquinas —en la otra vega que comunicaba por el desfiladero— había un movimiento incesante de sierras, correas, poleas, maderas, tablas, carretas, bueyes y hombres. Grandes cuadriláteros de maderas laboradas rodeaban el establecimiento, troncos en bruto se amontonaban más allá y las carretas con árboles y las carretas con tablas se cruzaban, viniendo unas de la montaña, yendo las otras a Quilquilco.

A mediodía silbaba el pito del motor despertando todos los ecos, y el trabajo se paralizaba, extendiéndose por el valle una pléyade de peones que iban presurosos en busca del almuerzo.

Juan llegaba a la casa cansado y contento. Pero ante el cubierto solitario que lo aguardaba en el comedor su alegría se anublaba. Comía distraído, alargando mecánicamente el brazo para darle un trozo de pan al perro, que, sentado en su cuarto trasero, lo miraba con sus ojos tan leales.

Una pregunta de la Peta lo sacaba de su abstracción:

—¿Quere otra presa?

—No, gracias.

—Pa la noche, ¿qué li'hago?

—Lo que quiera, Peta.

La mujer se quedaba pensativa, y, como quien encuentra algo nuevo, acababa por decir, jubilosa:

—Li'haré sopa y pollo asao con ensalá, entonces, patrón.

Juan pensaba que la misma pregunta y el mismo resultado de una larga búsqueda se repetiría en la noche. Entonces sería cazuela y pollo asado con ensalada lo que Peta anunciaría para el día siguiente. Era su minuta desde que llegara a Malleco. A veces solía matizarse con salmón frito, que generalmente resultaba quemado, o con huevos asados en el rescoldo, que a Juan no le gustaban.

Acabada la comida, Juan iba al escritorio, esperando a los chiquillos que venían a dar la lección. Llegaban azorados, empujándose uno a otro, sin atreverse a entrar. Se conocía que la Peta acababa de lavarlos, porque las greñas tiesas venían llenas de agua y el cutis moreno rojizo relucía por la fuerza con que había sido restregado.

El perro salía a recibirlos. Con esto cobraban ánimo y entraban de medio lado, con la cabeza gacha y los pies arrastrando.

—Buenas tardes —decía Juan.

—Güenas tardes —contestaban.

—Vamos a ver, ¿qué será esto que tengo en el plato?

Los chiquillos levantaban un poco la cabeza, miraban por debajo de las cejas y volvían a contestar a dúo:

—Azúcara, patrón.

—Azúcar, esto se llama azúcar.

—Azúcara —decían estúpidamente.

—Bueno —ya Juan los había dejado por imposibles—; toma, Panchito, éste es para ti y este otro es para Mercedes. ¿Para quién será este otro?

—Para el "Boby" —contestaban.

Pero el perro también lo sabía y ya alargaba el hocico felpado de seda, cogía delicadamente el terrón que Juan le alargaba y se iba a comérselo al felpudo.

Mientras los chiquillos roían el azúcar, el joven examinaba la tarea hecha en las pizarras. Eran unos palotes como serpientes, unas oes que nunca se cerraban, unas emes con cinco palos, unas tes que no terminaban nunca, con una tilde imperceptible en la punta.

No desmayaba, borraba la tarea, hacía nuevos modelos y media hora se le iba haciéndolos deletrear. Cuando el pito del motor hendía el silencio de la siesta, anunciando el fin de la clase, los chiquillos huían a perderse, sin decir siquiera adiós.

Peta aparecía luego por las pizarras.

—Escúlpelos, patrón, son tan lobazos... Pero yo no los hallo naíta e lerdos. Merceditos ya cuenta hasta veinte, y, fíjese, patrón, que l'otro día Panchito leyó "la mano" entera en el silabario. ¡Solo, patrón!

La hora mejor era la que seguía. Llegaba el recadero que iba diariamente a Curacautín, prefiriendo este pueblo a Quilquilco, por tener mejor comercio y estar más cerca. El canasto con pan, verduras y frutas se entregaba a la Peta. La bolsa con la correspondencia, a Juan.

Las cartas de la hermana decían ahora:

Querido Douglas: Ayer me regaló Federico un anillo muy bonito, con un enorme brillante. Estoy feliz. La verdad es que cuando una es chiquilla es completamente lesa. Entonces no me hubiera casado por nada del mundo con Federico, porque lo hubiera encontrado siútico. Cierto es que en esa época Federico era pobre. Pero ahora, desde que se les murió el tío ricachón y heredaron una millonada, todo el mundo los mira bien. Van a todas partes. Tienen un auto regio. Yo estoy aprendiendo a manejar. Vieras qué gusto, vamos bien seguido a la Quinta. Todas mis amigas me envidian la suerte. Queremos casarnos en marzo. Mi suegra me regala el ajuar. ¿Vendrás al matrimonio? Consigue permiso. El traje de novia me lo hacen en Santiago, también regalo de la suegra. No te imaginas qué señora más dije; yo no quiero vivir con ella, sino sola en mi casa con la mamá, para que ella me maneje la casa. Tú comprenderás que yo no voy a tener tiempo para nada, ya que pienso hacer una vida muy de sociedad. Ya les pedimos la casa a los arrendatarios. Se le harán muchos arreglos y quedará regia. Otro día te daré más noticias. Te abraza tu hermana, muy feliz.

ENRIQUETA.

"Al fin —pensaba Juan—, y después de tantas vueltas, el Destino nos ha llevado donde queríamos ir. Enriqueta se casa opulentamente y hará la vida de boato con que siempre soñó. Yo estoy aquí, contento en esta ocupación que tanto acorda con mis predilecciones. Y en cuanto a mi pobre mamá, sigue siendo lo que los demás quieren que sea, sin protestar y hasta puede ser que con alegría."

A medio verano recibió aviso de don Samuel pidiendo el pronto envío de un piño de animales. En El Rosario esperaba un comprador. Si era posible que salieran esa misma noche de Malleco para estar al mediodía siguiente en el otro fundo.

Uno de los arrieros estaba enfermo: era el hombre de confianza. Temiendo algún percance, Juan se decidió a arrear él mismo el piño.

5

Al llegar a El Rosario, en el frutillar que precedía las casas, una figura femenina se inclinaba con un movimiento elástico y gracioso, recogiendo el fruto, que iba colocando en un canasto.

Pequeña y delgada, un traje de tela blanca se ceñía al cuerpo sobrio en curvas, de adolescente casi, infinitamente armonioso. La cara, aureolada por una chupalla de paja, hasta se levantó curiosa, y unos ojos verdes, serenos y hermosos, se cruzaron con los de Juan Ramírez, que la miraban atentos.

No era bonita, pero la euritmia del gesto y el verde estriado en oro de las pupilas bastaban para atraer, haciendo olvidar lo anodino del resto. Un hilillo de agua se deslizaba callado y celeste, a flor de tierra, serpenteando entre los camellones. Traía Juan sed de camino largo y polvoriento. Rogó:

—Señorita... ¿Quiere darme un poco de agua?

Sonrió la joven y llegóse al agua llenando el vaso plegadizo que Juan le alargara desde su caballo, por sobre la cerca.

—Muchas gracias —dijo al recibirlo, y al terminar de beber agregó—: No soñaba con encontrar una samaritana tan gentil...

Inclinando un tanto la cabeza, la jovencita tampoco contestó: sonreía siempre, y Juan siguió camino adelante, llevándose grabada en el alma aquella sonrisa que era sobre las facciones menudas como una gota de rocío que diera belleza a una flor, irisándola.

A la hora de comida supo quién era. Generalmente, cuando iba a El Rosario, alojaba en casa de don Samuel y nunca había tenido ocasión de encontrarse con doña Rosario y su familia. Esta vez quien primero salió a recibirlo al llegar a los corrales fue Enrique, que lo hizo víctima de sus proyectos y de sus fantasías. Como Juan lo oyera benévolamente, cobró Enrique por él una súbita simpatía y lo invitó a comer.

Cuando al atardecer llegó a las casas encontró en el corredor a doña Rosario, a Enrique y a la joven que esa mañana viera en el frutillar.

—Buenas tardes, amigo —exclamó Enrique—. Mamá, te voy a presentar a Juan Ramírez, el administrador de Malleco. Es un joven muy simpático, ya verás.

—Mucho gusto en conocerlo, amigo —dijo la señora, mirándolo afectuosamente.

—A sus órdenes, señora.

—Esta —prosiguió Enrique, poniendo las manos en los hombros de la jovencita por detrás de ella, y haciéndola avanzar— es la señorita Filomena Silva, muy buena persona: pinta, pirograba, repuja cuero y hace otra cantidad de cosas muy antiestéticas y muy inútiles que le han enseñado las monjas en el colegio. Se llama Filomena, pero todos le decimos Mena. Saluda, niña.

—No seas loco —interrumpió doña Rosario—, siempre has de estar atormentándola con tus bromas.

Juan y Filomena se habían saludado con cortedad bajo la mirada burlesca de Enrique. La señora prosiguió:

—La señorita es hija de Pancho Silva. ¿Se acuerda de Pancho Silva? Sí, pues, el que tenía almacén en Temuco hace muchos años... ¡Pero qué cabeza la mía! Usted no conoció a Pancho Silva ni ha estado nunca en Temuco, probablemente. Bueno. La señorita es hija de Pancho Silva, es huérfana; mi marido era su tutor y ahora lo soy yo. Para mí es una excelente compañera. Bueno. Mis hijas estarían felices si me pudieran acompañar en las vacaciones, pero sus deberes sociales... Las dos están en Viña. Me escriben encantadas; hay un mundo de gente; dicen que en nada echan de menos las playas europeas. Bueno. Enrique, que viene llegando de Zapallar, dice que allá también hay muchas personas conocidas. ¡Lo que son los gustos! A mí no me agrada veranear más que en mi fundo. La vida de los hoteles me desespera. Me mareo con tanto ir y venir.

Juan la miraba un poco sorprendido. ¡Qué le importaba a él Pancho Silva! ¿Para qué tantas explicaciones? Después comprendió.

La señora estaba sentada en un sillón de mimbre. Enrique paseaba fumando, y frente a Juan, que se mantenía de pie, Filomena se destacaba afirmada en la baranda, teniendo por fondo la maravillosa luz del crepúsculo. Vestía el mismo traje claro de la mañana, pero ahora, libre la cabeza del sombrero, una melena rubia enmarcaba el rostro.

—Y ¿se halla en la laguna? —preguntó la señora.

—Mucho, ahora, en verano. Pero el invierno es duro.

—¿Vive solo?

—Sí, señora. Mi madre y mi hermana viven en Chillán. Mi madre me acompañaría de mil amores, pero comprendo que no puedo imponerle ese sacrificio. Este clima, en invierno, la mataría.

—¿Y qué hace solo, sin poder salir de la casa, cuando llueve? ¿Tiene siquiera buenos sirvientes?

—Cuando llueve, leo, me paseo, les enseño a leer a unos chiquillos hijos del matrimonio que me sirve, hago solitarios y hasta hago muebles.

—¡Vaya una vida! —murmuró Enrique.

—Lo que necesita usted es casarse —dijo la señora con convicción—; ya que a su familia no le es posible acompañarlo, lo mejor que puede hacer es eso.

—¡Casarme! —y al levantar los ojos encontró Juan la figura de la muchacha, sombra negra sobre el oro de la tarde—. ¡Casarme! —repitió de nuevo, sorprendido por la idea—. Créame, señora, no se me había ocurrido pensarlo.

—Pues, vaya madurando el proyecto, mi amigo. Y, por lo pronto, niña, anda a ver si nos dan de comer.

Se dirigía a Filomena. Cuando la muchacha partió, dijo a Juan:

—Prefiero comer temprano, así luego puedo estar un rato en el parque antes de acostarme.

Callaron, penetrados por la dulzura de la hora. Frente al corredor se extendía una plazoleta, después el parque umbroso. En el horizonte ardía una franja roja separada por un trecho azul de otra franja amarilla.

Una nube bordeada de rojo se disgregaba en jirones rosas, transparentes, opalinos. Los picachos nevados de la cordillera reflejaban el tono del horizonte, teñidos de un rosa pálido que se esfumaba en azul al descender por sus flancos.

A lo lejos una campana dio una nota única, que se quedó vibrando en el silencio, como encantada por la quietud de los campos.

) 504 (

Luego trajo el viento el eco de una tonada popular que una voz infantil, chillona y desafinada, cantaba acercándose. De pronto calló. Y como ya brillaba en la noche una estrella de plata, todas las corhuilas de los canales, de los esteros y del río se pusieron a rezongar dos palabras repetidas obstinadamente.

—Ya está servído, madrina —anunció la jovencita con una voz cantante que parecía parlar de pájaro en mañana de octubre.

—Santas palabras —dijo Enrique—. Cosa rara: tengo hambre. Ya está: los chiquillos adelante. Mena y Juan: caminen. La gente seria atrás. Mamá, ¿le doy el brazo?

Entraron en la casa, muy intimidados los que iban adelante, regañando dulcemente a Enrique la señora por sus bromas que jamás acababan.

Luego de comer, y esta vez en el parque, Enrique tomó del brazo a Juan, paseando por la gran avenida, al par que fumaba un cigarrillo.

Doña Rosario estaba sentada en una silla con toldo de lona que la protegía del relente de la noche, y cerca de ella, Mena se apelotonaba en un sillón de mimbre.

—Nunca he podido saber en qué época existió Pancho Silva —decía Enrique a Juan, en son de confidencia—. A mí Pancho Silva se me imagina una fantasía de mi pobre mamá, y la Mena una hermosa calaverada de mi ilustre progenitor. Con respeto sea dicho... Esta es también la opinión de mis hermanas. Y no hay otra explicación. ¡Ja! ¡Ja! Si usted conociera a mi hermana mayor, se reiría como yo al verla idéntica a la Mena. Claro es que mi hermana es otra cosa..., una mujer de mundo. Pero eso no quita que sean iguales. Y, según todos, mi hermana es el retrato de mi padre. Es para morirse de risa...

—Sí, ¿no? —Juan no sabía qué decir.

—La chiquilla es encantadora y todos la queremos mucho. Lo veo algo entusiasmado, mi amigo. Ya noté en la mesa que los ojos se le iban a mirarla. Pero tenga cuidado: en este asunto no hay atajo posible. Si se deja llevar por su entusiasmo, a lo mejor se encuentra camino de la iglesia con la Mena del brazo.

—Vaya, ¡qué luego nos puso usted las bendiciones!

—No tendría ningún inconveniente, créame, compañero.

Terminado el cigarrillo, fueron a reunirse con las señoras y una charla amena se inició entre doña Rosario y los dos jóvenes.

A Juan le hurgaba el deseo de dirigirse a Mena, paralizándolo el miedo a una broma de Enrique. A veces una pregunta de los otros obligaba a Mena a contestar y Juan hubiera querido que las breves frases se repitieran constantemente, por el encanto que daban al oído. Eran frases hechas, triviales, que no revelaban ninguna personalidad; pero dichas así, en la noche, entre las sombras, pronunciadas por la figura clara e inmóvil, tenían un encanto de hechizo.

Al despedirse Juan, la señora lo invitó para el día siguiente.

—Salgo al amanecer para Malleco —contestó el joven—. De todas maneras, le quedo muy agradecido.

—Siento mucho. ¡Vaya! Para otra vez será. ¿Cuándo vuelve?

—No lo sé, señora. Eso depende de los trabajos del fundo.

—Entonces: hasta pronto, y feliz viaje.

—Adiós, señora, y muchas gracias. Señorita...

—Anda, niña, no seas desabrida —era Enrique quien hablaba—; dile cualquier cosa a Juan. Dile que lo encuentras muy simpático, que te gusta mucho...

Y como Mena inclinara la cabeza toda confusa, el joven agregó:

—La verdad es que las monjas las ponen tontas de remate con sus pacaterías... Dile siquiera adiós.

—Adiós —y le alargó la mano con un gesto encantador en su cortedad

—Hasta pronto —dijo Juan—, buenas noches.

Y saludando, se fue con Enrique por la avenida, camino de la casa de don Samuel.

Fue una visión de hogar lo que lo inquietó al volver a Malleco y caer en la soledad de su casa.

Regañaba a la Peta porque en la mesa la vajilla estaba puesta de cualquier modo, se desesperaba cuando al ir a ponerse una camisa encontraba el ojal desgarrado, la minuta de siempre acabó por hacérsele insoportable. Hasta los chiquillos lo impacientaban con su tontera, y como los reñía Pancho y Mercedes se ponían más tontos aún.

Con el único con quien seguía en armonía era con el perro. Parecía que "Boby" adivinaba su mal humor y trataba de rodearlo de afecto. En el escritorio siempre estaba frente a él, mirándolo con sus ojos de oro. Cuando salían, iba trayéndole palitos que le alargaba en el hocico y que Juan se veía obligado a tomar. Cuando el joven montaba a caballo, el perro lo seguía ladrando alegremente.

Extrañados con este cambio, la Peta y los chiquillos lo miraban con ojos temerosos. Pancho creía que aquella destemplanza era efecto de la luna que ese mes había salido "sentada", y los demás trabajadores andaban muy derechos, temiendo una reprimenda.

Juan comprendió que un factor nuevo entraba en su vida. Se sorprendía con los ojos vagos, mirando sin ver, pensando que allá lejos una jovencita de movimientos ágiles estaría apoyada a contraluz en la baranda del corredor, frente a doña Rosario, que probablemente no repararía en la gracia de su figura.

¿Cómo miraba? Así... Abría los párpados y la esmeralda de las pupilas se le obscurecía en la atención que las retenía fijas. Luego se entor naban los párpados, la cabeza se inclinaba y una sonrisa muy leve se estampaba en las facciones, cavando un hoyuelo en cada mejilla. Evocaba el sonido de su voz, y cuando lograba que el cerebro le diera nítida la resonancia de esa modulación, una onda caliente le iba del corazón a la cabeza, haciéndolo estremecerse.

De pronto, en medio de una orden, de una lectura, de una preocupación, tenía la visión del frutillar lleno de sol y de la muchacha en puntillas alargándole el vaso de agua. Y se sorprendía sonriéndole con la misma sonrisa que hubiera tenido para ella en persona, al par que los labios murmuraban apenas perceptiblemente: "Mena".

Una tarde que bogaba en la laguna moviendo con pereza los remos, le vino la idea de ir por ella, de conquistarla, de traerla allí, de tenerla junto a él, en el bote que iba a la deriva, trémula y emocionada por estar junto a él, contra él, penetrados ambos por la belleza del paisaje y la certeza de su amor.

"Casarse", había aconsejado doña Rosario. ¿Por qué no? Los suyos ya no lo necesitaban, el deber no lo ligaba a nadie, podía disponer libremente de su persona.

Nunca había amado. Aventuras fugaces había en su vida como las hay en la vida de todo hombre. Aventuras que dejaban hastío, asqueamiento. "¡Qué miseria somos!", solía murmurar cuando llegaban y pasaban como una crisis.

Este sobresalto de ahora, esta inquietud, este pensamiento fijo, ¿era acaso el amor?

Quince días después volvía a Selva Obscura y rectamente abrió su sentir a doña Rosario.

Estaba muy solo en Malleco y necesitaba una compañera. Filomena le gustaba, quería tratarla, hacerse agradable —la palabra amor no salió de sus labios, por pudor de sentimientos—, y si armonizaban, casarse en otoño.

—Pero... —objetó la señora vacilando.

—Tal vez usted desee otro marido para su pupila. No sé si usted querrá dármela... Yo sólo tengo mi título de ingeniero agrónomo y mi sueldo que ofrecerle. En cuanto a familia, si no logro grandes abolengos, mi familia es una buena familia, muy honorable.

—No, no, no... Es otra cosa... Usted sabe cuánto lo aprecio, y esta estimación aumentó cuando supe lo bueno que era usted con su madre. Aunque su familia fuera muy humilde, usted vale por sus propios méritos. Bueno..., es que la Mena...

—¡Ah! —dijo Juan comprendiendo—. Ya sé... Eso me tiene sin cuidado.

—¿Ya le contaron que la Mena era, era... hija natural? ¡Qué gente! Bueno. Más vale que lo haya sabido desde el principio. Pero qué gente... ¿Se lo contó Enrique?

—No, señora, me lo contaron extraños.

—¡Ah! Bueno... —Ella sabía por qué prefería que no se lo hubiera dicho Enrique. Era tan loco para suponer aquel hijo suyo—. Verá, mi amigo. Pancho Silva era muy ideático. Nunca quiso casarse, ni siquiera inscribió a la niña en el Registro Civil. Mi marido siempre se lo estaba reprochando. La madre de la Mena era toda una señorita. ¡Pobre! Murió cuando la Mena era una criatura. De puro porfiado, Pancho no se casó con ella. Bueno. Mi marido se lo echaba siempre en cara. ¡Los hombres son tan raros! En fin: cada cual con su conciencia...

Juan la oía, vagamente risueño con estas explicaciones que se embrollaban.

—¿Pero a usted realmente le gusta? —preguntó interrumpiéndose—. ¿Entonces fue un *coup de foudre,* como en las novelas?

—Casi...

—Llamaremos a la Mena —y enternecida por sabe qué recuerdos, agregó—: Los voy a dejar solos...

Llegaba una sirvienta llamada por el timbre.

—Sirva el té en el parque y diga a la señorita Mena que allá la espero.

Salieron de la salita, atravesaron el corredor y la plazoleta en que se arrullaban unas palomas, y por la gran avenida del parque llegaron a la rotonda en que generalmente se hacía tertulia.

—Es una suerte que Enrique no esté —decía doña Rosario—. No los hubiera dejado vivir con sus bromas.

—¿Usted cree que la Mena...?

—¿Haya maliciado el efecto que hizo en usted? ¡Quién sabe! Pero Enrique la embromaba mucho.

La señora se instaló en su silla de toldo, y Juan, muy nervioso, apenas atinaba a contestar a sus frases, todo ansia al camino por donde Mena había de llegar.

La jovencita apareció en el corredor, bajó de un brinco la escalinata, corrió por la plazoleta asustando a las palomas y entrando luego a la avenida empezó a marchar con su paso elástico y vivo. Cuando reconoció al visitante, sus ojos se sorprendieron y, fijos en la mirada de Juan, fueron acercándose.

—Buenas tardes, Mena.

—Juan..., ¿cómo está?

Y como de pronto notaron ambos la familiaridad del trato, se ruborizaron; mas primando la alegría del encuentro, se echaron a reir, estrechándose las manos.

—Sírvenos el té, hijita, que se va a enfriar el agua.

Mena se apresuró a obedecer, acercándose al carrito que traía una sirvienta.

—¿Qué te parece la visita?

—Muy bien, madrina —y entre la sorpresa, la alegría y la confusión, no encontraba las tenazas del azúcar que tenía en la mano.

—Le estaba diciendo a Juan que lo íbamos a secuestrar por unos días. En buenas cuentas, esto no es más que egoísmo y no hay para qué agradecerlo. Estamos demasiado solas.

—Sírvase, madrina.

—Gracias, pequeña.

—Tiene dos terrones —dijo Mena a Juan presentándole la taza.

—Muchas gracias.

—Así es que pasará aquí varios días.

—Es muy probable.

—¿Y sus alumnos qué dirán?

—Estarán encantados con la holganza. —Quien estaba encantado era él porque Mena recordaba sus palabras—. Son los chiquillos más torpes que he conocido. Hace cerca de un año que les estoy enseñando a leer y aún no pueden salir de "la mesa", usted sabe: una de las lecciones del silabario.

—Sí, sí.

—El que es muy habiloso es un perro que tengo. Esta mañana tuve que dejarlo encerrado para que no se viniera detrás.

—A mí me gustan mucho los perros.

—Este es extraordinario. Una de las gracias que tiene es que, en la noche, cuando quiere acostarse, va por su cama al repostero, la toma con los dientes y la trae hasta el vestíbulo, junto a la puerta de mi dormitorio. En la mañana temprano vuelve a coger su colchoneta y la lleva a su sitio, debajo de la estantería.

—¡Qué rico!

—Bueno —interrumpió la señora—. Acaben de tomar el té y me dejan rezar mi rosario. Vayan hasta el manzanal. Muéstrale a Juan la famosa esparraguera de Enrique.

6

Fue la norma que siguió la señora durante aquellos días que precedieron al noviazgo oficial. En cuanto el desayuno los reunía en el comedor abierto al parque, doña Rosario decía con gran sosiego:

—Una vez que terminen, los voy a mandar al molino a dejarle una orden a Pedro Luis.

Por los ojos de Juan pasaba una ráfaga de contento, y en las mejillas de Mena un fugaz rubor decía su alegría íntima. Y así era cómo, en espera de ese minuto tan próximo en que estarían solos, se daban a una charla voluble en que las risas ponían su nota de cascabel. Mena decía:

—Ayer, en el trigal de la vega, encontramos una nidada de perdices. Viera, madrina, qué lindas, con unas plumitas suaves, y, fíjese, no tenían cola.

—¡Qué raro, perdices sin cola!... —contestaba Juan en son de burla.

—De veras, de veras, qué tonta... —y se echaba a reir, prendida en las pupilas del mozo.

Y como éste, embelesado en la contemplación de la fisonomía encantadora, tomara al descuido el tenedor de postre y empezara con él a revolver el café con leche del desayuno, la chiquilla exclamaba, cada vez con las carcajadas más lindamente sonoras:

—De veras..., de veras que son raras las perdices sin cola, pero más raro es aún tomar la leche con tenedor.

Doña Rosario reía también, tan puerilmente contenta como los otros, Juan cambiaba el tenedor por la cucharilla y siempre con los ojos en la carita risueña, contestaba taimado:

—Perdices sin cola... Perdices sin cola...

Entonces la chiquilla, picada, fruncía el hociquito y adoptaba un aire ofendido que hacía decir a Juan:

—Se enojó... Ya se enojó...

—Claro. No es para tanta historia ni para tanta pitanza.

—Perdón, Mena.

—No quiero perdonarlo.

—Por favorcito...

—Es inútil...

Y seguía con el morrito estirado, deliciosa, fingiendo un enfado que acababa por convencer a Juan y hacerlo, por un instante, el más desgraciado de los hombres. Buscaba sus ojos, pero las pupilas se le escondían esquivas y la boca seguía en el mohín de fastidio. La cara del mozo iba cobrando seriedad, los músculos se le atirantaban y una angustia iba cogiéndole el corazón. ¡Haberla molestado! ¡Haberla herido! Pero los ojos se le entregaban de pronto, confiados, amorosos y rientes. Y era un coro de carcajadas que aturdían a doña Rosario, y dejaban un momento en silencio a los pájaros, perplejos ante esa otra greguería que sentían cerca de ellos, señores en los árboles del parque.

—El niño grandote que se creyó que estaba enojada...

—Bueno —decía doña Rosario—. Ya es hora de que se vayan al molino, que si no después se van a pillar un solazo. Lleva tu quitasol, Mena. Allá le dicen a Pedro Luis que esta tarde le mande un saco de afrecho a la Mercedes Adela. Váyanse despacio y por la sombra. Cuide mucho a esta loquilla; ya sabe, mi amigo, que siempre estoy temiendo que se caiga al canal.

El mozo tomaba un aspecto grave, lleno de menudas solicitudes que se adelantaban a los deseos de Mena. La chiquilla se daba aires de pequeña reina. A veces tenía una sensación de falta de realidad, de vivir fuera de la vida en una especie de sueño, dulce y embriagador. Nunca tenía la verdad exacta del momento presente. No podía analizarlo. Quería luego —al estar sola— darse cuenta de todos los matices que el sentimiento iba poniendo en ella. Y no le era posible. Cuando conoció a Juan, le pareció que desde siempre la fisonomía del joven estaba en sí misma como un negativo que a su sola presencia se hubiera revelado. Supo que estaba delante de lo que su corazón y su instinto esperaban. Y desde entonces hasta que lo viera nuevamente en el parque, en compañía de doña Rosario, aguardó su regreso pacientemente, sin apuro ni duda, en la absoluta seguridad de que Juan vendría, que desde el fondo de los tiempos se creía hecha por voluntad divina para querer y ser querida de ese hombre. Nunca una duda. Nunca siquiera un recelo. La seguridad de un amor recíproco le hacía el alma clara e infinita. De ahí, de esa sensación enorme, aunque tan clara, le venía la imposibilidad de analizarse. No hallaba ángulo en qué colocarse. Estaba todo demasiado próximo y era inútil querer abarcarlo. Juan sentía también la seguridad de ese amor, la sentía, sin tener la certeza de las palabras definitivas que no provocaba por una timidez que tal vez era el deseo de alargar esa espera. Y así se iban los días, en el deslumbramiento de la dicha maravillosa.

—¿Nos vamos? —preguntaba Juan.

—Lista —y frente al espejo del aparador, muy llena de melindres, se ataba la chupalla de grandes alas que le sombreaba los ojos.

—Pórtense muy bien —recomendaba una vez más doña Rosario— y no se acerquen al canal por nada del mundo.

Afuera la casa estaba llena de sombra de grandes árboles. Corría viento. Un puelche que venía de la cordillera refrescado de nieves. Una bandada de gansos, en ringla, iba parsimoniosamente por una avenida del parque, escapados tal vez del gallinero por una puerta que dejaran abierta al descuido. Al andar alargaban a uno y otro lado el cuello, mordisqueando el pasto, fino trébol recortado que parecía una alfombra. Sobre un banco un gato negro se lamía la panza con un movimiento lleno de gracia que lo hacía mantenerse en equilibrio sobre tres patas. Arriba, en un castaño, un chincol lanzó un trino prolongado y el gato suspendió su tarea, para quedarse mirándolo con ojos redondos, verdes y brilladores de codicia. El chincol iba inquieto de rama en rama. Y siempre con la cabeza vuelta a su anhelo, el gato fue resbalando las patitas delanteras hasta inmovilizarse tendido en el banco, esfinge paciente del cazador.

Fuera de la verja del parque el camino abría la doble fila de sus álamos. Extraños en el paisaje montañés, tenían siluetas cohibidas, inclinados por los recios vientos, sin la derechura que muestran en las dulces tierras centrales en que el aire es mano tierna para sus ramas. Otra fantasía de Enrique aquel camino serpenteante que unía la casa con el molino, allá en el fondo de una quebrada. Pero una fastuosa fantasía de camino con aceras, con las dos filas laterales de los álamos raquíticos, los bancos de trecho en trecho y las ampolletas de luz eléctrica para iluminar los paseos nocturnos en que las nubes ensombrecían la noche.

A través de los álamos, puestos muy juntos para que mejor pudieran defenderse de los temporales, se divisaba el verde de los potreros, las manchas obscuras de los matorrales y las otras manchas de los vacunos pastoreando sosegadamente. Pasó una tropilla tras el cencerro balbuciente de la yegua madrina. Pasó un chicuelo silencioso con sus ojotas. Pasó el mayordomo en un caballo que se encabritaba dando botes de costado.

A lo lejos una fina nube de polvo decía que las ovejas atravesaban el camino llevadas de potrero a potrero. Gritos breves de los pastores se unían al ladrido insistente de los perros. Y por sobre todos los rumores la parla jocunda de las cachañas daba su holgorio, alegría mañanera de la montaña que los muchachos sentían adentro, que los hacía sonreírse, mirarse y apresurar el paso, como si allá en el término del camino estuviera la dicha esperándolos, para darles aún mayor plenitud en el sentimiento que los llenaba.

No hablaban. Apenas una que otra recomendación de Juan para evitar una piedrezuela, para salvar una filtración de los canales regadores. En el molino daban rápidamente el recado de la señora a Pedro Luis e iban de inmediato a tenderse a la sombra de unos sauces, junto al canal, en una parte en que el agua traída desde el río desbordaba desde lo alto de la quebrada, fragorosa, llena de espuma, para seguir luego canalizada hasta meterse en las entrañas del molino. Un rato se quedaban ahí, sin poder hablar por el rumor enorme del agua. Luego se alejaban en charla queda, hasta ganar la continuación del canal, más allá del molino, donde el agua aparecía de nuevo para irse por las vegas regando los potreros. A Mena le encantaba ese paseo. Iban por un caminito que era apenas una huella, y había dos maneras de seguirlo: o irse uno detrás de otro, o tomarse del brazo estrechamente.

La primera vez que Juan hubo de tomar del brazo a Mena para ayudarla a pasar un regato, antes de iniciar el movimiento que lo acercaría a ella —ese movimiento cortés que sólo implica la deferencia de hombre a mujer y que tiene visado su pasaporte social—, el muchacho sintió la amarra de la timidez, el delicioso miedo de tocarla, de sentirla más próxima. Avanzó al fin una mano, tomó el brazo firme y suavemente, y sintió a la chiquilla, confiada y cándida, abandonarse a ese apoyo, a esa protección. Y ya no supieron sino andar del brazo. Para ella aquello era tan natural como que Juan estuviera allí, como que Juan la mirara amorosamente, como que Juan hablara sólo para ella, como que Juan viviera dedicado a atenderla. Tan natural como que doña Rosario los dejara libres por el fundo. No preveía los acontecimientos, pero lo que pasaba era justamente lo que debía pasar, y de ahí la conformidad gozosa con que se avenía a todo.

Charlaban. Juan le contaba su vida. Ella la suya. Cada detalle, cada episodio del pasado se alargaba en las confidencias minuciosas que embelesaban al que oía. Tenía el uno para el otro una voleadura de confianza absoluta. La vida que no habían pasado juntos les parecía falta de sentido y de ahí que por la confidencia quisieran convivirla en el recuerdo, llenando ese vacío con las resonancias de la hora presente. Las lagunas que Juan estaba forzado a dejar en sombra —no era posible mostrarle esos negros pozos del instinto a la muchacha ingenua— eran para él un tormento, un hurto innoble que hacía a la sinceridad inherente a su amor.

Otras veces Juan se sentaba a la sombra de algún árbol y Mena se entretenía en un juego pueril que el joven apreciaba como regalo de los ojos. Con un trozo de papel la chiquilla hacía prolijamente un barquito, luego hacía otro idéntico, ponía en cada cual una diferente hoja de árbol y entonces se daba a echarlos en el agua, cerca de una de las compuertas que desbordaban el canal sobre el verde de los tréboles. Desde el sitio donde los pusiera hasta aquella meta, corría por el borde, llena de alegría, dando gritos jubilosos, palmoteando la llegada del primero. Una vez Juan le preguntó:

—¿Pero no es lo mismo que llegue uno que el otro?

—¡Oh! No. Cada vez pienso algo distinto, cada vez cargo a uno con una cosa diferente.

—Veamos, ¿qué quería decir que llegara éste primero?

—Puse... —y se lo quedó mirando sorprendida, llena luego de confusión.

—¿Qué? Diga...

—Pues que... Bueno: no lo digo.

—¿Secretos? Muy bien. Yo también haré lo posible por tener los míos.

—No, no, no es secreto... Es que... —nuevamente se lo quedó mirando en suspenso adorable en su cortedad.

—Es que...

—Si llegaba éste primero, quería decir que... me casaba este año — e hizo un puchero pronta a llorar, que le pareció terriblemente vergonzoso lo que acababa de decir.

Juan rió dulcemente.

—Haremos lo posible por que el vaticinio salga cierto —dijo.

La chiquilla bajó la cabeza, y ya, por largo rato, a Juan le fue imposible verse en las pupilas confiadas que dejaban leer en su fondo con tanta claridad.

Cuando la sirena del molino cortaba el mediodía con su grito estridente, era el regresar a la casa emperezados por el calor. Allá los aguardaba la bondad de doña Rosario y el almuerzo listo era devorado con grande apetito, otra vez en la charla grata y en la alegría desbordante.

La siesta los separaba por unas horas. Juan se iba a casa de don Samuel, para hablar de asuntos de administración, y Mena tenía que darse a la obligación de leer los diarios a doña Rosario. Para Juan eran relativamente soportables esas horas en que el pensamiento de uno embargaba al otro, a tal punto que estaban distraídos y no sabían bien qué oían ni qué decían. Con dejar que don Samuel narrara sus historias sin fin fingiendo una atención cortés, para el mozo estaba solucionado el asunto. Pero en cambio, Mena tenía que leer las noticias de los diarios, comentándolas después con la señora. A veces resultaba que la chiquilla acababa de leer un párrafo y al hacer sobre él cualquiera observación, doñi Rosario dábase cuenta de que Mena había leído aquello en forma mecánica, sin tomarle asunto, completamente distraída. Y como a ella le gustaba "el comento", según su propia expresión, las más de las veces hacía que Mena leyera de nuevo el párrafo, con atención, para que bien se empapara en lo que decía. Ese aferrarse a cosas indiferentes era para Mena el peor de los suplicios. Estaba atenta al tictac del reloj, queriendo apurarlo con su deseo, tensa a las campanadas que iban sonando graves, hasta que las cinco traían a Juan de casa de don Samuel y el té los llevaba al parque. Y después venía el buen vagar por el fundo, solos y dichosos.

Fue a esa hora de la siesta cuando se dieron el primer beso. Mena leía queriendo prestar atención a las palabras que pronunciaba. Pero el pensamiento se le iba a la casa del viejo administrador y veía a Juan arrellanado frente a don Samuel, escuchando con ojos perdidos de ensueño lo que éste contaba lleno de prolijidades. El reloj, con lujo de sonidos, dio las cuatro. Una hora aún... Entre las noticias del cable una anunciaba que en el mar Pacífico una isla se había hundido por la fuerza de los terremotos. Doña Rosario hizo su comentario de siempre y se empeñó en ubicar exactamente la isla. ¿Estaba al norte de Ceylán? Y como Mena no lo supiera, la mandó al escritorio a consultar un diccionario enciclopédico. Allá, Mena abrió un armario, sacó el libro, lo puso sobre una mesa y se dio a buscar la letra. M... N... O...

Pero unos pasos resonaron en la galería, unos pasos que la hicieron alzarse y escuchar anhelante. Se detuvieron, la puerta entornada se abrió y Juan se quedó en el umbral, sorprendido y encantado. Lo imprevisto del encuentro los descontroló, sacándolos del marco de la reserva. La chiquilla dio un paso y Juan otro, y no supieron cómo se encontraron abrazados y tampoco cómo la cara de Mena se alzó y la de Juan bajó un tanto, y tampoco supieron cómo se encontraron las bocas y un largo beso los inmovilizó en una sensación de infinito. Y fue ese instante también el que puso en sus labios la dulzura del tú con que empezaron a tratarse.

No se dijeron una frase. Volvieron silenciosos al saloncito en que estaba la señora. Fue ella luego la que mantuvo la charla. Tomaron té. Y cuando salieron después a caballo, el mismo silencio reinó entre ellos durante todo el paseo. Se miraban. Se sonreían. Por momentos miraban el paisaje rosa del atardecer, sutilizados por la dicha a tal extremo que todo detalle se les revelaba nuevo y maravilloso. Y volvían a mirarse y a sonreírse.

Esa noche, en las gradas de la escalinata que daba al parque, mientras la señora musitaba las avemarías de sus oraciones cerca de ellos, el mismo silencio les envolvía. Mena preguntó en un soplo:

—¿En qué piensas, Juan?

—En nada. Me dejaba penetrar por la dicha de estar juntos.

La chiquilla seguía en el mismo estado de estupor, sin poder analizar sus sentimientos, dándose sólo cuenta de que Juan era su vida, que para él pensaba, actuaba y alentaba. El muchacho, a su vez, trataba de prolongar la espera de las palabras definitivas, maravillado por la tensión de gozo que la certidumbre presentida ponía en sus sentimientos y en sus nervios. Pero en la misma forma en que llegó el beso, impensadamente, llegó el decirse lo que haría de su porvenir una unión.

Estaban en el frutillar. Mena recogía los frutos en un canasto de mimbre. Sentado bajo un manzano Juan la miraba, gozando como siempre con la gracia de los movimientos ágiles. Cuando el canasto estuvo lleno, la chiquilla vino a sentarse a su lado. Y Juan dijo:

—¿Te acuerdas de la mañana en que te vi aquí mismo por la primera vez? Creo que desde entonces empecé a quererte.

—Pues te he llevado una gran ventaja. Yo te quise desde siempre. Sabía que había de encontrarte, y cuando te vi lo único que hice fue reconocerte. Cuando hablaste pidiéndome agua, levanté la cabeza sorprendida, porque el eco de tu voz me era familiar, lo tenía dentro, como tenía tu cara y tu figura. Y lo curioso es que esto, lo externo tuyo, correspondiera también en mi ilusión a lo que eres en carácter y en modalidad.

—¿Así es que al verme supiste inmediatamente que te querría, que habríamos de ser el uno para el otro?

—Pero claro. Y cuando te fuiste al día siguiente para Malleco no me morí de pena, porque sabía que a corto plazo habías de volver. Y te esperaba con tanta ansia que a veces me parecía sentir el paso tuyo, tu voz. Cuando te encontré con la madrina, en el parque, al principio creí que fuera mi deseo el que me hacía verte.

—Tal vez tú me lleves una ventaja en haberme querido primero, pero no creo que me quieras más de lo que te quiero yo a ti.

—Quién sabe... Quién sabe...

—Y ya que tantas cosas sabías, ¿tenías también idea de cuándo nos casaríamos?

Un rubor pasó por las mejillas de la chiquilla, una estompadura rosa que hizo notársele más el halo azuloso de las ojeras. Los ojos esquivaron los otros que se anublaban de emoción amorosa. La cabeza se inclinó. Entonces las manos de Juan avanzaron a atraerla y fue toda contra él como la chiquilla dijo con audacia pueril:

—Sabía que nos casaríamos a fin de mes, cuando el campo esté todo dorado de otoño.

Y efectivamente, se casaron a fines de abril, en el oratorio de El Rosario.

La señora había cuidado del ajuar de Mena con igual interés que si hubiera sido su madre.

Enriqueta y su flamante marido sirvieron de padrinos a Juan. Y como la hermana seguía tan fantástica como siempre, inundó en regalos a los novios.

—Hay que hacer ver a esta gente que soy tan rica como ellos —decía a Juan, que protestaba.

Lo cierto era que había amoblado de nuevo la casa de Malleco. Por su parte, Enrique hizo que instalaran teléfono y les mandó la cuchillería para la mesa, y esa mañana, al llegar para servir de padrino a Mena con doña Rosario, traía unos pendientes de brillantes que mandaba Eliana y un reloj de pulsera, regalo de Gabriela. A más del ajuar, doña Rosario le dio diez mil pesos en dinero a su pupila.

—Mi amigo —dijo Enrique—, me salí con la mía de echarle las bendiciones.

Después de la ceremonia se sirvió un almuerzo y en seguida los novios partieron en auto, para alcanzar en Púa el tren nocturno que había de llevarlos a Concepción.

Cuando la casa, el parque y el pueblecito quedaron atrás, Mena sintió que grandes lagrimones corrían por sus mejillas empalidecidas por la emoción.

—Mena... —dijo la voz de Juan temblorosamente.

—No sé por qué lloro... Estoy muy contenta...

—Mi mujercita... Linda... Mía... —la atraía a sus brazos.

Mena también buscaba ese refugio. Un largo rato se quedaron silenciosos. De pronto las pupilas de Mena cambiaron de expresión, se dilataron, se estriaron en fulgores; luego los párpados se bajaron, y la boca, cerrada, se presentó a la otra boca, que la buscaba con idéntica ansia de poseerse.

7

Dos años pasaron para ellos en la dulcedumbre de una dicha tranquila, tan adentro arraigada que sólo en leves detalles era perceptible.

Un hijo faltaba en aquel hogar. Mena se entristecía, pero otras veces, para ahuyentar su propia desesperanza, decía a Juan con su habla gorjeada:

—Todo no íbamos a tenerlo... Para qué pedir más cuando somos tan felices...

—¡Mi hijita! —contestaba el joven, enternecido.

Poseían el don de ser sencillos y de extraer y gozar la belleza de toda cosa.

Cuando en el verano los trabajos dejaban libre a Juan se iban montaña adentro, sumiéndose en la maraña de los bosques.

Salían a media tarde, y rectamente, por un atajo, atravesaban la vega seguidos por el perro en gozo de carreras y ladridos. Mena iba generalmente ritmando el paso a una cancioncilla de moda, y Juan se demoraba por verle la silueta maravillosa de armonía.

—Fresas... Fresas... —decía inclinándose—. Cuántas hay; ¿quieres?

El la miraba sin contestar.

—Si no dices luego que sí, me las voy a comer todas.

—Trae una.

Sin alzarse tendía la mano, presentando a Juan el fruto jugoso y perfumado que ponía gotas de rubí sobre las pulidas uñas. Como él no la cogiera, la cara se alzaba en un violento escorzo, buscando los ojos el motivo de aquella abstención; entonces, inclinándose, Juan besaba ahincadamente la boca roja, llena de olor de bosques y de savia de juventud.

De un brinco, Mena rehuía la caricia y se iba lejos, saltando malezas con agilidad de animalillo retozón. "Boby" la seguía ladrando y Juan iba tras ellos lentamente, encantados los ojos con la figura que se empequeñecía, apareciendo y desapareciendo entre los árboles, sin perder jamás la gracia de la línea.

Pero sus mayores placeres estaban en la laguna. Ya bogando a remo en el bote; ya pescando con caña a la espera paciente del salmón que picara; ya dejando la embarcación a la deriva en la corriente apenas perceptible que más que arrastrarla parecía acunarla; ya desembarcando en la ribera de la montaña Negra, recogidos y emocionados por el enorme silencio de la naturaleza virgen; ya observando en las aguas bajas y transparentes de la ensenada del embarcadero la voracidad de los peces, todos boca para atrapar las migas de pan que Mena les llevaba.

Cuando Juan tenía que ir por las tardes al aserradero, Mena, acompañada por el perro, iba a esperarlo junto a la cascada.

Había allí un árbol que era su predilecto; un roble centenario que estaba al borde mismo del abismo. La humedad y las filtraciones habían comido la tierra en torno al tronco y grandes muñones de raíces quedaban a descubierto formando sitiales.

Ahí se instalaba Mena, leyendo o bordando hasta que llegaba Juan. El perro se hacía un ovillo y se dormía o merodeaba por los contornos buscando palitos y piedrezuelas que venía a dejar en el regazo de la joven.

A veces, Mena se tendía de bruces cerca de un hormiguero y se pasaba horas viendo trabajar a las hormigas en el acarreo de trocitos de azúcar que ella misma les llevaba. En algunas ocasiones no podían arrastrar el pedazo demasiado grande, entonces lo fraccionaban y así podían hacerlo desaparecer por el agujero.

Mena se entusiasmaba locamente con estas ingeniosidades. Pero sucedió que una tarde se quedó dormida en medio de sus observaciones, agotada por el calor de un roce que ardía en las montañas de Collihuanqui. Despertó despavorida por las picaduras de las hormigas, que corrían por su cuello, por sus brazos desnudos, por las piernas también desnudas en las sandalias que calzaban sus pies.

Mientras sacudía con movimientos bruscos el negro enjambre, pensaba muy perpleja:

"¡Vaya con las hermanas hormigas! Lo que falta es que hayan querido estudiarme a mí..."

Le gustaba mirar el agua de la cascada, que sobre ella ejercía una atracción extraña. Cuando llegaba Juan rogaba mimosa:

—¿Cuándo me harás bajar? Deseo tanto verla desde el fondo.

—Mi queridita, no me pidas eso.

—Egoísta... Muy bien que tú bajaste.

—Pero no me arriesgaría otra vez.

Con un escalofrío recordaba su hazaña.

Las paredes que encajonaban la cascada estaban cortadas verticalmente sobre el nuevo curso del río. Sólo era posible descender atado a una cuerda, ya que tampoco se podía remontar el río desde el valle en que quedaba a flor de tierra, por las enormes piedras que obstruían la corriente, formando nuevas cascadas, pequeñitas e innumerables.

Juan se decidió y amarrado a la cintura por un lazo, hizo que varios hombres fueran lentamente sumiéndolo en el tajo fragoroso.

Sentía la sensación de diluirse en la verdosidad de los líquenes, de no tener voz entre el tronar ensordecedor que los ecos agigantaban, de no tener ojos ante los millones de gotas de agua que lo miraban. Llegó a creer que si la cuerda se cortaba no caería al fondo, sobre piedras y espuma, sino que permanecería suspendido sobre el abismo, por un milagro de su emoción.

Ya abajo, sobre las piedras que parecían animales de otras épocas, contempló la masa inmensa del agua, imponente y empequeñecedora. Vista desde abajo era tan blanca, tan pareja, que llegaba a engañar y a ratos parecía el agua inmóvil, como en estupor ante su propia grandeza.

Quiso andar, pero el lazo, amarrado arriba a un árbol, sólo le permitía algunos pasos. Entonces se sentó sobre el lomo de un monstruo de piedra y ahí se quedó, largamente, hasta que los hombres, con leves tirones, le advirtieron que era hora de ascender.

Empezó la subida lenta y brusca. En uno de esos movimientos que lastimaban sus muñecas sintió cómo el abismo tiraba de él, cómo sus pies se volvían de plomo, cómo la atmósfera húmeda se tornaba en su piel sudor de agonía, cómo la belleza se hacía horrenda ante el pavor de la muerte.

Llegó arriba casi desmayado: rotos los músculos y el cerebro en tinieblas. ¿Exponer a Mena a esas sensaciones? No. Nunca. Pasaba un brazo sobre los hombros débiles y lentamente tomaban el sendero que llevaba al camino; ahí Mena subía en las ancas del caballo que jineteaba Juan y se iban charlando, seguidos siempre por el perro.

La época invernal tenía otro encanto. Parecía que en la naturaleza desolada por el llover sin tregua, la vida se concentraba en ellos con mayor vigor.

Se levantaban tarde. Juan quería a veces protestar contra aquella pereza que los arrebujaba en la ropa tibia del lecho, mas su propio impulso amoroso sabía argüir razones tan convincentes que la holganza continuaba hasta mediodía.

La comida preparada por la Peta era devorada alegremente e iba devolviendo sus rosas de color a las mejillas empalidecidas de Mena. El comía risueño y feliz, dirigiendo un cumplido a la Peta por sus avances lentos, pero seguros, en el arte de guisar, riendo a veces al ver cómo se azoraba Mena al encontrar su mirada de malicia y de alegre complicidad.

—Señora —le decía—, si ya es usted una casada vieja. No es para que se ruborice de esa manera...

Pero en verdad le encantaba ese pudor que contrastaba con el manojo de nervios vibrantes que era en el escenario íntimo.

De su educación monjil tenía residuos de pueriles escrúpulos que divertían enormemente a Juan. Descansando junto a su cuerpo, ahíta de caricias, quedábase a veces meditativa, para esconder luego la cara en el pecho del marido murmurando:

—Yo creo que esto es pecado...

Las tardes transcurrían entre lecturas, paseos en el vestíbulo y el desempeño que para ambos entrañaba la administración del fundo y el manejo de la casa.

Había que conocer a la Peta para comprender cuánta paciencia se necesitaba para enseñarla. Veinte veces le explicaba Mena que el arroz se doraba en aceite antes de ponerle el agua hirviendo, el tomate y las presas de ave. Iba ella a prepararlo en repetidas ocasiones, y cuando le parecía que estaba segura de la receta la dejaba sola: generalmente resultaba algo imposible de comer. A fuerza de paciencia y de disgustos consiguió Mena enseñarle unos cuantos guisos y otros tantos postres, que después de muchos descalabros resultaban en su punto.

El crepúsculo rápido de las tardes invernales lo pasaban junto a la estufa-cocinilla del escritorio. Crepitaba la llama y la tetera daba un suave barboteo entre jirones de vaho. El perro se acurrucaba cerca, y cuando no dormía, se quedaba mirando el fuego con ojos de beatitud.

Afuera llovía incesantemente y rachas huracanadas estremecían la casa, haciendo silbar los maderos de las persianas. A veces, impelidas por el viento, varias gotas de agua caían por el tubo de la estufa sobre las llamas que las consumían chirriando.

Mena y Juan leían o charlaban muy arrebujados en chalones de lana cardada. La cultura superficial que su educación había dado a Mena iba ampliándose merced a las lecturas cuidadosamente elegidas por Juan: éste se complacía viéndola apasionarse por los libros con igual apasionamiento que el suyo.

Juan se quedaba mirándola absorta en la lectura, y cuando ella, imantada, levantaba los ojos, lo hacía partícipe de su deleite, leyendo en alta voz el trozo que la entusiasmaba.

Así decubrieron el placer de gustar juntos la literatura y se hizo costumbre en ellos leer en alta voz, lo que daba margen a grandes discusiones. Mena prefería los versos o aquellas obras escritas en forma de diario íntimo, que parecen por su estructura enteramente reales. Enrique Federico Amiel llegó a ser su predilecto y sabía de memoria trozos enteros, emotivos y dolorosos.

Juan prefería obras más naturalistas que leía a hurtadillas de Mena. Un día la encontró de pie junto a la biblioteca con un libro entre las manos.

—No leas eso.

—¿Por qué?

—No es un libro para ti.

—¿Tú lo has leído?

—Sí, pero deja enfermo de asqueamiento.

Se quedó pensativa mirando la tapa en que la cara enfermiza de un hombre se destacaba y abajo en letras grandes decía el título: *El Infierno*.

—Vamos a castigarlo por malo, ¿quieres?

—Conforme.

Con un gesto pilluelo, Mena se dirigió a la estufa, donde, despedazado, el libro dio una gran llamarada.

Juan se inquietó después temiendo que su curiosidad, despierta, la llevara a la lectura de otros libros como aquél. No quería que su armiño perdiera albura en ninguna ciénaga. Hizo una prolija selección de libros, aunque era bien inútil ese trabajo: la joven no sentía curiosidad alguna por lo que su marido le impedía leer.

Sólo en un punto no acordaban: en sentimientos religiosos. Juan era un incrédulo y Mena tenía una fe viva, ardiente, tal vez un tanto pueril, pero no por eso menos intensa. Ambos, tácitamente, rehuían el tema, dejándose en completa libertad de sentimientos y de acción.

Cuando Mena, los domingos en la tarde, juntaba a los chiquillos de la hacienda para enseñarles catecismo, Juan se iba a revisar cuentas; cuando la encontraba rezando se esquivaba discretamente. Ella, por su parte, no lo instaba jamás a comulgar con sus ideas. Se contentaba con pedir a Dios, con el alma entera puesta en la oración, que con el tiempo fueran dos unidos por la fe en su presencia.

Algo chocaba a Juan: la aparente inconsciencia en que ella vivía respecto a su nacimiento. ¿Sospechaba algo? Tanto lo hurgaba este pensamiento, que una tarde que charlaban haciendo ambos recuerdos de niñez, empezó a sondearla con mucho tino. A raíz de una pregunta, bruscamente, Mena se echó en su brazos llorando desconsolada.

—No..., no quiero pensar en eso..., ni menos hablarlo... Sí, sé..., pero ni aun contigo quiero hablarlo.... No...., por favor..., no...

—Mi niña —decía él afligido por esa pena que había provocado—, mi niña querida. Ya está.... ¡Perdóname!

Nunca volvieron a tocar el punto doloroso. Pero desde que supo qué espina llevaba dentro, Juan sintió que su amor se acrecentaba.

Así, en la casita de la laguna la vida transcurría dichosa y serenamente.

8

A medio verano telefoneó Enrique que le prepararan alojamiento. Acababa de llegar a El Rosario, "ansioso de trabajo", y deseaba llegar con su actividad a Malleco para dar comienzo a varias reformas que juzgaba de suma necesidad.

Era la primera visita que Mena recibía después de casada.

Con una encantadora seriedad que agrandaba sus ojos y plegaba su boca en un gesto infantil, dio a Peta órdenes para la comida y ella misma fuese a preparar la habitación de Enrique.

Tenía Mena el arte de hacer agradable lo más vulgar. Arreglada por

) 521 (

ella, la habitación se tornaba íntima y confortable por una serie de detalles que hacía olvidar la modestia de los muebles que antes habían sido los de Juan.

La cama de hierro esmaltado estaba cubierta por una colcha de cretona igual a las cortinas de las ventanas; frente a ésta había una mesa con recado de escribir y un pote de greda de Quinchamalí en que se mustiaban rosas silvestres; en un ángulo quedaba el ropero y en otro el lavatorio; en el velador había otro pote con rosas. La lámpara estaba vestida con una pantalla de seda malva. Sobre el piso encerado se extendían dos choapinos multicolores: uno junto a la cama, otro junto a la mesa.

Terminado el arreglo del dormitorio, Mena fuese al comedor, poniendo la mesa primorosamente con paños bordados, flores, la cristalería fina, la vajilla y la cuchillería nueva y una que otra figura decorativa.

Remudó las flores del escritorio y del vestíbulo, y entonces cayó en lo más arduo: ver cómo iba la comida en manos de la Peta.

Afortunadamente la Peta estaba posesionada de la gravedad del caso, y salvo que Merceditos al jugar con el perro había volcado un tarro de leche sobre los fideos, todo marchaba a maravilla. Mena hizo mil recomendaciones y volvió a su pieza a vestirse.

Peinó la melena que aureolaba su cabeza y se puso un traje de seda cruda, liso, sujeto a las caderas por un cinturón de cuero rojo, sin otro adorno que un vivo rojo en el escote y en las mangas muy cortas. Le gustaban los trajes que cayeran libremente, formando pliegues en torno a su cuerpo; aquello le daba la sensación de ir desnuda bajo la tela, que acusaba las formas adolescentes.

—¡Qué alma de pagana tienes! —solía decirle Juan cuando ella le explicaba por qué en su guardarropa sólo existía un modelo de traje.

A Mena la inquietaba el decir, pero luego se hacía la reflexión de que las santas están representadas con trajes sueltos, amplios, del arcaísmo que la encantaba.

Enrique llegó en auto al atardecer, furioso y renegando del mal estado del camino. Dos neumáticos habían reventado en la subida del Quillen, haciéndolo permanecer más de una hora tostándose al sol.

En el comedor, ante la mesa bien puesta, desarrugó un tanto el ceño y pronto los inundó en proyectos de reformas. Juan se imaginó que don Samuel lo había ahuyentado de El Rosario para quitarle de entre manos alguna innovación desatinada.

Mena se interesaba por saber noticias de la familia y sus preguntas se intercalaban a la charla de los jóvenes.

—¿Así que tampoco vendrá este año la madrina?

—Tampoco, Mena. Una de mis hermanas espera un hijo en este mes y mi madre está con ella, acompañándola.

—Tengo tantos deseos de ver a la madrina...

—Vayan este invierno a Santiago. Créanme que todos estaríamos encantados de tenerlos por allá.

—¡Quién sabe!

—¡Bah! No digas "¡Quién sabe!", con ese tono de duda. Di "Iremos" y verás cómo el viaje se realiza.

—Por mí... —y se quedó mirando a Juan interrogativamente.

—Es casi seguro —contestó éste— que pidamos permiso en el invierno y pasemos fuera los meses peores, julio y agosto: entonces los trabajos están paralizados y no hago ninguna falta en el fundo.

—Desde luego el permiso está concedido —aseguró Enrique.

Bifurcó la conversación. Mena los observaba: Juan se veía más joven, siendo como eran de la misma edad, y teniendo mayor estatura.

Pequeño y farruto Enrique, con las mejillas sumidas y los ojos fatigados, parecía diez años mayor, avejentado por los dichosos oasis que su fortuna le proporcionaba. Un surco profundo bajaba por las mejillas desde la nariz hasta las comisuras de los labios, acentuando el sello de agotamiento.

Seguía Mena observándolos, complacida en la simpática fealdad de Juan. Emanaba de su frente amplia, de sus ojos de expresión bondadosa, de su nariz huesuda, de su boca grande y reidora, de sus fuertes dientes blanquísimos, de la barbilla cuadrada de voluntarioso, del cuerpo sano y atlético, una sensación de equilibrio, de fuerza protectora que confortaba.

Pensaba Mena que junto a Juan nada podía temer de la vida; él la dominaba. En cambio, Enrique era un polichinela que sólo se movía con los hilos de bajas pasioncillas.

Como siguieran hablando de trabajos agrícolas y de negocios, luego de servir el café, Mena se retiró.

Entonces Enrique dijo:

—Lo de los trabajos es una disculpa... ¡Que se vayan todos al infierno! Lo que pasa es esto: figúrese que mi... amiga, ¿entiende?, está en las termas y desde aquí me es fácil ir a verla sin que se entere don Samuel. ¡Me tienen loco entre don Samuel y mi madre! Han descubierto la hipoteca nueva que hice al fundo y, furiosa, mi madre no quiere largar chapa. Pero qué le importará a nadie que uno haga con su plata lo que le da la gana... Lo peor es que la Marcela, mi amiga, está acostumbrada a gastar a manos llenas y no hay medio de hacerla entrar en economías.

En realidad, lo que pasaba era esto: habilitado de edad y puesto en posesión de su herencia, no sólo había gastado como un insensato, sino que, no alcanzando las rentas para cubrir tanto despilfarro, echó mano a los préstamos, a las hipotecas y a la credulidad de doña Rosario, que le daba grandes sumas de dinero para quiméricos negocios hechos en la Argentina.

Harto de revolotear de mujer en mujer, dejando salud y fortuna en manos de *cocottes* más o menos importadas, halló por fin una bastante inteligente para conmoverlo con una fantástica historia de rapto y violación que interesó su pobre cerebro. Se creyó llamado a regenerar, se creyó una especie de príncipe ruso redentor de mujeres de vida airada y desde entonces vivió presa de Marcela: un pulpo que le chupaba dinero y energías sin saciarse jamás.

Y ahora, preso en sus propias redes, sin proyectos morales de regeneración —sino con una furia de macho que defiende a su hembra—, seguía aislándola celosamente de los demás con una muralla de oro.

Pero el dinero se acababa y las hipotecas y los préstamos se multiplicaban a la par que los intereses. Y el diablo —que esta vez tomó la pacífica figura de don Samuel— tiró de la manta y toda la complicada red de chanchullos apareció ante los ojos indignados y estupefactos de doña Rosario.

Se lo llamó a dar cuenta de su conducta. El joven se rebeló. Ahogado por las deudas, tuvo al fin que inclinar la cabeza y avenirse a prometer futura vida sensata y laboriosa. A cambio de esta promesa doña Rosario pagaba a todos los acreedores.

Para comenzar esa nueva era de vida se lo mandó a El Rosario, junto a don Samuel, encargado de vigilarlo estrechamente, buscando principalmente por ese medio alejarlo de la mujer.

—Me tienen frito, compañero. Lo peor es que la Marcela no aguanta. Me había prometido estarse sosegada en Santiago hasta que yo viera modo de juntarnos sin despertar sospechas. Figúrese mi susto cuando la veo llegar a Selva Obscura. Casi me muero... La suerte fue que yo estaba en la estación. Se necesita ser una cabecita loca y encantadora como es la Marcela para llegar así, sin prevenir. La tuve un día escondida en casa de mi mama Juana. ¡Qué mujercita! En fin: convinimos que ella se viniera a las termas y que desde aquí iría yo a verla para decidir lo porvenir. ¿Cuántas horas hay de aquí a las termas?

—Dos apenas.

—Yo quiero irme mañana bien temprano. ¡Es lástima que no pueda hacer este viaje en auto! A las ocho me hará el favor de decir que me tengan el caballo y un mozo para que me acompañe.

—Está bien.

—No tengo necesidad de pedirle discreción, ¿no?

—Por cierto.

—Si ese viejo macuco me llama por teléfono, contéstele que ando en los potreros. No vaya a maliciar algo.

—Descuide.

—Prevenga a la Mena. Toda precaución me parece poca.

—Vaya tranquilo.

—Queda todo arreglado, entonces. Ahora me voy a acostar, estoy rendido con tanto traqueteo y emoción. Buenas noches, compañero.

En el vestíbulo se separaron.

"Estamos frescos —pensó Juan—, protegiendo estas porquerías."

Dudó un instante en si enterar o no a Mena; lo decidió a contarle toda la historia la convicción de que el propio Enrique había de referirle ese asunto delante de ella, en los días que aún debía permanecer en Malleco.

Mena se había acostado y, sentada en la cama, con las manos sujetando las rodillas y los ojos muy abiertos, escuchó lo que Juan contaba.

—¡Pero qué sucio! ¡Pero qué sucio! —repetía a cada pausa del joven.

—Menos mal que esa cabeza huera no pensó en traerla aquí.

—¡Cómo se te ocurre! —exclamó Mena con incredulidad.

—Capaz lo creo. Con lo loco que parece tenerlo la prójima...

—¿Qué tienen esas mujeres para que así las quieran?

—¿Quererlas? En esto me parece el deseo fijo de un enfermo. A eso no se le puede llamar cariño.

—¿Será joven la mujer?

—Esas mujeres no tienen edad. Espero que ésta lo abandonará pronto. No sé por qué este viaje me huele a inspección; debe venir la tal Marcelita a ver sobre el campo si aún queda dinero, para si no darle la patada. ¡Por mí, que se la dé cuanto antes!

—¡Pobre madrina! ¡Cómo sufrirá con estas cosas!

—Si la señora no se pone firme, está perdida. Aunque debe estar bien aconsejada por los yernos, que verán con poco agrado mermar el capital gracias a las locuras de Enrique.

—¿Y por qué no se les ocurrirá darle plata a la mujer para que se vaya?

—Lo harán cuando vean que Enrique es incapaz de dejarla..., es decir, si ella no lo deja antes, al ver la poca plata que queda. Esas mujeres son así.

—Hablas con un convencimiento...

—Que es experiencia en los demás.

—¡Miren el santurrón! A más de algunas conocerás, no, conocerías en otros tiempos...

—Para qué negarlo. No me creerías.

—Sí —se abrazaba a él apasionadamente—, te creería, porque como tú no hay otro. Mi marido... Mi Juan único...

—Mena... Loquita... —y los besos se llevaron toda otra idea que no fuera ellos mismos y la atracción que los unía.

Partió Enrique al día siguiente y en otros tres no apareció por la laguna. En la mañana del cuarto lo encontró Juan a medio camino de Tolhuaca. Volvieron juntos hasta la casa, y mientras caminaban, iba Enrique explicando qué lo traía.

Marcela quería conocer la laguna y la cascada. A ella le gustaban mucho las excursiones y como montaba muy bien a caballo estaba entusiasmada con la perspectiva. Además la vida en las termas era una lata, porque la totalidad de los veraneantes era gente bien que los aislaba, formándoles una atmósfera hostil que exasperaba a Marcela.

Ya tenían todo preparado para la excursión que sería el día siguiente. El regresaba a las termas en seguida; había venido personalmente, porque necesitaba dinero. ¿No lo tenía Juan para los gastos del fundo? Que se lo diera mientras llegaba el que había pedido a un amigo santiaguino. En tres o cuatro días más podría devolvérselo y así don Samuel no se enteraría de nada.

Juan contestaba con monosílabos, muy hostigado con toda esa serie de embrollos que lentamente iban envolviéndolo.

Al llegar a la casa, Enrique dijo:

—No me bajo, para regresar al momento. Vaya por el dinero y haga el favor de ordenar que me traigan un vaso de cerveza.

Juan se apeó y fue a buscar mil pesos que recién le había mandado don Samuel para pago de los inquilinos. De paso dijo a la Peta que sirviera el refresco.

Cuando Juan volvió con el dinero ya Enrique había tomado la cerveza y en seguida se despidió:

—Hasta mañana, amigo.

Pero Juan, recalcando las palabras, lo detuvo.

—Oiga, Enrique, el fundo es suyo y puede traer a quien quiera a visitarlo. Pero la casa es mi hogar...

—No, pero cómo se le ocurre... No pensé nunca en traerla aquí. ¡Las cosas suyas! Almorzaremos en la cascada. Traeremos un canasto de picnic con todo lo necesario. No molestaremos en nada. Nos haremos chiquititos para pasar inadvertidos.

—Está bien.

—Queda entendido. Salude a la Mena.

—Hasta mañana.

—Adiós.

Viéndolo alejarse, Juan pensó:

"Menos mal, algo de sentido común le queda."

9

Al salir, a la mañana siguiente, Juan previno a su mujer:

—Enrique no tardará en pasar por aquí con la fulana. Ya te conté el proyecto que tenía. ¿No te parece conveniente quedarte en casa para evitar toda probabilidad de encuentro?

—Pero sí... —contestó Mena, distraída por otra preocupación.

—¿Qué te pasa? —dijo Juan, sorprendido porque todo el rato había estado silenciosa, cosa extraña en ella, de común charladora y riente.

—¿A mí? Nada... —y con un súbito arranque que lo desorientó se echó a reir diciendo—: Estoy muy contenta, ¿sabes?

—Bueno. Así me gusta verte.

Cuando a mediodía regresaba Juan del aserradero venía oteando el camino, creyendo divisar a cada vuelta la pareja excursionista. Comprobó que el no haberla encontrado era un desagrado para él.

"En esta soledad —se explicó para dar razón a la molestia que sentía— todo encuentro es agradable y proporciona solaz."

Comió distraído frente a Mena, que a su vez parecía absorta en sí misma. La actitud y el silencio de la joven, que en otra ocasión lo hubieran intrigado, le sirvieron de excusa a Juan que, con una precisión que lo maravillaba, con una especie de doble personalidad, iba siguiendo los detalles de la escena que debía estarse desarrollando junto a la cascada.

Acabado el almuerzo, Mena se retiró a descansar, porque, según dijo, le dolía la cabeza y quería dormir un rato.

—¿Quieres una aspirina?

—No, gracias. Creo que lo que tengo es sueño.

—Entonces, mientras tú duermes, yo aprovecho para ir al aserradero a dar una orden.

¿Para qué esa explicación que era una mentira?

Salió a escape y sin detenerse a juzgar lo que hacía, montó a caballo, tomando el camino de la cascada. El perro lo había seguido, y de pronto, como si en el animal hubiera algo de lo que quería poner lejos de Enrique y de la mujer, se detuvo, ahuyentándolo. El perro se alejaba unos pasos y volviéndose un poquito, lo miraba suplicante. Hasta que al rato de porfiar, el perro se convenció y volvió a la casa.

Entonces Juan se sintió libre.

Debían estar junto al roble predilecto de Mena y justamente en el arranque del sendero divisó dos caballos atados a unas quilas. Se bajó, ató el suyo junto a los otros y, siempre presuroso, siguiendo el impulso interno, marchó por la huella serpenteante.

Aumentaba el fragor de la cascada y el suelo se hacía resbaloso por las filtraciones. Tuvo que moderar el paso, porque había peligro en el sendero que ahora bordeaba el abismo.

Cuando divisó el roble se quedó perplejo viendo a Enrique de rodillas en el suelo, y a otro jovencito que, dándole la espalda, se extasiaba mirando despeñarse las aguas. No comprendió que era la mujer hasta que al hablar a gritos con Enrique, el jovencito se volvió sorprendido.

—¡Ah! Juan. Buenas tardes.

—Buenas tardes.

—Marcela.... Marcela.... Este es Juan Ramírez, el amigo de quien te hablé. Juan: la señorita Marcela Leblanc.

—Encantada —saludó tendiéndole la mano.

—Señorita, a sus órdenes.

—Vaya, Enrique, cae como llovido del cielo. No sabíamos qué hacer para encontrar agua. ¿No habrá alguna vertiente por estos lados?

—Justamente, por si necesitaban algo vine para acá.

—Es un colmo no tener agua para beber en un sitio donde sólo se ve y se oye agua...

Hablaba Marcela arrastrando las erres, con una voz ronca que hería el oído, pero desde luego no la juzgó Juan extranjera. El tipo era extraño. La melena rubia estaba partida al lado por una raya y con una gran onda tapaba la frente, que se adivinaba grande y abombada; bajo esa cortina las cejas desaparecían y los ojos se tornaban misteriosos, inquietantes y obscuros, rodeados por un halo azulino. Un trazo de pintura los alargaba tirándolos hacia las sienes en una línea oblicua, y ahí, en ese solo trazo, estaba íntegro el atractivo de la fisonomía que parecía venir de otras razas.

La cara era un triángulo que tenía por vértices las sienes y la barbilla aguzada. La boca se dibujaba alta y pequeña, bermellón y húmeda. La nariz de pilluelo, respingada y graciosa, parecía husmear la vida aleteando voluptuosamente.

Vestía botas altas, un pantalón de montar azul obscuro y una blusa camisa de seda blanca, abierta en el escote sobre la piel muy fina que debía ser al tacto más suave que la propia seda. La levita y el sombrero, los guantes y la fusta, complemento del traje, estaban tirados sobre una de las raíces del roble.

Juan advirtió a la primera mirada que aquel cuerpo, bajo el pantalón que deformaba las caderas diseñando nítidamente los muslos, tenía un atractivo extraño, un no sé qué de andrógino y perverso que atraía repeliendo.

—¿Hay o no hay agua? —preguntó Enrique, impaciente.

—Hay una vertiente allí, detrás de esas piedras.

—Vamos por ella. Tome. Lleve usted el frasco —dijo Marcela.

—Por aquí...

Iba adelante la mujer tarareando una cancioncilla de moda, un *shimmy* que avivaba el paso. De pronto preguntó:

—¿Usted vive aquí?

—Sí, señorita.

—¡Oh, la, la!... Lo compadezco... Y no me llame señorita: mi nombre es Marcela.

Siguió tarareando. Al andar era aún más desconcertante, porque la siueta masculina se perdía en el vaivén de su paso femenino e insinuante.

Llegaban a la vertiente. De entre las piedras que formaban la oquedad filtraba un hilillo de agua que, rebasando la taza del fondo, corría tenue hasta el borde del abismo.

—¿Vive solo?

—Soy casado.

—¡Ah!

Juan se inclinó llenando el frasco. La mujer parecía pensativa, y la boca, cerrada en un pliegue duro, hacía hermética la expresión.

—¿Este fundo es todo de Enrique?

—Sí, señorita.

—Valdrá mucho, ¿no?

—Millón y medio, o más.

—¿Pero está muy hipotecado?

—Eso es lo malo.

—¿Usted es amigo de Enrique?

—¿Amigo? No. Somos simplemente patrón y administrador.

—¡Ah! ¿Usted administra esto? Pero en nada se parece a ese viejo cretino que no me puede ver...

—Espero que no... —dijo Juan riendo.

—¿Sabía quién era yo?

—Enrique me avisó ayer que venía usted.

—Pero antes. ¿No le había hablado de mí?

—¿Antes? Sí, al llegar me contó los disgustos que había tenido con su familia: su, digamos, destierro a Selva Obscura, la llegada de usted al fundo y todo el resto.

—Pero de mí, de mí, mujer, ¿no le dijo nada?

—¿Quiere que le regale el oído?

Ella lo miraba por entre las pestañas que le rizaba el *rimmel*, y riendo de pronto, coqueta y cínica, preguntó:

—¿Lo cree bastante loco para casarse conmigo?

La pregunta desconcertó a Juan, que no sabiendo cómo barajarla, la devolvió con una broma:

—Serían pocos los que resistirían a la tentación de esa locura...

—¿Usted entre esos pocos?

—A mí no me tome en cuenta.

—¿Por qué?

—Porque... —e hizo un gesto vago.

Las pupilas de la mujer lo miraban atentas.

—Me gustaría que se volviera loco por mí, ¿sabe? Usted es una conquista que puede enorgullecer a cualquier mujer.

—¡Marcela! ¡Marcelaaa! —gritó la voz de Enrique ensordecida por el ruido de la cascada y la distancia.

—Ya está molestando ese... —Había tal dureza en la voz despectiva

) 529 (

que Juan pensó cercana la hora de la ruptura. ¡Quedaba, además, tan poco dinero!

Volvieron lentos. Ella siempre delante, y para hablarle volvía un poco la cabeza, mostrando la línea del perfil.

—¿Así es que si esto se rematara no daría mucho por las hipotecas?

—Así me parece.

—¿Cuánto daría?

—No puedo calcular.

—La que es muy rica es la señora, ¿no?

—Sí, mucho.

—¿Es muy vieja?

—No.

—Entonces hay mamá para rato...

Juan seguía el hilo del pensamiento de la mujer. Casarse con Enrique, rematar el fundo, vivir con ese dinero hasta la muerte de la señora...

—¿Así es que de esto no quedaría un millón de pesos, luego de pagadas todas las deudas?

—Pero no, nunca...; quedaría tan poco que tal vez no quedaría nada.

Llegaban al roble y Marcela lo invitó a almorzar. Le pesó la ligereza con que aceptó y le pesó tanto más cuanto notó que Enrique estaba molesto con la compañía.

Extendieron una servilleta en el suelo, se sentaron a la turca en torno y Marcela, adoptando aire de niña que juega a las comiditas con las muñecas, abrió el canasto de las vituallas, destapando las cajas niqueladas que contenían emparedados de diferentes clases, ave asada, pastas, dulces secos, queso, frutas. También había un termo con café y otro con agua. Enrique, por su parte, abrió una licorera y su mal humor se fue, volatilizado por el alcohol.

—¿Qué te parece la Marcela? —preguntó a Juan, tuteándolo.

—Muy bien.

—Poco dices... Muy bien... Muy bien... Una mujer como ésta merece más adjetivos. Mira qué ojos: son como la noche, encubridora de todos los pecados... Mira qué boca: esos labios tienen la sabiduría de todos los besos.

Se exaltaba con el alcohol en un lirismo de pacotilla. A Juan le chocó que la mujer pareciera molesta y cambiara la conversación.

—Es encantador este paisaje. Me recuerda paisajes de España. Sí, tiene algo de la cascada de la Cola de Caballo, en el Monasterio de Piedra, cerca de Zaragoza.

—¿Conoce España? —preguntó Juan.

—Pregúnteme mejor qué país no conozco. He rodado tanto... —Lo decía con amargura sincera e infinita, mientras sus ojos se perdían en el caleidoscopio de su vida azarosa.

Pero Enrique se impacientaba con el giro que tomaba la charla, y tras algunas vaguedades a propósito del cansancio, acabó por decir, luego que terminaron de almorzar:

—Estamos muy cansados con la madrugada... Tenemos el proyecto de dormir la siesta bajo las quilas del monte.

A buen entendedor... Juan se despidió.

—A sus órdenes, señorita.

—Marcela. Llámeme Marcela. Vaya a verme a las termas, me encantaría su visita.

—Será difícil... Quién sabe...

—No, no, no —dijo Enrique, que volvía a impacientarse—. Juan tiene razón al no asegurarte visita; el fundo no se puede dejar solo.

—Cállate, macaco.

—Pero...

—Adiós, señorita.

—Adiós, no, hasta pronto.

—Hasta la vista, Enrique.

Se fue presuroso. Cuando se alejaba, una racha de viento le trajo el eco de la voz de Marcela, que gritaba:

—Macaco... Bruto...

El día entero anduvo preocupado con el encuentro y a cada instante movía impaciente la cabeza, como queriendo deshacerse del recuerdo importuno.

Se sorprendió varias veces con el pensamiento enredado a las palabras de Marcela. Parecíale que su alma era una oquedad en que la voz de la mujer despertaba ecos desconocidos que lo inquietaban por lo intensos.

"¡Bah! —pensó—. En estas soledades cualquier encuentro tiene que hacer mella. Hace meses de meses que sólo veo a la Mena y a las gentes de la hacienda. No es raro que la presencia de esta mujer haya despertado en mí la curiosidad de verla y ahora que la conozco recuerde complacido su gracia canallesca. Porque siendo correcta en su comportamiento, hay en ella algo truhanesco, algo que es como un limo presentido en el fondo de una charca de agua transparente. Parece que, de pronto, entre la corrección de una frase, fuera a decir una grosería de hampa. Es bonita. Todo lo hermoso tiene absoluto derecho a nuestra admiración; luego, si llevo prendida la imagen de esta mujer al pensamiento, es en virtud de ese derecho."

Tranquilizado por estas explicaciones se le fueron las horas ceñidas por el recuerdo de Marcela. Como ya no analizaba sus sensaciones, sino que se sumía en ellas voluntariamente ciego, no notaba que la evocación se iba manchando con otros recuerdos que otras mujeres de esa clase, en categoría más baja, habían dejado en su vida.

Al regresar en la tarde a su casa venía deseando que nuevamente el Destino los pusiera frente a frente. Pero el camino, desde el altozano que atalayaba la vega, se perdía solitario en la lejanía azul.

—¿Se iría ya el patrón Enrique? —preguntó a Pancho, que salió a recibirlo.

—¡Puá!... Pasó como loco galopiando etrás e l'iñorita que anda con pantalones... Las cosas qu'inventan... Cuantimás yo l'igo a la Peta qu'es el fin del mundo...

—¿Pasaron temprano?

—A l'hora e la siesta. Serían como las tres. Las cosas. Ponerse pantalones...

Aquello quería decir que la siesta debajo de las quilas se había malogrado. En realidad, de verdad Enrique no estaba para paganismos de esa clase.

—¿Dónde está la señora? —preguntó a la Peta, que salía de la casa en el momento que él entraba.

—L'iñora s'acostó; le dolía muchazo l'estomo y la cabeza —contestó la mujer.

—Pónele un pucho en las sienes —aconsejó Pancho, que se había acercado.

—No quere por na. Lo que le voy a hacer es una poquita di'agua e manzanilla. Anda sentarme la tetera mientras yo voy al güerto.

Juan entró al dormitorio, que con las persianas cerradas estaba casi obscuro. A sus preguntas, Mena contestó que se había sentido enferma, pero que ya había pasado el malestar.

Le dio un beso y se fue a revisar cuentas hasta la hora de comer.

Volvió al dormitorio, que seguía a obscuras.

—¿Vas a tomar algo? —dijo solícito.

—No, nada.

—¿Siempre te sientes mal?

—Estoy mejor, pero no quiero comer. No tengo apetito.

—En cambio yo estoy muerto de hambre. Hasta luego. Haré por los dos los honores a la comida de la Peta.

Cuando atravesaba el vestíbulo, vio a "Boby" acurrucado en su rincón.

—¡"Boby"! —dijo llamándolo.

El perro no se movió, pero empezó a gemir bajito.

—¡"Boby"! —volvió a llamar, y como el perro siguiera gimiendo sin moverse, le vino el recuerdo de que en la tarde lo había ahuyentado de mala manera. Un remordimiento lo cogió y acercándose fue a acariciar la cabeza inteligente.

—Mi pobre viejo, perdóname. A veces uno hace muchas cosas por curiosidad. Vamos. Ven a comer conmigo. Mi viejo "Boby"...

El perro se dejaba acariciar, gimiendo siempre. Pero cuando Juan se alzó, castañeteando los dedos para invitarlo a seguirlo, loco de alegría echó a correr, ladrando en tal forma que Juan hubo de reñirlo por temor a que molestara a Mena.

Comieron muy amigablemente, dándose maña Juan para robarle a la Peta dos terrones de azúcar, que el perro fue a esconder debajo del felpudo del vestíbulo.

La mujer se ofendía si no les daban azúcar a Merceditos y a Panchito cada vez que se le daba al perro. Juan, de común, repartía entre los tres equitativamente las golosinas, pero a veces, para probar la inteligencia del perro, le alargaba por debajo del mantel un terrón que con mucha prudencia y disimulo iba "Boby" a esconder en sitio que estuviera libre de las miradas de la Peta.

En estas puerilidades se distrajo mientras comía. Luego se paseó un rato y se fue a acostar. Besó los párpados cerrados de Mena y silenciosamente empezó a desvestirse. Mena rebulló en la cama.

—¿Quieres algo?

—No, nada. Apaga pronto la luz, me duelen los ojos.

—Hasta mañana. Que descanses.

—Hasta mañana.

Apagada la luz, en el gran silencio de la noche campesina y de la casa quieta, se proyectó sobre la sombra la figura de Marcela.

No quería pensar en ella. No quería. No quería. Le dio asco ver en qué hondura iba ya su pensamiento. No quería. ¡Fuera! Mena enferma, el perro... Marcela..., No, no, no. ¿Qué había comido? Sopa. ¿De qué era la sopa? De estrellas... Marcela... No, no.... La sopa no era de estrellas, era de pepas... Marcela... Marcela siempre... Marcela sonriendo... Marcela hablando... Marcela mirando... Marcela, siempre Marcela...

¡Oh! ¡Qué cansancio!

Hasta que se durmió.

10

Mena pasó mala noche y hubo de guardar cama. Juan la dejó recomendada a la Peta y se fue vega arriba a ver un animal que había aparecido hundido hasta medio cuerpo en un "putragán" y al cual había que salvar de las garras de la ciénaga.

Cuando regresó a almorzar se quedó estupefacto viendo a don Samuel en el escritorio acompañado por Mena, en bata y muy desencajada.

—¡Don Samuel! ¿Cómo le va?

—Como se pide, mi amigo. Veo que aquí están todos bien —dijo el viejecito, abrazándolo y luego palmoteándole la espalda.

—Así parece, porque yo creía a la Mena enferma y la encuentro en pie... Oiga, señora, ¿quién le dió a usted permiso para levantarse?

—Si estoy muy bien. Lo que tenía pasó. Era sueño.

—¿De verdad que te sientes bien?

—Pero sí.

Y tranquilizado preguntó a don Samuel:

—¿En su casa cómo están?

—Muy bien la chiquillería. La señora está con novedades para el invierno.

—¿Sí? ¿Cuántos son ya?

—Dieciséis. Al último le pusimos Benjamín creyendo que sería el conchito. Si éste llega a ser hombre, la plancha es grande. Menos mal, si es mujer. Se salva la situación poniéndole Benjamina. ¡Je! ¡Je! Es mucha cosa tener tanto hijo...

—¿Y cómo fue esto de venir para acá?

—¡No me hable, mi amigo! A misiá Rosario la va a matar a disgustos el perdido de Enrique y de refilón me va a matar a mí... Figúrese lo que pasa. Por un amigo que llegó a Santiago de las termas, supo la señora que Enrique estaba allá con la mujer esa. Ayer se me aparece en el fundo doña Rosario y aquí me tiene, en busca de Enrique, a quien la buena alma de su madre todavía tenía esperanzas de que encontrara aquí. ¡Y yo no estoy para estos viajes!

—¿Qué piensa hacer?

—No sé... Habrá que mandarle recado para que se venga, porque lo que es yo, no me encuentro capaz de llegar hasta las termas. ¡Estoy todo molido! Y eso que aún no me he enfriado: entonces será lo bueno. Habrá que mandar a buscar a Enrique con un mozo. Aunque no; espérese, mejor sería que fuera usted a buscarlo.

—¿Yo? —dijo Juan, sorprendido desagradablemente—. No me gusta ni pizca la embajada.

—Al mozo no le haría caso —observó Mena.

—Ni a mí tampoco, aunque fuera.

—Sólo podemos ir usted o yo —dijo don Samuel—. A mí hay que descartarme: sólo queda usted. Hay que explicarle a esa cabeza loca que misiá Rosario es actualmente su única acreedora, y que en vista de su mal comportamiento está resuelta a hacer efectivos los cobros, quedándose con todas las propiedades, estando, además, dispuesta a no darle un centavo para sus gastos personales. Sólo desistiría de este propósito si Enrique regresara a Selva Obscura, junto a la señora, que no piensa separarse un momento de su lado, para así vigilarlo. ¡A mí me ha engañado como a un chino!

) 534 (

Creyendo que en esta exclamación hubiera embozado un reproche para él, Juan trató de disculparse:

—Usted comprende, don Samuel... Yo no sabía qué actitud tomar. ¡Qué diablo! Al fin Enrique es el patrón.

—No, mi amigo. Nada se le reprocha a usted. Aquí el tonto fui yo, que era el único que podía obrar.

—Es bien desagradable todo esto —murmuró Juan.

—¿Entonces quedamos en que usted irá después de almuerzo?

—Pero... —Juan sabía qué miedo lo retenía.

—Di que irás —terció Mena—. ¡Pobre madrina! Ella ha sido tan buena con nosotros! Hay que ayudarla en lo posible.

—Además —agregó don Samuel—, hay esto otro. Vea modo de hablar con la mujer sin que se entere Enrique y ofrézcale a nombre de la señora veinte mil pesos que le serán entregados en Buenos Aires. Ya que él es incapaz de dejarla, hay que hacer que la ruptura nazca de ella. Lo que teme misiá Rosario es que se case con la fulana. Entonces sí que la avería no tendría remedio...

—Casarse con ella... ¿Tan loco lo cree usted? —preguntó Mena.

—Usted es una niñita aún... Como ve, Juan, este recado no se puede confiar a un mozo, y por escrito no tendría ningún poder, ni la amenaza a Enrique, ni la oferta a la mujer.

—Iré —dijo al fin Juan.

Pero ni él mismo alcanzó a comprender que el abrazo en que envolvió a Mena era un refugio buscado por su debilidad latente.

Después de almuerzo partió.

Ancha y pastosa, la vega se alargaba bordeando el río, que se deslizaba a trozos azul mirando el cielo, a trozos verde reflejando los árboles, a trozos blanco cubierto por la espuma.

Bajo los árboles sesteaban los animales vacunos y en los faldeos de la montaña Mocha los rebaños de corderos pacían triscadores.

El ladrido de un perro sonaba tenaz, acercándose, alejándose, según persiguiera a la res rezagada.

Multitud de mariposas blancas volaban de flor en flor; a veces iban en nubes, luego se separaraban formando una espiral y huían las parejas persiguiéndose.

Arboles calcinados por el roce se alzaban solitarios, grises de muerte. Bandadas de cachañas iban de una a otra ribera, asustando con su algarada a las tontas avutardas.

De montaña a río atravesó el valle una zorra, tan rápidamente que parecía una bola de pelos rojizos. La seguía un perro que junto al agua quedóse parado con una de las patas delanteras en alto y la nariz al viento, husmeando el rastro perdido. Si la zorra lo vio desde la montaña Negra volverse al rato y atravesar de nuevo el valle, debió reírse de su aire derrotado: rabo entre piernas y orejas gachas.

Tábanos azules con alas de un sucio gris se emporcaban en todas las inmundicias, volando zumbadores.

En el fondo del valle aparecía la calva parda del Tolhuaca y el Lonquimay asomaba a retaguardia, blancas de nieve las aristas de sus molares agudos.

Iba Juan absorto en la embajada que cada vez se le hacía más odiosa. Galopaba el caballo, flojas las riendas entre las manos distraídas del joven. Al juntarse las montañas cerrando nuevamente el valle, Juan acortó el paso de la bestia y cuidadoso empezó a dirigirla, siguiendo una huella que serpenteaba entre los árboles, al borde mismo del río. Más el caballo —pequeño de alzada y nervioso de remos— iba con mayor tino que el joven, buscando sitio firme en qué posar las uñas sin herraduras. Había momentos en que Juan se inclinaba sobre el cuello del animal para evitar el choque con las quilas que formaban largos túneles al doblarse a su propio peso.

Las copihueras y las fucsias policromaban el paisaje con tonos restallantes de rojo, de morado, de blanco. Las araucarias abrían los brazos, sujetando las cabezas erizadas de púas de las piñas.

Descendía el caminito el ribazo para vadear el río. El caballo bajó de lado, dejando en parte resbalar las manos para afianzarse mejor; ya en el vado, fue buscando prudentemente las piedras más grandes en qué posarse. Juan lo dejaba hacer, seguro de su instinto. Ya en la otra orilla, el caballo pareció darse cuenta de su bondad, porque la cabeza se irguió con donaire y las manos parecieron jugar a cuál se alzaba más.

Seguía el camino más abierto, sinuoso siempre, pero ahora en descenso. Pasó junto a unas casuchas hechas en un claro de la montaña. Por las rendijas de los techos salía un humo espeso y en torno había varios tendederos de ropa blanca. Entre las breñas se adivinaba el agua de un riacho y los golpes con que las lavanderas apaleaban la ropa repercutían en el silencio con insistente sonoridad.

Atravesó nuevamente el río y ahora por un camino anchuroso pasó junto a una cancha de tenis llena de niños que jugaban cantando en ronda. Y al poco desembocó en la plazoleta donde se alzaban los edificios de Tolhuaca.

Se apeó, entregó el caballo a un mozo que salió a recibirlo, yéndose en seguida a la oficina en busca del número de la habitación de Enrique.

Ya desprendido de la preocupación del camino peligroso que le embotara la excitación, sintió cómo ésta se apoderaba de él nuevamente, atirantándole los nervios. Tenía la boca seca de ansiedad cuando llamó a la puerta que le indicaron.

—¿Se puede?

—Adelante.

Sumida en una poltrona, Marcela leía. Creyó tal vez que fuera el mozo quien llamara, pues no levantó los ojos del libro. Juan la miraba silencioso. Vestía una bata de seda malva, algo como una túnica que dejaba desnudos los brazos y el cuello, sujetándose a los hombros por una cinta de plata. Una cinta igual ceñía a las caderas los pliegues amplios.

Juan debió quemarla con la mirada que se hacía llama, porque la mujer levantó los párpados, y mirándolo, se quedó un momento sorprendida.

—¡Ah! Usted. ¡Qué gentil idea!

—Buenas tardes.

—Buenas tardes. ¡Qué bueno que haya venido! Estoy como una ostra de aburrida...

—¿Y Enrique?

—Ahí está, durmiendo la mona de anoche.

—¡Ah!

Efectivamente, ahí, sobre la cama, medio desvestido, tapado con una manta que arrastraba por el suelo, Enrique dormía sirviéndole de almohada su propio brazo.

—Mejor —dijo Juan a media voz—, así podremos hablar con mayor libertad.

—¿Libertad? —interrogó Marcela, enarcando las cejas—. ¿Libertad o libertinaje?

—No, no. Verá. Vengo mandado por la familia de Enrique.

—¡Ah! —Había indiferencia en la exclamación.

—Oígame. La señora supo que Enrique estaba aquí con usted y lo manda a buscar so pena de quitarle todas sus propiedades, ya que actualmente es ella su única acreedora. Pero... —vacilaba; la actitud tranquila, de simple atención de la mujer, lo impulsó a seguir—, como la señora comprende que no puede privar a usted así, bruscamente, de quien..., de Enrique..., de...

—De quien me mantiene —completó ella haciendo un mohín burlesco.

—Bueno, sí; pues le ofrece veinte mil pesos como...

—Indemnización —agregó, viéndolo vacilar nuevamente.

—Que se le entregarán en Buenos Aires, fíjese bien, en Buenos Aires, en el banco que usted indique.

—Perfectamente. Nunca había encontrado una señora con tan buen sentido.

—Para cancelar los gastos de la estada en las termas y de su regreso a Santiago, aquí tiene dos mil pesos.

—Déjelos ahí, no, acá, sobre la mesa.

No parecía molesta ni avergonzada. Seguía en una pose de abandono que no traicionaba fingimiento. De pie, frente a ella, Juan la miraba embarazado, sin saber qué hacer ni qué decir, ya que su misión cerca de ella había terminado. Debía ahora hablar con Enrique, despertarlo, darle el recado de su madre, marcharse; sí, marcharse; pero en vez de despertar al joven, cogido por el encanto de la mujer, se quedó mirándola embobado.

Ella dijo riendo:

—Ahora que el negocio está terminado hablemos de nosotros. Venga.

Se había puesto en pie y la bata, al ceñirla, más que cubrirla, la desnudaba como el velo húmedo a una estatua.

Lo atrajo tomándolo de las manos y fueron ambos a sentarse en un sofá, frente al balcón abierto sobre la montaña umbrosa.

Así, tan cerca, rozando su rodilla cubierta apenas por la seda, sintiendo el perfume violento que emanaba de ella, más embriagador por el vaho de juventud a que se mezclaba, oyéndola hablar con su áspero acento, Juan sentía que su voluntad de rechazar el embrujo de la mujer se disgregaba.

—No me da más —decía en tono de confidencia—. No crea sequedad de corazón esta indiferencia al separarme de Enrique. Nunca lo he querido, nunca. A esta vida que hago me impulsó... la desgracia, tal vez. No me creo mala, me creo un pobre ser de lujo que necesita de él, como todos necesitan del aire para vivir. Este lujo me lo proporciono como puedo. Nadie me enseñó a proporcionármelo de otro modo. Para condenarlas al trabajo tengo, además, las manos demasiado bonitas. ¿No le parece?

Acercaba a los ojos del joven sus manos realmente extraordinarias de forma y colorido: largas, delgadas, con dedos ahusados, con uñas almendradas pulidas como espejuelos; muy pálidas y de una suavidad sedeña.

Sin saber cómo, Juan las besó al tenerlas cerca de la boca. Las manos parecieron enfadarse y una golpeó levemente la boca atrevida. Sólo las manos participaron del enojo, porque las pupilas siguieron reidoras fijas en las del joven y la voz continuó la historia que encantaba como un filtro:

—Hallar un hombre que me saque de esta miseria moral. ¡Estoy tan asqueada de esta vida! Hallar uno libre de prejuicios. Si yo he vivido así, rodando tanto, ha sido para no morirme de hambre. En cambio, yo sé de tantas grandes señoras por nacimiento y fortuna que si tienen un amante es por curiosidad o por vicio, que ni siquiera tienen la disculpa del amor... Hallar un hombre bueno que me quiera y me redima. No soy mala. ¡Se lo juro! Creí que Enrique, sí, cuando empezó nuestra unión, creí que él me sacaría del pozo. Como todos, éste sólo se preocupa de su placer. ¡Pelele!

Se contradecía. Contradictoria y absurda, aquella historia había enredado a tantos... Ahora la repetía como un ensayo, riendo interiormente al ver que siempre hacía efecto.

—Enrique nada puede. La familia lo ata.

—A éste lo odio.

—¿Por qué?

—Aborrezco a todos los hombres que me han tenido por dinero. Usted es pobre, sí, lo sé, sólo tiene su sueldo: una miseria. Pues bien: por un beso de amor suyo, sincero, daría toda mi vida.

—¿Tanto? —dijo Juan en broma, mas estremecido por el impulso de tomarla y sorberla a besos.

—Y aún sería poco... —se desperezaba felina, haciendo temblar los senos bajo la seda casi transparente.

Un rato se quedaron inmóviles, mudos: temeroso Juan del movimiento que podría traicionar su anhelo, triunfante Marcela al ver cómo el filtro era siempre eficaz.

Por el balcón entraba arrastrado por el viento todo el perfume de la montaña: olor a resina, a menta, a arrayán, a tomillo, a tierra húmeda, a yerba talada.

Y, de pronto, en el silencio de la tarde, la bocina de un auto sonó bronca y repetida, llamado gutural de un monstruo.

Despertaba Enrique y para Juan fue un alivio encauzar la conversación por otro rumbo.

Puso mala cara Enrique al ver al visitante; éste empezó con ciertos circunloquios a explicarle el motivo de su venida, pero Marcela lo interrumpió ruda y rápida, explicando claramente:

—Tu madre está en Selva Obscura. Te manda a buscar. Si te niegas te ejecutan judicialmente por cobro de pesos. Por mi parte, te anuncio que me voy a Buenos Aires.

—¡Ah! —exclamó aturdido Enrique.

Sobre la niebla de su espíritu, aún bajo el efecto del alcohol, la noticia cayó aplastante. Sólo cuando Marcela habló de partir salió de su estupor.

—No quiero que te vayas. Yo me quedo contigo.

—Contigo pan y cebolla —tarareó la mujer—. No, hijito, ya pasaron esos tiempos.

—Cuando hay cariño no se piensa en esas cosas. Además, yo no estoy arruinado. Me queda el fundo...

—El fundo, sí, con más hipotecas que árboles...

—Cuando hay cariño no se piensa en esas cosas.

—Romanticismos no, hijito, que están muy pasados de moda.

—Marcela, por todo lo que hemos gozado juntos, ¡no lo eches a broma!

—No bromeo. Estoy más seria que Salomón. ¿Salomón era serio? —preguntó a Juan riendo.

—¡Marcela! —reprochó Enrique con voz quebrada.

Juan los oía disgustado con la disputa que seguía tenaz.

—Me voy —dijo—. ¿En qué quedamos?

—En que éste se va mañana en el primer tren —contestó Marcela—. Ya me encargaré de hacerlo partir. Yo me iré pasado mañana, estaré unos días en Santiago arreglando mis cosas y en seguida partiré a Buenos Aires, en busca de aires más propicios. Tome —apuntaba una dirección en la cartulina de una tarjeta—, esto le será necesario.

—No quiero que te vayas —repetía Enrique con porfía de niño caprichoso.

—No hay más que conformarse —aconsejó Juan—. Mejor que nadie sabe usted cómo están sus negocios de enredados: no hay otro recurso que inclinar la cabeza y obedecer.

—No quiero que te vayas —repetía y repetía, siempre con voz quebrada, de la cual parecía que iba a brotar llanto.

—Me voy —prosiguió Juan—. Hasta luego, Enrique; pronto nos veremos en El Rosario.

—No quiero que te vayas... No quiero que te vayas... —seguía repitiendo el otro, sin oírlo, fijos los ojos en el vacío.

Juan se volvió a Marcela para despedirse y un momento se inmovilizó mirándola. La mujer sonreía a esa mirada que era un tacto. La boca roja sobre los dientes menudos y albos era una tentación para el muchacho. Con un movimiento suave y firme Marcela se fue acercando hasta pegar todo su cuerpo contra el cuerpo de Juan y decir a su oído con un vaho cálido que lo trastornó:

—Mañana te espero a almorzar. Ven.

Juan salió. Afuera dio dos pasos vacilantes y un momento cerró los párpados para dejar pasar el vértigo. ¡Cómo sabía la ladina remover todo el barro que hay en el fondo de la humana naturaleza!

Avergonzado de su debilidad, un solo impulso le devolvió el control de sí mismo.

"¡Qué miseria somos!", pensó.

Regresando por la montaña, dejó al caballo el trabajo de buscar el camino.

Traía un caos en el cerebro. El no quería, no podía dejarse enredar por aquella mujer que sólo trataba de jugar con él, como se juega con cualquier juguete cuando el aburrimiento ciñe las horas. Aquella mujer sólo quería dinero. El no podía dárselo. ¿Se ofrecía, entonces, en un súbito capricho? No estaba él para desquiciar su vida apacible y dichosa en una aventura que para la mujer sería un episodio sin importancia, pero que para él podía ser "la aventura", es decir, lo imprevisto. ¿Adónde podía llevarlo el deseo satisfecho? ¿A la saciedad? ¿Al hastío? ¿A la indiferencia? ¿A la pasión? La aventura... Había que defenderse de su atractivo con todas las fuerzas.

Su determinación moría frente al pavor de las fuerzas ocultas. Ante el deseo que se alzaba del fondo de su ser buscando el placer donde estuviera. En ese punto reaccionaba. El era "él": dueño de sí mismo, de su pensamiento, de su voluntad.

En la tarde azul, sedante y quieta, el galope del caballo por la vega sonaba acompasadamente e iba embotando su excitación nerviosa.

11

Don Samuel pareció contento con el éxito de la embajada y habló de marchar a primera hora el día siguiente. Quería él mismo prevenir a doña Rosario de la llegada de Enrique, estando presente en la primera entrevista que tuvieran madre e hijo, temeroso de que éste, exasperado, provocara una escena violenta.

Comieron alegres y charladores. Don Samuel sólo sabía contar hazañas de Benjamín, un niño prodigio según él.

Mena lo oía quieta y atenta, iluminada por una luz que esplendía de sus ojos, sumidos en la sombra de grandes ojeras violáceas.

Juan aferraba la atención a las pequeñeces que contaba el viejecito, desesperado al comprobar que a cada descuido la imaginación le huía sin freno, justamente adonde él no quería que fuese.

—Es lo más habiloso —proseguía don Samuel, chocheando—. ¿Saben lo que hizo el otro día? Figúrense que llegó de visita la comadre Rosa Lagos con el ahijado Ramón, que es un año mayor que Benjamín. El niño estaba en su caballo de madera. Ramoncito lo quiere bajar a coscachos para subir él. Entonces Benjamín se baja, se pone muy serio, mete las manos en los bolsillos del mameluco y le dice: "Roto, mugriento, vienes a mi casa de visita y todavía me pegas". ¡Je! ¡Je! ¿Qué le parece, Mena? Es lince el niño, ¿no?

—Pero sí...

—¡Es muy diablazo. el pícaro!

—¿Cuántos años tiene?

—Dos cumplidos. Nació cuando ustedes se casaron. ¿No se acuerdan que mi señora no pudo asistir al matrimonio?

—Dos años... —murmuró Mena soñadora.

—Dos años, pues. Para tres van ya. Me parece que ya es tiempo de que ustedes hagan un encarguito. ¡Je!

Juan miró riéndose a Mena y se quedó sorprendido por la luz que irradiaban sus pupilas fijas en él. La broma con que iba a contestar a don Samuel murió en sus labios.

Se quedó mirando a Mena, mirándola, mirándola, como si aquellos días últimos en que su espíritu andaba liado a otros asuntos hubieran sido meses, como si de pronto se destacara en las sombras rodeada de un halo luminoso.

¡Oh! ¿Sería...?

La miraba: fatigada la pose, hondos los ojos, levemente manchado el cutis. Sonreía a algo lejano con las pupilas fijas en las de Juan. Y éste iba construyendo una certeza con pequeños hechos pasados. No hablaron, siempre con las pupilas fijas uno en otro.

Don Samuel se fue al poco rato, alegando cansancio, en realidad ofendido por el vacío que hacían a su charla.

Un momento se quedaron inmóviles, hasta que una puerta se cerró en el vestíbulo. Un mismo impulso los echó entonces uno en brazos del otro.

Juan balbuceó:

—¿Es cierto?

—Sí —contestó, ocultándose a su mirada, roja de emoción y de triunfo.

—Mena —y el abrazo se hacía tenue y la voz temblorosa en el sobresalto del nuevo sentimiento que nacía en él.

Hasta muy tarde se quedaron en el comedor hablando en un cuchicheo íntimo de la buena nueva.

—No me atrevía a creerlo —decía Mena, deliciosa en su confusión—, y menos me atrevía a decírtelo. Yo quería que tú adivinaras y no hacía más que pensar en eso, para transmitirte mi pensamiento.

—Mi mujercita —murmuraba Juan, besando la frente que abrigara ese deseo.

La campana del reloj del vestíbulo los admiró dando la medianoche: doce campanadas que se hundieron sonoramente en el silencio.

—A la cama, señora. ¿Qué hora es ésta para estar en pie una futura mamita?

—Mamita... —repitió suavemente Mena—, voy a ser una mamita...

Se fueron al dormitorio, y aunque Juan quería obligarla a callar con su silencio, Mena rebullía charlando y riendo gozosa. Hasta que el sueño la rindió.

Dormía profundamente cuando Juan despertó y sin ruido fue vistiéndose para despedir a don Samuel.

De pronto, en el ritmo ligero que cantaba en su corazón una canción de cuna, la voz de Marcela repercutió rompiendo el embeleso. Pero resonaba lejos, como un eco apenas, se perdía y de nuevo, victoriosamente, la armonía que anunciaba la llegada del hijo resonó en su corazón.

Entonces se atrevió a evocar la imagen de la mujer. Estaba ahí, frente a él, con la cara de ámbar tostado en que los ojos prometían placeres, en que la nariz parecía desafiar con el gestillo pilluelo, en que la boca breve y pulposa se plegaba en un beso. La miró... y fríamente, con una ironía triste, pensó:

"¡Qué lejano me parece todo eso! Bienvenido el que ahuyenta esa miseria."

Despertaba Mena. Quería levantarse.

—No te levantes.

—Pero...

—Tienes que cuidarte.

—Pero ¿qué dirá don Samuel?

—¡Que diga lo que diga! No faltaba más... Yo me encargaré de disculparte, no te apures.

—Oye.

—¿Qué?

—Es que... —medio incorporada, sonreía muy pueril en su apuro.

—¿Qué quieres, querida? —Se había sentado en el borde de la cama, tratándola con un no sé qué de paternal y delicado.

—Es que yo... —jugaba con un botón de la cazadora de Juan, dando una que otra mirada al rostro que la observaba atento—. Quisiera..., no te rías. Quisiera contarlo a don Samuel...; no me mires..., para que él se lo cuente a la madrina. Yo no me atreveré jamás a escribírselo. Es terriblemente complicado decir eso, no creas... —concluyó de un tirón.

—¿No era más que eso? ¿No quiere otra cosa mi mujercita linda?

—Que cada día me quieras más.

—Mena —besaba la manecita que jugaba con el botón.

—Hasta luego, mi Juan.

Salió. Don Samuel tomaba ya desayuno, un desayuno muy suculento, compuesto de un trozo de carne asada fría, de huevos, de leche con mote, pan moreno, queso y mantequilla.

—Buenos días. ¿Cómo amaneció, don Samuel?

—Con los huesos todos molidos..., y esto no es nada para como voy a estar mañana. ¿Y la Mena?

—La Mena no está bien. La disculpará que no se despida.

—Faltaba más... ¿Supongo que no será grave lo que tiene?

—No, no, y espero que en el transcurso de estos meses nada le pase. Seguimos su ejemplo, mi amigo.

—¡Je! ¡Je! ¡Conque ésas teníamos! Algo me había maliciado yo... Tengo un ojo para esas cosas... Figúrese, con dieciséis veces que la señora ha pasado por este trance... ¡Je! ¡Je! Lo felicito, mi amigo. Una casa sin chiquillos es como un jardín sin flores. ¡Je! Con esta buena noticia le voy a llegar a doña Rosario.

Se fue feliz, después de hacer recomendación a Juan. Prometió, además, que su señora le escribiría a Mena, dándole consejos que la repetida práctica en semejante caso hacía infalible.

—Hasta la vista, amigo.

—Hasta la vista, don Samuel.

Ido el viejecito, Juan montó a caballo y a su vez partió al aserradero a dar un vistazo a los trabajos.

Iba feliz, contento con la mañana de un azul intenso, diáfano y radioso, en que los pájaros se volvían locos cantando y los árboles se desperezaban al viento, remozados por el rocío.

En el aserradero encontró al mecánico muy perplejo ante la sierra que no quería funcionar.

—No puedo encontrarle la falla, patrón —explicó el muchacho.

—Veamos —contestó Juan.

Cambió la cazadora por un mameluco y la mañana entera se le fue revisando la máquina, sin encontrar la avería.

Cuando volvió a almorzar iba fastidiado con el percance que tal vez lo obligaría a pedir un técnico a Concepción.

El caballito —el mismo que la víspera lo llevara a las termas— marchaba a buen paso, arrimándose a la cuneta para alcanzar algún brote de quila que mascaba golosamente.

El fragor de la cascada se acercaba. Un vilano blanco revoló un rato junto a Juan, que lo miraba enternecido, viendo en la pelusilla sedosa un anuncio de dicha.

Mena lo esperaba en el apeadero. El almuerzo fue una fiesta, que ya ambos estaban embriagados de proyectos para lo porvenir. Juan advertía que ya no había cortedad alguna en la joven. Hablaba segura y rápida, quitándole la palabra, disponiendo, corrigiendo autoritaria.

—Se llamará Juan.

—¿Y si es niña?

—¡Cómo se te ocurre! Será niño, y le pondremos Juan.

—¿Y si es niña?

—Cuando yo te digo que será niño. Y muy lindo. Se parecerá a ti, tendrá tus ojos y tu pelo y tu boca. Será igualito a ti. La facha que me voy a dar de mamá.

—Mamá —repitió Juan.

Parecióle que sólo entonces se daba cuenta de que aquella mujercita frágil sería deformada por la maternidad. Hasta entonces no se había hecho la imagen mental de la joven acunando al hijo, amamantándolo, gorjeando ambos en esos diálogos incomprensibles y deliciosos.

—Mamá... Mamacita... —volvió a decir con voz que acariciaba cada sílaba.

—Haré que me llame madre, es más noble la palabra. Hay que encargar una cuna. Esta tarde le escribiré a doña Teresa dándole la noticia.

—Pero no decías que era tan complicado, tan terriblemente complicado decir eso...

—Ya no me parece tanto. Eso era ayer. Le escribiré a doña Teresa y también a Enriqueta para que me compre batista y lana y una cantidad de cosas necesarias. Vas a ver qué maravillas haré para mi hijo. ¡Ah! ¿Sabes? Tienes que encargar un caballito chilote para que monte el niño, un mampato igual al que tienen los hijos de don Samuel.

—¿Pero tú crees que tu hijo nacerá de cinco años?

—¡Bah! No te rías de mí... Siempre que me lo imagino lo veo grande, juguetón, parlanchín. Juan. Juancito. Juanito. Juancho. ¿Cómo lo llamaremos?

—De ninguna de esas maneras, porque será mujer. Se parecerá a ti...

—No, no, mi hijo es mío y yo quiero que sea hombre.

—Vaya, señora, me parece que su hijo también es mío.

Se calló sorprendida y luego dijo riendo:

—Pero claro, tonto. Eso sí que lo quiero niño. Di que será niño...

—Bueno, éste será niño, pero el otro será niña.

—¿Esos son consejos de don Samuel?

Y la charla seguía, loca y encantadora, girando siempre en torno al bienvenido.

Juan volvió al aserradero a revisar nuevamente la sierra obstinada en no funcionar. A las cuatro se decidió a volver a la casa, para telefonear a don Samuel el percance, preguntando qué hacía: si traer otro mecánico de Victoria o telegrafiar a Concepción a la casa importadora de las máquinas para que mandaran un técnico.

Volvía cuando divisó, a mitad de camino, cerca de la cascada, un jinete que oteaba el desfiladero. Tuvo un brusco sobresalto al reconocer a Marcela y una ira enorme fue llenándolo al verla acercarse al galope.

—Buenas tardes, ingrato. Hasta las dos lo esperé a almorzar; viendo que no llegaba me decidí a venir —hablaba coquetamente, segura de su encanto.

Libre de Enrique desde la mañana, cansada de la noche de discusiones, de injurias y de súplicas con que el pobre iluso trataba de conservarla, un sueño pesado la cogió hasta el mediodía.

Despertó confusa, sin recordar hasta después las penosas escenas de la separación. Entonces un sentimiento de libertad la hizo alzarse con júbilo, tarareando una marcha que avivaba su vestirse. Parecíale que un alma de juventud nacía en ella.

"A quien se muda Dios le ayuda —pensaba—, aunque creo que a mí más me ayudará el demonio... Libre del pelele de Enrique, en Buenos Aires, y con dinero. ¡La gran vida! Estos días de montaña me han hecho bien, estoy más joven, ¡psch!, apenas si los ojos un tanto fatigados. Un poco de *rimmel*, un poco de mandarina, un poco de *rouge*, una mano de polvos y todo queda arreglado maravillosamente. Con esta cara y con dinero puedo llegar a Buenos Aires con todo rango y atrapar un pez gordo. La una, ¡qué tarde! Bajo a escape a almorzar. —Se acordó entonces de su invitado y sonriendo pensó que no se había atrevido a ir—. Para pasar el rato no está mal el tipo; lástima que no tenga dinero, si no... ¡Rey muerto, rey puesto! ¿Lo esperaré? No, no viene, no se atreverá nunca a venir..."

Comió sola en el gran comedor donde los veraneantes ya habían almorzado a las doce en punto, siguiendo sus metódicas costumbres de burgueses ricos o terratenientes millonarios de Bío-Bío al sur. Luego se dirigió a la oficina para pedir un auto que la llevara al día siguiente a Curacautín.

—¿Adónde va, señorita? —preguntó el empleado.
—A Santiago.
—No podrá partir hasta el miércoles. Hoy combinó el tren del ramal con el nocturno que va a Santiago, y hasta pasado mañana no combina nuevamente.

—¡Bah! ¡Qué fastidio! ¡Qué lata!
—Hay que tener paciencia. En los ramales hay siempre estos inconvenientes.

Ya en su pieza, el aburrimiento de esos días que preveía vacíos de distracciones empujó su imaginación hacia Juan. Sonrió malignamente recordando la turbación del joven la tarde anterior. Decidida por el fastidio, se dijo: "Veamos... Veamos si aún nos queda poder sobre esa calamidad que se llama hombre..."

Volvió a la administración a pedir un caballo y un mozo que la acompañara.

De regreso a su pieza vistió apresuradamente el traje de montar que tan turbador encanto le daba.

Sin atender razones iba galopando por el sendero de la montaña. El mozo trataba de obligarla a ser prudente, mas ella, arriesgando la vida a cada paso, obligaba al caballo a meterse entre las breñas, yendo casi acostada sobre el cuello del bruto.

Ya en la vega, ordenó al mozo que regresara a las termas, siguiendo adelante a todo galope.

Cuando enfrentaba la casa divisó a lo lejos, por el desfiladero, un jinete que avanzaba. Por si era Juan siguió hasta encontrarlo.

—¿Por qué no fue? Pícaro, no más, que me obligó a venir.
—No debió haber venido.
—¿Iba para las termas usted? ¡Qué mala adivina fui!...
—Si he de serle sincero le diré que había olvidado la invitación.
—No lo creo. A ver, míreme a los ojos...

Juntó más su caballo, sumiendo los ojos en los de Juan, que la miraban fijos y fríos.

—A ver... Me veo en ellos chiquitita..., chiquitita... Como estoy en sus ojos quisiera estar en su corazón..., Juan.

—Basta de palabras. ¿Qué busca aquí? —Los ojos se acercaban repeliéndola y la voz se hacía agria.

—Te busco a ti...

—Aquí estoy. ¿Qué quiere?

Y como siguiera mirándolo, al par que los labios, contrayéndose, insinuaban el movimiento de un beso, Juan dijo con ira que se desbordaba:

—Váyase. Lo que busca aquí no lo encontrará.

—Lo he encontrado, puesto que sólo te busco a ti.

—Váyase.

—¡Juan!

Hizo la mujer ademán de acercarse aún más. El joven adivinó el intento y con un brusco tirón de riendas alejó su caballo. El movimiento de Marcela fue tan ridículo, el rechazo tan abierto, que, enfurecida, gritó mordiendo las palabras:

—¡Mamarracho! ¡Bruto! ¡Cretino! —Subía en palabras soeces la escoria que había en su vida, subía como a cualquier contacto sube el barro de la charca.

Juan no quiso escucharla y partió. Pero un grito de mujer, imperioso y taladrante, lo detuvo:

—Haga que alguien me acompañe. Ando sola.

—Váyase. Un mozo la alcanzará.

La dejó pasar adelante. Golpeaba con la fusta la cabeza del caballo, que se encabritaba bajo esa lluvia de azotes. Se alejaba, se empequeñecía, se empequeñecía..., se perdía...

"Si el hijo no hubiera venido a equilibrar mi pensamiento, ¿de dónde habría yo sacado fuerzas para repeler esta tentación? A pesar de todos mis propósitos de ayer tarde, ¡cómo iba el deseo marcándole una ruta disimulada a la acción que hoy me llevaría a las termas! Un encargo de don Samuel olvidado ayer y con esto dicho a la Mena ya tenía libre el camino. ¡Cómo se eslabona todo! ¿Qué fuerza nos empujará? ¿Dios? ¿El Destino? Quienquiera que sea quien haya hecho que sólo ayer noche, precisamente ayer noche, el arribo de un hijo me haya sido anunciado, ¡bendito sea!"

Paso a paso siguió el camino. La tarde se insinuaba subiendo de la hondonada en un azul vago, niebla transparente que suavizaba la piedra. Las cachañas se daban un festín de maqui, charlando entre chillidos. Un pidén daba su grito modulado y repetido, anunciador de lluvia.

Quieta, apenas perceptible la corriente, la laguna era un óvalo de cielo. El valle se extendía lleno de paz, brumoso en lontananza.

Un mozo que venía del aserradero alcanzó a Juan.

—Acompaña a la señorita que va allá —ordenó, señalando un punto movible que manchaba el camino—. Hay que ir a dejarla a las termas.

En la casa encontró a Mena sentada junto a la ventana del dormitorio, tejiendo un cosita minúscula que no tenía forma alguna. Aquella cosita fue alzada hasta cerca de sus ojos.

—Mira qué lindo. Es un zapatito para el niño —dijo la voz que la alegría hacía aún más semejante al gorjear de un pájaro.

Juan se arrodilló envolviéndola en un abrazo sereno.

—¡Mi hijita! —murmuró muy bajo, condensando en esas palabras su ternura por ella y por lo que de ella iba a nacer.

HUMO HACIA EL SUR

(En un pueblo de la Frontera, año 1905.)

1

A esa habitación pequeñita le decían el costurero, aunque habitualmente nada se viera en ella que justificara el nombre. Un sofá de damasco amarillo, acolchado, con el respaldo en tres medallones enmarcados en jacarandá, se adosaba a la pared empapelada. Un sillón le hacía guardia de honor a cada lado y en el centro, una mesa de prolija talla equilibraba el decoro burgués, con ese orden establecido que es ya anticipo y garantía de respetabilidad. Completaban el moblaje dos banquetas por las que volaban garzas de madreperla, vigiladas por un mandarín de laca, barbudo y sonriente a la puerta de una pagoda.

Todo ello era rico y frío, sin íntima convicción. Hasta los detalles. Como la luna neblinosa del espejo de Venecia que devolvía una imagen alucinante, no la del que se miraba, sino la del antepasado remoto, contemporáneo del obsoleto azogado, o como las miniaturas mostrándose en óvalos de plata, alineadas sobre el sofá, bajo el espejo, espejuelos también ellas, con sus imágenes cuajadas en rostros duros, todos con idénticos ojos, mirando desde profundas cuencas, tenaces, desesperadamente fijos, pasmados en una eternidad sin esperanza. Se adivinaba que esas gentes nunca supieron decir mínimas palabras con ecos de terneza. Eran cuatro rostros de hombre, con el pelo en guedejas onduladas y los altos cuellos propios del año 1810. En medio de la mesa estaba la lámpara de pie de grueso cristal, con el depósito para la parafina color de rosa y una tulipa de otro cristal fino y grabado, atemperando la crudeza de la luz.

Las dos puertas y la ventana estaban asordinadas por pesadas cortinas y, en el piso, una alfombra venida de España lucía arabescos azules sobre el fondo ocre y amarillo.

María Soledad alzó los ojos del tejido y los fijó en doña Batilde, sorprendida por su largo silencio. La vio tiesa en el sillón, juntos los mulos, juntas las piernas, los pies unidos por los talones, volteadas las puntas de los botines de cuero basto. Sobre la exigua cintura, afinada y estéril, alzábase el busto con dureza de metales, anchos los hombros, apenas insinuada la leve comba del pecho, fuerte el cuello y la cabeza erguida de tan puro perfil que evocaba un camafeo, neta la nariz, hendiendo el aire la barbilla con firme curva. El pelo castaño, con ígneos matices de cobre, se peinaba simplemente sobre la coronilla, formando un moño del que mechitas rebeldes escapadas a su disciplina desdibujaban pequeños ricillos sobre las sienes y la nuca. La piel era de tersa saludable elasticidad. Allí estaba, rígida e inmóvil, adivinándose bajo esa actitud una fuerza flexible, un dinamismo renovado.

María Soledad se sonrió a sí misma al pensar que pese a los ocho años que era su amiga, aún no había acabado de recobrarse del sobrecogimiento que le causara su presencia. De pie no era más alta que ella; pero nadie daba mayor impresión de omnímoda voluntad, de poderoso dominio. Ocho años viéndola casi a diario y aún sin vencer esa angustia vaga sobre el corazón al sentir su dura mirada verde avanzar desde el fondo de las cuencas sombreadas a escrutarla tenazmente. Como los ojos del abuelo y los de los tíos abuelos, que persistían en idéntica expresión desde más allá de sí mismos, desde las imágenes de cómo fueron, ofreciendo cuádruple e implacable testimonio de que aquella mirada no era accidente individual, sino firme perennidad apoyada en la sangre de su casta.

Sobre el sofá, con la cara en el cojín que le dejaría en la mejilla el calco de sus bordados, dormía Solita envuelta en una manta de viaje. Doña Batilde la miraba, sin que la máscara se le aflojara por sombra de emoción. La miraba, como miraba todo, sostenidamente, sin revelar lo que estaba dentro de sus pupilas, dotadas para la más objetivizadora de las visiones.

—¡Qué linda es! ¿No es cierto? —preguntó con dulzura María Soledad.

—Usted la educa pésimamente —contestó la otra con su metálica voz de contralto, tan baja que a veces tenía inflexiones viriles; voz teñida de trémolos que habían pasado por tormentosas napas de sangre, por zonas minadas de nervios, llegando de su profundo ser, de los huesos, de las entrañas, de la despiadada minuciosidad de sus capilares, indomable y caliente. Brotaba sorpresiva, manantial que aflora hirviendo a borbotones del flanco de piedra cordillerana.

—La educaría usted lo mismo que yo, si fuera suya —dijo María Soledad, con la rutinaria convicción del argumento tantas veces empleado.

—Si fuera mía, la tendría en un colegio, aprendiendo a ser útil y a obedecer. Sobre todo a obedecer. Y la molería a palos cuando no entendiera.

—Tanto que le gusta querer demostrar que no tiene corazón...

—¡Gracias a Dios! Porque no lo tengo. ¡Lindo regalo el corazón! Esa inmundicia blandengue, para que los hombres consigan hacer de una lo que les conviene.

—Yo soy feliz con mi corazón, tan dispuesto a darse a quien debe.

—Usted es una santita —y un bordoneo más sordo aún en la voz traslució que tal vez abrigara algún sentimiento de apego por esa mujer tan dispar a ella, tan fina, buscando muros, no tanto para alzarse cuanto para florecer, sin otra defensa que su debilidad y conquistando con ella instantáneas admiraciones, ciegas amistades para siempre, tan sólo con sonreir, y vérsela como a un niño que erguido sobre sus pequeños pies se cree dueño del universo.

—¿Qué está tejiendo ahora?

—Un abriguito para la niña.

—"Otro" abriguito para la niña. ¿Cuántos tiene ya?

María Soledad sonrió, un poco confusa, prodigiosamente seductora.

—No sé cómo Pérez permite esos despilfarros...

—No puedo tener las manos ociosas. Además, el tejer me sosiega los nervios, hasta me da sueño.

Doña Batilde seguía fija en la niña, que era costumbre suya hablar sin mirar al interlocutor, de perfil, volviéndose de pronto hacia éste para desconcertarlo con el súbito frío verde de sus ojos rapaces.

—¿No ha resuelto seguir mi consejo? —Ahora miraba a María Soledad, azorándola por la resistencia a que la forzaba para evadir su dominio.

—¿Cuál?

—El que siempre le he dado desde que la conocí.

—¡Doña Batilde! ¡Es que no necesito hacerlo!

—Tonterías. No hay nadie que no necesite ganar dinero.

—¡Pero si tengo todo lo que quiero! Casi ni eso puedo decir; porque Ernesto se anticipa a mis deseos para satisfacerlos antes que yo los sienta. Ya ve cómo vivo. Entonces, ¿para qué voy a trabajar?

—¡Siempre pensando en tonteras! No se trabaja para eso, sino para tener autoridad, para que nos respeten y hacer lo que nos dé la gana. El dinero no es nada sin una voluntad que disponga de él; pero con ella lo es todo. ¿Cree usted que yo sería lo que soy, sin lo que tengo? ¿Cree que De la Riestra sería el personaje que es, si no fuera por nuestro dinero? ¿Y cree que la gente iba a tenerme el respeto que me tiene, si no supiera que poseo tanto dinero como De la Riestra, y que yo, yo —¿entiende?—, yo he hecho de la fortuna de ambos, fortuna sí, pero fortuna chica, la millonada que tenemos ahora? Ser es tener y todo lo demás humo, humo que se lleva el viento. Economice de lo que le da Pérez y cuando tenga su capitalito, ponga un negocio. Al principio Pérez no se lo querrá permitir, pero usted insista. Pérez no es hombre de decirle que no por mucho tiempo. Y entonces abre un despacho en el fundo o una tiendita aquí, en el pueblo, con novedades. Se pelearían por comprarlas. Por poder decir: "Esto se lo compré a la María Soledad". Las siúticas del pueblo se tirarían del moño, peleándose sus cosas, se lo aseguro.

María Soledad dejó de tejer. Había perdido la cuenta de los puntos mientras se formaba en su mente el cuadro descrito por doña Batilde, aunque con tonos algo distintos y rasgos caricaturescos. Se veía haciendo laboriosas cuentas para distraer unos pesos. ¡Era tan difícil multiplicar y no digamos nada sustraer, la más mezquina de las cuatro operaciones! Y después, sigilosamente yendo al banco a depositarlos sin que nadie se enterara. Y luego las interminables discusiones —ella que las odiaba por fatigosas—, hasta conseguir el permiso para abrir la tienda. Y una vez lograda, la batahola de mujeres, chillonas, con sus olores mezclados a perfumes baratos, sus modales groseros, peleándose por la posesión de una fruslería. Y ella dictaminando como juez.

Sintió el burbujeo de la risa que le retozaba en la boca, porque entre estas imágenes estaba viendo en plena trifulca a la Paca Cueto y a la Mariana Santos —empecatadas rivales en elegancia pueblerina—, andar a la greña, en la contienda que doña Batilde tan afanosamente la instaba a provocar. Agachó la cabeza, pero no pudo evitarlo. Sus carcajadas, finas, alegres, llenaron la habitación con una luminosidad de mañana. Doña Batilde, bien segura en su noche, la miraba siempre, pero al fin volvió la cara y en ella había más grave hostilidad en dar el perfil corvino que la espalda. Fue entonces cuando María Soledad, algo cohibida, logró ponerse seria y esperar, en actitud de niño que se sabe culpable de una falta de respeto, la inevitable reprimenda.

—Ya alguna vez se arrepentirá. Tarde será, entonces. La vejez con pobreza es terrible.

—Pero, doña Batilde, pobres creo que no seremos nunca. Nadie puede contar con el futuro, ni siquiera usted. Las mismas posibilidades de ruina pueden aplicarse a cualquiera. El ser, el tener, también pueden convertirse en humo.

Doña Batilde volvió la cabeza, alzó la dura barbilla y dejó caer pesadamente su evangelio:

—La tierra no es humo: es tierra y no traiciona nunca. ¡Tantas veces que se lo he dicho a Pérez: compre tierras y déjese de tonterías! Compre tierras, gaste en tierras todo lo que tiene. La tierra siempre responde: nos reconoce de su barro. Pero a Pérez le gustan los embelecos. Compra un coche porque es modelo nuevo. Hace un viaje porque no sé qué cómica va a dar funciones en la capital. Trae un molino de viento para tener agua corriente. Contrata una institutriz para la niña. Compra otro coche porque el anterior no sirve para los días de sol. Y el gramófono y la salamandra y siga el rosario. Y esto, sin contar lo que gasta usted por su lado...

María Soledad sentía una latente molestia al oírle repetir los mismos sórdidos consejos, los mismos reproches tan ciertos como gratuitos, mientras la veía, siempre tiesa en su silla, con el mismo traje color café, por ser el más sufrido; con los absurdos botines de cuero, epicenos, con elástico a los costados y una huincha atrás y otra adelante para tirar de ellos y poder metérselos, hechos desde hacía treinta años por el mismo zapatero. Y persistiendo en su actitud de juzgadora inapelable del mundo, con los brazos cruzados sobre el pecho enjuto y las manos extrañamente hermosas, calcada toda ella sobre una especie de molde. Igual a como la había conocido ocho años antes, con su perfil para colocarlo sobre un ónice, sobre un azabache, sobre un esmalte. Era cansadora en su perfección, en su raciocinio inapelable, con su minuciosa exactitud de cronómetro insensible a toda angustia, a toda esperanza.

Y sin embargo, en esa regulada vida de pueblo, así como las ocho era la hora de levantarse y las doce la de almorzar y las cuatro la de tomar el té y las ocho la de cenar, sin que nadie osara evadirlas por un inadmisible desgano o anticiparlas por un pecaminoso apetito; así como las once era la de entregarse al reposo, las nueve de la noche era la hora de ir ella a casa de doña Batilde y, al día siguiente, las nueve era la hora de venir doña Batilde a su casa, en vaivén rítmico de lanzadera que a través de la urdimbre del tiempo iba tejiendo el paño pardo del vivir provinciano, con inadvertidos dibujos, con pacata parsimonia que no era lícito alterar, salvo que ella estuviese enferma, posibilidad que no alcanzaba a doña Batilde, que tenía una salud de piedra de río.

Una hora duraba siempre la visita, y mientras ellas intercambiaban las ya previstas admoniciones y excusas, Ernesto Pérez y don Juan Manuel de la Riestra, en la casa de aquél, jugaban un partido de billar y, en la casa de éste, se entregaban a prolijas discusiones sobre latos temas históricos en que ambos ponían a prueba sus prodigiosas memorias, acrecentadas en el remanso pueblerino, íntimamente regocijado el que lograba cazar al otro en el renuncio de una fecha falsa, el olvido de un nombre o la tergiversación de un hecho. Cuando don Juan Manuel estaba en la capital, llamado por sus actividades políticas —había sido ministro, diputado por varios períodos y senador en su actual avatar—, Ernesto dejaba a su mujer en la casa de doña Batilde, se iba al club y puntualmente a las diez volvía a buscarla. Cuando era Ernesto quien estaba en el fundo o en la capital, don Juan Manuel acompañaba a doña Batilde hasta la casa de sus amigos, se iba al club y volvía justo una hora después a recogerla. Pero eran muchas las veces en que coincidía la ausencia de los maridos. Entonces María Soledad se hacía acompañar por el mozo, que llevaba en brazos a la niña dormida, mientras Mademoiselle alumbraba con el farol de minero. Doña Batilde no necesitaba compañía. Llegaba sola, sin farol, sigilosa y segura de que nada ni nadie osaría salir al encuentro de su firme paso.

Había que tener también en cuenta el clima. Pueblo sureño, entre estribaciones de la cordillera, apegado a su flanco, los bosques empezaban casi en sus lindes, tan sólo con la sierpe de los caminos abriéndose trabajosamente por ellos a golpes de hacha. El verano era apenas una súbita y apresurada tibieza, un despuntar las flores con tímido asombro, un breve y apretado canto de pájaros, impacientes para hacer que cupieran to-

dos sus trinos en tan pocas mañanas, un instante para dejar que el so
pusiera rojo en las manzanas y en las mejillas juveniles, rubor que ins
taba a los dientes a buscar la pulpa de una fruta o de un beso. Lo demá
era tiempo de humo, tiempo de neblina, tiempo de porfiada lluvia.

Humo de roces que ardían en la montaña, manera bárbara de con-egui
campos para cultivo, hoguera próxima o lejana que anunciaba el desor
denado revuelo de los pájaros, huyendo en imprecisas bandadas lastime
ras. Luego aparecía el humo mismo, parado en el cielo fosco, lleno de
cárdenos resplandores. La atmósfera se recalentaba entonces haciéndose
irrespirable, hasta que llegaba el viento señor de los destinos.

Tan aparentemente dueño de sí mismo el fuego, alimentado en su propia
entraña elemental, y era tan sólo un siervo del viento que lo manejaba a
su capricho, llevándolo hasta la ribera de los ríos a templar sus ardientes
metales en las aguas, apagando en los anchos cauces sus fulgores de astro
que lo empujaba hacia la fatalidad dejando a su siga el tizón, las ceni
zas, esqueletos carbonizados de árboles y de animales, que lo arrebataba
contradictoriamente, rizando curvas en las que el azar danzaba frené
tico, aislándolo en regiones alucinantes de troncos ardidos que vocife
raban sus estertores de resinas martirizadas, muriendo doblado sobre su
propio corazón en ascuas, entre piedras y aguas, inmisericordes ante su
desvelado rencor.

Era el agobiador tiempo del humo. María Soledad lo abominaba. En
cambio, no temía a esa ensoñada hermana del humo que es la niebla; le
placía ver el pueblo desmaterializado en su fino gris. Le era grato per
derse ella misma en su incertidumbre.

Tanto como el humo odiaba a la lluvia, el caer del agua en su inter
minable rayadura que insistía en tachar el paisaje, el sordo gorgoteo de
las canaletas ahítas, los chicotazos del viento, su lenguaje fantasmal co
lándose por el oído de las ventanas, ululando por las chimeneas, el gote
rón cayendo para evaporarse instantáneo sobre los carbones. Cuando no
había roces, transigía con el viento, el del sur, arriero de nubes, manadas
dispersas e inofensivas; el de la cordillera, que soplaba desde el fondo
de los siglos con insistencia indígena, puelche afilado sobre los glaciares;
el que venía desde la otra cordillera, a saltos de pastor de cabras, por
las cimas, los collados, los calveros, los tajos y la enmarañada arboleda,
obstinado en su busca del olor salobre del mar, del rítmico asalto de las
olas pegando en los roquedales o desvaneciéndose en la insuficiente des
nudez de las playas. El del norte le hacía fruncir con gesto desagradado
la graciosa naricilla, porque su tibieza era presagio de lluvia, indefecti
blemente. Sí, transigía a veces con el viento, amaba su fuerte mano, su
caricia imperiosa en la nuca, su adentrarse por la boca entreabierta hasta
dejarla anhelante. No le gustaba la lluvia, que conminaba a quedarse frío
lenta e inmóvil junto a la chimenea, enervada por una invencible pereza.

Ocho años de ir de su casa a casa de doña Batilde, de esperar en su casa la visita de ésta. Porque cuando llovía, así los caños de los cielos dejaran caer cataratas sobre el pueblo, así las calles estuviesen anegadas, así la atmósfera fuera como un muro, doña Batilde con altas botas, un impermeable que le llegaba hasta los tobillos, una toquilla en la altanera cabeza y abroquelada en su paraguas inmenso para pelear contra el viento y la lluvia, aparecía a la hora justa, precisa, demostrando que para un espíritu como el suyo nada significaba la desatada ira de los elementos.

—Al lado de las tierras suyas, las nuestras son una especie de estampilla —dijo al fin María Soledad volviendo de sus reflexiones—, pero tierras son también. Y tenemos la casa y la quinta y la propiedad de renta en la capital, y entiendo que dinero en bonos hipotecarios, que, a fin de cuentas, tierra son también. Vivimos cómodamente y educamos lo mejor que podemos a la niña. Y, sobre todo, somos felices, muy felices..., y no cambiaría mi felicidad por ninguna otra del mundo.

Doña Batilde, sin mirarla, dijo con sequedad:

—¡Bueno! —manera suya de responder cuando no quería aventurar frases, frases como ahora inoperantes, frente a aquella increíble candidez para quien aún existía esa ilusión de la dicha.

María Soledad no sintió entonces cansancio de verla siempre igual a sí misma, sino fastidio, ganas de decirle algo duro, acorde con su ser de piedra: algo de hiriente dureza. Decirle, por ejemplo: "Usted es una vieja bruja, avara y envidiosa". ¿Qué pasaría si se lo dijera? La idea la aterró. El corazón se le quedó quieto un instante, acurrucado en las recoletas tibiezas del pecho, asustado de la fechoría de su mala intención, y luego se recobró, latiendo desordenadamente.

En algún sitio de la casa de madera, un reloj de carillón moduló las diez horas. Primero marcó los cuartos y después las otras campanadas redondearon su eco profundo, resonante en las concavidades del tiempo. La puerta que daba al pasillo se abrió y Ernesto Pérez entró seguido de don Juan Manuel de la Riestra, que llegaba bastante mohíno por un error de dos días en la fecha de la desastrosa muerte del pobre Lulú a manos de los zulúes, en la que su implacable contendor le había sorprendido. Quedáronse ambos de pie junto a la mesa, como era ritual, y también en forma ritual los recibió doña Batilde diciendo:

—¿Es que ya los caballeros han arreglado el mundo?

María Soledad seguía ensimismada. Se le había normalizado el corazón, pero le quedaba el enfurruñamiento. Pensó: "¿Qué otra cosa ibas a decir, sino lo mismo que dices siempre? Si te vieran por dentro, no te hallarían entrañas, sino resortes y ruedecitas de reloj". Pero encontró los ojos de obscura y viril suavidad de Ernesto mirándola, un poco redondos, un poco asomados a la cara, mansamente tiernos, siempre a la espera de una respuesta. Le sonrió mientras colocaba la labor en la bolsa, y poniéndose de pie, sintió que súbitamente la poseía la dicha.

Don Juan Manuel de la Riestra, tras leve carraspera, trató de afianzar la voz que entrecortaba el asma:

—No está el mundo para que lo arreglen, sino para probar a los hombres de buena voluntad. ¿Se ha tejido mucho?

—Unas cuantas vueltas...

—Las señoras prefieren darle trabajo a la sin hueso.

—¿Quieren ustedes una copita de licor? —También este ofrecimiento era ritual en doña Batilde, que se había puesto de pie, como lo hiciera anteayer, como lo volvería a hacer pasado mañana, acercándose a la bandeja en que estaban el oporto y los bizcochos.

—Se agradece la fineza, doña Batilde. Pero no nos serviremos nada, muchas gracias —dijo Ernesto Pérez, que con mucha cautela había tomado en brazos a Solita, buscando protegerle la cabeza con la manta.

María Soledad se había puesto el abrigo y una punta de encaje le enmarcaba el rostro. Se despedía de doña Batilde con un abrazo esbozado, apoyando apenas una mano en su hombro y dando con la otra leves golpecitos a su espalda.

—Hasta mañana, doña Batilde.

—Buenas noches, María Soledad. Hasta mañana.

—Buenas noches, De la Riestra.

—Dios me la guarde, mi señora.

Ernesto Pérez se despedía a su vez. Frente a él estaba doña Batilde, de una pieza, con su mirada dura que tenía la virtud de convertir en objetos a las personas.

"Me mira como con otro par de ojos que tuviera en el fondo de los que le estoy viendo", pensó Ernesto, y extendió la mano, esperando un segundo la otra que parecía hurtarse y que al fin se dejó asir por la suya, sorprendida al hallar la piel caliente, irradiando dominante fluido.

Salieron al zaguán. La casa tenía una puerta ancha con dos ventanas a cada lado. Entre ventana y ventana un banco destacaba su color verde en lo rubio de la madera aceitada. Sobre cada banco había un reverbero a parafina, pero sólo uno daba su luz blancuzca, dejando mezquinamente tuerta la fachada.

Bartolo, el mozo, que dormitaba en uno de los bancos, se puso de pie, apresurándose a encender un farol que descansaba junto a él y cuya luz tardó más tiempo en despabilarse que su dueño.

Aún se dijeron saludos y agradecimientos. Y tomaron los visitantes el camino de losas que rectamente, atravesando la plaza, les llevaba a su hogar. Adelante iba Bartolo con el farol en alto iluminando esa trocha gris que la neblina hacía peligrosamente resbaladiza. Lo seguía María Soledad, un poco en puntas de pies, un poco bailarina, presentando la cara al viento que la verificaba con sus largos dedos fríos. Atrás iba Ernesto con Solita en brazos. Con Solita y su sueño, habitado por seres muy seme antes a los de su vigilia, en el que no faltaban duplicadas versiones de "Togos" y "Don Genaros".

Doña Batilde esperó en la puerta que don Juan Manuel apagara el re verbero. Se había subido a uno de los bancos y se alzaba enorme, fofo, con las mejillas caídas, caídas las nalgas, afanados los dedos nudosos en el manipuleo, desparramando su fluctuante sombra sobre el piso, sin lograr bajar la mecha, azorado y esperando que la infalible voz de doña Batilde dijera lo que al fin dijo:

—No sea torpe.

Lo que logró desconcertarlo como si fuera la primera vez que lo oía y hacerle intentar lo peor: soplar violentamente la base del tubo. No apagó la luz. Fue doña Batilde, que lo apartó sin suavidad, quien alzó una mano precisa y dejó la casa sumada a la noche y la noche incluida en la infinita monotonía del tiempo, ese despiadado coleccionador de identidades.

2

A Solita le gustaba atravesar el pueblo señora en su "Mampato".

Más le hubiera gustado, eso sí, montar un caballo de gran alzada, como el de su padre, o cuando más no fuera, como la yegüita baya de su madre. Le parecían denigrantes los melindres maternos que la obligaban aún —a los ocho años— a conformarse con aquel ridículo caballejo que apenas levantaba unos palmos y que era indecorosamente peludo y retozón. Todo esto irritaba su ánimo mientras estaba en el patio de las caballerizas esperando turno para montar, porque una vez que su padre la dejaba en su silla, una vez que tomaba las riendas y salían a la calle, ya fuera con el padre y la madre, ya escoltando a ésta que guiaba el cochecillo de dos ruedas tirado por el tronco de alazanes, ya fuera sólo con el padre, todo su resentimiento desaparecía a medida que su imaginación hacía crecer la alzada del "Mampato" hasta alcanzar las líneas, la fogosidad y la prestancia de un caballo árabe, y ya era la cristiana que aprovechando un descuido del desalmado raptor huía en su propia cabalgadura de tierra de infieles, ya la gran amazona que en "brioso corcel" desafiando los vientos participaba en la caza del ciervo. Porque su cabecita rebosaba de fantasías que hallaban abundante alimento en las desordenadas lecturas subrepticias, hechas en el fondo de una alacena, mediante métodos misteriosos que hubieran pasmado y escandalizado a sus padres.

A Solita le gustaba ir en su "Mampato", ceñida la chaqueta, amplio el ropón bajo el cual vestía pantalones, altas las botas, blanca la corbata, bien asentado el tricornio que lucía una escarapela, y con la enguantada mano sosteniendo la fusta con aro de oro en el que campaban orgullosas las iniciales de su dueña. Pequeña réplica de la vestimenta materna, como vista con el revés de unos gemelos que la alejaran simultáneamente en el tiempo y en el espacio. Idéntico era el género, semejante el corte proveniente de un "sastre inglés", pero inglés de Inglaterra, lo que enorgullecía no poco a la niña. Imitaba los gestos graciosos de su madre, atenta a no olvidar tampoco las enseñanzas hípicas del padre, cosa que acontecía a veces a María Soledad, distraída por cualquier mínimo acontecimiento.

Así iba Solita embelleciendo con su imaginación las monótonas calles del pueblo, con sus idénticos cuadriláteros —once manzanas por lado— y una plaza en el medio, que más que función ornamental, desempeñaba el papel puramente topográfico de marcar el centro exacto. Porque aquel pueblo, trazado por doña Batilde, era la copia perfecta de su alma despiadadamente geométrica, en la que la simetría era una forma de la ferocidad rampante y la posesión un acto de dominio. Así, sin concesiones al capricho, sin medias tintas crepusculares en los suburbios, cuadriculó el campo, trazó límites a su anchura, apresó para siempre en su red los vivires que desde entonces quedaron sometidos a su arbitrio, se dibujó a sí misma en ese esbozo cuando en las Cámaras se sancionó la ley que ordenaba continuar el ferrocarril central hasta el borde del río, ubicando la estación en los terrenos donados al efecto por el patriotismo de don Juan Manuel de la Riestra, diputado y propulsor del proyecto, como también de otros muchos destinados al enriquecimiento de la patria, dentro de la cual estaba providencialmente ubicado su fundo, del mismo modo que dentro de su fundo, por obra del generoso azar, la casualidad quiso que quedaran la vía férrea y la estación que habría de constituir el núcleo del futuro pueblo.

Pueblo que ya no pertenecía al improbable futuro, sino al gozoso presente que era para Solita toda la realidad, cuando lo recorría haciendo sonar con los cascos del "Mampato" las gruesas vigas levemente combadas que solaban la calle. Del mismo material eran las aceras, lo que llenaba de resonancias y taconeos el aire todo del pueblo en las horas de mayor trajín. Las casas también eran de madera, todas de un piso, regularmente ancha la puerta, bajas las ventanas, puntudos los techos de tejuelas, y entre una y otra, cuando su apariencia era mejor, una pared de ladrillos desempeñaba la ilusoria función de cortafuego, previniendo los incendios, calamidad de la región y acostumbrado pavor de todos. Alguna casa era de dos pisos, con buhardilla de circunflejo techo que a Solita se le ocurrían cejas afligidas; estaba pintada al aceite y tenía persianas y una yedra trabajosamente luchaba con el clima para revestirla de su amoroso verde. Casa de gringos. Las otras mostraban a veces corredores externos. Alguna un banco junto a la entrada, y éstas, como la de doña Batilde, lucían un reverbero. La calle del comercio se singularizaba porque a su largo corría una vara en la que solían aguardar los caballos, pacientemente reposando en ella los cuellos.

Alejándose hacia las afueras las calles eran de tierra rojiza, tosca, que ni siquiera las más empecinadas lluvias lograban hacer intransitables.

Atrás quedaba el cuadrado del pueblo, con sus once manzanas por lado y la plaza al centro, esas ciento veintiún manzanas vendidas en lotes o arrendadas en lotes, edificadas con las maderas provenientes de los propios aserraderos de doña Batilde, provistos sus vecinos con los productos de su fundo, habilitados sus vecinos con dineros prestados por intermedio de un hombre de confianza, utilizado para las ejecuciones judiciales de los morosos, cuyas garantías aumentaban sus haberes, enterrados por fin en el también perfecto cuadrado del camposanto que la rígida piedad de doña Batilde cedía en usufructo, que no en propiedad, a los huesos de los muertos.

Más allá del pueblo la tierra se cortaba en el súbito tajo por cuyo fondo corrían tumultuosas las aguas del río.

Desde hacía años el clamor de los habitantes de los pueblos y ciudades de más al sur se hacía oír, interminable, pidiendo que el ferrocarril extendiera sus rieles, nervios para una enorme región desvitalizada por una inmovilidad antártica que la alejaba del resto del mundo. Y el insuficiente resultado de aquellas ansias eran las promesas con que los candidatos a una representación en las Cámaras engolosinaban a sus futuros electores, prometiendo una feliz coincidencia entre su llegada al Parlamento y la terminación del puente.

Porque de un lado del ancho y profundo tajo se alzaba ya la incompleta estructura de un puente, obra que en un alarde de técnica una temeraria prodigalidad de millones haría posible. Su dibujo tendía sobre el aire un quebrado ademán de orgullo satánico, los poderosos pilares de hormigón rivalizaban en eternidad con las piedras, y desde ellos la férrea trabazón de las vigas intentaba un dominio del espacio que en su actual imposibilidad se resolvía en gesto más de amenaza que de súplica.

Era el muñón de un titán colérico porque no se le permitía probar el escándalo de su poderío. Otra fuerza casi telúrica por lo eficaz y permanente, la voluntad de doña Batilde, lo mantenía aherrojado, yugulando en él la vena por donde podría llegar a fluir hasta perderse la prosperidad del pueblo, su misma razón de ser.

Mientras cruzaban las calles, a Solita le gustaba ver cómo las gentes saludaban a su paso. Cuando salían por el portón y daban vuelta a la manzana para luego tomar rectamente hacia las afueras, poca gente hallaban, porque en la plaza, por voluntad de doña Batilde, que antes de vender un lote de terreno se aseguraba de la prosapia del comprador, tanto como de sus haberes y de su moral, sólo se alzaban su propia casa, la de Ernesto Pérez, su lejano pariente, la Gobernación, el Municipio, la escuela superior, la iglesia, la casa parroquial y el Juzgado.

La casa de doña Batilde tenía una manzana entera de sitio en que se amontonaban galpones, castillos de tablas, pesebreras, establos, casetas para maquinarias. La manzana fronteriza era la de Ernesto Pérez y allí estaba la única casa de ladrillos del pueblo, ostentando su arquitectura en medio de un jardín que lucía a través de la verja.

A esa hora de la mañana, sólo una que otra persona deambulaba junto a la Gobernación, que con el Juzgado y el Municipio hacía frente a la iglesia, a la casa parroquial y a la escuela.

La plaza mostraba prolijos bojes y prados de trébol enano, rosales y coníferas cuidados por el jardinero de Ernesto Pérez. En el centro había un monumento en el que una desabrigada matrona prestaba al Progreso el simbolismo de sus marmóreas robusteces. Una obstinada antorcha, indiferente a las veleidosas sugestiones de los vientos, insistía en la única dirección de su perseverante llama. A sus pies un mundo de mármol negro permanecía prisionero entre la lisonjera guirnalda de un follaje de bronce. Tenía aquel monumento, entre otros, el mérito de prestarse a las más variadas interpretaciones, pero como no era prudente dejar librado a la torpe imaginación pueblerina su recóndito sentido, una placa lo declaraba explícita y solemnemente: rememoraba la fecha en que don Juan Manuel de la Riestra colocara en ese sitio la hipotética piedra fundamental de aquel pueblo de madera. Se declaraba también que el tal monumento había sido costeado por suscripción popular.

Lo que pudorosamente se callaba es que doña Batilde lo había adquirido a bajo precio en un remate, en el mismo lote en que figuraba el aljibe del patio de su casa, que así pasó a ser involuntaria y exigua retribución del pueblo a sus maternales afanes.

La ligereza de ropas de la matrona, no por simbólica dejó de alarmar los también simbólicos pudores de las señoras del pueblo: "¡Cómo se ve que no tiene niños!", comentaban, y los suyos tuvieron prohibido el paso por el centro de la plaza para evitarles posibles malos pensamientos y posteriores comparaciones inconvenientes. Pero la prohibición fue cayendo en olvido y pronto la costumbre hizo que la pátina y el verdín defendieran a la robusta matrona de procaces miradas, con la misma eficacia de un hábito benedictino.

El paco que flanqueaba la puerta de la Gobernación y el otro que hacía lo mismo en la puerta del Juzgado, juntaron ruidosamente los talones para saludar a Ernesto Pérez que pasaba con su familia. Solita inclinó la cabeza, tal como hacía su madre.

Seguían calle derecha hasta dejar atrás las últimas casuchas miserables de las afueras y salir a campo abierto, que era apenas unas hectáreas ganadas a la montaña. Después empezaban los árboles, apretado su espeso follaje, con las enredaderas yendo de tronco a tronco, húmeda la atmósfera que olía violentamente a resina, a canela, a poleo, a palosanto, a boldo, a peumo, a diminutas hierbas de nombres desconocidos, con la simultánea alegría de todos los verdes y la maraña de todas las formas posibles. Bandadas de pájaros alzaban el vuelo al paso de los caballos, trazaban un estremecido semicírculo y regresaban a las ramas vecinas. Su gorjeo se unía a la flauta fina del viento entre los coligües, al bordoneo de las ráfagas entre las ramas, al cristalino salterio de las corgüillas, concertando la enorme polifonía de la montaña. El camino rojizo ascendía siempre, bifurcándose, llegando a estrechos valles en que el verdor redoblaba sus matices, robados por el fuego al bosque y después pacientemente destroncados por el hombre en duro trabajo de años. A veces una vertiente formaba un cuenco límpido a ras de tierra, ansiosa de dar cabida a un poco de cielo. A veces el cuenco desbordaba en un hilillo que se iba uniendo a otros, red anudada por misteriosas simpatías que terminaba por formar un riacho y sumarse al río. A veces el aire se hacía dulce por el perfume de las pisoteadas murtillas. A veces María Soledad se detenía, obligaba a los otros a detenerse y largo rato se quedaban al acecho. Hasta que un venado asomaba su hociquillo tierno y sus ojos de profundo azoro los miraban desde el paraíso de su inocencia, para desaparecer luego súbitamente entre quebrazones de ramas.

Pero esta paz idílica era de pronto rota por rumores extraños, cuyo origen no siempre era posible precisar, o el persistente griterío de las cachañas despertaba el sueño de los ecos indígenas que repercutían de quebrada en quebrada hasta el fondo de los chivateos ancestrales.

A Solita, más que irse por la montaña, le gustaba tomar el camino zigzagueante que bajaba a las riberas del río. No porque no le gustaran la montaña y su sobrecogedora inmensidad. Hasta sus medrosos alaridos la estremecían deleitosamente como los imaginados baladros de un cuento de brujas. Pero era que en el río, en la otra orilla y teniendo sólo acceso por un puente particular que cerraba un portón, se alzaba una casa blanca, de dos pisos, con altas estrechas ventanas de pequeños vidrios geométricos de colores, escapados de una iglesia y que a veces estaban iluminados por dentro, con un pórtico de cuatro columnas, al que, en el piso alto, correspondía un gran balcón igual al que se asomara la mujer de Barba Azul con su hermana, cuando atisbaban en la lejanía la nubecilla de polvo de sus salvadores. Toda la casa estaba cubierta de enredaderas, rodeada de una terraza que en paulatinos planos descendía hasta el borde de las aguas, que lamían en esa parte la piedra de un muelle; atrás, había una cancha de tenis y un picadero. Luego la montaña recobraba su imperio, ciñéndose inescrutable alrededor de la casa cerrada en secreta consigna.

Sabía Solita que en esa casa vivían un hombre y una mujer que no hablaban ningún idioma que ella conociera. Y eso que ella hablaba castellano, porque era su idioma patrio, y después francés e inglés. El inglés se lo había enseñado su padre, y el francés, su madre y la Mademoiselle. Pero esas gentes hablaban un extraño idioma en el que la abundancia de consonantes no excluía una armoniosa dulzura, y vivían alejados de todos, sin comunicarse con nadie.

Llegaron a ese fundo antes de que el pueblo existiera. Ni doña Batilde podía decir de ellos nada, sino que eran vecinos que jamás incomodaban, que habían hecho mejoras en los caminos y que saludaban corteses y altivos. Tenían consigo dos matrimonios extranjeros, tan cautelosos de su independencia como ellos mismos. Nadie podría precisar cuándo compraron esa propiedad, ni cuándo o con qué medios levantaron esa casa que, como la de Ernesto Pérez en el pueblo, estaba hecha con ladrillos rojos y tenía el techo de tejas españolas. Todo ese material de construcción debió venir a lomo de mula por tortuosos caminos desde una lejana ciudad del sur que era a la vez puerto fluvial.

Habían talado la montaña tan sólo para lograr un asiento a la casa, a las terrazas, a las canchas deportivas. Pero en esa montaña debía haber un camino que llevaba a la ciudad del sur. Sí, porque milagrosamente salida de la tierra no pudo haber brotado toda esa fábrica.

Esta idea entusiasmaba a Solita esa mañana, en que, como otras veces, había logrado que el paseo enrumbara hacia el río, presionando en la voluntad de sus padres sin que éstos se apercibieran de sus sutiles pases y enroques.

Había brotado del suelo. Y veía surgir lentamente de entre el espeso hierbal las tejas de la casa y alzarse ésta hasta quedar asentada, con sus chimeneas echando humo y sus yedras recortadas en los rectángulos de las ventanas encendidas de colores, como las casas con nieve de las tarjetas de Navidad.

Luego surgían las terrazas, la cancha de tenis con su red cansada de no pescar ni un chercán, esos alborotadores peces del aire, sino de vez en cuando alguna pelota mal dirigida; la elipse del picadero, donde los caballos aprendían su geométrico trote; las caballerizas con el altillo para guardar el pasto; el largo muelle; el puente con sus arcos de tres puntos, casi a ras del agua.

Y surgía la bella señora, vestida de sedas y terciopelos que el tacto de la niña adivinaba de suavidad angélica, fina de cintura, con una estola de martas cebellinas y el tibio barrilito del manchón, al que siempre se prendían flores. Y llevaba un sombrero con plumas lloronas y cintas de raso y un velo con motas que hacía lejano y como de recuerdo el rostro que cubría. Velo color de rosa, color de cielo, color de perla, de todos los colores, porque la señora tenía una variedad infinita de trajes y de pieles, de sombreros, de velos, de sonrisas y de gestos de renovada gracia.

Junto a la señora aparecía el señor, como un roble junto al jazminero; alto, enorme con sus anchos hombros, rubio, turquesa los ojos, grande y roja la boca entre la caudalosa barba que era la perplejidad máxima de Solita. Porque esa barba, en días de semana, cuando lograba divisarla, era una corta barba que cubría su cara. Pero los domingos, en misa, tal vez por obra de San Antonio o de cualquier otro barbado santo, llegaba en sedosas ondas brillantes color de espiga hasta la propia cintura del señor.

Porque a veces Solita lograba divisarlo jugando al tenis con la señora. O haciendo ejercicios en el picadero, asombrando aun a su padre —maestro en la materia que tenía premios ganados en concursos hípicos—, mientras la señora lo observaba con sus impertinentes desde una pequeña tribuna. Una vez encontraron a ambos a caballo. Solita perdía la respiración al evocar ese hecho maravilloso. Repentinamente los cruzaron en la montaña. Venían al paso de sus cabalgaduras de raza que marcaban la nobleza de su sangre en el ritmo perfecto de su marcha. Solita pensó de golpe que ella y sus padres parecían huasos endomingados. Sin ponerse de acuerdo se detuvieron los tres y esperaron que los otros pasaran, impecables, tranquilos, saludando con sobria cortesía, aislados en esa aura aristocrática que los mantenía lejos del plebeyo contacto de la realidad. Solita recordaba que no hicieron ningún comentario. Nunca comentaban sus padres nada referente a la Casa de la Yedra, como se la llamaba. Ni a la casa ni a sus habitantes.

Tampoco en el pueblo se hablaba de ellos. Eran ya una costumbre. Agotadas todas las presunciones acerca de su identidad, se los aceptaba en calidad de benignos fantasmas.

Cuando se fundó el pueblo, don Juan Manuel de la Riestra les hizo una visita de cortesía a instancias de doña Batilde, que quería sopesar sus posibilidades económicas y catalogarlos en su rígido casillero de moralidad. Logró llegar hasta la casa tras una paciente espera en el puente, mientras uno de los mozos iba y venía, entendiéndose con él por gestos más que con medias palabras. Lo hicieron pasar a un salón confortable, en cuya chimenea ardía un tronco entero. Apareció el señor y al estrechar ceremonioso la mano, dijo un nombre, con un tono que no aseguraba que fuese el suyo:

—John Smith —y agregó una frase en un idioma incomprensible.

Don Juan Manuel pronunció su nombre pomposo, marcando bien el De la Rrriestra, lo que no pareció producir el efecto esperado, y agregó unas palabras corteses a las que siguió un embarazoso silencio. Porque el señor movía de un lado al otro la cabeza, sonriente con los labios, no con los ojos, y por fin, tras leve encogimiento de hombros, agregó más frases en su extraño idioma, con una pronunciación que a don Juan Manuel le pareció maravillosa: nunca había dejado de entender algo con tanta claridad. Y como en su desconcierto no supiera qué más añadir, volvió a decir su nombre, esta vez con menos lija en las erres, tomó el camino del río, atravesó el puente acompañado por el mismo mozo que le permitiera la entrada, y que cerró a su espalda el portón de acceso, con golpe tan suave como definitivo.

Años después, cuando el pueblo llegó a ser capital de departamento —don Juan Manuel acababa de pasar de la Cámara de Diputados a la de Senadores—, el primer gobernador, pasmado ante el misterio de estos propietarios que si no estaban bajo su jurisdicción —el río limitaba el departamento—, podían considerarse como vecinos del pueblo, realizó una visita, diferenciada tan sólo de la que hiciera don Juan Manuel en que el gobernador sabía algunas frases en francés y en un italiano de ópera que sirvió *enchanté* al *mio caro signore*, sin obtener de él otra cosa que los mismos gestos negativos y semejantes frases incomprensibles.

Contaba después su aventura en el club, ante el corro de notables:

—Un salón como iglesia, alto, con tapices en los muros. A los lados de la inmensa chimenea unas cabezas de ciervos, estupendas. ¡Qué casa! Y el gringo sin entender palabra. Yo le dije —sacó pecho, metió los dedos de la diestra entre los botones de ojo de gato del chaleco, llevó la izquierda a la espalda y engoló la voz—: "Vea usted, *mio caro amico*, a fuer de gentes progresistas, deseamos que la convivencia sea un hecho social incontrovertible, y es por eso que me he permitido visitarle, porque la investidura que me ha sido conferida por el Superior Gobierno de la Nación me autoriza que sea yo el primero en dar el paso hacia la cordial entente, máxime cuando se trata de un extranjero afincado en el suelo patrio que busca vivir al amparo de nuestra libérrima Constitución, que acepta e incluso alienta el fecundo aporte de las sanas corrientes migratorias".

Aquí el gobernador hizo una pausa, entornó los párpados y de reojo se observó en un espejo, atento a la actitud plástica que cada frase requería. Pero en la pausa entraron tumultuosamente a competir en el uso de la palabra todos los presentes, contando cada cual su propia experiencia, que si no llegaba a una visita a la Casa de la Yedra, se aproximaba al filo de un saludo expresivo, al súbito abordaje del señor a la salida de la iglesia, sin otro fin que el de ponerse a sus órdenes para cualquier eventualidad.

Esto lo decía el boticario dando a entender que bien valía hallarse en buenas relaciones con la ciencia. A lo que el médico, que era sordo, porfión y desconfiado, trataba de replicar empleando palabras casi idénticas.

—Es un egoísmo imperdonable querer vivir al margen de la sociedad —tronó el gobernador, que de alguna manera tenía que retomar el uso y abuso de la palabra—, no se puede ser una rémora. El actual concepto de vida requiere moldes nuevos. El individuo debe aportar aunque más no sea su modesto grano de arena para levantar los cimientos del carro del Estado —y cambiando de pronto el tono prosopopéyico por el confidencial, añadió—: Ustedes, señores, son testigos de mi esfuerzo para atraer al seno de nuestra sociedad al descarriado misántropo y si he fracasado en mi *tour de force*, declino toda responsabilidad al respecto.

Y como se viera en el espejo una mecha rebelde, la volvió a su sitio. También en este respiro los otros se precipitaron a desquitarse del obligado silencio, hasta que con mesurado movimiento de manos, suave la voz que nunca alzaba y cuya natural impostación la hacía llegar a todos los oídos, el señor cura dijo con tranquila autoridad:

—No es un egoísta. Ni un descreído. Ni un mal hombre. Todo lo contrario. Es un señor que por circunstancias especiales desea vivir apartado. Nada más. Y bien saben los presentes, como lo sabe el pueblo entero, aunque yo nunca lo haya dicho, de dónde salen los dineros que mantienen el hospital, que han hecho posible el dispensario y que han permitido levantar el templo de Dios.

Y así, al amparo del secreto de confesión, siguió prosperando el misterio y creciendo la leyenda en su torno. Solita pensaba que en la noche del sábado venían los ángeles y en premio a la bondad del señor le hacían crecer la barba para que en la iglesia tuviera aspecto de rey santo, de aquellos que curaban lamparones con la sola imposición de manos. Rey despojado por malos súbditos de su corona, traído por misterioso bajel de velas carmesíes hasta las playas del sur y luego por largos caminos a la ribera del río, donde surgió mágicamente la Casa de la Yedra.

Y la señora era la hija de un pastor, enamorada del rey y que nunca había podido hacerle saber su amor hasta que, al verlo abandonado y triste, le pidió que le permitiera compartir su destierro. Y los sirvientes habían sido gentileshombres y sus mujeres azafatas de la reina madre, y todos habían abandonado un castillo enclavado en alta cima, rodeado de un foso lleno de ranas de encantamiento en sus turbias aguas medrosas, para seguir a su príncipe..., ¿pero no era un rey? Sí —rectificaba—, a su rey por los caminos del mundo en los que Solita podía encontrarlo ahora, para ser por él saludada con la misma reverencia que emplearía con una gran señora, como su madre, o, mejor aún, como si fuese ella una de las princesitas que debió conocer en su corte.

Habían llegado hasta el borde mismo del río. Al otro lado de su caudal fragoroso se percibía el malecón, las terrazas escalonadas, los campos de deportes y la casa con su enredadera. Nada más. Solita suspiró. ¡Sería para otro día el verlos! Y volvió riendas porque era hora de regresar.

Apenas si miró el puente que tendía al aire su arquitectura mutilada. Desde lo hondo del tajo, a contraluz, parecía una sombra chinesca. La ladera extrañamente rojiza se manchaba con las casillas de obreros y los galpones del campamento que fuera de la obra abandonada.

El padre dijo:

—Es una vergüenza que no se termine este puente. Por lo menos cerrar la entrada con unas tablas que fuera... Con los chiquillos jugando en la pasarela, a brincos por los durmientes, cualquier día vamos a tener una desgracia irreparable que lamentar...

—El día que se termine, se termina el pueblo —contestó la madre, que aún resentida lo dijo íntimamente satisfecha, porque sabía lo que a doña Batilde la inquietaba esa posibilidad.

—Lo cierto es...

—Lo cierto es que mientras "ellos" no lo quieran...

—¿Tan fuertes los crees?

—¿A él? No. Pero detrás está ella con su rapacidad.

—Me duele oírte hablar así, pequeña...

María Soledad se volvió para mirarlo dentro de los ojos.

—Te podría doler entonces tu pensamiento, que te está diciendo lo mismo.

Regresaron en silencio. Solita a un costado, con la impresión de que el "Mampato", en aquel retazo de cuento, era una alfombra mágica que la llevaba a un país de maravillas.

A sus espaldas quedaba la obstinación de hierro y cemento de la obra inconclusa, bien en la realidad de su manco presente, bien en la certidumbre de que el porvenir fluiría alguna vez por los arcos completos de su perseverancia, superior a la humana.

3

Siete, siete, siete, siete pasos. Uno. Dos. Tres. Cuatro. Cinco. Seis. Siete. Vuelta. Otra vez. Uno. Dos... Siete. Siete. El hombre los cuenta, los cuenta de nuevo, obligándose a aferrar la atención a ese ritmo mecánico. Pero los números se le escapan, pierden continuidad y algo como una niebla le llena el cerebro. Los músculos no aflojan y los pasos siguen recorriendo el piso, silenciosos porque el hombre calza alpargatas. Pero súbitamente también los movimientos lo traicionan, pierde el equilibrio y a trastabillazos llega hasta el banco junto a la ventana, se deja caer, busca a tientas la mesa que debe estar cerca, para extender sobre ella los brazos y apoyar allí la cabeza.

¿Qué hora será? ¿Cuánto tiempo ha pasado dando los siete pasos de su desesperación? Siete pasos. ¿Durante cuántas horas? ¿Desde hace cuánto tiempo? Siete. Siete. Le parece que los números empiezan a dibujarse dentro de sí mismo, cifras hechas a golpe de martillo, dolorosamente repercutiendo en su frente. ¿Cómo resiste ese tormento? Ya no puede más, no puede, es imposible tolerar la angustia, el horror de ratones rondándolo y las telas de araña en su contorno en hilos fríos que lo paralizan. No se puede. No se puede pedir a un ser humano que vaya más allá de sus fuerzas. No. No. Son siete pasos. Siete. Siete. No puede más.

Apoya ahora las manos sobre su boca porque siente que de adentro ha de brotar el grito de su angustia, a pesar suyo, contra su voluntad, por un oscuro impulso irrefrenable. Las manos empuñadas hacen tal presión que los dientes se incrustan a la piel de los labios. No debe gritar, no quiere gritar, no está gritando, pero en su oído golpea una voz que no es la suya. Tangible como si la voz no fuera una onda sonora, sino un contacto, un choque, una explosión. Pero esa voz no dice: "Siete, siete, siete...", sino que aúlla enloquecida: "No me mates..., no me mates... Perdón..."

Los puños aprietan los oídos, quisieran meterse adentro, taponarlos, hacerse de material esponjoso, ser algodón, llegar hasta adentro, hasta adentro y tapizarlo todo, como muros de cuarto de loco, poner algodón en los oídos, en el paladar, en el tacto, en el olfato, en los ojos. Tapizarse el cerebro. Tapizarse el corazón. No sentir nada. Nada. Porque es pavorosa esta espera del amanecer, mientras el recuerdo lo asedia, lobo de dientes duros que lo mastica sin darle fin, que sigue royéndolo hasta que el alba asoma su abanico tímido sobre los picachos cordilleranos.

Podría pedir permiso para que lo dejaran a esa hora bajar al patio, atravesar la verja e irse por el pueblo andando su desventura, no contando siete, siete, sino con las piernas alargadas por los caminos, rápidamente devorando kilómetros, desgastando el desvelo. Pero no quiere más privilegios. Le avergüenzan los que ya disfruta. No. No. Como uno cualquiera, ser exactamente igual a ese cualquiera. Que el sudor de la angustia corra por su cara y en las sienes le martille una cifra: siete, siete, siete...

Taponarse los sentidos, asordar el recuerdo. Contar siete, siete, siete. Pero no verse como en una proyección contra lo blanco de un muro yendo distraído por la calle, cantando dentro de sí mismo las notas de la dicha en una frase sin palabras; regresando sorpresivamente a su casa, a esa casa que fue la suya —¿cuándo?—. ¡Cómo duele aquí, sobre la frente, sobre las cejas, aquí, aquí!... Volver a buscar un pañuelo si se tiene romadizo y se salió sin pañuelo, no es hecho que parezca trágico, pero lo será si al torcer la esquina se queda uno fijo como un poste y con el corazón también parado en medio del pecho, porque a la puerta de la casa que se estima propia hay un hombre que saca una llave, abre esa puerta, entra y la cierra. Entonces se piensa en un delincuente. Y el poste y el corazón cobran movimiento y con pasos de felpa se llega hasta esa misma puerta y se la abre y se entra y está todo oscuro, menos una raya que marca el dormitorio y allí se sienten cuchicheos y una voz de hombre y la voz de Margarita, y entonces hay unos pasos inaudibles que se acercan a esa puerta y un oído pegado a las maderas y —¡Dios mío!— la certidumbre de que nunca todo él será otra cosa en adelante que un montón de desdicha. ¡Dios mío! ¿Cómo se puede retroceder, abrir de nuevo una puerta, cerrarla, ganar la calle, irse por la noche, bajo las estrellas que no han cambiado de sitio, que están en el mismo cielo azul de verano, transmitiendo idénticos mensajes, apaciblemente el aire liando hojas sobre las aceras?

¿Cómo las cenizas pueden no aventarse?

Recuerda un banco que sus manos aferran. Y que esas manos de pronto lo palpan, buscando a ese Pedro Molina que él es, constatándolo en vigilia, porque lo que acaba de pasar no puede ser sino un sueño, algo misteriosamente vivido por otro. Tiene los ojos muy abiertos. También tiene abierta la boca. Se palpa. Busca y halla su realidad. Pero no sabe cómo hallar la realidad de lo que está sumido en lo pasado, de una raya de luz, de una frase balbuceada, de una risa contenida. ¿Cómo apresar todo esto? ¿Dónde? ¿Cómo lograr la comprobación de lo que fue, inasible, irremediablemente quedado atrás, sin que nunca, nunca, nadie, ni él mismo, ni fuerza humana, ni posibilidad inhumana, logren volverlo a poner frente a lo que no es sino recuerdo? ¿Recuerdo de qué? ¿De algo que pasó en la realidad o de algo que fue tan sólo en lo irreal de los sueños?

Margarita es la única que posee las claves. Tan sólo ella tiene en su pequeña mano el signo de la verdad. El no puede preguntar, decir tampoco. No puede preguntar: "¿Con quién hablabas, quién estaba contigo mientras yo salí?" No puede decir: "Vi a un hombre entrar en casa". ¿Cómo se preguntan, cómo se dicen esas cosas?

La desgracia lo aplasta. Le parece que no existe, que está muerto, que se murió hace tiempo, que es sólo un turbio recuerdo de alguien que vagamente le odia.

Ahora, ¿qué se hace ahora? ¿Qué hizo él en ese "ahora", entonces, cuando estaba sentado en un banco después de palparse con mano humedecida y hallar sus ojos abiertos y su boca abierta y no encontrar nada más que la realidad de su cuerpo, pero no la realidad que engendrara su desdicha?

Hay un tembladeral de nada, una zona intransitable de inexistencia, un hueco en su tiempo desdentado, en cuyos lamentables alvéolos faltan varias horas irrecuperables.

Su vivir está formado por trozos inconexos, unidos entre sí desacertadamente por ligazones que la memoria no alcanza a recuperar. Por cuadros aislados logra apresar algunas imágenes de ese "entonces". Frases sueltas resuenan lejos, a través de un muro de ensueño que deforma las voces, que las enajena.

—Buenas noches, Pedro.

—Buenas noches...

—¿Había mucha gente en el teatro?

—Regular... Y tú, ¿qué has hecho?

Que diga, que lo diga, que diga con su voz ligeramente aguda: "Vino Rodolfo a verme, sintió no hallarte". Pero Margarita contesta, jugando con las cintas de su camisa de noche:

—Leer y aburrirme con este novelón que me prestó la Elena.

Tiene una cara de muñeca, rosa, con pequeños ojos gris-celeste, una naricilla levemente respingona, levemente pecosa, una boca grande que muestra al sonreír menudos dientes desparejos. Y tiene un hoyuelo en el mentón, y si la sonrisa deja ver el punto débil de su belleza, ahonda otro hoyuelo en cada mejilla, dándole un atractivo irresistible. El cuerpo es menudo, apenas si hace bulto en la cama. Nadie la diría una mujer, y menos una futura madre.

¿Ha soñado? Su sospecha alerta no percibe nada en días de días. El no es él. Su cuerpo actúa como un caparazón que lo alberga y que le permite vigilar, espiar, tenso a todas las señales. No descubre nada. Es extraordinario que se pueda seguir yendo a la oficina, a igual hora, que se hagan los mismos gestos con las mismas voces glosándolos, que se pueda ser como siempre por fuera, y por dentro haya tan sólo un desesperado ser deshecho por corrosiva dubitación.

Margarita repite las mismas frases adorables: "Eres tonto, pero te quiero..." "Un marido debe tener ciertas consideraciones con una futura mamá..." "No me mires con esos ojos de perro hambreado..." "Por favor, Pedro, no..., no insistas..."

¡Son las frases que le ha dicho tantas veces! Pero ahora ofrecen otra resonancia. Discierne que las palabras de cariño tienen siempre testigos extraños y que cuando éstos no están presentes, tampoco está presente la intimidad propia de una pareja, hombre y mujer que se quieren.

Su futura maternidad, su languidez, sus malestares, son una valla insalvable que Margarita levantó entre ambos casi desde los primeros días de casados. Algo que su propia invencible timidez, su ternura recóndita, su horror al rechazo, han hecho más definitiva aún.

Dentro de él, desde que la conociera en la escuela, está la imagen de Margarita tiranizando sus juegos, sus lecciones, sus gustos, atado irrevocablemente a lo que ella disponga y para siempre. Fue su compañero de colegio, su pareja en deportes, su enamorado en la juventud, mientras ella gustaba jugar con el amor, coqueta e insaciable de homenajes, sin decidirse por nadie, contando con su devoción y de repente resolviendo lo más inesperado: casarse con él.

Volvía a la casa a las horas más sorprendentes. Simulaba viajes. Nunca encontró nada que corroborara la escena de aquella noche. ¿Soñada entonces? Todo iba deslizándose por rieles de costumbre, siendo Margarita y él una de tantas parejas recién casadas que esperan el primer hijo, entre chaquetitas tejidas y largas discusiones sobre el probable color de los ojos de la criatura.

El teléfono que le permite llamarla constantemente, ubicarla, dándole la mínima tranquilidad de su voz, que con una especie de sonsonete paciente contesta a su repetida pregunta: "¿Cómo te sientes?"; el teléfono le entrega la súbita certidumbre de su desgracia.

—Aló, señorita. Por favor, señorita... Hace media hora que espero que me comunique con Puerto ciento tres. ¡Aló! ¿Central? Con ciento tres Puerto. ¡Aló! No, señorita, no me ha comunicado. No corte. Por favor... Con Puerto ciento tres. ¡Aló! —Hay una serie de ruidos, retumbos que le obligan a separar el fono del oído, mirándolo rencorosamente. Como vengándose, fatal, ciego, en el fono se oye lejana la voz de Margarita que dice:

—Señora Duprat. ¡Aló! ¿Con la señora Duprat?

—Habla con la sirvienta —contesta otra voz.

—Deseo hablar personalmente con la señora Duprat.

Contempla con estupor el fono por el que salen los ecos desfallecidos de esas voces. Cuando comprende que las líneas se han cruzado, acerca ávidamente el fono al oído y escucha su condenación.

—La señora está ocupada —vuelve a hablar la voz desconocida.

—Insisto en que le diga usted que está la señora Margarita en el teléfono y que es imprescindible que hable con ella.

—La señora ha dado orden de no molestarla.

—Insisto en que la llame. ¿Qué quiere que le diga para convencerla? ¿Que me estoy muriendo?

—Bueno... —y tras una pausa—. Pero usted es la responsable si la señora se enoja porque la molestan.

Una larga espera.

—¡Aló! Aquí la señora Duprat. ¡Aló! —dice una voz nasal.

—Habla Margarita. ¡Gracias a Dios que me atiende! No sabe usted lo desesperada que estoy. ¿No tiene nada para mí?

—Nada.

—Pero ¿cómo es posible? Hace más de un mes que no recibo noticias. Ni una carta. ¿Tampoco le ha hablado por teléfono?

—Tampoco.

—¿Y qué voy a hacer yo? Cada día me siento peor. Es absolutamente necesario que usted me examine.

Hubo una pausa.

—¡Aló! ¡Aló! Señora Duprat...

—Estoy pensando cómo decirle que no cuente más conmigo. Yo no puedo seguir atendiéndola. Le ruego que no llame más, que "no" me llame más. No quiero más responsabilidades en este asunto.

—Pero ¿a quién voy a recurrir yo?

—Eso es cosa suya. Buenas tardes.

Se oyó el sonido seco de la comunicación cortada. En el otro extremo la voz de Margarita que decía desesperadamente suplicante:

—Por favor, señora Duprat, por favor... ¡Dios mío! ¡Dios mío!...

Y algo como sollozos y palabras balbuceadas. Luego nuevamente el ruido seco del otro fono al colgarse.

¿Qué significa aquello? ¿Quién era esa señora Duprat?

Pero no tuvo tiempo de pedir explicaciones ni de buscar a la mujer que aparecía como cómplice. Halló a Margarita sin conocimiento en el suelo, desangrándose. Se llamó a la asistencia, la llevaron a una clínica. Alguien preguntó:

—¿Es un parto prematuro?

Y un médico contestó, enarcando las cejas:

—La criatura viene con su tiempo casi normal, pero el parto se presenta dificultoso.

Alguien preguntó de nuevo:

—¿Cómo sigue?

—Está en la sala de operaciones. Hay que tener paciencia.

¿Quién era ese alguien que preguntaba esas cosas y al cual el médico daba someras explicaciones? Tal vez era él mismo. Aunque tenía la extraña sensación de continuar todavía pegado el oído al fono, mientras la voz de Margarita gemía con asordada angustia: "¿A quién voy a recurrir yo?" ¡Qué confuso era todo!

Ahora una enfermera decía algo:

—¿La señora tiene familia? Sería prudente avisarle.

—¡Ah! Sí —y con una especie de mecanismo iba hasta el teléfono pronunciando las palabras de llamada y de alarma.

Y otra vez la sala de espera de la clínica, con las paredes blancas y los muebles laqueados y unas viejas revistas y otro señor como él, empalidecido por la angustia y sus pasos resonando en las losetas rojas. ¿Cuántos pasos daba entonces? Tal vez siete. Tal vez allí empezó a dar los siete pasos de sus amaneceres alucinados y sufrientes. Siete. Siete.

La mujer de uniforme blanco otra vez a su lado.

—¿Quiere tener la bondad de venir? La señora está muy mal. El doctor desea hablar con usted.

Lo demás es completamente neblinoso. No precisa nada. Es imposible separar fisonomías, hechos, palabras. Todo está allí revuelto, pero el final de todo eso es una cama en que hay una triste figura yacente que cubre una sábana y al lado está él, sin saber exactamente lo que ha pasado ni por qué Margarita ha muerto. Porque Margarita ha muerto. Está muerta. Muerta. Lo repite bajito. Muerta. También ha muerto el hijo. Esto no le importa. Muerta. Margarita está muerta. Se alza, levanta la sábana y ve el rostro, tan de muñeca, ahora de cera, tan juvenil y puro en el pañuelo que lo rodea, con las pestañas poniendo una franja de sombra sobre las mejillas. La mira, atónito. Muerta. Pero ¿qué ha pasado?

Luego llegan parientes, amigos a los que no sabe quién avisó y que le dan la mano, que le palmean los hombros, que le dicen absurdas frases de consuelo. Traen un ataúd. Ponen allí a Margarita. Sacan el ataúd, lo meten en un coche; hay que seguir el coche en otro cerrado con cortinillas, hay que llegar a la casa, su casa, la casa suya y de Margarita, en que ya unos hombres arreglan los muebles, trastruecan todo para dar cabida a altos candelabros, a trípodes, a macetas. Cuando quieren colgar paños negros, él protesta:

—No, no, que le darán miedo...

Los presentes mueven apiadados la cabeza. No se colocan los paños negros. Llegan las hermanas y las tías, las amigas de Margarita, sus amigos, gentes desconocidas, curiosos entrometidos. El está allí, saluda, oye frases, va y viene. De súbito algo lo lleva a su habitación, a la suya que fuera también de ella y que compartieron en esos meses que han transcurrido desde que se casaron. Sabe ahora claramente lo que busca. Echa llave a todos los muebles y guarda éstas en su bolsillo.

¿Después? Otra confusión de hechos, de palabras. Tiene una especie de impaciencia, un deseo de que todo ese barullo termine. Y hay un momento que parece llegado de pronto, en que todo ha terminado. En que la familia de Margarita se ha ido, en que Margarita está tras una losa de mármol, en que se han dicho responsos y se han recibido condolencias. Ahora está solo. Puede empezar a rehacer la historia.

Para ello están las cartas y está la señora Duprat.

"...no veo por qué tantos escrúpulos. Pedro te quiere, es bueno y jamás le pasará por la cabeza una duda..."

"...no sé hasta cuándo te voy a repetir que bastará decir que el niño es sietemesino..."

"fíate en la señora Duprat y déjate de tonterías. A todas las mujeres que tienen un hijo les pasa lo mismo y ninguna es por eso un fenómeno..."

"...yo no tengo tiempo para estar escribiéndote todos los días..."

"...no sé de qué te quejas. Tienes un marido y un padre para tu hijo. No me parece decente que pretendas que siga siendo tu amante. Lo pasado, pasado está. Por favor, no me ahogues con reproches. Yo no te pedí que tuvieras el niño; de haber seguido mis consejos, hace rato que estaríamos todos tranquilos..."

La voz nasal de la señora Duprat repite:

—Yo no sé nada de todo esto. Es una equivocación. No sé nada. Esa señora Duprat puede ser otra. Un alcance de nombres. No sé nada. No conozco a las personas por las que usted pregunta. No sé una palabra de todo este asunto.

Pero ante su ira que al fin estalla, la voz explica:

—Sí, él quería obligarla. La trajo para eso. Pero no se pudo, la pobrecita se moría literalmente de miedo. No se pudo... Entonces... Ella siempre contaba con usted, con su cariño, con su protección. Muchas veces quiso contárselo todo... Pero no se atrevió. Yo la atendí en los primeros meses, después me dio susto ver que el embarazo no se presentaba bien. Le aconsejé un médico. No quiso verlo. Y como "el otro" no escribía ni daba señales de vida, acabé por querer yo también deshacerme de toda responsabilidad...

—Y entre todos la han matado... La "hemos" matado...

Ahora toma un tren, baja en una estación, camina por las calles de un pueblo de los alrededores, llega a un bufete de abogado, pregunta por el señor Rodolfo...

—Asuntos particulares.

Un largo pasillo, blanco, inexpresivo, como si fuera el mismo de la clínica donde murió Margarita que llegara hasta allí para unir las dos muertes, anudando la equivocación de su vida.

La puerta se abre, indiferente, una vez entre tantas. Rodolfo, sin alzar la vista de sus papeles, dice con voz ajena:

—¡Adelante! —invitando a su propio destino.

La mano no tiembla. La escena es idéntica a sí misma, casi con precisa pulcritud de operación quirúrgica. El otro queda allí de bruces sobre sus papeles, anegando con su sangre la incompleta inexpresividad, ahora llena de sentido, del "Es justicia".

Le aferran tenazmente las manos: eso estaba también previsto. Musita apenas:

—El juez sabrá mis razones.

Veinte años y un día. Pedro Molina tiene entonces treinta y tres años. A los cincuenta y tres no se rehace una existencia. No. Porque su vida será pasarse entonces como ahora el día matándose en el trabajo, para caer pesadamente en medio del sueño hasta una hora determinada de la noche, en que un íntimo mecanismo lo coloca al borde de la vigilia y del asalto de los recuerdos. No elude ese tormento que le parece la única manera digna de redimir su falta. No aquella que los hombres le achacan, sino la otra de leso amor, que no supo ver el desamparo de su criatura, su aguda desesperación. Y es entonces cuando murmura, cual si lo hiciera al oído de Margarita:

—¿Cómo no me lo dijo? ¿Tan poca creía que era mi terneza? ¿No sabía que todo lo aceptaba por venir de usted? ¿Por qué no tuvo confianza en mí, como cuando era chiquita y me hacía alzarla para ir por la playa en que los cangrejos le daban miedo? ¿Por qué?

Se odia en esos momentos. Odia su necio amor, que la envolvió en una oscura trama de recelos; odia sus ojos, que no supieron revelarle el caudal de su devoción; abomina de sus manos, que no pudieron atraerla a la confianza de su abrazo; maldice sus besos, que no lograron abrir sus labios en la volcadura de confesión. Se odia.

Las manos dan puñadas en su pecho. Se alza trabajosamente. Empieza a moverse. Da unos pasos vacilantes. Uno. Dos. Tres... Ya sabe que serán siete. Siete. Siete. Pero de súbito se detiene, porque en el cuadro abierto de la ventana, una pálida luz de amanecida viene a salvarlo del agrio regusto del insomnio.

4

Covadonga Sordo se mira y vuelve a mirarse en el espejo. Tiene la cabal conciencia de que faltan cinco minutos para las cinco y que a las cinco en punto debe estar en casa de la coronela y que para llegar hasta la casa de la coronela, a buen paso, hacen falta diez minutos. Pero esto no obsta para que siga mirándose al espejo, retocando las cintas del sombrero, la posición de los alfileres que afianzan ese pequeño monumento a su cabeza. La verdad es que desearía tener un motivo mayor para demorarse y no tener que ir desganadamente hasta la casa de la coronela, donde esa tarde, para su gran asombro, ha sido invitada por medio de una tarjeta color malva que en un extremo muestra un ramito de violetas y unas iniciales.

Covadonga Sordo llegó hace dos años de la aldea asturiana, llamada por su hermano Severino, que antes de eso mandó dineros para que los viejos vivieran cómodamente en la casuca transformada en casa de piedra sillar, con su hórreo colmado de panojas, con su huerta al costado y un terreno de labrantía en el monte y un par de castaños en el castañar del Alto de la Ermita, mandando también dineros para que la rapaza se educara con las monjas de Cóbreces, haciendo de ella una señorita igual que las de la casona o más, que las otras muchos títulos tendrían, pero no los dineros que él se había hecho en América vendiendo ultramarinos. Hasta entonces ha ido a misa todos los domingos con el hermano; ha ido algunas veces al paseo de la estación, cuando llega el tren directo de la capital; los domingos después de misa al paseo de la plaza; ha ayudado al señor cura en el catecismo, y ha asistido en un palco a las fiestas patrias que se celebran con un magro desfile de bomberos y escolares. Sus amigas son Lucita Méndez, hermana del señor cura, y la Mademoiselle, la institutriz de los Pérez, que también ayuda a enseñar la doctrina. Las señoronas del pueblo no habían tenido para ella hasta ahora otra cosa que una distraída mirada, no tan distraída que no pudieran aquilatar su innata elegancia, su piel de durazno apetitoso y la dulce mansedumbre de sus grandes ojos color de avellana.

Pero debe irse si no quiere llegar retrasada.

El hermano la espera en la galería, desaliñado y jovial.

—Viva la mi hermanuca... Ahí va lo bueno...

—¿Insistes en que vaya? ¿Insistes también en no irme a dejar?

—Sí, hermanuca, tienes que ir. Por ahí anda doña Saldías, que te acompañará. Abur y buena suerte.

Covadonga Sordo siempre se ha sentido dueña de sí. Lo mismo cuando en la aldea llevaba a la cabeza la macona con ropa, camino del río, que cuando por primera vez se halló entre sus compañeras de colegio, que cuando puso pie en la cubierta del barco, que cuando fue por las calles del pueblo americano tan distinto al que dejara metido entre otras montañas allá en los Picos de Europa. Pero el salón de la coronela no le parece terreno firme, habituada como está a oir los comentarios de sus nuevas amigas, resaca de chismes, que, según ellas, se elaboran en el magín de doña Melania Hercilia Anay de Hernández, descendiente de los Anay que fueran virreyes del Perú y viuda del coronel Demetrio Hernández, héroe de Paso Hondo, que al morir le dejara más honores que dineros, por lo que había venido a parar al pueblo, donde su hermana vivía por ser casada con el juez. La hermana era una frondosa señora, cuando no en sus devociones, ocupada en quehaceres reposteriles, porque golosa ella y goloso el juez, se echaban mutuamente la culpa de sus debilidades por tortas y dulces, cremas y pasteles, felices en sus kilos y en su pueril manía.

Si la hermana era inexistente en la vida del pueblo, la coronela constituía la ventisca que lo arremolinaba todo. Ella misma lo explicaba moviendo los crespos canosos sobre los que habitualmente lucía una capota de encaje, cintas y plumas de avestruz:

—Para un coronel una coronela. Igualmente capaz de movilizar a toda la guarnición. Y hasta de mandar al coronel, si llega el caso...

También le gustaba decir:

—No sé qué les pasa a las gentes conmigo, pero el caso es que todo el mundo me hace sus confidencias. Será que ven lo "comprensible" que es una y lo discreta...

Desde su llegada al pueblo, metódicamente, que todo era desconocido para ella, había ido incursionando casa por casa y persona por persona hasta enseñorearse de todo. Con las excepciones de los De la Riestra —

unos avaros despreciables—, los Pérez —unos tontos engreídos—, los de la Casa de la Yedra —unos gringos salvajes—, y el señor cura —un santo, pero en las nubes.

A ella, que había nacido coronela y confesora, no la inquietaban mayormente estas excepciones, porque sabía que, tarde o temprano, habrían de formar parte de su grey.

Covadonga Sordo, contra todas sus presunciones, llegó de las primeras. La mampara estaba abierta de par en par y por el ancho pasillo alfombrado, una sirvienta con el azoro de su insólito vestido negro, aprisionada entre el importante almidón inmaculado de peto y cofia que le confería una dignidad casi monjil, la condujo a la galería, hoy ahondada por la solemne presencia de la coronela sirviendo de centro a sus perifollos. La saludó, y buscó con los ojos en la escasa concurrencia una amiga para ir a sentarse a su lado. Pero sólo estaba allí la señora de Araujo con el mustio trébol de sus hijas, que eran feas y sentimentales, porque habían acidulado las mieles del sentimentalismo en un avinagramiento que acentuaban los años. Las señoritas Araujo parecían la triple imagen de un espejo de tocador, en el que al reiterarse los perfiles perdieran en nitidez lo que ganaban en insistencia. Un solo gesto alcanzaba para las tres, se repartían equitativamente una sola fealdad, sostenían alternativamente el mismo guiño y una única falta de opinión. Más allá estaban la directora de la escuela, la señora del jefe de estación, la señora del alcaide, la señora del jefe de correos. O sea: casi todas las señoras del pequeño mundo oficial, pero ninguna de las que formaban la "sociedad", ni las otras que al decir de la coronela eran el "medio pelaje", ni, por cierto, doña Batilde Arrainz de De la Riestra, ni María Soledad Morando de Pérez, ni la señora Smith, que constituían la cerrada aristocracia.

Covadonga Sordo saludó brevemente a las conocidas y tomó asiento junto a la señora del jefe de estación, que la atraía siempre por su limpia estampa de campesina.

En cada casa del pueblo hay una mujer vestida con sus ropas más de moda, luciendo algún detalle que se estrena. Algunas lo estrenan todo. Porque hace un mes que no se habla sino de esta reunión a que ha citado la coronela, preludio de importantes acontecimientos sociales. El pueblo va a cumplir veinte años de existencia y esta fecha debe tener una digna celebración.

Algunas, como Paca Cueto, han encargado a la capital todo lo que lucen de pies a cabeza. Mariana Santos ha tenido que emplear toda su maña para sobornar discreciones y saber que el traje de Paca Cueto es de paño color verde almendra, con recortes de terciopelo marrón rebordados con trencilla, que tiene pechera de tul blanco, cuello con golilla plisada y vuelitos plisados terminando las mangas jamón. Que el sombrero es de terciopelo marrón con un pájaro verde tirando a celeste —algo como un lorito, explica la sirvienta— y que usará guantes y botitas de gamuza color marrón. Lo que la lleva a la conquista exclusiva por el término de una semana de las actividades de Catalina Rosende, la modista, conseguir que la señora del jefe de Correos le preste subrepticiamente *La Moda Elegante* que recibe María Soledad y a pasarse de encerrona ocho días, frenética sobre una misteriosa plancha de patrones en que se cruzan y entrecruzan líneas, hasta conseguir de la suma de todas estas actividades el traje que lleva, de paño color verde almendra, con recortes de terciopelo marrón rebordados de trencilla, con la pechera de tul blanco y el cuello alto con golilla plisada que hace juego con los volados en que terminan las mangas. Y lleva botitas color marrón, como los guantes. Y un lorito verde —¡ay!, no verde tirando a celeste, sino que verde rabiosamente verde— abre sus alas sobre un montón de cintas de terciopelo, entre crespos, peinetas con brillos, pasadores de metal dorado y horquillas de ilusión.

Estrena también corsé, porque la moda cada día impone una cintura más estrecha y ella, desgraciadamente, no la tiene tanto como quisiera. Por eso está parada, muy incómoda, a lo grulla, manteniéndose un rato en un pie y otro rato en el otro, lista para salir al aviso de la Chofa, la "chinita dada" que está en la esquina para avisarle el momento en que la Paca Cueto salga de su casa, momento de salir para hacer su entrada en el salón inmediatamente antes que la otra y que cuando llegue se encuentre con que es la Paca Cueto la que le ha copiado el traje a la Mariana Santos, y ¡que rabie!

La madre de Mariana Santos dormita junto a un rescoldo de brasas. Se despabila y dice:

—Pero, hijita, son cerca de las seis; ¿hasta qué hora vamos a estar esperando?

—No querrá ser una siútica y llegar de las primeras, ¿no?

—Tampoco es cuestión de llegar cuando las velas no ardan —pero como está acostumbrada a los caprichos de la hija, pacientemente se adormila de nuevo.

Paca Cueto espera a su vez que salga de su casa María Soledad, que, según la coronela, ha prometido formalmente asistir a la reunión. Pero los minutos pasan y tampoco María Soledad aparece por la calle. Porque la maniobra de Paca Cueto es hacerse la encontradiza, detenerse a saludarla y llegar con ella, lo que será un golpe de gran efecto.

En casa de María Soledad hay un silencio de mal agüero en el saloncillo en que ésta, con la cara amurrada y a tirones con un pañuelo que tiene entre manos, está sentada frente a Ernesto, que lee o que finge leer.

La discusión se ha prolongado desde el almuerzo hasta ahora. Las mismas frases se han repetido infinitas veces:

—Pero ¿por qué no quieres que vaya?

) 577 (

—No veo que tu presencia sea allí necesaria.

—Han tenido la amabilidad de venir personalmente a invitarme.

—Aprovechando que estaba yo en el fundo, que si no no se hubieran atrevido a poner los pies en esta casa.

—Ni que fuéramos apestosos...

—Las apestosas son ellas. La coronela y su ralea.

—También es empeño el tuyo de que no podamos tratarnos nada más que con doña Batilde. ¡Como si resultara muy divertido!

—Al casarnos te lo advertí. No me gustan los comadreos de mujeres. No sirven nada más que para crear enredos y disgustos.

María Soledad está furiosa y exclama:

—Parece que tuvieras miedo de que me dijeran algo que no quie.es que me digan...

Ernesto la mira con los ojos que se le salen de las órbitas cuando el fastidio o la sorpresa lo domina y grita:

—Miedo yo.... ¿Miedo a qué? ¡Basta! ¿No ves cómo esas brujas no sirven nada más que para formar boches?

María Soledad calla, suspira, lloriquea. Ernesto tiene ganas de irse. Pero al propio tiempo teme que María Soledad se escape y haga como aquella vez que fue de visita a casa de la gobernadora, después de una discusión igual que ésta, encaprichada como un chiquillo en salirse con la suya, Y no quiere que, como entonces, haya un disgusto que dure semanas.

María Soledad insiste de súbito:

—Eres un tirano. Me tienes aquí encerrada como si fuera una esclava. Quiero ir donde la coronela. Quiero ir, ¿entiendes? Alguna vez he de hacer lo que me dé la gana...

Ella ha calculado que después de estas palabras saldrá del saloncillo y se irá al dormitorio a buscar el sombrero, el bolso y los guantes. Pero antes de lograr ese movimiento que impondrá su voluntad, siente que las lágrimas acuden a sus ojos y se echa a llorar sin disimulo, con estrepitosos ruidos de nariz y de garganta, lo mismo que llora Solita.

Ernesto se queda un instante perplejo. Pero al fin se levanta vivamente y se acerca, la abraza, busca sus cabellos para acariciarlos y dice lleno de ternura:

—¡Cómo es posible que llores!.... Ya está, pichona. No llores más. ¿Quieres ir donde la coronela? ¿Tanto te interesa? Pues, anda, corazón. ¿Quieres que te traiga el sombrero? ¿Cuál te vas a poner?

María Soledad sigue sollozando, cada vez más bajito, hasta terminar en suspiros. Se halla cómoda apoyada en Ernesto, que la acaricia, que le dice palabras sin sentido, que parece acunarla, que le enjuga con su pañuelo los lagrimones que ella se ha estado limpiando con la punta de su corbata, dejándosela hecha una miseria. ¡Es bonita esta corbata! Y de golpe siente que todo su resentimiento ha desaparecido y que ya no desea ir a casa de la coronela, pero que debe mantener su posición y decir:

—No quiero ir a ninguna parte. Eres un monstruo y debes tú mismo confesar que lo eres.

—Soy un monstruo —repite Ernesto—, un monstruo que te adora.

—¿Ves todo lo que me has hecho llorar? ¿No te da vergüenza?

—Mucha, corazón. ¿Pero de veras no quieres ir donde la coronela?

—No quiero —suspira—, ¿para qué? A estas horas ya habrá terminado todo.

Solita entra como una tromba.

—La gata ha parido seis gatitos...

—¡Niña! —dice María Soledad, escandalizada.

—¿Qué manera de hablar es ésa? —pregunta severamente Ernesto.

Solita mira los ojos enrojecidos de la madre, se vuelve al padre y contesta:

—Peor es hacerla llorar que no decir que la cigüeña le trajo seis gatitos a la gata —y sale de nuevo como una tromba.

Paca Cueto ha terminado por sentarse, reflexionando en el porqué del retardo de María Soledad. Desde la puerta de su casa, donde tiene avizorando a una sirvienta, se ve la verja que cierra la casa de Ernesto Pérez. No entiende lo que puede pasar. Pero de repente se le ocurre que a lo mejor María Soledad ha salido en coche. Esta especie de certidumbre la hace apresuradamente echarse sobre los hombros la larga capa de topo, llamar a tía Catalina, que debe acompañarla, y salir apresuradamente rumbo a la plaza.

La "chinita dada" que está en la esquina de la casa de Mariana Santos y que tiene orden de mirar si viene Paca Cueto vestida de verde, no la identifica bajo la piel y en la media luz neblinosa de la tarde. Paca Cueto puede entrar a la casa del juez, atravesar el pasillo, saludar a la coronela, hacer una graciosa inclinación de cabeza y gozar del segundo en que las respiraciones se detienen, sabiendo de antemano que los murmullos serán el comentario hecho en su honor y en pleitesía de su elegancia.

Mariana Santos, que ya no cabe en sí misma, o lo que es igual en los límites que su corsé le impone, se asoma al fin a la puerta de calle y pregunta rabiosamente:

—¿Pero es que esa desgraciada no va a salir nunca?

Pero Mariana Santos respira —¡ay!, el corsé— porque aparece la infidente sirvienta de Paca Cueto.

—¿A qué hora va a salir tu patrona?

Un lento asombro se balancea en los ojos de la otra y al fin dice:

—Cuantimás que se jue pa la fiesta.

Mariana Santos siente que una mano brutal tira de los cordones de su corsé. Un ahogo le sube a la cara congestionada. Retrocede. Ve candelillas y por primera vez en su vida le da un auténtico patatús. Cae derribada sobre un desvencijado sofá tanta elegancia, se sueltan broches, se corren cordones, se abren petillos, se pide a gritos agua de Melisa. El verde lorito, que ahora campea por los suelos, parece meditar sobre la vanidad de las cosas humanas.

La coronela no ve chiribitas, pero las echa por dentro. Ella ha realizado los tejemanejes de esta invitación, ha colocado cuidadosamente sus piezas para la jugada maestra con la que dará jaque-mate a doña Batilde y a la María Soledad simultáneamente. Les ha enviado una invitación en cuya parte superior, con su mejor letra "de monja", ha escrito: "Especial", les ha pedido audiencia por intermedio de la Lucita Méndez, criatura que, como los auténticos ángeles, tiene entrada en todas partes. Ha ido a invitarlas acompañada por la propia Lucita, las ha comprometido a asistir, le han prometido formalmente hacerlo y así es cómo cumplen.

Y ahora está ella aquí, sentada detrás de la mesa cubierta con la carpeta de felpa, teniendo por delante un tintero en el que una señora de bronce, amazona sobre un león igualmente broncíneo, tiene en el vientre un reloj que marca las seis y cinco. Sobre la mesa hay una carpeta de cuero pirograbado y una bandeja con pequeñas hojas de papel y lápices. En otra bandeja hay una botella con agua y copas. En un florero luce el marchito esplendor de unas rosas artificiales. Cerca de la mano de la coronela está la campanilla.

Doña Batilde consideró cumplir mandando una tarjeta, no una tarjeta de visita —a lo mejor ni las tiene, ¡avara!—, en la que después de poner su nombre, dice escuetamente: "Presenta sus excusas por no asistir a la reunión". Nada más. Ni siquiera se molestó en escribir: "por no poder asistir"; escribió: "por no asistir" a secas, como recalcando que no iba porque no le daba la santísima gana. ¿Y la otra, la María Soledad? Ni en eso se ha molestado. Pero ya verán, ya verán quién es ella...

Mientras tanto comprueba que la piocha de diamantes cuelga de la ancha cinta de terciopelo que oprime su cuello y vierte un poco de agua en una copa. Después agita la campanilla y sintiéndose traspunte de sí misma que se llama a escena, cambia bruscamente su fisonomía, sonríe, se pone de pie, hace una reverencia, vuelve a sentarse y comienza:

—Distinguidas señoras y amigas... —mientras la concurrencia se estrecha en semicírculo a su alrededor.

Ella no necesita escribir discursos, tiene buena memoria y sacando un poco de aquí y espigando otro poco allá, consigue piezas oratorias de una perfección y efecto que harían empalidecer de envidia al gobernador. Con fina labia explica que el pueblo pronto "se pondrá de largo", pues está por cumplir los veinte años y que es necesario prever ese acontecimiento y, desde luego, organizar los festejos que celebrarán dignamente

tan magna fecha, para que dichas fiestas queden "indeleblemente graba-
das en el sagrario de todos los corazones" y que por eso ella, "como cla-
rín que da su toque de alerta", ha llamado a reunión a todas las señoras
del pueblo "sin distinción de clases".

Estas palabras tienen la virtud de provocar un murmullo, también "sin
distinción de clases", que inquieta a la oradora y para apaciguarlo, alza
una mano, vuelve a ensayar la sonrisa del comienzo y trata de explicarse:

—...No se asombren ustedes que me refiera a clases sociales. Soy
persona que no abriga prejuicios a ese respecto. Cuando una sabe muy
bien quién es y lo que significa socialmente, no tiene por qué eludir ese
acercamiento que propicio, máxime en circunstancias como las actuales,
en que el pueblo entero debe rogar al Supremo Hacedor para que nos
permita terminar nuestros días en este bello paisaje, en medio de tan
culta sociedad, y gozando de la paz de nuestra conciencia.

Lucita, que oficia de secretaria, tiene enfrente un gran libro en blanco,
adecuado a la importancia de las palabras de la coronela. En representación del llamado sexo feo, está allí Luquitas Rodríguez, redactor de *El
Orden*, único periódico local, "independiente, informativo y ameno". También él toma notas afanosas y en ese preciso momento apunta: "La señora
de Hernández conmueve al nutrido y selecto auditorio con los brillantes
arranques de su oratoria".

Ahora la coronela tiene palabras verdaderamente patéticas al dejarse
arrastrar por una conmovida admiración hacia las bondades de las vir-
tuosas señoras y señoritas allí presentes, a las que pide humildemente
perdón por haberles distraído un instante de su tiempo precioso en sus
labores domésticas y en la atención de sus niños, que serán los hombres
del mañana, obligándolas a oír sus deshilvanadas palabras.

Y así, aureolada de humildad termina su perorata, de la que ya no
queda en el ambiente sino la perfecta y amarillenta simetría de su postiza
sonrisa.

Luquitas Rodríguez, ducho jefe de claque, abre los aplausos. La coronela se sienta, agobiada por el esfuerzo realizado, dando la impresión de
que se mantiene erguida por obra y gracia del terciopelo que le ciñe el
cuello; pero de inmediato se pone nuevamente de pie para repetir saludo y
sonrisa y, al sentarse otra vez, bebe agua, porque en verdad tiene la
garganta seca.

Luego, con señorial condescendencia, agrega:

—Ofrezco la palabra...

Primero hay un casi silencio poblado de sonrisas, miradas y cuchicheos.
Luego, para la gran sorpresa de todas, es Orlanda Chaparro, la directora
de la escuela, quien levanta una mano con el gesto de niñita aplicada que
sabe su lección y antes de que la coronela dé su asentimiento empieza a
decir, cortés y burocrática:

—Todo lo que ha manifestado la señora de Hernández me parece justo y bien expresado —la aludida siente la satisfacción de recibir tres coloradas—. Pero estimo que para organizar los festejos pertinentes, deben ser las autoridades las que asuman la iniciativa de la preparación del programa oficial. Creo que lo único que procede, por ahora, es ofrecer nuestra cooperación a dichas autoridades. Por mi parte me pongo incondicionalmente a las órdenes de ustedes, pero, como es lógico, mi aporte particular es mínimo. Y como directora de la escuela, sólo puedo ponerme a las órdenes de mis superiores, o sea: de la primera autoridad departamental.

La coronela cambia súbitamente de parecer y ve desvanecerse la buena opinión que hace un segundo había empezado a formarse sobre el magisterio nacional. Por donde puede trata de asir el magnífico proyecto que se le escapa:

—Yo estoy aquí hablando no sólo en mi nombre y si bien el ser viuda no me permite, como pudiera haberlo hecho en otras circunstancias, invocar en mi apoyo a las fuerzas armadas, creo que puedo hablar en nombre de mi hermana y en el del señor juez, su esposo.

Pero una voz insidiosa e inidentificable se permite anteponer el poder ejecutivo al judicial, declarando furtiva pero categórica:

—La primera autoridad departamental es el gobernador.

La coronela traga saliva en nombre de la división de poderes. Otra voz completa su desasosiego abogando por el olvidado poder legislativo:

—Y don Juan Manuel de la Riestra, que es el senador de la provincia...

—La señora del gobernador es quien debería tomar la iniciativa.

Una oligarca la remata insinuando plutocrática y matriarcalmente:

—O doña Batilde...

La agitada coronela transmite su agitación a su brazo derecho y a la campanilla que su mano empuña.

—Señoras, un poco de silencio —chilla—; todas ustedes saben muy bien que la señora del gobernador sufre de mala salud. No se puede exigir de ella un sacrificio tan grande. Hay que tener en verdad mucho espíritu social y un sentido de organización que no se improvisa, para afrontar semejante empresa.

—¿Y doña Batilde? —pregunta a gritos una señora que un momento antes parecía incapaz de un murmullo.

—¿Por qué no han invitado a esta reunión a doña Batilde, a la señora del gobernador, a la señora de Pérez?

—La Mariana Santos tampoco está —testifica otra voz, ya con inflexiones mefistofélicas.

—¡Qué nos importa la Mariana Santos! ¡Qué Mariana Santos ni qué tontería! —refunfuña Paca Cueto, de súbito malhumorada por el recuerdo de su rival.

) 582 (

Luquitas Rodríguez apunta con una letra, ahora ligeramente temblona: "La reunión cobra por momentos mayor animación, produciéndose un culto cambio de atinadas opiniones."

—Usted me ha llamado siútica...

—Yo...

Se agita desesperada la campanilla mientras marcan un fortísimo *crescendo* los desafinados chillidos, gritos, risitas y exclamaciones, con que las distintas capas sociales muestran los beneficios de la educación común.

Luquitas Rodríguez, temeroso del desconocimiento de los fueros del cuarto poder, retrocede prudentemente hasta la puerta que da al salón.

—A nosotras nos han dicho que somos de otra clase social...

—Miren, quién, piojo resucitado...

—Cada cual en su casa y Dios en la de todos...

—Para esto la hacen a una molestarse...

—La culpa la tengo yo, por creer que trato con gentes cultas. Como una es tan señora...

Luquitas, a través de la puerta, pispa el desbande. Tan sólo algunas han atinado a medio despedirse de la coronela. Las demás han salido como gallinas a las que se abre de pronto la puerta del corral. Covadonga Sordo, que no ha despegado los labios, mira con sorna aldeana a la coronela, que sigue agitando mecánicamente la campanilla, para evitar que el barullo termine de pronto. Lucita Méndez la retiene, pero antes dice cortés a la coronela:

—¿Me necesita para algo más?

La otra mueve la cabeza, casi enmudecida por el berrinche, deja de agitar la campanilla y al fin, tartajosa de indignación, consigue decir:

—Para..., para nada..., qué se habrían creído, las muy... No, no lo digo por ustedes, pero váyanse y usted también... Y no se le ocurra chistar en el diario nada de esto. ¡Por Dios! ¡Qué bochorno!

5

Sentado frente a la Moraima, Luquitas Rodríguez termina golosamente de comer las perdices en escabeche, que son una de las especialidades de la casa.

—¿Siempre tiene a la Moñona? —pregunta.

—Mientras no se muera una de las dos, estaremos juntas —contesta la Moraima.

Es una mujer joven, pequeña, extraordinariamente bien proporcionada. Su traje azul marino es muy sencillo. Tiene una tersa piel de un moreno

) 583 (

cálido, grandes ojos obscuros que rebrillan entre la sombra que pesa sobre los párpados; las cejas son anchas y casi horizontales y concuerdan con el arranque del cabello negro, formándole una frente rectangular. La nariz es huesuda, la boca grande, pulposa, teñida de un violento rojo. Desde el fondo de una poltrona, cómodamente sentada, observa llena de íntimo regocijo la glotonería y los mohínes con que Luquitas Rodríguez da fin a su refrigerio.

Tan sólo la sombra que le pinta los ojos y el carmín que le hace un corazón en la boca dicen que la Moraima es lo que es. Su vestimenta, su actitud, su lenguaje, son idénticos a los de cualquier señora.

Ahora Luquitas Rodríguez cuenta con interminables detalles lo que ha pasado ayer en la casa de la coronela. La Moraima lo oye, sonriendo discreta entre oportunas observaciones. Pero como ve en el pequeño reloj que le decora el busto que son cerca de las once y es sábado, en cierto momento interrumpe al muchacho, siempre con una cortesía de anfitriona que atiende a sus invitados:

—¿Quiere acompañarme? Me gustaría echar un vistazo abajo.

En los altos de la casa hay un departamento independiente, que es el suyo. Cómodo y lujoso. Abajo, la casa enorme; fue edificada para hotel y vendida por doña Batilde a un francés que, después de explotar por unos años el negocio, la vendió a la Moraima, que le dio otro giro. Ahora se la conoce por "la casa de la Moraima". Está frontera a la estación, cerca de la calle del Comercio, no lejos de la feria y rodeada de hoteles, fondas, fritanguerías, lenocinios, corralones, casas de remolienda y toda suerte de negocios inverosímiles, necesarios en un pueblo como aquél, que se extiende y enriquece por días, encrucijada de caminos que vienen desde todos los puntos de la rosa de los vientos, en busca de los rieles que han de llevar al norte los productos de una enorme región ubérrima.

El dinero corre allí a ríos. Dinero chileno y dinero argentino, porque entre las quebradas cordilleranas serpea el camino, bueno, malo y hasta pésimo, que va de uno a otro país buscando el intercambio de productos. Recuas de mulas cargadas de charqui, de grasa en pellas, lana, sebo, cueros, llegan en largas hileras tras la "madrina" que conduce un huaso de poncho de castilla. Gauchos recios arrean piños de vacunos. Taciturnos indígenas traen en las cintura bolsitas con pepas de oro y en la lengua torpe, interminables quejas contra el criollo rapaz. Se van los huasos con las recuas cargadas de aguardiente, de especias, de legumbres secas, de medicamentos, de baratijas, de ropa hecha, de géneros. Los gauchos regresan con otras arriadas de ganado que allá, en sus prodigiosas pampas, han de engordar en meses de pastoraje. Parten los indígenas tambaleándose, vagarosa de alcohol la mirada, embrolladas las mentes por interminables pleitos, sin el oro, sin sus razones, despojados hasta de su derecho de ser personas. Alrededor de la estación doña Batilde hace talar montes, destroncar, trazar nuevas calles, construir casas, series de casas, como también construye galpones, series de galpones. Todo se vende, todo se arrienda en perpetua almoneda. Más allá de la estación y de los primeros límites que fijara al pueblo, éste prolifera, en un monstruoso infarto hecho de construcciones de toda índole, regidas tan sólo por la ciega necesidad.

Hay enormes rumas de maderas que se han desbordado del recinto de la estación y que esperan su turno para ser llevadas al norte. Ha sido necesario construir un desvío para el ferrocarril, facilitando esas cargas, y luego otro desvío hasta la feria, donde unos muelles con rampas permiten el transporte de los animales. Se entrecruzan los cambios, las vías donde maniobran lentos largos trenes y alguien podría leer en la creciente maraña de esas líneas un destino de prosperidad. La estación, que al comienzo sólo tuvo dos trenes de pasajeros y dos de carga semanales, cobra ahora un movimiento enloquecedor.

El pueblo tiene un vivir frenético. Se oye martillear; agudos llamados de los pitos reclaman imperiosamente vía libre para las locomotoras, ennegrecidas de esfuerzo. Retumban las tablas y vigas, desgarran su chillido doloroso las carretas chanchas que intentan sumarse a un ritmo que no es el suyo, percute con sordo redoble de tambor enlutado el suelo bajo el múltiple pateo de los piños. Se oye el conmovedor sonido de órgano de la vaca que ha perdido al recental, esa juventud de los prados; ruedan los coches sobre el envigado, se oye el seco trote de las mulas, revolean flameantes de color las mantas de los nortinos junto a la sordina y al tono menor de las pesadas y obscuras de los indígenas, pululan los quiltros, pasan en galopada los "patroncitos" que se divierten asustando a los pueblerinos confiados y lerdos, pregonan su mercancía los faltes, y los conchabadores tienen cazurros regateos con los recién llegados, mientras una campana marca solemne las horas, como si en el trajín general sólo a ella se le hubieran confiado la guarda y distribución del tiempo.

El amanecer parece traído por el fervoroso trabajo del pueblo. La Moraima, que se levanta de madrugada, tiene a diario ese espectáculo frente a los ojos, haga el tiempo que haga. Allí no hay diferenciaciones que digan de verano o invierno, de otoño o primavera: el rostro de las cuatro estaciones está igualmente tiznado de esfuerzo. Cuando hay un sol de enero, la humedad de la transpiración surca las caras; cuando la lluvia cae, la piel se marca con hilos de agua y casi no queda tiempo para otro lloro. No importa: los trenes entran y salen, las recuas llegan y salen, los piños entran y salen, los hombres llegan y salen; los dineros entran y no todos salen; en el correr interminable del río, el remolino del pueblo junta sus arenillas de oro; doña Batilde lo ha creado para aumento de sus caudales, pero, sin entrar en sus cuentas, también puede decirse que para crear la fortuna de la Moraima.

El ajetreo del pueblo no disminuye hasta las ocho de la noche, en que su afanoso resuello se torna lento estertor; a esa hora cierran los comercios, las calles quedan súbitamente vacías de viandantes y los faroles, luego de parpadear de sueño, se sumen en su municipal modorra. Tan sólo persiste encendido algún reverbero a la puerta de las casas principales, derroche anunciador de visitas. Pero puede contarse, para tranquilidad del solitario pasajero, con los dos enormes faroles —rojo y verde— que, ensimismados en su insomnio, señalan los dominios de la Moraima, hasta que llegue a inutilizarlos el alba, con sus ojerosos amarillos primero, con sus animados rosas después.

La casa tiene un ancho zaguán y dos amplias habitaciones que dan a la calle, otrora comedor y cantina del hotel. La Moraima ha convertido las puertas de acceso a la calle en ventanas, y ambas habitaciones han sido degradadas a depósito de muebles y de cuanto objeto incongruente trae ella en cada uno de sus viajes al norte, cambalachados con miras a las futuras ampliaciones del negocio, periódicamente inevitables.

El zaguán da a la galería que cierra en cuadro un patio enladrillado. A dicha galería abren innúmeras habitaciones, decoradas con relativa elegancia. Allí viven las "niñas" que la Moraima trae del norte con los artistas de variedades y los muebles, todo obedeciendo a idéntico sentido utilitario. No le importa de dónde vengan las "niñas", qué país las viera nacer, qué idioma hablan. Pero sí tienen que ser jóvenes, saber comportarse discretamente y exhibir al día sus controles de sanidad. Ella exige una disciplina. En su casa deben guardarse ciertas formas. Si alguna "niña" no sabe atenerse a estas preceptivas, se la despide. Si alguno de los parroquianos tiene el vino malo o escandaliza, el negro Tom se encarga de ponerlo en medio de la calle y las puertas de la casa de la Moraima se cierran en forma definitiva para él. Junto al fogón reina la Moñona y en la cantina la ambigua sonrisa de Choclito, mulato cubano que gusta de hacer las mezclas agitando la coctelera a la par que el cuerpo en la más descoyuntada de las zambas.

La Moraima se levanta al alba, apunta las compras, dispone el menú, vigila la limpieza y la ordenación de todo. Después se encierra en el escritorio del piso bajo con don Belisario, viejo, encogido, que parece un tres mal dibujado y que es el cajero y contador en ese negocio fabuloso que la Moraima maneja sagazmente, como el más hábil de los comerciantes. Ni una sombra de detalle se escapa a su percepción.

Cuando calcula que puedan empezar a llegar los parroquianos, sube a su departamento, se viste prolijamente y ahí se queda, leyendo, haciendo solitarios, tejiendo para los reos, almorzando su dieta. Luego duerme. Después baja de nuevo a revisar la casa, conversa con las "niñas", invita a alguna de ellas y a las cuatro sale a dar una vuelta por el pueblo, recorre el comercio, llega hasta la plaza y allí descansa un rato, costumbre que indigna a doña Batilde y que obliga a las señoras a no salir de casa. Cuando el tiempo es neblinoso o hay lluvia, el paseo se hace en coche. Las "niñas" aguardan anhelantes el momento de la invitación, que suele favorecerlas por riguroso turno y que si bien las llena de regocijo —es generosa y siempre les compra alguna chuchería o una golosina—, las amurra cuando, en el momento de salir, revisándolas con sus rápidos ojos aquilatadores, la Moraima les ordena quitarse el colorete y el solimán, o sacarse los rellenos excesivos que abultan las prominencias que la moda ordena.

De regreso la Moraima da otro vistazo a los bajos, repite su conciliábulo con don Belisario y sube después a sus dominios privados para de nuevo dedicarse a la lectura, al tejido o a la paciente espera de que las cartas y la casualidad se pongan de acuerdo para darle el gozo de "sacar" un solitario.

Raras veces recibe visitas. Tienen que ser señorones notables. Algún terrateniente. Algún político. Tom los anuncia, porque ellos han insistido particularmente en saludarla, ya que, en general, el negro dice levantando las manos y mostrando el claror de sus palmas amarillentas:

—Jaqueca ama...

Cuando son terratenientes la Moraima suele recibirlos. Cuando son políticos los recibe siempre. Y en uno u otro caso es curioso que esta mujer, cuyo oficio no suele inspirar ningún respeto, haga que instantáneamente en su presencia los hombres tomen una actitud amistosa, hasta familiar tal vez, pero siempre dentro de una correcta fórmula social.

Al que por primera vez la conoce, le advierten los demás:

—No pierda el tiempo, porque no hay forma de atracarle el bote...

Pero les gusta conversar con ella, porque a cada uno le habla en su idioma. Sabe de precios, de alzas y bajas de los mercados, de cotizaciones de bolsa, de toda suerte de posibilidades agrícolas y financieras. Está al día en todo. Oye, contesta, saca conclusiones, da atinados consejos. Pero su atención mayor la pone en agasajar a los políticos: senadores, diputados, intendentes, gobernadores, hombres de confianza de éstos, veedores, agentes confidenciales. La política para ella es el juego mayor de pasiones, más violento aún que el que representan sus "niñas". A veces sonríe mientras aprieta las mandíbulas, porque a fuerza de conocer a los hombres, tiene la sensación de que son éstos como monstruos y que los ve desnudos, procaces, en actitudes libidinosas, miserables, purulentos y que sólo conservan de su personalidad la cotidiana máscara, en que las facciones tienen la expresión que "deben" tener, que la sociedad impone para que el individuo pueda sumarse a ella ordenadamente.

¿Pero no es así también cómo los demás la miran a ella?

"—¿La Moraima? Una cabrona..."

Sonríe, ofrece coñac, ¿o es que el recién venido prefiere pisco?

—Vicente Montes anoche perdió cien mil pesos al bacará en el hotel.

—Lo que significa otra hipoteca en el fundo.

—Si es que la Caja se la aguanta...

—Dígame, Moraima, ¿por qué usted no tiene timbirimba aquí? Sonríe, sonríe siempre.

—Demasiada complicación.

—Piénselo y hable después conmigo.

Perfecto. Negocio a medias. Pero no le gusta el juego. Deja dinero, pero a veces hay desesperados que se suicidan. No quiere nada con la justicia, aunque tipos como este que está frente a ella puedan darle toda suerte de seguridades.

—¿Y qué hay del puente?

—Yo creo que lo sacaremos pronto.

—Es una vergüenza. Esos De la Riestra... —dice otro.

—Pero ¿por qué todo el mundo les echa la culpa a ellos? —y los párpados pesados de khol de la Moraima ocultan los ojos que no pueden negar que están al tanto de todos los porqués.

—¡Vaya, Moraima! Venga ahora a hacerse la de las chacras...

—Pero ¿se termina o no se termina el puente?...

—Voy a que le interesa...

La Moraima sonríe de nuevo y dice:

—¿Y endéi?... —imitando tan graciosamente el habla de las huasitas que todos se echan a reír.

—"Endéi" es que el puente se termina. Usted sabe que el fresco de Leandro Pizarro se vendió a De la Riestra y retiró la interpelación que debía presentar en la Cámara a nombre del partido. Los diarios de la oposición también se callaron. Porque este famoso puente ha dado más que hablar, se ha gastado en él más tinta de imprenta, más palabras y más coimas que en ninguna obra pública del país...

—¿Pero usted cree que De la Riestra es capaz de largar dinero para comprar a alguien?

—Y el dinero que les significa el pueblo ¿qué es? Diez veces, veinte veces más que lo que les cuesta parar cualquier campaña. Desde luego no creo que haya largado más plata que la que le dio a Pizarro. A los otros los conformaría con pegas; un puestito por aquí, otro puestito por allá.

—¿Así es que el puente se termina? —insiste la Moraima.

—Se termina, sí. El triunfo de los liberales ya es cosa segura. El futuro senador por esta provincia es Catón Pérez.

—¿Pariente de Ernesto Pérez? —pregunta uno de los presentes.

—No sé...

—Porque entonces quedamos en las mismas. Ernesto Pérez, pariente de ese Catón Pérez y pariente al mismo tiempo de doña Batilde. La misma jeringa...

¡Las veces que le han dicho que el puente se termina! Las veces que han venido a proponerle sucias combinaciones, turbios negocios, a ofrecerle granjerías, a pedirle que tuerza la voluntad de fulano, que consiga este favor, que pida este beneficio...

Lo sabe. Lo sabe todo. Lo ha experimentado todo. ¡Oh, qué asco! ¡Qué inmundos son y cómo se siente en la charca revolcándose en la misma inmundicia que ellos! ¡Oh, qué porquería!

Anoche han vuelto a decírselo, dándole toda suerte de seguridades. No sólo De la Riestra pierde el juego, lo pierde también su partido. El futuro senador por la provincia será el liberal Catón Pérez y el puente se termina.

—Porque Pérez va en combinación con Onofre Urzúa, también liberal y candidato por la provincia que sigue hacia el sur.

Y a ambos les conviene la terminación del puente.

Ahora se lo dice también Luquitas Rodríguez. Es curioso que ella soporte a este maricantunga que ni siquiera es capaz de ser maricón y que se pasa la vida entre las faldas de las señoras, llevando y trayendo chismecillos, comiendo cuanto se le ofrece con una insaciable glotonería, lleno de melindres y de ayes y de suspiros y de ponerse un dedito sobre la boca o ese mismo dedito dejarlo caer sobre la palma de la otra mano volteada. Como es curioso también que soporte a Pedro Molina una vez por semana, cuando viene a verla y durante una hora está silencioso frente a ella, cohibido, con la cabeza gacha ocultando la cara que le contrae un tic y tampoco quiere ella mirarlo, porque se obsesiona después con ese gesto que atiranta la boca del hombre, dando la sensación de que fuera a llorar.

"Es que debe estar siempre llorando por dentro", piensa.

Pero no lo mira. Lo ha mirado tan solo una vez, cuando lo conoció en una de sus periódicas visitas a la cárcel, adonde va a repartir entre los presos las bufandas y las chaquetas que son el resultado de su constante tejer. El alcaide la previno:

—Hay un nuevo preso. Parece un caso raro. Me lo han mandado del Puerto, tiene una larga condena. Parece que mató a otro por celos. Parece que está medio tocado, pero que es tranquilo y buena persona. Parece que su familia, que es muy respetable, ha conseguido que lo echen para estos lados y me dicen que lo trate bien y le dé larga en lo que sea. Ya sabe.

Pedro Molina llega a verla todos los lunes. Tiene permiso para salir una hora al día, al atardecer. La Moraima aquella vez le dijo:

—Vaya a verme mañana. Alcaide: mándemelo usted a dejar. Conversaremos.

No han conversado mucho. Pero sí lo suficiente para saber la Moraima que en la penitenciaría aprendió a encuadernar libros. Poco tiempo después Pedro Molina encuentra instalado en la cárcel un pequeño taller. Tiene prensas, guillotina, cartones, papeles, hilos, tipos. Todo lo necesario para encuadernar. Y empiezan a llegarle encargos. Porque la Moraima ha dicho al gobernador:

—Es necesario darle trabajo al preso recién llegado. Mandarle a encuadernar libros. Desde luego todos los archivos de la Gobernación, del Juzgado, del Municipio.

Es como una orden. Ernesto Pérez ha visto por casualidad un libro encuadernado por Pedro Molina. Le admira la prolijidad. Va a verlo, le lleva tarea. Después es Pedro Molina el que llega a casa de Ernesto Pérez a dejar y a buscar trabajo. No habla mucho, inclina la cabeza, oculta el tic que le atiranta la boca.

La Moraima pregunta a Luquitas Rodríguez:

—¿Sabrá doña Batilde que la terminación del puente es cosa hecha?

—¡Ay! —contesta al par que quiebra la cintura y tuerce la cabeza mirándose el taco de su bota de charol—. ¡Cómo se le ocurre que no lo va a saber! Lo sabe, lo sabe y lo sabe... Ahora que se hará la desentendida, eso téngalo por cierto... Pero yo me voy al tiro para allá, para ver de qué largo tiene la cara. Ya le contaré después...

6

Ese cuadrado de terreno que limita por un extremo el muro que rodea la casa y por los otros una red de alambre a las que se adosan las bardas de los grosellos y los frambuesos y en el que Ernesto Pérez proyectara instalar un gallinero, es la pertenencia de Solita, su feudo. La llave que cierra la puerta se perdió y la entrada está hecha a través de las bardas por una especie de túnel y por un roto de la red agrandado por Solita a fuerza de alicates. Adentro hay un prado de pasto y hierbas que crece a su antojo y un horno de barro bajo un cobertizo.

Después del almuerzo Solita tiene dos horas de holganza. El padre se va al aserradero, más allá de la estación, en los confines del pueblo. María Soledad duerme, la Mademoiselle lee. Si llueve, Solita tiene que quedarse en la casa, en la gran casa en que hay tan sorprendentes habitaciones con destino a tan sorprendentes actividades: el laboratorio fotográfico, la sala de armas, la imprenta, el taller mecánico, la carpintería, la sala en que están los títeres, el pimpón y la linterna mágica. Porque Ernesto Pérez recorre todas las actividades, y cada nuevo juego, cada

nueva posibilidad que descubre la ciencia, lo apasiona momentáneamente.
Pero lo primero en la casa para Solita es la biblioteca, con sus armarios
cerrados con llave, y la escalerilla que lleva al altillo, donde otros armarios, también con llave, se adosan a los muros en una galería voladiza,
cerrada por una baranda de madera. Allí están los libros que son su ansia.

Pero hoy hace buen tiempo y Solita ha ido a su feudo. Antes ha pasado por las pesebreras a dejarle un terrón de azúcar al "Mampato", y
a decirle al oído que lo adora y que no es cierto que no le gusta salir a
pasear en él. ¡Tonterías! Eso lo pensó así, sin querer, porque a veces
se piensan cosas como ésa, que son los malos pensamientos que dice
el señor cura. Pero el "Mampato" puede estar cierto de que sacudió la
cabeza para espantar ese pensamiento, como si fuera un moscón estúpido.
El "Mampato" puede contar con su cariño. Ha dejado de ponerle un terrón al café con leche, a ese café con leche que no le gusta, pero con el
cual la Mademoiselle, porque así se usa en su país, la obliga a terminar
los almuerzos. Ha hecho la maniobra de escamotear un terrón, hacerlo
caer en su regazo, resbalarlo hasta el bolsillo del delantal y tomarse además a grandes sorbos el café con leche, que con un solo terrón está más
malo que de costumbre, sólo para sacrificarse y poder decir al "Mampato"
como le dice ahora:

—Y todo por usted, para que vea que lo quiero harto.

El "Mampato" estira el cuello, masca golosamente el azúcar y después
refriega los belfos en la manga de Solita, prodigiosamente feliz por este
movimiento, que le parece de comprensión a sus razones y muestra de una
perfecta reciprocidad de sentimientos.

Luego se va a su feudo. La sigue el perro, que obedece al nombre de
"Togo", y es un *fox-terrier*, y la sigue también un gato rojizo, atigrado,
que se llama "Don Genaro". Que con el "Mampato" completan los tres
seres que más quiere en el mundo. No las tres personas, porque las tres
personas son la mamá, la Mademoiselle y el papá. En este orden. Lo que
a veces la inquieta mucho, porque el papá es el papá y debería estar en
el orden de valores sentimentales después de la mamá o junto a la mamá, pero nunca después de la Mademoiselle, que al fin y al cabo es
una extraña, aunque haga tiempo que está en casa, y que algún día tendrá que irse a Suiza a casarse con su novio, guardia alpino. Esto cuando
junte el dinero para la dote, ya que en su país, para casarse, hay que
darle dinero al novio. Lo que le parece feo, porque si alguien debe pagar
al otro por casarse, lo justo sería que el novio guardia alpino pagara a
la Mademoiselle para lograr casarse con ella. Pero todo esto es muy
triste, a más de feo e injusto, porque nadie debe casarse sino por amor,
como los reyes con las pastoras, y así se casará ella cuando sea grande

y venga un príncipe, parecido al señor Smith, a pedir su blanca mano, que ella estará siempre dispuesta a concederle.

Solita trae a la rastra la máquina de cortar pasto, porque ha resuelto convertir su feudo en un palenque donde ha de realizarse una justa caballeresca, frente al castillo de la princesa que será el cobertizo. El horno puede servir como torre del homenaje. Hacer pasar la máquina por entre las bardas espinudas y revueltas, ya es trabajo paciente. El primer envión de la máquina por el pasto resulta también difícil, porque abajo hay pedrezuelas, terreno disparejo. Pero eso no importa, trabajará como un enano. "Togo" mientras tanto hace un hoyo por su cuenta junto al muro y Solita siente que las manos, que han empezado a dolerle, le duelen menos, porque "Togo" no es "Togo", sino los esclavos que limpian los fosos del castillo, y "Don Genaro", pacíficamente en rosca durmiendo sobre el horno, es el atalaya que avizora los horizontes. Y se pone a cantar a voz en cuello:

—Madrugó don Bueso, / la mañana fría, / tomó su caballo, / salió monte arriba...

Claro que ella debería tener un hermano para estos trabajos, que en verdad son de hombre. Pero parece que la mamá no quiere más hijos. Ella se lo ha dicho tantas veces: "Deberías tomar ejemplo de la gata, que tú ya ves, desea tener hijitos, lo desea tanto, que el Buen Dios se los pone en el corazón, y de repente la gata se halla con que tiene seis gatitos. Pero tú no quieres pedirle al Buen Dios que te ponga un hermanito para mí en el corazón". Ella, ante sí y por sí, le ha pedido también al Buen Dios que le ponga un hijito en su propio corazón, pero es de creer que aunque estas cosas se desean verdaderamente, no las oye el Buen Dios sino cuando son las señoras grandes quienes las piden. Lo que la entristece mucho.

Claro es también que ella debería querer más al papá que a la Mademoiselle. Pero aunque hace muchos esfuerzos por agrandar el cariño que le tiene a su padre, no puede lograr que supere al otro. Eso tan sólo puede decirlo con la boca, pero ella sabe bien que su corazón dice otra cosa. Es lo mismo que la historia de las muñecas y los juguetes. Le preguntan:

—Pero ¿cómo es posible que no les hagas caso a tus muñecas? Tienes las muñecas más lindas del mundo, los juguetes que volverían loca de felicidad a una niñita y no juegas jamás con ellos.

—Son todos mentiras —contesta Solita tozudamente—. Por eso prefiero al "Mampato", al "Togo" y a "Don Genaro". Ellos son "de veras".

No la sacan de ese razonamiento. Pero Ernesto insiste en traerle de sus viajes muñecas adorables que abren y cierran los ojos, dicen "Papá" y "Mamá", andan, lucen vestimentas suntuosas. Solita las mira de reojo, da las gracias al padre con sus maneras más corteses y las abandona en manos de María Soledad, que sí gusta de ellas, y es quien se encarga de darles ubicación en la pieza de los juguetes.

No se puede querer las gentes y las cosas a la fuerza. La mamá es "de veras", la Mademoiselle es "de veras". Doña Batilde es mala, pero es "de veras". Su padre es bueno, pero no es "de veras". ¿Por qué no es "de veras"? Esta pregunta la deja tan perpleja que se sienta sobre los talones, apoya los codos en las rodillas y las manos empuñadas en el mentón. Una extraña actitud que le es habitual y en la que se halla cómoda. ¿Por qué no es "de veras" su padre? Nunca lo ha sorprendido en una mentira. Es bueno. Claro que molesta mucho con la historia del horario. A las siete levantarse, a las siete y media gimnasia, a las ocho desayuno, de ocho y cuarto hasta las once estudio. Después de almuerzo, recreo, de tres y cuarto a seis estudio de nuevo con un intervalo para tomar el té. ¡Qué aburrimiento estudiar! Menos mal que ella lo aprende todo. Le basta oír las explicaciones de la Mademoiselle, leer los textos. Es como si abriera una puerta y dejara entrar las cosas a su memoria. Todo se queda adentro en perfecto orden. Luego ella cierra la puerta y se va a jugar con el "Togo" y "Don Genaro" o sale en el "Mampato" o sale con la Mademoiselle o con el papá y la mamá a casa de doña Batilde, porque la mamá se empecina en llevarla, porque no quiere dejarla sola en la casa por miedo a que se la roben los indios. ¿Por qué se la van a robar? Si alguien quisiera robársela, ella daría tremendos gritos, como piel roja, así: "¡Auuuuuujh!" —y larga un aullido que inquieta las orejas de "Don Jenaro" y hace que el "Togo", muy agitado, ladre furiosamente a un enemigo invisible—. Y además está el "Togo" para defenderla.

—Aquí, "Togo". Pero no sea cochino, ya le he dicho que no me lama la cara. Después lo hace delante de la gente y nos riñen a los dos. Hay que entender las cosas. Bueno, no se ponga triste. Pero debe ser obediente.

¿Qué estaba ella pensando? ¡Ah, sí! Nunca vuelve despierta de casa de doña Batilde. La trae en brazos el padre o Bartolo. Bartolo, que es un borrachón y que huele a vino, aunque él diga que no bebe, pero ella lo sabe porque le basta levantar la nariz y en el aire, lo mismo que el "Togo", agarra la sombra de un olor. Está segura de que si se pusiera a ello e hiciera lo mismo que el "Togo", hallaría los rastros campo traviesa.

—"Togo", "Togo" —grita alborozada—, busca, busca...

El perro no sabe qué debe buscar, pero adivina que aquello es un juego muy alegre. Rastrea, ladra, mira, corre frenéticamente. Mientras tanto Solita gatea por el suelo, huele el pasto recién cortado, hace una especie de pista en ese pequeño espacio. Luego se mete por la alta hierba a cabezadas por la maraña. Gatea, hace corvetas, chilla, canta de nuevo el romance de don Bueso. "Don Genaro", como una esfinge desde lo alto del horno, mira la escena, erguidas las orejas, movible la punta del rabo. Solita encuentra una gran piedra semienterrada. Se pone de rodillas junto a ella. Esto es muy grave.

—"Togo", ¿quiere estarse sosegado? Mire. Puede ser la puerta del palacio de los gnomos o puede ser que aquí abajo haya una cueva con diamantes o que sea la prisión de una princesa encantada. A ver, "Togo", ¿quiere sentarse?

Corta con la máquina el pasto alrededor de la piedra. Se afana. Por ahí en las vueltas y como se inclina para darle mayor fuerza al empuje, se pisa el delantal, que se rompe. ¡El miserable! ¡Siempre los delantales se están rompiendo! También es verdad que con todos los encajes y tiras bordadas que les hace poner la mamá... ¡Ah! ¡Señor, mi Diosito lindo! ¡Qué hacerle! La Mademoiselle verá cómo se arregla esto en combinación con la Clora.

—"Togo", por favor, no moleste.

Ya está hecho, la piedra está entera a la vista. Ahora va al cobertizo y trae una pala, hace un hoyo alrededor. El "Togo" ayuda como puede. Cuando el hoyo le parece lo suficientemente ancho y profundo, se prepara para arrancar la piedra, que al fin no es tan grande como le pareciera, pero sí extrañamente lisa, como laja del río. La frota con el delantal. —Ya está roto, ¡que más da ensuciarlo!—. Aparece de color plateado y una veta azulenca forma una ese en el dorso. La lleva procesionalmente, el "Togo" tras sus talones, hasta el horno, y metiendo el cuerpo adentro saca infinidad de cosas, secreto tesoro que allí oculta. Hay una olleta chiquita de cobre, varias ramas secas, muchas llaves, una bisagra, un anillo roto, un dedal de sastre, varias monedas extranjeras, caracoles y conchuelas. ¡Y lo más precioso! Una bola de pasamano, de cristal, facetada y que por todos sus hexágonos deja ver en el fondo un ciervo de alta cornamenta en rojo vivo.

Dice todas las palabras cabalísticas:

—Abracadabra... Sésamo... Pata de cabra...

Pero la piedra sigue siendo piedra y los tesoros continúan en sus formas cotidianas. Lo que no la descorazona demasiado. Será cuestión de paciencia y de dar alguna vez con la clave.

Lo guarda de nuevo todo, tras de sacarle lustre a cada cosa con el delantal tan rematadamente sucio, que bien puede servir para limpiar el horno. Se lo saca y prolijamente frota las paredes, metiéndose como puede por la estrecha abertura.

Siente que la chistan. Por sobre la tapia asoma la cabeza de Bartolo, con la chupalla ladeada y la nariz de farol rojo muy contenta de vino. Solita se acerca.

—¿Cómo ti'habís subío?

—Toi dándole cal a la muralla.

—¿Querís que ti'ayúe?

Bartolo reflexiona y al fin dice:

—¿Qué tai haciendo vos?

—Cortando pasto —y agrega muy importante—: Hallé una mina.

—¿Querís que ti'ayúe yo a vos?

—La mina es mía —mas añade magnánima—: Pero no te aflijái, te daré un piacito. Podís bajar.

Bartolo, aunque tenga años, es ágil como un mico. En seguida está a horcajadas sobre el muro, pasa la escala al interior y baja rápidamente, apoderándose de la máquina, que observa con gesto torcido.

—¡Lo qui'habís mellao los filos! ¡Tengo pa toa una mañana en el molejón!

Pero Solita canta de nuevo a grito herido:

—Qué haces ahí, mora, / hija de judía...

Con un rastrillo va juntando el pasto en medio del pequeño recinto. Un aroma espeso, de hierba cortada, de tierra húmeda, de violenta emanación de campo, va subrepticiamente inmovilizándola, la clava de pie, apoyada en el cabo de madera, indeciblemente feliz, obscuramente sintiendo que toda ella brota de la tierra, que tiene allí su origen y su razón de ser y que como a un árbol le anda por la sangre la savia de misteriosas esencias.

Ella es un árbol, se ha convertido en un árbol. Tiene un nido sobre el hombro y en los dedos le cantan las hojas. Está llena de ramas, de pájaros, de maravillosos mensajes. Sus raíces se hunden por la tierra entre claras vetas de agua, raíces que llegan hasta más abajo de siete estados de tierra, justo donde los enanos se afanan separando por montones las piedras preciosas. Ella es el árbol que canta, el pájaro que habla y el agua de la vida.

—Soy un árbol —grita—. Mírame, Bartolo, soy un árbol, mira cómo sacudo mis ramas...

Pero de otro lado de las bardas, también grita la Mademoiselle:

—¡Solita! ¡Solita!

Lo que la hace de golpe recobrar la conciencia de ser Solita, de estar inverosímilmente sucia y de que por muy bien que marchen los próximos acontecimientos, van a marchar muy mal.

7

No porque viniera tan de prisa ni porque deseara de inmediato hablar con su marido, dejó doña Batilde de observar que a la entrada de la casa había unas señales de pasos embarrados. Se limpió ella las botas afuera en los filos metálicos, y una vez abierta la mampara, mientras se las repasaba de nuevo en el felpudo, gritó:

—María Ignacia... María Ignacia... —y cuando apareció la "chinita dada" muy de prisa, muy enteca y muy medrosa, dijo imperativa, señalando afuera—: A limpiar inmediatamente eso y que no pase otra vez. ¿Qué manera es ésta de atender su obligación?

María Ignacia parecía querer disminuir aún más su mínima persona y al ir en busca de los trastos de limpieza, miraba atrás, por ver si doña Batilde alcanzaba el rebenque y, como tantas veces, le hacía entrar la obediencia por las piernas, a trallazos, que según su decir era la mejor manera de evitar que a nadie se le olvidara nada.

Pero doña Batilde tenía apuro por verse con don Juan Manuel, al que halló en su escritorio, tras la mesa cargada de papeles, sentado en el sillón abacial.

—Muy bien. Perfecto. Vuelvo a decirle que perfecto. La noticia la sabe desde la mañana todo el pueblo y nosotros en la luna.

Claro que él la sabía, pero no había logrado calcular qué le convenía más: si dejar que se la dieran o decírsela él. Bien: ahora paciencia.

—¿Qué noticia?

—El puente. No se haga el leso. El puente, que se termina el puente.

—Siempre se está diciendo lo mismo... Y ya ve...

—Pero ahora es de veras. Como es de veras que a usted no lo reeligen. Que el partido lleva a Ladislao Ezcurra de candidato. ¿Cómo deja que le quiten su senaduría? Explíquese. Hable.

—Yo no sé nada...

—Claro que no sabe nada.

—Sí.

—¡Ah! ¿Así que deja que le arrebaten la senaduría? Como si no le importara. Y que se termine el puente, como si tampoco le importara.

—Mire, Batilde; por lo que sea, el partido no anda muy contento conmigo. Para ellos yo represento la reacción. Usted lo sabe bien. Y ahora quieren gente joven, evolucionada, con ideas más con el tiempo y que puedan oponerse a las corrientes liberales. Desde hace meses me lo venían diciendo los amigos. Hay que conformarse, son cosas de la política que antes me prefirió a mí y hoy día prefiere a otro.

—Muy bien. Perfecto. Hace veinte años que se están sirviendo de usted y el día que se les ocurre le dan una patada en el trasero y usted muy conforme. ¡Ah! ¡No! ¿Qué se creen esos sinvergüenzas? Inmediatamente va a irse a la capital, para hablar con la directiva, y sobre todo me habla con el presidente. Si usted no es capaz de buscarles acomodo a las cosas, tendré que ir yo a verme con todos. ¡Faltaba más!

—Es un viaje inútil, Batilde. Tengo aquí las cartas en que la directiva me explica la situación. Es ya un asunto terminado y con el cual estoy conforme. Es preferible esta retirada digna que no andar mendigando influencias. Yo no puedo ir a humillarme ante cada uno de los miembros de la directiva para que me dejen como candidato, máxime cuando no puedo darles una posibilidad siquiera de salir elegido. Hay que conformarse... —Quiso sonreir, pero sólo logró una mueca, muy inquieto porque doña Batilde lo oía de perfil y era preferible la fulminación de su mirada y el tempestuoso enronquecimiento de su indignación a esta especie de pasmo sin señales.

—Perfecto —dijo al fin, siempre de perfil—. Todo se ha hecho a mis espaldas, a escondidas mías, como si yo no fuera nadie. Perfecto. Cada vez me parece mejor todo. Perfecto... —repetía esta palabra última como mascando las letras, asordada, ahogándose. Dio un paso hacia el hombre y bruscamente volvió la cara. Don Juan Manuel sintió que la mirada lo había tocado y vaciló levemente. Una mano sobre lo blanco del secante de la carpeta se puso a temblar y la otra se colocó encima protegiéndola.

Doña Batilde había avanzado nuevos pasos hasta apoyarse sobre el borde del escritorio, inclinar el busto y ahí ir diciendo, siempre con las palabras asordadas y mascándolas, regustando su hiel de injuria:

—¡Capón! Miserable enano. Hombre que lo creen, porque lleva pantalones... —se alzó y se dio de puñadas en el pecho, inclinándose de nuevo—, y yo sé que no lo es, yo... Incapaz de defender su derecho. Claro, viene cualquiera y le dice: "Usted se va ahora, no lo necesitamos. En su sitio vamos a poner a otro" —se alzó terrible—. Y también debía haberlo hecho yo. Haberle dicho hace tanto tiempo: "Usted no sirve, váyase porque tengo otro". No sé por qué no lo hice... Por haber nacido señora, tal vez... Porque bien segura podía estar de que usted hubiera dicho como ahora: "¡Hay que conformarse!"

Se había erguido de nuevo y se paseaba de lado a lado de la habitación, a grandes trancos, de pared a pared por la tira de yute que protegía la alfombra del trajín. Don Juan Manuel seguía sujetando la mano que temblaba. Tenía la cara gris y como si por las facciones le hubiera pasado un rodillo.

—Perfecto. Para hacerle juego a mi vida perfecta. Pero a usted ¿qué le importa todo esto? Usted está muy conforme, muy cómodo en su sillón, revisando libracos para escribir no se sabe qué estupideces. Mientras tanto que la bestia se mate dándole vueltas a la noria. Pero bien puede que la bestia se acuerde de repente que las patas también sirven para dar coces...

Salió con un portazo. Don Juan Manuel sentía que ahora por dentro le temblaban las raicillas de los nervios, y que los músculos se le aflojaban, que todo él se caía, que era tan sólo un montón informe, desplomado en el asiento. Seguía temblando, hasta que en algún punto le dolió algo, el corazón, y por buscarle alivio trabajosamente se irguió, hasta quedar como al principio, con una mano que temblaba sobre lo blanco del papel secante y la otra no ya dándole cobijo, sino que sobre el corazón, al cual una fina aguja hería. Buscaba respirar anhelante y por lo gris de las mejillas, tan fofas y tan lisas, empezaron a caer las lágrimas, una tras otra, sin sollozos, sin gestos, como si también su lloro estuviera aplanado por un rodillo.

Doña Batilde estaba en su dormitorio, abriendo puertas de armarios, cajones de cómodas, amontonando sobre la cama ropas en revuelto montón. Que se iba ella a la capital. Se iba. Ya la oirían.

Habían hecho de ella esta doña Batilde que era ahora. Aguantarse, entonces.

Se detuvo mirando el retrato que la representaba de recién casada, amarillento ya en su desvaído marco de peluche: ésa era ella entonces. Tilde, como la llamaban sus hermanas, con sus ojos claros y grandes para que entrara mejor por ellos la limpia felicidad del día. Un gesto de tímido aplomo, propio de criatura educada pacatamente y que tiene la conciencia de saber bien sus deberes. Una dulce esperanza de lograr ese algo que llaman amor. Amor..., "y criar hijos para el cielo", le llega entre nubecillas celestiales un eco del catecismo. Ignora cómo será eso; le han dicho del novio que apenas conoce: "Es un mozo muy cumplido y que está muy templado de ti". Su hermana mayor, ya casada, agrega: "Tiene mucho porvenir". Es todo lo que sabe, pero no le parece decoroso intentar averiguar más, fuera de que tiene grandes tierras y que le atrae la política. La política, sí, cosas de hombres, algo misterioso que hace que puedan llegar a ser hasta Presidente de la República. Ella se casa, tendrá un fundo y será posible que con el tiempo la señalen con temeroso respeto: "Esa es la señora del Presidente..."

Pero casarse es más que eso. Torpemente la vida se lo va enseñando en lentas, complicadas y al principio increíbles experiencias. Algún día se integran de pronto aquellos trozos dispersos e incalificables, y se encuentra desamparada, al borde de un derrumbadero, con la precisa sensación de que súbitamente ha de sentir el vacío que la arrastrará en vertiginosa caída. Se halla a sí misma, respirando con afán, en las lindes de su ser, recobrándose, los ojos muy abiertos, espantosamente abiertos, mirando más allá de la vida los turbios caminos del trasmundo.

Sí, es eso y también sentir que duele la nuca, que los párpados pesan ardorosos, que hay en la piel una desesperada inquietud y algo como una angurria contrae las entrañas. Ahora sabe también que ella dirá: "No", y que lo dirá con tan definitivo acento, que también definitivamente han de abandonarla en el borde blanco de un lecho, nunca más agitado por tempestuosos arrebatos inútiles.

Aprende que es preferible levantarse al alba que esperar en el insomnio la raya amarilla en que se posa el canto de los gallos. Que es preferible llenarse las horas de prácticos intereses, que estar junto a una tolvadera echando el trigo que dará la misma harina para su desesperanza, que cuando los músculos trabajan duramente, el cansancio los voltea medio a medio de un sueño sin sueños.

Una rebeldía que el despecho encona sirve a su impulso vital, que obscuramente ve en ella una manera de subsistir, y puesto que nada ha aprendido del marido, salvo el desengaño, comienza por ignorar su presencia, hasta que advierte su rebelión una técnica más eficaz: servirse de él, utilizarlo contra sí mismo, contra todos los demás, instrumento en sus manos, que se van endureciendo poco a poco en garras.

Los meses, los años, van perfeccionándola en su nueva forma, añaden matices a esta personalidad en la que el afán de predominio encuentra su satisfacción creciente: "¡Vieja avara!" Así la llaman, y es curioso que lo repita mirándose con idéntica piedad desdeñosa con que se mira la Moraima cuando se piensa: "Cabrona". Es una agria complacencia en el propio exterminio del resentimiento.

¿Qué queda en ella de tierno? ¿De humano? Es una sorda máquina de trabajo. Ir. Venir.

—Y usted trabaje, que para eso le pago. China inmunda. Roto de porquería... Si yo soy señora y trabajo, ¿por qué no puede hacerlo usted?... Yo no sé nada, tiene que pagar y pagará. Nada tengo que ver con eso, que se las arregle como pueda. El que debe, paga, eso es todo.

Siente el frío de las gentes desalojadas, el llanto de las criaturas; ve las caras empalidecidas de las "chinitas dadas", la mirada torva de los peones obligados al trabajo de sol a sol; oye las protestas que no se dicen y se retuercen en las bocas de las mujeres, e hinchan las mejillas de los hombres en regustos bárbaros. Todo repercute en su corazón. Ahora, hoy, en este mismo instante. Todo eso se alza acusador y ella no quisiera verlo. No, ya no es la dulce Tilde que el tiempo borra en la desvaída retina del retrato, ni son sus ojos verdes, para la verde vida. Es ahora doña Batilde, con el corazón de canto rodado, endurecida, sin vacilaciones, midiendo en afán de posesión las calles del pueblo, bajo la lluvia, contra el viento, vacía de otra pasión que la del poder, cuya clave es el dinero.

8

La Moraima ha pedido un braserillo y eso quiere decir que ésta es noche de ensalmos, y que por la casa toda se enlutará el aire con el olor del incienso y la mirra. Echará en las brasas removidas puñados de esa mezcla, a la que irá añadiendo perversos mejunjes, y mientras un humo denso se despereza en lentas volutas azules, irá diciendo las palabras del sortilegio, monótonamente, para no mezclar su inalcanzable sentido con alguna intención que vele su eficacia, mientras con el taco marcará el tiempo del ritmo que las despierte. Todo eso ya pertenece al reciente pasado. Ahora tiene en una mano dos pequeños cigarros. Con perfume de alhucema asperja uno de los puros y musita:

—Yo te conmino y ordeno que no seas más puro, que seas "la casa de la Moraima".

Asperja aguardiente sobre el otro puro y murmura:

—Yo te conmino y ordeno que no seas más puro, que seas "la voluntad de los hombres".

Toma asiento frente a una mesa sobre la que humea el braserillo de tres patas; detrás de él hay una enorme esfera de cristal, en cuyo centro se apretujan pasado y futuro, y como fondo, hay un espejo desde el que atisba el pasmo del presente. La Moraima ha encendido el primer puro y fuma en cortas chupadas, sin voluptuosidad, marcando cada aspiración con un seco golpe de taco en el suelo. Son siete chupadas y siete golpes. Luego respira largamente y por otras siete veces repite:

—La casa de la Moraima... La casa de la Moraima...

Cuando termina el cigarro, tira la colilla a los carbones. Toma el otro y con idéntica pausa va fumándolo, pero el estribillo es ahora:

—La voluntad de los hombres...

Cuando ya casi le quema los dedos, echa al suelo la colilla, coloca encima cuidadosamente el pie, y la aplasta con fuerza diciendo también por siete veces:

—La voluntad de los hombres bajo mis pies.

Después se mira en el espejo a través del cristal de la esfera, y en esa cara que la curvatura deforma, sus labios gruesos, como la boca de un pez, son los que parecen musitar:

—La casa de la Moraima para regalo de mis ojos...

Entonces comienza a salmodiar sus rezos, de los que son audibles palabras aisladas:

—...y tres clavos trajiste: uno para tu hijo, el otro para el amor y la salvación de los navegantes, y el que te queda en tus benditas manos, Santa Elena, no te lo pido dado, sino prestado para traspasar la voluntad de los hombres...

Vuelve a sumirse el rezo negro en una densa neblina de rumores, cuya recóndita malignidad se adivina apenas, cuando emergen otras palabras entre las ondas de la melopea:

—...Y con este cigarro que fumo, tú, rey del tabaco, por quien duerme el mundo adúltero, tú que estás arriba igual que abajo, y así en el humo como en la ceniza, te pido que llegue, manso como un cordero, caliente como chivato reciente, enamorado como un palomo, que donde vaya nada lo detenga: solteras, casadas o viudas y a todas por mi casa las desprecie... —y tras persignarse con la izquierda, echa nuevos puñados de mirra e incienso en el brasero, y sus ojos, estrábicos por la fijeza casi de éxtasis, siguen mirando la submarina imagen que el espejo le devuelve a través de la esfera.

Cree en los sueños, en las cartas, en los ensalmos. Como cree en una final compensación de las buenas obras, que alguna misteriosa fuerza premia no se sabe cuándo. Por eso ella es justa en sus tratos, dadivosa con sus "niñas", decente hasta donde su profesión lo tolera. Hace convenios directos con las fuerzas obscuras, con los seculares rituales de la magia negra, lo que no obsta para que al mismo tiempo se ocupe "del alma más necesitada del purgatorio", por la que ofrece misas y más misas a cambio de esto y de lo otro, y en ocasiones hasta dejando la intención de las misas a la buena voluntad de esa alma desamparada.

Pero estos ensalmos de hoy no poseen ninguna efectividad concreta, pues su pensamiento no cuaja en una imagen determinada. Hoy está distraída, el pensamiento le llega también como a través de una deformadora esfera de cristal. Al correr el día ha ido confirmándose la noticia de que el puente se termina. Los conservadores llevan a Ladislao Ezcurra de candidato. Ya está definitivamente eliminado don Juan Manuel de la Riestra. Por el sector liberal se presenta Catón Pérez. Se termina el puente. En lo sucesivo la estación será idéntica a otra estación cualquiera de la línea que raya verticalmente la angostura del país, una estación antes de llegar a la punta de rieles en esa ciudad del sur que, lógicamente, acabará succionando al pueblo.

Por unos años, esa otra ciudad, que también está junto a un gran río y donde la inercia y el juego de encontrados intereses demorarán por otros tantos años el puente a tender, será otra inmensa tienda para acampar mientras se amasa una fortuna. Lo mismo podrá ella ir allí, buscarles acomodo a sus "niñas", desvelar las noches con sus luces de fuego y esperanza. Tendrá que irse, que vender en seguida, antes que llegue el derrumbe... Pero eso no le duele demasiado, no ha echado raíces que la amarren más a este suelo que a cualquier otro. El pueblo es sólo una costumbre transitoria. Le gusta ir mirando por las calles cómo se ha levantado una casa, cómo han pintado una cerca, cómo un nuevo negocio tienta con sus inocentes seducciones, cómo los árboles de la plaza crecen imperceptiblemente apresando un año más en los círculos de su tronco, cómo un paco —don Filo— la saluda al pasar. ¡Los buenos tragos que le ha hecho servir! Y sorprender el azoro de una señora recién llegada —¿será la mujer del nuevo profesor de la escuela?— que sorpresivamente se encuentra con ella y sus "niñas", y que atraviesa la calle, huyendo como si fueran diablesas, y ni ella ni sus "niñas" lo son, sino gente que se gana la vida como puede, y no con menos honradez que otros muchos vecinos...

Irse. Vender la casa. Habrá que ir pensándolo, sí... Adelantarse, antes de que bajen demasiado los precios.

Dan unos golpecillos a la puerta. Y apenas ordena: "Entre", ya está Tom en su vano, con mucho blanco en los ojos, diciendo entre instantáneas sonrisas excesivas:

—Caballeros querer verla. Caballero de Catrileo... Caballero de Los Peumos... Caballeros llegaron tren...

Maquinalmente dirige una mirada a la aplastada colilla que fuera "la voluntad de los hombres", y luego, más concretamente, piensa que pueden traerle noticias. Sí. Que suban.

El puente...

Se mira en el espejo del solemne ropero burgués que le devuelve azorado su imagen en cierto modo inesperada. Lleva en las orejas unos solitarios que valen miles de miles, y sobre el pecho firme, el relojito de oro en cuya tapa se incrusta otro solitario de no menos quilates. No hay necesidad de repasar el intacto corazón que es su boca. Baja un poco el coselete que le marca el talle, recoge la cola de la falda dejando ver el triple volado de la enagua de gros y pasa al salón, donde ya los "caballeros" han llegado bulliciosamente.

—¿Qué dice esa dueña de casa? ¿Cómo le va, Moraima?

—Muy bien, buenas noches.

—Le traemos varios amigos que van para el sur. Buena gente. Y no querían pasar por aquí sin conocer su casa y saludarla...

—Mucho gusto —dice la Moraima con gesto tan correcto, que el correcto espejo de su ropero lo hubiera reflejado feliz. Sonríe equitativamente a cada uno, dándoles la mano, fina y desenvuelta. Los ojos mantienen la misma educada altivez, mientras la voz convencional insiste—: Mucho gusto.

En cambio, el hombre que conversaba con Juan Antonio Méndez, y que la ha visto desde el mismo momento en que ella entra, no logra reponerse de la impresión que le causa su presencia.

La Moraima le tiende la mano; maquinalmente, él tiende la suya, que tiembla un poco, mientras responde con un balbuceante:

—Tanto gusto...

Ya está cumplido ese primer mandato de urbanidad. Luego los invita a tomar asiento y ella misma se ubica en su habitual sillón, junto a la mesa en que hay una caja de cigarros y un gong de bronce.

—¿Y qué me dice de la gran noticia?

Ella sonríe. Claro que nadie puede hablar de otra cosa. El puente. Sí, el puente.

—Para los De la Riestra es una calamidad. Doña Batilde dicen que está como un puro quique, y que se va el lunes a la capital a mover sus palillos. Pero esta vez le sale la chascuda. También ya era hora de que se les terminara el cacicato. ¡Hasta cuándo!

—El pobre De la Riestra es un infeliz. Dígame usted, ¿qué ha hecho en su vida? Heredó harta plata, doña Batilde por su lado heredó otro tanto. Después, por una pura y santa casualidad, llegó a la Cámara, y otra vez que el Presidente estaba apurado con una crisis de gabinete, también por pura casualidad fue ministro. De esos sin gloria ni pena. El día que llegó al Gobierno: bueno. El día que se fue: bueno también. Volvió a ser diputado, después senador. Y ¿qué ha hecho? Nada más que estarse sentado en su sillón, esperando la hora de las votaciones para votar como le diga su partido. Y fuera de eso, meterse en su casa a revisar libracos mientras doña Batilde le amasa millones.

—¡Es de lince ella! Con la mitad de la tinca que tiene para los negocios, cualquiera de nosotros podría darse por feliz...

—Déjese de leseras... Una vieja avara y nada más.

—¿Usted cree que al fin se animará a irse a brujulear el asunto?

—Luquitas me lo aseguró y el perla lo sabe todo...

—¿Y usted qué dice, Moraima? ¿Qué le parece lo del puente?

—Bien. El pueblo se morirá un poco al principio, pero como tiene muchas razones de ser, se repondrá y seguirá viviendo —contesta la mujer, y por dentro piensa: "Sí, se sigue viviendo".

Tom conoce sus obligaciones y aparece trayendo una enorme bandeja con copas y botellas. La Moraima se pone de pie y ofrece las bebidas que Tom escancia.

—Usted ya sé que prefiere coñac. Para usted aquí hay un jerez que... —aspira el *bouquet* y hace un pequeño gesto gracioso de delectación—. ¿El señor desea anisado? —la sonrisa se le queda fija en los labios cuando pregunta a otro de los recién venidos—: ¿Prefiere pisco? —Podría añadir: "...como siempre". Podría decir más exactamente: "Aquí tienes tu copa de pisco".

El hombre no sabe qué contestar. La Moraima le sirve el vaso con su mano morena y dura, que no tiembla. Ahora ofrece cigarros, después vuelve a su asiento, desenvuelta y risueña.

Juan Antonio Méndez dice desde lejos, imitando el habla de los huasos, un poco ceceoso, con la boca trompuda, como un chiquillo grande que es, consentido y simpático.

—Abajo le'ejé la tracalá'e perdices. A la mesma Moñona se las entregué. Cosa rica. Del lao'e Los Peumos y tamañas de gordas. Puntería d'este niñito...

—¿Supo del incendio? —pregunta Zenón Cortés.

—Es que no hay derecho de que se deje seguir edificando sin cortafuego. Con toda razón las compañías no quieren asegurar nada. Tanto es que dicen que ni siquiera van a admitir la renovación de las pólizas

—¿Está usted seguro?

—Me lo dijo furiosa doña Batilde. Nadie mejor que ella puede saber estas cosas. Apenas levanta un tijeral lo asegura. Sume lo del puente a la senaduría, póngale esto más encima y no se extrañará que ande como un infierno.

—¿Se habrán quemado muchas manzanas? —inquiere uno de los recién llegados.

—Cuando yo salí de allá ya iban para nueve.

—¡Qué espanto! —murmura la Moraima.

—¿Y muertos?

—Un pobre diablo que volvió a su pieza a buscar el reloj.

—Siempre lo mismo. En el otro incendio se quemó una familia entera por salvar al gato.

—Moraima, ¿pa cuándo cree que las perdices estarán como pa comerlas? —pregunta Juan Antonio Méndez, cuyos noventa kilos necesitan, según sus propias palabras, mucha bucólica.

—En dos días más.

—¿Es cierto que la Moñona tiene un secreto pa que le queen tan regüenas?

—Pregúnteselo a ella...

—Es qu'es vieja más taimá... No suelta prenda cuando no quiere y de na sirve ponerle aceite Escudo Chileno en las manos... ¡Je!

—¿Y usted qué va a hacer, Moraima? Porque todo el mundo está asustado y muchos piensan irse.

¿No se lo han preguntado antes? ¿O se lo preguntó a ella a sí misma?

—Aún no lo sé; no he pensado en nada...

—Es de esas figuras que salen de repente y que marcan una época —dice en otro grupo a Zenón Cortés uno de los recién llegados—. Tiene mucha labia y usted sabe lo que eso significa en política. El pueblo lo adora. Y como les promete el oro, el moro y el cristiano más encima, es comprensible que se haya hecho con la popularidad que tiene.

—Y más encima todavía que es masón...

—Lo que resulta una garantía...

—De la Riestra me dijo que lo había conocido y que era una personalidad fascinante. Se puede no estar de acuerdo con sus ideas, que son verdaderamente revolucionarias, en materia social sobre todo, pero no se le puede negar el talento ni que es un peligro real para los conservadores.

—Un lechoncito asao no andaría mal pa empezar. Yo me voy p'abajo a ver cómo van las cosas. Despáchense ustedes de su política a su gusto. Ca'uno con lo suyo. Yo me le voy a echar una güelta a la Moñona... ¡Pa mí lo primerito es lo que se masca! —dice Juan Antonio Méndez.

Aún se quedaron un rato, revisando hechos que les interesaban, a sorbitos bebiendo los licores y sin demostrar extrañeza de que la Moraima estuviera contra su costumbre un poco al margen de los temas. Algunos de los recién llegados contaban cosas apasionantes, novedades que los absorbían, porque viviendo allí en medio de la montaña, luchando con la naturaleza y su inclemencia, bravamente conquistando palmo a palmo terreno para la agricultura, para la ganadería, no dejaban de tener vivo ese interés inherente a la criatura chilena por todo lo que atañe a la política.

Pero volvía Juan Antonio Méndez, sofocado de subir y bajar la escalera, sofocado por la vecindad del fogón, sofocado de risa por algo que acababa de pasarle con una de las "niñas".

—A la mesa, a la mesa se ha dicho... ¡Aaaah! —agitaba en alto una mano como si revoleara el lazo—. Juera... Juera... Juera... Tá el lechón como pa rechuparse los deos... Vieran... Y la niñoca esa nueva tan enojá porque le pellizqué el mal del tordo... ¡Je!... Puro polisón no más... ¡Je!

Cuando van a salir, la Moraima dice, sin ocultarse, para que la oigan, mirando de frente al hombre que aún sigue aturdido:

—Quédese a comer conmigo. Lo invito...

Es tal el asombro que esta inusitada invitación provoca, que hay un silencio, un mirarse unos a otros y ni siquiera Juan Antonio Méndez halla un dicho para colocarlo allí y romper el embarazo de la situación.

La Moraima los mira, sonriente, graciosa, alta la cabeza.

—Claro, claro, quédese —dice Zenón Cortés, y echa escaleras abajo, con los otros a la siga y detrás Juan Antonio Méndez, que cada vez más sofocado murmura:

—¡Diantre!... ¡Miéchica!... ¡Caracho!...

El hombre busca desesperadamente su voz. Hasta que la encuentra y dice con violencia:

—No sé para qué has hecho esta comedia.

—¿Comedia? No. Entiendo que comedia es la que hacen los cómicos en el teatro. Es repetir cosas que se aprenden. Como los loros. Y lo que yo te voy a decir no me lo ha enseñado nadie.

Por segundos, a Rafael Rozas le parece que no fuera la misma. Tan dueña de sí, tan modosa, tan señora en sus gestos y en sus palabras. Pero es el mismo cuerpo apretado de músculos, la misma cabeza pequeña, esa extraordinaria proporción que la hace aparecer mucho más alta, mucho más delgada. Y los ojos tan fríamente metidos en los suyos, sí, son los mismos en forma, como es la boca, aunque también en ésta haya un gesto que atiranta las comisuras levemente hacia abajo y la hace desdeñosa. Es la misma, vaciado como ese de las muñecas rusas en que una está dentro de la otra, idénticas, una y otra, y aunque sean iguales son dos, una y otra. Tinita.... La Moraima...

Por este hombre ella sufrió lo indecible. Lo mira. Y las comisuras de la boca se le hacen más desplomadas de desdén.

—Bueno, mi querido Rafaelito...

Pero él está furioso, con una sensación de animal caído en la trampa, que regresa de su primer estupor y se revuelve frenético:

—No deja de ser gracioso encontrarte convertida en esto... —pero en los ojos de la Moraima hay tal expresión que no se atreve a decir la palabra, la que ella dice, sonriente y burlesca:

—En cabrona... Dilo, Rafaelito. No creas que me enojo.

Rafael palidece. Tiene la cara acartonada, alargada, con grandes ojeras para grandes ojos, una nariz huesuda de animal sensual y una boca grande, de gruesos labios que dejan ver los dientes amarillentos de fumador empedernido, grandes dientes rectangulares. Sí, una cara que recuerda vagamente el rostro de un caballo: grande, fuerte, huesuda. Parece un gigantón. Por este hombre ha sufrido, él la inició en el dolor cuando simple chinita azorada, hija de la cocinera, al patroncito le gustó manosearla en un día entre los días, cuando la casa dormitaba bajo el peso de parva de la siesta estival, mientras zumbaba una chicharra persistente y los chirimoyos extendían su azucarado perfume por los huertos, y la volcó sobre el pasto, bajo el toldo de las madreselvas lacias de calor, enervada por los ávidos besos, hondos reclamos al mandato de la sangre. Y, sin saberlo, cumpliendo su monótono destino, al igual que su madre, al igual que la madre de su madre, al igual que sus remotas antepasadas, sumisión que le perdura en las entrañas y la hace entregarse al amo, que otrora se llamara encomendero y hoy es el patroncito.

En ella se repite el mismo indiferenciado sino. Es fatal. Como la madre. Como la abuela. Como la madre de su abuela, que no sabe cómo se designa.

Se le hizo una feliz costumbre aguardarlo bajo las enredaderas; el aire se afinaba en su proximidad y un dulce suspiro de ansia le subía a la boca. Los besos, ya más sabiamente lentos de Rafael, se apoyaban firmes en su piel de verde sazón. ¿Qué edad tiene él? Veinticuatro años. ¿Qué edad tiene ella? Diecisiete. Pero ésa ya es edad suficiente para oír que ofendidos pudores maternales vociferen:

—Inmediatamente fuera de mi casa. China sinvergüenza, corruptora de menores, mujer mala... ¿Qué se ha imaginado?

Y hay que irse a vagar por el pueblo, en la vana espera de un encuentro que él rehuye, que ella considera terriblemente natural que rehuya, ofrecer sus servicios, para que observen de soslayo la comba de su vientre y le digan:

—No. No. Queremos una sirvienta de razón...

Se resigna a lo que le ha predicho su madre después de darle una paliza y gritarle su enojo al ponerla frente a las nuevas circunstancias:

—Agora te las arreglái como se te le ocurra... Cuando a mí me pasó lo mesmo, mi mamita me dejó que me las arreglara yo, sola mi alma y muy bien que salí adelante... Lo que no te perdono es que me hayái hecho perder una güena casa...

En el Puerto lavó platos en un figón. Pero estaba muy cansada y sus gestos eran cada vez más lentos. Luego una vieja conocida la llevó a su casa, a una casa prodigiosa, que adherida al cerro por obra de milagro, resiste los tremendos asaltos de los vientos con sus vigas de madera, gangochos y viejas planchas de zinc. Allí ayudó a hacer pequenes y picarones, empanadas y tortillas.

Después, el desgarrón de la carne, el desgarrón inenarrable, como de planta a la que arrancan con violencia un gajo; el olor a ropas sucias, a yodoformo, a leche agria; el lloro de las guaguas enhebrado en el chirriar de un tranvía que toma dolorosamente una curva; el retemblar de vidrios inseguros repercutiendo en las noches sin sueño, con el cerebro vacío, en que el tiempo apenas está prendido por el machacar de una frase que bota y rebota mecánicamente:

—El niño nació muerto...

¿Y después?

—No te dejes llevar por el resentimiento —dice ahora Rafael, que de súbito parece haber recobrado su antiguo dominio—. Bien sabes que yo, entonces, no podía hacer otra cosa.

—La primera vez no, porque eras un muchacho a quien sus padres se habían encargado de dejar sin defensa frente a la vida, para que no pudiera prescindir de ellos, amarrándolo sólidamente a la familia. Eso fue lo que fue: una siesta a la sombra de las madreselvas, un modo de refrescar al calor del verano... Lo otro...

—Después tampoco podía yo hacer otra cosa. También te consta.

—Rafaelito, no mientas. Una mujer de casa de remolienda no puede ser sino una grandísima... Pero si no se la quiere rescatar para siempre, se la deja donde se la encontró, para que allí se pudra. Si te gusta acostarte con ella, te acuestas, y hacés con ella lo que se te ocurra. Pero no le digas todas las palabras que ella espera en lo más hondo de su corazón; no le recuerdes que afuera hay luz, aire para que circule libremente; no le enseñes a ser persona, no la presentes a los amigos, no le des un remedo de hogar... Todo eso tiene ella que aprenderlo con lágrimas, porque el suyo es eso: un triste remedo de hogar, porque el verdadero hogar, donde habrá una mujer también verdadera, será otro. Entonces se dice muy jarifo: "Mira, Tinita, no te desesperes, yo te querré siempre mucho, te tendré un agradecimiento de cada minuto; has sido la alegría de mi juventud, pero, ya ves, tengo una situación y ya es hora de que siente la cabeza. Yo cuidaré de ti y en cualquier otra ciudad puedes rehacer tu vida. Tienes muchas condiciones y mereces tanto ser feliz..."

—¡Cómo dices las cosas! —murmura el hombre abrumado.

—Como tú me enseñaste a decirlas. Me da por dentro una risa que para tu tranquilidad no oyes, cuando me miro y me veo mientras los otros dicen: "Tan señora que es", y no saben que te elogian a ti, que me tomaste con tus grandes manos y me enseñaste a serlo. ¿Recuerdas cuando decía "juí" y tú pacientemente me hacías repetir "fui", hasta que lo decía como se debe decir, y entonces me dabas en el hociquito tenso por el esfuerzo un beso por toda recompensa?

—¿Para esto has querido hablar conmigo? ¿Para remover tan tiernos recuerdos? —pretende ironizar el hombre.

—Tal vez sí. Yo sabía que alguna vez el destino nos pondría, así como estamos ahora, frente a frente. Mira, de tanto pensarlo, me parece que esto es ya también otro recuerdo. Y en él ya sabía que me ibas a llamar "cabrona". Vamos: dímelo. No hay que tenerles miedo a las palabras, nunca podrán doler tanto como los hechos. Mira, Rafaelito, puede que te guste saberlo, que se refocile tu orgullo de macho: sufrí horrores cuando me dejaste. Lo que podría sufrir un vestido que tuviese alma y que tras verse sucio en medio del barro, alguien lo levantara para lavarlo y le dijera: "¡Qué lindo! ¡Eres el vestido más lindo del mundo!", para en seguida limpiarse con él las botas y volverlo al barro diciéndole: "No sirves para estar limpio, quédate en tu sitio".

—Tinita... —no sabe qué decir, cómo cortar la escena e irse, cómo obligarla a callar. Si se atreviera, la azotaría; quisiera abofetearla, pero no se atreve y sigue oyéndola, tendrá que seguir oyéndola hasta el final.

—Sí, te estoy cansando inútilmente. ¡Mugrecita! Es mejor que bajes y te reúnas con tus amigos. Ya has estado aquí lo suficiente como para que tu castidad no te desacredite. Pero, oye, antes te quiero contar una historia, algo como una pequeña explicación. No creas que tengo este "negocio" porque no me creyera capaz de otra cosa en la vida. Lo tengo por algo que podría llamarse dignidad. No te rías. Para dar dignidad al oficio y hacer que las "niñas" sepan qué cosa puede ser la decencia. Te parecerá raro, pero es lo cierto. No me mires con esa cara, ya sé que en tu caletre no cabe una idea semejante. Y ahora, como final de todo, te voy a contar un cuento. Con los años me voy volviendo curiosa. Por aquí pasa medio mundo y deja noticias del otro medio. A los que son del

Puerto siempre les pregunto: "¿Y qué es de Rafael Rozas?" Pero no, no es esto lo que te iba a contar. No te impacientes, hombre. ¿Te sirvo otro pisco? —y ante el desesperado gesto de rechazo, prosigue—: Como quieras... ¡Ah! Vuelvo a mi cuento. Resulta que dos amigos se hallaron en el club y uno le dijo al otro: "¡Acaba de pasarme una mano tan divertida! Casi seis meses pololeando a una casada. Linda, fina, impecable. Pero con algo, algo... Hasta que al fin conseguí llevarla a una casa de citas. Gran misterio, de tarde, coche cerrado, todo a obscuras. Una vez que ha pasado todo, todo y algo más, sí, la señora empieza a los suspiros, a las quejas: "¿Qué hemos hecho? ¡Insensata! ¡Me viera mi mamá!" Me dio tanto fastidio de esas quejas póstumas que quise encender la luz, pero no hallé el conmutador, y para mi gran sorpresa, ella, sin titubeos, cesó en sus lamentaciones, se levantó y encendió la lámpara, como si en su vida no hubiera hecho otra cosa. Me quedé perplejo. ¡Tan extraño aquello! La saqué con los mismos misterios y, tras haberla dejado en un sitio discreto en la ciudad, volví en mi coche al punto de partida para preguntarle a la mayordoma: "¿Vio a la señora que vino conmigo? ¿La conoce por casualidad?" Y ella me contestó riendo: "¿A la Fulana? ¡Claro que sí! Llena de dengues la tonta, pero buena clienta". Y colorín colorado... Aquí termina el cuento. Sólo falta agregarle que si a las mujeres que tienen una casa como la mía se les llama cabronas, a los fulanos que tienen una mujer como la de mi cuento se les dice cornudos. Y al que le venga el sayo que se lo ponga... Cabrona... Cornudo... Tal para cual. ¡Ya ves!

La cara del hombre parece de madera terrosa. Ha seguido el cuento distraídamente al comienzo, con súbito interés luego, y ahora la indignación está a punto de arrebatarlo. Sin dejarlo reaccionar, la Moraima da un golpe en el gong. Antes que el negro aparezca le queda tiempo para decir:

—La comedia ha terminado —y cuando Tom asoma su jeta, añade graciosamente—: Acompañe al señor hasta abajo.

9

Esta mañana el correo ha traído una carta para la Mademoiselle. A la Mademoiselle le gusta encerrarse en su habitación y quedarse por largo rato con la carta en las manos, mirándola pensativamente, leyéndola con la imaginación, escuchando un latir profundo que luego desmentirán los renglones invariables, bien trazados, con su paciente corrección de surcos de los que acaso jamás brote nada. Porque las noticias no suelen tener muchas variaciones.

A veces las escribe el padre, a veces la madre, por lo general ésta, con su letra prolijamente caligrafiada, y después alguno de los hermanos agrega unas palabras en que se repiten los mismos rasgos. Trasciende de esa pulcritud el decoro de un vivir sin sobresaltos, de una tranquilizadora mediocridad espiritual. En una hoja aparte viene —suele venir— una carta del novio, tierna y conceptuosa, con sus frases sin arrebatos, de eficacia ya miles de veces probada. La Mademoiselle piensa con tristeza que hubo un tiempo —de recién llegada— en que estas cartas eran un ansia para ella, una desesperada forma de asirse a los suyos, de comprobarse aún dentro de la seguridad familiar, de aquilatar la solidez de sus vínculos. Entonces ella cerraba los ojos, apegaba la carta a su pecho y se veía en la granja, entre los abetos, por las laderas de las montañas que mostraban la deslumbrante arista de los glaciares, y el cuenco azul de un lago en el fondo, al final del camino que ella, deslizándose sobre los esquís, la cara de piel frutal rompiendo el aire, recorría con un gozo porque sí, porque se es joven y se está sano y hay un sol que deslumbra. Y tal vez porque abajo aguarda Pierre Mayon, para acompañarla después a subir la repechada, demorados en largos silencios, soslayadas miradas y una ternura inundando el pecho, tan cálida, tan dulce y honda, que a veces llega a lindar con la angustia, y entonces tiene miedo de que eso la haga llorar y baja la cabeza para que nadie, ni siquiera "él", repare en sus sentimientos.

Ahora las cartas le dan otra sensación más melancólica. Ya sabe de antemano lo que dicen el padre o la madre, que sigue siendo la que más se afana por comunicarse con la hija ausente. Los hermanos escriben cada vez menos, ocupados en los trabajos de la granja, ahora bajo su entera responsabilidad, porque el padre empieza a sentir en las articulaciones el atenazamiento implacabe del tiempo. El novio también espacia sus noticias. Es la madre quien las transmite: "Pierre está bien y piensa en ti". "Madame Mayon me ha dicho que Pierre está feliz en su nuevo acantonamiento."

Cuando se tiene dieciocho años puede ciegamente tomarse "el barco que va lejos"... como en la canción. Cambiar juramentos, solemnizar promesas, decir: "Espérame, te amaré siempre". Porque tres años pasan pronto y cuando hayan pasado en tierras de América, es decir en tierras fabulosas, ella habrá reunido exactamente el dinero que necesita para su dote. ¡Y qué orgullosa se siente de reunir con sus propios medios esa suma, sin imponer a sus padres sacrificios penosos!

Porque la Mademoiselle puede mostrar con un aire de falsa modestia un título de institutriz. Poco tiempo después de concedido, la directora del instituto donde hiciera sus estudios la llama y le propone algo sorprendente y que al principio parece una broma. Por intermedio del Ministerio de Relaciones Exteriores, la Dirección ha recibido la solicitud de buscar una institutriz que acepte ir a Chile para hacerse cargo de una niñita. Se desea tan sólo que al comienzo le enseñe francés; a medida que la niñita vaya creciendo, se le hará un plan de estudios conforme a su edad. Hay un buen sueldo, viaje pagado de ida y vuelta, un contrato que se irá renovando cada tres años y la absoluta garantía de que se trata de una familia distinguida, católica y de fortuna. Habrá que vivir en una región montañosa y el tiempo se repartirá entre una casa de campo y otra en un pequeño pueblo.

La Mademoiselle comunica esta noticia a los suyos. Es una novedad que parece un paquete sospechoso, que se examina con cautela y en el que, una vez eliminadas las recelosas envolturas, se descubren sólidas y alegres posibilidades.

Pierre Mayon ha sido destinado a un destacamento en los Alpes, por el cantón del Tesino; por lo menos transcurrirán dos años en que sólo gozará de muy breves licencias para visitar a su familia y ver a su novia. ¿No es entonces preferible aceptar esa proposición que en poco más de dos años la hará redondear su dote? Se habla, se discute, se pesa y vuelve a pesar el pro y el contra de cada argumento.

Intervienen en las deliberaciones Pierre, la familia Mayon, el señor cura, la directora del instituto, y, por último, hasta el propio Ministerio de Relaciones, que solicita prolijos y circunstanciados informes a su representante en el remoto país americano, acerca de don Ernesto Pérez. Todo esto hace que transcurran seis meses y torna familiar la idea de que la Mademoiselle parta un día con rumbo a Marsella, hacia *le petit pays antarctique* que, como en los viejos mapas, tiene para ellos el prestigio de la "Tierra incógnita".

Arraigar en el nuevo ambiente en que debe desenvolverse es para la Mademoiselle tarea lenta, aunque todos tratan de facilitársela. Ernesto y María Soledad le hacen la vida cómoda y cordial, con esa blandura americana tan distinta de la áspera convivencia europea. Solita la mira sostenidamente desde el principio y desde el primer momento también, en su francés deliciosamente chapurreado, le asegura gentil que: "Vamos todos a amarla mucho".

La Mademoiselle está segura también de que ella querrá a esas gentes singulares, tan absolutamente distintas a todas las gentes que ha conocido hasta entonces, tan distintas además entre sí, tan distintas también del medio que las rodea, según va comprobando al correr del tiempo. Pero así como desde el primer momento tiene en su mano la mano de Solita, pequeño apoyo que le es instantáneamente precioso, así también encuentra a su alrededor otro apoyo extraordinario en el paisaje. Idénticas montañas, iguales glaciares y semejantes lagos a los de su tierra natal la esperan aquí. La diferencia la constituyen los bosques, que los suyos son pinares, abetos por lo general, y no esta maraña espesa y revuelta de formas y colores, salvaje, misteriosa, aún no del todo salida del caos, que es el bosque chileno. No hay tampoco los caminos, las aldeas de casitas arrebujadas en torno a la flecha aguda del campanario; no hay esa belleza ordenada, razonable, tan increíblemente precisa del paisaje suizo. Aquí todo es primitivo y obscuramente dramático, la persistente contemplación del hombre no ha reemplazado aún la huraña voluntad propia de riscos y breñales. Pero los puntos de semejanza le bastan para sentirse amparada en ese remedo de lo familiar, que le hace menos dura la tarea de identificarse en la aclimatación.

Cuando han transcurrido más de dos años, María Soledad pregunta a la Mademoiselle si una vez cumplido el primer plazo del contrato continuará por otros tres años con ellos. La Mademoiselle contesta que consultará a sus padres lo que debe hacer. Y como Pierre está ahora de guarnición en la frontera tirolesa y no indaga a su vez cuándo retorna la novia lejana, los padres le dicen que haga lo que estime más conveniente, que se quede, si está contenta. La Mademoiselle no averigua si está contenta, pero al instante, con una íntima vibración, toda sonrosada y luminosos los pequeños ojos en la cara redonda, con la canela de las pecas juguetonas por la respingada nariz, grandota y con una gracia de extrema juventud y auténtico candor, anuncia a María Soledad que se queda con ellos por otro período.

Acontecimiento que celebran después jubilosamente Solita, el "Togo" y "Don Genaro", fiesta organizada en honor de la Mademoiselle y en la que cada uno participa en la medida de sus habilidades.

Exactamente sabe lo que dicen las cartas que ya no espera con ansia, apegándolas a su corazón como cosas vivas al recibirlas, para que él las contagie con su propia ternura. De repente se sorprende pensando: "Hace más de un mes que no llegan noticias de casa". Pero sin inquietud, apuntando simplemente el hecho. Y cuando la carta llega, se queda mirándola dubitativa, vagamente perezosa, con deseos de dejarla sobre el velador, reaccionando al fin con una floja alegría que su voluntad acicatea: "¡Vamos! ¡Es una carta de tus padres!..." Pero si ella se mirara más adentro, ahí, justamente donde no quiere llegar, vería que no es la consabida carta de sus padres lo que la empereza, no es esa falta de variedad en las noticias, esas frases repetidas en fórmulas inocentes, sino el miedo de encontrar una carta del novio, una de esas supuestas cartas que el novio debería escribirle y que desde hace tantos meses no le escribe, sin que ella notara cuándo comenzó en realidad a dejar de hacerlo, aunque recuerda cómo empezó a preocuparla que pudiera volver a recibirlas, poniendo en juego sus derechos para decirle, por ejemplo: "Mi adorada, ya es tiempo de que pienses en regresar. Nuestra futura casa te espera y te espera también mi fiel amor".

¡Dios mío! ¡Dios mío! ¡Qué difícil de entender es nuestro corazón y cómo nos asombramos a veces viendo que los sentimientos se esfuman y desaparecen! ¡Que con esta misma boca dijera ella palabras definitivas que traducían sentimientos eternos! ¿Es concebible que el recto corazón de una buena muchacha pueda deshacer en la indiferencia y el olvido su primer amor?

—Te amaré, te amaré para siempre. Te amaré mientras viva...

Y el tiempo sistemático muele el presente, está moliendo el justo instante que se vive, echándolo hacia atrás, aventándolo hacia el olvido o arrumbándolo acaso en los desvanes donde se suman los recuerdos borrosos, hasta que se hunden en inalcanzables rincones.

Honradamente ella tendría que confesar ahora: "Yo tuve un amor cuando era jovencita". Aunque más exactamente tendría que decir: "Cuando era jovencita, creí estar enamorada".

¿Qué hay de común entre ella y esa muchachita que hendía el aire de las montañas, firme violencia sobre sus esquís, segura de sus músculos, dueña de su destreza, borracha con la velocidad acelerada por la ilusión de que Pierre la esperaba abajo?

¿Era ella esa misma muchachita? ¿No una improbable hermana muerta? Se mira atentamente una mano, la misma en que Pierre imprimió un fugaz beso. En esa mano. Es la misma. Pero la quemadura de brasa no perdura en su piel.

Reacciona con violencia y, como otras tantas veces, abre la carta y lee. Un rubor intenso le hace arder la cara. Se detiene. La mano, ésa, la misma mano que una vez besó furtivamente Pierre, apoya el dorso sobre su boca, la boca que dijo tantas lindas tiernas frases. Avanza buscando la luz de la ventana y sigue leyendo:

...será un gran dolor para ti, pequeña, pero no vacilo en dártelo. Madame Mayon ha venido a verme para decirme que Pierre te ruega devolverle su palabra de prometido. El tiempo le ha hecho ver claro en sus sentimientos y honestamente no puede seguir considerándose como tu futuro esposo. Comprendo lo que tú sufrirás con esta petición, pero conozco tu coraje y tu fe en los caminos que nos marca la Divina Providencia...

—¡Dios mío! —murmura, y va hasta su reclinatorio, junto a la repisa en que una Virgen de Lourdes está bajo un fanal rodeada de inverosímiles flores de cera. No puede arrodillarse, tanto le tiembla el cuerpo. Se deja caer allí, acurrucada, con la cara entre las manos, puerilmente buscando aún en sí misma sus reacciones más ocultas. Siente como un sollozo, que estuviera allí desde siempre esperando este instante, sube equivocado y torpe, ramalazo de lluvia en un día de sol, y avergonzada no sabe de qué ni ante quién, sólo acierta a murmurar:

—Virgen mía, ¿será cierta tanta dicha?

10

Esa misma mañana Solita tiene mil complicaciones en el reparto de su tiempo. Es domingo, hay sol y frío; la Mademoiselle ha encontrado una carta junto a su taza de desayuno, lo que vale decir que después se encerrará en su habitación y ya no podrá contar con ella hasta la hora de ir a misa. Mamá ha pasado mala noche; afligida por la falta de sueño, no se ha levantado aún, y el padre ha tomado el desayuno distraído, diciendo luego:

—Voy a ver a la mamá.

Lo que también quiere decir que no aparecerá hasta la hora de reunirse la familia en el vestíbulo para tomar rumbo a la iglesia.

Solita tiene que ir a las pesebreras a llevarle al "Mampato", no un terrón de azúcar robado con mil cautelas, sino todo el resto del azucarero, ya que nadie ha vigilado esa mañana sus maniobras.

Agradece el "Mampato" con una serie de relinchos y botes, tan frenéticos que Bartolo viene a ver qué pasa.

—No vai a entender nunca vos.

—Güeno, güeno —dice Solita remedándolo.

—Bien sabís que li'hace mal.

—A vos tamién ti hace mal el trago y lo más bien que seguís poniéndole... —y con cierto recelo mira a su alrededor. Si la oyeran... Sabe que le está absolutamente prohibido. ¡Pero es que a ella le gusta tanto hablar como habla Bartolo!... ¡Tanto! Sólo que los grandes no comprenden eso. Ni siquiera la Mademoiselle lo entiende. Ella trata de hablar muy bien, con estirada corrección, cuando lo hace con el papá y la mamá. Hablar muy bien en cualquier idioma. ¿Por qué entonces no la dejan hablar bien el idioma de Bartolo? ¿Y el de los indios? ¿Y el del "Togo"? ¿Y el de "Don Genaro"? ¿Y el del "Mampato", que tiene muy pocas palabras, pero es más exacto que ninguno? Porque ella cree que la gracia no está en hablar siempre con un lenguaje bien estirado y planchadito, con tantas alforzas y puntillas de verbos y pronombres. ¡Con lo que le gustaría a ella revolver y enmarañar esas cosas! Lo que vale es el idioma "de veras", ese que se aprende de los indios, o con el "Togo" y "Don Genaro", o con el "Mampato", y que ellos saben sin haberlo aprendido, porque es el único que corresponde realmente, mágicamente, con las cosas que se dicen. Es sólo cuestión de quedarse oyendo cómo se articulan los sonidos, los vagos rumores, los imperceptibles gruñidos, y allí no hacen falta el odioso indicativo, ni el detestable subjuntivo, para saber de inmediato lo que significan y que la memoria los retenga con toda facilidad. Estos son secretos que no se pueden confiar a nadie; a los grandes, porque se enfadan mucho con eso que llaman leseras de niñita mal educada, aunque ella está segura de que se enfadan de puro fastidio, porque no entienden, y a los niños no se les puede decir tampoco, porque se vuelven malos de inmediato y se ríen y hacen muecas, sacan la lengua y dicen cosas feas, y Solita tiene miedo de que busquen guijarros y se los tiren, lo que sería muy peligroso, porque Solita tiene una puntería excepcional, y como por razones de honor se vería obligada a contestar de la misma manera, pero con mayor eficacia, los perdedores serían los niños.

Los grandes nunca entienden nada. La Mademoiselle es la única que, a veces, entiende algo, pero a su modo y manera. La mamá no importa que entienda o no; Solita la adora y hasta que no entienda le parece bien. Y el papá es como el resto, casi peor que el resto: no entiende nada de nada.

Las niñitas sólo quieren jugar con las muñecas, jugar a las visitas, jugar a que viene el doctor, lo que es muy aburrido, y entonces ella las deja en la pieza de los juguetes, y cuando se van les regala alguno, mitad por conmiseración, mitad por quitarse un estorbo, lo que no le gusta mucho a la mamá, pero en cambio hace absolutamente felices a las niñitas.

Y cuando son niños, quieren jugar con ella al volantín o al diábolo o a la barra o al luche, pero después se enojan, porque siempre ella les gana y entonces toman un aire protector y misterioso, y le preguntan si sabe lo que quiere decir esta palabra o la otra. Y como ella sabe lo que esa palabra significa, pero sabe también que son cosas feas que no se deben repetir, y eso no porque lo impongan los grandes, sino porque lo feo es todavía peor que lo que no es "de veras", siente que le corre por dentro una súbita indignación y violentamente se echa sobre ellos propinándoles tremendas palizas. Con lo cual nadie es feliz, porque el niño se va llorando a gritos, a ella la amonesta muy seriamente la Mademoiselle, el papá desde su incomprensible justicia resuelve siempre dejarla varios días sin postre, y a la mamá hay que ocultarle el incidente con mil disculpas y mentiras para no ponerla nerviosa.

Después de darle el azúcar al "Mampato", Solita ha ido a visitar a la gata y a sus seis gatitos. La gata la ve acercarse con cierta inquietud, pero al reconocerla, al ver que es Solita, se acuesta sobre el lomo, estira las patas, arañando feliz al aire con sus zarpas extendidas, y abre apenas el hocico en un ¡miau! articulado como si fuese una caricia. Solita, gravemente, sin necesidad de intérprete, contesta con otro ¡miau!, a la vez que le rasca las orejas, observando de reojo a los gatucos, que encuentra horribles, cabezones, con los ojitos cerrados y una fea tripa en mitad de la panza, porque la perezosa mamá aún no les ha dado la última puntada.

Pero hay que inculcar ánimos a la gata y por eso le dice:

—Son lindos, puedes estar orgullosa de ellos. Chiquititos, pepitas de oro, amor de su mamita...

La gata estira su pescuezo bajo la caricia, la piel le atiranta los ojos alargándoselos, dándole cierto parecido con las figuras del viejo Egipto, que Solita recuerda haber visto en el grueso tomo de *Las maravillas del mundo*.

Luego ha ido a echarles un vistazo a su feudo y a sus tesoros, un rápido vistazo, porque por asociación de ideas ha recordado que tiene que ir a la biblioteca, sin que la vean; abrir un armario, sin que la oigan, y colocar en el anaquel correspondiente uno de los tomos de la *Historia Natural* de Buffon, que ya ha terminado de leer, y que debe reponer en su sitio y sacar el tomo siguiente, lectura para los días venideros, dentro de una alacena que el papá hiciera construir destinada a licores finos, a la cual nunca se le pusieron las estanterías y cuya puerta tiene en lo alto persianas para una perfecta ventilación. Allí, en esa alacena ubicada en una bodega llena de mil cosas viejas y dispares, tiene Solita su rincón de lectura en el mayor misterio.

Adentro hay una silla enana, una mesa pequeñita y cojitranca, dos tarros que le sirven para guardar galletas y caramelos, una palmatoria, un rimero de velas y un farol. Y en un clavo, una estampa de Santa Teresa, que era tan aficionada a las buenas letras, y que tiene, según Solita, la obligación de protegerla para que no descubran ese escondite, aunque en él se lean cosas que no siempre aprobaría la Santa, tan mandona como dicen que era... Una llave cuelga del mismo clavo que la estampa, doble de la llave que corresponde a los armarios de la biblioteca, que ha logrado sacar del escritorio de su padre con grandes sobresaltos, y que le sirve para proveerse de lecturas a su gusto, de lecturas también "de veras" y no de aquellas sosas y desabridas que le da la mamá, cuentos que ya se sabe de memoria, o los otros libros que le da el papá, odiosamente instructivos, o los que le presta la Mademoiselle, de tapas rojas con grabados en oro, siempre historias de niñitas tan atolondradas como tontas, escritas por una señora que debió nacer con una papalina en la cabeza, como la de la coronela, y otra papalina en el alma momificada. Historias de una niñita que fue mala y que después fue muy buena, lo que hace suponer a Solita que la pobrecilla heroína al final se debió aburrir de lo lindo.

A ella le gustan las novelas de caballería, los romances y la historia natural. Especialmente eso: los romances y la historia natural. ¡Ah!, y también le gusta el diccionario, pero no el de bolsillo Castellano-Inglés, Inglés-Castellano o Castellano-Francés, Francés-Castellano, que le deja usar la Mademoiselle, sino el *Hispano-Americano* o la *Enciclopedia Británica*, tan generosamente listos a contestar sus preguntas, todas sus preguntas, a veces de modo algo misterioso, que la sume en mayores perplejidades, pero siempre sin rechazarla por aquello de que sea demasiado niñita para esas cosas. Entonces tiene la perfecta sensación de que las palabras son auténticas, que son "de veras", desde adentro, que son como gente, mejor que gente, llenas de buena fe, de sinceridad y afecto.

Pero los grandes son celosos y así como no les agrada que sepa hablar a cada cual en su propio idioma, tampoco quieren que elija a su gusto las lecturas. Parece que divertirse leyendo es pecado, que para tener contentos a los grandes no hay más remedio que resignarse a un interminable aburrimiento que ellos llaman Moral y Educación.

A veces Solita se acongoja pensando que ella llegará a grande y olvidará cómo era de chiquita y a otros niños les dirá gravemente lo que ahora los grandes le dicen a ella: "No se debe hacer eso. Eso no se hace. No es propio para niños. Eso no. Así no. Ahora no. Está prohibido".

¡Prohibido! Nunca entenderá cómo pudo haber un hombre tan odioso que inventara esa palabra. Aunque día llegará en que comprenda que debe agradecerle esa agridulce felicidad sostenida por pequeños terrores, con que ahora va a su escondrijo, saca el libro, se desliza por los patios hasta la biblioteca, cambia un libro por otro, torna a su escondrijo y allí lo deja asegurado. Todo esto andando en puntas de pies, tendida a los rumores, abriendo y cerrando puertas con cautela de laucha. Y cuando todo está terminado, echa a correr como si mil demonios la persiguieran, hasta llegar a su habitación para vestirse y estar a la hora precisa en el vestíbulo, que el papá en esto de la puntualidad es tan mecánico e inflexible como los propios relojes y a veces más aún, pues llega unos segundos antes y se queda observando de reojo al lento minutero, como recriminándole mudo sus veleidades de holgazán.

La puerta que comunica su habitación con la de la Mademoiselle está cerrada. Da allí un golpe discreto y pregunta:

—¿Puedo entrar?

Pero aparece la Mademoiselle, ya vestida, con puntitos dorados bailándole en el fondo de los ojos, con la sonrisa resplandeciente y tal aire de felicidad, que Solita pregunta, súbitamente inquieta:

—¿Es que te vas a tu país?

—No, pequeña, no me voy a parte alguna.

Solita reflexiona y pregunta de nuevo:

—¿Es que te ha escrito tu prometido?

—Solita, ya no tengo prometido. El que lo era me ha pedido por intermedio de mi madre, en la carta que recibí esta mañana, que le devuelva la palabra empeñada y por lo tanto, ahora soy libre.

—¿Así es que ya no estás de novia?

—No, Solita.

—¿Y eso te hace tan feliz? Porque nunca te había visto más contenta. Parece que tuvieras chispitas dentro de los ojos. —Solita sigue reflexionando—: Yo creía que si a una novia le decían que no la quieren, le

) 617 (

daría mucha pena, se desmayaría, lloraría como una loca y se metería en un convento. —Ante la sonrisa de la Mademoiselle, corrige y refrena su opinión—: Bueno, por lo menos daría suspiros y se pondría pálida.

La Mademoiselle, en verdad, no sabe qué responder, y vuelve los ojos indiscretos a la fría felicidad de la limpia mañana de otoño que el marco de la ventana aprisiona. Solita continúa indagando:

—Y tú estás muy contenta. Entonces, ¿es que no querías a tu prometido? Di, ¿no lo querías?

La Mademoiselle no está para esa clase de explicaciones, pero sabe por experiencia que es preferible darlas de inmediato, porque Solita de lo contrario insistirá en su obstinado asedio.

—Creí quererlo cuando me comprometí con él. Después...

—¿Después te diste cuenta de que no lo querías? Y ¿por qué no se lo escribiste? —Ahora es todo un severo juez el que interroga—: ¿No querías a tu prometido? Di, ¿no lo querías?

—Ya no lo quería... —musita.

—Y ya ves lo que ha pasado. Ha sido él quien tomó la resolución. Hubiera sido mejor que tú lo dejaras a él, que no él a ti...

—Es lo mismo, Solita.

—No, no es lo mismo. Cuando una hace una cosa porque sí, queda más contenta.

—Es lo mismo.

—Lo que es a mí, me daría mucha rabia que me dejara mi novio. Aunque no lo quisiera. Creo que me gustaría tener muchos novios y dejarlos plantados a todos, pero no iba a permitir que ninguno me dejara plantada a mí.

—Solita, tienes ocho años y no debes expresarte en esa forma —dice la Mademoiselle, que es ahora la que hace severos reproches, asombrada, sin acabar de habituarse a la mezcla de ingenuidad, desparpajo, precisión e inocente audacia que hay siempre en las palabras de la niña.

—Yo digo lo que pienso. Claro que ya sé que a los grandes no les gusta que nadie diga lo que piensa y que ellos piensan siete veces lo que van a decir y luego dicen otra cosa.

—¡Mira la hora que es! —exclama la Mademoiselle para terminar el diálogo—. ¿Crees que te vas a vestir en quince minutos?

Pero Solita, con su ayuda, logra estar lista a la hora exacta en que hay que esperar en el vestíbulo el momento de partir rumbo a la iglesia.

María Soledad aparece sonriente. Solita la contempla con los mismos ojos de perruno amor con que el "Togo" la mira a ella, y como no tiene rabo para mover en su alegría, siente un incontenible arrebato de pasión y bruscamente se echa a su cuello, llenándola de besos, enredándose peligrosamente en la mantilla. La madre se defiende entre gozosa y enfadada:

—No me despeines. Pequeño monstruo. No. No...

—¿Quieres estarte quieta? —pregunta Ernesto desde el centro mismo de la corrección.

Pero Solita ya está de nuevo sosegada, y mientras la madre recompone su tocado, trata también de reparar el equilibrio inestable de su gorro de piel, que junto con el manguito estrena ese día.

—¡Dios mío! ¡Qué niña! ¡Nunca dejará de ser como perro nuevo! —se lamenta María Soledad, aunque en lo íntimo esté feliz con su perruco que la mira adorándola y que desde lejos le hace guiños y monerías y le envía besitos con una boca muy fruncida.

La última señal para la misa mayor se desparrama con júbilo premioso desde su palomar de la torre. Sale solemne la familia al reclamo que multiplica sus repiqueteos en el alma de la Mademoiselle.

11

Toda la sutil diplomacia romana de veinte siglos de mundanidad eclesiástica ha sido necesaria para que el señor cura ordene los reclinatorios en la iglesia, sin que se originen roces y sinsabores. Alguna voz seráfica debió inspirarlo el día que reunió a las señoras en la casa parroquial para proponerles la ubicación de los mismos en la nave mayor —dejando las laterales para el pueblo—, por riguroso orden alfabético de apellidos, ya que tomadas de sorpresa, lo aceptaron, aunque después se despacharan a su gusto, y no muy de acuerdo con los santos cánones, contra el buen señor que colocaba a Paca Cueto en las filas de más adelante, y a los De la Riestra y a los Pérez casi al lado de la mampara, junto con los Smith, sin que alcanzara a consolarlas la evangélica aseveración de que en el Reino del Padre Celestial los últimos serán los primeros.

O tal vez si fuera tenida en cuenta tan piadosa referencia, porque resultó de la alfabética resolución que el sitio cercano a las últimas filas de reclinatorios, junto a la salida, fue considerado el más *chic*, como impíamente decía Luquitas Rodríguez. También en forma equitativa y simétrica, había solucionado el señor cura el asunto de la colecta, que hacían en riguroso turno señoritas de la sociedad, por parejas de una "grande" y otra "chica", provistas de sendas alcancías.

Ese domingo están de turno la Mademoiselle y Solita, y apenas terminado el Evangelio, se ponen en movimiento, empezando desde la primera doble fila de reclinatorios, frente al altar mayor. Avanzan lentamente por el pasillo central, haciendo tintinear el contenido de la alcancía, para volver al bajo suelo a los espíritus presuntamente abstraídos en místico deliquio, dando luego las gracias con una leve inclinación de cabeza, con la mínima sonrisa compatible con la santidad del templo.

A la Mademoiselle no le cuesta trabajo mantener esa actitud, pero así que las primeras filas van quedando atrás, una tensión se apodera de ella, los movimientos se le hacen dificultosos, los párpados le pesan, la sonrisa se le fija en una expresión que más parece revelar angustia que complacencia, murmura apenas un débil: "Gracias..."

Mariana Santos abre estrepitosamente una cartera de mallas de plata y saca un puñado de monedas que aún más estrepitosamente suenan al caer en la alcancía de la Mademoiselle.

¡Dios mío, Dios mío! Ella quisiera quedarse ahí, quieta, no avanzar, no tener la sensación de que su pie al próximo paso no hallará donde posarse, de que todo vacila en su contorno, de que un aire que el incienso espesa con su aroma morado la ahoga. Pero un movimiento reflejo, una voluntad que se sobrepone a la suya desgoznada, la mantiene en vilo, la impulsa a dar el otro paso, el que la colocará en la fila inmediata, junto a Covadonga Sordo. Es un paso, pero parecía custodiado por todas las imposibilidades de la nada, y ahora que se ha dado, siente que franquea una zona invisible, muro de cristal a través del que podía ver a Severino Sordo, sentir sus ojos apoderarse de los suyos, un instante, un instante tan sólo, pero que siempre basta para desleírle en el corazón una inefable dulzura, una obscura dulzura de inalcanzable profundidad, que la enerva, que la obsesiona.

Porque la mirada de Severino es apenas un instante, un afirmarse en ella, un sumergirse fugaz en el fondo de sus ojos que la reciben con los párpados muy abiertos, que luego se entornan para aprisionarla, y la mirada trasciende en lenta infiltración hasta su sangre más que a su pensamiento. Una mirada que ella sabe que la espera allí, en la iglesia, cuando entra, que está esperándola en el pórtico, que se repite en la plaza, en la calle, en la estación, en los caminos, que está en todas partes, en su espera, en espera de ella, de la Mademoiselle, que también espera hallarla esperándola, que espera ese momento en que los ojos azules, que parecen negros y que son azules, que ella ha descubierto que son azules, color mineral de zafiro, color de agua profunda de mares altas, se metan en los suyos y le dejen allí la certeza del recado más dulce.

Pero todo eso ha pasado siempre a través de una dureza de cristal. Estaban allí, mirándose, uno al lado del otro, a veces tan cerca que el calor de Severino traspasaba el cristal y creaba a su alrededor un aura en que ella se aquietaba en súbita languidez somnolenta, sintiendo que algo le reblandecía gustosamente los huesos y la obligaba a buscar un apoyo que sólo el pecho de Severino podría otorgarle. Pero ella sabía que nunca, nunca, ese pequeño gesto de íntimo reposo le estaría permitido. Que si ella extendiese la mano, en un movimiento que no fuera el muy banal y perfectamente correcto de saludar a Severino con las palabras que la buena educación esteriliza, el cristal se interpondría entre ellos, se alzaría en dureza enconada para separarlos.

Ahora está frente a Severino, en medio de la iglesia, detenida al borde del pasillo, junto a los reclinatorios, en una línea que nadie ve, que tan sólo ella y él saben que es la impronta dejada por el cristal al deshelarse, al desvanecerse, como se desvanecieron las palabras que ella dijera una vez, en una época que está más allá de los límites donde la felicidad comienza: "Te quiero con todo mi corazón", cuando creía que su corazón era pequeñito como el valle nativo, antes de que pudiera adivinar las extensiones ilimitadas de los mares australes, reflejos de las suyas. No sabe cuánto tiempo hace que está allí, al lado de Severino, que la mira, que está mirándola al fondo de los ojos, que no se cierran como otras veces, que no se hurtan, que se dejan ver, transparentar a través de la niebla del eco litúrgico que profundiza las divinas palabras de la Epístola. La cara del hombre empalidece y una súbita emoción le raspa la garganta. Baja los ojos de los ojos de la Mademoiselle a su boca y es como si la besara, lenta, apasionada, casta, gozosamente, una y otra vez, y cuando de nuevo la mirada de Severino sube despaciosa hasta las pupilas de la Mademoiselle, una corriente de alegría los inunda y resplandece, al advertir que es una sola sonrisa la que se apoya en los felices pilares de sus dos bocas.

No se sabe cuánto tiempo ha transcurrido, porque la dicha sólo en la eternidad se reconoce. En la otra fila de reclinatorios, al otro lado del pasillo, Solita prosigue con los medidos movimientos que le ha enseñado la Mademoiselle, muy compenetrada de la importancia de su persona, presentando su alcancía discretamente a cada cual. Pero por dentro hace divertidas observaciones. Una de ellas le produce un estado de completa dicha: porque siempre ha tratado, sin demostrarlo, es claro, de ver qué limosna coloca doña Batilde en la alcancía. Ella entorna los párpados, sonríe, dice: "Gracias..." con el gesto, la voz y la mesura que tan bien ha aprendido, pero bajo los párpados, entre las largas pestañas cómplices de su curiosidad, los ojos tratan de descubrir lo que los dedos apuñados de doña Batilde ocultan y rápidamente deslizan desde su bolsa de mostacilla a la alcancía. Y esta vez ha descubierto, ha logrado sorprender que es una moneda de cobre... ¡Un centavo! Y tiene que hacer un esfuerzo para no sonreír abiertamente, para no hacer una pirueta y soltar la carcajada. Ella necesitaría en esos momentos estar con el "Togo" y "Don Genaro" para revolcarse con ellos en el pasto, celebrando el descubrimiento.

Pero Solita reprime el impulso, da las gracias con el tono debido a doña Batilde y enfrenta a los señores Smith.

¡Dios mío! ¡Qué hermosos son! ¡Qué altos, qué fuertes y, al propio tiempo, qué esbeltos! ¡Qué bella es la barba del señor Smith, rubia y brillante, de hilos de oro por su pecho, desbordada sobre las vueltas de la levita negra! ¡Qué azul es el azul de sus ojos, acaso de ver muchos cielos distantes, y cómo su nariz de caballete no le hace perfil de garduña, sino que misteriosamente se lo ennoblece en fina estampa de rey de cuento! ¡Cómo es de blanca su mano y cómo brilla cada una de sus uñas! ¡Dios mío! ¿Y ella? Tan preciosa que a veces Solita se aflige al encontrarla hasta más preciosa aún que la mamá. Tan dulces los ojos de color nomeolvides, y tan suave la boca, cuyas comisuras parecen pulidas por la sonrisa que siempre se espera ver aparecer, y toda ella, como la paloma del cuento a la que se le ha sacado el alfiler de las sienes, con ese aire de poder desvanecerse en un momento cualquiera. Igual que si fueran ella y él seres de un mundo distinto, de esos que a veces se sueñan, y que cuando tras mucho trabajo logra una aproximárseles y ya se los va a tocar, se despierta de repente, con la almohada que ha caído bajo la cama, perdida entre la inmensidad de las sábanas, sin saber cuál es la cabecera y cuáles los pies, entre las medrosas sombras de la pieza, y hay que llamar despacito a la Mademoiselle, que por suerte tiene el sueño ligero, y acude y enciende la luz, y entonces todo pasa y de nuevo, en una cama ordenada y sin sobresaltos, se puede volver al sueño en procura de los ya irrecuperables fantasmas.

Parecen reyes que no fueran. Que no sólo por algún acontecimiento indescifrable no fueran más reyes, sino que ni siquiera existieran, que fueran tan sólo un sueño surgido al irresistible conjuro del: "Había una vez...." Solita tiene un súbito desconsuelo, porque —¡Dios mío!— ¡qué triste sería si fuesen hechos de sueño! Y tal terror la asalta, que, sin reflexionarlo, sin darse tiempo de pensar lo que va a hacer, porque ya lo está haciendo, se inclina y rápidamente posa los labios sobre la mano de la señora Smith, que no, no es una mano de sueño, sino una mano de dulce piel, que huele a jazmín, y cuyos dedos asoman entre el encaje de los mitones negros.

La señora Smith sonríe y con esa misma mano que Solita ha besado hace un gesto sobre la cabeza de la niña, algo que parece una caricia y una bendición. Entonces, Solita realiza otro gesto inesperado: da un paso atrás, levanta el borde de su faldita, se inclina y hace la más graciosa reverencia de corte. Y el señor y la señora Smith, como unos reyes, como esos reyes que Solita está segura de que son, inclinan gravemente la cabeza y sonríen, no gravemente, sino con una alegre terneza que se desliza mansamente desde lo alto de su majestad.

Cada cual en su sueño, la Mademoiselle y Solita, terminan ambas al mismo tiempo de hacer su colecta en las naves laterales, donde el pueblo entrega su óbolo con diligente desprendimiento, y se reúnen de nuevo en el comulgatorio, dejando las alcancías sobre una mesa. Y vuelven emparejadas hasta su sitio, junto a Ernesto y María Soledad, que están uno al lado del otro, llenos de señorío, con un gesto similar en el modo de mantenerse erguidos, con una vaga semejanza en la expresión de los rostros que son tan efectivamente dispares, y que tienen a su alrededor esa misma aura que parece envolver a los señores Smith, como una atmósfera propia.

Cuando termina la misa, la iglesia se va vaciando lentamente. Primero desfilan las gentes que llenan las naves laterales: apenas pronunciado el "Ite, Missa est" salen los hombres como de puntillas, para que los zapatos claveteados no atruenen los ámbitos, o que las espuelas no rayen el tenso silencio del templo con su escandaloso tintineo; luego les siguen las mujeres ceñidas por los mantos negros, verdosos algunos, enmohecidos por los muchos años, y por último, despejada de pueblo la iglesia, los de la nave central, desatentos a los finales acordes del armonio inexpresivamente pulsado por Lucita Méndez.

Afuera, en la plaza, el sol refulge en los cobres de la banda que marca concienzudamente los compases de un vals de Rimenti, que acaba de imponerse a la dulce somnolencia del armonio que calla. Por lo común, los que inician la retirada en la nave central son los señores Smith, ella apoyada ligeramente en el brazo de él, lejanos, afables y ceremoniosos al saludar desde un atrio ubicado en otro domingo, acaso de otro país. Entonces el resto de la concurrencia se pone en movimiento y sale sin prisa, un poco por seguir el ritmo que marcan los Smith, otro poco como quien regusta y saborea uno de los instantes más dulces de la semana, formándose grupos, cambiándose saludos. Todos se dirigen a la plaza, a la parte que rodea el monumento, que es la reservada a la sociedad, mientras que el pueblo se pasea por las avenidas exteriores, sin que jamás se atreva a invadir el sitio de los privilegiados, sin que se le ocurra siquiera tan temeraria excentricidad a nadie.

—¡Dios mío! —dice María Soledad a doña Batilde—. Esta niñita siempre haciendo cosas raras. ¡Qué habrán pensado los Smith! ¿Vio usted la pirueta que les hizo?

—No estoy para ver leseras —contesta desabrida doña Batilde—. Me voy mañana a la capital y tengo la cabeza llena de mil preocupaciones. ¿Usted se va a quedar en la plaza a la retreta?

—No sé —contesta dubitativamente María Soledad, mirando a Ernesto de reojo.

—Lo que es yo, me voy. En la tardecita pasaré a despedirme. Iré por la tarde y no por la noche, porque quiero acostarme muy temprano. Y si se le ofrece algo, disponga de mí para lo que guste.

—Muchas gracias.

Doña Batilde se detiene antes de atravesar la calle. Se vuelve a Ernesto, que la sigue con don Juan Manuel:

—Yo me voy. Usted sabrá lo que hace, De la Riestra.

—Dé una vuelta con nosotros —propone María Soledad, que así piensa obligar a Ernesto a quedarse en la plaza un rato.

—Sí, tal vez, muchas gracias. ¿Usted no me necesita?

—¿Yo? —pregunta doña Batilde, encogiéndose de hombros, y termina con una naturalidad ofensiva que azora a su marido—: ¿Para qué?

—Hasta luego, entonces.

Ahora parece la mañana más clara. Camina María Soledad entre don Juan Manuel y Ernesto. Va feliz. A ella le gusta de vez en cuando pasear por la plaza, dejarse ver, sentir que la admiran, que la gente cuchichea, que en cada saludo hay un homenaje, que mujeres y hombres están de acuerdo para declararla una belleza y una elegante, que es una especie de institución local. Se complace en ese pequeño triunfo. Sabe que a Ernesto no le gusta, que para él ese homenaje colectivo la disminuye, y en cierto sentido solapado, la aparta de él, que la quisiera toda para sí, contra su corazón, sin otra compañía que la suya, egoístamente aislándola, acaparando su presente, su pasado y su futuro, su alrededor, su sonrisa, su mismo silencio. A ella también le place esa manera de querer, ese "eres todo mi mundo". Pero de repente, porque es tan pueril, le agrada que le vean los zapatitos nuevos, y además, en el fondo de su corazón, le gusta hacer rabiar un poco poquito a Ernesto, muy poquitito, eso sí, y hacer valer su voluntad y salir adelante con sus caprichos.

En cambio, Solita aborrece ese paseo de después de misa en la plaza. Y eso que ahora no la obligan a ir con los niños, que antes venían a invitarla enviados por sus madres. Entonces tenía que dar vueltas con ellos, tomados de las manos —unas manos casi siempre pegajosas de pretéritas golosinas o ligeramente transpironas, lo que la encalabrinaba de asco—, sin hablarse, porque en verdad nada tenían que decirse y obscuramente se detestaban. Daba unas vueltas y de repente se detenía, contrastando su brusca actitud con las palabras corteses de sus recitadas despedidas, y regresaba al lado de la Mademoiselle, con un respiro de satisfacción, porque había terminado ese viaje al país del Fastidio.

Preferiría irse inmediatamente a contarles al "Togo" y a "Don Genaro" que doña Batilde sólo da un cobre, o preferiría salir en el "Mampato", o instalarse en su misterioso rincón a leer un poco de la *Historia Natural*. Pero la Mademoiselle adora también el paseo —estas incomprensibles cosas de los grandes—, reunirse con la Covadonga Sordo y la Lucita Méndez, hablar y reír y saludar y seguir dando vueltas, pasando una y otra vez ante las mismas gentes, sentadas en los mismos bancos, que hablan las mismas cosas con la machacona insistencia de un disco rayado. ¡Si al menos la dejaran alguna vez mezclarse con el pueblo, rondar el quiosco de la música, jugar al "paco-ladrón", comer pequenes o mote con huesillos, corretear a pedradas —sin lastimarlos; claro, por puro juego— a los quiltros inverosímilmente mugrientos!

¿Qué será lo que hace reir tanto a la Lucita, la Covadonga y la Mademoiselle? Se siente cada vez más desdichada y por un instante las detesta. En ese momento enfrentan a la coronela, más alechuzonada que nunca entre los duros pliegues de su manto y que con amistoso dengue llama a la niña:

—Estás preciosa, Solita. Cada día estás más linda.

Solita contesta con prontitud de cotorrita al búho:

—Preciosa no, señora. Ni preciosa ni linda. Yo soy una feíta con gracia y nada más.

—¡Ay! ¡Señor! —gorgotea la coronela—. ¡Qué niña más salada! —y presentando su perfil de aqueīarre quiere engolosinar a la niña—. Dame un beso, rica. Y le dices a tu mamá que estoy muy sentida con ella, porque el otro día no fue a casa a la reunión de las señoras. Y que espero que me dé explicaciones. No vas a dejar de decírselo, ¿no?

Solita aprovecha la despedida que se le tiende:

—Con mucho gusto, señora. Hasta luego.

Pero la coronela insiste:

—Dame otro beso, rica.

Solita se deja besar, muy de malas, porque los paseos en la plaza representan ahora este nuevo fastidio: los llamados de las señoras que se aferran a ella y casi la tironean, que se sirven de sus buenos oficios para mandarle recados a su madre o a doña Batilde, viendo por ese tierno vínculo la manera de acercarse a la impenetrable fortaleza que los De la Riestra y los Pérez defienden.

Y menos le gusta a Solita que la besuqueen, dejándole la cara casi tan pegajosa como las manos de los chiquillos, y que persista sobre su piel "aquello" ajeno, repugnantemente ajeno. ¿Y qué decir de las señoras que la hacen darse vuelta como si fuese muñeco para verle los vestidos, llegando algunas insolentes a levantarle la falda para mejor mirarle las enaguas y los calzoncitos, porque todo en ella tiene el sello de refinamiento en que viven los Pérez? Y ya que no pueden curiosear a María Soledad, porque la virtud indagatoria de las miradas no va más allá de ciertos límites, se desquitan con ella, con la niña, que cuando la hostigan demasiado, pierde los buenos modales y las buenas fórmulas, y las enseñanzas de la Mademoiselle corren serio riesgo y todo se resuelve en un respingo y a veces en una desfachatez que las deja haciéndose cruces.

—¿No sería preferible llegar hasta la estación? —dice Ernesto.

—¿Hallas que sería entretenido? —pregunta a su vez María Soledad.

—Por lo menos no oiríamos esa espantosa matraca de la banda. ¿No le parece, De la Riestra?

—Tal vez la señora guste de sentarse un rato, además la banda ya se va —responde don Juan Manuel, adivinando las pocas ganas que tiene María Soledad de irse.

—¿Quieres quedarte otro rato, entonces? —insiste Ernesto.

María Soledad batalla entre su deseo de quedarse, de seguir sintiendo el comentario elogioso que la rodea, y el deseo de darle gusto a Ernesto. Pero lo mira, lo ve tan como llamándola a su absoluto cariño que súbitamente enternecida contesta:

—Sí, vamos hasta la estación; es preferible salir de este barullo —y le sonríe amorosamente.

—Voy a decirles a la Mademoiselle y a la niña que ellas se queden en la plaza, si quieren.

La sorpresa de Ernesto es grande cuando ve a Severino Sordo alcanzarlo abriéndose paso entre los músicos que regresan a sus cotidianos oficios, luego de haber cumplido su misión, casi vegetal, de darle una pepita luminosa de música a la mañana del domingo. Severino Sordo esquiva al amenazador bombardino, aparta al obeso bombo y dice sofocado, un poco temblorosa la voz, pero resuelto:

—Señor Pérez, ¿me permite una palabra?

—Las que guste, señor Sordo.

—Quisiera que me autorizara para ir a su casa para hablar con usted. No se trata de negocios. Es algo mío... Personal...

—Cuando usted guste. Mañana...

—Preferiría, si a usted no le es molesto, que fuese esta misma tarde.

—A las tres, entonces.

—Perfectamente, a las tres. Y muchísimas gracias.

Luquitas Rodríguez les cuenta a Paca Cueto y al mustio trébol de las Araujo, que acaba de encontrarse con Juan Antonio Méndez en el club y que éste le ha contado que la semana entrante van a llegar los primeros ingenieros para la obra del puente.

—Me encargó que les eligiera alojamiento en el hotel, porque son gente muy bien, los dos de gran familia del Puerto. ¡Vieran! Unos dijes de jóvenes. Y no es posible que los alojen así no más, que ese viejo abusador de don Filemón no sabe siquiera pispar cuando la gente es gente o cuando son unos puros siúticos no más.

Paca Cueto oye el cacareo del mariquita con sus ojos color de miel extrañamente dilatados,.

—Juan Antonio..., no sabía que estuviese en el pueblo —dice.

—Es que llegó anoche en el tren directo. ¿Y saben que viene de dedo cortado? Vieran... Y preciosa la chiquilla con que se casa. Preciosa, preciosa. Y no crean que es argollita de pololos. Es argolla ancha, de compromiso.

—¿Y quién es la novia?

—Una de las Lastra, la menor, la Juana Rosa; de los Lastra conocidos, de los del Presidente. ¡Ni más ni menos!

—¿Como se llaman? —pregunta a nombre de sus dos hermanas y en el suyo propio Petronila Araujo.

—¿Cómo se llama quién? —devuelve la pregunta Luquitas.

—Los ingenieros, pues, Luquitas.

—¡Ay! ¡Qué cabeza la mía! De veritas que les estaba contando, pues...

—Claro, cuéntenos —agrega Paca Cueto, cuyos ojos relumbran en la piel de fina camelia.

—¡Ay! No lo sé todavía, les prometo que no lo sé, porque ese atarantado de Juan Antonio me lo dijo todo así, a la carrera, y no me dijo cómo se llamaban; me dijo no más que eran gente de lo mejor.

—¿Y serán solteros? —indaga una voz indiferenciada, expresando la unánime expectación.

Las tres Araujo contribuyen equitativamente en un único estremecimiento mientras aguardan la respuesta.

—Fíjense que tampoco me dijo nada. ¡Ay!, es tan volado ese Juan Antonio y está más volado todavía con su casamiento. ¡Vieran!

—Si necesita que lo ayude en algo, me lo dice no más, Luquitas. Usted sabe que yo no tengo nada que hacer y que me gusta ocuparme en algo. Siempre hay detalles que una mujer ve mejor —dice Paca Cueto.

Las tres Araujo no respiran. ¡Esa Paca Cueto! ¡Qué audaz! ¡No da puntada sin nudo! Si ellas se atrevieran... Pero no se atreven. Nunca se han atrevido a nada. Y es uno el suspiro que exhalan acompasadamente, pero triple el pesar que en la virtuosa soledad de sus pechos las aflige. Se miran entre sí. Sonríen con media boca y como saben que las tres han pensado lo mismo, con la otra mitad completan un gesto de solapada malignidad.

—Tanto darse facha —perora la Coronela, que está aún indigestada con el fracaso de su reunión— y ya ven ustedes lo que le ha pasado a De la Riestra. ¡También hasta cuándo lo iban a soportar por su linda cara!

—¡La falta que le hace a De la Riestra la senaduría! Con los millones que tiene —contesta campanudo el gobernador.

—Pero se les acaba el pueblo. En cuanto se termine el puente, el pueblo se les viene abajo.

—Eso es cierto —define con acento profesional el juez.

—Parece que doña Batilde anda furiosa —prosigue el gobernador.

—Algún día había de llegarle. No todo había de ser hiel para los demás, que alguna vez le conozca ella el gusto —es la mujer del juez la que dictamina mientras masca pastillas.

—También alguna vez tendrá que llegarles la mala a los Pérez —lechuzonea la coronela—. Gente más parada...

—El pesado es él. Porque la María Soledad es un amor; si él la dejara, sería un amor con todo el mundo. Lo que tiene es que él no la deja ni respirar —reanuda con su hilo de voz la mujer del juez.

—Sus motivos tendrá... —insinúa el corrosivo acento de la coronela.

Truena el gobernador con el énfasis que reserva para la tribuna:

—Eso sí que no. A la señora de Pérez no la alcanza ningún comentario, mi señora coronela. Todos la queremos y la respetamos como la gran dama que es —se calla enfurruñado y altivo, seguro de merecer la aprobación del auditorio.

—Yo no digo nada, mi estimado gobernador. Tampoco ha dicho nada mi hermana. Pero es que la actitud de Ernesto Pérez es tan rara...

—Será rara porque él es raro, pero nada más. La señora de Pérez es cumplida. No hay más cumplida que ella.

—¡Vaya por Dios! Yo no he dicho nada... Perdón si algo pudo interpretarse mal.

El gobernador se regodea en su triunfo fulminante en defensa de la virtud ultrajada, y se retuerce las guías de sus bigotazos de mosquetero, mientras mira de reojo a la coronela y, para sus adentros, con ademán menos caballeresco, piensa en el gusto con que le hundiría de un puñete las narices.

—La que es loca es la niña. ¿Vio lo que hizo en misa? Se puso a bailar polca alemana —dice el hilo de voz.

—Y para eso tanta Mademoiselle por aquí y Mademoiselle por allá —se resarce la coronela.

La banda, que se ha formado, da una vuelta alrededor de la plaza antes de irse. Adelante, el tambor mayor marca muy alto el paso que quiere ser de parada, a la vez que agita frenéticamente el tirso de la guaripola. Lo preceden una chiquillería bulliciosa y una leva de quiltros no más desafinados en su bullanga. Solita los mira envidiosamente. Su primera vocación fue ser tambor mayor; la segunda, bombero. Ahora no quiere tener más vocaciones. Cuando se es una niñita, vale más no tener vocaciones, porque en cuanto se dice: "Quisiera ser domador de circo o explorador o mártir cristiano", seguramente se le contesta: "Una niñita no puede ser esto o lo otro".

—¡Dios mío! ¿Hasta cuándo la Mademoiselle, la Lucita y la Covadonga cuchichearán para después sacudirse en largas risas como si las repasara el viento?

La banda se ha ido definitivamente. Hay una especie de silencio planeando sobre el paseo. Que de pronto es ahuyentado por las campanas de la iglesia echadas al vuelo de las doce meridianas, marcando a cada cual el rumbo hacia los suculentos almuerzos domingueros.

12

—No le he contestado nada en concreto. Desde el primer momento le dije, eso sí, que este asunto quedaba enteramente a voluntad de la Mademoiselle, con quien tú hablarías.

—¿Pero no le dijiste también desde el primer momento que está de novia en su país?

—Claro que también se lo dije. Por otra parte, parece que ya lo sabía. Pero dice —y en esto estoy de acuerdo con él— que no debe quererla mucho ese novio que le permite venirse al fin del mundo, y que deja pasar los años y los años sin determinar una situación.

—No hay que olvidar que así son las costumbres de su tierra. Los largos noviazgos y la famosa dote lo complican todo.

—¿A ti qué te parece? ¿Crees que debes hablar con la Mademoiselle? ¿No será inquietarla, crearle un problema?

—Si ella quiere al novio, no habrá inquietud ni problema alguno. Si no lo quiere, si lo ha olvidado, entonces menos habrá problemas o inquietudes. Y si he de serte franca, me gustaría mucho más que la Mademoiselle se casara con Severino Sordo, que no con ese novio que me figuro tan indiferente, tan egoísta, tan aguas tibias.

—Bien, entonces hablas con ella esta misma tarde, porque Sordo quedó en ir mañana al aserradero a saber la contestación.

—Ojalá que la Mademoiselle se haya olvidado del novio...

—No le importa nada, no lo quiere, lo ha olvidado. Ella no se atrevía a decírselo, pero como al tonto ese no le importa nada ella, ni la quiere ni la recuerda, la madre de la Mademoiselle le ha escrito una carta para decirle que la madre de él ha dicho que él dice que le diga... —Todo esto lo larga Solita de un tirón, mientras asoma triunfante, a pesar de lo poco digno de su actitud en cuatro patas, por debajo de la mesa y entre los pliegues del brocado que la recubre hasta el suelo.

—¿De dónde sales tú? ¿Te dedicas ahora a escuchar lo que se habla, así, escondida debajo de las mesas? —pregunta con irritada violencia Ernesto.

—Estoy castigada —contesta lúgubremente Solita.

—¿Qué has hecho? —sigue indagando el padre con creciente impaciencia.

—Lo de esta mañana en la iglesia..., que se puso a hacerles piruetas a los Smith —aclara María Soledad.

—Ya te he dicho... —pretende explicar Solita.

—Usted se calla —interrumpe el padre—. Y sale de ahí

Solita no quiere salir, no por espíritu de desobediencia, sino porque con ella están el "Togo" y "Don Genaro", y comprende de pronto que si le descubren ese doble contrabando, va a empeorar el cariz de las cosas.

—Se me olvidó que la niña estaba en ese rincón castigada —se excusa excusándola María Soledad.

—Pero una cosa es un rincón y otra debajo de la mesa, que así no se la ve y se expone uno a hablar cosas que ella no debe oir —farfulla el padre.

—¿Por qué abandonaste el rincón? —pregunta María Soledad con expresión severa.

—Porque estaba muy triste y debajo de la mesa podía ponerme más triste todavía —contesta Solita otra vez lúgubre.

—¡Ay! ¡Qué criatura! Salga de ahí, venga. Mire cómo tiene ese pelo. Vaya a peinarse.

Solita lucha entre el temor de que descubran los caras pálidas —sus padres— a Aguila Resplandeciente (a) el "Togo" y a Tigre Implacable, por mal nombre "Don Genaro", que aún permanecen en la tienda del jefe, y su deseo de salir como flecha para llevarle a la Mademoiselle la noticia: Severino Sordo quiere casarse con ella.

Pero María Soledad, aunque imposibilitada para adivinar la primera inquietud, barrunta lo último y la obliga a acercarse, la sienta en sus rodillas, le alisa el pelo, le endereza el lazo y entre beso y beso le va preguntando:

—¿Qué historia es esa que has contado? ¿Que la Mademoiselle no quiere a su novio? ¿Que él no la quiere a ella?

Solita la mira desconfiadamente. Porque, a lo mejor, de todo esto sale un lío tremendo, la Mademoiselle se enoja porque ella ha sido indiscreta, la mamá se enoja porque la Mademoiselle le ha contado a Solita y no a ella la historia de la carta, y el papá resuelve el asunto dejándola sin postre una semana, y ella se encuentra desamparada entre el resentimiento de las otras dos. ¡Ay mi Diosito! ¡Cualquiera puede prever lo que van a decidir los grandes!

—¿Por qué no se lo preguntas mejor a ella? —contesta con mucha prudencia—. ¿Quieres que vaya a llamarla?

—No, corazón. No va a ir a llamarla. Usted se queda aquí, quietita con su mamá. Irá la Clora. ¿Me haces el favor de tocar el timbre, Ernesto? Gracias. ¿Así que no quiere decirle a su mamá lo que sabe de esa carta?

¡Dios mío! Ahora hasta la mamá la trata de usted, señal infalible de tiempo tormentoso. ¿Por qué a los grandes les gustará tanto atormentar a Solita? ¿Qué es lo que se debe decir para que todos queden contentos?

Y empieza a borbollones:

—Estaba tan contenta esta mañana, que yo le dije: "¿Te vas a tu país?" Y ella me dijo: "No". Y yo le dije: "¿Te escribió tu prometido?"

Y ella me dijo: "No tengo más prometido". Y yo le dije: "¿Así que no estás más de novia?" Y ella me dijo: "No". Y yo le dije... —pero aquí Solita hace una pausa, un puchero y al fin se echa a llorar desconsoladamente a sollozos, con grandes lagrimones cálidos que le ruedan por las mejillas, e inverosímiles gargoleos de nariz y garganta que no dan abasto para el imprevisto diluvio. Al propio instante, al oírla llorar, obedeciendo a una inevitable consigna del destino, los temibles señores de la pradera, perdidos de pronto todas sus prerrogativas y atributos, salen lamentablemente a rastras de bajo de la mesa. El perro se sienta en su cuarto trasero, levanta el hocico y se pone a aullar, y el gato todo erizado como si hubiera visto los mismísimos demonios.

—¡Era lo que faltaba! —rezonga Ernesto—. La verdad es que entre esta niñita y estos animales van a terminar con todos nosotros. ¡Cállese, perro imbécil!

—Eres injusto —dice Solita, a quien eso le parece colmar todas las medidas de lo soportable—. Si no fuera por el "Togo" y "Don Genaro", no tendría quién me quisiera.

—La injusta en este caso... —comienza frenético el padre.

Pero María Soledad lo interrumpe:

—Creo que sería mejor que nos dejaras. Su mamá va hablar con Solita, y ella, que aunque un poquito atolondrada es una niñita buena, va a comprender muchas cosas. ¿Verdad, corazón?

—Sí... —suspira Solita, súbitamente tranquilizada porque ya ha pasado todo y sabe que ahora su padre se irá al escritorio o a la biblioteca, no muy contento, eso sí, que ella y mamá se dirán mil cosas tiernas y absurdas, y al fin, para firmar unas paces completas, en las que naturalmente estará incluido el indulto del "Togo" y "Don Genaro", a lo mejor —¡quién sabe!—, a lo mejor se meten los cuatro debajo de la mesa —o sea en la tienda del jefe—, lo que ya más de una vez han hecho y es luego un secreto entre ambas que las llena de miradas cómplices y de inenarrable felicidad.

13

Por el lado sur apareció una franja obscura. Luego el aire, que dulcemente se hamacaba en las ramas otoñales, se quedó quieto, adormecido. El sol estaba alto, pero algo se infiltró en la atmósfera, trastrocando horarios, barajando las partes del día, porque los pájaros, más seguros que todos los relojes, silenciaron sus trinos al acogerse a sus nidos.

Una gallina miró hacia el cenit, primero con un ojo, después con el otro y, sabia en meteorología, resolvió entrar al gallinero y subirse al tramo más alto de la escalerilla. Las otras gallinas la siguieron y en vano las llamaba el gallo, congestionada la cresta de señorío, y que asordado por el sexo aún no se había dado cuenta de nada. Hasta que se vio solo, pero de pronto, recapacitando, abandonó la busca de lombrices y se dirigió muy sí señor al gallinero, caminando de costado, como quien ya estaba desde el principio al cabo de la cosa, cloqueando para sus adentros, y comenzó con su pesado planeo a trepar con dignidad y torpeza de sultán, escalerilla arriba.

El "Mampato" husmeó el aire, dilatando los ollares, y envió su relincho al encuentro del agua. Muy a lo lejos se oyó avanzar una tropilla. Un pájaro rezagado aprovechó la pausa para cantar con prisa tres notas y repetirlas en tono más alto. Hubo un silencio rebosante de conciencia de sí mismo, y prolongado luego en el largo responsorio de los sapos.

Lo primero que hizo el viento fue coger unas hojas color de cobre claro y revolando llevarlas hasta un rincón, levantando imprudente las enaguas del aire. Hasta que otra ráfaga, con virilidad de hombrón, desplazó al atrevido y entró a tumbos por el pueblo, empujando puertas, silbando en las ventanas, haciendo oscilar las muestras, alzando nubes de tierra que frenéticamente esparció por las calles.

La franja que apareciera por el lado sur fue subiendo por la comba del cielo, contagiando su pureza, como si en marchas forzadas la noche hubiera llegado con anticipación al pueblo, y armado sobre él su negra tienda de campaña.

Ernesto Pérez estaba en la galería alta de la biblioteca, eligiendo libros que al día siguiente iría a buscar Pedro Molina para encuadernarlos. La obscuridad se hizo tan densa que encendió una lámpara de sobremesa y en esa limitada luz prosiguió su trabajo, a la vez que aprovechaba la ocasión para sacudir uno contra otro los libros, revisándolos, por si la humedad había criado hongos. Un olor de libro antiguo, olor a erudición, lo envolvió en calmas oleadas.

Abajo se abrió una puerta y don Juan Manuel de la Riestra preguntó:

—Pérez, ¿está usted por estos lados?

—Suba, De la Riestra. Estoy revisando unos libros, suba; si es que no lo asusta la escalera de caracol.

Lo vio llegar respirando afanosamente, sin poder hablar en los primeros momentos y dejándose caer como un plomo en la silla que le allegó.

—No debí haberlo hecho subir. Esta escalera es para piernas jóvenes. Perdón... No he querido decirle viejo; pero creo que la única que la sube sin cansarse es Solita.

—Sí, sí —contestó apenas el otro, hallando superflua la excusa.

Esta habitación correspondía a una de las torres que flanqueaban la casa, y tenía un balcón saledizo en medio de los lienzos de pared cubiertos de anaqueles. Gemían ahora porque el viento arreciaba contra ellos su ataque. Ernesto Pérez dio la vuelta completa a la galería, viendo que los postigos estuvieran cerrados y las españoletas perfectamente ajustadas. Su sombra lo precedía alargándose por el pasillo, se alzaba sobre los estantes, quedó de pie junto a su hombro, se tambaleó otra vez alargada y por último trepó amenazante hasta el techo, al dirigirse Ernesto Pérez a la mesa en que estaba la lámpara. Junto a ella, don Juan Manuel miraba pensativamente sus manos, manos de piel suelta de hombre que hubiera sido muy gordo y hubiese enflaquecido, amarillentas, con islas marrones y una vena acordonada y azul que iba desde la muñeca al dedo mayor latiendo levemente. Una mano avanzó a dar cobija a la otra, gesto igual al que hiciera la tarde anterior en su escritorio y que le era familiar, porque la certidumbre de ese hincharse y latir la vena y temblar la mano toda lo empavorecía con su anuncio de ruina física, de muerte que entraba por allí anunciando la proximidad de un aniquilamiento total. Porque el latido de la vena, latido era de muerte, azul clepsidra que la sentía avanzar, gota a gota, hasta que le rebosara por el doble rasero de los ojos inmovilizados.

Ernesto Pérez sintió de pronto la angustia del hombre y algo más que eso: una especie de asordamiento en la atmósfera, de haberse quedado todo de súbito excepcionalmente en silencio, con las paredes absorbedoras de ecos, y que un gesto cualquiera podría repercutir doloroso. Sin saber por qué tuvo un escalofrío. ¡También el tiempo!..., intentó justificar, no sabía a quién. Oyó entonces los latigazos huracanados restallando afuera, todo el furioso rumor de la tempestad, que arremolinaba sus iras en torno a esa isla sin sonidos que era la biblioteca.

Pensó encender las luces de abajo, pensó llamar para que viniera la Clora a encenderlas y que prendiera también la chimenea. Pero una invencible pereza lo dejó clavado en su sillón, mirando las manos de don Juan Manuel, mirando a don Juan Manuel derrengado en el otro asiento, con tan desesperada expresión, no sólo en la cara sino en todo él, que con una voz apenas audible, cautelosamente calculada para que llegara tan sólo a los oídos próximos, dijo como si prosiguiera una iniciada conversación:

—Para usted tiene que ser muy triste esta ingratitud. El partido le debe grandes cosas; no tenía ningún derecho a eliminarlo y menos en esta forma tan...

Don Juan Manuel esbozó un vago movimiento de negación que pareció aumentar lo indeciso del ambiente. Luego, con un gesto inexpresivo, pero lleno a su vez de esa vacía movilidad de los muñecos de los ventrílocuos, comenzó a decir con otra voz, que esta vez sí era la suya:

—Nunca he hecho nada por el partido, nunca me han importado

ni la política ni el partido. Creo que si hay una criatura que jamás haya hecho nada con un fin determinado, he sido yo. Siempre ha habido una voluntad poderosa por encima de la mía que lo resolvía todo. Primero mi madre. Ella me hizo estudiar, seguir una carrera, meterme en el partido, casarme. Ella me vivió la juventud. El partido me hizo diputado, senador, ministro. Mi mujer me hizo terrateniente y millonario. ¿Quiere saber el secreto de mi buen éxito? Siempre he sido un pelele, que sube más alto cuanto más inerte se queda, cuanto más recio lo mantean. "De la Riestra, haga esto." "De la Riestra, haga esto otro." Y lo pavoroso es que el sentirme manejado me producía una sombra de felicidad, al poder eludir responsabilidades que caían sobre los otros. Nada de lo que pasa es obra mía. Mi vida no la he vivido yo, es como el capítulo de una aburrida novela que me fueran leyendo en alta voz. ¿La Divina Providencia? ¿El Destino? ¿La Fatalidad? Llámelo usted como quiera, pero me parece que para mi caso no corresponden tan grandes palabras. Yo diría más bien que el rutinario azar ha intervenido en mi vida a través de mi madre y de mi mujer, haciendo y deshaciendo, sin orden ni compás, sin que mi mérito sea otro que no oponerme a su sabia torpeza. Y vuelvo a decirle, que lo atroz es comprobar que esto me hace casi dichoso, precisamente por lo que significa de negación para mi persona.

—Todos somos juguetes de fuerzas obscuras que en un momento determinado nos manejan, desgraciadamente... —murmura Ernesto.

—Pero son fuerzas positivas, el bien, el mal, eso que se llama el bien y el mal, aunque no existan ambas en estado puro. Se es un poquito bueno, un poquito malo, acondicionados por las circunstancias, por el límite que la educación y el medio nos deparan. Pero yo no he sido ni siquiera esa mínima parte de bien y de mal con que está amasado el hombre; no soy nada, exactamente soy eso: nada.

—Está usted en un mal trance. Es natural su descorazonamiento, pero ya pasará.

—Pasará esto que usted y los otros llaman "un mal trance", y que para mí no significa más que una acentuada incomodidad, porque traba mi ya organizada inexistencia, pero en verdad continuaré siendo como siempre he sido, no me atrevo a decir qué, para mi desgracia...

Ernesto lo mira y, hasta hablar de nuevo, siente que el silencio y el frío han comenzado a hacerse palpables. Y cuando don Juan Manuel, apresada siempre una mano por la otra protectora, se inclina sobre la mesa para acercarle más aún el desborde confidencial, empieza a sentir la muy extraña impresión de que él está fuera de sí mismo, mirando a un viejo señor que habla a sacudones, arrancándose a pedazos míseras ropas, llenas de roña, de incalificables suciedades, echándolas al suelo hasta dejar al descubierto la llaga lacerada por donde se le desangra el alma. Y él está allí, al otro lado de la mesa, inmóvil, representado por una silueta en sombra, a la luz sin oscilaciones de la lámpara deslumbradora en su esférica pantalla de opalina.

—Se es en la medida en que se desea ser y eso nace con nosotros y luego va cobrando paulatina conciencia. Yo he vivido en una niebla de "no ser", vegetativamente, por reflejo de las costumbres ajenas, sin que una costumbre propia creara una necesidad imperiosa. Mi madre hizo de mí un individuo gordo (¡qué ridículo es todo esto!), sobrealimentado con cosas exquisitas. Ella misma era tremendamente golosa y una gran cocinera. Comía porque delante me ponían los manjares. Batilde es frugal y lo mismo le da comer que no comer. Además, no comer cuesta menos... Puede pasarse con unos mates y un pedazo de charqui majado. De una mesa abundantemente bien servida, pasé a otra en que había apenas lo imprescindible para subsistir. No me importó nada. A veces el hambre hurgaba en mi estómago mimado, pero una invencible abulia me impedía buscar por mis propios medios un pedazo de pan que fuera. Llegué a ser tan frugal como Batilde, y en consecuencia un hombre enflaquecido, extraviado en la piel del otro. Este ejemplo puede aplicarse a mi vida entera.

—Es que no debe ser cómodo contradecir a doña Batilde —dice casi a su pesar Ernesto, como diciéndoselo más a sí mismo que al hombre que por su parte tampoco parece haberlo oído.

—A veces pienso en lo que hubiera pasado si la vida, en lugar de dármelo todo hecho y servido, carrera y fortuna, me hubiera puesto ante la posibilidad de un verdadero trabajo donde desarrollar iniciativas, donde luchar con circunstancias adversas, donde batallar con las cosas hostiles hasta vencerlas. ¿Qué habría pasado entonces? ¿Me habría adaptado? ¿O es que solamente tengo adaptabilidad para las cosas negativas, por ser yo mismo específicamente una negación?

Ernesto, que sigue mirándole las manos sin vérselas, alza los ojos hasta su cara, se apodera de sus facciones, de su expresión de estarse también mirando fuera de sí mismo, hombre que va sacándose lo que lo recubre impulsado por una fuerza más poderosa que todo pudor, y que terminará por dejarlo no ante nadie, sino ante sí mismo, alguna vez al descubierto, y comprueba que ese rostro está ahora en blanco, desvaído, y que la confidencia pasa a través de él, como los fantasmas a través de la negada solidez de los muros.

—¿Qué desconsuelo mayor que no estar acordes con lo que somos? —dice.

—No entiendo —musita Ernesto.

—¿Ni cómo estarlo —insiste sin atender la interrupción— cuando realmente no se es nada? Somos la apariencia de una apariencia, gestos que pueden ser recogidos por una gacetilla... o por una cámara fotográfica, o acaso, ¡quién sabe!, proyectados por ellas y que sin ellas se desvanecerían. ¡Por algo los figurones se afanan tanto por esa publicidad que los crea! ¿Notarán los otros ese "no ser" que se agazapa detrás de cada actitud?

Ernesto sigue mirando la cara de don Juan Manuel. Hay una pausa que aprovecha la ira de viento para hacer recordar su violencia. Sabe que el hombre dirá cosas inconfesables y que él mismo podrá llegar a decirlas. Cosas sacadas de la profunda verdad de cada cual y que no se dicen nunca, a no ser que haya una atmósfera como ésta, en que se respira afanosamente como en una preagonía.

¿No puede ser el anuncio de un cataclismo? ¿De la propia muerte? Porque ambos están ahí enfrentados, con la mesa y la luz demasiado blanca, una luz de eternidad, entre ellos, y su reducido ámbito los aísla del resto de la existencia, y lo que van a decir, lo que están diciendo, queda fuera de ellos, aliviánándolos de pesadumbre, de terrores, de sostenidos remordimientos, retenidos en su opalescencia de sueño, pero sin llegar a trascender a la realidad. Como si las palabras dieran forma a su ser íntimo y lo arrojaran lejos salvándose de sí mismas. Como si el que escucha no oyera y las palabras fueran tan sólo palabras en sí, palabras sueltas, sin que una y otra se encadenaran hasta formar imágenes, dibujando sus propias contrafiguras.

Vagarosamente habla don Juan Manuel:

—Porque se puede saber que hay gentes pervertidas, pero no desear probar sus experiencias. Y que hay gentes que se matan por sustentar una idea. Debe ser bello sustentar un ideal —esto lo dice diluyendo aún más lo acuoso de su mirada—, pero tampoco sentimos el impulso de mezclarnos en esas batallas. Se conoce la vida extrañamente dramática y seductora del sexo, pero nada nos induce a vivirla.

Ahora su voz adquiere transparencias de honduras recónditas, desde las que aflora una posibilidad de desconsuelo cuando musita más que dice:

—Ideal... Sexo... ¿No serán al fin de cuentas lo mismo? ¿Fuerzas externas a nuestro inútil ser, que se posesionan de él y lo tiranizan, como he vivido yo tiranizado por otras voluntades?

Ernesto se siente incómodo, pescado en incomprensible falta, y se acomoda innecesariamente en el asiento. El otro insiste:

—Nosotros... (yo; ¡perdón!, ese "nosotros" quiso decir "yo") sentimos algo así como si el sexo fuese una perversión, una terrible perversión aceptada a la fuerza, impuesta por la mayoría, una vergüenza tácitamente compartida. Y lo más increíble es que la vergüenza se evidencia en los que como nosotros, perdón otra vez, en los que como yo no la comparten. Si a un hombre le falta un brazo, puede llegar a conformarse con su mutilación, pero tener el brazo y no lograr servirse de él, no poder utilizarlo en hacerse la corbata, en partir el pan, es una angustia por algo que se burlara ininterrumpidamente de uno. Los que como yo (¿por qué no emplear la palabra justa?), los impotentes que como yo vivimos al margen del sexo, participamos doblemente del escarnio del pecado original. Nada es más impuro que nuestra decencia.

—¿Y el deseo? —pregunta Ernesto, anhelante.

—¿El deseo de desear el deseo?... Eso es lo torpe, porque ni siquiera llegamos a desearlo de veras, porque un ciego de nacimiento no puede desear un color que desconoce. Pero es la especie la que se burla de uno, la que nos desprecia desde lo profundo, la que nos irrita y violenta, la que no tolera nuestra apatía, la que se mofa por la manera cómo hemos sido estafados...

—Pero eso contradice su declarada abulia, no hay tal conformidad en su vida.

—Es difícil encontrar las palabras que expresen simultáneamente ese desacuerdo entre nuestra persona y nuestra carne. Hubo una vez una voluntad que me impuso una esposa, una voluntad a la que no pensé oponerme, como no intenta uno oponerse al puelche. Y de esa infeliz criatura, frustrada como mujer a mi lado, hice que por exasperación se convirtiera en lo que es hoy: una agria vieja avara.

—¡Pobre doña Batilde! —murmura Ernesto—. Pero ¿cómo aceptó casarse?

—¿Ella o yo? A ella ni siquiera le dijeron que había que casarse. Lo sabía su sangre. ¿Cómo podía adivinar su virginidad la mía? En cuanto a mí, fue la voluntad de mi madre, sirviendo su propia ambición, la que me arrastró a casarme con una muchacha rica y decente... Acaso fié demasiado de esto: en la decencia; ignoraba entonces que el matrimonio era la forma decorosa de la indecencia y su mayor aliciente.

—¿Pero usted no sabía por otros...?

—Me consideraba orgullosamente hasta entonces una especie de arcángel, jamás acuciado por el deseo, por encima de todos mis compañeros, encharcados en sucias aventuras de burdel y, lo que era peor, en una continuada torpeza de pensamiento insaciable de animales encelados.

Ernesto tiene la certeza de que las últimas palabras han sido dichas para poner frente a él toda la turbia obsesión de una adolescencia que aún perdura entreverada a su madurez. Y hasta le parece que los párpados pesados de su interlocutor se abren, y los ojos acuosos lo instan a decir las cosas que están en lo profundo de su ser, y que en oleadas sucesivas van subiendo, aflorando irresistibles hasta aparecer en sus labios y ponerse de pie sobre la mesa, entre el hombre y él, a la luz tremendamente blanca, de íntimo juicio final, de la lámpara que lo encandila.

—No sabe usted lo que es haberse librado de esa miseria... —murmura rencoroso.

—Puede usted hablar así, porque su vida es completa y no imagina siquiera lo que es vivir como si sólo lo hiciéramos con medio cuerpo, con la mitad exacta de nuestra vida, mientras el resto se desvanece en la nada.

—¿Pero es que nosotros no vivimos también a medias? Lo otro, son las patas de cabra del sátiro que chapalean en lo asqueroso, mientras la pureza de la adolescencia aún sueña con un mundo maravillosamente sentimental. Es un ir contando los pasos —camino de ese burdel que usted ha nombrado—, aunque cada uno tiene la cifra pecisa de su fatalidad, y sin embargo se va siempre adelante, solo o siguiendo a un mal camarada, tan odiosamente simpático. Y se llega y se pide y se recibe. Y se deja ahí emporcada parte de la sensibilidad y de la ilusión. Hay algo que queda ahí para siempre y a cambio de lo cual nos llevamos una invariable carga de hastío. Y saber que de nuevo se volverá, siempre, pase lo que pase, téngase la vida que se tenga, aunque la carne sea triste, aunque desposeída del espíritu sea ella misma tristeza, porque hay una atracción más poderosa que todo razonamiento, que todo cariño...

—Pero usted... Supongo que ahora...

—Supone usted mal. Ahora como siempre.... No puedo dejar de ir, es inútil que me lo proponga. Usted, al fin, es feliz sin el deseo.

—Pero...

—Sí. Sé lo que está pensando... No juzgue, por favor: recuerde que no puede ser medido con la vara con que podría medir. Tengo un hogar, es cierto, pero esto es más fuerte que la honorabilidad, que el amor, que todo. Mucho más fuerte. Es horrendo si usted quiere, pero es así. Puedo al menos mantener la comedia, hacerlo lejos del pueblo. Irme como si me azuzaran perros o como si yo los azuzara a ellos. Y voy. Contra todo, contra mí mismo, poseído de espanto: poseído, ésa es la palabra: endemoniado. Y luego regreso lleno de pavor, y con la amargura que me desborda el alma, con la sensación de estar por dentro trabajado por ácidos. Vuelvo miserablemente tras la máscara de la sonrisa apacible, a disfrutar de una dicha y de una posición de hombre honesto. Yo... Yo... A veces me pondría de rodillas delante de "ella" y le gritaría mi pena y mi vergüenza. Pero otras, es tremendo reconocerlo, otras veces siento que eso no tiene nada que ver con "ella", la propia mujer, la esposa, a quien se posee castamente, con el decoro que reclama el hijo posible, tan lejos de la animalidad que exige el gesto impúdico, el refocilo en el pecado, ir más allá de todo límite en las caricias prohibidas y asombrosamente llenas de un obscuro sentido. Porque hay en el pecado abismos inmundos vistos desde fuera, pero en los que es increíblemente necesario hundirse. Y ella, "ella", la muy maravillosa, no podría acompañarme a esas profundidades, porque tampoco podría yo perdonárselo al regreso.

Los ojos de don Juan Manuel siguen mirándolo obsesionantes, fijos, sin sombras. La cara llena de luz en la deslumbrante blancura está vacía: es la de un ciego reflejándose en un espejo.

"Tiene razón él —piensa de pronto Ernesto—. No es nada. Es la forma de un hombre, nada más."

Don Juan Manuel no parece haberlo oído. ¿Habrá realmente escuchado? ¿Y cómo él, Ernesto, ha llegado a decir lo que ha dicho? ¿Decirle a este desconocido, que hoy lo es más que nunca, la devastadora e intransmisible verdad? ¿Cómo ha podido entreabrir así la confidencia de su vida?

—¡Qué miseria somos! —murmura dolorosamente don Juan Manuel.

Este "somos" toca dentro de Ernesto una fibra vital. "Somos." No. No "somos". Don Juan Manuel a un lado, él a otro. Cada cual miserable, pero separados por una invisible certísima línea divisoria: la de la realidad.

"¡Vanidoso! ¡Imbécil vanidoso! ¡Macho vanidoso!", una voz parece murmurárselo al oído, desde dentro. Pero se revuelve airado contra ella. Sabe que está en lo cierto, que su miseria es la de la vida y la del otro la de la muerte. ¿Por qué ha hablado? ¿Cómo ha podido decir lo que ha dicho? Vagamente se consuela pensando en la vaciedad de su confidencia, como si se hubiese sorprendido hablando solo.

Afuera aúlla el viento, restalla, gime. Adentro el silencio tiene la forma exacta de la habitación. Abajo, en la gran sala de la biblioteca, cautelosamente se mueve algo, cruje algo con sigilo.

Ernesto tiene un reflejo de terror. Un espanto que parece echarlo bruscamente por los aires en la recta de una interminable caída. Ha sido un segundo. Otro reflejo lo alza e inclina sobre la baranda, en la obscuridad metiendo los ojos que siguen deslumbrados por la luz casi astral de la lámpara, queriendo horadar esa obscuridad, descubrir lo que hay abajo.

Y grita con voz tremolada:

—¿Quién está ahí?

Pero no le responde nadie, sino el tableteo de su propio corazón que se sobrepone al exterior frenesí de la borrasca.

14

Llueve. Llueve. Sigue lloviendo. El vendaval ha cedido el paso a la lluvia que cae monótona. Llueve. La casa está herméticamente cerrada. Adentro hay una luz de acuario, una atmósfera que trasciende humedad e intolerable olor a cuero, a trapos viejos, a pretérito. Ha llovido hoy, ayer, anteayer, trasanteayer. Está lloviendo desde el domingo. ¿Qué día es hoy? Va a cumplirse una semana que está lloviendo, que la casa permanece cerrada, que hay adentro esa deprimente luz de acuario, en que los instantes semivividos se aferran a los olores que la humedad azuza, e insiste en adherir al olfato. El cielo chorrea agua en desolado aburrimiento, deshaciéndose en su propio desamparo. La casa presenta sus muros insensibles, las tejas en su paciente uniformidad adquieren la certidumbre de cumplir su destino, las chimeneas están atoradas de humo; en la galería las losetas rezuman goterones, en el patio los árboles se difuman como disolviéndose en el agua. Llueve. Llueve. Las luces se prenden, se cierran los postigos, las cortinas están corridas, los leños inventan diminutas pirotecnias, suena un fonógrafo, van y vienen los pasos de Ernesto por la galería; María Soledad trata de fijar la atención en el folletín que se le desmaya entre manos; en el piano, Solita aporrea desganada un ejercicio de Diabelli; la Mademoiselle aprovecha el aura de irrealidad para diluirse en un estado de dicha; el perro está parado junto a una puerta mirando obstinadamente el umbral; el gato, con somnolenta estrategia, según los leños se van haciendo carbones y cenizas, se acerca sigiloso al rescoldo.

Un reloj con argentino despliegue de distintos sonidos se empeña en anunciar que ha pasado un increíble cuarto de hora. Llueve. Llueve. La naturaleza parece ajena a otras posibilidades. Llueve inexorablemente. Es inútil querer hurtarse a su evidencia: la lluvia se hace presente en todo: es la sustancia misma de la realidad.

La chimenea está encendida, María Soledad quema allí de vez en cuando una pastilla de perfume, las luces tienen suaves pantallas rosas, el gato ronronea. En el otro salón, la niña batalla ahora con un ejercicio para la mano izquierda, en el que no logra sino notas falsas. Ernesto pasea: da vueltas por la galería, deshace camino, reduce el paseo tan sólo a un costado. La Mademoiselle sale de su limbo y presta atención al rumor del agua. Llueve.

En la galería, el cucú asegura graciosamente que son las cinco. En el escritorio, otro reloj da fe de ello con sonido anhelante. El gran reloj de carillón lo asevera con el aterciopelado profundo de su gama.

El tiempo mismo adquiere la condición vertical de la lluvia: su duración insiste en ineludible llovizna que cala la desesperanza. El tictac de los relojes acompasa su monotonía de goterones. El cielo se deshace fuera, la eternidad llora dentro y una porción de ella suena ahora en la casa. Sí, son las cinco. Llueve.

Por centésima vez se acerca Ernesto a la enervante fijeza del barómetro. Nunca ha estado tan bajo. Lluvia. Su alelado nivel se ha dormido allí: "Lluvia". Pero ¿hasta cuándo va a seguir lloviendo? Contiene un irracional impulso de sacudirlo, de romper su indiferencia. En los años que lleva vividos en el sur, jamás ha visto un temporal como éste. ¿Qué hacer? Son las cinco tan sólo. Faltan tres horas para comer, cuatro para irse a la cama. ¿Y cuántas faltan para hundirse en el sueño? ¿Para no pensar?

Anda consigo mismo a cuestas, con su otro yo a horcajadas, porque las palabras lo han evocado y ya no puede eludir su presencia. Hasta el momento en que se confiara a don Juan Manuel, una parte de sí mismo sólo tenía existencia fuera de su hogar y condicionada a un solo fin; logrado éste, la envoltura del Ernesto cotidiano ocultaba a ese íncubo, si no conforme, dispuesto al disimulo cómplice. Y su trabajo era entonces asentar la personalidad social de Enesto, hacerla tan definida y abroquelada que ninguna vislumbre quedara por donde descubrir al otro agazapado en su interior.

Después de su confidencia a don Juan Manuel, tuvo la cabal sensación de lo ocurrido: se habían trastrocado los papeles: su verdad de todos los días pasaba a distancias de sueño, y la otra, liberada en un momento de flojedad en su tensión, aparecía rampante dispuesta a luchar por su existencia, a conquistar lo que siempre se le había negado en un regateo con la vergüenza, a obtener la plenitud de su naturaleza y fijarla en una forma definitiva.

¿No fue la sombra de ese otro la que cruzó furtiva la biblioteca? ¿No logra la vibración de las palabras, cuando desborda de sentido, materializarse? No una vez, repetidas veces ha ido a la galería alta de la biblioteca, dándose a sí mismo pueriles razones, diciéndose que tiene que buscar tal libro, consultar una fecha en la enciclopedia, ver si caen goteras, buscar unos apuntes que olvidó allá arriba... Pero bien sabe que sólo irá hasta la mesa, que tomará asiento a uno de sus costados, y que con creciente frío en medio del pecho, se alzará medroso creyendo que de nuevo algo se mueve con cautela abajo.

Porque esa tarde algo crujió. Algo gimió. Don Juan Manuel trató de tranquilizarlo, trata de tranquilizarlo ahora en el recuerdo diciéndole que crujió una madera, un mueble, obra del enfriamiento de la atmósfera. Tal vez fuera así, acaso tenga razón. Porque a esa hora nadie podía estar en la biblioteca. ¿Nadie? ¿Por qué nadie? ¿No puede el Misterio, la Fatalidad, como quiera llamársele, revestirse con las formas más simples de lo acostumbrado? Tal crujido de un mueble puede ser un crujido de mueble, pero "además" puede ser una terrible advertencia desesperada que se nos hace en vano. ¿No apareció Solita debajo de una mesa? ¿No pudo María Soledad haber ido a llamarlos, impaciente como estaba por irse doña Batilde? ¿Y las sirvientas? ¿Acaso la Clora no iba a veces espontáneamente a encender las luces?

Observa con recelo a cada uno. Hace preguntas desconcertantes. María Soledad siente una lacia pesadumbre.

—¿En qué piensas? —pregunta ansioso.

—¿Yo? —contesta con aire de fatiga—. No me atormentes también con preguntas...

—¿Por qué dices "también"? ¿Es que acaso te atormento con otras cosas?

—Déjame, por favor... Estoy tan cansada...

—¿Cansada de qué? ¿De mí?

—Ernesto... No me obligues a hablar. ¿No ves que no puedo conmigo de cansancio?

Afuera llueve, ininterrumpidamente, cachazudamente.

Llueve.

Doña Batilde está en la capital. No hay noticias de ella.

Por las calles del pueblo, bajo la lluvia, apenas si se ve cruzar una fugaz silueta de viandante, una lenta cabalgadura cuyo jinete es un cono negro bajo la manta y el capuchón de castilla, una carreta con toldo que avanza al demorado paso de los bueyes. Las calles están llenas de agua, la plaza es una laguna, los patios aparecen anegados.

Don Juan Manuel se ha puesto el impermeable de doña Batilde y, bajo el paraguas inmenso, llega a las seis, puntual hora que se ha fijado, a visitar a Ernesto Pérez. No importa que éste apenas lo salude, que no le dirija la palabra, que lo ignore. A don Juan Manuel lo empuja ahora algo más que la costumbre: una morbosa necesidad de verlo, de estar en presencia de ese ser, único ante el cual ha confesado la miseria de su vida y que en cierto modo participa de ella. Sabe positivamente que nunca en lo futuro habrá entre ellos otro momento de sinceridad. No importa. Casi es mejor así. Estima que ante Ernesto está más que justificado: que junto a él alcanza una pequeña certidumbre su nada, cual una sombra al lado del cuerpo que la proyecta. La ausencia de doña Batilde lo hace sentirse como una sombra abandonada por su cuerpo y que de pronto hallara su verdadero cuerpo, el que corresponde con exacta precisión a su desvaído perfil. Es su imagen, su negativo si se quiere, pero le parece haber hallado en él una forma de asomarse a la vida, a la verdadera vida despiadada y luminosa.

Ernesto lo mira llegar con azoro, vagamente incómodo con el parasitismo que no puede menos que adivinar, porque se transparenta en su mirada humilde. Ahora se explica lento:

—Como Batilde no está y hoy nos tocaba venir a nosotros y llueve tanto...

María Soledad tiene mucho que contarle. Don Juan Manuel oye distraído la historia de la Mademoiselle y Severino Sordo. Ernesto lucha con su creciente fastidio por el que cruzan ramalazos de odio. ¡Lo que falta es que este viejo estúpido se crea ahora autorizado para considerar su casa como propia! Abuso de confianza... ¡Oh! ¡Qué se vaya de una vez y deje de estarse petrificado frente a María Soledad! ¡Que parpadee al menos y no se quede como un chuncho con los ojos fijos, tan igual a aquella tarde, tan idéntico a la cara que tenía cuando él pensó que era sólo la forma huera de un hombre!

Algo remueve en la habitación vecina. Violentamente Ernesto se alza y grita:

—¿Quién está ahí?

Solita responde:

—Soy yo, papá; estoy jugando a la lotería con la Mademoiselle y Severino. Hice cuaterno.

—Esta lluvia... —se excusa—. Rompe los nervios...

Don Juan Manuel ha seguido viniendo todos los días a las seis. A las seis llega Severino Sordo con Covadonga, a veces también con Lucita. Pero las muchachas han terminado por abandonarlo a la aventura, casi náutica, que significa cruzar las calles anegadas.

Una tarde Ernesto se decide y decide a María Soledad a jugar con ellos. Y don Juan Manuel, sin que nadie lo invite, se suma al grupo y su cara está frente a Ernesto, fija ahí, con los ojos muy abiertos y una mano sobre la otra junto a los cartones, desinteresado del juego a cuyo borde pueril abandona su presencia. ¿Por qué viene? ¿Por qué no se queda en su casa, fría, deshabitada de la frenética realidad de doña Batilde, viviendo su vida de media vida?

Solita tiene su drama dentro. Porque a la primera ilimitada alegría que le provoca la historia de la Mademoiselle y Severino Sordo, sigue de repente una desazón al saber que al casarse la pierde, que si los padres contestan desde Suiza que están conformes con que se case, y en viaje de bodas vaya a Europa a verlos a ellos y a los padres de él, la Mademoiselle se irá y aunque regrese, será para vivir con su marido, lejos de ella. Y aunque la viera todos los días, ya no será la Mademoiselle, sino que la señora de Sordo. Y no habrá más conversaciones, ni estudios, ni paseos, ni poder llamarla a medianoche para que encienda la luz y espante los malos sueños que le afligen el corazón.

Inútilmente se dice que la Mademoiselle es muy feliz y que ella también debe serlo. Pero eso no puede ser, no es "de veras". No puede ser feliz si la Mademoiselle se va. Claro que la Mademoiselle hablaba siempre del día en que se fuera, pero eso resultaba tan vago en el tiempo como su tierra, como sus lagos, como la granja y su familia que ella se imaginaba iguales a esas granjas de juguete, con árboles rizados de tieso follaje y corderos con la cabeza obstinadamente baja en un pastar sin término. O como el novio guardia alpino, que acaso sólo fuera un soldadito de plomo. Solita estaba segura de que todo eso existía en un país de estampa y que la Mademoiselle, como los señores Smith, era obra de magia, creada para su regalo.

—Parece el diluvio —murmura friolenta María Soledad.

Solita pesca al vuelo la última palabra, construye instantáneamente el arca, se mete en ella con papá Noé —que tiene un gran parecido con Bartolo, sobre todo en el aliento—, y recuenta con él las parejas de animalitos. En otra ocasión hubiera tenido para mayores y más dilatadas fantasías. ¡Pero está tan triste! Con una tristeza que ni siquiera desea meterse debajo de la mesa... La Mademoiselle se va...

—Resulta difícil imaginar que en alguna parte de la tierra no está lloviendo... —dice como para sí María Soledad.

"Sí, estar lejos, en un lugar en que caliente el sol y una chicharra le dé cuerda a la modorra en un aire lento, espesado por los jazmines, lejos de la lluvia, de la cara de don Juan Manuel, lejos...", se dice Ernesto, y hablando, su pensamiento continúa ya en forma audible:

—Sí, irse lejos.

—¿Te quieres ir? ¿Para dónde te quieres ir?

¿Qué insinúa la niña? ¿Por qué ese apremio en sus preguntas? ¿Por qué han hallado impaciente eco sus palabras apenas dichas en la atención de Solita? Pasa los ojos de los interrogativos de la hija a los vacíos de don Juan Manuel, que, sin parpadear, parece más que nunca la imagen de un ciego en un percudido espejo antiguo.

—Nadie quiere irse, corazón; el papá ha dicho eso porque la lluvia lo tiene muy cansado. A todos nos tiene muy cansados... —explica María Soledad, y a Ernesto le parece que también ella se esfuma en empañadas superficies.

Llueve. Arrecia la lluvia, acelerando su compás para retomar conciencia de sí misma. Llueve.

¿Cuándo fue eso? El jueves, sí. Y en la noche todos despiertan o se levantan sobresaltados, porque Solita grita debatiéndose con las telarañas de la pesadilla; la Mademoiselle es la primera en acudir y encender la luz. La niña dice llorosa:

—No te vayas... No te vayas...

Tal vez si no hubiera estado despierto, a Ernesto no le hubiera llegado el sonido de esa pequeña voz desesperada. Murmura:

—¿Quién grita?

En lo obscuro, la voz de María Soledad responde:

—Es la niña.

—¿Estabas despierta?

—¿Crees tú que se puede dormir?

—¿Por qué no? —contesta ceñudo buscando los ojos de María Soledad a la luz que ella ha encendido.

—Lo sabes tan bien como yo... —y sale, y él sigue sus pasos, siguiendo más que a ella, el rastro de lo que dijera, de lo que él no debió decir nunca. ¿Cómo se pueden borrar las palabras?

La niña sigue repitiendo alucinada:

—No te vayas... No te vayas...

—¿Qué pasa? —pregunta Ernesto.

—No te vayas... No te vayas...

—Solita, Solita... Te habla tu mamá. ¿Qué tienes, corazón?

—Mamá, mamá, dile que no se vaya..., que no se vaya...

—¿A quién? —pregunta Ernesto con el rostro frío por la máscara del terror.

—A ella... A la Mademoiselle...

—Corazón. Tu mamita está aquí. ¿No ves? Está la mamita, el papá y la Mademoiselle... Nadie se va a parte alguna. Estamos todos. Y el "Togo" y "Don Genaro" y el "Mampato" y Bartolo... Todo lo que tú quieres..., los que te quieren tanto...

—¿Y la gata también? —pregunta Solita desde el fondo de su desconsuelo.

—También la gata y los gatucos. Todos. Y nadie te quiere dejar. Nadie se va.

Eso pasó el jueves.

No quiere ir. No irá. Como los asesinos al sitio en que dieron muerte. No quiere ir. No se dejará ir. ¿Es que tampoco en esto puede ser dueño de sí mismo? ¿Es que así como antes había un momento crítico en que el instinto era más poderoso que la razón, ahora el miedo se sobrepondrá a toda sensatez? No va a volver a la galería alta de la biblioteca. No volverá. No. Aprieta los puños dentro de los bolsillos. Aprieta los dientes. Paseará, aquí, en esta galería. Puede mirar el barómetro que está en el escritorio. Puede asomarse al salón y contemplar a María Soledad, que sigue ensimismada con un libro abierto sobre el regazo y mirando el fuego; puede observar a la Mademoiselle, que angustiosamente ve caer la lluvia, calculando si arredrará a Severino Sordo; puede ir hasta el salón pequeño a ver a Solita dar cabezadas, tratando de todas maneras de enderezar el irremediablemente perdido compás del ejercicio que no logra mantenerse esbelto en los aires. ¿Por qué no sale? Hace una semana que está metido en la casa, inmovilizado, no por la lluvia, sino por el miedo de que en su ausencia pase algo, no sabe qué, algo irremediable que sólo su angustiada guardia puede retener.

Le duelen las palmas de apretar los puños. Tiene las mandíbulas trabadas. Saca las manos, las estira: todos los huesos le crujen, como deben crujir los huesos de los que murieron en pecado mortal. ¡Ah, bueno! ¿Es que ahora va a caer en estas imbecilidades? Sacude la cabeza para espantar de ella las supersticiones. Esboza un movimiento de desafío y le parece que ha regresado de una borrachera. El reloj marca otro cuarto de hora. ¿Por qué empeñarse en tener tanto reloj? ¿Acaso va a conseguir con ello algún dominio sobre el tiempo? Los relojes sólo deberían existir para marcar determinadas circunstancias: la hora del tren, por ejemplo.

Asocia la palabra tren a la de partir, y de inmediato se halla ante las escenas que parecen hechas con las chafarrinadas de los actos que lo aguardan en el otro extremo de esos viajes... ¿Es que esto va a comenzar de nuevo?

No tardará en llegar don Juan Manuel, traerá su cara de mudo testigo, para ponerla frente a él. Piensa en esa forma hueca que ahora viene por la calle, enfundada en el impermeable hasta los tobillos, lustroso de agua bajo el paraguas que chorrea. Esa forma no tiene cabeza: trae la cabeza colgada de un asa al brazo. Termina en el cuello rematado por la absurda perilla de los maniquíes. Pero cuando llega y enfrenta a Ernesto, se coloca la cabeza y se la ajusta al cuello con gesto prudente, para poder mostrarle la cara que reúne tantas negaciones. Tal vez los demás —él mismo alguna vez, acaso— consideren esa cara inexpresiva. Para él resulta repugnante, con los ojos que saben tantas cosas y mienten tanto vacío. Con los labios de tan sumido dibujo, vueltos para dentro, a fuerza de disimular en un inútil gesto de discreción. ¡Lo odia!

¿Cómo se pueden recoger las palabras? ¡Qué absurda expresión la tantas veces oída en la vida pública!: "Retiro lo dicho". No, no es posible tender la mano para que en ella se posen las palabras imprudentemente pronunciadas.

De súbito se detiene en la puerta del salón. Mira a María Soledad, abrumada, con el perfil de dibujo tan fino que parece una niña, con las dos trenzas que le caen por el pecho para alivianar la cabeza de su carga, tan color de rosa al reflejo de la lámpara, tan frágil, reclamando seguridad y terneza.

¡Pichona! Suave y profunda oleada lo invade y se retira luego, llevándose a sus profundidades algas de porfiado insomnio, terrores de fosforescentes velámenes fantasmas. ¡Pichona! Siente que la ternura lo anega en tranquilizadora tibieza. Sí, lo único cierto es el amor que le tiene, su infinito puro amor.

¿Llueve? No, no llueve. La Mademoiselle lo anuncia a gritos:

—¡No llueve!

Solita responde al conjuro cruzando como un jovial bólido hacia la ventana, abre los postigos de par en par, corre el visillo, pasa las manos por el vidrio empañado, pega la nariz a esa superficie momentáneamente aclarada que se empaña de nuevo con el hálito de su voz gritando alborozada:

—No llueve... No llueve más... No llueve...

15

—A cara limpia son lo que son. Con cuatro letras se les da su nombre. Y valen más que tú. Tienen por lo menos la valentía de su oficio. Se ponen fuera de la sociedad, lo que ya es una forma de aceptar sus reglas, no pretenden que se las considere "señoritas". Hacen lo suyo, se las paga y todos contentos.

—Eres un asqueroso. Un roto inmundo. La tonta fui yo que te creí un caballero —dice con ira Paca Cueto.

—No, mi hija, lo que me creíste fue un buen leso que se iba a tragar todas tus historias, junto con las de tu tía Catalina y que de puro releso iba a terminar por casarme contigo.

—¿Yo? Casarme contigo... Te he hecho un favor al llamarte roto inmundo; lo que eres es un bribón piojiento, eso, una porquería... —la enreda tanto la ira, el presentimiento de su fracaso, que ya no acierta con qué palabras herir. Las quisiera afiladas navajas, dilacerantes, como garfios, y su inquieto furor las adivina faltas de eficacia.

Juan Antonio Méndez, con la cabeza gacha, la mira por entre los párpados, tan correcta en su sillón, tan vestida a la última moda, tan señorita de sociedad pueblerina, que es decir cifra y resumen de toda casta pulcritud. Y se advierte a sí mismo, frente a ella, un poco despatarrado, porque no sabe sentarse de otra manera, pero también muy correcto. Por encima de las bardas de la urbanidad se apedrean los seres primitivos que se esconden tras ellas. Ambos están liquidando cuentas, la corrección ha comenzado por huir aterrada de sus palabras, y de pronto, le da mucha risa pensar que en cualquier momento puede desaparecer también de sus maneras. No perderse como es natural y frecuente que entre ellos se pierda, sino por mandato de la violencia, que Paca Cueto le tire por la cabeza el florero que tiene al alcance de la mano, en el velador, o que sea él, quien, exasperado, le dé un sopapo en medio de los hocicos vociferantes.

En esta habitación circunspectamente burguesa, llena de detalles que indican la presencia de una señorita, acaso con demasiada precisión —los voladitos de tafetán, los cojines pintados a mano, las pantallas, las muñecas, los lazos de tul—, tiene su realidad parte de la vida soterrada de Juan Antonio Méndez. La casa de Paca Cueto y el hotel están vecinos, el portón de la casa de Paca Cueto y el portón del hotel están lado a lado. Es tan fácil equivocarse a veces, hurtar miradas, en especial con la cómplice tercería de la medianoche; empujar el obediente postigo, hallar dentro una puerta solícita y después la jugosa realidad de una boca que sabe prodigarse en lentos besos succionadores, un cuerpo elástico que las manos febriles van modelando en instantáneas exploraciones, cuerpo que se hurta, que retrocede, mientras las manos de ella, de Paca Cueto, parecen alejar todo contacto.

La presencia de la mujer y su aura, su hueco cálido dando sentido animal al aire, están ahí, y el hombre la busca a tientas y su segura ceguera la halla, se le adhiere, presiona la insolente valentía de los pechos, la intimidad de los muslos escurridizos, naufraga en su cabellera, ahogándose en el vaho de su perfume, no ya olor de flores, sino emanado directamente de la hembra. Ella gime su gozo y Juan Antonio ya no sabe en qué vórtice se halla, por qué delirante espiral es absorbido, cada vez más alto, a sacudones que afinan sus nervios y le empujan a un solo instante, tan mezquinado en su plenitud, que ya parece sumirse en los deliquios de la nada para desvanecerse en una caída vertical, que lo derrumba junto al otro cuerpo, relajado y humedecido por súbito relente, que trasciende y con violencia se torna insoportable.

Paca Cueto ya está lejos. Ya ha vuelto. Ya está ahí, alargada, un poco mimosa, un poco tierna, un mucho incoherente, pero con toda la precisión de su lucidez.

De una infancia pasada en la miseria se le resabiaban dolorosos recuerdos. A veces esa lejana criatura que se llama la Pancha, y que arrastra unos zapatos rotos para ir al despacho de la gran ciudad nortina, en busca de un cinco de queso y un cinco de pan y una vela de diez, le parece tan ajena y sin relación con ella, que se desconoce a sí misma. En el cuarto la mamita y la tía Cata se afanan sobre las impersonales camisas de hombre, porque si no entregan en la tienda las docenas correspondientes a la semana, merma la entrada, y en relación aumentan los apuros de fin de mes para pagar el alquiler. Por lo demás, se vive al día.

—¡Pancha!... ¡Pancha!... ¿Dónde estás, condenada? Anda al despacho y te compras un veinte de queso y un cinco de pan, y ají y cebolla, otro cinco...

Se compran pedazos de queso y de carne, chocosos y pan chileno, porotos y grasa.

La tía Cata va y viene de la tienda a la casa trayendo los paquetes con camisas. La mamita y la tía Cata hilvanan piezas, cosen a máquina, planchan, orillan ojales. A las doce llega violento el mediodía acuciado por el largo ulular de las sirenas. Generalmente es la tía Cata quien dice:

—Hay que mandar a la chicuela a mercar algo para el almuerzo.

—Sí, que compre cualquier cosa. ¿Dónde andará esa desgraciada? Ya debe haber vuelto de la escuela. ¡Diablo más ocioso! —y torna a su trabajo, con una especie de frenesí, de ausencia, anulada para toda otra idea que no sea coser, coser, coser, pespuntar camisas, plancharlas, reunir dinero, vivir, "ir tirando", con mecanizada economía de movimientos eficacés, fijos los ojos en la aguja, empalidecida la cara que debió ser bonita y ahora es borrosa, con su piel suelta y cerúlea, desparramada en una *matinée* que en alguna época fue su lujo de novia, y ahora es su inadvertida comodidad. Por dentro, con igual tozudez, le trabaja otra idea:

—Porque alguna vez se cansará de ella y es claro, se acordará que tiene mujer y entonces al lindo se le ocurrirá allegarse por estos lados, y es claro que va a tener que oírme, pero es claro también que al fin las cosas tendrán que arreglarse, porque para eso una es la mujer legítima, pasada por el civil y la iglesia, y la otra una pura chusca sinvergüenza. ¡Je! Habrá mucho que hablar. Claro que vendrá con palabritas dulces, pero lo que es yo...

Así lleva cinco años. Al principio se detenía de súbito para prestar oído a los pasos que andaban por el corredor del conventillo. Como también volvía sofocada y llena de ansiedad de la tienda, preguntando al entrar, a la vez que con una sola mirada la desengañaba el desmantelado cuarto:

—¿No ha venido nadie?

—Nadie. ¿Esperas visita? —La tía Cata la miraba con sorna y la otra, muy roja, doblaba el manto y decía al descuido:

—Nunca sabe una si puede llegar algún conocido...

Ahora no hace pausas en el trabajo. Tampoco se mueve de la casa, dejando desvanecerse el tiempo en descoloridos calendarios. Cada vez está más gorda, más morbosamente empecinada en su trabajo, más secretamente roída por lo que le anda por dentro.

—Pareces máquina también —dice la tía Cata.

Es la tía Cata la que va ahora a la tienda. La cara de ratón se le va haciendo rugosa, llena de melindres e irrazonados terrores. Y como se va quedando cada día con menos vista, halla más cómodo el cuarto, no arriesgarse entre los tranvías que le producen desazón, ni menos aventurarse por las calles del comercio cada vez más bullangueras y aturdidoras. Al fin y al cabo, la Pancha está ya grande y puede encargarse de eso, ahora que ni siquiera va a la escuela.

La Pancha halla en el centro de la ciudad su razón de ser. Los escaparates con su deslumbramiento; la entrada de los teatros, tras la que se adivina una vida de ensueño; los pórticos de las iglesias, algo amedrentadores en su severidad, pero llenos de misterio; los paseos en la plaza mientras una banda llena los ámbitos con la rechinante claridad de sus bronces; la ligera felicidad del organillo que desparrama por las calles los acordes pegadizos de *El vals de las olas*. Tiene quince años maravillosamente espigados, una piel exacta para contenerla, unos enormes ojos amarillos con felinos reflejos y una pesada cabellera rebelde. Parece un altivo animal salvaje, paseando por la ciudad, sin apuro, dueño de sí mismo, silencioso y eléctrico. Siente esa fuerza desparramada por la sangre, endureciendo sus formas, haciendo a veces anhelante su respiración.

Huele a sombría montaña solitaria. Las mujeres la miran curiosas y en suspenso. Los hombres, indefectiblemente, reciben en lo profundo de su raíz el choque de esa vibrante vitalidad en que flamea el llamado inaudible y eterno.

Recuerda algunos rostros. Sobre todo el primero, un adolescente rubio y flaco, increíblemente torpe, y al que ella, con la certeza de su instinto, tuvo que enseñar tantas cosas, sabidas desde siglos. Lo recuerda lloroso, balbuceando:

—Te adoro..., te adoro...

Para ella el ritual del sexo no es muy distinto que el de comer. Cumplida la necesidad, una grata modorra de ofidio que digiere su presa le ablanda las carnes abriéndolas al sueño. Sí, es agradable dormir un rato. Pero por lo general el hombre anda con apuro. Recuerda al adolescente, como también recuerda al primero que le dio un billete: un gringo que le regaló diez pesos, después de observarla largo rato y casi solemnemente, para acabar diciéndole:

—Brutal..., eso eres: brutal. Bruto, un bello bruto hembra.

Ella no entiende y mira pensativa el billete, sin acertar aún la relación que puede haber entre él y lo que acaba de suceder.

—¿Te gustaría venir a mi casa? Vivo con otros compañeros, gringos como yo. Nadie nos molestaría. ¿Quieres?... —hay una nota de súplica en la voz del hombre.

Ella lo mira; sentándose bruscamente, sigue mirándole, juntas las piernas, los codos sobre los muslos que presionan las nalgas elásticas, precisas, firmes los senos, la barbilla adelantada, en actitud de idolillo pagano, mientras los ojos se agrandan con su mirada amarilla de gata.

—¿Me darás otro cada vez? —pregunta.

Acaba de enterarse de que puede tener un precio. A la mamita y a la tía Cata es fácil engañarlas: se ha subido la paga a las costureras, en especial a las de camisas. Tiene un trabajo en un negocio. Después es cajera en una tienda. Como el cuarto le queda lejos, hay que cambiarse. Viven entonces en una casita de obreros. Ahora ha encontrado un nuevo empleo y gana más. No es necesario que trabaje la mamita ni tampoco la tía Cata. La mamita protesta. Ella tiene que trabajar. No es sólo cuestión de dinero: ¿con qué va a defenderse de la desesperación y la desesperanza? Pero la tía Cata sonríe con su cara de ratón viejo, frunce el hociquillo, mira por sobre los anteojos y se echa a la buena vida de levantarse tarde, de evitar las corrientes, de salir a dar una vueltecita por el barrio hasta la capilla de las monjas, de hacer algunas amistades y de decir alguna vez, así, al descuido:

—Hay fresas ya... —o decir—: Creo que este vestido se me está poniendo muy feo el pobre.

La Pancha no necesita mayores sugerencias y la tía Cata sabe que al día siguiente habrá fresas para postre, venidas no se sabe de dónde, o le regalarán un traje que no hay por qué averiguar cómo se paga.

La mamita sigue pedaleando frenéticamente y frenéticamente engordando, sofocándose, lloriqueando su insomnio. Hasta que termina por ahogarse de veras y hay que llevarla a la Asistencia, y ahí muere, sin volver del soponcio, medio a medio de su sueño, esperando al marido, pespunteando camisas de hombre igualmente ausentes e imposibles.

Cambian de casa. Ahora es un barrio céntrico, cerca de un umbroso parque cruzado de niños y sostenido por pájaros al amparo del cerro.

La Pancha ya no habla de empleos. La casa muestra un ancho zaguán y una salita que da a la calle; luego hay más piezas cerrando el patio y un pasillo que comunica con el fondo, dominio recoleto de la tía Cata y la sirvienta. Porque tiene una sirvienta, que pronto aumentan a dos. Aparecen muebles flamantes. La Pancha estrena trajes, sombreros, relucientes botitas, coquetos boas y manguitos. Tiene veintidós años aureolados de esplendorosa belleza. La anchura del zaguán a horas discretas da paso a discretísimos señores. Después hay otra casa, un chalet en una avenida espesa de árboles. Aquí no llegan discretos caballeros a horas discretas, sino que abiertamente en su cupé, o manejando el tronco que arrastra el tílburi, llega un hombre extranjero, de espaldas anchas y anchas pródigas manos. La Pancha vive su gran época. Viaja, tiene propiedades, bonos, vestidos, coche; va a los teatros, se interesa por la lectura, descubre, sin demasiado asombro, la vida del espíritu.

Un día cualquiera, este ser hecho para el goce y que a través del goce, identificada con su amoralidad, vive del goce, empieza a vislumbrar y a desear el remanso de la paz burguesa, con casa propia, marido, hijos, amistades, respeto. Eso, respeto... Ser "una señora respetable". Es una sed, casi sensual, de respeto.

Cuando este cuadro se ha definido ante sus ojos, empieza con sagacidad a buscar los medios de realizarlo. Su olfato animal la guía infalible: ante todo, desaparecer, eclipsarse, irse lejos, romper todo vínculo, purificarse en una ausencia indeterminada y esperar. Cuando la crisálida rompe su capullo, se llama Paca Cueto. Y una laucha gris la acompaña: tía Catalina.

La vida de pueblo es monótona, pero no hay más remedio que encajarse en ella, hacerse un sitio mediante el manejo de pequeños subterfugios, penetrar en el receloso círculo social trashumante, ir allegándose hasta lo que se considera más representativo: la gobernadora, la señora del juez, la coronela. María Soledad constituye el modelo de su ambición. Doña Batilde le inspira el terror que siente el gato montés bajo la sombra del águila. Y lo curioso es que si pudiera conversar alguna vez con Solita, tendrían mucho que decirse sobre los Smith, inasibles personajes de leyenda para ambas.

Tía Catalina con paciencia de laucha roe una historia que ya no se le antoja del todo imaginaria. Se han venido a vivir a ese pueblo porque más al sur está el fundo que ella heredara de su madre, abuela de Paca, lo que hace más fácil su administración. De las propiedades de la capital cuida un viejo amigo de la familia. Viven en una de las casas más importantes del pueblo, construida por colonos franceses; disfrutan de comodidades y de un grupo de amigos formados a su alrededor, sin el menor sentido de afinidad ni selección, sino amasado por esa mezcla de aburrimiento, curiosidad y malicia que urde las costumbres de las gentes pueblerinas. Con fino sentido oportunista Paca Cueto se expande en su nueva existencia. Hubiera sido menester una mirada demasiado fina para descubrirle las fallas y los renuncios. Su natural inteligencia sabe callar ante los temas desconocidos, tomar frente a ellos la actitud levemente irónica del que reserva su opinión. Con tácita complicidad deja a tía Catalina desbordarse en explicaciones de abolengos y talegas. Su reino está en el traperío y por ese lado rompe todas las resistencias, hasta ser considerada árbitro de la elegancia. Cuando Paca Cueto sienta cátedra circunstanciando los plisados y los ruches del traje de la Sara del Camino en aquella función de gala del Municipal, o del calado de los mitones que en otra ocasión memorable llevaba la Inés Arayagaray, las mujeres, de la coronela para abajo, la oyen embobadas, retenido el aliento y sin osar interrumpirla. Y como es generosa, todas sus amigas tienen siempre algo que agradecerle, por los regalillos que constantemente les hace.

Los hombres siguen perdiendo el compás al encontrarse frente a ella; pero su actitud es tan correcta, tan sin coquetería individualizada, prefiere en forma tan ostensible la sociedad de las señoras de respeto, que se la mira como a la inaccesible y tentadora fruta de hermético cercado.

Y ella, ella, Paca Cueto, la que fuera la Pancha, dentro de sí misma, en sus tuétanos y en sus entrañas, ¿cómo se adapta a esa vida?

En el primer tiempo, bien. Porque en el nuevo escenario es preciso moverse con cautela y toda su terca voluntad de mujer está polarizada por el deseo de ser tan señorita como la que más, ganarse las gentes, sin prisa, con tino tal para lo que se debe hacer o decir, que a ella misma la sorprende. Después no tiene que tomarse ese trabajo que la costumbre vuelve mecánico.

Entonces Paca Cueto comienza a sentir el hervor de su sangre, tensa la piel, fosforescentes las amatistas de los ojos, entreabierta la pulposa boca de niña, revive la presencia inmanente y turbadora de los hombres, rodeada de espesos recuerdos. Tiene una alarma de terror, porque desde profundos estados de tierra la Pancha, en irrupción casi sísmica, amenaza aflorar de nuevo.

Los hombres la miran desorientados, percibiendo tras la impedimenta del señorío el llamado ancestral. Las mujeres también la miran algo extrañadas de su aire ausente y de la reconcentrada malignidad que a veces chispea en palabras aisladas. El destino la coloca en los brazos de Juan Antonio Méndez al bailar un vals garabateado de cursi sensualismo. Casi no se miran, entreverados por las ondas musicales que los aprietan en su nudo. Bailan de nuevo. Después el joven le trae un refresco. Luego las acompaña a tía Catalina y a ella hasta la casa. Todo tiene una corrección inobjetable, hasta el tono cortés con que Juan Antonio pregunta:

—¿Puedo pasar algún día a saludarlas? —casi más dirigido a la tía que a ella.

Ese día —el siguiente— se hallan acostados en una *chaise-longue*, entre una ventana velada apenas por un visillo y una puerta abierta al patio. Tenía que suceder: sucede.

Siente de inmediato una reacción en que se mezcla sorda ira contra sí misma, espanto de que alguien se haya enterado de "eso" y rencorosa antipatía contra Juan Antonio. Pero estos últimos sentimientos desaparecen en cuanto la presencia del joven la precipita en sus brazos. También se desvanece el terror de llevar "eso" punto menos que escrito en la frente. Sólo permanece en pie la ira sorda contra sí misma, que se aleja como tormenta de verano al verse siempre, con todas sus conquistadas prerrogativas de señorita de sociedad pueblerina y que tiene, además, ahora, la perspectiva de un marido. ¿Por qué no?

Juan Antonio, grandulón, desmañado, brutote, a topadas con todo, hablando de repente en huaso, reidores los ojos, mascando caramelos, engolosinado con fritangas reposteriles y causeos, manejable, diciendo siempre que sí, respetuoso de las fórmulas, con los bolsillos llenos de billetes y un especial malabarismo para hacerlos pasar a la cartera de Paca Cueto... ¿Por qué de este joven no puede hacerse un excelente marido?

A veces la desconcierta. Por ejemplo cuando dice:

—Ese pariente tuyo que me contó tu tía Catalina que fue ministro de corte... —y hay tanta luz de malicia en sus ojos perdidos en la red de finísimas arrugas, que Paca lo mira recelosa, encogiéndose al fin de hombros, vagamente inquieta.

O cuando pregunta:

—¿No es el mismo colegio de monjas en que tú te educaste?

Tía Catalina no lo quiere. Le huye como a gato retozón, acentuándose su parecido con una laucha despavorida. Juan Antonio tiene una manera especialmente cortés para tratarla. Demasiado cortés. Desconfía de sus "Misiá Catalina", como de un trozo de queso con el veneno dentro.

Lo que piensa tía Catalina nadie lo sabe, ni siquiera Paca, y eso que en casi todo se entienden por un código de tácitas actitudes. Lo que piensa y lo que siente Juan Antonio, ella cree saberlo. Pero tendría que emplear para definirlo palabras de la Pancha que a Paca Cueto le están rigurosamente vedadas.

¡Tan lejana ahora la Pancha zaparrastrosa, corriendo por la calle del suburbio en busca de un veinte de queso, un cinco de pan, y otro cinco de ají con cebolla! ¡Qué lejos!

Le parece balancearse adormecida en una hamaca, con el aire que apenas mueve las hojas, y un pájaro obstinado en repetir la misma escala que se corta con exactitud en la misma alta nota. Una paloma torcaz arrulla su mansa queja. ¿Una paloma torcaz? No, no, ella misma, su cuerpo ahíto, su corazón ahíto, su vida toda ahíta, ahíta. Tiene una dulce paz en las venas y sosiego en el pensamiento. Se balancea pensando que no está pensando en nada, aunque tal vez piensa que para el pájaro no puede haber una nota más alta, que el viento hace un rumor de fresca agua de surtidor entre las hojas, que en el corazón le arrulla una quejumbre de torcaz en celo.

Y de repente despertar a esta pesadilla: Juan Antonio se casa. Tiene una novia. Se va a casar con esa novia. Hija de un amigo de sus padres. Dieciocho años. Linda. Entonces, es claro, sólo Paca Cueto puede seguir guardando compostura en la actitud, mientras la Pancha, desgarrada y greñuda, vocifera con su boca reconquistada.

Juan Antonio está muy incómodo en el sillón lleno de tallas que, según él, sólo sirven para hacer doler el espinazo.

—Mira, chicuela, lo mejor es que terminemos como amigos. Nada se saca con que nos acaloremos los dos... Ni con que me digas insolencias, ni con que yo te diga muchas cosas que al fin y al cabo no quiero decirte. Lo hemos pasado bien, rebién diría yo, para ser justos. Ahora cada uno en su casa y santas pascuas...

—Eso es lo que te crees tú. No sabes con quién te has metido. Insiste en casarte y verás no más lo que te pasa. Donde sea he de gritarle a esa tipa lo que eres.

—Mira, Paca, no te hagas la loca, porque te puede salir la chascuda. Te lo digo por tu bien. Déjate de leseras. Siempre has tenido harta cabeza para tus cosas. ¿Qué vas a sacar con un escándalo? Aquí, mal que mal, tienes tus amistades, la gente te quiere, cree en ti. ¿Vas a sacar algo con que sepan que has sido mi lacha?

El iris dilatado le llena de iracundo amarillo los ojos. Toda ella es un nudo de ira que grita:

—¿Y qué hay con eso? Tu lacha, pero bastante más decente que otras. Yo no tengo que darle cuenta a nadie. En cambio tú..., tan futre josefino, con tus miedos del porte de la catedral, de que no vaya a saber nada tu mamacita, tan santa ella, ni tu papacito, tan sumamente caballero... No creo tampoco que a tu novia, tan viajada y tan cumplida, le vaya a gustar demasiado saber que andas con mujeres: que he sido tu querida, que soy tu querida, que seguiré siendo tu querida... ¿Entiendes? Porque no te vas a deshacer de mí, eso te lo juro: serás el marido de la otra, si es que al fin llegas a casarte, pero a mí me tendrás en la sangre — ¿entiendes?—, porque ninguna mujer te podrá dar... —jadea. No logra seguir hablando; no lo logra, pero concentra toda su desesperación apasionada en los ojos que se entrecierran coléricos.

Parece una máscara, una gorgona en afán de maleficio. Juan Antonio siente al principio un tenue miedo, la repugnancia de algo insalvable que fuera a caer sobre él. Paca Cueto le sigue mirando, entrecerrados los párpados; súbitamente toda ella se reblandece, se deshielan las líneas de ira en relajada expresión de gozo. Los labios se abren, la nariz se afina. Como una muerta. En la suprema muerte del gozo. Como tantas veces la ha visto bajo él, en la delirante agonía de la coincidencia sexual. Es entonces, al mirar Juan Antonio esa máscara patética, cuando el vagaroso miedo estalla en pavor, porque advierte que Paca Cueto ha dicho la verdad. Nunca podrá deshacerse de ella. Nunca. Ni la novia. Ni la esposa. Ni los hijos. Nadie. Nada logrará hacerlo.

El centro de su vértigo vital será siempre esa mujer que está frente a él. Súbitamente recuerda la voz de doña Batilde, que una vez dijo: "Esta es de las capaces de dar bebedizos..."

Capaz. Sí. ¿Por qué no? ¿Le habrá dado algo? Siente una náusea que le voltea el estómago. Se pone de pie. Paca Cueto sigue mirándolo. Le tiembla la boca. Tiene un desolado mirar en los ojos. No. No quiere hacerlo. Se acerca reteniendo los pasos. Pero sabe que lo va a hacer. Se duplica su angustia al hacerlo. Pone una mano sobre la cabeza de la mujer. La otra mano, morosa, acaba por apoderarse de un seno. Lo demás, sabe también que no quiere hacerlo, pero que fatalmente lo hará.

Esto pasó, ¿cuándo pasó? La noche del lunes. Afuera llovía. Se repitió la noche del martes. Llovía afuera. Hoy es viernes. Llueve. Está casi seguro de que fue el miércoles cuando no se fue a su alojamiento del hotel. Que amaneció entre unas pieles de vicuña, desnudo, junto a la mujer desnuda.

Se oía el golpeteo de la lluvia torrencial. ¿Para qué irse?

—Que no nos molesten, chinita...

Oyen el fonógrafo, comen, se entrelazan en frenéticas posesiones. Duermen, profunda, mineralmente. Afuera llueve. ¿Qué día es hoy? Sábado. Sábado por la mañana. Sábado por la tarde. ¿Llueve? No, no llueve.

—¿Te vas? ¿Adónde te vas? ¿Por qué te vas? Por favor, no te vayas.

—No seas loca, chinita. Tengo que irme. No llueve. Voy a dar una vuelta. Tengo que ver si hay novedades en el fundo. Hay que seguir viviendo, pues...

—¿A qué hora vas a volver?

—No lo sé. A la de siempre, quizás. Voy a ir al hotel, alcanzaré al club. Tengo que ver si hay cartas...

—Cartas..., claro..., de la novia..., ¿no es eso?

Juan Antonio está frente a ella, oye su respiración entrecortada, ve el resplandor de gato en los ojos. Está tranquilo, ajeno a esa mujer. La mira con cierta sorprendida curiosidad. La siente ya recuerdo. Nota las sombras azules que le rodean los ojos. Y un lunar, no, una mancha, una redondela de menudas manchas en un hombro. La marca de un mordisco. Se le ríen los ojos, pero como si estuviese constatando la obra de otro. Afuera ha parado la lluvia y hay silencio en el aire. Así está él; lavado, limpio, nuevo. En contraste, el denso olor adherido a las paredes persiste en su llamado pecaminoso. Algo dentro de él clama por la paz que adivina fuera, aliviando sus huesos.

Paca Cueto recupera de golpe su faz de gorgona:

—De la novia..., claro...

Juan Antonio la mira, levanta casi invisiblemente los hombros y con evasivo gesto de la mano dice:

—Hasta luego —y recupera el frescor de la calle.

16

Los zapatones que le asordan los pasos pisotean el último resto de prudencia. Ahora sí que se revela un auténtico animal selvático rastreando la presa. Sobre los hombros se ha echado un pañolón de tía Catalina, arrebozándose en él como las mujeres del campo. Es más de medianoche y el pueblo se arreboza también en las sombras, lo que no obsta para que Paca Cueto camine sin vacilaciones hasta alcanzar el club.

La puerta alarga su bostezo noctámbulo, pero por más que atisba adentro, no ve a nadie a quien poder preguntar por Juan Antonio.

Porque ella necesita saber de Juan Antonio, verlo, hablarlo, retenerlo bajo la seguridad de su presencia, inmovilizarlo con el poder de su mirada, anularlo. No son la Pancha ni Paca Cueto quienes reaccionan en ella, separadas o juntas, sino un nuevo ser que acaba de manifestarse arrebatado por fuerzas obscuras en su fatalidad.

Un mozo cruza la galería y lo chista. El hombre se detiene asombrado, como si fuese un farol o un banco quien lo chistara; hace un gesto entre despavorido y doméstico, queriendo expresarle que aguarde un instante, desaparece con la bandeja que lleva y regresa al punto.

—¿Qué se le ofrece, patroncita?

No vacila al responder:

—¿Está don Juan Antonio Méndez?

—Yo creo que ya se retiró.

—Vaya a ver.

—Pero pase no más —insinúa el mozo, completamente desconcertado—, está muy frío el relente...

—No importa, esperaré aquí. Pero vea bien si está, y si lo encuentra, dígale que venga, que lo necesito.

Aquello ya trasciende las entendederas del mozo, que entre atribulado y turulato, pregunta con irrefrenable curiosidad:

—¿Pasa algo?

—No, nada —y rabiosa de pronto al advertir la trasgresión del otro—: Haga lo que le he dicho.

En abierto contraste con su reciente imperio, aguarda como una miserable, pegada friolenta al quicio de la puerta. Vuelve el mozo, anulada ya toda facultad de juicio por el fracaso de su misión.

—No está, patroncita. Bien le había dicho yo. Se jue hace rato.

—Gracias...

Y de nuevo se suma a la sombra de las calles que la humedad hace resbalosas, entre el intolerable olor de la madera mojada, el frío aire que afila sus cuchillos en los lejanos glaciares y la sorda persistencia de los goterones.

De inmediato deduce Paca Cueto la conclusión indiscutible: Juan Antonio está en casa de la Moraima. ¡Asquerosos de hombres! No saben otra cosa. Remoler. Tapar con mentiras las mentiras de sus días. Bien sabe ella que la mitad de los hombres que tienen habitaciones en el hotel, que oficialmente viven en el hotel —empleados de banco, de reparticiones fiscales, maestros, hacendados—, en verdad se alojan en casa de la Moraima, donde la comida es mejor, la cama más blanda y la compañía más grata... ¡Asquerosos! Por lo menos es de esperar que Juan Antonio no esté revolcándose con alguna de esas chinas mugrientas. ¡Oh! Un escalofrío de asco le crispa la piel. Apura el paso. Se acerca a la estación, pasa frente a los figones de los que fluyen vaharadas de comidas frías, soeces, como malas palabras. En las chinganas se encona un obstinado tamboreo. Algunas puertas amarillean de luz. Ya se divisan los faroles que anuncian la casa de la Moraima.

Tampoco aquí vacila. Su impulso interior suple a toda voluntad consciente. Entra.

Pero la inocencia de Tom está alerta para todos los imposibles, y aunque se agranda el blanco de sus ojos en ligero asombro, se le cruza al paso y con su voz amerengada pregunta:

—¿Amita quere algo?

—¿Dónde está don Juan Antonio Méndez? —interroga violenta.

—Yo no saber —contesta el negro con el sentido del secreto profesional de los de su oficio.

La galería está iluminada. Se oyen voces y una mujer canta "Fru-Fru"... En seguida se orienta. Al fondo tienen que estar los salones y los comedores. Paca Cueto quiere seguir el rastro que le asegura la vecindad de la presa. Pero no cuenta con Tom, que pasa ante ella, fiel custodio de las prohibiciones ancestrales.

—No —dice moviendo la cabeza, mientras los ojos blanquean por completo—. No —repite, agrandando la dilatada curva de su sonrisa—; amita no entrar. Feo, feo; amita no poder entrar...

Pero Paca Cueto hace un esguince —también ella es felina y primitiva— y ya está corriendo galería adelante adonde su destino la tienta. Tom la alcanza y, sin mayores exquisiteces, sin brutalidad tampoco, mecánicamente, la agarra por la cintura, la voltea en el aire y regresa con ella en vilo hasta el zaguán. Paca grita, tironea de las motas al negro, lo araña. Vocifera:

—Suélteme, negro inmundo, negro chancho. ¡Suélteme! ¿Cómo se atreve a tocarme? Suélteme...

Le es imposible a Tom obligarla a callar: entonces le echa por encima el rebozo. La mujer sigue gritando ahogadamente. Una puerta se abre y asoma una cara curiosa a ver qué sucede. Del comedor salen algunos. La voz deja de cantar "Fru-Fru". Dentro de las habitaciones se nota el interrumpido ritmo de la jarana que no acierta a concertarse de nuevo. Hay silencios parciales, asordados de alarma. Es un hecho tan extraño el que sea una voz de mujer la que escandalice, que la Moraima abandona sus alturas y aparece la primera, para ver qué sucede. Juan Antonio está también allí, y Zenón Cortés y Luquitas Rodríguez.

—¿Qué pasa? —pregunta duramente la Moraima.

—Amita, esta amita querer entrar y yo decir que no y ella gritar entonces.

—¿Quién es? —inquiere Luquitas, todo desgonzado de nervios—. ¡Ay!, por Dios, que no grite más, que me va a dar algo...

—No es nada —asegura la Moraima, que sabe remansar las más encrespadas borrascas con su sola presencia—. No hay para qué asustarse. Es menos que nada.

Juan Antonio se adelanta y va a hablar. Pero la Moraima lo mira, lo clava en su sitio y, sin dejar de dominarlo con los ojos, dice una palabra a Tom, una palabra que parece que no hubiera dicho, tan inaudible ha sido, y el negro casi con movimiento de escamoteo, toma de nuevo a Paca Cueto en vilo y la mete en el escritorio, donde siguen apelmazándose sus gritos ahogados por el rebozo.

—¿Si ustedes fueran bien dijes y volvieran a los salones? —propone la Moraima con tal imperio en la cortesía que todos obedecen, aun Luquitas Rodríguez, demorándose y mirando atrás, engarabitado de curiosidad y susto. Ella misma los acompaña entre Zenón y Juan Antonio. Posa una mano en el brazo de uno de los jóvenes, la otra en el brazo del otro, equitativa en el favor, acorta el paso y murmura:

—Váyanse dentro y en un rato más vengan a mi escritorio. Y me mandan por favor a Choclito.

Luego dice al mulato:

—Que la Malena atienda a Luquitas Rodríguez. Sírvele fuerte. Coñac o pisco. Hay que emborracharlo. Por cuenta de la casa. Entendido, ¿no?

—Está bien, patrona.

La Moraima entra en el escritorio y cierra la puerta.

—Suéltala —dice a Tom.

Paca Cueto se alza, separa las greñas que le cubren la cara, muestra los ojos estrábicos y la boca de pulpa temblorosa en que se hunden los dientes en busca de un dolor que la alivie.

—Negro de mierda —dice al fin.

La Moraima pregunta:

—¿Tienes mucho interés en que todos sepan que eres la Pancha?

Le parece que regresa de una pesadilla y que su punto de llegada es el Infierno. Así de exacto, de inexorablemente preciso debe ser todo en el Infierno: como la dura expresión de la Moraima, que la mira severa; como la ineludible vigilancia de Tom, que a su lado atisba su menor movimiento. ¿Qué ha hecho? Desde la hora en que Juan Antonio habitualmente llegaba a verla y en que no llegó; desde que empezó a trabajarla la desesperación de que se hubiera ido, de que estuviera ya en el fundo, de que desde el fundo se fuera a una estación cualquiera a tomar el tren en busca de "la otra", de la novia, de que jamás volvería a verlo, perdido, perdido para siempre, de que otra mujer fuera la suya bajo el calor de sus caricias, otra que no ella condenada a consumirse en el abandono, a retorcerse de celos; desde esa hora ardiente e imprecisa: ¿qué ha hecho?

—¿La Pancha? —pregunta estúpidamente.

—La Pancha, sí. A estas alturas no valen hipocresías —advierte con tajante tono la Moraima—. ¿Qué loca te ha dado? ¿Es que crees que formándole pelotera, desacreditándote tú misma a gritos, vas a tenerlo más seguro? No seas imbécil.

Las palabras rebotan inoperantes sobre su insensibilidad. Paca Cueto la mira verdaderamente imbecilizada. En la barahúnda que tiene en la cabeza nada le parece extraño: ni esta habitación hasta hace un minuto desconocida, ni el negro portero que ya forma parte de la fatalidad, ni la propia Moraima sentada en un sillón, hablándole como si todas sus vidas fuesen una sola, transcurrida de coloquio en coloquio.

Maquinalmente se arregla el pelo, se mira después las muñecas que le duelen y en las que aún perdura la huella de unas manos inexorables, y es tan fuerte el escalofrío que la recorre, que también maquinalmente busca otro sillón y se deja caer en él.

—Vete fuera y que no entren sino don Juan Antonio y don Zenón.

Quedan solas. La Moraima ¿no será su propia imagen actual, aquella que ya no es ni la Pancha ni Paca Cueto y que participa de la vida desgarrada de la una y del señorío pueblerino de la otra? Está recogiendo imágenes, palabras, gestos. Le castañetean los dientes. No puede remediarlo.

—Como sigas así haré que Tom te eche un balde de agua por la cabeza —advierte la Moraima.

La amenaza concreta súbitamente la tranquiliza: por lo menos no tiembla y logra hablar. Necesita informarse. Anhelante pregunta:

—¿Qué ha pasado?

—Es lo que quisiera preguntarte. Has llegado aquí a gritos, queriendo entrar en busca de Juan Antonio, y has formado un tremendo escándalo. Menos mal que nadie te ha visto la cara..., que bajé yo a tiempo...

—Se casa —explica Paca Cueto sombríamente, con la curiosa impresión de que siempre han conversado sin ambages, que toda su vida no ha sido sino una ininterrumpida confesión con la mujer que está ahí, cómoda en su bata y que comienza a fumar.

—¿Y? Eso tenía que pasar cualquier día. Es nuestro destino. Pero con gritos no vas a conseguir otra cosa que perderlo de inmediato y hasta puede que para siempre. Nunca debiste hacer esto. Hay que jugar limpio, respetando las reglas del juego.

—¿Qué debí haber hecho, entonces?

—Seguir siendo la Paca Cueto, tragarte la pena y los celos y, con el mismo modo de todos los días, no dejar por nada que perdiera la costumbre de estar contigo. Frente a todo el pueblo y por él mismo, tanto como por ti, necesitas ser siempre la Paca Cueto, ¿entiendes?

—Sí... —asiente a cabezadas, porque de nuevo le castañetean los dientes y los escalofríos le espeluznan las carnes.

—Vamos a ver cómo arreglamos este asunto. Espera... Tú has tenido un ataque de sonambulismo, sí, esto puede servir. Hay que echar a rodar la noticia por el pueblo. Mañana te quedas en cama y llamas al doctor. No des demasiadas explicaciones, ni menos pienses en justificarte. Pasa unos días sin asomar por la calle. Te duele la cabeza, no puedes sentir ni un ruido porque te rompe los nervios, no puedes casi abrir los ojos. Déjame a mí... Y que tu famosa tía Catalina, que es rematada de tonta, no vaya a meter la pata...

Golpean a la puerta. Son Juan Antonio y Zenón. La Moraima sale de puntillas, graciosa, y con fino dengue de misterio murmura:

—Es lo más raro del mundo. Fíjense que es la señorita Cueto. Tom dice que llegó como si estuviera durmiendo y que empezó a caminar por el zaguán y que cuando él la habló, al despertarse empezó a gritos. Ustedes saben lo peligroso que es despertar a los sonámbulos. Menos mal que nadie más que yo la ha visto. La pobrecita está como evaporada, eso es, como ida. Me ha dado un susto... Porque no es posible que se sepa que esta señorita ha estado aquí. Ustedes comprenden... Yo sólo de ustedes me fío para que la lleven a su casa. Me harán este favor, ¿no?

Zenón Cortés sólo responde con un lacónico:

—¡Ajá!

Juan Antonio lo mira, seguro de la virilidad de su silencio. Mira después a la Moraima, la palmea en la espalda y exclama entre irónico y maravillado:

—¡Tan habilidosa qu'es m'hija!

Y luego, súbitamente serio, añade cordial:

—Muchas gracias, Moraima.

17

Está alto el sol en un cielo de desvanecida turquesa. Un sol alto que debe calentar tan sólo allá arriba. Tan alto está, más allá de toda distancia y de toda temperatura, que ya es la idea del sol, así de nítido, de alegremente implacable, de helado. El pueblo tiene la milaglería colorina de esos paisajes aprisionados en una bola de cristal, pura su atmósfera en la quietud del aire dormido, en el justo valor de sus volúmenes, de sus formas, de sus matices. Las casas, las calles, las aceras están secas, la tosca rojiza ha enjutado. Los árboles muestran una dura actitud expectante. Un pájaro dice su corto trino, una pregunta obstinada que le hincha el pechezuelo; cambia de rama, la repite mirando en escorzo la comba azul, y algo parece haberle respondido desde invisibles regiones, porque súbitamente lanza su flecha hacia el blanco de otro hemisferio.

Las calles presentan un movimiento extraordinario. Al alba ha comenzado el ajetreo. Las varas están atestadas de cabalgaduras que piafan, no se impacientan los bueyes que al compás del balanceo de sus testas enyugadas rumian el pienso, mientras llega el momento de rumiar las serpenteantes subidas. Las mulas se aprietan junto a las madrinas enjaezadas bizarramente; se oyen el tintineo de las enormes espuelas, el cla-cla de zuecos, el asordado rumor de las ojotas; hay voces, risas, conversaciones; lloran las criaturas, una leva de perros pasa frenética husmeando el fantasma del sexo, un organillero es el centro del corro atónito; los faltes tienen todas las modulaciones de la convicción para atraer clientes. No queda sitio en las calles para este gentío, con aire de fiesta, movedizo y bullanguero, porque es domingo y luce el sol duplicando la festividad.

Las tiendas están abarrotadas de clientes, hay colas en las puertas de los almacenes, chocan los vasos de los bebedores en las cantinas. El mercado muestra sus mesones ya desguarnecidos; la angurria de la clientela azuzada por el buen tiempo arrampló con todo. Apestan las fritangas. Un tortillero hiende la multitud con el canasto vacío en la cabeza.

Las posadas están repletas. Pasa el cacique, taciturno, y sus mujeres a la siga, silenciosas, con las guaguas a la espalda atadas en una escalerilla, con el carmín arrebolándoles los rostros de tierra, enjoyadas como ídolos, así de dignas y lejanas. Las mocetonas campesinas lucen los rebozos chillones, las anchas faldas, la chupalla y las botitas —¡ay!— de charol. Las viejas parecen labradas por el tiempo en troncos de árboles, grises de arrugas. Fuman cigarros de hoja y acrecientan su impasibilidad arrebujándose en mantos negros. Es mañana de domingo, escandalosa de sol, pero ellas permanecen en su perpetua noche sabática. Los hombres van y vienen, cargan, descargan, trafican, truecan, regatean con lentas razones, porque las palabras les llegan del pasado y no alcanzan el ritmo del presente. Las espuelas les obligan a marchar en puntas de pies, con andares de gallos cuidadosos de no tropezar en sus excesivos espolones. Llevan trajes de diablo fuerte, perneras de cuero y tan pronto las mantas de castilla les apesadumbran con su noche, como los ponchos maulinos vociferan desde sus hombros todos sus colorinches.

Los perros se pelean, en la estación una campana encalabrina súbitas nerviosidades de partida, se oyen inarticulados pregones, desechos del general bullicio, hay una larga discusión porque una carreta bloqueada quiere irse, llega jarifo y pomposo un paco que no logra con su prestancia desenredar el pleito, y opta por lucir su brillante impotencia con las pitadas de auxilio que no atraen la presencia de hipotéticos compañeros. Ahora son las campanas de la iglesia las que repican un contenido júbilo, digno del cielo inmaculado y, a su conjuro, las mujeres se reúnen, se prenden los mantos, juntan a los niños y enrumban hacia la iglesia, seguidas por los hombres, de pronto silenciosos, graves, como si las campanas hubieran dilatado la cúpula parroquial hasta abarcar todo el pueblo.

Pero la misa transcurre en un ambiente inquieto porque algún diablejo recalcitrante, inmune al incienso y al agua bendita, parece hacer de las suyas en el templo. Solita, contra toda enseñanza, ha preguntado a la Mademoiselle, a María Soledad y por fin al mismo Ernesto Pérez, por qué los señores Smith no han venido a misa. Sólo severas miradas de reproche obtiene por contestación. Desde que Solita tiene memoria —desde el principio del mundo—, es la primera vez que a su libro de oraciones le falta la estampa con esas figuras de reyes. Su imaginación brinca por caminos abiertos a las presunciones más descabelladas: han partido a su remoto país porque ha muerto el mago que les mantenía desterrados, han desaparecido junto con la casa y de todo ello no queda rastro alguno. A lo mejor no han existido nunca y son como esos cuentos que Solita se repite hasta creerlos "de veras". Y aunque a los señores Smith los conoce todo el mundo, los ha visto todo el mundo en el pueblo: ¿no puede suceder que así, de pronto, todas las gentes entren por el buen camino y jueguen a contarse, simultáneamente, el mismo cuento?

Esta idea la sume en un mar de perplejidades. Y de escrúpulos, porque no es posible que ella esté en la iglesia, oyendo misa y pensando en asuntos tan ajenos al Buen Dios. ¿Ajenos? ¿No serán todas las gentes, incluso Solita, creaciones de un interminable cuento que el Buen Dios se refiere a sí mismo? De cualquier modo, el Buen Dios ve en el corazón de sus criaturas y, mirando el suyo, comprenderá que está muy afligida.

Mariana Santos se da vuelta disimuladamente para preguntarle a Covadonga Sordo en un susurro:

—¿Por qué no habrá venido la Paca Cueto?

—Está enferma —contesta sin apartar los ojos de su devocionario.

—¿Enferma? —bordonea el susurro con pesadez de moscardón.

Alguien desde las primeras filas yergue un conminatorio chistido, y las muchachas con gran azoro se multiplican en el repentino fervor de sus rezos.

La coronela está sobre alfileres. ¡Lo que falta es que el señor cura diga un sermón largo! ¡A veces se pone tan larguero! Y ella no acierta a distinguir hoy el Introito del Confiteor. La tonta de su hermana sólo ha sabido decirle que hay grandes novedades y se lo ha dicho en la iglesia, porque ella, la coronela, llega siempre antes de hora, como corresponde, para ver así la entrada de los demás, y cerciorarse de quién no cumple, y llega con imperdonable atraso.

Las tres señoritas Araujo afectan una satisfecha humildad que rezuma importancia, porque ellas "lo saben todo". Y entrecruzan sesgadas miraditas de feliz complicidad, y participan las tres de una sola sonrisa que se cuaja en las comisuras amargas. Por algo son vecinas del doctor...

Doña Batilde no ha regresado de su viaje al norte. Don Juan Manuel agrava con su apostura la solemnidad de su levita; muy tieso, mantiene su inexistencia con el apretado nudo del plastrón y se esponja hasta ocupar su sitio y el de la ausente, porque al sentirse inerme, desguarnecido, sin rodrigón que lo preserve, saca pecho y se afana por equilibrarse a plomo sobre los botines. Y la mirada se obstina en parecer interesada por algo. Ahora está muy erguido, con una mano que reposa atrás, sobre su cintura, y la otra apoyada en el reclinatorio de doña Batilde, casi fotográfico, mirando a la gobernadora de hito en hito, tan alelada y sostenidamente, que la señora termina por levantar los ojos, halla la impertinencia de los otros que no se apartan, y baja de nuevo los suyos, pensando muy escandalizada: "¡Miren al viejo fresco, como se aprovecha de que no está doña Batilde!"

El diablejo retozón quiebra esa mañana todas las costumbres. Apenas el señor cura imparte la bendición, la coronela sale de estampía arrastrando consigo a su hermana.

Mariana Santos se impacienta porque Covadonga Sordo se obstina en rezar las avemarías finales. Con el amén en la boca la saca tomada del brazo.

Las señoritas Araujo, en plena gloria, han salido en volandas, felices de su pequeña ubicuidad que les permite decir la misma noticia en tres sitios a un tiempo. El pórtico se atora y sólo a fuerza de codazos los que van saliendo logran apelmazar aún más los grupos en que se comenta, con voces ligeramente destempladas, porque perdura en ellas la silenciosa penumbra de la iglesia.

—¿Qué pasa? —pregunta María Soledad por lo bajo a Ernesto Pérez.

—Nada, hijita. Piensa que han estado incubando sus chismes ocho días y ahora cloquea cada cual más alto.

—¿No se habrán muerto los Smith? —exclama Solita alborotada.

—¡No diga leseras! Salga con la Mademoiselle, nosotros ya vamos — indica Ernesto, que sabe que a María Soledad le gusta retirarse de las últimas.

Severino Sordo, gravemente, con el mismo gesto que le enseñara su madre en la aldea asturiana, ofrece agua bendita a la Mademoiselle y a la niña, y salen al fin por una puerta lateral, porque por la del medio, atestada, penetran de pronto en ráfagas irreverentes frases que azuza el diablejo, multiplicándolas por bóvedas y recovecos, dueño absoluto y momentáneo del desamparado templo.

—Al doctor vinieron a despertarlo como a las cinco —explica Petronila Araujo.

—Eran las cinco menos cuarto —agrava el dato con su precisión Sinforosita, que es algo así como el violín del destemplado trío.

—Yo voy inmediatamente a verla —dice la coronela ansiosa de obtener noticias en la misma fuente.

—No, no vaya, es perder tiempo. Ha prohibido que la vea nadie. Dicen que el doctor ha sido muy estricto, que no responde de ella si no la dejan tranquila —agrega Ramona Araujo.

Se encabrita la vanidad de la coronela refunfuñando:

—¡Era lo que faltaba! ¡Que me vengan con prohibiciones a mí!

—Pero, hermana —atempera la mujer del juez—, podemos llegar hasta la puerta y preguntar cómo sigue la Paca sin insistir en entrar. Hay que ser prudente en todo.

—Ahí viene Luquitas Rodríguez. Ese debe traer noticias frescas.

El mariconcito rezuma importancia, pero la verdad es que los escasos recuerdos se le embrollan entre las nieblas alcohólicas, porque borrachera igual no ha tenido en su vida. Parecida a la de esos hombrotes —¡qué horror!— que se caen por las calles. Pero claro que la ausencia de recuerdos abre más amplio campo a la imaginación.

—¿Pero qué pasó? Cuente, cuente, Luquitas, por favor...

—Fue de lo más triste, vieran. Iba la pobrecita tiesa como un poste, con los brazos extendidos y los ojos fijos. Para morirse. Tom..., este..., bueno. Alguien la vio y nos avisó a Zenón Cortés, a Juan Antonio Méndez y a mí, que estábamos..., bueno, que estábamos conversando. Cuando le hablamos pareció despertarse. Empezó a dar unos gritos... ¡Ay, por Dios! Tremendos..., vieran...

—¿Y qué decía? —exclama al unísono el no ensayado coro.

—Este... Puros gritos no más. ¡Y daba un susto! Les digo que para morirse, porque uno tiene sus nervios, ¿no? Entonces la fuimos a dejar a su casa. Misiá Catalina casi se muere al verla. Tremendo, tremendo, tremendo...

—Dicen que también la vio Bernabé, el mozo del club.

—¡Ay, por Diosito! ¡Y cómo es de inventadora la gente! Ahora va a resultar que todos la vieron —se descoyunta en el antojo de reservar para su grupo la exclusividad del hallazgo—. La vimos nosotros y nadie más que nosotros: Zenón, Juan Antonio y yo. Nadie, nadie más. Miren al metido ése, inventar que él también la vio...

—¿Y qué dijo misiá Catalina? ¿Le había dado otras veces?

—¡Cómo se le ocurre! Esas cosas así, tan raras, no se cuentan, son secretos de familia.

—¿Y no le preguntaron al doctor?

—¿A quién? ¿A ese pesado de Chaves? Con esas leseras del secreto profesional y qué sé yo, no hay quién le saque palabra. ¡Hombre más cargante! Todo se vuelve que hay que dejarla tranquila y sanseacabó.

—¡Je! ¡Vamos a ver eso! —gorgotea la coronela.

—Dicen que andan buscando quien tiene una bolsa de goma para ponerle nieve en la cabeza.

Llegan acercándose al grupo Ernesto Pérez y María Soledad, y antes de tener tiempo para inclinar la cabeza en distanciador saludo, salta la coronela, con dengues y sonrisas que esconden su secreto vinagrillo para decirles:

—La Paca Cueto está muy sumamente enferma, con un ataque de sonambulismo. Anoche anduvo como fantasma por el pueblo, hasta que la hallaron unos amigos que cometieron la imprudencia de despertarla. Ha pasado toda la mañana entre la vida y la muerte. Y todavía no se sabe si la pobrecita no nos da un disgusto. Yo siempre había dicho que esta niña no haría huesos viejos...

Se refocila un instante con la precisión de su pronóstico precoz y de inmediato les apestilla, yendo a lo suyo:

—¿Ustedes no tienen una bolsa de goma para ponerle nieve en la cabeza? —y dándose la respuesta en la interrogación añade—: ¿Cómo no van a tener una bolsa de goma, ustedes que tienen de todo? En estos casos nadie puede negarse a hacer un favor... —y tuerce la boca en agridulce mueca que apunta a Ernesto y hace blanco en María Soledad.

—¡Pobrecita! —exclama esta última, sinceramente apesadumbrada—. Con mucho gusto le prestaremos la bolsa de goma, señora. Vamos a buscarla inmediatamente.

El perfil corvino de la coronela clava el pico en la ocasión y grazna:

—¡Yo los acompaño! —mientras bendice en su interior a la Paca Cueto y a su patatús que le han permitido quebrar el círculo estricto de Ernesto Pérez.

Este se reconcome adivinando el juego: "¡Bribona de vieja!" Pero sigue en silencio a su mujer, que indaga detalles, se interesa, propone remedios, cita casos parecidos, mientras la otra rezuma melazas, ante la asombrada envidia de quienes la ven apareada a lo más principal del pueblo.

En el centro de la plaza se cruzan con la Mademoiselle, Solita, los Sordo y Mariana Santos, y al verlos, Solita abandona el grupo, corre hacia sus padres y, aflojando de golpe el resorte de sus informaciones, les espeta sin un respiro:

—La Paca Cueto andaba anoche por las cornisas y el río se llevó el puente de los Smith y mataron a un hombre en el camino de la cordillera, y...

—¡Mademoiselle! —corta decisivo Ernesto, que encuentra ocasión para desahogar su mal humor. Y cuando la muchacha acude, le reprocha con aspereza inusitada su falta de tino al dejar que Solita escuche conversaciones inconvenientes.

La plaza tiene un desequilibrio jamás visto, como si duendes ocultos entre sus canteros completaran la labor del diablejo para conmover la estabilidad social. Gentes que nunca han hecho otra cosa que cambiar ceremoniosos saludos, conversan de pie, se llaman, se dicen a gritos nuevas noticias, prolijos detalles. En el paseo exterior hay igual desorden, aunque allí la atención está polarizada por la importancia de un paco, que narra el asesinato del hombre en el camino, con los oyentes en círculo que el miedo aprieta, mientras saborean con creciente fruición los toques macabros del relato, que tiene el sanguinolento atractivo de un romance de ciego de feria. Hasta los músicos han abandonado el quiosco y forman parte del redondel.

Solita va ahora de la mano, casi a remolque de Ernesto Pérez, mirando hacia atrás a la Mademoiselle, que se ha quedado muy roja con la reprimenda; mirando hacia los boquiabiertos felices que rodean al paco, mirando hacia los remolones quiltros, mirando hacia la vida y trompicando los pasos para seguir los de su padre, que ni en eso concuerda con ella.

—Parece que fuera otro pueblo... —balbucea.

Y él, por una vez siquiera, contesta acorde, diciéndoselo a sí mismo:

—Sí, no parece el pueblo de doña Batilde...

18

Ernesto Pérez acarició maquinalmente la cabeza de Solita al salir de su casa, sin rumbo, sin por qué, respondiendo a una tácita invitación de no sabía dónde. Eso no era habitual en su vivir, hecho de por qués y para qués, de impulsos y pensamientos coordinados, opuestos a veces, pero que respondían a un todo, como las distintas notas de un acorde. Dejó atrás la casa, no en una lejanía espacial, no consentida por la exigüidad del pueblo, sino atrás, en otra dimensión, a la que había abierto insospechado rumbo su absurda confidencia a don Juan Manuel.

Algo había cambiado en el aire, en las calles que la prima noche hacía solitarias, en el pueblo todo. Un encanto mantenido por la cerrazón de su secreto se había trizado para siempre. A su desdoblamiento interno correspondía un casi más insoportable desdoblamiento de la realidad externa. No era posible precisar en qué forma aquello se manifestaba, pero percibía en cada cosa una actitud hostil, como si también ellas hubieran de pronto confiado a un extraño lo torpe de su íntima naturaleza, como si se hubieran liberado y se atrevieran a enfrentarse con el resto del mundo, en todo el terrible impudor que hasta entonces se mantuviera en sigilo.

Dobló la esquina de la plaza, dejó atrás la insolencia de los frascos de colores de la botica, que con un increíble frenesí cromático delataban la calidad de los venenos que encerraban. Pasó frente a la coqueta pequeña tienda de novedades para señoras, en cuya vidriera, eterna polola de los adolescentes, asomaba en su lejanía de cera la imagen de aquella joven cargada de crespos y tirabuzones. ¡Qué obscenidad la de esos aditamentos muertos, terriblemente muertos, ofreciéndose como señuelo de lujuria para atraer incautos! Y el mismo maniquí con el busto cubierto por la blusa de alto cuello emballenado y chorrera de encajes, no mostraba su gesto cotidiano. Ernesto Pérez lo miraba sorprendido, alelado ante la inadvertida semejanza de ese busto con una de las mujeres conocidas al albur de sus aventuras, una, cualquiera. Y con un creciente pavor creyó también hallarle una lejana semejanza a María Soledad. Sacudió la cabeza, espantando la inoportuna ligazón que establecía entre seres de mundos distintos; pero era inútil: allí estaba el maniquí, impasible, burlándose de su afán con su única sonrisa, en la que se confundían las otras dos, contaminándose, trasfundiéndose sus virus y sus inocencias.

Aceleró el paso.

Las vidrieras de las paqueterías, con sus cartones plateados y las ordenadas filas de botones, con sus piezas de cinta y sus encajes y tiras bordadas, se le aparecieron de pronto como mostrando sus bajos en un desarticulado cancán, que entregaba al pasante todo lo que debía ser intimidad, recóndito misterio. Se sonrió nerviosamente. ¿Qué fiebre de locura era aquélla?

Tenía que recobrarse a sí mismo: moderar su imaginación. Pero no, no era su imaginación: allí estaba aquel enorme tronco de árbol que ocupaba el centro del patio de una casa, asomando sobre los tejados, ceñido por el abrazo poderoso de la yedra, desvitalizado y deforme. No era su imaginación: ahí se expresaba frenéticamente el furor genesíaco, la rabia de penetración, de dominio. Huyendo de su propia fiebre dobló de nuevo la esquina para dar con el abigarrado múltiple negocio del librero. Empezaban a encenderse las luces, y en el fondo de la vidriera la llama amarillenta de un quinqué dejaba ver, pálida y exangüe, la cabeza frenológica en cuya nariz se había posado la inmaterial libélula de unos lentes que la tornaban más desnuda aún. Se detuvo un momento y se puso a repasar los letreros correspondientes a cada zona del cráneo: "Voluntad", "Elocuencia", "Memoria"... Tan equitativamente distribuidas el alma y sus potencias, tan bien arregladas para siempre las celdillas del ser humano; pero le pareció que las letras se iban borrando, que se quedaba aún más blanca la impoluta y casi metafísica representación del intelecto del hombre, y que de inmediato, en cada una de aquellas limitadas zonas, aparecía la leyenda: "Sexo." "Sexo." "Sexo."

Ahora camina por calles sin comercios. Hay zaguanes de cuya entraña surge una risa apagada, un desvanecido fin de frase, entre luces que avanzan a tientas buscando la noche y que no osan trasponer las aceras. Algunas ventanas tienen los postigos apretados, esforzándose por mantener sus secretos. El pueblo se cierra como un puño, pero su misma cerrazón se confiesa a gritos. Hay una doble calle por la que camina: una calle hecha de fachadas convencionalmente burguesas, tranquilizadoras, hipócritas, y superpuesta a ella, una calle hasta donde los tablones de las aceras y los parpadeantes reverberos se burlan de la unidad del conjunto, y se complacen en su diferenciación hostil. Todo es igualmente equívoco, repugnantemente mirando hacia la inmundicia de lo temporal, de lo que busca asirse a otro para sobrevivir, para hurtarse al enajenamiento y a la inseguridad.

¿Cómo no ha visto nunca este otro pueblo que lo rodea? ¿Cómo no se le ha traslucido a través de la tenaz voluntad de doña Batilde, de su ansia de dominio, de mando, de su afán de ordenar lo disperso?

Respira anhelante en un aire ralo que le parece también enemigo, que se negara a reavivar su sangre. Y sonríe. No sabe a quién. Se sonríe con piedad para adentro, teniéndose lástima, al ver que en su evasión lo acompañan las cosas, contagiadas de su misma tragedia.

Y ¿quién, pero quién, Dios mío, es el culpable de ello? ¿Quién ha desatado las fuerzas obscuras que permanecían encadenadas en los subsuelos del mundo? Recuerda de nuevo la ausencia de doña Batilde. Es absurdo, pero piensa que las cosas todas y las gentes, incluso él, aprovechan esa ausencia para insubordinarse, abominando de la jerarquía que les ha sido impuesta con dureza. Y don Juan Manuel, pura ausencia palpable, la ausencia de doña Batilde corporizada, es quien ha desencadenado la rebelión.

Ahora comprende totalmente el porqué de sus confidencias al borde de la partida del genio director del pueblo, ahora comprende la responsabilidad que le toca a él y la culpa de los demás. Comprende a los elementos desatados. Comprende a la Paca Cueto. Comprende a los que dejaron a uno muerto en cruz sobre la otra cruz de los caminos.

Ernesto Pérez mira con sorpresa su velluda mano posada sobre la mano fría, rígida, ligeramente verdosa: la mano del llamador de la puerta de doña Batilde, porque sin saber cómo ni para qué, el túnel de sombras por el cual caminaba ha venido a desembocar justo ahí: frente a la casa de doña Batilde, que, sin ella, se convierte en el centro de la noche, en el vórtice del remolino que amenaza succionarlo.

El aldabonazo resuena en múltiples ecos en las profundas soledades de los patios y es el propio don Juan Manuel el que ha salido del escritorio para abrirle la puerta, borroso, blandengue, grotesco en el viejo batón cruzado de alamares.

—¿Usted, Pérez? Pase..., pase...

Es insólita la llegada de Ernesto Pérez a tales horas, pero ello llena de alegre extrañeza el puntito de luz que bailotea en los ojos de don Juan Manuel, reflejando la llama de la vela.

Ernesto Pérez lo mira desasosegado. ¿Cómo va a justificar su presencia allí? ¿Qué pretexto aducir para explicar esa visita que altera todas las costumbres escrupulosamente respetadas?

¡Oh precisión magnífica la del sueño, donde todo está tenso, mantenido por ocultos pero inevitables porqués, que no es necesario explicar! Pero aquí, en esta medrosa vigilia, son imprescindibles las aclaraciones, urge inventar algo que satisfaga a este ser, cuya vacuidad aumenta el desasosiego y agrava la conciencia de una situación insostenible.

—Pase... Adelante... —invita obsequioso don Juan Manuel.

Ernesto Pérez avanza tras el rastro amarillo de la vela, entrando al escritorio. Don Juan Manuel coloca en la mesa la palmatoria y pliega los labios para apagar la llama, inutilizada por el firme resplandor circular de la lámpara.

—Siéntese, Pérez —dice con igual obsequiosidad.

Bien sabe Ernesto que toda explicación es imposible, que esa sonrisa difumada que lo invita tácitamente a reanudar su confidencia es una excitación a precipitarse abismo abajo.

En el escritorio hay un intolerable olor a aire viciado, a humedad, a naftalina. Bajo un fanal el reloj tiene un jadeo de pecho viejo. Don Juan Manuel acerca al costado de la mesa un absurdo sillón Savonarola, se instala, acomoda los pliegues de la bata, cruza los pies que deforman más aún las zapatillas de paño, posa una mano sobre el brazo del sillón y la otra queda como abandonada al borde de la mesa. Una vez más observa Ernesto Pérez que esa mano está percudida de manchas ocres, que la piel aparece ligeramente humedecida, con algo de viscoso y de repulsivamente vivo que le confiere el bordón de la vena.

¿Qué puede decir Ernesto Pérez? Nada. Y es lo que hace: calla, luchando con el violento impulso que lo empujaría de nuevo a la calle, lejos de esta atmósfera malsana, del blanco alucinador de la lámpara y de la inexpresividad del rostro de don Juan Manuel.

Hace un esfuerzo buscando afanoso los cabos de sus conversaciones de antes. Recuerda algo y quiere decir: "Convendrá usted en referencia a Portales..." Quiere decirlo, cree haberlo dicho, porque sus labios se han movido articulando cada palabra, pero su oído no percibe son alguno.

¡Más vale! ¿Para qué comedias? ¿Para qué obligarse a frases ajenas a la obsesión íntima? Lo único que él quisiera es borrar de la memoria de don Juan Manuel su confidencia. Eso es todo. La inutilidad de ese deseo aumenta su rencorosa inquietud. ¿Cómo seguirá viviendo frente a este hombre, obligado por la costumbre a visitas cotidianas, a horas de plática? Sabe que nunca podrán reanudarse las amables discusiones. Que estarán obligados a soportarse como ahora: él, angustiado y silencioso, resignado don Juan Manuel, pero no desesperanzado, porque aún aguarda subconscientemente, y aguardará siempre, que otro desborde emocional le entregue nuevos detalles de su doble vida. Porque eso es lo que espera con la cara vacía, abiertos los ojos que no parpadean, asquerosamente relajado: que él, él, Ernesto Pérez, hombre, macho, le entregue los secretos de su vida recóndita, muestre detalles, los más íntimos, los guardados con cautela mayor, para regocijarse en ellos delictuosamente, repugnantemente gozando a través de él parte de la existencia que le está negada.

La mano de don Juan Manuel que descansa en la mesa se mueve como deslizándose por la madera lustrosa hasta alcanzar el secante, un dedo se alza y da impulso a la comba que se balancea, cada vez con más prisa, desordenadamente, hasta caer al suelo con un ruido que la resonancia de la casa de madera hace estruendoso. Con trabajo don Juan Manuel se pone de pie y con no menos lento trabajo se inclina a recogerlo.

Ernesto Pérez, que también se ha puesto de pie, mira de súbito sus manos, sus manos fuertes, bien formadas, dispuestas a servir, ligeramente velludas. Son sus manos, sus manos de "él". ¿De "él"? Hacia la muñeca se espesa el vello, parecería que lo humano terminara debajo de las mangas, que la fiera se mantuviera agazapada debajo de las mangas. ¿Pero es que son sus manos, sus manos de "él", estas que engarabitadas y feroces se dirigen resueltas hacia el cuello indefenso de don Juan Manuel, que continúa agachado, sin advertir la amenaza de su actitud?

Justamente entonces siente Ernesto Pérez que algo se adhiere a una de sus piernas. En su estado de tensa sobreexcitación, de actuar movido por fuerzas incontrolables, piensa en la socorrida imagen de la mano del destino que a tientas busca su persona, trabando la acción que está a punto de realizar.

Desvía los ojos para buscar la causa de lo que siente y halla dos fosforescencias verdosas que lo miran desde el fondo de los siglos, y ascienden de las sombras del piso. Es el gato de don Juan Manuel que se hace presente buscando una caricia.

Todo esto ha sucedido en una porción de segundo, pero en esa mínima parcela han cabido la muerte y la resurrección, porque don Juan Manuel ha tenido tiempo de alzar el rostro y advertir el garabato fatal de los dedos detenidos, que ensayaban la forma de su cuello. Roto el sortilegio, las manos de Ernesto Pérez, desamparadas del impulso que las moviera, descienden lentas, aflojadas, caen hacia la sombra, parecen alargarse hasta llegar al cuerpo del gato, acariciarlo y provocar su ronroneo feliz. Ernesto siente que ese contacto lo hace recuperar sus manos, las suyas verdaderas, sobre las cuales, calzadas como un guante, acaban de actuar otras terribles y desconocidas. Son sus manos suyas, de "él", cuya recuperación lo provee de un estado de felicidad vegetativa. Lo que se dirá después, lo que se hará después no tiene importancia: el preciso instante que vive posee la certidumbre del aire que reaviva al ahogado.

Don Juan Manuel lo mira, y en su sonrisa, que es un rictus que pudo haberse eternizado, hay una comprensión cabal de cuanto ha sucedido, de todo lo que iba a suceder. Esa sonrisa parece transparentar la sonrisa perenne con que la muerte se burla desde adentro de cada ser humano, en su propia calavera oculta.

Pausado se endereza don Juan Manuel con torpeza de reumático. Los dos hombres se miran y Ernesto Pérez experimenta un absurdo alivio al adivinar que toda explicación es innecesaria. Se miran al fondo de los ojos, con tal intensidad, sin piedad y sin odio, en un silencio tan profundo, que por él pueden circular soterradas y tácitas las palabras con que se están devolviendo mutuamente sus confidencias, readquiriendo sus secretos cuya trasfusión advierten ahora mortal, sorteando la violencia y regresando a los habituales planos innocuos.

La escena ha durado unos segundos que ya han sido consumidos por la voracidad de la lámpara, insaciables de intimidades. Ernesto Pérez se vuelve hacia la puerta y desde ella insinúa un vago gesto de adiós, al que responde la acuosa sonrisa que aún persiste sobre el rostro de don Juan Manuel.

Lo que dirá después, lo que hará después no tiene importancia. Está viviendo una maravillosa pausa. La calle lo anega en su frescor, en su límpida y limitada exactitud. Las estrellas en las inconmovibles constelaciones australes siguen tachonando destinos. Los árboles enraízan sus ramazones en la infinita piedad de la noche. El canto de un insecto prende su hilván perdurable, uniéndose a todas las noches posibles. Las calles han reanudado su rumbo inmutable, porque el pueblo todo regresa a la certidumbre de siempre.

Ernesto Pérez respira hondo, reconfortado por los límites que le marca su cuerpo. El obscuro laberinto del túnel que recorriera ha desaparecido. Cruza la plaza y va derecho a su hogar. El "otro" no entrará allí, porque ni siquiera está agazapado en el fondo de sí mismo. Tiene la sensación de haberse liberado de él. Sacude la cabeza con un repetido gesto de negación. Está libre, alivianado hasta del peso del recuerdo.

Abre la puerta y entra a la casa con el ánimo puro, dueño de su persona. María Soledad levanta los ojos de la novela que lee, y con un gesto mimoso presenta la mejilla a su beso de casta terneza. Sigue al escritorio, y Solita, que lo mira pasar por la galería, en que juega, lo sitúa inmediatamente a la cabeza de un cortejo vencedor. Tan gallardo va, tan aplomado. Porque ella es en esos momentos una cristiana cautiva a la que guardan feos "eunucos" —¿qué querrá decir esta palabra?; tendrá mañana que ingeniarse para verlo en el diccionario grande— y a la que vienen a salvar los Caballeros de Malta. Su padre es el Gran Maestre de los Caballeros de Malta, tan gentil, tan "de veras".

Sí, su padre es "de veras". Esta inesperada afirmación le produce tal sorpresa que se queda en suspenso, olvidada del juego. Y sigue reflexionando que por primera vez halla que su padre es "de veras", lo mismo que la mamá, tanto como la Mademoiselle y aun que "Don Genaro" y el "Togo".

19

Doña Batilde ha empleado esta mañana su método para hacer que las cosas no se olviden; de ello dan cabal testimonio los ramalazos sanguinolentos que cruzan las piernas de las "chinitas dadas". A María Ignacia le ha tocado la peor parte, porque en medio del sueño no sintió la estridente orden de la campanilla, ni las no más templadas voces de la patrona, y mientras Lucila y Josefa se vestían despavoridas a toda prisa, ella se quedó en su jergón, en rosca como un animalito, abandonada al furor del rebenque cuando doña Batilde la descubrió aún durmiendo.

Andan las tres sigilosas por la casa, vacías a todo lo que no sea la identificación de sus pensamientos con los mandatos de doña Batilde, que les ocupan de sol a sol el tiempo, mecanizadas, lúcidas, limpias por el terror de toda rebeldía, de la innata torpeza, de la distracción perezosa, del cansancio y del hambre, reducidas a ordenados reflejos que producen movimientos previstos a horario fijo.

Doña Batilde ha llegado la noche anterior de la capital. Nadie la sintió, que a esa hora, por un atraso, superior al normal, cuando el tren desfondó las sombras con sus jadeos finales, el pueblo y sus habitantes estaban dormidos. Don Juan Manuel fue el primero en verla, apenas el alba dejó asomar esa luz para espectros que aprovechan los moribundos para irse. Había pasado la noche sin acostarse, batallando con el asma que le ponía silbos de angustia en el pecho, con la alucinada persistencia de la doble imagen de unas manos dibujando tenaces una amenaza, sin ánimo para moverse del sillón donde se dejara caer tras la partida de Ernesto Pérez. Abollado fuelle viejo, lleno de jadeo, murmurándole implacable la desolación lo vano de su vida, con la que estaba si no conforme, por lo menos tranquilo en la resultante de una suma de negaciones, hasta que la inoportuna confidencia, el desgraciado afán de confesión, que al iniciarse pareció el comienzo de una increíble amistad, le convirtiera al posible amigo en un enemigo capaz de aniquilarlo. Si al menos ese odio pudiera fundamentar una certidumbre, pero sólo acrecienta su sensación de pesadilla. Se queda a ratos traspuesto, pero siempre con la angustia del ahogo y el peso latente de una violencia desatada sobre sí, cuando la puerta se abre para dar paso a doña Batilde, dura, con su ojo verde relumbroso de malignidad y la barbilla apuntando a lo alto su cifra de imperio. Don Juan Manuel tiene la certidumbre de que todo el resto, incluso su vecindad con la muerte, fue un sueño que se desvanece ante la terrible presencia, que esa semana de lluvias, de enconadas palabras, de dramáticos hechos, fueron simples escenas trazadas por el semidesvelo de una noche de crisis asmática, pizarra con dibujos de trasmundo que la mano eficazmente implacable de ella iba a borrar de golpe.

Y las borra.

—Podía preguntarme cómo me ha ido... —dice doña Batilde.

—¿Dónde? —interroga don Juan Manuel ingenuamente desde su limbo.

—Espero que en esta semana no se haya rematado —contesta volviéndose inquisidora a mirarlo.

—¡Ah! ¿Cómo le fue? —logra al fin farfullar.

—Exactamente como usted me dijo. Es usted muy vivo para adivinar esas cosas. Algunos de sus amigos que se "dignaron recibirme" me dieron

) 673 (

las mismas explicaciones que usted. Parece que todos se saben de memoria la lección. Los que "no se dignaron recibirme" me obligaron a largas antesalas, ni más ni menos que a una rota pilila, y en cuanto al Presidente, ni siquiera se molestó en contestarme una tarjeta que le escribí pidiéndole audiencia. Yo creía —¡vea si era tonta!— que la señora de don Juan Manuel de la Riestra tenía puerta franca en todas partes, porque don Juan Manuel de la Riestra era un gran personaje. Así son las cosas. Bueno. ¡Paciencia!

Habla con la voz obscurecida, llena de venenos, tirando sus desprecios como cuchillos. Solía en estas ocasiones don Juan Manuel sentir ese temblor por dentro, vibración dolorosa del último nerviecillo, hasta que en el pecho percutía un sordo latido, que repercutía en el bordón azulenco de la vena.

Nada de eso siente ahora, mirándola de hito en hito, con aquella su expresión sin sombra que tanto irritaba a Ernesto Pérez, y comprueba —no sin azoro— que aquellos días no han sido el producto de un mal sueño, sino que han sido hechos reales. Reales las manos de Ernesto Pérez. Las sigue viendo. Las verá ya siempre. ¿Y cómo hurtarse a la amenaza que esas manos significan? Porque ha visto palpitar en ellas un rencor para el cual el crimen no es una valla. Semejante certeza le produce un ahogo.

Doña Batilde, ignorándolo, apaga la lámpara, abre ventanas y puertas y reúne en el centro del escritorio los objetos más frágiles, preparando la habitación para el diario aseo que la rutina fija; pero es tan trabajoso el jadear de don Juan Manuel, tan de estertor agónico, que se vuelve a mirarlo, y la sorprenden lo gris de su rostro y la expresión que le empaña los ojos.

—También quedarse gastando luz toda la noche con sus libracos —rezonga—; vaya a acostarse un rato que sea. —Pero como ve que inútilmente pretende alzarse, se acerca sin prisa y lo sostiene hasta que logra ponerse de pie. Advierte que si lo abandona volverá a desplomarse, por lo que, sin asomo de ternura, pero eficiente y rápida, le ayuda a pasar a la otra pieza y a desvestirse, manejándolo como a un pelele, y lo recuesta sobre las almohadas en una posición que le permite respirar con más facilidad.

—Hombres de moledera... No sirven ni siquiera para tener salud —refunfuña entre dientes. Se asoma a la galería y grita—: ¡María Ignacia!...

Es ahora cuando cae en cuenta que ninguna de las tres "chinitas dadas" está en pie. Sacude frenética la campanilla, agarra el rebenque, y a la primera que aparece le cruza las pantorrillas con cuatro latigazos breves, certeros, sin que la muchachita huya, antes bien, se le acerca con mansedumbre de animalillo domesticado que reconoce su falta, y anhela recibir de inmediato el castigo, sin aumentarlo con rebeldías.

Esas "chinitas" —rezagos de la Colonia y que aún no han alcanzado la humilde dignidad de sirvientas— son hijas de inquilinos que creían proveerlas de un buen porvenir al entregárselas "dadas" a la patrona, lo que equivale a traspasarle la patria potestad. Y si la mama y el taita pueden molerlas a palos —¿quién pone eso en duda?—, ¿por qué no ha de poderlo doña Batilde, que les da "de un todo", aunque en ese mínimo "todo" esté sólo comprendido lo absolutamente indispensable para diferenciarse de un irracional?

Doña Batilde tiene sus ideas al respecto: acepta que se las den mayores de quince años, no quiere criaturas, que es más lo que estorban que lo que rinden. Pronto el rebenque las endereza y las enseña a desempeñarse, y en cuanto cumplen los dieciocho, las casa con algún mocetón, sin mayores consultas ni demoras, porque, según ella, pasada esa edad, se "alzan" y no quiere "quiltreríos". La casa, le regala una marquesa y un arcón con su escaso hatillo, y de inmediato aparece a reemplazarla otra "chinita", con los mismos ojos abismados en idéntico azoro, igual piel morena de cantarito de greda y anchos pies silentes, nuevo soporte efímero de una servidumbre de siglos. Otra "chinita para amansar", como ella dice.

Aplica su método con rara perfección: ha logrado que no griten ni sollocen, lo que quita al castigo todo aspecto inhumano para convertirlo en simple artificio técnico. La sangre india da esa grandeza en la sumisión. Sólo María Ignacia a veces lanza un agudo chillido, pero es antes de que el rebenque la alcance; después, como las otras, sabe constreñir las lágrimas para que corran despaciosas hasta las comisuras de la boca, donde las enjuga el pañuelo de yerbas, porque llanto y ritmo de trabajo son uno sólo, y no es cosa de manchar los pisos ni los damascos ni los embozos ni las caobas, multiplicando castigos.

Esa semana sin miedos ha aflojado las clavijas de la disciplina y hay que templarlas de nuevo con el rebenque. Cuando doña Batilde vuelve a la pieza de don Juan Manuel, oye una voz —a nadie sorprende tanto como a quien la dice—, que con cortés decisión indica:

—Batilde, no debía pegarles tanto. Al fin son unas chiquillas...

—Creo que no le vendrían mal unos rebencazos a usted también. A usted y a todo su famoso partido. ¡Faltaba más!

Increíblemente la voz insiste:

—Son unas chiquillas, Batilde. Enséñeles sin violencia. Son dóciles, aprenderían lo mismo y, en vez de tenerle miedo, la querrían.

—¡Bueno! —exclama doña Batilde, de una pieza en el centro del cuarto, mirándolo con su ojo verde parpadeante en su desconcierto—. La verdad es que creo que de veras se ha rematado. ¿Le duele algo?

—Bien no me siento nunca, Batilde. Eso lo sabe usted de más. Pero no tiene importancia...

Es curioso todo esto que pasa. Que esté incorporado en su cama, a esas horas, hablando a doña Batilde sin recelos ni reservas, como a una amiga menor que necesita consejos. ¿Qué ha pasado súbitamente en él? ¿Es la proximidad de aquella certidumbre de muerte que en efluvios le llegara desde las engarabitadas manos de Ernesto Pérez la que lo ha colocado más allá de todo, al otro lado de cualquier temor, en una zona desde la que se contempla a sí mismo con desasimiento de su ser, objetivamente, comprendiendo a cada criatura humana, fibra por fibra, hasta su más íntima y mínima porción?

¡Pobrecita Batilde, a quien la vida le escamoteara su destino más precioso! Vagamente piensa en las tres Araujo. Las imágenes se superponen, originando una visión de aquelarre, tricéfala, en la que la solteronería también se encona en una ridiculez sin motivo. Pero Batilde no es la doncella mantenida incólume por indiferencia del hombre, por falta total de señuelo que lo atrajera. Es algo mil veces peor: la doncellez mantenida y custodiada por el esposo que no puede transformarla en mujer y que, en consecuencia, acabará convirtiéndola en monstruo. Nunca hasta ahora vio con tal lucidez el drama íntimo de su mujer. —¡Qué irrisión aquel "su" y aquel "mujer"!— Hasta ahora ha visto y se ha condolido únicamente de su drama propio, mimándolo acaso con la secreta complacencia de una llaga inconfesable. Pero su drama es en verdad sólo la ausencia de un drama; le duele un hueco, como el que deja la muela arrancada en la sangrienta encía, a la que la lengua se obstina en cubrir con su caricia torpe. ¿Cómo ha sobrellevado ella la inquietud de su sangre, los deseos de su vitalidad, el continuado sabor de su fracaso injusto, porque es de ella sin serlo, sin merecerlo? ¿Sentiría acaso la llamada urgente del sexo? ¿La turbaría obscuramente la presencia de algún hombre? ¡Pobrecita! Mira el cuerpo de recia perfección que la madurez no logra deformar. El perfil fino, lo relumbroso de los ojos, y el pelo en cuya altivez de corona, la rebeldía de los ricillos son una persistencia de la gracia. ¡Pobrecita!

—Voy a darle sus gotas —dice al fin doña Batilde, sumando hechos y palabras, porque lo juzga en verdad muy enfermo, dado el evidente desvarío de sus últimas frases.

—Gracias, Batilde. Ya pasó la crisis. No la de ahora, no. Creo que ha durado años. Pero ya pasó, se lo aseguro. ¿Por qué no se sienta? Sería bueno que conversáramos un poco. ¡Hace tantos años que no hablamos! A ver, sea dije. Dígame algo del puente —insiste en el ademán de señalar la silla.

Claro que no acepta la insinuación. Sigue mirándolo, pensando una sola palabra: "rematado". Pero la otra palabra mágica: "puente", la hace ponerse de perfil y lanzar como proyectiles las palabras, separadas unas de otras, poniéndoles comillas a los vocablos en la intención maligna:

—Creen que en un año "estará" terminado. O antes. Lo que vale decir que hay que "apurarse" para vender "todo".

—¿Todo? ¿Qué todo?

—Todo lo que sea vendible, lo que compre el primero que haga una oferta. Puede ser que los precios se mantengan unos tres o cuatro meses.

—¿Y piensa vender casa por casa, sitio por sitio?

—Todo. Al tiro me voy a hablar con Mandujano para darle instrucciones. Desde luego que le venda al gringo Murray la bodega y a Severino Sordo el almacén y la casa. Había también otra oferta de los de Nilahue para los galpones nuevos. Claro que ofrecían una porquería. Pero no es hora de hacer dengues...

—Y una vez que venda todo, si es que lo vende, ¿qué piensa hacer?

—Con lo que saque de esto, ir comprando más tierras —parece reconcentrarse en algo y, revolviendo adentro el rejalgar de tantos desengaños, agrega—: Es lo único que no traiciona...

—¡Pobre Batilde! —piensa en voz alta don Juan Manuel—. En verdad la vida no ha sido buena con usted... ¡Pobrecita!

Se vuelve iracunda ante la ternura que se le ocurre viscosa al contacto de su dureza:

—No tiene por qué compadecerme. No quiero ni necesito lástimas. ¿Pobrecita, por qué? Tengo lo que quiero: soy señora y millonaria. Eso no me lo puede quitar nadie. Ni usted, ni sus amigotes, ni su partido de porra. Nadie. Y me basta y me sobra.

Don Juan Manuel siente que esa ira no lo amedrenta. Queda esperando que le tiemblen los nervios, mira la mano, pero la vena hinchada no marca el compás de la angustia. No. No siente nada. Tal vez un poco de opresión, pero eso es el asma. ¡Lo de siempre! El aire que se queda atascado sin lograr adentrarse en los pulmones, y el corazón pesándole en el centro del pecho. Ahogo. Pequeño dolor. Una cierta congoja. Todo ello ya atemperado por la desgastadora costumbre. Recuerda las manos de Ernesto Pérez. ¿Qué sería lo que las detuvo a tiempo? ¿Qué hubiera sucedido si se hubiesen ceñido a su cuello? Otra vida rota, increíblemente rota, destrozada en su perfección: la María Soledad adorable y pueril, la Solita con su atolondramiento que ahora en esta lucidez inesperada comprende casi como ella misma, todo lo que el buen nombre, la educación, las condiciones naturales, la fortuna, han logrado en feliz coincidencia, pudo haberse desbaratado de golpe en un derrumbe que lo hubiera arrojado de pronto entre los réprobos y los criminales. ¡Pobre Ernesto Pérez! Don Juan Manuel se siente como si a la vez hubiese sido presunta víctima y presunto victimario, y casi le duele más por el último la posibilidad del desastre.

Doña Batilde cuenta las gotas que echa en el vaso correspondiente a la botella de velador. Sale en busca de una cucharilla para revolverlas, y al regresar ve que don Juan Manuel la mira, incorporado en los almohadones y hablándole con una media voz tierna, prosiguiendo su charla, siempre afelpada de intimidad:

—Me daría una verdadera alegría la seguridad de que usted es feliz por dentro, bien sinceramente, con su señorío y sus millones. Porque me siento harto triste pensando que por mi culpa puede ser desgraciada.

—¿Yo? —lo mira sostenidamente, repasando sus facciones, comprobando que cada una de ellas sea idéntica a como las ha conocido siempre a través de los años. ¡Lo que falta es que ahora este viejo se vaya a poner demente y le dé por hablar leseras y que tras hablarlas, las haga, como pasó con el padre de Pedro Pablo Guzmán!

Con los quebraderos de cabeza que tiene ella y ahora la posibilidad de este otro... Lo mira incorporarse, poner una mano bajo la barbilla para evitar gotas y tomar el remedio parsimoniosamente. Cuando termina le devuelve el vaso, sonriéndole amistoso; se acomoda de nuevo en los almohadones, cruza las manos sobre el vientre con placidez monacal, y comienza a girar alternativamente los pulgares, uno sobre otro. ¡Bueno!

—Porque muchas veces he pensado... —alcanza a decir.

—Mire, De la Riestra, lo mejor es que trate de agarrar sueño. Ha pasado una mala noche y eso lo tiene nervioso. Le voy a entornar los postigos. Trate de dormir y cuando despierte, no se levante, toque la campanilla para que venga alguna de las chinitas y lo atienda. Yo voy al escritorio. Ya está: cierre los ojos, verá cómo el sueño le quita todos los males. Aquí le dejo la campanilla...

"¡Pobre mujer! ¡Bueno!, como ella dice siempre. Bueno." La observa trajinar por la pieza, mirarlo una vez más con su ojo brilloso, aminorada la dureza por una pizca de inquietud, y salir sigilosamente.

Remueve los hombros, en procura de mayor comodidad en las almohadas. Es agradable esta habitación, así, medio a obscuras, con la puerta entreabierta que da al escritorio, que a su vez da a la galería y deja entrar rachas menores de trinos y aromas. Ve al gato que avanza paso a paso en sus botitas de terciopelo, detenerse, husmear, sentarse y levantar hacia él sus ojos dorados. Lo llama, instándolo a subir. Claro que eso no entra en el programa de Batilde, ni le gusta, pero ahora todo es distinto. "Michingo", capado, lucio, ronroneante, con sueño, con gula, con pereza acrecentada a cambio del otro pecado capital que le está prohibido. Como él. ¡Qué! No. El gato, al fin, fue gato alguna vez, mientras que él... Le rasca una oreja. El ronroneo sube en hervores. Le rasca la otra oreja. Y se sorprende sonriendo al pensar que tal vez, en lo futuro, Batilde le rascará las orejas a él, para ver si así "agarra sueño".

Ernesto Pérez. Sus confidencias. Sus manos. Batilde. El mismo. ¿Qué es todo eso? Algo que está en otra existencia, que alguna vez él ha vivido y de lo que le queda a través del recuerdo una creciente misericordia comprensiva, con la que unge a todo de perdón.

20

—Es lo mismo que haber hecho girar el estereoscopio, después de haberlo tenido durante años fijo en una vista en que estuvieran la plaza, doña Batilde, el puente, De la Riestra, las plumas de la coronela, los bigotes del gobernador, los Smith, y sus misterios, Paca Cueto andando por las cornisas, Severino y la Mademoiselle entre dos angelitos mofletudos con carcaj y todo, la lluvia y el viento y el humo, y más lluvia encima para variar, y de repente mueves el aparato, cambia el cuadro, o mejor, se pone a girar vertiginosamente, y ahora veo todos los caminos del mundo, todos los paisajes, los trenes, los vapores y Madrid y París y Londres y Bruselas... ¡Te adoro! No sé cómo decírtelo, pero te adoro. Quisiera inventar palabras, porque decir "te adoro" es poco y tonto. Quisiera decirte algo nuevo. Pero no se me ocurre nada. Tú me entiendes, ¿verdad?

Ernesto Pérez sonríe casi a pesar suyo, un poco anhelante y acaso con miedo ante esta reacción de alocada dicha que ha desatado en María Soledad.

Porque otra vez Solita, al filo del alba, ha estremecido la casa dormida con los gritos de: "¡No te vayas, no te vayas!", que revela su desesperación ante la inminencia de perder a la Mademoiselle; porque las horas que hasta ese momento él ha pasado en vela, estupefacto ante su propia conciencia, mirándose actuar desde que saliera de casa hasta su regreso, desde que saliera como un hombre honesto hasta que regresara aparentando ser un hombre honesto, pero sabiéndose un criminal fracasado por obra de la casualidad; porque su mañana ha sido de desazón y análisis del encadenamiento de hechos acontecidos en esa semana de su vida, encrucijada en que el destino le pusiera tras vendarle los ojos, con la obligación de encontrar el camino que conduce a una clara existencia; porque cada llamado del timbre tiene un particularísimo repiqueteo que parece el anuncio de don Juan Manuel, y cada silueta parece también prefigurar su presencia, y no sabe cómo abordará el inevitable instante en que han de hallarse, ya que su mano no podrá tenderse a la otra blanda y humedecida, ni hallará en su voz inflexiones capaces de explicar lo inexplicable; porque los dedos se le envaran al querer escribir unas letras, que de antemano sabe que serán garabatos ilegibles en el papel;

porque su existencia no podrá estar marcada por los mismos relojes — ¡esos relojes!, ¡tantos relojes!, ¡todos los relojes marcando al mismo tiempo las mismas horas!—, sino por un dislocado entrecruzamiento de tictacs desacordes, tironeando del tiempo hasta descoyuntarlo; porque será imposible que en adelante las nueve sean las horas en que María Soledad, Solita y él marchen a través de la plaza alumbrados por el farol que alza Bartolo; porque al día siguiente las nueve —esas nueve de los otros— coincidirán con su desasosegada duración, y entonces don Juan Manuel y doña Batilde cruzarán la plaza, porque no es posible, no, no, no es posible —quién pregunta: "¿Decías algo, Ernesto?" No, él no ha dicho nada, pasea por la galería nada más—, porque no es posible que toda su vida no haya tenido otro objeto que traerlo a esta encrucijada, al centro de este laberinto, y, sobre todo, porque la desesperación le atiranta los nervios hasta estallar, se arranca la venda de los ojos y con desesperada percepción de condenado, sabiendo que en el orientarse le va la vida, analiza las frías paredes de su celda, buscando el resquicio que abre a una cierta posibilidad de luz. Entonces coloca una máscara más que disfrace, no ya su rostro irreconocible, sino a sus otras habituales máscaras y dice:

—Pequeña, creo que te voy a dar una feliz sorpresa. Lo he estado pensando y estudiando detalladamente desde hace tiempo y ya es hora de comunicártelo: nos vamos. ¿Qué te parece un viaje a Europa? Te lo había prometido para cuando la niña fuera mayorcita, para que le resultara provechoso, pero ahora me parece oportuno adelantarlo.

—¿Irnos? —salta María Soledad, súbitamente iluminada—. ¿Irnos a Europa? Corazón, ¡pero si eso es una gloria! ¿Irnos? —y de repente inquieta, repasándole con la vista lo que ella juzga su rostro—. ¿No es una broma? ¿No me lo dices para darme una ilusión que me haga fantasear por un tiempo? ¿Me lo dices de veras?

Se deja sondear por aquellos ojos de tan absoluta inocencia que traspasan los suyos, la deja alzarse apegándose a su cuerpo, ponerse en puntas de pies y orlarle la cara con las manos de bello diseño antiguo, manos expresivas y tiernas como sólo se ven en los cuadros de Leonardo, más angélicamente sonrientes que los rostros, y, de repente, la mira ponerse a brincar como una niña, y palmotear, y besarlo, y girar sobre sí misma, y volverlo a besar entre palabras perdidas una de otra, y que sólo mucho después se hallan entre sí y se colocan en ringla para desfilar al son de una fanfarria de pífanos y cobres.

Ni siquiera ha sido necesario asegurarle que es cierto, que no es una broma. Ella ha visto la verdad en su cara, la única verdad accesible a su comprensión, porque su mujer sólo puede ver las simples verdades que a él le son favorables, y con su suma ha ido diseñando un posible rostro que es para ella el perfil de la dicha. Leer que la quiere entrañablemente.

Leer que su mayor felicidad es estar a su vera mirándola, mirándola, en silencio, atrayéndola a su abrazo que tiene la forma de su cuerpo, rodeándola de terneza, queriéndola para él, sólo para él, feliz él, feliz ella. Sólo eso puede leer María Soledad. ¡Dios mío! ¡Dios mío! ¡Cómo le destrozan las carnes, cómo le atenazan las inconfesables auténticas facciones de su rostro, la serie de máscaras que lo ocultan deformándolo!

Pero María Soledad le presta generosamente el rostro que su amor le ha inventado, y que le permite vivir entre los hombres "decentes", como caballero "cumplido", que hace posible que Solita se le acerque, aunque sea con esa especie de tácita desconfianza que también descubre en "Don Genaro" y el "Togo", insobornables ante las apariencias.

Se palpa la cara con mano sorprendida de no hallar sino la piel suavizada por la navaja. Repara que este gesto de cerciorarse de su rostro se le ha hecho familiar en los días últimos. ¿Haría él antes ese gesto? Rompe el rosario de gozos de María Soledad para preguntarle:

—¿Siempre hago yo este gesto? —y lo repite parsimoniosamente, para evocar lejanas memorias, mirándose en el desvaído remanso del espejo, pidiéndole otro testimonio.

—¿Ese gesto? Sí, tal vez... Pero ¿qué importa? Lo único que importa ahora es que nos vamos. ¡Nos vamos! Se lo gritaría a todo el mundo. Hay que decírselo a Solita... ¡Nos vamos! Le diremos que nos vamos con la Mademoiselle —¡pobrecilla!—, así se tranquilizará, y que nos llevamos a "Don Genaro", al "Togo" y al "Mampato" y a Bartolo también. Seremos ni más ni menos que una compañía de circo, con animales y todo. ¡Solita!... ¡Solita!...

Su aparición no es repentina y tempestuosa como de costumbre. Solita llega desganada, traída casi a rastras por el llamado materno. ¿Es que de nuevo van a repetirle que debe estar muy contenta porque la Mademoiselle se casa con un hombre que la quiere mucho y con el cual, como las princesas de los cuentos, va a ser muy feliz, vivirá muchos años y tendrá muchos hijos? Ella también se lo dice y a ratos logra conformarse, y a veces hasta olvida la existencia de Severino y el proyectado matrimonio. Pero nunca le ha gustado a ella el final de los cuentos. Los cuentos no deberían acabar nunca. Eso de que las princesas se casaron y fueron muy felices se dice al final, porque el que cuenta el cuento ya tiene sueño y se va a dormir y de algún modo hay que terminar, así como el "Este era" se dice al principio, porque también de algún modo hay que comenzar. Pero a Solita no le gusta ni el "éste era" que comienza un nuevo cuento en su vida, ni el "se casaron y fueron muy felices". La felicidad está en que sigan pasando "cosas", ella ya sabe qué "cosas", sin interrupción, y cuando advierte la posibilidad del final, sabe también que eso le pondrá el corazón pesado, y por más que no quiera, se le desbordará en lágrimas. El "Togo" entonces la mira, olfatea desconfiado el aire, se sienta y sólo cuando estira el hocico y empieza a modular su tristeza porque Solita está triste, la niña reacciona, lo abraza, lo deja lamer su cara, limpiar sus lagrimones, gemir inaudiblemente, temblar de amor y de desesperada impotencia, porque le está vedada toda otra forma de expresarse.

Entonces se cambian los papeles y Solita tiene que llamarlo a razones, explicarle muchas cosas, distraerlo, obligarlo al juego, repitiendo exactamente lo que su madre y la Mademoiselle hacen con ella para conformarla, y todo con el mismo poco éxito.

"Don Genaro" es menos expresivo, pero Solita sabe que, aunque más encerrado dentro de sí mismo, él también lo ha comprendido todo. Basta ver cómo la sigue y cómo reconcentra en ella su mirada, apenas interrumpida por instantáneos guiños.

El "Mampato" es el que no sabe nada. ¡El pobre! Nunca ha sido muy enterado. A él le basta con comer azúcar, frotarse los belfos contra su manga y trotar muy contento cuando salen de paseo. Claro que cuando salen de paseo, si fuera por él, preferiría retozar, dar botes, alzarse en corvetas, gambetearle a su propia sombra y relinchar con todos sus feos dientes al aire, esos dientes amarillosos que a Solita no le hacen nada de gracia. Pero el "Mampato", como mampato bien educado que es, se aguanta las ganas, silencia sus relinchos y trota muy sí señor con su patroncita sobre los lomos.

La gata tampoco sabe nada. Bastante tiene la pobrecilla con la preocupación de los gatucos que empiezan a abrir los ojos y están descubriendo el mundo, con una jovial imprudencia que a veces los saca rodando del canasto, lo que llega a poner fuera de sí a la propia Solita.

En cuanto a Bartolo. ¡Bartolo! Sí, ¡bueno está Bartolo! A diez metros apesta. Y aunque jure por todas las ánimas del purgatorio que lo que tiene es lepidia, no hay tal, sino una borrachera mayúscula que se agarró en una de las noches de lluvia en compañía de los peones del aserradero, y que aún no se le espanta. ¡Bartolo! ¡Borrachón! Y entonces le da flojera y no cuida al "Mampato".

—Venga, amor de su mamita. Siéntese aquí en mis rodillas. ¿Querrías que nos fuéramos a Europa?

—¿Con la Mademoiselle? —estalla la interrogante respuesta transida de esperanza.

—Si no con la Mademoiselle, a ver a la Mademoiselle. Iríamos en un barco grandote, con tres chimeneas muy echadas para atrás, que dejarían una estela interminable de humo, y yo llevaría una gorra de *jockey* con una gasa color malva en la cabeza, y tú llevarías una boina azul con un pompón rojo. Y veríamos la torre Eiffel, y el Támesis, y la Puerta del Sol, y los osos de Berna, y andaríamos en tren, así, muy repantigadas, y a la gente que viéramos por los caminos les diríamos adiós con la mano o con el pañuelo. ¿No te gusta, corazón?

Solita la mira desesperanzada porque el viaje no es con la Mademoiselle, pero, lentamente, la alegría, la jocundidad de su madre, su alboroto de gestos, de mimos, la van contagiando. Cierto que es un contagio con intermitencias, con preguntas y respuestas, camino en repecho que se hace tomando aliento de vez en cuando y no sin algunos resbalones hacia el punto de partida.

—E iríamos a Venecia y veríamos el Puente de los Suspiros, y andaríamos en góndola y nos haríamos un retrato con las palomas de San Marcos para mandárselo a doña Batilde.

—¿Y veríamos al Dux?

—No, encanto; ya no hay más Dux.

—¿Y por qué no hay Dux y hay góndolas?

No siempre es del todo fácil aclarar este tipo de disyuntivas. Mejor es pasarlas por alto y volar con la imaginación a Nápoles, con su golfo bordeado de naranjos y el Vesubio echando su interminable humo. Pero hay preguntas aún más inquietantes:

—¿Y con quién se quedan "Don Genaro", el "Togo" y el "Mampato"?

—El papá está viendo si podemos llevarlos. Porque para eso hay que pedirle un permiso especial al capitán del barco y el papá verá la manera de conseguirlo. Ellos, es claro, no van a sacarle mucho gusto al viaje y hasta es posible que prefirieran quedarse aquí esperándote, con Bartolo para cuidar al "Mampato", y la Clora, a "Don Genaro" y al "Togo". Tú sabes que Bartolo y la Clora quieren harto a tus amigos.

—Sí, sí —contesta Solita—, pero sería mejor llevarlos a todos. La Clora, ella los quiere siempre. Bartolo no los quiere siempre. Sí. Yo lo sé. A veces los quiere menos. Yo sé por qué lo digo. Por eso sería mejor llevarlos. Y lo mejor de todo sería irnos con la Mademoiselle, irnos en seguida y que después vaya Severino a casarse con ella... —su pequeño corazón desborda súbitamente de esperanza, al postergar el matrimonio hasta un más allá que no se percibe por lejano. Porque si la Mademoiselle se va con ellos y Severino se queda en Chile —¡quién sabe!—, bien puede volver a pasar lo mismo que pasó con el guardia alpino, porque a los grandes nadie los entiende, porque primero dicen que sí y luego dicen que no, y la Mademoiselle a lo mejor no se casa tampoco con Severino, y entonces será siempre para ella, lo mismo que lo son el papá y la mamá.

A María Soledad le sorprende la idea. A Ernesto Pérez le parece una inesperada tabla de salvación para apresurar el viaje, para irse sin admitir dilaciones, estúpidas demoras que impondría el casamiento de la Mademoiselle. Porque no la van a dejar en el pueblo, sin saber lo que contestan sus padres al pedido formulado por Severino. Esa gente tan llena de formulismos...

—Me parece muy bien. Hablaremos con la Mademoiselle y Severino. Solita tiene razón. Lo mejor, ya que lo hemos decidido, es irnos cuanto antes, y que en seguida se vaya Severino con su hermana y así la Mademoiselle podrá casarse en su propio hogar, con todas las ceremonias tradicionales. Esta tarde podemos plantearles el asunto a los dos —y se vuelve a la niña para agradecerle la idea salvadora, pero la sonrisa que acompaña esa mirada muere en el desplome de su boca. Solita lo está mirando con la expresión recelosa del animalillo que no confía en la mano que pretende acariciarlo, mientras se dice a sí misma, pasmada:

—Otra vez no es "de veras"...

21

Salió el viento caita al ruedo del cielo e inmediatamente aparecieron grandes nubes blancas, capotes abiertos que lo instaban a frenéticas corridas. Pero las nubes lo vencían siempre, aunque alguna se desvanecía en guedejas imposibles de distinguir entre su vellocino. Se lo oía jadear, ir de un extremo a otro, bramando su ira, levantando estelas terrosas cuando sus pezuñas doblaban los ángulos del pueblo. Una cabezada con sus cachitos nuevos y ya poderosos rompió los vidrios de una ventana, y de un farol cayó con estrépito la caperuza de hojalata. Las gentes alzaban los ojos un poco inquietos, pero pronto se daban cuenta de que todo no era sino broma sin riesgos mayores, apretaban la ropa al cuerpo, agachaban la cabeza para aguantar el envión, como si también ellas fueran a embestir, y seguían andando por las calles que ya el crepúsculo contagiaba de incertidumbre. Sofaldeó el viento a unas mocetonas que reían nerviosamente apresurando el paso —que era hacer más eficaz y ceñida la caricia—, confusas y enrojecidas como si mano de hombre las trajinara. Luego revolvió unas hojas, se mezcló a los niños, participó en sus juegos, moviendo los tejos con desenfadada maula.

Daba saltos el viento, abría un boquete en una nube, juntaba ésta sus jirones y cuando volvía hallaba otra vez el remendado capote que parecía nuevo con su cambiante color rosa y malva y violeta y fuego. Pero de repente, no se supo de dónde, llegó un tácito llamado congregador de fantasmas que las requería para otro sueño y, a su conjuro, huyeron todas las nubes y quedó dueño del espacio el azul de la noche, mientras el viento suelto y cansado de no hallar más compañeras de juego para su burla de enojos, un poco azorado con tanto puntito de estrella inalcanzable a sus fuerzas que le guiñaban su indiferencia burlona, dio un salto mayor, movió de un final topetazo la colgante muestra de alguna tienda, y traspuso el sangriento toril del horizonte.

Eso era fuera, donde la vida es áspera y alegremente cruel. Adentro, don Juan Manuel seguía en su cama con un montón de almohadas en la espalda, girando beatíficamente los pulgares uno en torno del otro, esperando las ráfagas de realidad que doña Batilde traía de pronto consigo arremolinadas. Era un dulce ejercicio adivinar y no ver la realidad, entresoñarla por los resquicios, mientras la luz iba disminuyendo en la habitación, comprobando en una plácida hiperestesia el encanto gradual con que la tarde matizaba los objetos, antes de diluirlos totalmente en la sombra, sentir cómo disminuían los ruidos familiares, anulándose el trajín de la calle, conteniéndose el resuello del vientecillo topeteador, observando que los viandantes, reducidos a imágenes de linterna mágica, abrían y cerraban un abanico en el cielo raso al proyectarse a través de la banderola entreabierta, acechando el sonido de sus pasos desde cuando eran casi inaudibles, clasificándolos, imponiéndoles su condición: "Vienen de la plaza y son de mujer que calza zapatos". "Son pasos de señor." O: "Es un hombre con ojotas que viene del poniente. Va un poco curadito el pobre". O: "Es el paco que hace su ronda".

Ordenó abrir la puerta del escritorio que daba a la galería, y a su vez todas las ventanas de la galería, y así, de la casa y del jardín, llegaban encalmados hasta su reducto, ruidos, voces, olores, cantos, perfumes. Sí, era posible que la realidad siguiera existiendo, y eso daba mayor felicidad al día pasado en la cama, relajados los músculos, tranquila la mente, como si también por ella hubiese pasado un breve ventarrón dispersador de añejos celajes apesadumbradores. Doña Batilde le hizo breves visitas, mirándolo fijo, para enterarse de "cómo seguía". Contaba "sus gotas", echaba una revisada para verificar que cada cosa estuviera en el centro exacto que ella le había fijado para siempre, arreglaba cualquier pequeño desafuero y preguntaba rápida:

—¿Cómo se siente?

Don Juan Manuel hacía un esfuerzo buscando en vano en alguna parte de su ser algo que justificara el abandono de su beatitud, y no encontrándolo, satisfecho con no encontrarlo, murmuraba apenas:

—Bien, Batilde. Muchas gracias. Es usted muy amable —añadía de súbito sonriendo.

—Espero que no será necesario llamar al doctor —aventuraba ella, inquieta por el mal síntoma de la sonrisa.

—Yo también lo espero, Batilde. Dígame, ¿qué novedades hay? ¿No quiere sentarse un ratito a conversar? —y agravaba los síntomas alarmantes acentuando la sonrisa y melificando la voz en una amable insinuación.

Doña Batilde se afirmaba cada vez más en los temores de su diagnóstico: "estaba rematado", porque esta manera de ser, esa desusada cordialidad, ese afán de charla, este absurdo empeño en querer darle consejos —él a ella, que era como si los ríos quisieran que sus aguas remontaran el cauce—, este afligirse porque no lo acompañaba un ratito, esta forma resuelta de entrar en la enfermedad y acomodarse en ella, tan conforme, todo le parecía signos más que sospechosos, pruebas casi evidentes de aquel mal por ella intuido: "Rematado", se me ha "rematado".

Don Juan Manuel descruzó las manos y giró el cuerpo para volverse a encender la luz, porque ya era noche cerrada y quería ver la hora. Pero a medio movimiento se arrepintió, y en vez de tomar los fósforos, alzó con gran tino la campanilla y la agitó tres veces en dirección al escritorio, quedándose tenso, con una tensión de la misma calidad que el sonido que volaba de la plata, deliciosamente ingenuo; tenso también cuando ese sonido se ablandó al diluirse en los confines recónditos de la casa, hasta que lentamente pareció cambiarse en los rumores que venían del interior, por el rápido roce de los pies de María Ignacia, convertida por orden de doña Batilde en su guardiana, entre enfermera y niñera.

Cuando llegó le dijo:

—Vea, hijita, ¿quiere ser dije y encender la lámpara del escritorio y traérmela? —hablaba casi sin jadeos, con una amabilidad en que la costumbre de todo un día ya dejaba traslucir un leve tono de mando.

—¿Su mercé quere que le traiga la lámpara? —preguntó María Ignacia con asombro, como si el patrón le pidiera la luna, porque jamás las lámparas, por orden expresa de doña Batilde, se movían de su sitio. Ni siquiera podía encenderlas nadie que no fuese ella misma, o a lo sumo don Juan Manuel, un poco por miedo a la torpeza de las chinitas y mucho por temor a un accidente que provocara un incendio.

—Sí. Encienda primero la vela de la palmatoria y después encienda la lámpara, y la trae para ponerla aquí. Quiero leer un rato hasta que llegue la señora.

Nunca en los ojos de redondo azabache de María Ignacia hubo tal atención, ni sus manos dieron testimonio de mayor prolijidad y cautela, que en ese trabajo, casi de ritual, que la empavorecía. Don Juan Manuel la miraba hacer, en escorzo la cabeza, con la que insinuaba de vez en cuando leves inclinaciones aprobatorias, hasta que la lámpara quedó instalada en su velador. Sonrió a María Ignacia, alentándola por su proeza.

—Ahora le sube un poquito la mecha. No ve: lo hizo todo muy bien. Cuando no se tiene susto, las cosas resultan mejor. Hay que tratar siempre de estar tranquila, y de creer que todo va a salir perfecto: las cosas se dan cuenta y nos ayudan cuando no les tenemos miedo.

María Ignacia sonrió también, tímida y fugaz, ligeramente temerosa de que le hablaran como a un ser humano, casi incómoda por ello.

—¿Su mercé no manda otra cosa?

—¿No ha venido nadie? —y se quedó sin respirar en espera de la respuesta, aunque descontaba cuál sería.

—No, su mercé. No ha venido naiden.

—Bien. Puede irse. Aunque no, no se vaya —aspiró hondo y agregó después—: No sé qué se ha hecho el gato. Búsquelo y me lo trae.

Volvió María Ignacia con el gato y lo posó sobre la cama, tan confusa su mente ante el repetido fallar de las leyes cotidianas, que ni siquiera acertó a formularse la pregunta de lo que sucedería cuando la patrona viera al gato sobre la colcha. Prosiguió don Juan Manuel:

—Ahora me trae un libro colorado, uno grandote que debe estar sobre el escritorio, al lado derecho. Usted sabe cuál es su mano derecha, ¿no? La de persignarse. Bueno, a ese lado debe estar el libro. Tráigamelo.

Cuando tuvo el libro abierto en la mano, en la página en que lo había sorprendido leyendo la noche antes Ernesto Pérez, cuando la luz fue exactamente la que necesitaba, cuando con la otra mano comenzó a rascar las orejas del gato, que se acomodó tendiéndose de costado y ronroneando placentero, despidió don Juan Manuel a María Ignacia y trató de enfrascarse en su historia. Pero el libro era pesado, materialmente incómodo para sostenerlo, y el brazo empezó a hormiguearle. Pensó entonces que le iba a ser imprescindible un atril de enfermo, y también una mesa de enfermo que le permitiera comer sin llenar la cama de migas hostiles.

Casi sin darse cuenta condicionaba todo su futuro a una hipotética enfermedad, hallando de súbito que doña Batilde, como siempre, le había marcado el rumbo para los días venideros. "Bueno", como ella decía. Estarse en la cama confortablemente, entre una atenta vigilancia de la servidumbre, con doña Batilde frenada al borde del "lecho del dolor" —el lugar común fluía solo—, sin desdenes ni combates, era justamente la solución, la única solución para asegurarse una inexistencia digna, sin explicaciones, con decoro, que le evitara el encuentro con Ernesto Pérez. Se sonrió y una pinta de malicia afloró en sus pupilas al recordar su voz jadeante —¡qué perfecto el ritmo del jadeo!—, la mano sobre el pecho, reteniendo algo que no intentaba dolerle allí, cuando le dijo a doña Batilde a medio día:

—Por favor, Batilde, me siento tan cansado... No crea que estoy muy enfermo, no, no quiero decir eso; pero me gustaría estar tranquilo, no recibir a nadie. Usted, que es tan buena, arreglará las cosas para que no me molesten con recados, ni menos con visitas.

—Muy bien, me parece muy bien. Yo voy a salir después del almuerzo. Alcanzaré a la estación a ver los carros que han cargado, pasaré al banco, haré unas cuantas diligencias y después iré a ver a los Pérez.

Esto último no lo oyó, no quiso oírlo don Juan Manuel, que pensando en otra cosa dijo:

—Se ve muy linda con ese cuellecito de encaje blanco —mirándola atentamente y con una amabilidad que la azoraba.

—¿Qué le ha dado por decir leseras? —rezongó—. ¿No se le ocurre otra?

—No es lesera, es que se ve muy linda con ese cuellecito. Debería comprarse otro, eso sí, Batilde. Días pasados vi uno muy gracioso donde la Madame.

No le contestó porque acababa de descubrir el contrabando del gato, e intentó agarrarlo por la piel del cogote, lo que hacía al "Michingo" bastante menos feliz que las rascadas tras las orejas. Pero don Juan Manuel se había aferrado al animal, defendiéndolo con insospechadas energías entre ahogados: "¡No, no, el gato es mío, quiero que esté en mi cama, que me haga compañía!", tan perfectamente hecha la escena, que doña Batilde, impresionada, se clavó en medio de su gesto, soltó al animal, se puso de perfil, se llamó a no contrariarlo, "porque podía ser peor", y se fue sin decirle otra cosa que un seco:

—Hasta luego.

Volvió a su lento devanar de necesidades inmediatas. Necesitaría un atril y una mesa. Además, que le hicieran unas chaquetas de moletón con las mangas bien largas y puño abotonado, para que el frío no colara brazos arriba. Necesitaba también una lámpara con una pantalla opaca, de bronce tal vez, como la que tenía en su escritorio Ernesto Pérez —¡a qué hora llegaría Batilde!—, para leer cómodamente sin que la luz le diera en los ojos. Se sonrió de nuevo. ¡Buena se iba a poner Batilde cuando le presentara su lista de compras! ¡Qué extraña manera la del destino al marcarle por tan torcida senda este nuevo rumbo! Repasaba hechos. Todo era inconcebible; más aún: inverosímil. Toda la realidad era inverosímil, empezando por él mismo, desde siempre. Sólo los sueños eran coherentes y ciertos.

Sintió los pasos rápidos de doña Batilde por la acera —pasos inconfundibles entre todos los pasos, aun más que su mismo rostro—, llegar a la casa, detenerse según sus inveterados hábitos a limpiarse los zapatos, casi hombrunos, en el limpiabarros metálico, abrir la mampara con su llavín, limpiarse de nuevo los zapatos en el felpudo, llamar a María Ignacia.

Entonces, independiente de su conciencia, su mano avanzó a colocarse sobre la otra, y un puntual amago de auténtico ahogo le subió del pecho ahuyentando a la inútil simulación. ¡La voz! La voz dramática, tremolada de obscuros tornasoles de ira, endurecida de mandatos impacientes, fija premonición de temporal, le llegaba con sordo retumbo de sismo. Le dio la impresión de haberse quedado sordo, porque sólo oía el propio vaivén de su sangre, y cuando doña Batilde entró en su pieza, mucho después de su voz, no había logrado aún librarse del terror. Apareció monumental en el traje de severas líneas talares, con parquedad de modelado jónico, precedida de un aura fría que lo aprisionó, ciñéndolo sobre la almohada con el sudario que crea una forma definitiva sobre el propio cuerpo, convirtiéndolo en la almendra de su muerta escultura.

—¿Cómo se siente?

—Bien, Batilde, muy bien —musitó.

—Entonces no veo por qué se ha quedado en cama. Cuando uno está enfermo de veras, se queda en cama; cuando está muy enfermo, se queda también en cama, y se muere.

—Sí, Batilde.

—Si está bien, como dice, me hará el favor de levantarse mañana a la hora de siempre y no seguir molestando con su flojera.

—Sí, Batilde.

¿Qué era lo que él iba a pedirle? ¡Ah! Sí: el atril, la mesa de enfermo y algo más..., ¿qué era? Desgraciado..., infeliz..., iluso...

—¿Para qué hizo traer la lámpara? ¿Para que la quiebre alguna de las chinas y tengamos incendio? Era lo único que me faltaba...

—Quise leer, Batilde...

—Podía haber aprovechado la luz del día. Como a usted no le importa el derroche... —Encendió la vela y se llevó la lámpara al escritorio, apagándola y llenando la habitación de un intolerable espeso olor, que se adhirió premioso a la garganta de don Juan Manuel, aumentando su ahogo.

Mientras respiraba entre jadeos y carrasperas, doña Batilde le había dado un fuerte palmazo —por ahora y por el que dejó de darle antes— al gato, que huyó despavorido; llevó el libro a la biblioteca, y después miró a don Juan Manuel como barrenándolo, queriendo espantar por inconveniente la idea de que estaba "rematado" que de nuevo le volvía, al sentirlo hipar balbuceando cada vez que lograba un respiro:

—No es nada... Estoy bien... No es nada...

La luz de la vela trazaba grotescos monigotes sobre las paredes. Le hizo beber la medicina. Se fue calmando el acceso de tos y al fin pudo explicar:

—Fue el humo de la lámpara, Batilde. Siempre me hace daño.

—Parece alfeñique... Como niña bonita... Que sí, que no, que tal vez, que quizá... ¡Moledera! Todos iguales. Mugres, eso son los hombres, todos. Incluso usted, si puede considerásele como hombre...

—Batilde...

—Sí, entiendo... ¡Pobrecito! Y ahora, para colmo, le ha dado por hacerse el merengue.

—¿No quiere decirme cómo le fue? —preguntó lastimero.

—¡Cómo me fue! ¿Cómo me fue? ¿Cómo quería que me fuera? Bien, divinamente bien —parecía regustar lo amargo de su fracaso, mascando con frenética lentitud las palabras, mordiendo las erres, silbando las eses, haciendo estallar la pe, como inicial de mala palabra—. Perfecto. Todo es perfecto. El gringo Murray contestó que no le interesaba la bodega, porque piensa irse cuanto antes para el sur. Lo mismo dijo Severino Sordo, que se casa con la Mademoiselle de los Pérez, y le traspasa el negocio al primer empleado para irse a España. Y los de Nilahue no quieren ni oir hablar de la bodega nueva. Y esto no es nada. Hay ya varios pedidos de rebaja en los arriendos, sobre todo de los almacenes y las tiendas, porque, según todos, el pueblo se va a la ruina en cuanto el puente se termine. ¿Entiende? Nadie quiere comprar. Nadie. Y no ponga esa cara. Ponga siquiera cara de que me oye.

—Sí, Batilde. La oigo.

—¿Y se da cuenta de lo que eso significa? Es también la ruina para nosotros.

—No hable así, Batilde. Aunque el pueblo de repente perdiera todo su valor, siempre nos quedan las tierras y eso representa millones.

—¿Así que a usted no le importa tener un montón de plata en las manos y que, de la noche a la mañana, desaparezca como sal y agua?

—El pueblo siempre valdrá algo; valdrá menos, Batilde, pero tendrá un precio.

—Usted puede mostrar esa conformidad porque no se molió los huesos y el alma para levantar el pueblo y cotizarlo, para hacerlo suyo, como es mío, mío; tan mío como si lo hubiera parido.

—¿Y los Pérez? —desvió don Juan Manuel, a quien la última palabra le pareció de pésimo agüero.

—¿Los Pérez? En su divina voladera, ahora que pierden también ellos una parte bastante grande de su fortuna, se van a Europa, para que "Solita no llore por las noches porque la Mademoiselle se casa con Severino Sordo". ¡Locos! Están completamente locos. María Soledad hablando de París y Londres y de trapos y perifollos. Y Ernesto, haciéndose el importante y el que a mal tiempo buena cara. En vez de pariente mío, parecería suyo. Ni hermanos mellizos que fueran. Tan descabellado uno como otro.

—¿Se van? ¿Cuándo se van?

Si doña Batilde lo mirara ahora, quedaría atónita ante el resplandor de gozo que irradia su fisonomía.

—Ya están punto menos que haciendo las maletas. Se van en seguida. Dejan la casa con la Clora y toda la servidumbre, para que cuide los animales y las flores. Y se van a la capital, para hacer a escape el resto de los preparativos. Parecen locos de remate. Ni más ni menos.

—Batilde... —La miró y calló arrepentido, porque pronto tuvo conciencia de que iba a preguntarle si "Ernesto no le dijo nada".

—¿Qué? —Lo miró a su vez inquisitiva antes de proseguir—: Parece que la Moraima también se va con sus niñocas. Todos no piensan más que en irse. Es como si la peste hubiera entrado en el pueblo —añadió con rencor.

—¿Nadie le preguntó por mí? —acertó a expresar en tímido balbuceo.

—¡Es claro! Un personaje tan importante... En el pueblo nadie vive ahora sabiendo que usted está enfermo. Tranquilícese. Nadie preguntó por usted. Salvo María Soledad, que lo hizo de puro bien educada nada más... Pero los de Nilahue van a saber quién es doña Batilde, eso sí. De ahora en adelante pagarán peaje, como cualquier bicho viviente, cuando quieran cruzar el fundo.

—Pero, Batilde, cada cual mira sus intereses...

—¡Mire quién habla! Mírenlo ahí flojeando, mientras el pueblo se nos hace humo. Pero yo, yo sabré impedir que se me haga humo entre las manos.

El reflejo trémulo de la llama de la vela no consiguió sino endurecer el metálico brillo verde de sus ojos.

22

La Moraima regresa de visitar a Paca Cueto. Sigilosamente amortiguados sus pasos por la goma de los tacones, con una capa hasta el borde de la falda y la toquilla protegiéndola del frío en la cabeza, avanza rápida, con su largo decidido paso, hacia el centro de la alta noche. Deja atrás la esquina de la botica y atraviesa a la acera de enfrente, bordeando el muro que rodea la casa de Ernesto Pérez, reconfortada y segura en esa obscuridad. Va distraída, contenta porque Paca Cueto está en plena convalecencia, si es que así puede llamársele a ese estado de aceptación de los hechos, nacido un poco de su compañía, nocturna para no alarmar las conveniencias sociales, de sus consejos, de esa repentina y secreta amistad que la vida no ha improvisado, y otro tanto de la actitud de Juan Antonio Méndez, que llega sin tapujos, en pleno día, a preguntar por ella entre ceremonioso y chacotero, llevándole alguna cosita "para darle al diente", que entrega a tía Catalina con un largo recado: "Y que se cuide mucho y que se lo pase pensando en los angelitos y que tiene que aliviarse cuantimás luego mejor".

No va tan distraída como para no sentir pasos que resuenan asordados y en una lejanía decreciente a medida que se acercan cautelosos. A esa hora, por la calle, por esa acera, le parece tan extraño que alguien circule que, casi sin reflexionar en ello, avanza unos pasos hasta meterse en el nicho que forma la puerta lateral del parque de Ernesto Pérez. Se cubre la cara con la toquilla con igual irreflexivo gesto. Los pasos avanzan con nerviosa presteza, como de puntillas. La Moraima piensa en algún marido que vuelve subrepticiamente a su casa. Piensa en Pedro Molina siguiendo al fin sus consejos —va a terminar por ser la consejera secreta de todo el pueblo, y esto le causa irónico regocijo— de salir por la noche a matar los recuerdos, enloquecedores entre los muros de la celda, y los siete pasos de su desesperación. Piensa en una aventurilla de chinita y mozo. En un enfermo. En un asaltante. En muchas otras posibilidades, porque la imaginación es tan frondosa y estéril como parca e inesperada la realidad. Se apega a la puerta, siente lo frío y húmedo del revestimiento de hierro y los estoperoles a su espalda, siente la sombra contra la que materialmente se estruja. Frente a ella pasa una figura irreconocible. ¿Un hombre con un abrigo hasta el suelo? ¿Una mujer con impermeable y la capucha echada? ¿Acaso el señor cura, que regresa de asistir a un moribundo?

Un olor llega a su olfato. Se diría parafina... No puede ser. Su percepción no se acomoda a la imposibilidad de su objeto. ¡Qué extraño todo! ¿De qué doble fondo de la noche, hacia qué capricho de aquelarre podrá deslizarse el absurdo?

Sale de su escondite y se queda un instante oyendo el rumor de los pasos, que se alejan hacia la nada tranquilizadora. Tiene el propósito de seguirlos, comienza a caminar hacia la plaza, pero la sensación húmeda que persiste pegajosa a su espalda, el frío apretado inmisericorde a su contorno, la instan a encogerse de hombros, murmurando casi en alta voz:

—¡Qué me importa a mí! —antes de proseguir su camino.

Echa calle adelante, mientras el recuerdo del incidente se aleja de ella, calle atrás, y vuelve a recordar a Paca Cueto, que en ese mismo día va a levantarse y a recibir algunas de sus amigas, las que mayor interés han demostrado por su salud, aunque no a ella, por supuesto. Porque todo el pueblo está atento a su enfermedad, empezando por la propia mujer de Ernesto Pérez, que, si no en persona, ha mandado varios recados con la sirvienta de razón, para terminar por la mismísima Mariana Santos, cuya elegancia de contragolpe peligra con el eclipse de su rival y modelo.

Va a ganar la acera en que está su casa, haciendo un rodeo para entrar por el postigo del portón, cuando divisa el resplandor rojizo. Se detiene. También aquello necesita coordinación entre lo que ve y lo que ni siquiera se atreve a temer. ¿Es el resplandor de la chimenea de una locomotora o es...? Localiza las sombras. Allí está la estación. Hacia allá sigue la línea férrea con sus andenes, sus desvíos, sus corrales y sus bodegas. El resplandor está acá. El resplandor. Creciente aurora anticipada. La mira atónita. No. No es ella en verdad quien grita. Algo sube del miedo subterráneo del pueblo inerme, y se atropella para expresarse en su garganta en un grito, cuyo despavorizamiento sólo unos segundos más tarde la alcanza:

—¡Incendio!

Corre ahora, acuciada por su propia desconocida voz, dando aldabonazos en las puertas, golpeando las ventanas, gritando, ahora sí con su recuperada voz tremolante de alarma:

—¡Incendio! ¡Incendio!

Cuando llega a la puerta principal de su casa, ya otras puertas se abren precipitadas, y rostros de espanto asoman a ellas. Se cruzan los gritos, las preguntas de una sola alarma ubicua:

—¡Incendio! ¡Incendio! Se quema la estación. No. Son los galpones. Es un castillo de madera. Son los galpones. Es la estación. ¡Incendio! ¡Incendio!

—Avise adentro que salgan los caballeros. Hay un incendio al otro lado de la estación —dice la Moraima a Tom despavorido—, y que se vayan todos a dar la alarma. Que toquen la campana del cuartel. Que toquen las campanas de la iglesia. Que toquen la campana de la estación. Hay que despertar al pueblo. Hay que dar la alarma. ¡Apúrese! ¡Corra!

El resplandor se extiende poderoso por el cielo. Las puertas siguen abriéndose. Las voces forman un discorde coro de preguntas. Aparece un paco con aire enloquecido. La Moraima en la puerta de su casa, sin la capa, sin la toquilla, sigue gritando:

—¡Incendio! ¡Incendio!

El paco la mira sin atinar a otra cosa.

—Váyase inmediatamente a avisarle al gobernador. Llame a clase si es que puede, pedazo de bruto. Dé la alarma. Váyase corriendo y cada media cuadra toque alarma de incendio. ¡Corra! Eche los bofes si es necesario, pero vaya volando...

—Sí, sí, patrona —contesta el hombre, desapareciendo, tanto por obediencia como por escapar de su propia perplejidad.

Salen a medio vestir las "niñas" de la Moraima y sus acompañantes al reclamo del fuego de Dios que interrumpe el pecado. Ellos se dispersan rápidamente. Las mujeres se agrupan plañideras y estorbonas en torno a la Moraima.

—A vestirse todas y a arreglar sus cosas. Nadie sabe lo que puede pasar en uno de estos incendios. Pero todas tranquilas y cada una en su pieza, callada la boca, si no quieren encontrarse con los puños de Tom.

La campana de la estación es la primera en dar el toque de: "¡Fuego!"

Poco después lo repite premiosa, tratando de adelantarse, la campana del cuartel de bomberos. Mucho más tarde repite la noticia la campana de la iglesia, con no menor apremio. El pueblo entero está de pie. Se queman los galpones, más allá de la estación, todo ese enorme hacinamiento de aserraderos, de castillos de madera laborada, de troncos que esperan turno para entrar en las máquinas. Se queman casas de obreros. Arde ya una manzana entera. Pasa el gobernador con Ernesto Pérez y el señor cura.

—¡Hagan encender los faroles! —les grita la Moraima—. ¡Así cundirá menos el miedo!

—Dígaselo al alcalde cuando pase —devuelve a gritos la orden el gobernador.

Todo el pueblo fluye hacia la estación, magnetizado por el peligro. Gentes sacadas del sueño, muchas de ellas cambiando una pesadilla por otra, vestidas de cualquier manera, algunas alumbrándose con un farol, haciéndose ociosas preguntas, cuyas respuestas no se esperan, corriendo, tiritando de frío, tensos los nervios.

—Menos mal que no hay viento —dice muy bajo Ernesto para que las fuerzas malignas no oigan sus palabras, mientras piensa en su propio aserradero, que está más allá de la última casucha de ese barrio.

—Y menos mal que el incendio está del otro lado de la estación, y que la estación misma servirá de cortafuego —agrega el señor cura—. ¡Quieran Dios y la Virgen Santísima que se logre dominarlo, y que no tengamos cosas horribles que lamentar!

—Amén —masculla el gobernador—. ¿Cree usted, Pérez, que sería bueno avisar al intendente?

—Me parece lo más indicado. Si esto sigue, ¿qué vamos a hacer? Que estén listos para mandar ayuda en cuanto usted la pida. Pero hasta las seis no se podrá hacer nada. Piense que allá el telégrafo está cerrado, al igual que la estación. Habrá que esperar. Y esperar que no se levante viento.

—Pero ¿cómo habrá empezado esto?

—Como siempre. Un imbécil que tiró la eterna colilla, un imbécil que apagó mal el fuego. ¡Con el aserrín y la viruta que hay en cada galpón!

La estación está iluminada participando del desvelo del pueblo.

—¡Don Faúndez! ¡Don Faúndez! —grita el gobernador.

—Sí, señor, aquí estoy —aparece el jefe—. Ya tengo mi gente levantada. Falta sólo un maquinista, pero ya lo fueron a buscar. Están armando todos los trenes para sacarlos fuera del recinto si es necesario. Lo peor va a ser el ganado. Hay como quinientas cabezas en los corrales. Chaparro ya avisó a la capital, se comunicó con su colega de la estación para que esté alerta, por si hay novedades mayores que comunicar al Ministerio, y para que entonces el Ministerio dé instrucciones al intendente.

"Menos mal —piensa Ernesto Pérez— que hay alguien que tiene sentido común."

La hoguera araña con sus uñas las nubes. Envuelta en un espeso humo negro, a ratos simula apagarse, pero es para reconcentrar su cólera y reventar nuevamente en súbitos fogones Parece que está ahí mismo, detrás de la bodega de la propia estación, al otro lado de la calle que la bordea.

—Yo regreso a casa a tranquilizar a María Soledad y a buscar a mi gente. Creo que todos vamos a ser pocos —dice Ernesto Pérez—. Lo mejor es que nos juntemos aquí, que sea la estación el punto de reunirnos. ¿No le parece, gobernador?

—Sí, me parece muy bien. ¡Don Faúndez! ¡Don Faúndez! ¿No ha visto al alcalde? Por Dios, ¡qué confusión!

Ahora Ernesto Pérez tiene que sortear la multitud, que recuperado su carácter gregario, de masa amorfa, irrumpe con su pulpa desenfrenada y curiosa. Oye a su espalda la voz viril de don Faúndez, que ordena:

—Ciérrenme el recinto y a palos me echan a cualquiera que se meta para adentro...

Se cruza con la pequeña bomba que avanza arrastrada por un caballejo, con mucho ruido de campanas, rechinar de ejes, crujir de maderos; atrás va el carrito con las apolilladas mangueras, y otro con escalas, empujados por los bomberos, simples en su heroicidad de luchar mano a mano con el fuego, sin más herramienta valedera que el propio coraje. Se abrochan de camino las cotonas y se aseguran la hachuela al cinturón.

Sonríe enternecido al juguete que resulta ese mínimo conjunto, frente a la enormidad del incendio. Una mujer pasa corriendo, jadeante, gritando entre estertores:

—¡Mi hija! ¡Mi hija!...

Serán las dos de la madrugada. ¡Qué larga va a ser esa noche!

Tres horas y media, por lo menos, para que amanezca. Ya no son necesarios los faroles encendidos por mandato de la Moraima. Todo el pueblo resplandece, rojizo y dramático con la quemazón.

—¡Qué desgracia! —dice a María Soledad, que lo espera vestida, como vestidas están la Mademoiselle y Solita, iluminada la casa toda, y la servidumbre aguardando órdenes—. Pero hay la esperanza de aislar la manzana donde empezó.

—¿Cómo ha sido? ¿Dónde es justamente?

—Parece que empezó en uno de esos galpones en construcción de doña Batilde. Y se quema toda la manzana en que están los galpones de Los Pellines.

—¿No hay peligro para el aserradero?

—Mientras no se levante viento... No se puede prever nada... Pero estáte tranquila. Eso es lo principal, por ahora.

—¿Vivía mucha gente ahí?

—Posiblemente no. ¿No te parece mejor que la niña se vaya a acostar? Nosotros permaneceremos en pie, por si algo se ofrece.

Solita tiene los ojos muy abiertos; su voracidad, que supera a la del incendio, quisiera abarcar el mundo. Su pequeña mano acaricia el cuello del "Togo", y "Don Genaro" se abraza a ella como una criatura.

—No, por favor, no me hagan acostar.

—La niña, que es muy buenita, se quedará aquí con su mamá, recostada en el diván, bien tapadita, y le dejaremos al "Togo" al lado, y "Don Genaro" podrá echarse a sus pies. ¿Quieres, corazón?

Solita dice un sí incomprensible, porque en verdad no está muy conforme con esa solución que mamá propone, pero en todo caso mejor que la otra. ¡Ahora que todo es tan terriblemente "de veras"!

Ernesto sale al patio, va hacia las caballerizas con Bartolo. Inmediatamente lo rodean los mozos.

—¡Qué mala suerte, patrón! Nosotros que nunca habíamos sufrío una d'éstas en el pueblo... Fatalidá...

—Ensillen todos los caballos y enganchen los dos coches y la carretela. Bartolo y José Carmen se quedarán aquí de guardia. Los demás nos iremos para la estación. Hay que sacar el ganado de los corrales.

Ernesto vuelve a la casa y llama a la Clora. María Soledad atiende también a sus órdenes. La Mademoiselle va a abrir la puerta de entrada, porque llega Severino Sordo a dejar en su compañía a Covadonga.

—Búsqueme todos los baldes, Clora, y los lleva al patio. Tú, hijita, me traes toallas y frazadas, todas las que haya también.

María Soledad quiere hacer preguntas, pero opta por obedecer, empalidecida, venciendo los nervios que la quieren obligar a abrazarse al cuello del marido y a lloriquear su irrazonado miedo. Pero se sobrepone, porque hay una tensión en la atmósfera, una seriedad en cada rostro, en cada actitud; una conciencia de que hay que ceñirse a la disciplina, que es ahora la única posibilidad de salvación.

Trae toallas, frazadas; las sirvientas reúnen baldes. Severino Sordo se desentiende de la Mademoiselle, contesta apenas a su saludo y se une a Ernesto, que en el patio de las caballerizas revisa arneses y monturas.

—Usted puede manejar la carretela, Sordo. A ver, cada uno tome una toalla, mójela en el pilón y póngala en el balde. Acuérdense de ella cuando se vean afligidos por el humo. Se la echan a la cara entonces. Las frazadas las colocan en la carretela, son para envolver a los niños, a las mujeres, a los heridos. ¿Listos? A caballo todos. Clora, preocúpese de que la señora esté tranquila y que nadie salga de la casa, pase lo que pase. Usted, Bartolo, se queda de guardia en la puerta de la reja, y usted, José Carmen, en el portón. Hasta luego. ¡A caballo! —dice a los hombres.

Redoblan los cascos sobre las losetas del patio, nerviosas las cabalgaduras que dilatan los ollares al olor del incendio. Frente al hotel hallan a Juan Antonio, que les grita:

—Es lo que iba a hacer yo. Que uno de los ñatos me dé su caballo y que siga corriendo a despertar a mi gente o a juntarla, para que vayan todos también a caballo para la estación. Hay que sacar el ganado. Hay que irse para allá al galope —y ordena al mozo que le cede su cabalgadura—: Si toos se han ido pa'l incendio, te buscái otros ñatos que queran ayuar y se las echan pa l'estación al tirito...

No es fácil avanzar entre el gentío, más adensado cada vez por el estupor que lo paraliza. La hoguera ha crecido, forma varios cráteres, estalla en chispazos, chasquean los maderos verdes, suben las llamas azo-

tando la mansedumbre del aire inocente, serpea el negro humo que tizna
con su maleficio al cielo. El aire se hace irrespirable. Hay rostros oblicuos
por el esfuerzo, sucios de hollín; gentes que corren y gritan sin saber por
qué, sin conseguir dejar atrás su propio espanto; trajines en las casas
cuyas puertas están abiertas, cuyas ventanas se agrandan desorbitadas frente a la tremenda inminencia que las amenaza. En los sitios, por sobre las
cercas de madera, se ven cargar carretas y bestias con árguenas. Pasa
un caballo en dirección contraria, en pelo, ensangrentados los ojos enloquecidos, relinchando, erizadas por el espeluzno las crines.

"Bueno —se dice Ernesto—. Si no nos apuramos, esto es lo que va a
pasar con el ganado."

Juan Antonio le pregunta a gritos:

—¿Trajo su revólver?

—No —contesta Ernesto.

—Si vuelve a su casa, no lo olvide. Yo tengo experiencia en estas cosas...

Por sobre la puerta de la estación gritan a un hombre que al fin los
oye. No se sabe por dónde aparece don Faúndez.

—Gracias a Dios que me llegaron. Dentren. Y al tiro váyanse a los
corrales. Hay que sacarlos por el fondo, tomar la calle ancha y arrearlos
para el lado del cementerio. Métanlos en el primer potrero que hallen.
Pero que queden bien encerrados y déjenme guardia.

Ernesto Pérez y Juan Antonio Méndez han gastado un tiempo interminable en sacar por la estrecha pasarela, de uno en uno, al piño, rebelde
por el espanto, que se amontona, precipita, muge, escarba. Llegan a ayu-
darlos más mozos a caballo, y es menester toda la pericia de los baquea-
nos para conseguir que los animales se desplacen ordenadamente. Cuando
avistan las afueras, Juan Antonio manda a los mozos seguir hasta los
potreros, encerrarlos y regresar todos a la estación.

—Porque los animales van a tirar a enmontañarse —explica Juan Antonio— y acá todos vamos a ser necesarios.

Así, a la distancia, se diría que el pueblo entero arde.

—Es imponente y sobrecogedor —dice Ernesto, aunque bien sabe que
nadie puede oírlo.

Ese barrio parece deshabitado; en muchas casas los moradores han
dejado las puertas abiertas al salir precipitadamente. Hay una impudicia
de intimidades, de disimuladas miserias ahora en evidencia: paredes con
el empapelado en jirones, sillas con la paja desfondada, camas con la
tibieza maloliente del cuerpo que acaba de abandonarlas.

Cuando se acercan a la estación, de nuevo los rodea la multitud, haciendo casi imposible el avanzar.

—¡Don Faúndez! ¡Don Faúndez! —grita Juan Antonio.

—¿Cómo no se les ha ocurrido poner cordón? Esta gente no va a dejar hacer nada.

—¡Don Faúndez!...

Aparece el jefe, que ya no lo es tan sólo de la estación, sino que del pueblo todo, con los bigotazos negros erizados, las enmarañadas cejas, réplica frontal de los bigotes, los ojos redondos y muy abiertos en la necesidad de abarcarlo todo, y que a Ernesto Pérez le recuerdan los de Solita.

—No, no entren, váyanse a ayudarle a don Sordo y a Pedro Molina a hacer retroceder la gente, que dejen libres las calles, que no pase nadie al otro lado de la estación. Hay que reforzar la guardia en las barreras.

Vuelven grupas y tratan de avanzar hacia el otro extremo del recinto, para ganar los pasos a nivel obstruidos por los curiosos. Juan Antonio revolea su rebenque y grita tal cual si estuviera en un rodeo:

—¡Juera! ¡Juera!...

No le abren paso. Obliga entonces a su cabalgadura a pararse en dos patas, y deliberadamente la larga contra la multitud, que en un alarido se aparta, entre insultos y corridas.

Tal vez alguien ha quedado en el suelo, tal vez el caballo esté pisoteando a alguien. No importa. Han pasado. Están en plena zona del incendio.

Desde entonces el tiempo deja de transcurrir con su habitual parsimonia, se aturulla, los segundos saltan unos sobre otros, se abalanzan varios a la vez, hay intervalos vacíos de duración, y de pronto se acumulan horas en breves segundos. No hay agua. Eso por descontado.... La bomba jadea, hipa sus estertores, inútilmente extiende sus mangueras hasta el pozo más cercano y en minutos lo agota; las fláccidas mangueras lloran su impotencia, en miserables chorros que caen a pocos pasos de quienes las manejan.

—¡Qué porquería! —gruñe furioso Juan Antonio.

Es inútil afanarse en ese juego de niños. Para atajar el fuego no hay otra esperanza —y mínima— que echar abajo cercas, cobertizos, tinglados, casillas. Lo que también resulta inútil. El fuego extiende sus tentáculos inmisericordes por encima de tan ridículas vallas, y acrecienta la extensión de sus raseros. Su calor quema las caras con reverberaciones de horno. No es posible acercarse. Nadie lo intenta. Arden las aceras, arden los durmientes que las limitan, arden los propios durmientes que pavimentan las calzadas. Paredes, techos, el propio suelo del pueblo, todo arde. Las gentes pasan con atados a la cabeza, con bestias encabritadas, despavoridas. Hay llanto alto de mujeres sin recato en su desesperación, lloros de niños, juramentos de hombres torvamente mascullados. Hay relinchos, aullidos, balidos, mugidos, gritos informes bajo el demoníaco restallar de las llamas. Y algo que empavorece más aún: el desacompasado y agrio cacareo de las aves de corral. Al olor acre del humo empieza a mezclarse insidiosamente, repugnante y dulzón, el olor a carne quemada.

—Déjenme... Por favor...

—No se puede pasar.

—...por esa calle, le digo. Tire por esa calle. ¿Es que no entendís?

Hay cuatro heridos y una mujer enloquecida porque no halla su guagua.

Se la entregó a la comadre, la comadre dice que no, ella insiste, discuten, porfían, alegan ambas absurdas razones, hasta que la madre se abalanza furiosa a la cabeza de la mujer, prendida a sus greñas multiplicando improperios.

Pasan más gentes. Muchas más gentes de las que parecía posible que habitaran en el pueblo. Gentes insensatas, abortadas por el propio incendio, desgarradas las ropas, torvos los rostros, arrastrando fardos, con ollas desportilladas, con sillas, con animales de tiro que se niegan a andar. Las campanas se obstinan en su ya vano clamoreo. Ernesto dirige el tránsito en uno de los pasos a nivel. Supone que en el otro estará Juan Antonio. Aparece Severino Sordo con la carretela pidiendo paso. Aparece, es la palabra. Todo tiene sentido de irrealidad. Todo es igualmente posible.

—Llevo dos críos —dice—. No se sabe de quién son. Los llevo a su casa para que allá los atiendan las mujeres.

—Diga que todos estamos bien. Y que nadie se mueva.

—¡Don Faúndez! ¡Don Faúndez!...

Con qué ganas tomaría un poco de agua...

—¡Don Faúndez! ¡Don Faúndez!...

Arden tres manzanas más. El fuego extiende sus manotazos hasta las manzanas que bordean la calle de la estación. Arden todavía por la parte trasera, pero luego el fuego estará en estas casas que se muestran desgoznadas, terrible dueño que se instalará hasta reducirlas a pavesas. Hay ventanas abiertas, puertas abiertas, a la espera de su destino, presas en su imposibilidad de articular también ellas un grito. Gentes frenéticas siguen entrando y saliendo con ropas y muebles, impedidas las manos, salvando lo más inútil, cargando zurdamente carretas, bestias; cargando ellos mismos enormes fardos con las cosas más heterogéneas.

—No hay nada que hacer, el fuego alcanzará la estación —dice Ernesto, hablando siempre sin saber a quién. Luego se dirige maquinalmente a un paco y ordena—: Abra la barrera y deje que pase la carreta. Siga derecho hasta la plaza, señora. Ligero, no se quede parada. Ande, ande...

—Don Ernesto... Don Ernesto...

—¿Sí? ¿Qué pasa?

Es don Faúndez, el ubicuo don Faúndez, que aparece.

—Vea, don Ernesto. Esto ya está perdido. Hay que desalojar de gente el barrio entero. Junte a sus mozos, y me los arrea a todos para la plaza, sea como sea, a rebencazos si no entienden.

—¿Dónde está Juan Antonio?

—Ya viene a juntarse con usted.

—No va a ser fácil convencerlos de que deben abandonar las casas, si aún el fuego no ha prendido en ellas.

Don Faúndez ya se ha ido. Aparece Juan Antonio.

—A rebencazos —le grita—. Para hacerlos entender no queda otra.

—No. No es tarea fácil hacer que las gentes dejen de aferrarse a su esperanza. No quieren abandonar sus pilchas. La miseria se defiende con más ardor aún que la riqueza. Siguen enfebrecidos juntando ropas y cacharpas. Una mujer está sentada sobre un atado, en medio de la calzada, tranquilamente amamantando a su guagua, inclinada sobre la carita plácida de la criatura, que pone los ojos en blanco, mientras se aplica en su labor, hundiendo las carnes morenas con el arrugado hociquito rosa.

—Pero, señora..., ¡ande!..., muévase...

—Mi marío m'ijo que lo esperara aquí no más. El se jue a'ejar los güeñis y la bestia onde la comaire Salomé.

—Pero, señora, ¡si el incendio se le viene encima! ¡A ver! Uno de los ñatos que se la suba al anca y el atado se lo llevamos también...

—El m'ijo que lo esperara aquí no más...

—Bueno —dice Juan Antonio, y rápidamente desmonta, toma la guagua, se la pasa a uno de los mozos y alza y sienta sobre las ancas a la mujer, que sigue diciendo pasivamente: "El m'ijo que lo esperara", y que se deja resbalar, cayendo nuevamente al suelo.

—A ver, vos, ¡agárrala firme! —Juan Antonio la alza hasta el arzón y el mozo la sujeta como a un cuerpo inerte.

Juan Antonio, que tiene ahora a la guagua en brazos, grita:

—Pa las barreras.

Más allá de las barreras, que por ahora sirven de valla a la pesadilla, encuentra a Severino Sordo en la carretela. Y como al rescoldo del incendio el milagro es lo normal, no lo admira que de pie, en la propia carretela, esté Paca Cueto; que sea ella la que ayude a tranquilizar a la mujer, la que la acomode entre las frazadas, la que se haga cargo de la criatura, mientras Severino forcejea con los curiosos que se le echan encima.

—Abran cancha..., cancha a la carretela..., lleva un herido..., cancha...

Ni siquiera se pregunta adónde llevarán a la madre y al niño. Vuelven a cruzar las vías y recorren las calles por las que suelen hallar un quiltro, aullando sus chamuscaduras y su desamparo. Se les cruza otro caballo desbocado que se detiene en seco al verlos, relincha una nerviosa felicidad de recuperación de sí mismo, y se suma mansamente a ellos. De pronto ensordece el estrépito de uno de los galpones que se derrumba. La atmósfera se adensa de humo, se inquieta de chispas; los olores adquieren una evidencia insoportable. Se levanta un grito:

—Allí hay una mujer..., allí hay una mujer...

Sí. Hay una mujer aferrada por dentro a los hierros de una reja. Su negro perfil se recorta siniestro sobre el fondo rojizo y humoso de la habitación. Ninguno vacila. Ni se hablan siquiera. Las órdenes se coordinan instantáneas y mudas. Alguien ha desmontado y ata los lazos a los hierros. Vuelve a la cabalgadura. Todos saben lo que hay que hacer. Y al grito: "¡Echele!"..., se hunden los talones en los ijares y largan el potente envión que no logra descuajeringar la reja. La mujer debe estar gritando, pero no se la oye. Hacen retroceder los caballos, palmoteando sus cuellos, tranquilizando su nerviosidad, obligándoles a cumplir a fuerza de destreza.

De nuevo una voz anónima ordena:

—No entre... Atájenlo... No entre...

Pero ya está dentro Pedro Molina absorbido por el ígneo vórtice de su destino. La figura de la mujer se ha desplomado junto a los hierros. Los caballos, compenetrados por el mismo afán de los hombres, hincan las herraduras en el suelo y al esperado grito de: "¡Echele!...", inician el nuevo envión, que, ahora sí, arranca de cuajo la reja.

—Las famosas rejas "pa bonito" —rezonga Juan Antonio, y desmontado, acercándose lo más que puede a la ventana, resiste la vaharada del fuego y grita, sin darse cuenta de que está gritando:

—Molina, salga... Salga, Molina...

Uno de los mozos recuerda lo dicho por el patrón. En algún momento tuvo en el brazo un balde y una toalla. Agua..., agua..., una manta, cualquier cosa... Juan Antonio se apega a la fachada de la casa y de costado sortea la puerta de horno en que se ha convertido la ventana. ¿Dónde está la mujer? Algo salta de la ventana a la calle, un bulto informe, revuelto amasijo de dolor y llamas. "Eso" ha caído sobre la reja, convertida en parrilla sobre el suelo renegrido, y tirando de los lazos que aún la atan, la retiran de aquel círculo del infierno. Hay movimientos reflejos de precisa sabiduría, porque todos se han sacado las chaquetas en un solo impulso y se precipitan sobre el bulto apagando las llamas.

—Dios mío... Dios mío...

—Sí, sí, es espantoso... La misma reja puede servir para llevarlos... Abajo pongan las chaquetas... A ver... Cuidado... Alcen la mujer... Pongan acá otra chaqueta... Pobre hombre... Despacio... Caminen... Por aquí... Los caballos llévalos vos de tiro...

La mujer, silenciosa en su miseria, está suspendida de la muerte sobre un desmayo que puede ser definitivo. El hombre vocifera su dolor.

—Dios... Tatita Dios... —murmura temblando uno de los mocetones.

Juan Antonio piensa que el incendio cede porque el fulgor de la hoguera es menos rojizo. De pronto advierte que amanece. No comprende por qué Pedro Molina desahoga el dolor de sus quemaduras gritando:

—Siete..., siete...

Cuando se acercan a las barreras, la campana de la estación interrumpe su alocado rebato de alarma, y tras una pausa que parece una caída interminable en la nada, marca con la grave entonación de siempre la orden de partida del tren. Su voz de bronce suena más heroica en el cumplimiento de este deber cotidiano, no olvidado en el tráfago de la catástrofe. Unos faroles diluyen en el alba sus jeroglíficos verdes. Suena un silbato. Da otro silbido la locomotora, y tras su poderoso resuello, se arrastra lenta la larga ringla de vagones.

—Hay que apurarse, ñatitos, porque si no nos va agarrar el tren y tenimos pa rato. Y pa estos pobres puee ser la muerte...

Llegan justo a tiempo para cruzar las vías y sentir los bufidos del tren que pasa a su espalda.

—¡Don Faúndez!... ¡Don Faúndez!...

—¿Dónde está la carretela? —pregunta Ernesto.

—Frente a la casa de la Moraima.

—Abran cancha... Paso a un herido... Abran cancha... ¿No te estoy iciendo que te hagái a un lao, jetón?... ¡Abran cancha, miéchica!

—¿Puedo ayudarles? —pregunta una voz.

—Sujete aquí.

—Acerquen la carretela. Al hospital, volando. Mejor ponte de rodillas y álzale la cabeza. Así.

La mujer parece muerta en el regazo de Paca Cueto. Pedro Molina, los ojos terriblemente abiertos, las manos crispadas, hacia atrás la cabeza, avanzando la barbilla al encuentro del dolor, insiste:

—Siete..., siete...

—Creo que al hombre es preferible llevarlo aquí mismo. No resistirá los barquinazos.

—Moraima, haga traer un colchón.

—Y aceite.

—Sí, aceite. Mucho aceite.

¿Quién ha dicho: "Y aceite"? Ernesto Pérez mira al señor Smith y no le extraña que le hable en inglés, ni que él mismo, sin darse cuenta, le conteste en ese idioma.

—Cuidado. Levántenmelo todos a un tiempo. Ya... Pasen el colchón. Cuidado. Súbanlo de ahí. Despacito. Eche aceite aquí, Moraima. Otro poco. Ya está. En marcha. A compás. A ver: atención. Un, dos. Un, dos.

"Nada tiene sentido", se dice insistentemente Ernesto Pérez. O es que un sentido auténtico ha irrumpido de pronto, a través de las estratificaciones de todas las costumbres y hace que Paca Cueto esté allí de rodillas, en su carretela, con una mujer desmayada en el regazo, y que el señor Smith le explique:

—He venido a ponerme a las órdenes de ustedes.

Y que la Moraima haya organizado en su casa una posta de primeros auxilios, y vaya y venga atendiendo heridos, suministrando café o coñac, poniendo orden en los tumultos, dirigiendo el tránsito. O que el gobernador delegue reiteradamente su mando en los gritos de: "¡Don Faúndez!... ¡Don Faúndez!", y que, súbitamente, se coloque a su lado don Juan Manuel, el propio don Juan Manuel, acaso de carne y hueso, para preguntarle:

—¿Ha visto a Batilde?

Esa simple pregunta puede también tener un sentido recóndito que nadie logra adivinar. Le duele atrozmente la cabeza, le escuecen los ojos, el olor a carne quemada remueve su náusea en el estómago. Tiene una sed de fiebre.

—No, no la he visto. Quién sabe si está en casa con María Soledad.

Juan Antonio refunfuña mirando al cielo, por donde el amanecer anubarrado se aborrasca en ceño amenazante:

—Si empieza el viento, no van a quedar ni las pulgas para contar la historia.

Alguien dice:

—Viene un tren de auxilio con bomberos y tropa de zapadores.

Se mantiene obsesionante en los aires requemados el aullido de un perro que arrastra su pata quebrada. Juan Antonio grita:

—¡Quiltro de mierda! ¿Por qué alguno no le da un balazo?

—No hay que asustar a la gente con los disparos —apunta la prudencia de cualquiera.

Solita dice en ese momento a María Soledad, que viene de la escuela, donde con otras señoras trata de ubicar a los damnificados:

—¿Van a traer más niñitos? —porque ella se siente muy importante, luchando con el sueño, eso sí, pero muy importante, cuidando de esos dos niñitos que Paca Cueto ha venido a dejar a la casa. Y ha sido ella, justamente ella, la que les ha secado el llanto y acertado a contener su irrefrenable miedo y desesperación, preguntándoles lo que a nadie se le había ocurrido preguntarles en su propio idioma:

—¿Tenís "Mampato" vos? Güeno, si no llorái más, mañana vamos a d'ir a buscar mi "Mampato" mío y te lo voy a emprestar, pa que subái vos tamién. ¿Querís?

Los niños la miran con lento pasmo, sorben el llanto, y cautelosamente cabecean al fin su asentimiento a aquel llamado de la felicidad, que se asoma increíble entre las llamas.

Han traído también una guagua, pero ésa se la han traído a la Mademoiselle y a Covadonga, y Solita no se las envidia, porque las guaguas tan guaguas no son del todo "de veras". A la mamá de la guagua, no sabe Solita qué le ha pasado, pero Bartolo sí lo sabe, porque apenas se la entregó Paca Cueto en la verja, la mujer quiso rumbear de nuevo hacia ese sitio exacto en que "él" le había dicho que lo esperara.

) 703 (

—No sea mala de la cabeza, ña. Su marío va venir a buscarla aquí. Dentre. Mire, ña...

Cuando quiere tomarla de un brazo, la mujer se le escurre, echa a correr con súbita desesperación y cuando la alcanza se defiende con fiereza. Bartolo lucha con ella y sólo con la ayuda de Severino Sordo consigue dominarla y entrarla en la casa.

La han encerrado en un cuarto del último patio, donde la mujer vocifera dando puñadas en la puerta, repitiendo hasta enronquecer:

—El m'ijo que lo esperara... —se pierde su voz en el entrecruzado griterío de órdenes y contraórdenes, gemidos, juramentos, llantos.

Como repetida aspiración al orden desvanecido, se oye clamar aún en el recinto de la estación:

—¡Don Faúndez! ¡Don Faúndez!...

Don Juan Manuel se cruza con la Moraima.

—¿No ha visto a mi señora? —pregunta cortés, quitándose el sombrero.

La Moraima se detiene y lo mira. Necesita mirarlo dos veces. Fijar bien en él sus ojos antes de percibir su imagen.

—¿Doña Batilde? ¿Me pregunta usted "a mí" por doña Batilde?

—Sí, Moraima —contestá él con humildad. No sabe si debió decir "señora Moraima"; pero eso sonaría tal vez a burla—. Sí, Moraima, ¿no la ha visto usted?

—¡Quién sabe! ¡Quién sabe! Tal vez la he visto... Tal vez no... Nadie puede estar segura de lo que ha visto o dejado de ver en una noche como ésta...

Y parte rápida a donde la llaman, dejándolo perplejo en la incertidumbre del día, cuyas primeras luces son cruelmente mordidas por el fuego.

23

Por quinta o por sexta vez don Juan Manuel regresa a casa en busca del perdido rastro de doña Batilde, flojos los músculos a tal punto, que tiene la sensación de solamente moverse obligado por el terror que lo picanea, instándolo a encontrarla, a dar vueltas por el pueblo, tropezando con las gentes, detenido por lo compacto de la multitud, batallando por horadarla, preguntando machaconamente a todos: "¿Ha visto usted a mi señora?", para obtener siempre la misma respuesta: "No", que le deja la sensación de no responder a lo que indaga, que es una manera de evadirlo, aumentando su zozobra.

Cuando no sabe por qué vez regresa a su casa y entra al escritorio, se detiene y casi retrocede, porque la presencia de doña Batilde le ha golpeado con su impacto en el pecho, aturdiéndolo aún más. Sólo atina a mirarla, sentada tras la enorme mesa, sirviéndole de fondo el tapiz del sillón de alto respaldo, inmóvil, con las manos cruzadas sobre la carpeta, con los ojos abiertos mirando la ventana, y la boca anulada por un solo trazo, del que han huido espantados todos los rictus. Como siempre, don Juan Manuel tiene en su presencia la sensación cabal de acercarse a una fuerza cuyo vórtice puede sorberlo y aniquilarlo, pero el cansancio de las horas que lleva vividas desde que empezó el incendio lo mueve en forma refleja a buscar otro sillón, el más cercano, y dejarse caer pesadamente en su asiento. Los postigos y la banderola están cerrados, las cortinas corridas; una media luz cárdena da malamente evidencia a las formas.

El incendio sigue. Ya se ha quemado la estación, han ardido las posadas, las chinganas, los hoteluchos, la casa de la Moraima. Las llamas avanzan con mayor lentitud, porque es más sólido el material que deben consumir, pero son igualmente implacables. Un cortafuego suele demorarlas. Han llegado bomberos, tropas, equipos sanitarios, trenes de auxilio. A mediodía las destructoras lenguas aumentan su voracidad soliviantadas por el viento cómplice.

Pasa un largo rato en que don Juan Manuel tiene la impresión de flotar a la deriva, en esa zona inexplorada que fluctúa entre sueño y vigilia. No sabe que al igual que Ernesto Pérez, que la mayoría de las gentes del pueblo, está pensando que todo es irrealidad, que aquel frenesí que rodea la beatitud de su entresueño es pura incertidumbre que se retuerce desesperada por no alcanzar la paz de lo indeciso.

Pero algo penetra de pronto salvajemente al asalto, disipando su nimbo. En el interior de la casa un grito de mujer domina el barullo de la calle. Un grito corto y agudo, doblemente eficaz en su espanto. El grito se repite. Se repite con cronométrica intermitencia. Calla. Por su silencio se oye pasar una patrulla a caballo. Voces que dirigen el patético desfile de los evacuados, caminando calle adelante hasta el tren que los espera a campo abierto. Retazos de frases alcanzan a destacarse. Ayes. Protestas. Ordenes nuevamente. La ronda de las patrullas casi convencen a don Juan Manuel de que ha recobrado su realidad. Y de nuevo irrumpe vencedor el grito de la mujer, tremolando, punzante, llama también salida de un cuerpo ardido, de unas entrañas roturadas por un retoño de existencia. Vuelven a sonar las voces de mando, entreveradas con lamentos y destemplados silbatos. Los cascos de los caballos se reparten imperativos un ritmo de galope. Una vez más se levanta el grito, ahora más hondamente dramático, más opaco, más de huesos desarticulados, de sangre dolida.

La figura de doña Batilde no parece destacarse contra el tapiz, sino contra el propio grito que le sirve de fondo con sus reflejos purpúreos.

"¿Por qué no se la llevarán al hospital?", se pregunta don Juan Manuel, a quien cada grito le resulta una evidencia del infierno. Cuando se le cristaliza la idea de que tal vez estén evacuando el hospital; cuando se representa el recomienzo del calvario de la gente herida, magullada, quemada; cuando la mujer hace flamear de nuevo su grito —¿cómo es posible que un ser humano pueda emitir semejante alarido, que parece brotado del fondo de la jungla?—, don Juan Manuel siente que se le revuelven dentro posos largamente sedimentados, que le impulsan, prescindiendo de su voluntad, a levantarse casi ágil y decir a doña Batilde, que continúa inmóvil, como clavada por el estilete del grito:

—¿Estará contenta, no? ¿Estará contenta? ¿La oye? ¿Estará contenta, verdad? ¿Contenta? ¡Oiga! ¡Oígala! ¿Muy contenta, no? —Hay en su voz ecos de falsete, rasguidos desafinados que desconoce, que no son suyos. Parecería que alguien ajeno intenta romper la envoltura de su voz, para desparramar la verdad.

Doña Batilde no responde.

—¿Me oye? —vocifera desarticuladamente, sintiendo que una ira desconocida lo desborda—. ¿Me oye? ¿Estará contenta? ¡Escuche! Mire su obra..., sí, su obra... —corre con violencia, a manotones, las cortinas, abre los postigos y grita hacia adentro—: Mírelos... Mire el incendio, "su" incendio; mire cómo arden las casas, las de "su" pueblo. Mire cómo arde con ellas su orgullo... ¿Qué? ¿Piensa que ha salvado sus pesos? ¿Que esos lamentos se le van a convertir en plata? ¿Que va a lucrar con los achicharrados vivos? No... No... Ni un centavo van a pagarle las compañías de seguros. El incendio ha sido intencional..., ya se sabe... Pero desde ahora seré "yo" el que mande —su voz adquiere trémolos histéricos—, yo el que mande y usted no tendrá más fundo ni pueblo ni inquilinos ni nada. ¿Me oye? Nada. Nada.

No parece oírlo tampoco. Firme águila en acecho con los ojos rencorosos en la presa que está en el valle lejano. Aferrada a la roca, parte de la roca, roca ella misma.

Pasa un grupo de niños llorosos. Chirría una carreta su angurria de grasa. Estalla un alboroto: hay voces, berridos, galopadas que se detienen en seco. Los gritos de la mujer vuelven a resonar triunfantes. Don Juan Manuel se sorprende marcando con la cabeza el compás del parto. Alguien solloza afuera, lamentándose entre hipos:

—¡Castigo de Dios! ¡Castigo de Dios había de ser no más!

Otra voz cascada de vieja puja por mantener recto un canto al comienzo tembloroso:

—¡Oh! María, madre mía/¡oh! consuelo del mortal,/amparadnos y guiadnos/a la patria celestial...

El canto se bambolea torpe, pero surgen voces que lo sostienen y acaba por ser coreado, alivianando los corazones, avivando los miembros entumecidos. La vieja repite su estribillo:

—¡Castigo de Dios había de ser no más! ¡Castigo de Dios!...

—¿Me oye? —insiste con terca nerviosidad don Juan Manuel, adivinando que pronto se le aflojará el resorte que lo mantiene—. ¿Sabe las consecuencias que la esperan? Piénselo. Conteste o no conteste, como quiera, pero sepa que para usted se acabó todo, todo. Que todo se le acabó...

Los falsetes extraños se amortecen en su voz, que se puebla de absurdos ronquidos de fonógrafo falto de cuerda.

—Se acabó... —insiste casi lastimero.

El grito hiere ahora el cielo, el grito amoratado de un dolor de siglos.

Doña Batilde lentamente se incorpora y responde, no se sabe a quién, pero evidentemente prescinde de su marido al repetir como un eco:

—Se acabó... —algo le desploma amargamente la línea de la boca, atirantándosela hacia abajo. Parece que fuera a llorar.

—¡No! —gimotea don Juan Manuel, súbitamente despavorido, derrumbado en su nada, como si viera al mundo retornar al caos—: ¡No llore, Batilde, no llore! ¡Por favor, no llore!...

No llorará. Nadie verá sus lágrimas de carbón y salitre que corren hacia adentro, tiñéndola con su luto, corroyéndola con su causticidad.

Un silencio, indiferente a toda algarabía, ha sucedido al grito, pero él perdurará, ya definitivo. Doña Batilde lo ha hecho suyo. No. Doña Batilde no. Ella ignora otra voz que la del mando, pero alguien dentro de ella se ha erguido de pronto, recabando sus fueros desconocidos durante años. Alguien. Tilde, la dulce Tilde de los ojos de asombro que se incorpora y reclama para sí el grito, su dolor y su gloria. ¡Ah! ¡Cuánto silencio ha pesado sobre su alma, cuánta desesperación ha soportado su soledad, hasta encontrar la intimidad de ese grito sangrante que debió ser suyo algún día, el desesperado canto triunfal de su sangre multiplicada en el hijo!

Tilde, la dulce madre de esperanza truncada, se yergue y mira con expresión acusadora desde el fondo de sus entrañas estériles: "¿Por qué me robaste ese grito? ¿Por qué me lo arrancaste? ¿Por qué lo quisiste apagar entre las llamas, para que acabara de brotar incontenible entre las llamas de otro incendio?"

Aquélla no es la torpe voz desafinada de don Juan Manuel, ni el inconexo rumor de los ajenos sufrimientos. Aquello sube desde los tuétanos, irrumpe en las carnes endurecidas, retuerce la voluntad y no hay defensa posible contra ella. Doña Batilde está allí, erguida, impenetrable ante don Juan Manuel, pero humillada adentro, deshecha de vergüenza ante la Tilde inexorable.

Don Juan Manuel la ve salir, anulado de nuevo, incapaz de un gesto ni de una pregunta.

Doña Batilde enrumba hacia la calle. Su andar parece tener la decisión de siempre, pero se advierte en él esa vagarosa rectitud de los sonámbulos. Algo la atrae hacia las afueras del pueblo.

El puente. Su enemigo. Lo fue desde el momento en que ella midiera la profundidad y la anchura del tajo y lo estimara insalvable. Jamás un puente podría tenderse hacia el otro lado. Era aquello como un *finis terrae*. Nunca, nunca, nadie construiría el puente. Y de ese pensamiento negativo nació, monstruoso íncubo, el puente. Desde entonces dio en luchar contra él. Primero contra su idea en germen. Luego contra su planificación. Doble trabajo: levantar el pueblo, derribar el puente para impedir que él destruyera a su vez el pueblo. Tuvo aliados y enemigos en esa lucha feroz. Crecía el pueblo, pero, ineludible sombra, se hacía posible el puente que había de matarlo. En el apogeo del pueblo, el puente consiguió acampar en sus aledaños. Iniciar sus cimientos, sus macizos contrafuertes, alzar algún pilar, unirlos por tabladas provisionales, brazo en franca amenaza. Creció el odio. Ella y sus aliados fueron perdiendo terreno. La lucha tenaz se decidía por el puente, invencible representante de una férrea flora inextirpable. El puente.

Tilde no la seguía. Parecía haberse quedado tiernamente acunando la pequeña vida que el grito había hecho posible. Iba sola, acabada, muerta. Llegó hasta el borde del tajo. La impulsaba el terror de sentirse sola, sola en su desolación, dejando atrás el tumulto, el espanto, el dolor, la imprecación en que se destruía entre pavesas y humo, entre chisporroteos y derrumbes, su obra vital. Dejando atrás el incendio, también suyo.

Llegó hasta el puente. Se dio vuelta y contempló cómo ardía el pueblo. Todo rojo el cielo, inflamado de ira. Se sentó sobre unos peñascos, no en su actitud habitual rota por el imperio inesperado de la dulce Tilde, sino como una viejecita, friolenta y medrosa, curvada sobre sí misma, achaparrada para hacer menos bulto, vagamente pensando que la dicha podría consistir en desparramarse sobre la tierra, diluirse en ella, sumarse a su profunda verdad, a esa certidumbre en la que siempre había puesto su fe sin reservas.

El incendio seguía.

Y el puente, allí, firme, mostraba su inmutable brazo, que tanto podía ensayar una amenaza como ser una mano que se tiende fraterna a otra mano. "El" tenía una fuerza de permanencia. La seguridad de su destino. Y había acabado por vencerla.

Se enderezó torpemente, mendiga que deja desparramada su miseria en derredor del poyo que la acogiera, y de nuevo contempló el puente. ¿Hacia dónde irían los hombres en lo futuro por el rumbo que "él" les marcaba? Otra vez hacia la ambición, hacia el negociado, hacia la lujuria que ella había hecho arremansarse momentáneamente en "su" pueblo.

También el puente, al fin, era un camino... "Su" camino, el único que le quedaba.

Súbitamente recuperó su rectitud sonámbula, y comenzó a avanzar decidida por el rumbo que su índice le señalaba. Avanzó por el puente sin titubeos, erguida la cabeza, firme el paso hasta el final abierto al vacío.

El viento había cambiado. Llevaba el humo hacia el sur, y una de sus guedejas parecía prolongar el puente eternidad adentro.

MARIA NADIE

...nadar sabe mi llama la agua fría...

QUEVEDO.

EL PUEBLO

1

El camino serpeaba por la montaña, tallado en la roca, angosta cornisa
siguiendo el curso de un río disminuido por el verano, pero que de súbito, en lo profundo del tajo, atestiguaba su existir con un espejeante remanso. Así que el camino subía, la presencia del bosque era mayor,
compacta, húmeda, perfumada, rumorosa e íntima. Porque a esa hora, inminente la noche, los arreboles creaban increíbles dorados en lo alto de
los árboles; pero hacia abajo, en archipiélagos de sombra, la vida de
infinitos mínimos seres cobraba un sostenido tono menor, de llamados,
de arrullos, de admoniciones, de despedidas, todo como mullendo el silencio para hacerlo más silencio aún.

Dura la roca del camino. En tantos años ni las llantas de las tardas
carretas ni el paso de los automotores habían mordido su superficie gris-
azulenca. Igual al muro que le servía de respaldo, de sujeción al vértigo
que a veces producía la hondonada.

El camino nacía de los aledaños del pueblo, y era una invitación que
a ciertas horas solían aceptar los enamorados y, a toda hora, los niños
a caza de aventuras que iban desde trepar riscos siguiendo huellas de animales salvajes, a adormilarse en la lenta caza de lagartijas; de trepar
alto en procura de nidos, a sencillamente atiborrarse de dihueñes, maqui,
moras o murtillas.

Por el camino, a la vista ya del pueblo, bajaba, rápido y sigiloso, un
chiquillo. Parecía todo él de bronce dorado, hasta el pelo colorín, y las
pecas diseminadas no sólo en la cara, sino en todo el cuerpo, acentuaban
el tono de la piel tensa de salud, cubriendo largos, apretados músculos.
Un hermoso cuerpo de chiquillo en que la cabeza altiva sobre los hombros conquistaba por la belleza expresiva del rostro.

La cuesta parecía tirar de él, irlo sumiendo en la sombra que a su vez
subía de la tierra. Le era la caminata ejercicio habitual y no le jadeaba
la respiración, pero había ansiedad en sus ojos al escrutar el pueblo, íntegro a la vista abajo, mostrando sus calles simétricas, damero con una
plaza al centro, su estación a un costado, su escuela, su calle del comercio, sus edificios principales rodeados de vastos sitios y, también en
vastos sitios, los edificios menores. Pueblo igual a todos los pueblos del

sur, junto a un río, en un valle entre montañas, como de juguete, con casas de maderas pintadas de colores, encaperuzadas de tejuelas, condicionado por una excesiva geometría. Sí, pueblo como de juguete para gentes felices.

Varios hacendados se unieron a la poderosa Compañía Maderera de Colloco para que se creara un paradero en la línea de ferrocarril ya existente, no tanto para ir y venir de pasajeros, como para llevar hacia el norte los productos de la zona.

Así nació la estación, perdida en la red de desvíos, vagones, tinglados, rumas de maderas elaboradas, ir y venir de carretas, de camiones, de autos, de coches. Perdida como un corazón normal en el cuerpo de un gigante. Preciosa y precisa, marcando su ritmo con el tictac del reloj. Metódica, eficaz e incansable.

El pueblo se hizo necesario de inmediato. Y nació, no como nacen los pueblos generalmente, poco a poco, sino simultáneamente: porque mientras un terrateniente edificaba sus galpones, las casas necesarias a su administración y a sus obreros, los otros no le iban en zaga, y todo crecía a la vez, como brote de yemas en una primavera sin atraso.

Había urgencias vitales: nació el pequeño comercio. Había chiquillos: se levantó una escuela. Había una peonada flotante: apareció a la vera de la estación un puesto de empanadas. Otro le hizo competencia, ofreciendo además arrollado y pebre. Pero molestaban en esa periferia y se los obligó a retirarse. Así hubo una fonda y una cocinería.

No, no era un pueblo de juguete, ni sus gentes tenían la vida plácida.

El chiquillo seguía en su rápido descenso. Alcanzó a ver cómo se encendían las luces de las calles; luego en las casas se iluminaron ventanas. Terminaba el camino de piedra. Un minuto después estaba en el plano, con los pies levantando polvo. Tomó por un atajo quebrado en agudos ángulos. Un grillo colocó cautelosamente en el silencio sus repetidas notas metálicas. El chiquillo se detuvo en seco. Con idéntica cautela otro grillo contestó igual grupo de notas. Posiblemente un grillo auténtico no sorprendió la farsa. De entre unos renovales avanzó otro chiquillo.

—Eres loco..., ¡cómo puedes haberme esperado hasta tan tarde! —exclamó Cacho, el que bajaba.

—No me importa lo que pase... ¿Conseguiste algo? —contestó premioso Conejo.

—La traigo en el bolsillo. Es una tenquita.

—¡Oh! ¡Qué suerte! ¿Te costó mucho agarrarla?

—Un poco. Estaba alto el nido. Pero es de linda... ¿Y tú?

—Yo —dijo la voz de Conejo—, yo sólo pude conseguir unas violetas —y con un desconsuelo que asordó los sonidos—: Siempre le tengo lo mismo...

Cacho le echó un brazo por el cuello y dijo con un temblor de ternura en la voz que era habitualmente alta y timbrada:

—Pero si a ella le gustan tanto... No te aflijas por eso... —y con un brusco cambio de tono—: ¡La que nos espera! Son las mil y quinientas. Andate ligero, y hasta mañana temprano en la cueva.

Echó a correr por un nuevo atajo que llevaba al pueblo. El otro iba lo más ligero que podía, que no era mucho, porque una renguera congénita balanceaba penosamente su figura magra.

2

El reloj marcó la media hora.

Ernestina dejó el tejido en el regazo, cruzó sobre él las manos y con la cabeza ladeada puso atención al interior de la casa, buscando oir cualquier ruido delatador. Cuando oyó el chapoteo del agua en el baño, aflojó la angustia de la espera, miró de nuevo el reloj, movió la cabeza, enarcó las cejas, suspiró y con lento ademán volvió a su trabajo.

Entró Cacho. De haberse lavado a escape las manos, cara y cabeza, y haberse secado de cualquiera manera a restregones, daban fe las gotas que le brillaban en la crespa pelambrera dorirroja, el cuello mojado de la camisa y la humedad de las manos. Los enormes ojos marrones con puntos dorados vieron a la madre sola y perdieron la ansiedad que el posible atraso había puesto en ellos. Se acercó modoso a besarla.

—Buenas tardes.

—Buenas tardes. Buenas tardes —repitió desabrida la madre—. Buenas noches, querrás decir. ¿Son éstas horas para llegar? ¿Te parece sensato? Si está aquí tu padre, ¡buen castigo que te llevas! Y con toda razón.

—Perdóname, mamá. Se me vino la noche encima, sin saber cómo.

—Por los riscos, igual que las cabras. Rompiéndote los mamelucos hasta que te rompas la cabeza. ¡Dios, qué niño! ¿Hiciste tus tareas?

—Sí, mamá.

—¿Dejaste tu escritorio en orden?

—Sí, mamá.

—¿Y dejaste el baño como una charca?

—Sí, mamá —repitió con el mismo tono de cantinela.

La madre algo iba a preguntar de nuevo, pero la desarmó la mirada del chiquillo, fija en ella, un tanto risueña, infinitamente tierna.

—Vas a terminar conmigo... —Pero ya estaba el chiquillo abrazado a ella, tapándole la cara a besos. Y haciéndose la dura, iba diciendo, como podía, defendiéndose mal que bien de ese alud—: Colorín asqueroso... Tunante... No me ahogues...

Pero el tierno pugilato, el besuqueo, las palabras dulceamargas, la risa contenida del cosquilleo, todo cesó al oírse la imperiosa, dura voz de Reinaldo, que preguntaba desde el pasillo:

—¿Está lista la comida?

La pieza era amplia y rectangular, bella en sus proporciones. La presidía la chimenea de piedra con un choapino extendido al frente y un pequeño sofá a cada lado. Entre ambos había una mesa enana con alguna revista, una caja de cigarrillos y unos ceniceros. La misma manida decoración, hecha a base de motivos simétricos, llenaba el resto del *living*. Pero el gris que pintaba los muros y el amarillo oro de las cortinas de lino, las maderas claras de los muebles contrastando con el marrón dorado del tapiz de sofás y sillones, perdían su convencionalismo gracias a la profusión de plantas en tachos de cobre, al revoloteo de un canario en su jaula esférica, a una dosificación de las luces en simples pies de botellones verdes, veladas por pantallas de papel apergaminado. Era una habitación para vivir en ella gratamente, a toda hora y en todo tiempo. Siempre con la presencia de la montaña a través de los ventanales abiertos en ángulo sobre el paisaje espléndido.

Reinaldo entró malhumorado al *living*. Repitió la pregunta:

—¿Está lista la comida?

—Esperábamos que llegaras para servir. Buenas noches. —No había retintín en las palabras de Ernestina, pero el marido, quisquilloso, contestó con aire de reto:

—Buenas noches. ¿Y qué?

—¿Qué? Nada. Te he dicho que te esperábamos para servir y te he dado las buenas noches. Niño, dale las buenas noches a tu padre.

—Buenas noches, papá —dijo Cacho, como repitiendo una lección.

—No está mal que tenga tu madre que decirte lo que debes hacer, el tratamiento que debes dar a tu padre. Se perfecciona el sistema de educación familiar...

—¿En qué momento querías que te saludara? —intervino Ernestina.

—Perdona. Sí. Ya lo sé. Al príncipe no hay que tocarlo. Mis excusas.

Ernestina lo miró con esa firmeza serena que tenía el poder de desarmarlo.

Adentro tintineó una campanilla.

—Vamos —dijo la madre—. Está servido.

La siguieron en silencio. En el pequeño comedor, ya sentados los tres alrededor de la mesa redonda, los rostros en sombra por la luz muy baja, cuya pantalla de seda verde casi tocaba las flores del centro, el chiquillo levantó los ojos del plato en que cuchareaba golosamente y se quedó atónito mirando la solapa del padre, una solapa de chaqueta de trabajo, gris, a cuyo ojal asomaban curiosamente los ojitos descoloridos de dos violetas silvestres.

—Violetas... —dijo involuntariamente.

El padre lo miró, y con su acento combativo habitual contestó:

—Sí, violetas —y de pronto, relajado, con algo como una sonrisa en los ángulos de la boca, añadió—: Me las regaló... —y calló bruscamente, deteniendo una de esas frases que dentro de él cristalizaban su estado sentimental. Porque iba a decir: "Me las regaló la montaña, como se las regala a ella".

3

El cuarto entre siete hermanos, Reinaldo no tuvo en su familia, atenida a ciertas leyes inmutables, ni los derechos del primogénito ni las regalías del benjamín. Fue un ignorado fiel de la balanza, sin gloria ni pena. Heredó los trajes y los libros de estudios de los hermanos mayores, más los juguetes que desdeñaba el menor. Las dos hermanas formaban un pequeño mundo de rubias trenzas y lazos de seda, delantales almidonados, reverencias y sonrisas estereotipadas y ciertas frases dichas con cierto tono que les concedía un misterio de clave. Un mundo sellado hasta para la propia madre, que no se inquietaba por entrar en él, obsesionada por ser la buena esposa de su excelente marido y la madre ejemplar del hijo mayor y del hijo menor.

El excelente marido llegaba a casa demasiado cansado de despachar recetas en la farmacia para dedicarse a resolver problemas familiares, máxime cuando atañían a los niños, "cuya educación debe estar siempre a cargo de la madre". Ganar dinero, economizar, formarse una situación sólida, educar convenientemente a los hijos, dar una carrera a los hombres y casar ventajosamente a las mujeres, era un plan de vida que lentamente iba desarrollando. La farmacia acreditada, la casa cómoda, ya las poseía. Entonces —¡qué demonios!—, no fregar con que si Reinaldo hizo esto o esto otro.

Reinaldo hacía "cosas" con la esperanza de que a fuerza de hacerlas se le diera en el hogar un sitio preferente, se ocuparan, alguna vez que fuera, de su persona. Cuando se convenció de que la madre silenciaba sus "cosas" con la intención de no molestar al padre, que los hermanos lo miraban desdeñosamente, que las hermanas se encerraban en su círculo de frías sonrisas, que no hallaban eco sus "cosas", entonces buscó otro escenario para realizar el magnífico destino que creía ser el suyo.

Desgraciadamente en la escuela fue un alumno moroso que a gatas logró completar sus estudios primarios. Y sus "cosas", las "cosas" de Reinaldo, comenzaron por ser un motivo jocoso para sus compañeros, pero después lo oyeron sin mucha paciencia, terminando por deshacerse de él entre rechiflas y empellones. ¿Las "cosas" de Reinaldo? Fanfarronadas, aventuras en que se hallaba siempre mezclado, en las cuales era el héroe que repartía definitivas trompadas, que decía frases lapidarias, ganador siempre de la partida. ¡"Cosas" de Reinaldo! Mítica narración de hazañas, que jamás nadie pudo atestiguar.

Las notas de la escuela eran una certeza tan clara para el padre como el endiablado grafismo de las recetas. No se hizo ilusiones y matriculó a Reinaldo en una escuela industrial. Que fuera lo que pudiera: obrero, capataz, técnico. Ya que le gustaba arreglar los timbres, que componía los juguetes desechados por los hermanitos y hasta a veces lograba hacer andar el viejo reloj de la cocina, decidió que el porvenir de Reinaldo era la mecánica. Y Reinaldo —que por ese entonces sentía en sí mismo arder una llama de conductor de masas— tuvo que resignarse a atornillar y desatornillar tuercas y pernos.

Porque en verdad un muchacho como él, alto, fuerte, rectangula es los hombros, saliente el pecho, con largos brazos y largas piernas, firme en grandes pies, con las manos de dedos tan largos y anchos, con una cabeza de gran mandíbula y un mentón como proa hendiendo el porvenir, con una noble frente y unos ojos pequeños de cauteloso mirar, con la sonrisa parca sobre los dientes deslumbradores, sano, rubicundo, lleno de inquietudes sociales, un muchacho como Reinaldo, así visto por sus propios ojos y según su propia opinión, no podía estar destinado sino al estudio de las leyes, antesala de los comités políticos que llevan a los ciudadanos a las Cámaras legislativas como representantes del pueblo.

Para llegar a la facultad de leyes, a esa antesala, había que pasar por el liceo. Y cuando se pasa a gatas por la escuela primaria, la pasada por el liceo se hace problemática. Fue lo que sintetizó el padre cuando Reinaldo quiso dar su opinión, rebatiendo la idea de mandarlo a la escuela industrial.

—Déjese de proyectos imposibles para su meollo y confórmese con ir donde su padre ha dispuesto.

Era para Reinaldo letra muerta lo teórico, pero en la práctica terminaba por entender y ser infinitamente hábil. Con una especie de memoria muscular, una exacta repetición de movimientos, una asociación de ideas hecha a base de realidades, una memorización de formas y no de nombres, acabó por ser un buen mecánico.

Al término de sus estudios pretendió Reinaldo que el padre lo mandara a Estados Unidos a perfeccionarse. Ya no soñaba en lo íntimo en ser un conductor de masas, pero sí revolucionar la industria de los motores con sus invenciones. En respuesta a aquellas pretensiones el padre le buscó y halló trabajo, y así ingresó en la Compañía Maderera de Colloco.

Siempre le gustó gallardear con las muchachas, seguirlas, pararse en la esquina cercana a sus casas, esperando que asomaran a la ventana o a la puerta. Pasearles la vereda de enfrente en la misma espera. Con buen éxito o sin él, no le importaba, porque mientras tanto se sentía él feliz protagonista de la mejor aventura de amor, con muchachitas tras las persianas, entre cortinas mirándolo a escondidas, sufriendo penas y castigos, mirándolo a él, tan erguido, tan impecable, con los hombros tan cuadrados y la barbilla en alto hendiendo el porvenir, tan fachoso, tan hombre.

En sus últimos años de estudiante, tampoco había logrado amigos. Aburría a sus compañeros con baladronadas y a los maestros con su lentitud mental. Lo curioso era que no sufría con el aislamiento, habituado a ese frío clima desde la infancia. No sólo no sufría, sino que le parecía una especie de homenaje a su capacidad, a su inteligencia, a sus dotes. Unos por no entenderlo y otros por envidia, lo dejaban solo. Bueno... Y sacaba pecho, afianzando más los grandes pies en la tierra para lanzar al porvenir el mentón agresivo.

En sus escarceos amorosos tuvo igual suerte. Las muchachitas lo miraban, solían sonreírle, alguna salió al balcón, otras le fueron presentadas, pero ninguna se interesó realmente por él. Bailaba mal. Sus grandes manos al saludar daban apretones que las dejaban doloridas. Hablaba demasiado de sí mismo.

No tenía casi urgencias sexuales, otro motivo para enorgullecerse, porque en vez de encharcarse en sucias aventuras con rameras, por mandato providencial permanecía virgen, conservando íntegra su fuerza viril para transmutarla en memorables hechos. El masturbarse alguna vez no tenía importancia.

Oir música revela buen gusto. En cuanto pudo compró un radio, y aunque le entretenían los programas frívolos y en especial las obras de teatro en series, se las escatimaba, obligándose a escuchar largos conciertos que al fin le resultaron propicios al sueño, fondo para deliciosas siestas.

Sus lecturas eran obras de peso, volúmenes que llevaba siempre bajo el brazo y que mostraba agresivamente.

—Estos son libros constructivos y no toda esa hojarasca que anda por ahí envenenando el mundo.

Su biblioteca contenía títulos definitivos: "Cómo Dominar a las Masas", "Hacia un Porvenir Radiante", "El Poder por la Voluntad".

Reinaldo iba y venía metódicamente de la casa a su trabajo. Oía música, leía, hacía largos paseos cumpliendo su programa de andar diariamente cuarenta cuadras, forma de llegar a viejo en perfecto dominio muscular.

Tiempo adelante a Reinaldo le consultó su jefe si le interesaba irse a Colloco, el pueblecito que crecía rápidamente, tan nuevo, tan hermoso en la palma del valle, tan prometedor de una situación espectable, sobre todo para un hombre joven, deseoso de prosperar. Tendría mayores atribuciones, mejor sueldo; se le edificaría una casa.

Fue el padre el que aceptó la propuesta. La madre advirtió, descubriendo de súbito que tenía obligaciones que cumplir con este hijo:

—Un hombre no puede irse a vivir solo en esos andurriales. Tiene que ir con su mujer.

Tenía ella buen ojo para descubrir futuros yernos y nueras. En casa del ferretero quedaba una hija soltera, Ernestina, jovencita, plácida, linda, discreta, bien educada, gran dueña de casa, prolija tejedora de chalecos y bufandas, calcetines y mitones.

Reinaldo entró impensadamente en una vida llena de sorpresas. Viajó, fue y vino desde el pueblo —pueblo, pero capital de provincia— al otro pueblo —Colloco, chiquito y recién nacido— en que su vida habría de seguir desarrollándose. Viajó, tuvo que apresurarse para no perder los trenes, tuvo que hacer y deshacer maletas, que dar órdenes, que elegir terreno, planos, pinturas, papeles, muebles. Tuvo que visitar la casa del ferretero en plan de amigo, de enamorado, de novio. Tuvo que vestirse con una ropa incómoda e ir a la iglesia con la madre y el padre, esperando a la puerta —había un fuerte viento que lo despeinaba, dándole una penosa certidumbre de incorrección—, esperando con cierta angustia que le enfriaba las manos. Hasta que vio llegar a la novia, tan serena en su velo, sus azahares y su traje de refulgente raso, como si todos los días de su vida hubiera ensayado la ceremonia nupcial.

Tardó mucho en habituarse a la casa nueva que olía a pintura; a las montañas cerradas alrededor del valle; al impresionante silencio de las noches que el silbido de los vientos solía turbar, cuando no el lento o agresivo caer de la lluvia; a su trabajo, que lo llevaba de aserradero en aserradero, pues la Compañía tenía varios distribuidos en la zona. Pero a lo que más le costó acostumbrarse fue a la presencia de la mujer, a esa evidencia, a ese cuerpo que parecía siempre esperar el suyo, sin prisa, sin manifestación alguna de reclamo. Ese cuerpo que en el día se desplazaba por la casa con suavidad, organizando un mundo de comodidades, el orden, la limpieza, la buena comida, la ropa pulcra, las plantas, los pájaros, las flores. Hablaba lo necesario, sonreía, más que con los labios, con sus grandes ojos dorados. A Reinaldo le parecía vivir el sueño que nunca tuvo, que jamás se le ocurrió soñar. La miraba pensativo. Esta era su mujer y ambos estaban en su casa. Y él tenía un trabajo en el cual era eficiente y todos lo estimaban; empezaban a llamarle "el ingeniero". Le daban ganas de tocar a la mujer y tocar las paredes para cerciorarse de que aquello era la realidad y no el sueño que nunca soñó. Porque, en verdad, ¡era todo tan simple! No acababa de confesarse que era feliz, natural y sencillamente feliz.

Porque no lo era.

A veces, en la noche, extendía suavemente la mano hasta encontrar el cuerpo tibio, la piel tersa y fresca de Ernestina. Nunca pudo recordar, apartar de un cúmulo de múltiples sensaciones de los primeros días de casado, cómo había llegado a acostarse con ella, cómo su sexo había hallado el camino de ese otro sexo que se ofrecía pasivamente. El, que se había preparado tanto para el gran momento, que había leído concienzudamente "Los Deberes del Joven Esposo", no sabía ciertamente cómo había obrado, de seguro contra todo lo que allí se aconsejaba; pero Ernestina había gemido con una pequeña voz de arrullo y él se había perdido en el vértigo de un imponderable remolino.

Le hubiera gustado hablar con Ernestina de "eso", pero en la noche, después de la posesión, ella se dormía plácidamente, y al siguiente día los afanes cotidianos significaban otros intereses. Se hacía el propósito de iniciar la conversación a esa hora nocturna en que el cuerpo de la mujer se hacía presente y poderoso, hecho para incitar subrepticiamente al suyo. Ese cuerpo que estaba ahí, tendido con una especie de laxitud, quieto como una alimaña en espera de presa. El estaba cansado, no quería voluntariamente hacer "eso". No porque no se sintiera capaz de ello, sino por probarse a sí mismo que era dueño de sus actos. No quería hacerlo. Se obligaba al reposo, llamaba al sueño, muy abiertos los párpados en la obscuridad, las manazas inertes sobre el pecho.

El aire empezaba a enrarecerse y el corazón a darle grandes golpes. La boca se le llenaba de saliva. El cuerpo de Ernestina parecía crecer, avanzar a tocar el suyo. Alargaba una mano callosa de trabajador y encontraba la suavidad tibia de los pechos. La mujer no hacía un movimiento. Y él se lanzaba a su cavidad profunda como enceguecido, hasta ese momento en que la oía gemir un tierno arrullo bajo su bronco jadear de gozo.

Después el cuerpo de Ernestina volvía a su laxitud y en silencio caía en el sueño.

El quería reflexionar en cómo era "eso". Aplicando sus conocimientos librescos. Lo que no lograba entender era la autonomía del deseo que obraba contra su voluntad, con una avasalladora fuerza propia.

Nunca sacaba conclusiones, sumido también él de súbito en un sueño mineral.

Lo desconcertaba hasta dejarlo atónito la dualidad que representaba Ernestina. ¿Cómo unificar a la suave mujer que de día tan eficientemente se ocupaba de su casa, daba órdenes, cumplía obligaciones sociales, creaba a su alrededor una atmósfera de placidez, una silenciosa cordialidad, correcta y serena, con esa otra criatura como en acecho en la noche hasta lograr su presa? ¿Esta que de día jamás hubiera él osado besar sino en la frente y que en la noche aceptaba con naturalidad primaria su mano, su boca y su sexo?

¿Cómo serían las otras mujeres?

Se enredaba en este interrogante, un poco asustado de formulárselo, con una curiosidad que se hacía por momentos más ávida.

Porqué él, hecho para grandes destinos, que había sacrificado su porvenir en aras de sus sentimientos filiales, ajustando su vida a lo que el padre había determinado, olvidando sus posibilidades políticas; él, que aspiraba a un hogar tranquilamente feliz, en el cual sería amo y señor, haciendo de su mujer un reflejo de su propia personalidad y de sus futuros hijos criaturas modelos; él, que había anulado el impulso de su juventud para convertir su virilidad en una fuerza capaz de conmover al mundo; él, sí, estaba convertido en una especie de garañón, entregado a esta "burra de mujer".

La primera vez que la frase se le presentó en toda su brutal grosería, tuvo un sobresalto, dando tal frenazo al pensamiento, que por días se quedó dolorido, como si el frenazo lo hubiera recibido no sólo la mente, sino también la carne.

Se preguntaba si la quería. ¿Cómo era el amor? Esa felicidad inenarrable que describían sus libros, realmente, aun observándose bien, él no la sentía. Tan confortablemente estaba antes, en la casa paterna, como ahora en la suya. Allí había una mujer, su madre, que hacía el ambiente grato, que ordenaba, que era la organizadora cotidiana del gran horario por cumplirse. Aquí, Ernestina hacía lo mismo. ¿Entonces? Su trabajo ahora y antes le daba satisfacciones, claro que en la actualidad disponía de casa propia, de mayores dineros, de libertad de acción. Pero debía confesarse que estaba más tranquilo entonces, en ese antes sin responsabilidades, sin obligaciones, hilando soberbios proyectos, oyendo música, leyendo las grandes obras que son pan para el espíritu y andando las cuarenta cuadras necesarias para llegar a viejo con los músculos en perfectas condiciones.

¿Cómo serían las otras mujeres?

Cuando Ernestina sintió los primeros síntomas de embarazo, no hubo otro remedio, para sus constantes malestares, para sus vómitos incoercibles, que llevarla a casa de los padres de Reinaldo, donde su madre —para eso son las madres— se acomodó a la presencia doliente de la nuera y a cuidar de su salud. Reinaldo iba y venía de Colloco al pueblo, de mal talante, cansado de la preocupación que implicaba el estado de Ernestina, de las complicaciones que su propia casa sin gobierno le creaba, con las entrañas crispadas en una especie de angurria sexual, tenso, porque Ernestina se había convertido en otra mujer, ausente, como si no fuera ella, entregada al sopor de una dificultosa gestación, animalizada, asordados los sentidos, torpe el andar, empañados los ojos, como desbordada de sus límites y con las bascas cosquilleándole constantemente el estómago.

La miraba rencorosamente. Sin ninguna piedad, rencorosamente. Haber creado en él la necesidad de su cuerpo para ahora hacerlo conocer esta otra humillación: el desearla —a pesar de la modorra, de la hinchazón, de la indiferencia—, sin poder ni siquiera acercarse a ella, porque una noche que enloquecido lo intentó, en el esfuerzo por rechazarlo, Ernestina vomitó sobre él bocaradas de bilis.

¿Cómo serían las otras mujeres?

El punto de partida de sus experiencias fue la Cochoca, mujer de un viejo capataz, realizando esas extrañas parejas tan comunes en los campos sureños, en que la jovencita se casa con el hombre de años que tiene buena situación. Los dramas que la disparidad de edades engendra suelen ser la añadidura de estos matrimonios.

De cómo podían ser las otras mujeres tuvo la primera experiencia medio a medio de la montaña, en un quilantral, junto al río. La Cochoca andaba por ahí tendiendo una red para pescar salmones y él pasaba a caballo de regreso de un aserradero. También todo aquello era una confusión de sensaciones, porque sobre las hojas que mullían el suelo, bajo la comba de las quilas dobladas en infinitos entreverados túneles que salpicaban puntos de luz, recalentado el ambiente por una siesta de canícula, con el olor de la menta y de la hierbabuena como un filtro erótico, y los pájaros arriba enloquecidos de trinos y el misterioso rumor de inadvertidos insectos chirriando, removiendo, crujiendo; sobre todo eso, bajo todo eso, estaba el frenesí de la Cochoca, como lagartija eléctrica, aferrada a él, incitante, activa, revuelta de cabellos y de gemidos, con una acometividad de macho, más que poseída, poseyéndolo.

Nunca Ernestina le había dejado una semejante sensación de vacío. Cuando siguió camino, el paso del caballo le hacía doler las ingles y con un movimiento mecánico se tocó el sexo absurdamente pensando que podía haber quedado entre los duros muslos de la mujer. Le pareció tan grotesco todo, que una sonrisa sin alegría le deformó la boca.

Conoció cómo eran otras mujeres. La Cochoca, mozuelas montañesas, prostitutas, una adolescente viciosa, más prostitutas, una mujer otoñal que aún en la cama hablaba de problemas sociales. Mujeres, muchas mujeres. Parecía que su virilidad se vengaba de los años inactivos con un deseo incontenible. Tan incontenible como insatisfecho.

Cuando Ernestina con un hijo de meses volvió a su casa, encontró esperándola a un marido extremadamente nervioso, violento, queriendo imponer su voluntad a gritos, sin atender razones.

Ernestina lo miró desde el comienzo a los ojos, serena, firme, sin ceder en lo que creía justo. Reinaldo la miraba también fijamente, con una especie de desafío, de recóndita sorna. Pero podía más la serena firmeza de Ernestina y se iba con un último portazo y un último grito que era una amenaza. Se iba a buscar otras mujeres, porque esta suya, por un rencor de obscuras raíces subconscientes, se le había hecho indeseable.

Nunca más fue su mujer.

Para Ernestina el hecho al comienzo fue un descanso en la tensión con que había regresado. Porque ese retorno al hogar, después de nueve meses de padecimientos y de un padecimiento aún mayor en el parto —que requirió una operación cesárea—, podía significar otro proceso semejante. Y no quería más hijos. Todos los medios para evitarlos le parecían buenos. Pero jamás imaginó que Reinaldo haría caso omiso de ella. Preparada para imponer condiciones, la actitud del marido fue una inesperada solución. Después, a la larga, esa actitud le pareció la evidencia de una querida.

Pensó aliviada: "Con tal que me deje tranquila"...

Y como en verdad en ese aspecto la dejaba tranquila, se acomodó a esta nueva manera de vivir, entregada por entero a la crianza y educación del hijo.

4

Con las manos sumidas en el agua desbordante de un artesa, la Petaca dividía en ocho trozos, concienzudamente, la cebolla que contenía su mano. Era una forma de librar los ojos del escozor que el trabajo, hecho a la manera tradicional criolla, le producía y que se le había tornado intolerable. Una de las bases de su negocio eran las empanadas. Las famosas "caldúas" de la Petaca.

Partía las cebollas concienzudamente, incapaz de traicionar la perfección de su trabajo. Un delantal blanco protegía el traje de percal floreado y un repasador protegía a su vez el delantal.

Se le hubiera dicho joven y bonita si la gordura no la deformara. Tenía en su favor dos cosas: la piel tersa, fina, morena clara, y los ojos negros de una materia que parecía preciosa, húmedos, relampagueantes. Tan enormes, tan sesgados, tan bordeados de largas pestañas crespas, que aun en la cara en que la grasa había invadido los carrillos y las líneas de las mandíbulas desaparecían en la papada, aun en esa cara, los ojos seguían siendo enormes y de una cabal belleza.

Andaba por el filo de los treinta años. La gordura no le había hecho perder agilidad, ni había aplacado su genio vivo. La Petaca manejaba sin titubeos el almacén, el restaurante, la casa propia, el marido, el hijo, el peón, la mozuela sirvienta, los clientes, los proveedores y, en suma, el pueblecito todo de Colloco. Porque sus ojos, con ciento cuatro kilos de mujer repartidos en una altura mediana, imponían siempre, y más aún en arrebatadoras cóleras, una autoridad de basilisco irresistible.

Terminó de partir las cebollas. Tiró el agua en una canaleta de desagüe. Colocó la sartén sobre la cocina, echó la grasa. Removió los tizones.

—Rita —gritó.

—Mande —y apareció una mozuela desmañada.

—Echame leña al fuego.

—Ta bien —y cogió unos leños para cumplir la orden.

—¿Qué está haciendo el patrón?

—Ta con gente. Recién llegaron unos del lao e Vitoria —y no supo qué hacer: si seguir esperando más preguntas o revolver el rescoldo.

—¿Y el Conejo?

—No lo vide. Ta na.

—Rita —llamó la voz del patrón desde el almacén.

—¿Qui'hago? —preguntó la mozuela, que vivía amedrentada, con aire de animalillo que va a emprender la fuga, temiendo las borrascas de la patrona.

—Que se las arregle... También tú, que nunca vas a aprender a encandilar un fuego... Bueno. Echate a un lado. Y anda a ver qué quiere "ése".

"Ese" era el patrón, el marido, don Lindor.

Rita la miró de reojo. Con su instinto de criatura primaria intuía que el tiempo iba para malo.

La Petaca terminó el frito; tapó la sartén, colocándola en lo alto de una alacena, y arrimó al fuego la olla de la sopa y la otra en que cocerían los choclos. La vaharada del fuego le perlaba de transpiración la frente. Salió de la cocina y se fue al patio, a lavarse cara y manos en el agua de un medio barril, junto a la bomba. Se alisó el cabello, negro y crespo; se quitó el repasador, y a la sostenida luz del crepúsculo sureño, alargado más allá de lo presumible por la remota vecindad de la Antártida, observó si en el delantal había manchas. Tironeó la blusa sobre la comba abundante de los senos, rehizo el moño del delantal en la cintura y se dirigió de nuevo a la casa, rumbo al almacén.

En un ángulo de la amplia habitación, alrededor de una mesa sobre la que caía la luz de una lámpara ya encendida, conversaban sentados los hombres, mientras tomaban un trago entre bocarada y bocarada de humo. Tan enredados en el tema que no vieron entrar a la Petaca por la puertecilla que daba a la casa, para instalarse en su sitio habitual tras el mostrador, semioculta por la vitrina que guardaba las vituallas.

—Pa el caso es lo mesmo —hablaba un viejo como San José de nacimiento criollo—, sean radicales o no, toítos tienen la mesma cantinga hasta que llegan a la Presidencia. O al Congreso. O aonde sea. En cuanti no más se avecinan las eleuciones, ya sabimos que recuerdan la gente'el campo y vienen como locos a ofrecernos de un too. En los años que me gasto, ya hei oío tanto la lesera que me la sé e memoria.

—Pero usted no podrá negar, don, que desde que era mozo hasta ahora ha ganado bastantes ventajas. No me va a decir que no vive mejor, gana más plata y tiene más garantías para su trabajo —contestó un joven, cuyo atuendo ciudadano desentonaba con las mantas colorinches y las chaquetillas cortas de los demás.

—¿Cuáles? —preguntó tozudamente el viejo—. Gano más plata, es cierto, pero ¡pa la pucha que me sirve! Entuavía no la recibo cuando se me le va como sal en l'agua. Si no alcanza ni pa manutención. Lo mesmito qui'antes. La mesma jeringa con otro bitoque.

—Porque ustedes no quieren entender que hay que agremiarse, que si no se unen, jamás van a lograr reivindicaciones —pronunció la palabra última cerrando los ojos para mejor memorizarla—; la gente del campo es muy porfiada y no quiere entender.

—¿Entender qué? Entendamos lo que entendamos, los pobres hemos nacío pa'l trabajo y pa jodernos. Eso es too. Con sinditaco o sin sindicato —y pausadamente el viejo dio término a su gran vaso de vino.

—Los hombres jóvenes pensamos de otra manera. Cuando uno va a la escuela y estudia y trata de educarse, entiende las cosas mucho mejor que otros... —arguyó el joven.

—Lo que pasa es que aquí en el campo —intervino un mocetón— uno se embrutece. Hay que tirar pa'l pueblo, pa la capital, si se puede. Eso es lo bueno.

—Toos habimos tirao alguna vez pa'l pueblo —y aunque la boca no sonreía, algo en los ojos del viejo como una sombra alegre brilló—. Mire, amigazo: no se crea que siempre he sío veterano... Tamién tuve mi ventolera que me agarró pa'l lao e la capital. Allá hice de un too. Cargué sacos en la estación. Tuve en el mataero. Jui de la di aseo. Me pasié por las calles. Jui al tiatro. Me emborraché con litriao y remolí con unas putas recaras. Y me golví pa mi querencia aburrío e vivir como chinche en un conventillo asqueroso, de comer mal y andar con las tripas a las carreras, de estar cansao como bestia y no poer siquiera dormir una siestita a la sombra di un árbol. Y aquí me queé y muy contento. Tengo mi puebla, tengo mi mujer y mis chicuelos; sí, hei pasao mis crujías, pero nunca mi'ha faltao con qué mantener la familia y hasta a veces me ha sobrao pa festejar a los amigos.

—¿Usted no cree que la puebla que ahora tiene, con más comodidades, la escuela para mandar a sus chicuelos, el horario de trabajo más humano y el mejor salario, no son obra de los políticos y de los sindicatos? —dijo el joven, acentuando el tono interrogativo.

—Yo creo qui'hay algo, una juerza, no sé cómo se llamará, qui hace que las cosas mejoren un poco, no mucho, pero, en fin, algo. Yo toy viejo pa cambiar y menos pa cambiar el mundo —y para afirmar su convicción, levantó una ceja en un raro gesto que se la dejó como pegada a las luengas greñas blanquecinas.

—Por suerte los derrotistas como usted son pocos. La juventud tiene ahora mucha fe en sí misma, sabe lo que quiere y cómo debe hacer para llegar a lo que quiere.

—Yo quiero mi puebla, mi mujer, mis chicuelos y mi trabajo —afirmó el viejo con una voz de cantinela, mientras la ceja bajaba a su altura habitual—, y que me dejen morir tranquilo.

Don Lindor los oía con los ojos entrecerrados, como era su costumbre, ladeada coquetamente la cabeza sobre un hombro y las manos aferradas a las solapas.

—La verdad es —intervino— que la juventud de ahora, con su pasión por el deporte, está como embrutecida. Y olvida la sal de la vida. Ni más ni menos... —y entrecerró más aún los ojos, sonriendo misteriosamente a gratas evocaciones.

—¡Ay! Don Lindor, usted siempre tan picaronazo —comentó otro de los mocetones—. Ya veo que nos quiere contar uno de sus cuentos.

—Protesto por eso de embrutecida —exclamó apasionadamente el que había sostenido el diálogo con el viejo—. Somos mucho más limpios que ustedes, don Lindor. La generación suya no pensó nada más que en francachelas, en remoliendas, en mujeres. Nosotros le damos un sentido más noble a la existencia: estudiamos, nos perfeccionamos en nuestro trabajo, tratamos de que la vida sea más grata para la colectividad, elevamos su nivel. Todo eso lo hace la política, la conciencia social que hay en cada uno de nosotros, y en cuanto al deporte, es la manera de sacar al pueblo de la cantina y del prostíbulo.

—Usted va a llegar a diputado —intervino respetuosamente alguien.

—Con too eso no somos más felices —aseguró con su habitual tozudez el viejo.

Don Lindor pareció salir de su cielo color de rosa, volteó la cabeza sobre el otro hombro y dijo con la voz melosa que él estimaba su arma seductora:

—Yo cambio todo eso por una rubia platinada. De esas falsas flacas que uno las ve vestidas y parecen tan estrellas de cine, y bueno, cuando uno las halla en la cama, tienen cada teta así de grande...

No pudo indicar cómo eran de grandes, porque desde su observatorio, detrás del mostrador y de la fiambrera, la Petaca tronó:

—Inmundos... Chanchos de hombres... Sólo saben hablar de putas... Parecen bestias... Peores que bestias, que al fin ellas tienen su celo y después se quedan tranquilas y ustedes se pasan el año corriendo detrás de cuanta mujer se les cruza... Chanchos...

—Pero, Petronila, ¡por favorcito! —balbuceó don Lindor.

—¿Para qué se las agarra con nosotros? Si es su gusto, peléese con él, dígale lo que se le ocurra. Pero déjenos a nosotros tranquilos. Ni nos conoce. Estamos aquí esperando que nos sirva y no para que nos insulte. Habráse visto... —protestó un mocetón, afirmando su protesta con recios golpes sobre la mesa.

—Más vale que se calle —murmuró el viejo, dándole un codazo.

—¿Y qué se mete usted? Yo tengo derecho a no dejarme insultar — contestó el mocetón belicosamente.

—Aquí yo digo lo que se me da la gana. A usted y a todos. Para eso estoy en mi casa. Y si no le gusta, se va. Se van todos —y con una ira creciente, con los ojos echando brasas y una especie de hálito emanando de ella, poderosa como una fuerza de la naturaleza—: Se van todos, a buscar mujeres, a revolcarse con ellas. Si no lo saben, les puedo decir dónde las encuentran, en los barracones, a la salida del pueblo, por el lado del río, y la otra, la rubia, platinada como artista de cine, ésa también puedo decirles dónde está... Puedo decirlo... —Calló ahogada por el borbotón colérico, hasta tomar de nuevo aliento y repetir dando a las palabras una fuerza de maza—: Puedo decirlo...

Los hombres la miraban cohibidos. En los mocetones recién llegados —aun en el que protestara— había una expresión de pasmo. El viejo daba suaves golpecitos sobre la mesa, como marcando un ritmo a las palabras. El joven que amaba la política y abogaba por los sindicatos buscaba la recóndita vertiente de esa ira. Don Lindor se aferraba más sólidamente a sus solapas para no caerse.

En ese nuevo respiro de la mujer apareció Conejo. Flaco, la cara inundada por los ojos enormes, tan iguales a los de la Petaca, en forma, en negror, en sombreado de pestañas, pero tan dulces, tan de animalito recién nacido, tan dadores de terneza, tan esperanzados de recibirla por igual.

—Buenas noches —dijo buscando afianzar la voz, anhelante por el apuro del camino.

Los ojos de la Petaca cambiaron de expresión al verlo. Perdieron dureza, resplandor iracundo. Parecieron reflejar la mansa entrega de amor que había en los otros. Y dijo con reproche, pero sin acritud, algo parecido a lo que había dicho la otra madre:

—¡Qué horas de llegar! Hasta que un día te pase algo andando de noche por esas calles.

—Perdón, mamá —y atravesó el almacén, desapareciendo por la puertecilla. Lo siguió un gato, buscando restregarse contra sus piernas.

El silencio se adensó hasta sentirse vivo el hervor del agua en la cocina.

Y lentamente se elevó también el hervor de la conversación de los hombres, que se reanudaba cautelosa.

5

Lindor y la Petaca se conocieron en el pueblo —no en Colloco, sino en el otro, en la capital de la provincia—, siendo él mozo de la mejor confitería y ella cocinera en casa de una familia acomodada, dueña de grandes fundos madereros. Buena la pinta, aficionado al cine, a la lectura de revistas populares y con una excelente memoria, Lindor aspiraba a ser artista de teatro, pero nunca pasó de desempeñar en una compañía de aficionados papeles que resultaban la caricatura de su oficio. Sacar lleno de dengues a escena bandejas con refrescos, cafés y comidas de guardarropía, réplica grotesca de lo que en la vida diaria hacía eficientemente. La buena memoria le fallaba en cuanto enfrentaba al público, haciéndose famoso por sus furcios. Pero esta afición le valió encontrar a la Petaca, limitada a los dieciocho años a un volumen apetitoso de redondeces, sonriente, picaresca, polvorilla, celosa, bailando con gran desparpajo unas cuecas llenas de malicia, integrante del cuadro folklórico que en aquella compañía de aficionados matizaba en forma ruidosa las obras teatrales. Se enamoró fulminantemente, y como la muchacha no aceptaba "ni un besito en la punta de un dedito" si no se pasaba antes por el civil y la iglesia, se casó con ella y empezó una vida mucho más llena de comedias y dramas que las que pretendió vivir en el teatro.

A él le hubiera gustado seguir de mozo en la confitería. Era una manera de estar siempre entre gente de categoría. Y que Petronila —para él siempre fue Petronila y no esa vulgaridad de sobrenombre: la Petaca— siguiera en la casa en que servía, donde la rodeaban de tantas consideraciones. La señora tendría que avenirse a que él fuera a buscarla después de la comida para llevarla a la pensión en que vivía. Y donde también tantas consideraciones tenían con él las dueñas de casa, unas señoritas venidas a menos. Pero la Petaca no aceptó esta vida fraccionada, le hizo renunciar a la confitería y al alojamiento, lo impuso en la casa como mozo, exigió para ambos una buena habitación con puerta independiente a la calle atravesada y allí instaló su feudo.

La señora solía decir con aire de víctima a sus amigas:

—Claro que es una cocinera espléndida. Pero hay que aguantarle todo: marido, guagua y sabe Dios cuánto más.

La Petaca se las arreglaba para todo. La casa tenía fama por su buena mesa. Lindor vivía en una especie de alerta, poniendo un pie frente a otro por la raya que ella demarcaba. Era un excelente mozo. También la señora solía reconocerlo suspirando. Y la guagua, un niñito debilucho de grandes ojos tristes, era un modelo de aseo y de buena crianza.

Pero esta buena época no duró mucho. Porque la Petaca resolvió ante sí y por sí dejar la casa e instalarse por cuenta propia con un puesto en el mercado.

A Lindor no le gustaba ese medio ordinario. Como no le gustaban las piezas, parte de una vieja casa, en que vivían. Pero la Petaca había empezado a adquirir kilos y mal genio, a celarlo hasta de la sombra de una pollera, y no le quedaba otro remedio que acomodarse a cualquier norma, si no quería caer en medio de trifulcas que en su fuero interno calificaba "como mar proceloso", frase de una comedia que fuera la predilecta de sus mocedades.

Si la Petaca aumentaba en kilos, en celos y en viveza de carácter, el negocio también aumentaba en ganancias. Dos años después el puesto se convirtió en un almacencito. Lindor no sabía cómo se las arreglaba la mujer para que todo en sus manos se multiplicara. Era infatigable. Compraba, vendía. Ahorraba. Tenía audacias que lo dejaban frío. Como aquella vez en que, tranquila y segura, fue a pedirle a su antigua patrona un préstamo para ampliar y modernizar el almacencito. Préstamo que la señora le concedió sin mayores trámites.

La gente hacía cola los jueves y los domingos para esperar que salieran las hornadas de empanadas. En verano se añadían las humitas y las fuentes de greda con pastel de choclo. Comenzó a hacer dulces: alfajores, empolvados, cocadas, hojuelas con huevo mol, cajitas de almendra. Cuando fue a devolver el dinero del préstamo, el señor, por casualidad presente en la entrevista, le preguntó con afectuoso interés:

—Dígame, Petaca, ¿no le gustaría irse con su familia a Colloco? El pueblecito es lindo, ha crecido mucho y necesitamos allá un almacén. Le haríamos una casa cómoda, con sitio, con luz eléctrica y agua. Se la venderíamos a largo plazo. Lo que necesitamos son pobladores trabajadores, honrados, capaces de hacer prosperar el pueblo. Le aseguro que es negocio para una persona como usted, con espíritu emprendedor. La escuela ya funciona. Hay correo y telégrafo. Pero necesitamos un almacén, bien surtido y bien llevado donde pueda proveerse la gente del pueblo y nosotros mismos, la gente de los fundos vecinos, de los aserraderos. Le doy mi palabra de que es un buen negocio.

Como viera a su marido realmente interesado, la señora añadió el argumento que fue definitivo:

—Y el clima le sería muy favorable a su niño.

A Lindor el cambio no le agradó ni pizca. Menos aún que el cambio de mozo de confitería a mozo de casa particular y de mozo particular a puestero de mercado. ¡Demonio de mujer! ¿Y quién iba a contrariarla cuando decidía algo? Porque ahora el almacencito era chiquito siempre, pero había que ver lo bien alhajado que estaba, con mostrador con mármol y todo, y espejos y fiambrera esmaltada y tarros de metal y frascos de vidrio relucientes. ¿Y la clientela? ¡Bueno! Venían allí desde la señora del gobernador hasta la tía del diputado, sin hacer remilgos, muy llanas, muy afectuosas, interesándose por Conejo —alguien había dicho cuando era guagua que parecía un conejito y se quedó con el apodo—, por la Petaca, por Lindor, por las empanadas, los dulces, los postres, los helados. Por todo lo que salía de las manos infatigables de la Petaca para transformarse en dinero.

Y ahora a la loca se le ocurría irse a un pueblo desgraciado, en medio de montañas, donde el diablo perdió el poncho, y ni él mismo supo decir dónde había sido... A Colloco...

Pero la Petaca imponía su ritmo de trabajo donde fuera y sus manos seguían comprando y vendiendo, ganando y ahorrando. Engordaba, el genio se hacía por días más colérico. Y Lindor, sin saber cómo, se halló dueño de una casa, de un almacén, de un restaurante. Se lo llamaba don Lindor. Pero, vaya uno a saber por qué, a ella nadie la designó por doña Petronila, sino que siempre fue la Petaca, y así se la conocía en la región, famosa por su mano para las comidas. El almacén de la Petaca. Las empanadas de la Petaca. Los dulces de la Petaca.

Copita va para el frío, copita viene para la calor, vasito para hacer salud con el viejo cliente, potrillo para sellar la buena amistad con los recién conocidos, a don Lindor el trago se le fue haciendo costumbre. Nunca llegó a borracheras mayores, pero vivía en un achispamiento crónico, suelta la lengua en largas historias picantes, diciendo misteriosamente al comenzarlas, luego de asegurarse que su mujer no podía oírlo: "Esto le pasó a un amigo mío muy amigo...", en la esperanza de que los oyentes le adjudicaran la aventura. Siempre de amores, de artistas de cine o de teatro, y hasta de bellezas como huríes de Mahoma: "Un caballero con toda la barba que tenía mil mujeres..."

Fue también entonces cuando adquirió la costumbre de aferrarse de las solapas de su chaqueta, voltear la cabeza sobre un hombro y hablar a media voz, entornando los párpados. La verdad era que la Rita no resultaba muy apta para pellizcos. Porque una aventurilla sin consecuencias, de cocina adentro, no sería desdeñable, si es que la Petronila —para él era siempre la Petronila— se distraía al punto de dar tiempo para ella. Pero ¿qué se podría hacer con la Rita, que parecía palo de ajo?

Había vivido años como subsidiario de la mujer. Queriéndola a matarse, con una fidelidad ejemplar, dándole gusto en todo. Aguantando cuanto de ella viniera. Pero —¡caramba!— él tenía también derecho a "vivir su vida".

Empezó a vivirla dando por pretexto para sus salidas el ir a la estación a la hora de la pasada del tren del norte, a comprarle revistas infantiles al niño.

—¿Por qué no se lleva al Conejo? —preguntaba la Petaca.

—Es que se cansa —argüía él—; yo voy de una carrera y vuelvo de otra.

La Petaca lo vio salir al comienzo sin hacer mayores reparos. Pero las demoras, el que las ausencias se hicieran más prolongadas y no tuviera el hombre cómo justificarlas, empezaron a crear entre ellos un clima constante de tempestuosas discusiones, mejor dicho, crearon en la Petaca un aluvión de protestas, que don Lindor soportaba encogido, aferrado a sus solapas, con la cabeza ladeada, entrecerrados los párpados, diciéndose en lo íntimo que aquélla sería su última escapada, que él no tenía derecho a enojar así a su mujer, a su adorada Petronila. Propósitos que no duraban mucho. Poco después, en cuanto la mujer se abstraía en su trabajo, con el propósito firme de dar sólo una vueltecita, salía de nuevo don Lindor escapado rumbo a la estación, donde había encontrado un auditorio para sus cuentos, y a la vuelta de la esquina, en la cocinería de don Rubio, otro grupo de amigotes para jugar brisca y beber unas copitas, entre mozuelas de servicio, que éstas sí eran para retozos.

—¡Dios! Tanta gente y Lindor sin llegar —exclamó rabiosamente la Petaca un anochecer en que bullía la clientela en el almacén, sin que alcanzaran a atenderla entre ella, la Rita y el mozo.

Y habían llegado los altos jefes del aserradero grande, con don Reinaldo, y pedían trago y empanadas. Y Lindor en la luna, paseando por el pueblo como si tuviera la edad de Conejo.

—¡Porra de hombre! ¿Para dónde habrá agarrado? —gruñó entre dientes.

—Tará onde on Rubio —dijo la Rita, sin saber que prendía fuego a la mecha de una bomba.

—Donde don Rubio... ¿Y por qué donde don Rubio?

—Tará jugando a la baraja —contestó la Rita con la misma inconsciencia.

—Jugando a la baraja... —repitió la Petaca, reconcomiéndose las sílabas.

Pudo comprobar que el marido jugaba brisca. Jugaba dinero. ¡Era tan fácil sacarlo del cajón del mostrador! Pudo comprobar que tenía su patota de amigotes en la estación —mozos, obreros flotantes, peones—, con los cuales se iba de jarana donde don Rubio. A revolcarse con chinas mugrientas. Donde don Rubio, que se decía dueño de una fonda, pero que bien merecía su negocio el nombre de casa de remolienda. ¡A eso había llegado Lindor! Mientras ella se deslomaba haciéndole una situación, ganándole dinero, dándole comodidades, creándole un nombre honrado. ¡A eso!

Era el motivo dominante en sus peleas, en las tremendas peleas que estallaban a diario, con justo motivo, porque Lindor seguía escapándose, deslizándose subrepticia e irresistiblemente hacia eso que él seguía llamando "su derecho a vivir su vida". Broncas que estallaban a toda hora, porque con tal de escapar, Lindor se iba en cualquier momento propicio. Broncas que sólo la presencia de Conejo silenciaba, porque la Petaca no quería que su hijo supiera la vergüenza que era la vida del padre. Ante los demás no tenía pudor alguno y los insultos salían de su boca como pedrea. Lindor se aferraba a sus solapas, ladeaba la cabeza, entornaba los párpados y esperaba mudo, esperaba que la mujer callara, ahogada en ira y en el tumultuoso latir de su corazón, perdido en capas de grasa.

Lindor advirtió que la presencia del niño enmudecía a la madre. Fue entonces cuando comenzó a esperar que Conejo estuviera en casa para hacer su entrada pacífica. Llegaba como si nada hubiera pasado. Decía:

—Buenas noches —y buscando su antiguo empaque de mozo de confitería principal, se disponía a atender a los parroquianos.

Porque con trifulcas y sin trifulcas, el negocio prosperaba.

Rita vivía mirando de reojo a la Petaca, deteniéndose medrosa en su ceño tempestuoso. El mozo pensaba:

"Viejo maula...", con bastante envidia y no poca admiración, porque a él, como a la Rita, lo empavorecía la cólera de la patrona.

Conejo no sabía nada, perdido en su mundo de maravillas.

6

Misiá Melecia tenía a su cargo el correo. Desde que enviudara, al filo de la cincuentena, había decidido ser vieja, fea y desagradable. Y esto nada más que por fidelidad a un principio: "Un Dios y un marido". Para lo cual se había transformado con total éxito en una espantahombres. En una época en que hasta la chinita más lejana de toda civilización se echa "su manito de gato" y puede prescindir de cualquier cosa menos de los polvos para la cara y del rojo para los labios, misiá Melecia aparecía con el rostro lavado, descolorido, con los labios exangües y una mata de pelo entrecano tirante y enroscada atrás en un gran moño espinudo de horquillas. Usaba trajes negros hasta el tobillo, con mangas largas y escotes monacales, hechos con una deliberada falta de gracia. En invierno usaba pañolones negros de rebozo. En verano, manteletas de seda con flecos. Y en todo tiempo una cinta le rodeaba el cuello, colgando de ella un medallón de oro y esmalte negro, en medio del cual lucía un diminuto diamante y que contenía el retrato de "su adorado finadito".

Su hermana Liduvina, poco menor que ella y defendiéndose con heroicidad de los años, llena de melindres y caireles por dentro y por fuera, le decía siempre:

—No veo por qué hay que vestirse de mamarracho para guardar la memoria del marido. Lo mismo se puede ser respetable vestida como la gente.

—Maneras de pensar. Y no veo tampoco por qué te metes en mis cosas cuando yo jamás me he permitido hacerte una observación. No creo que te gustaría mucho que te dijera lo que pienso de tu forma de vestirte, de comportarte y menos de lo que pienso de tus amistades...

—Ya salieron las amistades...

—Cuando me buscan me encuentran. Yo soy muy prudente, pero no hay que pedir que sea santa y aguante todo...

Las dos eran viudas y habían resuelto vivir juntas, porque uniendo las pequeñas rentas lograban darse mejor vida. Y además completábanse sus trabajos: porque una era empleada de correos y la otra telegrafista. Moviendo las viejas relaciones de familia —siempre se referían con modestia respetuosa al tío abuelo obispo—, habían logrado que las destinaran a Colloco, donde tenían toda suerte de ventajas: casa nueva, poco trabajo, independencia y las mil regalías con que se las rodeaba: que leche, mantequilla y queso, que un saco de porotos, que una gallina, que empanadas, que una pierna de cordero, que huevos, que otro saco de porotos.

Era una ganga.

Y además y principalmente: ¡qué entretenido!

Un correo así, chiquito, permite saberlo todo. Claro que hay que tener maña. Saber recalentar hasta cierto punto un filo de gillette para levantar sellos, manejar el vaho del agua caliente para abrir sobres. ¡Y qué apasionante es la vida de la gente vista por dentro! ¡Y qué satisfacción es poder anunciar la llegada de los señores, el nacimiento de un niño, la muerte de un pariente del senador, el pedido de una prórroga en el banco! Claro es que hay que saber lo que puede decirse abiertamente y lo que debe decirse entre líneas y lo que no debe decirse nunca, comentándose sólo entre ellas. Eso es prudencia y buena educación. Saber que la mujer del administrador tiene un amante, así, sin remilgos, un amante, que le escribe a nombre de la sirvienta. ¡Buena fresca la mujer del administrador! Saber que a la pobre señora del dueño de los fundos más valiosos, del más millonario terrateniente del sur, cuando la operaron y le dijeron que era apendicitis, lo que le sacaron fue un cáncer y no le dieron vida sino para seis meses. Y como ya se cumple esa fecha trágica, ellas están esperando que de un momento a otro llegue el telegrama anunciando la defunción. Ellas lo saben todo.

Parecen buitres pulcramente devorando carroñas. Un buitre disfrazado de buitre y un buitre disfrazado de lorita real.

El desastre empezó para ellas cuando un buen día —día nefasto hubiera dicho don Lindor— apareció el administrador de la Compañía Maderera de Colloco con Reinaldo, anunciándoles sin mayores ambages que estaba acordado crear allí una oficina de teléfonos, que los trabajos empezarían de inmediato y que, para mayor comodidad, la telefonista viviría allí, independizándole parte de la casa, tan grande para dos personas. Como todo parecía estar previsto y la sorpresa las paralizó, dieron la callada por respuesta.

Y al día siguiente apareció el capataz de construcciones. Ya habían logrado sacar voz y quisieron protestar:

—Pero esto es un atropello. Vamos a escribir inmediatamente a la Dirección de Correos y Telégrafos para presentar nuestra queja.

—Yo sólo cumplo órdenes.

—Pero ¿qué van a hacer?

—Independizar todo el lado que da a la calle atravesada. La esquina queda como siempre para oficina. Es harto grande y perfectamente se puede instalar a un costado la mesa conmutadora. Y a ustedes les quedan para casa habitación todo el frente y las dos piezas de los altos. No creo que vayan a sufrir mucho porque les quiten estas piezas del costado, que al fin las tienen cerradas.

—Pero es un atropello. Ni la consultan a una. Ni nada. Y le meten gente extraña en su casa.

—Piense lo que será si la telefonista viene con familia, si tiene marido y niños. Los niños son siempre mal educados. No es agradable.

—Es una falta de respeto.

—De consideración.

—Y sin siquiera que le manden aviso por conducto regular.

—Ya está todo resuelto —afirmó perentoriamente el capataz, que recorría la casa con ellas a la siga, abriendo y cerrando puertas, calculando tabiques y anexos, para hacer de aquellas tres amplias habitaciones una casita confortable.

Porque a la Compañía le gustaba que sus empleados, que los que de cerca o de lejos dependían de ella, por lo menos no tuvieran que quejarse en cuanto a buen alojamiento. Era un gasto mínimo que redundaba en prestigio.

Parecía que todos tenían prisa por completar el trabajo. Aparecieron obreros de la telefónica que en breves días dejaron hecha la conexión y colocaron junto a la ventana de la oficina —justo la que daba a la calle principal y era observatorio espléndido— la mesa conmutadora. Del aserradero trajeron un mostrador y unas mamparas, éstas hasta con los vidrios puestos, creando un pequeño recinto privado en torno a la mesa.

Las tres habitaciones fueron el centro de otras habitaciones. Se fraccionó una galería, se abrió una puerta a la calle, se dividió el patio. Y la casa quedó lista, bastante cómoda, aunque pequeña.

Nadie sabía quién vendría a habitarla. Por primera vez la correspondencia era muda a la curiosidad de las hermanas.

Ya estaban tendidas muchas de las líneas que unían las casas de los fundos, los aserraderos, las bodegas, las casas de los empleados principales, a la pequeña mesa conmutadora, misteriosa y obsesionante en la espera de quien debía manejarla. Cuyo arribo era inminente. Porque algunos bultos habían ya llegado por ferrocarril y aguardaban en la bodega a sus propietarios.

La Liduvina había ido a la disimulada a echarles un vistazo. Por su parte, misiá Melecia hizo sus investigaciones, más íntimas, porque a ella no le importaba nada de nada y no hizo como la hermana, fisgonear de lejos. Ella entró en la bodega, miró cosa por cosa, supuso qué contenía cada bulto y pudo así predecir una porquería de menaje que, eso sí —¡lo que les esperaba!—, contenía una radio. Pero ¿qué gente era la que les iban a mandar?

Don Lindor dio su opinión donde don Rubio:

—Un equipaje de pordioseros.

Pero la que llegó fue considerada por todos como una joven princesa.

7

—¿A usted le parece decente no usar polleras ni por casualidad? Yo no le conozco otra pollera que la que traía cuando llegó. Después se puso los pantalones. ¡Si hasta para dormir los usa! Nada de vestirse como se visten las demás mujeres. Ella tiene que ser distinta en todo...

—Yo no me extraño de eso, misiá Melecia, porque, al fin y al cabo, ya ve usted que los tiempos han cambiado y que nosotras andábamos a caballo con ropón y ahora hasta las mujeres del campo, para montar, usan los pantalones viejos del marido o de quien sea. Y usted ve en las revistas: en las playas, en los deportes, también se ven hartas mujeres con pantalones. —La señora del jefe de estación hablaba siempre conciliando hechos, buscando excusas a todo, comprensiva y bonachona.

—Pero no en una oficina —arguyó belicosa misiá Melecia—. Una oficina es algo respetable. Una debe vestirse como corresponde. Que se ponga lo que le dé la gana en su casa, que no se ponga nada, que se empiluche al sol, pero que para ir a su trabajo se vista como persona decente.

—¿Pero es que se empilucha? No puedo creerlo...

—Estos dos ojos la han visto. Y quise morirme. Tirada en el patio sobre una toalla, como Dios la echó al mundo. Para morirse...

—¿Pero no tenía tapado nada?

—Nada..., ¿para qué?

—Creería que no iban a verla.

—La decencia es la decencia. Así se lo digo yo a la Liduvina, que a veces tira para el lado de ella. Y que la defiende. Todo porque la fresca se la ha ganado celebrándole sus vestidos. Como si una no se diera cuenta de que es para pitársela.

—Para ustedes, acostumbradas en tantos años a la independencia, tiene que resultarles pesada la vecindad.

—La convivencia. Diga mejor así. Tener que aguantarla el día entero metida en la oficina, soportar la radio todito el día, oírle conversar de cuanta cosa una puede imaginarse con el mundo entero. Y nadie sabe nada de ella. ¡Porque es de ladina para no contar cosa de su vida! Como muerta. ¿Creerá que desde que llegó nunca ha recibido una carta ni un telegrama? Es para morirse de rabia...

—Dicen que pasea mucho.

—De repente le agarra la loca y las echa para la montaña. A la hora de la siesta. ¿Cree usted que se puede andar por los caminos con el sol rajante? Yo un día la seguí de lejitos, ¡y de repente se me perdió, como si se la hubiera tragado la tierra! Para desesperarse. Casi me morí del sofoco.

—¿La llamarán por teléfono?

—La tenemos bien vigilada. Nunca le hemos oído nada personal. Nunca. Pero ya caerá...

—Es mucha cosa...

—Sí, es mucha cosa. Y "todos" loquitos con ella. La oficina parece ahora choclón. Todos los hombres metidos allá, con la disculpa de las cartas, de los telegramas, de las comunicaciones. Y ella haciéndose la lesa, como si nada pasara...

—¡Vaya por Dios!...

—Y no nos queda más que aguantar y comernos las uñas. Pero yo le tengo dicho a la Liduvina que a mí no me la pega nadie. Porque en todo esto hay gato encerrado.

—¡La casa dicen que la tiene de linda!

—Yo me moriría antes de poner el pie en ella, pero la Liduvina suele

) 735 (

dar por allá sus vueltitas y me cuenta. Y como vive con todo abierto, una sin querer tiene que mirar y verlo todo.

—A mí me da curiosidad a veces y me dan ganas de hacerle visita. Es bueno tener criterio formado.

—Sería muy mal visto. Usted sabe bien que nadie ha ido a visitarla. Nunca ha recibido una visita. ¡Es de hipócrita! Una mujer sola, sin familia, es siempre sospechosa. Sabe Dios qué pájara será ésta. Y para colmo se llama María López. ¡Miren qué nombre y qué apellido!

—¿Y qué tiene? —preguntó sinceramente sorprendida la otra.

—María López —y alargando el morro muy fruncido, siguió hablando llena de ascos— es como llamarse María Nadie. Un nombre tan vulgar y un apellido que lo tiene cualquiera. Los nombres empiezan por hacer a las personas —y la miró al sesgo, porque éste era sayo que podía ponerse la mujer del jefe, que se llamaba Juana, otro nombre tan vulgar.

Hubo un silencio.

—Pero tampoco se puede formar juicio sin que haya motivos —insistió la que se llamaba Juana, con cierta impaciencia, desusada en su carácter.

—¿Y le parece poco? Una loca suelta, vestida con pantalones y una chomba que le deja todo a la vista. Y con ese pelo color de choclo... —insistió también misiá Melecia.

—No parece pintado —interrumpió. Pero no pudo atajar el torrente que eran las palabras de la otra.

—Es que yo creo que lo decente, si se tiene ese pelo natural, es pintárselo de un color como el de todos. Negro, rubio, castaño. Una mala pájara, eso tiene que ser y nada más, convénzase, doña Juana. Y por nada del mundo vaya a hacerle visita.

Llevaba misiá Melecia dos meses aferrada a ese tema. La vida se le había transformado en un atisbar, un deducir, un hilar sospechas, un hacer y deshacer urdimbres de suposiciones, porque en resumidas cuentas, al cabo de largas semanas, sabía tanto de la muchacha como el primer día. Claro era que desde el primer día había tomado ella una actitud de mutismo agresivo frente a "ésa". Que parecía ignorarla. Y la Liduvina, tan tonta, tan incapaz de preguntas, de esas preguntas que se hacen como si se estuviera distraída y que son anzuelos para pescar peces gordos. Si no fuera por mantener su palabra, gritaba y juraba, de que nunca cruzaría palabra con "la tal". ¡Las cosas que sabría de su vida, de todo cuanto pudiera concernirle! ¿Pero con la tonta de la Liduvina de puente? ¡Qué sólo sabía decirle sandeces a la muchacha: que era linda y qué crema usaba para la cara, y cuál era el color más de moda! Para matarla a la Liduvina.

A Reinaldo, desde el primer momento, le pidió el administrador que se ocupara de recibir a la telefonista.

—Aquí hay una carta de la central. Léala y por favor solucione el asunto.

Por encargo a su vez del "señor" —el dueño de los aserraderos y antiguo patrón de la Petaca—, el gerente pedía que se esperara en fecha determinada a la señorita María López, la telefonista, allanándole cualquier inconveniente que pudiera tener en su instalación.

Reinaldo fue a esperarla, fastidiado con el encargo, que estimó subalterno. Dudó al verla bajar del tren de si sería o no la persona que esperaba, y tuvo que rendirse a la evidencia cuando la oyó preguntar si no había un mozo que pudiera llevarle el equipaje a la oficina nueva de teléfonos.

Se acercó entonces, presentándose.

Fue el comienzo de otro sueño que tampoco había soñado nunca. Pero que esta vez sí era el amor.

Lo sabía porque al abrir los ojos y cobrar conciencia súbitamente, sin vacilaciones entre lo negro del profundo dormir mineral que seguía siendo el suyo y la primera habitual flotante indecisión de la vigilia, ahora, de golpe, el día estaba teñido de dicha, porque en algún momento oiría su voz y la vería.

Ir por la montaña manejando el auto o a caballo, rumbo al trabajo, sintiendo en el aire enrarecido de la madrugada una sensación de plenitud vital, de íntegro entendimiento con la naturaleza, sin porqué ni cuándo, ajeno a treinta y cinco años de existencia desperdigada en vaciedades o suciedades, en una especie de torpe gestación, larva que de pronto se encuentra con alas.

Los árboles ofrecían su contorno indistinto, mezclando frenéticamente sus verdes, liados por parasitarias y enredaderas que apretaban y hacían a veces compacto como un muro el perfil del bosque. Los pájaros cruzaban insistentes trinos y la algarabía de las cachañas, comadres impenitentes, lo hacía voltear la cara buscando la bandada y sonriendo como pudiera sonreírle a misiá Melecia y a la Liduvina, sorprendidas en cotorreo similar. El sol empezaba a forrarlo en su tibieza. Un sol recién asomado por sobre la cordillera rosada, azulenca, amarillosa, malva, teñida desde hacía rato por la luz en mil tonalidades borrando sombras. Una luz que preparaba la triunfal llegada del sol.

Fino aire en roce de terneza. Monocordes las ranas en la hondonada remachando su rosario matutino. Y a lo lejos, insistente y tremendo, se

) 737 (

levantaba un relincho de potro galopando su reclamo por los potreros, abiertos los hollares y las crines erizadas por el temblor de la piel vahorosa.

Era como encontrar nuevo el mundo en cada amanecer. Y todo porque existía una muchacha, y a cualquier hora, con el pretexto de una llamada, podía él oir su voz al final del hilo metálico, en frases convencionales, su voz siempre enronquecida, articulando nítidamente cada sílaba en una suerte de cantinela, tan viva y cargada de su presencia, que a veces se quedaba estupefacto mirando el fono, por si algún milagro podía haberse realizado y estuviera ella allí en carne y hueso, diciendo:

—Hable. Lista su comunicación.

Multiplicaba los llamados por el simple placer de escuchar esas frases. Nunca cambió con ella otras que las necesarias. Le bastaba. Como le bastaba en las tardes ir al correo y demorarse viéndola y oyéndola, eficiente, centro de un corrillo de hombres que a esa hora, después del paso del tren del norte, se había hecho habitual, teniendo para cada interlocutor una respuesta apropiada, segura y sencilla, sin darle importancia al interés con que todos la rodeaban, a la curiosidad latente, sorteando preguntas directas, con un especial tino para ser accesible a todos sin diferenciaciones que crearan posibles intimidades, escamoteando una directa o sesgada alusión a sí misma, toda explicación de su propia vida. Como si antes del día en que llegó a Colloco no hubiera existido para ella el tiempo.

Un corrillo de hombres.

Lo que era habitual en ese pueblo en que los hombres, pasado el horario de trabajo, no tenían otro sitio donde reunirse si no era la estación, el correo, el almacén de la Petaca, la cocinería de don Rubio, la fonda de las Larrondo y algún otro lugar rotativo en que solían juntarse a remoler con mujerzuelas transeúntes.

Pero claro es que antes, cuando en el correo imperaba el morro malhumorado de misiá Melecia y la Liduvina haciendo melindres para lucir su traje nuevo, nadie se demoraba allí sino lo imprescindible.

Podía verla y oírla. Entrar al círculo mágico de su presencia, en que el aire vibraba en corrientes perceptibles sólo para él, nacidas de su voz y de sus gestos, de su mirada de porcelana azul, del lino de los cabellos en la corta melena de paje. Tan fina, tan cimbreante. Cerca y lejana. Lejana como si siempre estuviera al fin de otro mundo, donde la llevaran invisibles hilos de inexistentes teléfonos.

La felicidad de verla vivir y adorarla.

La rutina del trabajo, lo chirriante de su vida hogareña, la falta de ambiciones que un porvenir seguro había hecho nulas, los días indiferenciados por la costumbre, todo, hasta el imperativo sexual, había desaparecido, gráfico en un pizarrón borrado por mano experta. Como criatura nueva, al borde de la esperanza, asordado de revelaciones, confuso, sin saber aún qué quería, qué esperaba, sólo consciente de la certeza de su amor.

Como el padre, el chiquillo se llamaba Reinaldo. Posiblemente alguna vez, en sus deliquios de ternura, la madre le dijo "Cachito de cielo", y de ahí le quedó el nombre: Cacho, Cachito, el Cacho.

Porque habían quedado de juntarse al otro día de madrugada en la cueva, apenas apareció el sol ya estaban ambos, por distintos caminos, yendo hacia la cita: Cacho y Conejo.

Ernestina conocía a la Petaca desde los tiempos en que servía en el pueblo. Cuando la encontró de nuevo en Colloco se alegró de su vecindad, de contar con su colaboración y, más que nada, se alegró de poder serle útil a su vez, ayudándole a criar al niño debilucho.

Que era de la misma edad que el suyo. Pero distinto. Eran distintos y como hechos el uno para el otro. Porque si Cacho podía ser el trasunto de la salud, el pobrecito rengo era una miseria de criatura que hasta los tres años parecía que cada hora era la última de su existencia. Conejo, incapaz de otra cosa que estarse sentadito mirando, oyendo, sin protestas, sin molestar, antes bien tratando de pasar inadvertido, un poco ensimismado, lejano. Pero bastaba mirarlo para que los grandes ojos de cabal belleza, misteriosamente advertidos, se alzaran llenos de tan rebosante amoroso ruego, que hasta los más endurecidos, el propio Reinaldo, no tenían otro remedio que trocar amor por amor. Lo adoraban todos. Lo que para la Petaca era un descanso, un íntimo orgullo y una especie de consuelo. Nadie ignoraba a Conejo.

De la mano de Ernestina, Cacho vino a verlo apenas llegado a Colloco. Por entonces tenían ambos seis años. El niño sano miró al niño lisiado, se anegó en la expresión doliente, en el llamado a compasión, en el pedido de esa infancia que quería el complemento de otra infancia. Y de inmediato, junto con el libro de estampas que la madre le había dado para que se lo trajera de regalo, antes que el libro de estampas, dejando éste de lado sobre la mesa, puso en la manito de Conejo su más preciado bien: un diminuto caracol.

—Si lo arrimas a tu oreja, vas a oir el mar.

Era difícil hacerlo. Tan chiquito, tan pulida era la superficie trabajada por las olas mejor que por el más extraordinario artífice.

Conejo oyó el maravilloso mensaje y aseguró enfático:

—Se oye también cantar una sirenita.

Poco tiempo tenía ahora la Petaca para ocuparse del niño. Don Lindor era el llamado a pasearlo, a darle las medicinas, a distraerle las largas horas de inmovilidad. Antes, en el pueblo, había más recursos: la plaza en que tocaba la banda de músicos, el cine en que sábados y domingos se ofrecían programas de películas infantiles, el parque municipal en que giraba un carrusel y en la laguna los cisnes paseaban su interrogante gracia. Pero ¿qué iba a hacer don Lindor en Colloco sino comprarle revistas y libros de estampas para que mirara los monos? Don Lindor, que había resuelto "vivir su vida".

Ernestina fue una providencia para Conejo.

—Creo que es un error lo que están haciendo con su niño, Petaca. No es posible dejarlo el día entero sentado. Hay que obligarlo a hacer ejercicio, hay que estimularlo para que se mueva y juegue juntándolo con otros niños. Usted misma me dice que lo que tiene es una simple renguera. Pero, por desgracia, como ha sido debilucho, la renguera se ha impuesto, y de esta criatura, entre todos, se ha hecho un inválido. Esto no puede seguir así —hablaba por boca de Ernestina la sabiduría vieja como el mundo del instinto materno.

—No me diga... Yo me desespero con esto. ¿Qué quiere que haga? El niño, en cuanto anda un poco, se queja de dolores en las caderas. Lo llevo al doctor y éste me da remedios. Cuando chiquito me lo tenían como criba con las inyecciones. Se le pusieron rayos, de esos violetas. ¡No le diré lo que he gastado en doctores y en botica!... Y así seguimos. Yo me desespero y no sé qué rumbo tomar, porque mucho tiempo no me queda para ocuparme del pobrecito. Usted no puede darse idea de lo que es el almacén, la cocina, la casa y todo el resto. Porque la verdad es también que Lindor mucho no me desempeña y todo tengo que verlo y hacerlo yo —contestó la Petaca.

—¿Quiere usted que hagamos la prueba por un tiempo y me ocupe del Conejo? Me lo pueden ir a dejar por la mañana a la casa. Si es mucho trabajo, yo veré de que alguien pase a buscarlo y en la tarde yo misma con el Cacho se lo traigo. Siempre salgo a esta hora a dar una vueltita para estirar las piernas.

—Pero, doña Ernestina; no hallo qué decirle. ¡Que Dios me la bendiga!

Unos años de paciencia bastaron para que Conejo se convirtiera en el niño de ahora, flaco y fuerte, rengo y ágil, despierto y capaz. Buen alumno de la escuela. No tanto como Cacho, pero buen alumno. Lector infatigable. Desbordante de fantasía. Creador de un mundo superior al de Alicia, viviendo con Cacho toda suerte de imprevisibles aventuras, impermeable a la realidad, si esta realidad era posterior a la inocencia del Paraíso del Buen Dios de los cielos.

Su mundo estaba hecho de círculos concéntricos separados por muros de cristal. En el primero estaba Cacho. Luego, en el otro, la madre y mamá Ernestina. Después el padre. Y la maestra. Algunos compañeros en el otro. Y enseguida, como en una réplica del arca de Noé, todos los seres del reino animal: pájaros, bichos, alimañas, peces y reptiles. Y también, para sustentarlos debidamente, la montaña y el valle con río y piedras y la comba azul de su cielo. Todo sazonado de seres maravillosos, que iban desde la Cenicienta y su perdido zapatito hasta los creados por cuenta propia o en colaboración con su inseparable compañero.

En el primer círculo, junto con Cacho, quedó instalada María López, que bien podía ser en carne y hueso la niña de los cabellos de oro.

10

El muro de piedra que bordeaba el camino, aún con el pueblo a la vista, comenzaba a verdear de humedad, mulléndose de musgo, y un hilo de agua viboreaba en la muesca que con paciencia de años había logrado trazar. Una cortina de enredaderas cubría la entrada de la cueva y adentro se sentía caer una gota con persistencia de eternidad. El pequeño cuenco que la recibía desbordaba en el fino hilo que afuera delataba su presencia.

Camino arriba era improbable que la sed acuciara a los viandantes. Camino abajo la cercanía del pueblo prometía algo mejor para su posible ansia. Alguna vez un pájaro, a saltitos, con la cabeza de un lado a otro inquiriendo peligros, sumía el pico en el agua, en los pocitos minúsculos del regato, pero nunca se atrevió a pasar la cortina de lianas y madreselvas, llegándose a la vertiente viva y a su ojo transparente.

Cacho y Conejo sí que se habían atrevido, descubriendo algo más: las rocas en el fondo se separaban, formando un largo, estrechísimo desfiladero en ascenso, por el cual se llegaba a un abra, en plena montaña, una suerte de gran círculo de musgos rodeado de apretada vegetación, sin otra vista que árboles y cielo y de tan impresionante soledad que a veces los niños se sobrecogían misteriosamente.

Ese era el ignorado escenario de sus aventuras mayores. Los piratas, los pieles rojas, los cruzados, las carabelas de Colón, el paso de los Andes por San Martín, la carga de Rancagua, la travesía del Mar Rojo, las aventuras de Tom Sawyer, las domas de potros, las corridas de toros, los abordajes, los terremotos, todo cabía allí merced a la vara mágica de la imaginación infantil. Todo: hasta la presencia de María López. Que les pareció tan natural que inmediatamente la sumaron al juego:

—A vuestros pies, digna princesa. ¿Qué mandáis a vuestro esclavo?

La muchacha, sorprendida y encantada, dio la réplica sin vacilaciones, siguiendo la farsa.

Pero había una hora para ella en que debía irse. Conejo la hubiera visto desvanecerse en el aire sin mucha sorpresa. Fue Cacho quien preguntó con desparpajo:

—¿Y usted, quién es? ¿Y cómo pudo llegar hasta aquí? Nadie, nada más que nosotros dos sabemos el camino. Aquí no viene nadie más que nosotros.

Conejo intervino:

—Ella puede venir. Ella es la niña de los cabellos de oro.

Fue el nombre que aceptó feliz. A los niños no les importó mucho quién era, cómo se llamaba, de dónde había salido. La veían llegar sorpresivamente —la esperaban siempre como al milagro—, fina, espigada, dulce el azul de las pupilas, el pelo color de paja, tan niña como ellos, liada a aventuras, aportando nuevos temas. Buscaban para ella piedrezuelas a las que asignaban propiedades taumatúrgicas, varillas que bien podían ser la de la virtud, frutos y flores, algún pájaro, algún lebrato. Con su voz ronquita les decía largos romances de princesas cautivas y fieros guerreros, cuentos en que florecía una belleza poética primaria. A veces cantaba, simples rondas, dulces canciones de cuna. Era la felicidad, el misterio. Ellos tenían su hada, su niña de los cabellos de oro, viva y maravillosa.

—No hay que decírselo a nadie. Lo que pasa en el abra es secreto de tres. Ahora somos tres para un secreto. Tres. Tres. Tres —y solemnemente extendían las manos sellando una y otra vez el pacto.

Y mantenían su palabra. Los tres. Nadie en el pueblo conocía la existencia del pasillo en el fondo de la cueva y del abra en la montaña.

A Cacho le hurgaba esa mañana la pregunta y al fin la formuló:

—¿Tú la has visto alguna vez?

—¿A quién? —preguntó Conejo, que desde hacía días estaba en el trabajo de labrar un trompo.

—A la niña...

—¿Verla dónde? ¿Aquí? Mira la lesera que preguntas...

—No, no verla aquí. Verla en el pueblo.

—¿Cuándo querías que la viera? Si no sabemos siquiera dónde vive.

—Es tan raro... Yo te contaría algo, algo... No sé cómo decirte... Mira, ¿tú crees que ella pueda darle a alguien las cosas que nosotros le damos a ella?

—¿Como qué?... No entiendo lo que me quieres decir...

—Cosas... Como algo que le diera yo... Que le buscara yo para darle gusto. O que le buscaras tú..., que tú le consigues porque sabes que le gusta..., como, como violetas, por ejemplo...

—¿Y por qué iba a dárselas a otro? ¿A quién?

Cacho dudó, se rascó enérgicamente la cabeza, y por fin dijo, porque era demasiado pesada para él la sospecha que lo agobiaba desde la noche anterior:

—Tú le diste anteayer violetas. ¿Te acuerdas? —Conejo asintió con graves cabezazos—. Las violetas silvestres son escasas. Hay que buscarlas por la montaña. Eso bien lo sabemos nosotros. Y anoche mi papá... —lo dijo como quien confiesa una vergüenza—, mi papá, ¿sabes?, andaba con unas violetas en la solapa. Yo le pregunté. Y me dijo que se las habían regalado. Y no dijo más. Y yo no me animé a preguntarle más... —y como se prolongara el silencio en que Conejo hacía trabajosamente sus deducciones, interrogó impaciente—: ¿Ah? ¿Tú no crees que ella se las dio? ¿Ah?

—¡Ah! —dijo el otro con desaliento, con un escozor que empezaba a hurgarle la garganta y a licuársele en los ojos.

Cacho afirmó con mucha energía:

—Desde hoy no más regalos.

Conejo agachó la cabeza, sintiendo que la pena lo diluía en lagrimones. El, que días enteros rastreaba bajo los matojos, buscando muchas veces, más que con la vista con el olfato, las pequeñas violetas de un descolorido malva, minúsculas, que avaramente entrega la montaña. Las que ella recibía entre alegres exclamaciones y se prendía al pecho, cerca del cuello, cerca del hombro y que, levantando un poco éste, era gesto habitual suyo quedárselas oliendo para decir después:

—No hay violetas en el mundo que tengan este perfume.

Y las regalaba. Se las regalaba a don Reinaldo. Porque ni las violetas ni Conejo le importaban nada. O porque le importaban las violetas, pero más le importaba don Reinaldo, y por eso se las daba. ¿Y a quién le habría dado la piedrita azul con una sombra en el centro que parecía una mariposa y a quién el otro trompo de ulmo que había él labrado?

Por primera vez se le presentaba el misterio de la vida de la muchacha, de su verdadera vida, vivida como él y como Cacho, en una casa donde sus horas tenían un sentido que por completo se escapaba a sus presunciones. ¿Dónde vivía? ¿Con quién? ¿Quién era? Ni siquiera sabía cómo se llamaba. Era la niña de los cabellos de oro; lo afirmaba ella, feliz y risueña, canturreando en un estribillo: "¡Yo - no - soy - yo! - Soy - la - niña - de - los - cabellos - de - oro", y lo repetían ellos, Cacho y Conejo, como motivo único de sus actuales conversaciones.

11

Por primera vez, en años, un zanjón de silencio se abrió entre los niños. Cacho había pensado que a su revelación seguiría una interminable charla, deduciendo cómo las violetas habían ido a parar a la solapa de su padre, planeando una red detectivesca, destinada a lograr la verdad. Cacho necesitaba saber la verdad. Esa fue su idea frente al hecho que consideraba una traición a los pactos jurados por los tres.

Preguntárselo a ella, lisa y llanamente, no podía proponerlo, seguro de que Conejo no iba a aceptarlo. Intuía que en su compañero las reacciones eran más complicadas. El iba siempre directamente hacia su objetivo. Conejo se demoraba en contemplaciones, dudas, vacilando en si debía o no hacerlo, en si era su derecho, en si lastimaría sentimientos, en si no heriría susceptibilidades. Jamás iba a permitir que le preguntara a la niña de los cabellos de oro qué había hecho con las violetas.

Claro que formularle la pregunta así, en su pensamiento, era fácil. Comprendía que hasta para su habitual manera de lanzarse con arrojo a lo que fuera, iba a resultar difícil la pregunta. La niña llegaría en cualquier momento —si es que aparecía esa tarde—, surgiendo de la hendidura del desfiladero, con gotas de agua en la cabeza, las alpargatas atadas una con otra colgando en un hombro y los pantalones arremangados, sucios los pies de barro. Luminosa y reidora.

—La hemos tratado siempre como si fuera un compañero —dijo Cacho a media voz, porque el silencio se tornaba intolerable—; no hemos tenido con ella secreto alguno. Si tú lo piensas bien, le hemos contado nuestras vidas, todo lo tuyo y lo mío. No es que haya tratado de sacarnos secretos, se los hemos dado de regalo junto con las piedritas, las violetas, los pájaros y los bichitos. La hemos tratado como un compañero, y ya ves... ¿Ah? —preguntó imperativamente, viendo que el otro seguía en su mutismo.

—Nunca la miré como a un compañero —dijo Conejo al fin con un hilillo de voz, agachada la cabeza sobre la madera que pulía—. Yo no sé bien lo que pensaba de ella... Que era algo distinto, que podía ser un hada, que se nos aparecía porque éramos capaces de entenderla y quererla...

—Creo que hemos sido unos buenos tontos... —aseguró Cacho sin vacilaciones.

Conejo cayó de nuevo en su trabajo silencioso.

—Unos buenos tontos —repitió al cabo—, y que no tenemos por qué afligirnos, ¿no te parece? Si nos ha traicionado, la que sale perdiendo es ella. ¿No te parece?

No dijo lo que le parecía, pero como le temblaban las manos, dejó el trompo sobre la yerba y buscó ocultar la cara de la urgente inquisición de Cacho.

—¡Ah! No. No te vas a poner a llorar como antes. Eso ya pasó. Mira: en cuanto no más llegue, se lo vamos a preguntar, así, cara a cara. Y que diga la verdad, Pero, por favor, no te aflijas... No me aflijas... ¿Se lo preguntas tú? ¿Quieres que se lo pregunte yo? ¿O es que quieres que de hombre a hombre yo se lo pregunte a mi padre? —Sacaba pecho, seguro en aquel momento de que sería capaz de cualquier acción heroica.

—No quiero nada. Déjame, por favor... —Se puso en pie trabajosamente, deshecho por la sensación de desposeimiento.

Cacho lo vio alejarse rumbo a la boca del desfiladero. Con el balanceo acentuado, como si en la pierna renga revivieran todas las penurias pasadas, gacha la cabeza por la carga de esta nueva forma del sufrimiento. Este de ahora, que era como si el corazón se le hiciera de plomo y la amargura lo anegara en acíbar, sollamándole los ojos el rodar de las lágrimas.

—Porra de niña —exclamó Cacho, y furiosamente abrió a tirones la tapa de la cajita en que estaba la tenca, dejando que ésta trazara su vuelo en la radiante luminosidad matinal.

Conocían en tal forma las sinuosidades del desfiladero que muchas veces jugaban a pasarlo con los ojos cerrados. Ahora Conejo lo seguía a trastabillones, rasmillándose las piernas, deliberadamente dejándose llevar por la desesperación a un abandono, a un deseo de sumirse a la tierra, de desaparecer en un tembladal, diluyéndose no sabía bien de qué manera. Un paso en falso, un rasmillón más profundo, lo hizo gemir, y del tajante dolor físico le nació una sensación de gozo, una sorpresiva certeza de felicidad, porque toda su pena, su angustia, su desolación, su dolor, lo que padecía su corazón y lo que sobrellevaba su cuerpo, eran por ella, y nadie, nadie —de eso estaba seguro—, nadie podría ofrecerle un presente mejor.

Por años alimentado de soledad, desarrollando silenciosamente su caudal de terneza; por otros años alimentado de cuentos y narraciones, de libros, de cine y de radio, con la sensibilidad agudizada, poseedor de un idioma literario —bueno o malo— madurado hacia lo ficticio intuitivamente, buscando allí la bondad, el premio para los buenos, la equidad en la justicia, la correspondencia en el amor. En ese mundo, palabras y hechos cobraban un sentido especial. Porque al hablar de crimen y muerte no significaba nada. Ninguna objetividad concedía a esas palabras su trágica, lamentable realidad. Un hereje, un pirata, un *cowboy*, un ogro, eran seres que en sus juegos solían cobrar vida, como a veces se humanizaban en las figuras del cine o en los dibujos de las historietas. Era un mundo que podía existir, pero tan lejano, tan absolutamente remoto, como esa estrella que existía y cuya luz aún no había tocado la tierra.

) 745 (

De ese mundo creyó llegada la niña de los cabellos de oro. La presencia de un pirata tampoco lo hubiera sorprendido. Pero no era un pirata el que apareció una tarde en el abra: era la niña y su latente seducción de mujer.

De haber tenido un temperamento místico, la hubiera creído una transmutación celestial. En el pueblo, de chiquito, la Petaca hacía que don Lindor lo llevara a misa los domingos, deber que éste cumplía muy solemnemente, mientras la mujer se arrebolaba junto al horno criollo de las empanadas. En Colloco, sin iglesia, se prescindió sin mayores escrúpulos de este mandamiento. Y por ende, de otros. En casa de Ernestina no existía una mayor fervorosidad religiosa y la escuela premunía de una enseñanza religiosa equitativamente dosificada entre las demás materias de estudio, pequeña siembra que no fructificó en los niños, dado uno a la ensoñación y el otro a la actividad, como eran Conejo y Cacho.

En la cueva, junto al ojo de agua, se quedó un rato Conejo alargando la sensación de amargura, de abandono, de real sufrimiento. El rasmillón, corto y profundo, manaba sangre y escocía. Aun así la sentía manar con doloroso placer. Con la espalda apoyada en la pared licuosa, los pies en el agua, incómodo, ardida la cabeza, helándose en la atmósfera subterránea, dejó pasar un largo rato. No sabía qué hacer. No quería volver al abra. No quería irse a casa de mamá Ernestina a esperar a Cacho. ¿Cómo explicar su llegada sin su compañero? Irse por los caminos, por las calles, no tenía objeto. Tal vez lo mejor sería regresar a su casa, entrar por el portillo del fondo y quedarse a obscuras en su pieza, pudiendo allí, sin que nadie lo viera, dar rienda suelta a su pesar.

Se lavó, alisó los cabellos, prestó oído a que nadie viniera por el camino y apareció de pronto en medio de éste, rengueando —como antes, hubiera afirmado Cacho—, molido, con agujetas que le clavaban las espaldas encogidas y una aguja mayor ardiéndole en la herida que seguía sangrando.

12

La madre y Ernestina pasaron dos días al borde de la cama de Conejo. La fiebre le hacía castañetear los dientes y pintaba redondeles rojos en sus mejillas. Pero él se sentía dichoso en ese trasmundo en que flotaba llevado de la mano de la niña de los cabellos de oro, sin sobresaltos, por extensas superficies en subidas y bajadas que no oprimían el pecho, mecidos por apenas perceptibles melodías, entre globos de colores inmovilizados o meciéndose en leves cabeceos.

Dos días de fiebre con la Petaca y Ernestina anhelantes de angustia, sin saber a qué achacar la enfermedad. Inexplicable, porque había salido al alba, como siempre en vacaciones, en busca de Cacho. Cuando ambos se separaron, Conejo no se quejaba de nada. Cuando la madre lo encontró a mediodía en su pieza, estaba hecho un ovillo, tiritando y con los anchos ojos desbordando fulgores.

¡Y en ese pueblo sin médico ni practicante, atenido a los remedios que vendía la propia Petaca en su almacén y que no iban más allá de purgantes y analgésicos, parches porosos y sudoríficos!

Ernestina, la prudente Ernestina, poseía un botiquín de emergencia y era la providencia de todos.

—Y la gente se admira de que me mate trabajando —decía la Petaca esa mañana en que el niño amaneció sin fiebre, volviendo deshecho a enfrentarse con la realidad—. Si no pienso en otra cosa que en juntar mis pesos para llevarme a esta criatura a la capital, para que me lo examinen los mejores médicos y ver si de una vez por todas me lo mejoran.

—Una fiebre le da a cualquier niño —contestó sosegadamente Ernestina—; yo creo que ha tenido un gran enfriamiento y que esto ha sido una especie de gripe fulminante. En otro par de días va a estar como nuevo.

—Pero yo no voy a quedarme tranquila, créame, señora. No voy a estar tranquila hasta que pueda irme de este pueblo... A veces se me le imagina que es una condenación tener que vivir aquí...

—Por de pronto, el niño está mejor. Ahora hay que cuidar mucho que no se enfríe; déle cositas livianas, jugo de frutas, y déjelo tranquilito, sin mucha conversación. Yo me voy. Hasta luego, caballerito —y puso una mano blandamente cariciosa en la frente de Conejo, despidiéndose.

La Petaca la acompañó por el pasillo, asomándose a la puerta que daba al almacén, para llamar:

—Lindor. Venga a despedirse de la señora... Lindor...

—Ta na —contestó la Rita.

La Petaca se sofocó de indignación. Y queriendo disimular lo que consideraba una grosería, dijo muy ligero:

—Lindor salió —para continuar conmovida—: Y muchas gracias por lo que ha hecho por mi niño. Yo sólo le puedo decir que Dios me la bendiga. Se lo he dicho tantas veces, pero nunca lo he deseado más desde el fondo de mi corazón.

—¡Vaya, Petronila! Ya sabe lo que quiero al Conejo. Es como si fuera algo mío. Despídame de Lindor.

—Lindor... —y estallando—: Lindor me tiene hasta la coronilla... Es el colmo que en estos momentos, en vez de estar aquí, se largue para la calle con sus famosos amigotes y amiguitas... El colmo. Me tiene como loca...

—¡Vaya, Petronila! A los hombres hay que dejarlos. No se haga mala sangre. Cada una de nosotras tiene que soportarlos como puede. Yo también pienso que una no es perfecta, y que ellos tienen a su vez que soportarnos a nosotras.

—No es lo mismo. Y yo no estoy para aguantar a nadie. Y menos a Lindor.

—Cálmese. Y vaya a descansar. También usted está rendida de dos malas noches.

—¡Cómo estará usted, señora!

—Vaya a recostarse. Y ya todo se arreglará. Las cosas, hasta las peores, siempre terminan por arreglarse... Tenga paciencia... Yo volveré después de almuerzo. No creo que pase nada, pero si le nota cualquier cosa al niño, llámeme inmediatamente.

13

Lindor encontró al señor Lorena en la estación, recién llegado en el tren del sur, proveniente de la capital de la provincia, liado en una conversación con el jefe y sin que de ella sacara nada positivo.

—Mire, don Lindor —llamó el jefe—, creo que nadie mejor que usted puede ayudar al señor, al señor, ¿cuánto me dijo?

—Lorena, Pedro Lorena, representante de la Compañía de Comedias Olimpia Lorena.

Para don Lindor fue caer en un delirio dichoso.

La compañía estaba en esa capital terminando una temporada que había sido un gran éxito. Debía seguir rumbo al norte, para debutar a fin de semana en otra ciudad. Estos días vacíos de compromisos, pretendía llenarlos el señor Lorena con una gira por los pueblos de la zona, yendo de uno a otro, siempre que hubiera ambiente propicio. ¿Qué opinaba don Lindor?

Don Lindor empezó hablando de sus mocedades, de sus aficiones, de sus triunfos, de las obras en que había intervenido. Recitó una estrofa de "Don Juan Tenorio", dijo una larga tirada de "Espinas de una Flor" y prometió encargarse de todo, todo, todito. El se hacía responsable del buen éxito.

El señor Lorena lo miraba dudoso, juzgándolo un pelma, un borrachito cariñoso y nada más.

Pero el jefe le aseguró formalmente:

—Si don Lindor asume la responsabilidad, puede usted descansar tranquilo, anunciar su función y tener un lleno.

Don Lindor trazó un plan, y, por primera providencia, llevó al señor Lorena al correo, presentándoselo a María López, a misiá Melecia, a Liduvina, orden de precedencia que engarabitó a las hermanas. Lo llevó donde don Rubio, donde las Larrondo, y, en el colmo del entusiasmo, lo llevó a su almacén, con el resultado de una trifulca mayúscula con la Petaca, que no porque aún Conejo convaleciente estaba en su pieza y podía oírla, acalló sus gritos, terminados como terminaban ahora, no por la presencia del niño, sino porque el corazón empezaba a tabletearle ahogándola.

La gerencia, con la intervención de Reinaldo, facilitó uno de sus grandes galpones para improvisar un teatro. El propio Reinaldo se encargó de la iluminación. Don Lindor y una comisión de señoritas, entre las que se contaba Liduvina —desafiando los vinagres reprobatorios de misiá Melecia—, vendieron las entradas yendo de casa en casa. Los artistas fueron alojados donde las Larrondo, y por la tarde del gran día reinaba en el pueblo una agitación desusada, un ir de mozos de las casas al galpón llevando sillas, un asomarse caras curiosas a puertas y ventanas para ver tanto traqueteo, gentes que llegaban de los fundos en toda suerte de carruajes, en filas de caballos y hasta en las sólidas mulas montañesas de firme paso.

Ni siquiera para las elecciones se había visto en Colloco una animación igual.

14

La enfermedad de Conejo había ensanchado el zanjón tan inesperadamente abierto entre los niños. Del lado de allá estaban los años resplandecientes en el compañerismo confiado, limpio de toda reserva. Del lado de acá estaban ambos cohibidos, sin saber cómo conversar de cosas que fueran sin importancia, acuciados por la necesidad de hablar de la niña de los cabellos de oro y sin atreverse ninguno a tocar el tema que les ardía en la mente.

Mientras Conejo estuvo enfermo, Cacho no se movió de su casa, imperativamente prohibido por Ernestina de abandonarla, temiendo la madre que ambos hubieran cogido una fiebre infecciosa y que en su hijo pudiera aparecer de repente. Ya mejor Conejo, reponiéndose en una lenta convalecencia que parecía haberlo devuelto a su época de reposo, perdido en ensoñaciones, Cacho iba a acompañarlo, pero cuando no Ernestina, estaba presente la Petaca o la Rita y hasta don Lindor, llamado a instan-

) 749 (

táneas contricciones y vanos propósitos de enmienda por alguna reciente pelotera conyugal.

Conejo demoraba reanudar la existencia de antes. No le interesaba el campo, ni la montaña, ni la sellada vida en el abra. Sólo aspiraba a quedarse quieto en un sillón, junto a la ventana de su pieza, o en la galería, o en el corredor que daba al huerto, o, cuando más, bajo los robles del fondo del patio, cercanos a la tapia y al portillo de sus escapadas.

Seguía delectándose con sus pensamientos íntimos, pulpa amarga de humillaciones, monólogo interminable referente a la niña de los cabellos de oro, pero dirigido a ese pobre ser presuntuoso que era él mismo, un desgraciado que creyó ser con Cacho su único compañero. Un flacuchento, un rengo deforme, un bicho para arrastrarse por el suelo. Capaz sólo de sufrir por ella, sin que jamás llegara ella a saberlo. Porque nunca volvería a verla, de eso estaba seguro. Nunca volvería al abra. Su pata renga iría adelgazándose por días, perdiendo fuerzas, y sería tan lindo morirse, quedarse dormido y no despertar nunca. No despertar con la randa de luz amarillenta en la ventana y los pájaros frenéticos de cantos en espera del sol; despertar un tanto confuso, subconscientemente sabiendo que al moverse en la vigilia algo iba a dolerle. Nada, de nada serviría ese día vacío de esperanzas. ¿Por qué esforzarse en ponerse en pie, apoyar la pierna y avanzar, balanceándose, un paso? ¿Rumbo a qué? Vestirse trabajosamente, hacer los pequeños deberes hogareños que la madre exigía e irse a casa de mamá Ernestina, ¿a qué? A sufrir viendo a Cacho que también sufría, que iba de un lado a otro, que lo miraba dubitativo, que de repente exclamaba:

—¡Porra! Hay que inventar algo.

Manera suya de zambullirse en el juego, en la lectura, en el estudio, en lo que fuera, pero que esta vez bien sabían ambos que sólo respecto a una cosa había que inventar algo. Y además —creándole un pan de hielo en el estómago— estaba el pavor de encontrarse con don Reinaldo, poseedor del secreto clave de su desdicha.

Al correr de las horas, los simples hechos iban deformándose: la niña de los cabellos de oro era más que una aparición radiante, que la compañera adorable de sus juegos; era la novia en un cielo de limpia ternura, sin que jamás hubieran cambiado palabra al respecto; pero él sabía cómo era de certero el sentimiento que le llenaba el corazón "para la vida entera" y cómo ella recibía ese silente mensaje, lo comprendía y lo aceptaba, muy serios los ojos, réplica del azul de los nomeolvides, y por la boca estampada una sombra de sonrisa.

La novia para ir por la vida de la mano, abra inmensa, con césped mullendo los pasos y en torno, lejana y presente, la polifonía del viento y los pájaros en los árboles. ¡Qué importaba la diferencia de edad! Ya crecería él, estudiaría, sería un hombre.

Eso era lo que ella había traicionado. Sus flores, sus pobres violetas prendas de amor, las desdeñaba entregándolas a cualquiera. Nunca puso en duda que las violetas vistas en la solapa de don Reinaldo fueran las suyas.

Sumía la cabeza en los hombros enflaquecidos, dando vueltas y más vueltas al calidoscopio alucinante en que todas las imágenes se teñían de sombrías tonalidades.

Abandonado a sus propias iniciativas, Cacho se dedicó a buscar por el pueblo a la niña de los cabellos de oro. "Porque no iba a comérsela la tierra", se decía, repitiendo sin saberlo la frase de misiá Melecia. Fue a la estación al paso de todos los trenes, sitio donde se organizaba un paseo, donde las señoras y las muchachitas del pueblo iban a lucir sus galas, a curiosearse unas a otras, a saber quién se iba y quién llegaba, y, en esa época de vacaciones, a ver a los dueños de los fundos, a las señoras y sus invitados, a las niñitas que habían crecido tanto, a los muchachos ya de pantalón largo, gozosamente recibiendo el halo de esa otra vida mundana y opulenta.

Cacho fue a toda hora, hallándose allí con compañeros de colegio a los que no le ligaba mayor amistad, exclusivista como era la suya con Conejo. No iba a hacerles preguntas que los pusieran sobre una pista.

Se asomó a la cocinería de don Rubio, a la fonda de las Larrondo, dio vueltas por el pueblo, calle arriba, calle abajo, concienzudamente recorriéndolas todas. Hasta que una tarde en que vio muchos autos y coches alineados en la cuadra del correo y no pocos caballos atados a los palenques cercanos, se coló en la oficina de rondón por entre el grupo de hombres para encontrarse con la niña de los cabellos de oro, de pie tras el mostrador, con el aparato de los auriculares en una mano y en la otra un lápiz, mientras oía a un señor que algo estaba explicándole. Oyéndolo distraídamente, vagando sus ojos por el apretujado gentío en espera de que misiá Melecia abriera el ventanillo y repartiera la correspondencia. Se encontraron sus miradas.

Cacho muy pasmado. Ella sorprendida.

"¡Porra! Es la telefonista...", se dijo el chiquillo.

Ella lo miró seria y, queriendo continuar el juego, lentamente se llevó el lápiz hasta los labios, cruzándolo allí junto con el índice alzado en un gesto de silencio... Cacho bajó los párpados asintiendo, se deslizó de nuevo entre la concurrencia y a todo correr tomó rumbo hacia la casa de Conejo.

Soltó como una bomba la noticia:

—Es la telefonista, ¿sabes? La telefonista, la que mandaron al correo..., es ella misma... —Pero calló cohibido porque la expresión de Conejo cambiaba, se contraía, se hacía dura, y también duramente su voz contestó:

—¿Y a mí qué me importa? Nada de todo eso me importa, ¿entiendes? No me importa nada...

Bajó la cabeza y se sumió en la contemplación de una hormiga que trabajosamente arrastraba un trozo de azúcar.

Cacho lo miraba a hurtadillas a la vez que cavaba un hoyo en el suelo con la punta del zapato. ¡También a este porfiado quién iba a sacarle palabra cuando no quería decirla! ¡Que se fregara entonces! ¡Por chinche! Pero inmediatamente se sobrepuso el viejo compañerismo.

—¿Quieres que juguemos al ludo? Voy de una carrera a buscarlo a tu pieza.

—No quiero nada —contestó el otro desabridamente—; quiero que me dejen solo reventar en paz.

—¡Porra! —y al rato, como lo viera seguir con la cara gacha—: Bueno: me voy para mi casa. Hasta luego.

Y se fue por el portillo, arrastrando los zapatos, rabioso, desolado, sin saber qué hacer. Porque algo había que hacer, pero en verdad no sabía qué.

Al cerrar el portillo se volvió a mirarlo. Lo angustió aún más el aflojamiento muscular de la figura desplomada en el sillón.

—¡Porra! ¡Y más porra! —y siguió arrastrando los zapatos cuando no dando puntapiés iracundos a las guijas, camino de su casa.

15

La víspera de la función hubo en el almacén una escena inusitada. Don Lindor sacó pecho y voz, bajó las manos de las solapas y las metió en los bolsillos, abrió mucho los párpados y anunció a la Petaca que iba a traer a comer a varios amigos, viejos compañeros de sus escarceos teatrales, a los que quería festejar.

—Aquí no viene esa mugre —contestó perentoriamente la mujer.

—Mire, Petronila, ya me estoy cansando de aguantarle sus ideas. No abuse. A estos amigos ya los invité y usted no puede hacerme quedar mal. Un plato de sopa, unas empanadas, su postrecito y un trago no se le niegan a nadie... Ya está, Petronila, ¡no sea así!

—Aquí no viene esa mugre. Se lo digo por última vez. Esta es mi casa y aquí mando yo.

—Creo que también es la casa mía —dijo don Lindor con altivez, pero chillando para que no se le aflojara el tono—. Y si usted manda, también mando yo.

—Atrévase... So holgazán, como si algo hiciera de provecho. Era lo que me faltaba por oir. Salga para allá, váyase con sus amigotes y déjeme tranquila.

Don Lindor no se iba. Y de repente, chillando como un condenado, quiso hacerle frente y amilanarla:

—En esta casa soy el dueño, el hombre. Mando yo. Estoy hasta aquí de que no me considere nadie. Peor que perro. Como basura. Sin tener derecho ni siquiera para convidar un amigo. Voy a mandar yo, entiende, yo, y a hacer lo que se me le dé la gana... Hasta la coronilla estoy con usted y sus malos modos...

—Atrévase a seguir gritando. De un sopapo lo dejo en la calle. Sinvergüenza, asqueroso... Salga de aquí...

A don Lindor le dio miedo verla avanzar resueltamente, hecha una ventolera, con los ojos estrábicos y en la boca un gesto feo que le atirantaba el labio superior, mostrando los dientes como perro al cargar. Tuvo miedo. Sacó las manos de los bolsillos, se aferró a las solapas y retrocedió, arrinconándose en un ángulo de la cocina, rumiando su fracaso. Al poco se deslizó hacia la calle y no volvió hasta el amanecer, completamente borracho.

La Petaca lo esperaba en vela, dando vueltas silenciosas por la casa, atenta a rumores, ahogada, furiosa y proyectando empezar al día siguiente mismo a vender todo aquello, deshacerse como fuera del almacén, de la casa, de todo, e irse a la capital, manera que estimaba única para librar al marido de una completa perdición y de hallar para el niño una posible mejoría, dándole además la educación que ella quería darle.

Al día siguiente fue a consultarse con Ernestina, paño de lágrimas de todos sus calvarios.

—Yo no había querido tomar ninguna resolución por flojera, señora. Una acaba por acostumbrarse hasta a las peores cosas. Pero este hombre se está rematando. Yo no quiero que el niño sepa de estas cosas. Lindor agarró esto del trago y cada vez está peor. Anoche me llegó como cuba. Mejor dicho: llegó hoy con día claro. Y con Conejo otra vez enfermo, y yo que no me aguanto, no voy a poder seguir tapándole al viejo asqueroso. ¡Ay! ¡Señor!, ni sé lo que digo...

—No es cosa que se pueda hacer de un día para otro, Petronila. Vender su negocio no es fácil, porque usted ahí tiene metida mucha plata y no va a tirarla por la ventana con los apuros. Usted también lo ve todo a la desesperada. Puede ser que esta lesera se le pase a Lindor. Tenga paciencia.

—No quiero tener paciencia. Ya se me acabó la paciencia. Lo que quiero es irme. Me ha dado como una desesperación, señora. Fíjese: el marido tomando, el hijo otra vez enfermo y yo como una bestia de carga, trabaja y trabaja, peor que mula de noria, sin atender al niño ni al padre. A veces me hago el cargo de que los dejo muy abandonados, pero es que el almacén se me vuelve un quintral si yo no lo atiendo y se me le va al hoyo. Y yo quiero plata, juntar harta plata para poder irme.

—¿Por qué no busca un buen empleado, una persona que la ayude en todo?

—¿Para tener otra boca que quiera vivir de mí? No, señora, ya sé para lo que sirven. De estorbo.

—Es que usted no puede seguir haciéndolo todo, Petronila. Se está matando. Tiene que darse a la razón.

—Lo que sé es que quiero irme. ¿Usted qué me aconseja? Usted tiene criterio formado y sabrá aconsejarme.

Ernestina la miró pensativamente. Deforme, como hinchada, vestida limpia, pero de cualquier manera, sin coquetería alguna, las facciones perdidas en napas de grasa, en los ojos un temblor que no dejaba un instante fija la mirada, las manos haciendo gestos nerviosos, anhelante la respiración y un feo jadear en el pecho.

—Creo que ante todo usted debe cuidarse, Petronila. No le hallo buen aspecto. ¿Por qué no suprime por un tiempo el restaurante, la fiambrería, los dulces? Eso solo la aliviaría mucho. Un par de meses con ese descanso la haría otra. Está con los nervios rotos. Y creo también que debe ir al pueblo a consultar médico. Esta gordura suya me parece sospechosa. Usted misma dice que no es comedora. Entonces tiene que ser algo que no le funciona bien. Por de pronto, coma sin sal, tome poco líquido. No me atrevo a darle ningún remedio. Y en cuanto al almacén, creo que lo mejor es que le consultemos a Reinaldo y que éste hable con el patrón. Ya sabe que al patrón le gusta elegir él mismo la gente que viene a radicarse en el pueblo.

16

—¿Qué estás haciendo aquí? Yo creía que te habías ido a acompañar al Conejo —preguntó Ernestina horas después, al hallar a Cacho en su pieza, hojeando distraído una revista.

—El Conejo está de mañoso y no quiere que lo acompañe —murmuró con mal modo Cacho.

—¡Vaya por Dios! Lo que falta es que a los años hallen gusto en pelearse. El pobrecito no puede estar muy contento. Una gripe deja muy apaleado. Hay que acompañarlo, distraerlo, ir a jugar con él, llevarle algún regalito. Yo tengo que ir al centro, me acompañas y de paso vemos en la cigarrería si hay alguna cosita que pueda serle de agrado. Una linda caja de lápices de colores. O un cortaplumas que le sirva para sus trompos.

Cacho se quiso hacer rastras, pero en el fondo padecía ese estado de ánimo en que se desea que otro inicie la actividad. Roído por las dudas, hilvanando en cada momento un proyecto más descabellado que el otro: ir donde la niña de los cabellos de oro y enrostrarle airadamente su proceder, contarle todo a su madre, que con esa manera suya, tan blandamente serena, era capaz de hallarle arreglo al asunto, aunque en él estuviera metido el padre. Volvía a su primera idea de hablar con la niña de los cabellos de oro. Pedirle que fuera subrepticiamente por el portillo a ver a Conejo, a darle una explicación. Inmediatamente pensaba que lo más acertado era recurrir a su madre y que ésta indagara el origen de las violetas. Se perdía en cavilaciones, andando con los mismos pasos sobre la misma curva hasta cerrar el círculo y en el punto inicial desesperarse. No es lo mismo librar batallas contra hordas de salvajes ni saltar a la cubierta de empavesados barcos piratas que entenderse con un ser real, como Conejo, empecinado en demorarse, en permanecer en su desgracia.

Ernestina hizo sus compras en el centro, y asesorada por Cacho adquirió un espléndido cortaplumas con diversas hojas de distintos tamaños, de nácar por fuera y en un estuche de cuero. Una joya que Cacho apretaba en su mano, en el fondo del bolsillo, adjudicándole un poder de vara de la virtud, capaz de hacer volver a Conejo instantáneamente a la salud, al buen humor, a las correterías gloriosas, borrando lo pasado, volviendo la vida al punto exacto en que se había echado a perder. Ni más ni menos.

"Varita de la virtud, por tu poder vas a hacer que el Conejo sea el de antes", se decía, andando muy formalito al lado de la madre, que iba lindamente sonriendo a los conocidos. Y también él, mecánicamente sonriéndoles, y, a la par que ella, saludándolos.

Conejo estaba en la galería con don Lindor, recién salido éste del sueño de la borrachera, melindroso, cargado de reproches propios y ajenos, que no sólo la Petaca había dicho lo que le correspondía, con una inusitada mesura, trasunto de los consejos de Ernestina, y que tuvo el don de conmoverlo hasta las lágrimas, sino que hasta la Rita le había dicho al pasar, con mucho apuro, asustada ella misma de su atrevimiento:

—Ta güeno que la corte, patrón...

Y Conejo, tras mucho mirarlo, terminó por murmurar dulcemente, anegándolo en el hondo amoroso resplandor de sus ojos, enormes en la carucha adelgazada:

—Por favor, no la haga sufrir a la mamá...

Con lo que a don Lindor se le derrumbó el castillo de naipes tras el cual se había parapetado siempre, convencido de que Conejo nada sabía de sus andanzas. Y se sintió miserable en descubierto, como desnudo, sin saber qué hacer, con ganas de echarse al suelo como un perro y lloriquear su humillación o hacer un foso con sus propias manos y enterrarse allí para siempre. ¡Dios mío! ¿Qué hacer? ¿Qué decir? ¿Qué contestar a Conejo? ¿A Conejo, que había dicho esas palabras, sacándolas trabajosamente de su deseo de no herir al padre, de proteger a la madre, de ser parcial e imparcial, cierto de que no debía callar más haciendo como que no sabía ni oía debilidades y reyertas, pero también de súbito convencido de que no podía dejar a la madre debatiéndose sola contra su infortunio?

Del almacén llegó Ernestina con Cacho y la Petaca. Muy sonreídos y charladores. Con una fuerza vital que borró la angustia en que se ahogaban padre e hijo.

—Los paso a buscar yo en el coche. No me va a negar este gusto, Petronila. No me diga que no, porque no lo acepto. Una ocasión como ésta no la vamos a perder —decía Ernestina con una vehemencia ajena a su carácter, imponiendo su voluntad y queriendo disimularla con ese jovial impulso de entusiasmo.

—Pero, ¿y el almacén? Le había dado ya permiso a la Rita y al Venancio para que fueran ellos a la función —contestó la Petaca.

—El almacén se cierra. ¡Que se vaya al diablo! Usted se me viste con los trapitos del fondo del baúl, don Lindor se pone el traje nuevo, al Conejo me lo arreglo como usted sabe arreglarlo, yo me emperifollo como corresponde. De Reinaldo y el Cacho me ocupo de que vayan como soles y hacemos una entrada triunfal en el teatro. Misiá Melecia va a tener para hablar un año y un día de nosotros.

Don Lindor la oía embelesado. Esta señora era un tesoro. No era ya que él la quisiera y la respetara: la reverenciaba. Todo se le ocurría. Hasta convencer a la Petronila de que había que ir al teatro. Una reina. Eso era. La reina de Inglaterra.

La Petaca sonreía complaciente, ganada por ese entusiasmo. Conejo sabía que ese tono, en mamá Ernestina, era ficticio. ¿Por qué toda esa farsa? Cacho esperaba impaciente el momento de ofrecer su regalo.

Conejo dijo:

—Yo no quisiera salir. Me puedo quedar en la casa, me entretengo con algún libro. No quisiera salir.

—Usted va a salir, caballerito, va a ir con nosotros a ver, ¿cómo se llama lo que dan? Usted debe saberlo, don Lindor, la comedia esa —continuó Ernestina con el mismo tono retozón.

—"Amores y Amoríos" —apuntó don Lindor, muy almibarado.

—Eso mismo. Y nosotros los venimos a buscar. Ya está todo dicho y todo resuelto.

—Mira, para ti —dijo Cacho, colocando el cortaplumas en la mano de Conejo.

Que lo miró con un súbito relámpago de gozo. Que deliberadamente al sentirse alegre, se dejó resbalar a la tristeza, dándole las gracias con una sonrisa de desvanecida melancolía.

17

En Reinaldo el amor por la muchacha había superado la era contemplativa. No se contentaba ya con mirarla de lejos, cambiando con ella el convencionalismo de frases hechas a través del teléfono y las otras frases no menos rituales que se cruzaban en el correo, entre la gárrula presencia del gentío, la inquisitiva mirada de misiá Melecia, siempre en acecho, y una especie de complacencia de la Liduvina en el interés creado en torno a María López, y a cuyo retortero se ufanaba como de algo que le perteneciera.

Hacía tiempo que no se preguntaba Reinaldo cómo serían las otras mujeres. Había conocido tantas y de todas había sacado igual ceniza de hastío. Ese conocimiento le servía para cumplir un rito viejo como el hombre. Respecto a María López no se formulaba pregunta alguna. Su estupefacta primera reacción fue recrearse en la certidumbre de su amor por ella, desde una distancia en que ni la sombra de un pensamiento pecaminoso rozó la sombra de la muchacha. Fue una larga época de bienaventuranza, éxtasis lindante al arrobo místico.

De estratos desconocidos empezaron a aflorar en su conciencia deseos al principio vagarosos, nieblas que se fueron uniendo a otras nieblas hasta darle la certeza de su ansia de abordarla, de acercarse a ella, de conocer su vida, de ofrecerle su compañía, su amistad. La concreción de ese deseo lo desazonaba profundamente y se esforzaba por ahuyentarlo, por hacerlo desaparecer en los profundos meandros de donde había surgido. Pero sabía que el ansia estaba ahí, como ente en un ámbito obscuro, peligro de asalto que obliga a la tensa inmovilidad y al otro pavor aún mayor de chocar en cualquier movimiento con su geografía ilimitada, hecha de no se sabe qué ignorados elementos.

Conscientemente se decía que esa amistad era imposible. ¿Cómo llegar hasta ella? El único camino que le parecía hacedero era introducir a la muchacha en su propio hogar, haciendo que ella y Ernestina se amistaran. Proyecto que desechaba al recordar desalentado la cortesía de su mujer, su buena educación, su sonrisa bondadosa, su largueza para prestar servicios y su cerrazón absoluta a amistarse con nadie. Ella vivía limitada por natural disposición a las fronteras de su hogar, a una existencia sin amigos.

Y él directamente, ¿qué podía hacer? ¿En qué plano, haciendo gala de qué afinidad podía llegarse a María López? Se daba cabal cuenta de lo que significaría en el pueblo cualquier acercamiento entre ellos. ¿Dónde iba a verla? ¿En medio del campo? ¿En casa de ella?

La muchacha tenía por hábito salir después de almuerzo, a veces del lado del río en el valle, con el aparejo de pescar a cuestas, dándose luego a la paciente espera de un salmón que picara; otras veces tomaba montaña arriba para volver cargada de flores, de hierbas, de plantas, con pajillas o pinochas en el pelo, y los tobillos, cuando no las alpargatas, cubiertos de barro. Lo que lo hacía suponer que se deslizaba por el barranco hasta el río, en que el fondo de la hondonada cobraba su belleza mayor.

A caballo o en auto podía a veces seguirla de lejos. Un día pudo más en él su ansia que toda prudencia y se le acercó saludándola y preguntándole si no podía llevarla en el coche a donde fuera. Ella siguió andando con su largo paso gimnástico, volvió la cabeza en escorzo para que le viera a fondo la seria expresión de sus ojos y le dijo que no, que muchas gracias, que lo que deseaba era caminar sola y en paz. Recalcó con una habilidad de actriz las dos palabras: "sola" y "paz".

Para Reinaldo fue como si le hubiera dado un mazazo en la cabeza. No reaccionó por el lado de la humillación ni de la soberbia: se quedó anonadado, reconociendo que tenía ella razón. ¿Con qué derecho iba a mezclarse a su vida? ¿Qué podía ofrecerle? En ese medio pueblerino, entrecruzado de chismes, de melindres, de suspicacias, de gentes aburridas dispuestas a sacar provecho de cualquier acontecimiento: ¡qué rica presa, qué suculento trozo para dar en él dentelladas, la noticia de Reinaldo y María López paseando por la montaña amartelados!

La circunstanciada razón, la burguesa medida, los cánones divinos y los convencionalismos humanos estaban en su contra. Los aceptaba, aunque en su yo más íntimo una poderosa voz, tan poderosa que a pesar suyo llegaba a su conciencia, se erguía contra todo ese cúmulo de barreras lanzándoles un reto. Pero la firme decisión de la muchacha, las dos palabras, "sola" y "paz", su tintineo de metal verdadero, le hacían sentir que había muros para siempre entre ellos.

María López, que quería estar sola y en paz. No en relación únicamente a él, sino al resto del pueblo y tal vez del mundo, sola y en paz consigo misma, dentro de normas prefijadas por una voluntad sin fallas.

De eso, y no sabía por qué laberínticas deducciones, Reinaldo también estaba seguro.

18

Misiá Melecia pretendía ser la primera en llegar. Desde temprano empezó a urgir a la Liduvina, aturdida con los apurones, oyendo a la hermana repetir con insistencia maníaca:

—No te espero más. Me voy. Me voy. No quiero perderme un detalle.

Misiá Melecia quería irse, estaba por irse, sentía el ímpetu de irse, se iba, pero se demoraba esperando a la Liduvina, porque en el fondo abrigaba la sospecha de que ésta se retrasaba deliberadamente, con la intención de hacer pareja con la María Nadie del lado, en cuanto ella se fuera.

"Capaz es la necia de hacerlo", se decía para su capote, arreciando al mismo tiempo sus apuros.

Con lo que salieron rumbo al teatro con una hora de anticipación, hallando para su pasmo desierto el pueblo, cerradas persianas y puertas, cerrado el comercio, las aceras sin viandantes y las calles libres de vehículos y cabalgaduras.

Apareció al final de una calle, casi en las afueras del pueblo, la bodega empavesada de banderas, banderolas y banderines, con dos focos convergentes que iluminaban el cartel en arco de entrada. Donde, entre arabescos, cuernos de la abundancia y antifaces, dos posibles musas sostenían las letras testimonio de que aquélla era la Compañía de Comedias Olimpia Lorena. Todos los vehículos y las cabalgaduras ausentes de las calles estaban allí estacionados, casi impidiendo el paso, y aun de lejos se sentía bullir en el improvisado teatro una multitud en espera impaciente.

Misiá Melecia creyó morirse del disgusto y toda sofocada quería apurar el paso, reprochar a la Liduvina, indignarse contra los otros. ¿Qué diablo de apuro les había agarrado, si eran las ocho y la función estaba anunciada para las nueve? ¿A qué hora habían comido? ¿O era que estaban con las tripas vacías? Pero ¡qué gente sin consideración! Ella, ¡que esperaba ver la llegada de todos y tener tema para el resto del año! Ya no se podía contar con la buena crianza de nadie. Y todo era culpa de esta desgraciada de la Liduvina que echaba una eternidad en arreglarse, como si al fin no quedara lo mismo de adefesio. Y en su soliloquio le echó una mirada reprobatoria a las zarandajas que por todas partes se había distribuido y a los crespos que tanto tiempo había demorado en hacerse. ¡Tonta presuntuosa!

Luchaba entre su deseo de pararse en medio de la acera y enrostrarle su demora y el deseo de apurarse cada vez más para ganar la bodega, donde —¡gracias a Dios!— aún se veía gente que llegaba.

Unas cuantas últimas zancadas la dejaron bajo el arco y frente a una improvisada garita en la cual el señor Lorena oficiaba de boletero. Cambiaron una sonrisa, un saludo de fina amistad, y misiá Melecia se quedó esperando que la Liduvina entregara las entradas. La Liduvina esperaba lo mismo de ella, y al fin dijo:

—Pero, Melecia, pásale las entradas al señor.

Con lo que vinieron a darse cuenta de que ninguna las tenía, lo que se reprocharon sin muchos ambages: que yo te las di a ti, que yo las dejé sobre la cómoda para que tú las trajeras, que no sé dónde tienes la cabeza, que vaya por Dios que eres necia, y que mejor te calles y no seas grosera.

Punto en el cual intervino el señor Lorena, diciéndoles que pasaran no más, que él bien sabía que habían tomado entradas y que un olvido así era excusable y podía ocurrirle a cualquiera.

Misiá Melecia pasó el arco, tropezó en el umbral del portón y ya adentro, pero sin avanzar, fisgoneó rápidamente el panorama.

¡Ya lo había pensado ella! Los de los fundos no habían llegado todavía. Todos los asientos de las primeras filas estaban vacíos. Esos que correspondían a las localidades más caras. En las otras que las seguían en precio, el público dejaba ya pocas ralas, y en los costados se apretujaba una densa multitud en improvisada gradería —tres escalones que no daban una sensación muy firme—, en la cual estaba todo el pueblo, de medio pelo para abajo. Medida dada por misiá Melecia: obreros, peones, campesinos, todos bulliciosos, endomingados, rebosantes de inocente felicidad y ardidos en curiosidades por aquello que iban a ver, muchos por primera vez, que el conocimiento general llegaba hasta el circo trashumante o el cine portátil.

Dos niños, hijos de los artistas, hacían uno de acomodador y otro vendía chocolates y caramelos, gritando éste su mercancía con un pregón largamente modulado, que tornaba ininteligibles las palabras. Pero era evidente la venta por el cajoncillo que le colgaba del cuello, desbordante de paquetes en sus prometedores envoltorios colorinches que obligan al público a vaciar los bolsillos, acuciados por la golosina.

Misiá Melecia echó una mirada rápida. Y alargó el morrito porque dos nuevas musas que estimó demasiado "piluchas" formaban otro arco al escenario, cerrado por una cortina de terciopelo rojo, cuyas estrías calvas testimoniaban lo lejano de su grandeza.

Se volvió, agarró del brazo a la Liduvina y deshizo camino hasta enfrentar sonriendo al señor Lorena, sorprendido de ver juntos tantos dientes amarillos, y le dijo:

—Vamos a esperar un ratito aquí a unos amigos con quienes tenemos que juntarnos.

Manera de montar guardia y ver la llegada de los que faltaban y que era lo más salado del espectáculo.

Frenó silenciosamente el auto de Reinaldo y empezaron a bajar sus ocupantes: Ernestina y Cacho, la Petaca, don Lindor y Conejo. Reinaldo partió a estacionar el coche en algún sitio, donde pudiera, que cercano estaba todo atestado. El grupo se quedó esperándolo junto a la boletería.

Saludaron las hermanas, contestaron los otros y misiá Melecia se hizo sus reflexiones:

"También eran ideas de esta Ernestina, siempre tan parada y de repente se acompaña con la Petaca. Y todo por la amistad de los chiquillos."

Esas juntas no le gustaban. Como si en el pueblo no hubiera niños más de familia para compañeros de Cacho. Y la pobre Petaca como chancho de gorda, que ya parecía reventar, y tan ordinaria. ¿Y el marido? ¡Qué facha! ¡Y el pobre rengo cada día más esmirriado, una pizca de criatura! La verdad era que la Ernestina parecía a veces loca rematada al presentarse con esa familia. Con tanta buena gente que había para hacer relaciones. ¡Claro! ¡Como ella estaba por encima de todo! ¡Eso se creía la presuntuosa! ¡Era una "creída" y nada más!

Pero no pudo seguir en sus observaciones. Volvía Reinaldo a grandes trancos, coincidiendo con la llegada de María López.

Misiá Melecia por primera vez en su vida no frunció el morrito empujándolo hacia adelante. Abrió grande la boca. La abrió. Se le quedó abierta, caída la mandíbula: porque esto sí que era para abismarse. María López vestida de negro, como Dios manda, con pollera y blusa, con medias, con zapatos de taco alto, lisa la melena bajo un pequeño sesgado pañuelo gris que le sujetaba las crenchas justo a la altura en que nacía el flequillo, con un gruesa cadena de oro alrededor del cuello y en la mano una cartera y un chal también gris. Fina y llena de señorío. ¡Para no creerlo!

Ernestina la miró morosamente, sin curiosidad, como miraba ella todo: comprobando que estaba allí, que era agradable y discreta. ¡Qué mala la gente del pueblo diciendo esto y murmurando lo otro respecto a la muchacha!

Don Lindor entrecerró los ojos, se aferró a sus solapas y esbozó la más fina de sus sonrisas al saludarla. La Petaca la miró sin saber quién era, sin identificarla con la rubia platinada de las alusiones del marido. Reinaldo se detuvo, seca la boca, con una fina aguja clavada en el pecho, saludando torpemente. Cacho balbuceó un enredado:

—Buenas noches.

Todo hubiera pasado naturalmente. Un grupo de personas que en la entrada de un teatro cambia un saludo cortés con una conocida. Pero la muchacha, súbitamente viendo a Conejo escondido tras el volumen de la madre, a Conejo que la había visto, al chiquillo que como el hombre tenía la boca seca y en el pecho un aguja dolorosa atravesándole el corazón, a Conejo que trataba de que ella no lo viera y al que había visto y al que se acercó, incontrolada por la sorpresa, diciendo alegremente:

—Conejo, al fin te encuentro. ¿Cómo estás?

¡Fue todo tan rápido!

Cacho dio un paso para advertirla de que trasgredía promesas. Conejo alzó la cabeza mirándola admonitivamente. La Petaca preguntó:

—Y usted, ¿quién es?

—La señorita es la señorita telefonista —dijo, hecho merengues, don Lindor.

La Petaca relampagueó sus azabaches en la mirada, preguntando a María López:

—¿De dónde conoce usted al Conejo?

No contestó María López. E hizo el gesto que desató la tempestad: puso una mano sobre el hombro del niño.

—¿Se conocen de dónde? ¿Cuándo has hablado tú con esta mujer? —insistió con creciente ímpetu la Petaca—. Contesta... ¿Dónde? ¿Así que tienes estas amistades a escondidas? Hable, le mando...

—Pero, mamá... —balbuceó Conejo.

—Saque usted su mano, no toque a mi niño... —gritó sin control la Petaca.

—Pero, Petronila, no sea así... —intervino balbuciente don Lindor.

—Soy como me da la gana —contestó la Petaca, siempre gritando—. No le basta manosear a todos los hombres para también agarrársela con los niños...

—Eso, eso es... —gruñó misiá Melecia desde su recuperado morrito—. ¡Que al fin haya alguien que le diga las verdades!...

—Pero, señora... —pudo decir María López, que se había quedado desconcertada, sin saber a quién atender y sin saber tampoco por qué le caía encima ese aluvión de palabras.

—Usted se calla, Melecia, y usted también, Petronila —intervino a su vez Reinaldo violentamente, queriendo volverlas a la razón.

En la bodega, algunos habían oído las voces y prestaban oído. Misiá Melecia chilló ya en pleno histerismo:

—Mala pájara, María Nadie, al fin. Habría que echarla del pueblo. Fuera...

Adentro una mujer chilló a su vez:

—Fuego... —Hubo un sobresalto general.

Un hombre quiso aplacar la alarma:

—Por favor, no se muevan. No hay nada. No pasa nada.

Conejo se aferraba a las faldas de la madre, cerrados los ojos, con la angustia de vivir la peor pesadilla. Cacho se le había acercado mirando a uno y a otro sin atinar a explicarse nada.

—Pero cállese, Melecia. Cállese, ¿entiende? Y usted, Petronila. ¿Se han vuelto locas? —insistía también a gritos Reinaldo.

—Mala pájara. Que se vaya del pueblo... María Nadie... Habría que echarla... Fuera... Fuera...

—¡Fuego! ¡Fuego! ¡Incendio! —gritó de nuevo la mujer que seguía prestando oído a las deformadas confusas voces que llegaban del exterior. Y en la concurrencia, ya desasosegada, hubo un eléctrico sobrecogerse, un pánico, un levantarse todos simultáneamente, un empujar y gritar y tropezar y caer y no saber nadie lo que pasaba, y un hombre grandote, una especie de hércules montañés, abrirse de brazos en la salida y repeler la multitud vociferando:

—Pedazos de animales, si no pasa nada, si no hay incendio...

Se abrió con violencia el telón y uno de los actores habló inútilmente de que nada pasaba, de que por favor tuvieran calma, de que no había peligro alguno. Que no había fuego. Que no había incendio.

El torrente humano pudo más que el hombre que quería detenerlo con los brazos extendidos y se vació desordenadamente afuera, volteó la casilla de la cual había salido despavorido el señor Lorena. Lloraban los chiquillos; los hombres, entre asustados y cohibidos, enrostraban a las mujeres sus nervios. Había manos magulladas, preguntas, explicaciones, arañazos, una muchacha con un pie a rastras, y adentro, en el escenario, el actor y sus compañeros, ya sin saber qué hacer, mirando el desorden de las sillas derribadas y de los pocos rezagados a los cuales el miedo no contagiara, en un último alarde de serenidad, empezaron temblorosamente a entonar el himno patrio.

—Pero ¿qué ha pasado? —repetía insistentemente alguien.

—Una mujer dijo que había fuego —contestaban varias voces al unísono.

—¡Dios! Jacobita... ¿Dónde estás, criatura? Jacobita.... —aullaba una desesperada viejecita.

—Voy, mamita... Voy, ¿dónde está? Mamitaaá...

—Pero, señores, por favor, si no ha pasado nada. Tranquilidad, por favor. Si no ha pasado nada. Nada —aseguraba el señor Lorena, queriendo poner en pie su casilla y que los otros volvieran a entrar.

El torrente humano separó al grupo. De un lado quedó sola María López, del otro el resto. La Petaca seguía gritando en el bullicio general, enronquecida; sin que pudieran acallarla ni siquiera las palabras llamándola a tranquilidad de Ernestina.

—No se lo permito. Que no toque a mi niño. Era lo que faltaba... —se ahogó, ahogada con el intolerable dolor que le atravesó el pecho, que le quedó ahí fijo, corriéndose después por el hombro hasta la mano, quedándose también ahí fijo, toda ella hecha un solo dolor que la hizo vacilar.

—¡Ay! —exclamó Reinaldo acudiendo a sostenerla.

—Juan Alberto, venga, por favor —llamó Ernestina a un muchachón que pasaba con aire ausente—. Hay que tener tranquilidad, hijo. No pasa nada. Ayude a sostener a la Petronila, que se siente mal.

—Ta bien —dijo el muchachón con el mismo acento de la Rita.

—¿Dónde está el coche, Reinaldo?

—No muy cerca.

—¿Pasa algo? —preguntó un señor de gafas y aspecto extranjero.

—La Petronila que no se siente bien —logró decir farfullando don Lindor.

—Tengo aquí mismo mi camioneta. En un segundo la acerco —aseguró el señor prestamente.

—Mamá..., mamá... —murmuraba Conejo, apoyándose en su terror en Cacho, no menos transido de espanto.

El tumulto se sosegaba en cuanto a empujones y corridas, en cuanto a pavor, pero seguían todos afuera, llamándose, explicándose cómo había sido aquello, cómo había empezado, por qué cada cual había hecho lo que había hecho. El señor Lorena imploraba en todos los tonos:

—Por favor, entren, no ha pasado nada. Por favor, ocupen sus localidades, por favor...

Lentamente fueron entrando. La cortina se había cerrado entre las musas ligeras de ropa y de tan caricaturesca expresión. Los asientos habían sido rápidamente alineados. Llegaban los rezagados, gente de los fundos que ocupó sus asientos de privilegio, sin saber lo ocurrido. El señor Lorena, cuando sonaron dentro los tres timbrazos que hacían inminente el comienzo de la función, preguntó a misiá Melecia, que seguía firme en su vigía:

—¿No entra, señora?

—Se me perdió mi hermana. Tengo que esperarla.

—Se fue con la señorita López hace rato. Cuando..., cuando... —no se atrevió a precisar cuándo, él, testigo de todo lo pasado.

Misiá Melecia masculló un último:

—¡Mala pájara! —antes de entrar, estirado el morro, semejante a sí misma rumbo al aquelarre.

LA MUJER

Dos palabras para calificarla: mala pájara. Y otras dos —que en su simpleza le había comunicado la Liduvina—, con las que la nombraba misiá Melecia, y por añadidura todos en el pueblo: María Nadie.

¿Qué era peor? ¿Y cuáles calzaban más con ella misma?

¡Mala pájara! Mala. Mala. ¿Por haber sido una rebelde frente a la vida? ¿Por su sublevación profunda desde que tuvo uso de razón frente a cuanto consideró inconducta?

Inconducta de los suyos, familia de un funcionario mediocre, pusilánime, sin iniciativa, aferrado a la costumbre, aterrorizado siempre por la idea de desagradar al jefe, buscando quedar bien con todos, jugando en el balancín de las ideas políticas a estar con la mayoría gobernante; brujuleando un ascenso, obsecuente, listo a la inclinación, si era ella necesaria ante el poderoso, y al propio tiempo con los músculos listos para el paso atrás, si el poderoso en ese mismo instante dejaba de serlo. Batallando entre las letras, los recibos, los protestos, las cuentas, los créditos, las deudas; cercano a la extorsión, bordeando la estafa, especie de araña tejiendo laboriosamente su red en la conciencia de que el plumero, la escoba, el azar abriendo una ventana y dejando entrar el viento, amenazaban en cada momento su meticuloso trabajo.

¿Cómo podía unirse lo que tenía un nombre, una palabra desdeñosa, con la bondad y el cariño? Porque ese mismo hombre rastrero, sin ningún pudor para ocultar sus manejos, antes bien, haciendo de ellos tema de conversación familiar, desbarataba con la mujer y los hijos un inagotable tesoro de comprensión, de generosidad, de buenos sentimientos. Todo lo entendía, para todo poseía una sonrisa, una cordialidad. Jamás negó nada a nadie. Lo que la mujer quería era ley. Lo que los hijos pedían era mandato, siempre que mamita dijera que sí. ¿Hasta dónde llegaba lo bondadoso y comenzaba el cinismo? ¿Y dónde terminaba el cariño y se abría la muelle comodidad?

María López lo miraba en su memoria, que por desgracia tenía una alucinante exactitud de placa fotográfica. Chiquito, farruto, como resecado por la inquietud, así era el padre, con los ojillos de ratón, ancha la frente y el pelo haciendo prolijas eses sobre la calva incipiente, de caballete la nariz y la boca triste sobre unos dientes rectangulares, ahumados del constante cigarrillo en las comisuras de los labios y que tenía la particularidad de mantener allí suspendido, cambiándolo sin tocarlo de un extremo a otro, hablando y sin que se desprendiera. Siempre como acurrucado, como si descansara en una gradería con los brazos entornando las rodillas. Siempre como en atisbo y dispuesto a decir que sí, a complacer a la mujer, a dar agrado a los hijos, a sonreir, a aprobar.

Por contraste, la madre aparecía más espléndida de lo que en verdad era. Con el pelo de un negro denso y brillante, morena, soberbia de cuerpo, con la cabeza en alto con un gesto de "aquí estoy yo, ¿y qué?" y unos ojos almendrados, verdes, sonrientes y burlescos. De familia modesta, ambiciosa e inteligente para cuanto fuera su conveniencia, casó jovencita con Enrique López, empleado fiscal. No gran cosa, pero era un marido, una situación, una ayuda para hacerse un sitio en la pequeña sociedad provinciana y la esperanza de viajar, de ir al albur de ascensos en la carrera del marido, de pueblo en pueblo, de ciudad en ciudad, para terminar en la capital. Ella contaba —barajadas esas posibilidades con un obscuro instinto, sutil en sus formas externas, capaz de envolver y convencer al más inteligente— con el escalafón, los quinquenios y las recomendaciones. Sobre todo con las recomendaciones.

A través de los años, de pueblo en pueblo y de ciudad en ciudad, en el clima y las circunstancias que fueran, jamás dejó de ir por las tardes a buscar al marido a la oficina. Era un rito. Vistosa, atrayente, amable, resultaba una fiesta verla llegar. Nadie eludía el placer de mirarla: los hombres por un natural homenaje y las mujeres por una especie de malsano interés. ¡Se decían tantas cosas de ella! Y ella arrastraba la cola de las suposiciones y de los comentarios con tanta seducción como una reina de opereta puede arrastrar su traje de corte. Tenía una manera especial de interesarse por cada uno, de preguntar justo lo que su interlocutor, fuera hombre o mujer, ansiaba que le preguntaran para contar sus pequeños problemas caseros, sus obsesionantes conflictos sentimentales, sus aspiraciones, sus desengaños, sus enfermedades, sus líos domésticos, su opinión sobre el tiempo. Ella lo oía todo atentamente, con una que otra palabra que incitaba a terminar la confidencia, sostenida la mirada y una seria expresión en la boca abundante que un rojo escarlata ponía en manifiesto como un arrebatador llamado.

Ese era tal vez el secreto de su encanto. Se la discutía, se formaban bandos, se aducían argumentos en pro y en contra de ella. Pero aparecía y aun los más reacios contrarios se entregaban a la magia de su mirar y a la delicia de narrarle la historia de su vida.

La cola que arrastraba se había ido formando en años de ir de un lado a otro, en traslados que siempre significaban ascensos para el marido. De sus amistades con los jefes, de su manera trepadora de hacerse situaciones, resultaba siempre la primera en los directorios de sociedades, la organizadora de todas las fiestas, la que se sentaba a la derecha — saltando sobre toda suerte de normas sociales que a veces tocaban protocolos— de la figura masculina preponderante, a la que monopolizaba y de quien recibía toda suerte de homenajes.

Sí, ésa era ella, la mujer de Enrique López. No había nada que hacer. ¿Cómo se las arreglaba, con qué métodos derribaba barreras y se le concedía ese lugar? ¿Eran cosas pertenecientes al ignoto mundo de las irradiaciones personales, al magnetismo de ciertos seres que logran imponerse, con méritos o sin ellos, en forma incuestionable? La señora de López, por derecho propio, era la primera.

De ahí nacía la urdimbre de su cola, la que estaba a la vista. La trama eran los comentarios, las suposiciones, su amistad con el diputado, su compañerismo en el juego con el senador, su otra larga amistad con el viejo personaje, influyente jefe de partido. Pero comentarios y suposiciones eran hilos febles que nunca lograron tejer una realidad. Nunca nadie pudo afirmar nada concreto.

Enrique López seguía medrando. Con la mujer y cinco hijos, de ascenso en ascenso, llamado por imperativo de la mujer a ocupar una situación social fuera de sus posibilidades económicas, siempre rebasando su presupuesto, acosado por las deudas, achicándose, como disminuyéndose físicamente con los años, terroso, yendo de aquí para allá en busca de una fianza, de una prórroga, con los hombros curvados, la cabeza inclinada, garfio movedizo en busca de terreno donde adentrarse y sin lograr nunca firmeza alguna.

Eso eran sus padres, los padres de María López, o, como la llamaban en el pueblo, de María Nadie.

Si no hubiera tenido desde chiquita ese sentido incómodo de lo absoluto, ¡qué felizmente podía haber vivido en la despreocupación! Niños consentidos ella y los hermanos —en total eran dos hombres y tres mujeres—, entregados a sí mismos, en el patio o en la cocina. ¿Cuántos patios y cuántas cocinas fueron escenarios de su infancia? Ella llegaba a una de estas tantas casas, similares, edificadas absurdamente en torno a un patio, fuera el que fuere el clima en que se alzaran, con habitaciones, una tras otra, dando a una galería y cerrando un cuadrado o un rectángulo. Al fondo se abría otro patio con árboles y alguna vez con un gallinero. Llevaban tras ellos un equipaje miserable: viejos baúles con la ropa y unos grandes fardos con los colchones. La partida coincidía siempre con un remate. Según la madre: "Vida nueva, muebles nuevos". Lo que significaba adquirir íntegro otro menaje, con la lógica consecuencia de los créditos y los vencimientos.

Arribaba ella, María López, a una de estas tantas casas e inmediatamente creaba su ambiente: un rincón para su cama, para su ropa, para sus libros. Un rincón, el más propicio al silencio, para leer y soñar.

Para leer, soñar y mirar la vida.

La faz y la contrafaz del padre, su asquerosa aquiescencia a la madre, su arrastrarse mendigando favores, ¡cuánto mal le hicieron, cómo acibararon sus años de criatura precozmente madura! ¡Y la madre, la madre, la contrafaz de la madre, su también asquerosa manera de quebrar voluntades, de crear intereses, de especular consigo misma en un comercio en que ni siquiera tenía el arrojo de darse íntegra, que todo eran promesas, encandilar deseos, avanzando un pasito para poner más a la vista la pulpa violenta de la boca, oyendo con las pestañas bajas, un tanto anhelante la respiración, lista para el paso atrás, si aún no había madurado la promesa de una ventaja!

¿Cómo había ella conocido toda esa miseria? Entre sirvientas, en una promiscuidad sin secretos de índole alguna. Entre compañeras de escuela, hablando de la vida sin ambages, descubriéndola, suponiéndola, sabiéndola, con una tremenda obsesión de todo cuanto atañe al sexo. Y después: los libros. Y si se tiene una natural inteligencia y se mira descarnadamente en torno, siendo contemplativa y deductiva, lo que se va comprobando es no sólo la cara visible de los seres, sino el dibujo primero borroso, y al final nítido, de otro rostro contrapuesto, alucinante, revelador de tanta desoladora certidumbre.

¡Ella, que ansiaba que fueran puros los seres y los sentimientos, que simplemente aspiraba a que cada ser, cada sentimiento, tuvieran su justo relieve, en una justa proporción, y así poder entregárseles sin reservas o de lo contrario apartarse prudentemente! Pero ¿cómo entenderse con este entrevero que era cada cual, amasijo de afirmaciones y negaciones, en que no podía saberse siquiera qué primaba en ellos?

¿Cómo atreverse a despreciar al padre? ¿Cómo juzgar definitivamente a la madre? ¿Dónde terminaba el bien y empezaba el mal?

En ese medio medró ella, con los hermanos como encarnizados enemigos o como grandes amigos, tampoco hallando asidero en ninguno, palo a la deriva en la correntosa fluencia de un existir, entregado por circunstancias familiares al azar.

Iba rápidamente huyendo del escándalo, de las palabras como piedras cayendo sobre ella, de las gentes enloquecidas por el pavor, de los gritos, de las corridas, de los ojos de Conejo insondables de dolorosa sorpresa y de no sabía, además, qué otro sentimiento, todo tan rápido, todo como un relampaguear de superpuestas imágenes. Cacho, diciendo algo como una súplica; esa mujer gorda, en un frenesí de insultos. Reinaldo, endurecido, también diciendo algo imperioso a la mujer frenética; la gente atropellándose, alguien que tiraba de ella —la Liduvina tal vez— y un señor que también tiraba de ella, poniéndola a salvo de la multitud. Y por sobre todo, como un refrán persistiendo en dolorosos ecos, la voz que insistía: "Mala pájara, ¡qué se vaya!... Mala pájara... Había de ser María Nadie... ¡Fuera..., María Nadie!..."

Sí, el bodegón, el teatro, las gentes, esos seres fantasmales, la luz enceguecedora de los grandes focos, esas figuras grotescas pintadas en el arco de la entrada, los mascarones, la voz de misiá Melecia, la mujer gorda, don Lindor, Cacho, sí, y otra mujer difuminada, hecha de sombras. Todo, hasta Conejo y su tierna dolorida expresión de reproche —¿por qué?—, todo iba quedando atrás, lejano como algo que se soñó y se pierde lentamente en la recobrada conciencia de la vigilia.

Iba presurosa. Hasta su casa, hacia ese recinto de soledad y paz, siguiendo la veredilla bordeada de pastito y de insistentes llamadas de grillos.

Cerradas las casas, puertas y ventanas, portones, todo estaba cerrado.

Fachadas plácidas, arquitecturas simples. Colores grises, blanquecinos, o la violencia de pinturas en audaces contrastes. Elementos nobles; piedra y madera. La montaña con su duro insensible corazón y el árbol sirviendo siempre en su múltiple generosidad. Y adentro, ¿qué? ¿Qué en las casas? Habitualmente todos esos seres, ese mundo del que venía huyendo, despiadado, malévolo, injusto. ¿Es que nunca iba a lograr la paz? ¿Es que no podía tener un ámbito para su cansancio? ¿Nunca?

Se detuvo ante una puerta, grande, lustrada, con una impresionante bocallave, y arriba una mano de bronce, un llamador colonial, alargados los dedos con cautela sobre una esfera, sujetándola con un pequeño gesto de atildada elegancia, un poquitín en alto el dedo meñique, caído sobre el dorso el volado de encaje y una sortija en el anular. La miró y sin saber para qué, alzó su mano, cogió la otra y un golpe metálico y seco retumbó por las calles desiertas. En la casa su eco despertó a un perro, que ladró enérgicamente. Continuaba de pie junto a la puerta, oyendo aún el retumbo perderse, diluirse en la distancia, hacerse carne de silencio nocturno. Oyendo al perro lanzar sus desvelados ladridos.

Fue entonces cuando se dio cuenta de que Liduvina la seguía, tratando de alcanzarla, incómoda sobre los tacones altos, silenciosa por las tapillas de goma. "Así duran más", aseguraba misiá Melecia.

—María..., por favor... Déjeme que la acompañe..., no puede seguir sola..., por favor... —rogaba Liduvina con expresión de humilde insistencia.

—También se lo pido por favor, Liduvina, déjeme sola. Déjeme volver sola a casa. —Y como viera que dudaba, que iba a insistir, agregó firmemente—: Deseo estar sola.

La otra, que quería complacerla, que quería serle útil, que no sabía qué hacer entre su sincero deseo de serle útil y de complacerla, farfulló a tropezones con las palabras:

—No son tan malos como parecen, María; perdónelos, están todos como locos. La creen una orgullosa. Cada uno supone algo de usted. No la conocen... Usted tiene cierta culpa... No ha querido ser amiga de nadie. Perdónelos a todos... Esa mujer de la Petaca yo creo que se está muriendo... Vive comida por los celos, creyendo que al marido todas se lo pelean..., a esa basura...

—No quiero saber nada. Liduvina, por favor, déjeme...

—¿Me promete irse para su casa? ¿No hacer ninguna lesera?

—Sí, Liduvina... —sonrió con una súbita reacción y poniendo suavemente una mano sobre el hombro de la mujer, que vio en el gesto una inesperada prueba amistosa, casi de cariño, que la tranquilizó—. Le prometo no hacer ninguna lesera...

—¿Por qué llamó en esta casa? —preguntó con cierta ansiedad.

La muchacha se encogió de hombros.

—No lo sé, Liduvina. No sé de quién es esta casa. Pero vi la mano y me pareció que alguien adentro estaba esperando que llamaran. No se asuste, Liduvina. No estoy loca. Y vuélvase al teatro..., por favor...

Sin esperar contestación, siguió andando por el caminito bordeado de cantos de grillos. Todavía el perro lanzaba hacia desconocidos peligros la advertencia de sus ladridos.

...Entonces había que ir hacia las gentes y decirles, para que la conocieran, para que no la creyeran orgullosa: "No pude entenderme con la manera de vivir de mis padres. Para querer a las gentes necesito estimarlas, y la otra faz de mis padres no era incentivo para que tuviera por ellos la menor estimación. Sí, lo sé; a los padres se los quiere sin abrir juicio sobre ellos. Ese es el axioma sobre el cual se basa el equilibrio familiar. Lo maravilloso es poder juzgarlos y hallar en ellos sólo virtudes, modelo para calcar nuestra propia personalidad. Pero ¿qué se hace si con sólo mirarlos con cierta atención se les encuentran las verrugas de todas las prevaricaciones? ¿Qué se hace? ¿Enrostrarles su proceder? ¿Tratar de ser su conciencia? ¿De llamarlos a rectitud?

"Yo no supe ser eso, me contenté con apartarme, continuando mi vida por otros caminos. Ante todo, quise hacerme una situación que me independizara económicamente. Casarme no era mi meta. Estudiar largas carreras, al albur de nuestra vida trashumante, no era posible. Si apenas, de pueblo en pueblo, lográbamos, a fuerza de las recomendaciones que tan diestramente conseguía mi madre, que sin mayores dificultades se nos aceptara en colegios o liceos. Mis hermanos eran los mayores; empezaron a trabajar y se quedaron en pueblos diferentes. Una de mis hermanas se casó. Otra ingresó a una oficina. También yo empecé a trabajar, pero en cuanto tuve dinero suficiente para cubrir mis gastos, sin mayores dificultades impuse mi deseo de tener mi propia vivienda.

"Desde entonces estoy sola.

"Pero no en paz.

"María Nadie..., qué justo el nombre: María anónima. María entre mil Marías.

"María Nadie, en una gran ciudad, en la capital, es una plumilla de vilano, esa cosita infinitesimal en el aire. Una nada. Se vive en una pensión. Del sueldo se hacen unos pequeños montoncitos: para la patrona, para la farmacia, para la locomoción, para juntar el mes que viene con otro montoncito y comprar un género para una pollera, que hace mucha falta. Y se va a la Biblioteca, porque gusta mucho la lectura, pero los libros son muy caros, y caminando como autómata cuarenta cuadras diarias se ahorra el dinero del colectivo y se puede alguna vez ir a un concierto o al cine.

"Porque por reacción la vida familiar ha puesto en pie, trazados en mí para siempre, varios preceptos. Primero y principal: "jamás contraigas una deuda".

"A ustedes, gentes de Colloco, según la Liduvina, tan interesadas por conocer mi vida, posiblemente les resulte un poco pesado oir mi historia de simple empleda de teléfonos, de la sección larga distancia. Ese estar horas de horas quieta con el aro de los auriculares que termina por pesar sobre la cabeza como un suplicio y oir números, números, docenas, cientos de números, y conectar y desconectar y hacer las mismas preguntas con igual tono y no equivocarse, y seguir indefinidamente, en indiferenciado tiempo, que se suma en semanas, meses y años, siempre lo mismo, tomada a veces por el pavor de no ser sino parte de un aparato mecánico, un grotesco ser hecho de madera y metales, de hilo y caucho. Y créanlo ustedes, los que me dicen orgullosa, diez años pueden pasar en ese trabajo embrutecedor. Diez años que la dejan a una al otro lado de la treintena, mirándose en el espejo los ojos fatigados, las comisuras de la boca que tienden a desplomarse y tal vez, aunque se tenga el pelo de color de lino, por las sienes comiencen a blanquear unas canas precoces.

"Pero he querido vivir sola y en paz. Vivo sola, tengo una pequeña holgura. Los montoncitos de dinero a fin de mes dan mayores esperanzas de agrado; a veces puedo comprar un vestido mejor. Logro cosillas para formar un interior agradable. Tengo libros propios, un radio, discos. La soledad no posee un diámetro opresor, se ha enanchado y permite nuevos horizontes para moverse en ellos.

"Amigos, sí, ustedes que han pretendido llamarse mis amigos, los de este pueblo, gentes que tienen variados nombres y tan cabal interés por conocer mi vida: esa a quien llaman María Nadie tuvo soledad. A veces le costó sobrellevarla. Pero lo que no logró nunca fue paz..."

Había llegado al radio central del pueblo. La iluminación se hacía más intensa, con focos de un blanco espectral pululantes de insectos. Unos esféricos focos encaperuzados de latón gris que echaban abajo una enorme moneda de luz, pista ideal para duendes y trasgos, o escenario para un monólogo desesperado, o un truculento fin de gran guiñol. Más allá las sombras se adensaban, luego se adelgazaban en un intermedio breve, se espesaban de nuevo y otra moneda de luz ponía en evidencia la falta de personajes de fiebre. En una de las zonas intermediarias, a la puerta de una casa, había un gato echado en el umbral, en una paciente actitud de espera.

María López se detuvo y lo miró, diciéndole:

—¿Te han dejado fuera? ¡Pobre michino!...

El gato levantó la cabeza a esa voz cordial y con cautela mayó una contestación, casi una queja.

María López se sentó a su lado. El gato no se hurtó a la vecindad. Se quedó quieto en la misma postura, echado sobre las cuatro patitas, como sumidas en el cuerpo, y la larga cola sinuosamente a su medio alrededor.

—Te han dejado solo... Pero ya llegarán y te abrirán la puerta... Hay puertas que se abren, puedes creerme. Puedes también creerme que otras puertas no se abren jamás.

El gato mayó otra desvaída queja, sin moverse. María López se quedó quieta y no hizo más preguntas.

Pasó una racha de aire y las hojas susurraron una protesta soñolienta. Los focos cabecearon, moviéndose la luz hasta de nuevo lentamente inmovilizarse. En un alambre de la corriente eléctrica una tira de papel —restos tal vez de un volantín— siguió un largo rato cosquilleando el silencio. Lejana, lejana se elevó una alarma de perros que se disolvió en la nada. Un gallo trasnochado cantó una falsa amanecida.

"...Pero debo seguir contándoles mi historia. Tal vez para innumerables María Nadie la vida signifique una aceptación, un estirar la mano y recibir lo que en la palma vaya depositando el destino. Yo no acepté eso primordial que es la familia. Creí que la independencia me daría el derecho a elegir el grupo humano que me rodearía. Tendría amigas, amigos. Puede que tuviera un amor.

"¿También quieren ustedes conocer esto? Bueno. Bueno. La soledad en los comienzos, cuando tanto se la ambicionó, es como un aire delgado para pulmones enfermos. Una desesperada ansia de respirarla, de vivir en ella a ventanas abiertas, de sentir cómo por instantes ese aire va rehaciendo células, creando nuevos perfiles, dando a la piel una tersura frutal y a la sangre un ritmo de reconcentrado gozo. Se es feliz animalmente. Porque se logró esa provincia ilimitada para morar en ella libremente.

"Ya les he dicho que cuesta sobrellevar la soledad. Porque a la primera embriaguez de ese aire purísimo sigue el despertar en su helada condición intrínseca. Ni siquiera el Dios de los cielos fue capaz de existir en ella y creó el mundo para su compañía. ¿Cómo María Nadie, en la gran ciudad, podía sobrevivir en el aislamiento?

"Me dirán que María Nadie quiso esa vida. Pero piensen ustedes que su soledad era media soledad, porque ella, la empleada de teléfonos, tiene media vida complicada de deberes, de horarios, de frases repetidas, de números, de esas cifras que se multiplican, del uno al cero, danzando frenéticamente, nunca en el mismo sitio, descomponiendo guarismos en una demoníaca agobiadora danza.

"Entonces hablemos de la otra, de la auténtica media vida de soledad. Aunque tal vez no valga la pena relatarla, tan monótona: hecha de pequeños menesteres caseros, de gestos que por repetidos llegan a parecer, no éste de ahora, sino el de ayer, sin sentido, automatismo que lentamente mella la posibilidad de lo inesperado. Los deseos se desvanecen, las aspiraciones se aquietan.

"Conscientemente le quedan a María Nadie dos boquerones por donde evadirse: la música y la lectura. Y subconscientemente, profundo y dramático, el imperativo del amor.

"Llámese amistad o tenga el tremendo nombre de la pasión.

"Hay destinos de los cuales uno logra evadirse. Yo pude librarme de mi familia. Junto a esa familia viví trabajada por la angustia de juzgarlos y de no estimarlos. De no sentirme en ningún momento ligada a ella. Me evadí de mi familia. Tuve una situación independiente, un haber material que lindaba al correr de los años con la holgura para quien, como yo, no abriga grandes ambiciones. ¡Perdonen! Ya esto se lo había contado. Se lo había dicho antes.

"Empecé a convencerme de que existía un destino ineludible para mí, y era mi imposibilidad de conseguir amigos, fueran ellos hombres o mujeres. Amigos como yo los entendía: seres inteligentes y bondadosos, capaces de darse enteros. Yo seguía viendo la doble faz de las gentes, analizando, pesando, deduciendo, esperando, a veces estremecida, llena de ilusiones ante un ser que me parecía "ése", el que esperaba, lista para intercambiar con él —hombre o mujer— toda mi ternura, mi abnegación, mi conocimiento, mi mínimo caudal de cultura tan trabajosamente conseguido. Y con el anhelo de la espera, del momento en que ese otro ser se volvería a mí, dando la respuesta a no sé qué pregunta que jamás formulé, siempre el hecho se repitió, calcado uno en otro, como se calcaban los hechos cotidianos en el hogar y en la oficina: las mujeres ni siquiera adivinaban mi ansia y los hombres tan sólo alargaban la mano en busca de mi cuerpo.

"Yo vivía en parte desmaterializada en la música. Pero vivía también en los hechos que la lectura entrega, amalgamada con cuanta pasión puede agitar al ser humano: de la más celestial a la más abyecta. Nada me era extraño. Todo podía vivir en mi comprensión, pero al propio tiempo quedaba al margen de todo, a un costado, mirando, entendiendo, doliente, gozosa, admirada, repelida, capaz de la identificación, pero sin perder jamás mi noción de ser una simple lectora. Como un cuerpo de cristal que se sume en agua, se extrae, se orea y vuelve a su condición primera. Esa terminó por ser mi verdadera vida, mi media vida de soledad, cuando me convencí de que la soledad cordial era para mí definitiva.

"Desde chiquita me habían dicho linda. Más crecida me dijeron interesante. Siempre he tenido la convicción de que físicamente soy una mujer que pasaría inadvertida si no fuera por el color del pelo. Nunca me ocupé de mi persona sino para darle un tratamiento que la hiciera soportable. Los trajes no tuvieron nunca otro sentido que el muy necesario y modesto de cubrirme. Los adornos no existían para mí. Y nada digo de pinturas...

"Nunca sentí el deseo. Eso que se llama "deseo". Esa vaga o imperiosa urgencia que hace presente el sexo.

"Viví mi vida de independencia, batallando por vivirla en paz, o sea: limitando mis aspiraciones tan sólo a lo que me daba mi media vida solitaria.

"Batallando. ¡Qué ironía! Y sin lograrlo..."

Sorpresivamente el gato levantó la cabeza y mayó una nueva pregunta inarticulada.

—Sí, ten paciencia. Ya llegarán tus gentes —contestó al punto.

"...A veces la soledad pesa. Es como un molde que se va ciñendo al propio cuerpo hasta oprimirlo. Hay algo que duele adentro y los músculos envarados no se atreven a un movimiento que delataría su torpeza. Son sensaciones que duran menos que un segundo, pero que dejan la horrible frialdad del vértigo en el pecho y en el corazón un aletear de pájaro caído. Entonces se busca alguien alrededor, alguien para alargarle la mano, temerosa de no lograr el movimiento y hallar en la otra palma una certeza de calor vital, una especie de cuenco en que acurrucarse. Esa soledad de pozo húmedo que nos despierta a media noche con el pavor de estar efectivamente en lo hondo de un pozo, desesperadamente mirando arriba el punto de salida inalcanzable. Esa soledad en que empiezan a caer las palabras dichas por una misma a media voz para espantar el intolerable silencio de las horas, que morosos relojes no terminan de enviar nunca al pasado. Ese deseo que asalta y empuja a no hacer siempre lo mismo, a no calcar hoy el gesto que se hizo ayer.

"Pesa la soledad en que un día cualquiera se filtra la miseria física. El que me duele, y no tengo quién me acompañe; el que padezco sed y que la sed de la fiebre me quema, y que nadie me da un vaso de agua, y que la soledad es buena para morir, y que podrida me encontrarán cuando el hedor salga por debajo de la puerta y el mayordomo avise a la policía. Y que nadie se afligirá mucho, y en lejanos pueblos los parientes dirán: "Murió en su ley". Y —¡ay!— que cuándo amanecerá, y barra la luz la angustia que teje el desvelo, y que ya estoy mejor, pero

) 774 (

que no puedo levantarme y que tendré que avisar a la oficina, y que si aviso yo misma, no creerán lo mal que estoy. ¿Quién podrá avisar entonces? Llamaré a la mujer del portero, y que no me atrevo a hacerlo, no le gusta que la molesten con recados, y si no la llamo, ¿a quién llamo? ¡Ay, Dios! ¡Vivir sola y en paz!"

"No sé si me entienden ustedes, gentes del pueblo, esta deshilvanada historia; tal vez la entiendas tú más que ellos, gatito paciente, buenito como eres, sosegado a la puerta de la casa, esperando que tus patrones regresen, y que sin saberlo has ayudado a una mujer, a una pobre mujer que se creyó más fuerte que la soledad. —El gato levantó la cabeza, mirándola. María López se dijo aún—: Tan absurdo todo. Tan mezclado. Tan no pudiendo a veces separar lo que fue de lo que queríamos que fuera. Pero fue "eso", y "eso" fue "así". Pasó "así". ¿Cómo? Me lo pregunto siempre. Voy a tratar de contarlo como historia ajena. Puede que así vea más ordenada y claramente los hechos."

"...Un día cualquiera, María Nadie tiene que ir a una fiesta. Se casa el jefe de sección y hay que despedirlo de su vida de soltero, darle una comida, ofrecerle un regalo. Hay que asistir. Es el jefe. Claro.

"María Nadie no tiene el hábito de esa bulliciosa compañía. Hay que reunirse, viajar en un enorme colectivo para llegar a una quinta en los alrededores de la capital; llamarse, gritar, ocupar asiento, dar vuelta la cabeza, sofocarse porque alguien no llega, ponerse en pie. Hablar. Reir. Chillar. Hablar de todo, de la fiesta, del novio, del regalo, del tiempo, de lo linda que es la novia. "¿A usted le parece?" Hay que lanzar frases al viento que se desarrolla en rachas, serpentinas cosquilleando sobre el cuello, revolviendo la melena, enfriando las mejillas que arden de un entusiasmo porque sí.

"Ella, María Nadie, está un poco perdida en esa baraúnda. Sin hallar su ritmo, previendo, desolada, unas horas de violencia, de tener que forzarse para ponerse a tono con el ambiente. Al fin se dice: "Qué me importa a mí. Tuve que venir y vine. Que me aguanten como soy".

"El enorme auto está casi completo. Solamente atrás quedan unos asientos vacíos que nadie quiere ocupar. Dos grandes manos calientes se posan sobre sus hombros y una voz dice reidora:

"—A la princesa nórdica me la rapto yo...

"María Nadie protesta, levantando la cara para ver al hombre que está de pie en el pasillo, a su espalda, y encuentra unos ojos joviales, una cara de perfil duro, con la mandíbula acusada, y, sin embargo, el conjunto se aliviana, se hace casi tierno por la expresión de la boca, que, aun seria, parece sonreír en sus comisuras, y por los ojos vivaces, inteligentes, que al reír se vuelven un trazo alargado en que esplende la piedra marrón del iris. Las manos siguen sobre sus hombros.

"Ahí nace la tremenda historia de su instantáneo amor.

"Algo ha dejado de ser en ella. Su voluntad. Se alza. Va hasta el fondo del coche, se instala junto al hombre. Es alto y fuerte, justo su cabeza de ella alcanza su pecho; reclinada allí podría oírle el corazón poderoso. ¡Tac! ¡Tac! Es su propio corazón el que late no sólo en su propio pecho, sino en sus sienes, aturdiéndola.

"Siente las manos frías y sabe que tiene la cara roja porque le arde. El hombre —es algo más que joven, menor que ella, desde luego—, el hombre pregunta siempre desde arriba, porque si bien está ahora sentado, ni estirándose lo más posible alcanzaría ella a reclinar su cabeza en el hombro atlético.

"Pregunta algo. Dice cosas. La obliga a contestar. Ocupa casi todo el doble asiento. Ella se acurruca contra la carrocería, buscando dejarle holgura. El ríe. Y ella empieza a sentir que está adherida a una cadera dura de huesos. Porque ese gigantón no es un fardo de carne. Parece un joven dios. Se lo diría hecho para vivir en un estadio, desnudo al sol, con la jabalina o el disco, o saliendo del agua como un bronce emergiendo de una fuente.

"Después nada tiene sentido. Se ríe. Se habla. El auto parte por calles semiurbanas, entre árboles que forman túneles de sombra perfumada, en busca de la quinta en una altura. Arriba hay miríadas de estrellas de palpitante plata azulenca. Croan las ranas. El olor a humo de las quemazones vespertinas da cabal contorno a la presencia del campo y su vivir sencillo. Una voz canta. Las otras voces se le unen en el coro popular. Ella está ahí, perdida en ese mundo desconocido, adherida a esa cadera cuya presencia hace a veces más insistente un vaivén del coche.

"Se llega. ¿Dónde? Tal vez a la felicidad, porque esa maravillosa sensación de reposo sólo puede existir en el país de la dicha.

"Las grandes manos la bajan. Camina junto a él, chiquita y delgada, elástica. La guía. Es como dejarse llevar por el destino que al fin tiene para ella un rostro. No sabe qué nombre tiene. No importa. Se deja llevar. La instala junto a él. Conversan. Comen. Oyen conceptuosos discursos. Brindan. Conversan. Bailan. Ella protesta. No sabe bailar. "¡Tonterías!" El asegura que sí sabe. Y baila, llevada por el joven dios que tiene el ritmo sincopado metido en el cuerpo como un demonio alegre. Pasean por el parque. Llegan a la terraza. Se acodan a la balaustrada y miran abajo la ciudad enorme, punteada de luces. El coro canta más allá de los árboles, en el corredor de la casa. Acá están sólo el susurro de las hojas y el fino removerse de los insectos y, a veces, el espectral vuelo de un ave nocturna.

"Ella no es nada. Ni siquiera es ese alguien a quien después llamarán María Nadie. Es algo sin nombre, parte del universo, compenetrada con el oculto sentido de las cosas, perdida en el abrazo del hombre, diluida en la fugacidad de su beso, apenas estampado en su sien.

"—Chiquita —dice él—, pareces tan chiquita que me das un poco de susto.

"Ella sólo sabe alzarse un tanto para alcanzar su hombro.

"Vuelven. Están todos cansados, casi silenciosos. El auto se desliza cuesta abajo, llegando rápidamente a la ciudad. La sombra en la alta noche se hace cómplice para el embotamiento. Está cansada, más que nadie tal vez, gozosamente cansada. No desea otra cosa que seguir así, con la cabeza apoyada en el brazo del hombre que cruza su espalda y vuelca la mano sobre su cintura, mano que a veces sube y lentamente acaricia su pequeño pecho y baja de nuevo a colocarse sobre su cintura. Una mano ancha, caliente. A veces la boca del hombre llega hasta su sien y besa dulcemente el ángulo de su ojo, pasa una dulce lengua sobre las pestañas estremecidas. Luego vuelve a la inmovilidad. Y el camino desciende, entra en las calles, semiurbanas, se desliza por el asfalto de las grandes avenidas y a los pocos minutos está en el centro, frente a la oficina de teléfonos, impecablemente junto al cordón de la vereda, dando término a este viaje al absurdo.

"El la acompaña. ¿Vive lejos? No importa. Un taxi los lleva. A la puerta de la casa, él pregunta:

"—¿Puedo subir? Me gustaría que me dieras una taza de café. ¿Puedo?

"Suben. El pequeño departamento no se sorprende con la presencia inesperada. Todo tiene un aire natural, de inveterada costumbre. El hombre trajina en la cocinilla minúscula, besa sus cabellos, bebe café, enciende un cigarrillo, la besa. Su gran mano ha encontrado, de nuevo cruzando un brazo sobre su espalda, el camino de su pequeño pecho; la boca halla el ángulo de los ojos, de uno, del otro; la boca reidora dice cosas sin sentido, palabras deshilvanadas; habla como sigilosamente al oído de un enfermo, de un inanimado al cual hay que dar esperanza; habla con un sonsonete adormecedor. La mano sigue, prolija, acariciando el pequeño pecho. Ella deja que todo pase. Cuando conoce su boca la violencia de esos labios apretados a los suyos y su lengua el sabor de la pulpa enervante de esa otra lengua, entonces sí que sabe que lo demás va a pasar, que es inevitable, que ella dejará que pase, porque ¿cómo va a contrarrestar la tumultuosa y al propio tiempo embriagadora marea que corre por su sangre y asorda toda razón? ¿Cómo?

"Está desnuda tendida bajo ropas revueltas. Siente en el baño el caer de la lluvia. Tiene tan sólo dos certezas: que está desnuda en su cama, de espaldas, cubierta de heterogéneas prendas, y que en la ducha alguien se baña silbando un baile cadencioso de trópico. Ella regresa del caos y

) 777 (

dificultosamente empieza a reconocer lo cotidiano. Esa es su pieza, ése es su baño, ésa es su cocinilla. Esta es ella misma, esta mujer desnuda donde el amor y todo lo que implica carnalmente han hecho su trabajo, y el que está ahí bajo el agua, silbando, es un hombre, el que ha misteriosamente trabajado en ella para revelarle cuánta vibración de íntimo gozo puede lograr la pareja humana. Adán y Eva en los primeros días del paraíso.

"Aparece en la puerta y es tan grande que casi alcanza su dintel. Se abrocha el cuello de la camisa, alzando la barbilla, lo que muestra en toda su dureza la arista de la mandíbula. Entonces repara ella que esa barbilla es cuadrada y una cicatriz marca en el medio una hendidura. Con la cabeza así, en escorzo, sus ojos la están mirando, entre risueños y burlones. Entonces oye lo inesperado:

"—Creo que he hecho una gran burrada... Pero ¿cómo me iba a imaginar que usted, tan chiquita y tan bonita, iba a estar así de enterita?... —Se ríe y llega hasta la cama, sentándose para alargar su gran mano, ponerla abierta sobre su plexo y sacudirla como si fuera un animalito regalón—. Mírenla a la pollita, igual a la de la canción... —y bruscamente serio—: Váyase al baño: no sea cochina.

"¿Es que ya tiene que empezar a ver la contrafaz de la dicha? ¿Es que ya está fuera de la puerta del paraíso, con un amenazante índice que le señala el camino del sufrimiento?

"—Vaya a lavarse —insiste él—. Yo me voy. Creo que casi sería mejor que me fuera a tomar desayuno por ahí y leyendo el diario esperara la hora de la oficina. No vale la pena que vuelva a casa —la mira reflexivamente—. Eres una chiquita bien mala de la cabeza. Y yo me dejé engañar como un chino por usted, princesa de los países nórdicos. La verdad es que mereces unos buenos azotes. ¿A que te los doy a poto pelado?

"La sacude riendo. Y se inclina por fin para besarla sobre los párpados que no quieren abrirse, sobre la boca que no quiere decir nada. La besa con algo que linda pero no es la ternura, y dice con la expresión habitual, entre seria y burlesca:

"—Nada te puedo decir, chiquita, pero creo que volveré... Hasta pronto...

"Cuando ya está en la puerta se vuelve y dice:

"—Chiquita. Yo sé cómo te llamas. Pero es conveniente que sepas cómo me llamo yo. Mi nombre es Gabriel Arcángel, pero en cuanto pude me deshice de la compañía celestial. Y mi papá es Menotti, el italiano de los vidrios, ¿sabes? Y además soy ese ser ridículo al cual su mamá llama Lito... Hasta luego otra vez.

"Y se va.

"Se va. María Nadie sabe, como si estuviera leyendo sus pensamientos, que va entre confuso y contento, porque su programa le resultó esta noche "una chiquita entera". Y está ahí, sin atinar a movimiento alguno, como trizados los huesos, empavorecida, buscándose a sí misma, antes que nada palpando qué queda de su cuerpo con una mano temblorosa que pretende hallar los labios maduros de besos. Mano que no alcanza a llegar a su boca, porque la relaja la certidumbre, algo que se le presenta como una futura actitud permanente: la espera. Porque desde que el hombre ha desaparecido por la puerta, comienza María Nadie a esperar su regreso.

"Entra. Sale. La oficina, el trabajo frente a la mesa conmutadora, se hacen insoportables. Tiene la sensación de un desdoblamiento: la telefonista que contesta por reflejos lo que debe contestar y la mujer atenta al reloj, exasperada por la lentitud con que se mueve el minutero, exacerbada por el deseo de retornar a su hogar y a la servidumbre de la espera."

"...Pero no puedo seguir contando para ustedes esta historia como si fuera la historia de otra, de una María Nadie que no fuera yo, María López. La he sentido demasiado en la sangre para poder desprenderme de ella. La siento demasiado en la sangre para lograr considerarla ajena..."

"...Mis días de entonces no tienen otro sentido: esperar. El método en mi departamento, las horas de levantarse, de comer, de dormir, el día que se lava, el que se plancha, los domingos ociosos, las idas a los conciertos, al cine, las largas horas de lectura en la biblioteca, las caminatas interminables bajo los árboles teñidos de los múltiples tonos que consigo traen las estaciones, nada de eso existe. Yo soy nada más que una mujer que espera.

"Llega él a cualquier hora, reidor, cargado de paquetes, levantándome en vilo y echándome de espaldas en la cama para poner su gran mano sobre mi plexo y jugar conmigo, sacudiéndome como quien juega con un cachorro. Cuando se ha cansado de jugar me suelta y empieza a trajinar, desenvolviendo cosas absurdas que contempla con una alegría de chiquillo extasiado ante sus zapatos nuevos. Lo primero que ha traído es el banderín de su club. La habitación tiene un aire de bazar, atestada de los infinitos regalos, que él admira, que jamás ha puesto en duda que me parecen maravillosos y me hacen feliz.

"Dice en esos momentos tan dichosamente: "Mire lo que le compré, princesa", que no me atrevo a pedirle que se lleve esos pequeños horrores. Puede haber venido en la mañana a hacerme el desayuno —y en verdad no ha venido sino a eso—, apurado, mirando el reloj de reojo, rezongando contra el mechero de gas que no hace hervir pronto el agua, juguetón y disparatado, para volver al medio día, asomando la cabeza y preguntar si el café no tenía veneno para los ratones e irse, para regresar en el atardecer como un enloquecido amante. O puede estarse días de días sin que sepa yo nada de él. Como si no existiera. Jamás me hubiera atrevido a llamarlo a su oficina y menos a su casa. ¿Qué pasaba? La imaginación tejía horribles accidentes, enfermedades, y, más que nada, tejía la historia de la aventura que para el hombre dejó de tener interés y pasó a reunirse en lo profundo de la memoria con otras aventuras igualmente olvidadas.

"La primera vez que quise pedirle que nuestras entrevistas tuvieran un ritmo, una hora prefijada, me miró sorprendido para decirme que "eso nunca". Lo maravilloso para él era lo inesperado, el seguir sencillamente su impulso. Así él venía porque sí, porque quería verme, porque sentía la necesidad de mi presencia. Lo otro era la cochina costumbre que mella todos los placeres.

"Quise explicarle lo que era mi vida de espera. Pareció más sorprendido aún. No, no, eso sí que no. Yo debía hacer mi vida como siempre, ir donde buenamente me placiera. Si me agradaba la monserga de los conciertos, que fuera. Si me gustaba el olor a pipí de gato de la biblioteca, que fuera. Yo debía seguir mi impulso. Y si él venía a casa y no me hallaba, ¡para otra vez sería! ¡Y todos contentos!

"¿Qué hacía? ¿Cómo vivía? ¿Cuál era la verdad del sentimiento que lo apegaba a mí? No lo supe ni intenté saberlo. Cuando volvía de sus ausencias, solía decirme: "Chiquita, he pasado unos días regios".

"A veces venía tostado de sol. Alguna vaga alusión hacía a la montaña o al mar. Al ardor del sol de altitud o a lo salobre de las olas que mis sentidos exasperados rastreaban en su piel. Era curiosa su manera de no hablar nunca de sí mismo, hablando todo el tiempo, contando esto y lo otro de los demás, de los compañeros de equipo deportivo, de las gentes de su club, de sus amigos. Todos para mí desconocidos. Jamás hizo una nueva referencia sobre su familia. Nunca a su propia actividad. Ni me dijo que me quería. Llegaba. Se iba. Bullangueaba por el departamento. Revolvía todo. Hacía sus arreglos decorativos con las nuevas cosas que traía. Reía maliciosamente diciendo que la pieza parecía un árbol de Pascua.

"Yo lo adoraba. Mis días seguían siendo sólo la espera de su presencia.

"Alguna vez le pregunté precauciosa qué significaba para él. Me miraba sorprendido, en escorzo la cabeza, presentando el filo de su mandíbula, y a su vez me preguntaba riendo si quería una declaración en confidente o con música de ópera. Nunca me dijo nada que revelara un sentimiento amoroso. Yo era "la chiquita", "la princesa nórdica", "la pollita que quiso casarse", y ahí terminaba todo.

"No estaba sola y no tenía paz.

"La portera me había advertido entre seria y tímida que a la propietaria no le gustaba que los inquilinos "recibieran tanta visita". Trabajaba mal, no lograba concentrarme para retener los números, me dolía la cabeza constantemente y tenía en el plexo una sensación de vacío. Si venía Gabriel de mañana o al mediodía, estaba pendiente del reloj, calculando el último minuto para decirle que debía irme. Demoraba las horas de comida esperándolo. No me acostaba hasta que la raya del amanecer en la ventana me convencía de que era imposible que viniera, y cuando estaba al borde del sueño, despertaba bruscamente porque sentía su llave en la cerradura y efectivamente llegaba, contento, de alguna fiesta —me lo decía su traje de etiqueta—, trayendo caramelos, un *marron glacé*, un dulce que solemnemente depositaba en mi mano, asegurándome que le había costado mucho robarlo para mí. Y se iba o no se iba. Yo tenía los nervios rotos, con la falta de sueño, de descanso, con la tensión, con el trabajo, con la pregunta de dónde estará que no viene, y que está aquí y debo irme, y que ha llegado, y que si lo habrá visto alguien llegar, y que se ha ido, y que si alguien se habrá cruzado con él, y que dónde echará las horas que no está conmigo, y que si en verdad yo soy tan sólo la comodidad de una mujer enamorada que se aviene a todo, y que si en su vida habrá otra mujer, otras mujeres a cuya casa también llega sonriente y un tantito burlesco, cargado de pequeños paquetes, cosas absurdas: muñecos, chiches, abanicos, banderines, bombones, estampas, papeleras, lápices, muñecas, postales, animalitos de cristal y más muñecos y bombones y cositas chiquitas, enternecedoras, porque significan la preocupación de comprar algo que ofrecer y al propio tiempo testimonian el absoluto desconocimiento que tiene de mis gustos... ¿También esas otras posibles mujeres juzgarían así sus regalos? ¿También?

"¿Por qué su aventura conmigo no podía ser una entre muchas?

"¿Cómo era su contrafaz? Viéndolo tan cabalmente no lograba descubrirla.

"Ya ven ustedes que el no estar sola tampoco me dio la paz..."

"...Y no crean que aquí en el pueblo he permanecido callada, aislada, por considerar que nadie podía ser mi interlocutor ni mi amigo. No. Siempre fui callada. Mi hábito en la soledad fue siempre conversar conmigo misma, pero no tan sólo como hablando para mí, sino que hablando para los demás. Como lo estoy haciendo ahora para ustedes, que tanto interés tienen por conocer mi vida... A veces me hago el firme propósito de decir esto, o lo otro, a Fulano o a Mengano. Es imperioso que lo haga para aclarar una duda, para dar una explicación. Para nada. Para hablar solamente. No lo logro. No lo logro porque todo eso que me propongo decir me lo digo a mí misma, no a mí misma, se lo dirijo en imaginación al que está destinado. Hago preguntas, arguyo, explico. Igual que estoy haciendo ahora con ustedes. Comprendo que no es éste el camino para acercarse a las gentes. Que debo hablar. Pero no puedo. Es imposible. La voz se me anuda en la garganta, y si algo digo, es lo trivial, lo que nada significa ni se relaciona con lo que quería decir. Debe ser un fenómeno psíquico. Porque lo sorprendente es que después de estos monólogos dirigidos a tal o cual persona quedo convencida de que se lo he dicho y mi sorpresa es dar con la realidad de mi silencio.

"Tal vez, cuando llegué a este pueblo, debí hablar con ustedes. Con usted, misiá Melecia, que en forma tan agresiva me recibió. Pudieron mis palabras haberla desarmado. Pero nada dije. Y apenas si dije algo a la Liduvina, algo, aunque nada que le diera un poquito de mí misma. Los niños, Cacho y Conejo, fueron mis adorables compañeros en un recinto de cuento. Ellos me aceptaban como salida de un sombrero de prestidigitador, sin pasado, sin porvenir, y por eso fueron mi parcela de felicidad."

"En ensayar lo que iba a decir a Gabriel se me iban las horas. Porque debo decirle esto y él me contestará lo otro, y al fin podré estar en paz y saber lo que piensa y lo que hace. Llegaba. Y como ya se lo había dicho todo *in mente,* me ponía absurdamente a esperar que me diera su respuesta. El me tomaba en vilo alegremente, me echaba en la cama, jugaba conmigo como con un animalito nuevo, sacaba del bolsillo un paquete con otro regalo absurdo, se acostaba o no se acostaba conmigo.

"A veces me sorprendía encogida, temerosa de que sus manos grandotas dieran zarpazos sobre mí destruyéndome. O que sus besos, cuando encontraba sus dientes, se convirtieran en dentelladas feroces.

"Una vez me miró sostenidamente y al fin me preguntó si no me sentía mal. Me hallaba mala cara, ojerosa. Aseguré que estaba bien, un poco cansada tal vez, que posiblemente no dormía bastante. El siguió mirándome.

"—Está flaca, princesa. No me gusta la cara que tiene. ¿Por qué no se toma un descanso y se va a la playa?

"Me eché a reir. Las idas a la playa no estaban al alcance de mi presupuesto. Se lo dije. Pareció muy sorprendido y molesto.

"Fue la primera vez que lo vi enojado. Quiso darme dinero para que me fuera a la costa. No lo acepté. Insistió. El lo tenía, le sobraba; papá Menotti era generoso con sus bambinos, a más de lo que él ganaba en el estudio. ¿Qué estudio? Con sus otros hermanos. ¿Qué hermanos? Y era una vergüenza que él no me ayudara a vivir. Pero la verdad es que nunca se le había ocurrido que podía necesitar alguna cosa. Tenía, debía aceptar que él me hiciera ese regalillo de nada y me fuera a orear. Los tritones iban a creer que había una nueva sirenita...

"Ni con bromas ni sin bromas acepté nada. Se fue furioso dando un portazo. Tardó en volver una semana de infierno para mi angustia. Dijo entonces:

"—Te vas a ir al mar, pelo de choclo, tonta rematada.

"Yo contestaba que no con la cabeza.

"—Entonces vas a ir a ver a un médico. Tienes una cara de bruja que da miedo...

"—No tengo nada.

"—Tienes.

"Se fue con otro portazo.

"Cuando volvió, después de unos días de sentir que realmente me moría, despavorida por la certeza de un embarazo y por lo largo de su ausencia, tuvimos la más violenta de las explicaciones..."

El gato se alzó, echó atrás el cuerpo estirando las patitas delanteras, flexó las traseras y repitió igual ejercicio, alternando la flexión. Bostezó luego. Y miró a la mujer mayando otra pregunta breve.

María López le acarició el lomo. El gato avanzó lentamente hasta llegar a su regazo y ronroneando acomodarse en él. Trató ella de ayudarlo, y entonces se dio cuenta de que era una gata, con una gran panza anunciando la maternidad próxima. La acarició lentamente, enternecida, tocó las tetitas en que ya parecía apuntar la leche, rascó las orejas. El animal, cuando su mano se quedaba inmóvil, levantaba la cabeza y avanzaba una pata arañando suavemente su falda, ronroneante y abriendo apenas el hocico para modular nuevos pequeños mayidos interrogantes.

"...Tal vez esta parte de mi historia la entiendas tú mejor que nadie, aunque sólo seas una gatita. Desde el primer momento el hombre, el joven dios, no ya sonriente ni burlesco, advirtió que bien había él sospechado eso, que era lo que tenía que pasar, que eso era fatal dada mi absoluta despreocupación y que sin perder más tiempo había que ir donde el médico, que era un amigo suyo y que en un momento todo eso quedaría en nada. En nada, ¿qué?

"Yo quería mi hijo. Lo quería. Tal vez desde siempre lo que obscuramente quería era eso: un hijo. Compañía para mi soledad, ¿y paz? No importaba. Nada importaba. Obscuramente en mis entrañas se estaba formando lo que sería mi hijo. Mi tremenda angustia, el malestar constante, lo que tendría que decir, lo que la vida tendría también para mí de duro después, lo porvenir, se diluía en una especie de muelle niebla en que las palabras se deshacían perdiendo sentido.

"Gritó él. Grité yo. Una violencia se opuso a la otra.

"—Quiero mi hijo.

"—Estás loca.

"—Quiero mi hijo y nadie me obligará a que lo pierda.

"—Te voy a obligar yo, aunque sea llevándote a la rastra donde el médico.

"—No quiero.

"—Pero ¿qué vas a hacer con un hijo? ¿Vas a ir a la oficina con el hijo al apa? Y mientras nazca, ¿qué vas a hacer? ¿Pasearte por las calles luciendo la panza?

"Eran como golpes sobre mi cabeza. Nunca me dolió tanto. Los sentía dar contra mí. ¿Pero es que el hijo no era también suyo? ¿Nada decía a sus sentimientos la criatura por venir?

"—Cuando tenga un hijo, tendré un hijo legítimo, no un hijo guacho —remachó él.

"—Mi hijo entonces será mío, nada más.

"—Déjate de majaderías. ¿Qué le vas a decir a tu hijo cuando sea grande y te pregunte por qué lo has traído al mundo con una situación irregular? ¿Le vas a decir que porque querías tener un hijo, egoístamente, para jugar a la gran mujer independiente o porque te parecía mejor jugar con él que ir a los conciertos o a las bibliotecas? No, hija. Hay que tener sensatez y hacer las cosas como se debe.

"—Quiero mi hijo.

"—Lo que quieres es amarrarme a mí. Eso es lo que quieres, ¿entiendes? Pero a mí nadie me amarra a la fuerza. Ni tú ni un hijo. No quiero amarras. ¿Entiendes? No quiero amarras. Ninguna. Y menos que de nadie de ti. Anda. Vístete. Voy a llamar por teléfono a mi amigo y a las ocho te vengo a buscar.

"A las ocho, cuando volvió, yo no estaba. Y cuando llegué al amanecer, rota de andar cuadras de cuadras en una especie de automatismo, deslizándome por la sombra de calles desconocidas como una alimaña que huye de reiterados cepos, lo hallé sentado en mi cama, duro y ceñudo. Me agarró violentamente, puso su gran mano sobre mi plexo, me volcó en la cama, y, con el mismo automatismo con que había andado cuadras de cuadras, una vez más fui su mujer.

"—Bruja loca —lo sentía gruñir entre suspiros—, bruja loca.

"Cuando se hubo ido, me desangré en una hemorragia. Tuve tal miedo de morir sin volver a verlo, que por primera vez lo llamé por teléfono. Vino. Trajo a su amigo médico. Me llevaron quemada por la fiebre a una clínica. Me hicieron un raspaje. Pasé allí días solitarios en una pequeña habitación sobre un jardín, sin ruidos, rodeada de una solicitud aséptica. Renacía lentamente. La oficina. El departamento. Gabriel. Todo se me aparecía lejos, borroso, en un fondo cónico, círculo estrecho al cual yo misma me asomaba desde el punto que era la habitación de paredes desnudas, con una simple cama de metal y una mesilla de luz y otra mesa articulada que ponía a mi alcance los alimentos. Unas discretas enfermeras me manejaban como a un niño, unos médicos aparecían para mirar el gráfico de mi temperatura, el amigo médico de Gabriel llegaba bonachón y grandote como él, haciendo las mismas preguntas que antes habían hecho sus ayudantes.

"Gabriel no vino nunca..."

"...Me esperaba en la casa el día que regresé. Con los ojos muy sonrientes y un si es no es burlesco, tendidas sus grandes manos para buscar mi cuerpo.

"Pero yo era otra mujer. Que no estaba ya al arbitrio de su deseo.

"—Vas a dejar ahí la llave del departamento y te vas a ir para no volver más. No quiero verte más. Eso es todo. Y te doy las gracias por haber pagado la clínica. Puede que con el tiempo te devuelva ese dinero. Por ahora sólo puedo darte las gracias.

"Quiso hacer el juego de siempre. Poner su gran mano en mi plexo. Le dije que si me tocaba, gritaba. Algo vio en mí de tan resuelto que también seriamente dijo:

"—Si es tu gusto —y desprendió la llave del aro en que estaba con otras, dejándola sobre la cómoda.

"Se volvió para salir. ¿Así iba a terminar todo? Lo vi girar lentamente la cabeza hasta mirarme.

"—Es lástima —dijo—. Lo pasábamos bien. Si algún día quieres, me llamas. Creo que no me llamarás. Pero no esperes que lo haga yo. Eres tú la que me echa. Eres tú la que me tienes que llamar. Te lo digo seriamente... —y se fue..."

"...Para que yo cayera de nuevo en la soledad y en la desesperación.

"Batallando conmigo misma. Acuciada por el punzante deseo de verlo. Llamándolo en largos, desgarradores monólogos; viviendo como ausente, confiada en que volvería, en que alguna vez lo vería entrar como antes a cualquier hora, cargado con sus inútiles regalos, llenando la pieza con su presencia, jugando conmigo como si fuera uno de los gatitos que tú vas a tener, gatita guatona...

"Riente y burlesco: "Usted ¿quién es? ¿Un granito de maíz que se escapó del choclo con todo el pelo de su mamá?" ¿Se pueden decir esas palabras maravillosas y manidas cuando no nacen de una auténtica ternura? ¿No es ése el verdadero lenguaje que el amor habló siempre puerilmente? No. No significa nada si lo dice esta boca de labios voluntariosos. Nada. Dice él eso porque sí, inconsciente de los ecos que levanta, buscando su placer, jugando con la muñeca nórdica, con la princesa chiquita; chiquita, al igual que ahora jugará con otra, diciéndole las mismas palabras con igual expresión en los ojos y en las comisuras de los labios.

"Conocí el círculo peor del infierno: el de los celos.

"¿Cómo continuaba desarrollándose su vida? ¿Qué otra mujer era ahora la suya? Si es que alguna vez había sido yo "su mujer" y no "una de sus mujeres". No era hombre para vivir sin mujer. Y, además, ¿qué sentimientos lo ataban a mí para obligarlo a la fidelidad? Una mujer como yo, nunca para él había sido otra cosa que una alegre costumbre, una facilidad, el hecho sin responsabilidades.

"¿Qué era peor? ¿Vivir junto a él, esperando su presencia, atada por mil sutiles sentimientos de todo orden a su persona, queriéndolo, deseándolo, pendiente de que llegara o no llegara, llenas las horas —el sueño y la vigilia— de encontradas sensaciones, a vivir como vivía caída de nuevo en la soledad que me parecía abyecta por egoísta y más que nunca ajena a la paz?

"Volver a él era condenarme para siempre a la espera, a la zozobra; vivir en el sobresalto de lo que está después de la posesión, macerada por pavor de un nuevo embarazo. Era condenarme a la servidumbre de un amor en que no había siquiera una remota posibilidad de correspondencia.

"¡Pero también condenarme a la soledad! A esta soledad sin nada para realzarla, como sorda, ahora mía.

"Fue cuando el jefe de la oficina me ofreció venirme con un ascenso a este pueblo, a Colloco. Acepté. Era poner entre él y yo una distancia que me aseguraba a mí misma la imposibilidad física, geográfica, de acercarnos.

"Y me vine al pueblo creyendo que en esta lejanía, rodeada de gentes sencillas, pacíficas, bondadosas, iba a volver a encontrar la entereza para arrastrar la soledad en paz..."

"Y ya ves tú, gatita, lo que ha acontecido. Unas pasiones enloquecidas me han rodeado. Desde el primer minuto me han envuelto en sospechas, en malos pensamientos; me han cercado los hombres creyéndome presa fácil, me han supuesto las mujeres intenciones aviesas; hasta los niños me han abandonado sin saber yo por qué. Nos reuníamos los niños y yo en un abra en la montaña, misteriosamente, jugando a ser personajes de magia, y un buen día —un mal día, mejor dicho— no aparecieron más. No los vi hasta esta noche, en esta escena de aquelarre en que misiá Melecia hizo el auténtico papel a que su físico la destina. ¿Es que puedo yo seguir viviendo aquí, roída por la angustia, siempre contra toda lógica esperando que Gabriel me llame, que me escriba, que su voz sea la que me hable al final del hilo telefónico, diciéndome, con sinceridad o sin ella, las palabras que mi corazón espera, y que, nazcan del sentimiento que nazcan, me provean de una mísera felicidad, pero felicidad al fin? ¿Tú crees, gatita, que vale la pena vivir entre sospechas, risitas y comentarios, siendo buena, cabalmente buena, honrada hasta los tuétanos, para que de repente te caiga encima una lluvia de feas palabras y casi de hechos delincuentes? Porque si algo insólito no pasa, si esa otra gente que estaba en el teatro no sale de repente asustada por no sé qué —¿qué pasó?—, creo que ni la presencia de Reinaldo consigue aplacar a esa furia gorda que termina agrediéndome. ¿Vale la pena?

"¿Qué te parece a ti? ¿No te parece absurdo que yo, María López — María Nadie en el idioma gentil de misiá Melecia, pero que no sabe ella con cuánta verdad lo dice—, esté aquí en la noche pueblerina hablando contigo, una gatita que se ha quedado fuera de casa y aguarda pacientemente que vengan a abrirle la puerta? ¿No te parece que soy un poco loca? ¿No crees tú que es mucho mejor que vuelva sobre mis pasos, que arríe bandera y que humildemente, en simple mujer enamorada, vuelva en busca del brazo de un hombre para apoyarme en él, aunque ese brazo no se tienda a mí sino por costumbre, porque "eres linda y tienes los ojos azules y el pelo de choclo y me gustas"?

"¿Qué te parece?

"Poco sabrán las gentes del pueblo el bien que me ha hecho esta revisión de mi vida, ordenadamente recordada para responder a su curiosidad. Aunque dirigida a ellos, no la sabrán nunca. Seguirán ignorando que nada vergonzoso tengo que ocultar. Que no soy una orgullosa. Ni una egoísta. Que soy tan sólo una pobre mujer, una María Nadie sin gloria ni pena. Como tampoco sabrán hasta qué punto les agradezco el haber provocado esta auténtica hora de soledad, de estar frente a mí misma sacando hechos del pasado para enfrentarlos al presente. Ha sido como poner en un platillo de balanza lo que en dicha y sufrimiento me dio el amor y la miserable nada que me dieron ellos. Misiá Melecia y el resto. Pongo aparte a los niños en el abra mágica. Ha sido como medir y dar precio a la pequeña felicidad, pero felicidad al fin, proporcionada por un sentimiento puro.

"Gatita, te dejo. Me voy, ¿sabes? Cerrando los ojos a toda consecuencia. Vuelvo a decirte que seas paciente; ya llegarán y te abrirán la puerta. Yo me voy. Me voy. Hasta mi casa del pueblo, primero. Arreglaré mis cosas. No son muchas y es fácil liarlas, hacer paquetes, arreglar maletas. Dejaré un mensaje para el jefe explicando de cualquier manera esta súbita partida. Al amanecer pasa un tren rumbo al norte. Me iré, gatita, ¿oyes? Me iré a esa hora en que una mala pájara debe regresar a su nido. Me iré. María Nadie también tendrá ante sí una puerta abierta. Seré de nuevo María López. Una puerta abierta ante mí. Puede que hacia una vida radiante. Puede que hacia inenarrables sufrimientos. Pero será la vida..."

A M A S I J O

1

Ni alta ni baja. Ni gorda ni flaca. Morena clara. De una edad indeterminada. Sí, tal vez treinta. Poco más, poco menos. Y un rostro limpio, de pómulos altos, con la nariz recta, la boca abundante y unos ojos de tranquilo carbón bajo las cejas pobladas. Elástica y enormemente serena.

"Le falta el sari", pensó mientras ella continuaba avanzando por la senda entre altos poderosos árboles, túnel alfombrado con monedas de luz de mediodía otoñal.

Pasó junto a él, apoyó un segundo la mirada en la suya, sin especial interés, porque miraba el paisaje y era él parte de ese paisaje... Pasó y siguió senda adelante.

Se volvió a mirarla.

De espalda, la línea recta de los hombros y la línea que bajaba desde las axilas a los pies sin marcar redondeces, la proveían de una exótica plástica estatuaria. Miró los tobillos gruesos, el pie ancho.

"Hawaiana —continuó pensando—. No es un sari lo que necesita. Es un sarong y un collar de flores." Y se le rieron los ojos de súbito extremadamente jóvenes.

Echó a andar tras ella. El traje era una especie de túnica drapeada apenas para dar libertad al paso, con largas mangas y hecha de una tela que le interesó por el dibujo en tonos grises sobre blanco. Un chal ligero, lanoso y que debía ser suave al tacto le cubría los hombros cruzado al pecho. Ni un adorno. Ni guantes. Ni esa cosa antiestética que es la cartera.

La mujer llegó hasta el extremo de la senda y sin perder su ritmo, sin apuro, giró y deshizo camino. Se enfrentaron y de nuevo la mirada tranquila se posó, pasó por él. Llegó al mismo límite que había alcanzado ella, giró y de nuevo la siguió, conjeturando acerca de su origen. ¿Hindú? ¿Hawaiana?

La brisa decía arriba pequeñas palabras felices al oído de las hojas y las monedas de luz cambiaban de sitio sobre el camino de tierra apisonada. Las combas de agua de las llaves de riego removían frescos olores de hierba recién cortada. Los pájaros rebullían entre breves trinos, acomodándose para la siesta. Más allá de la calzada, espeso de légamo, de desperdicios, limitado por el pretil, estaba el río ancho, gris cobrizo.

"No deja de ser extraño que siga a una mujer. Y con este calor de fin de marzo empecinado en ser principio de enero... Tiene que venir de un horno para pasear a esta hora y envuelta en un chal. Porque tiene frío..., ciertamente..."

Pero se enredó a otro pensamiento: ensayo a las tres. En una sala con un irremediable olor a pipí de gato y a cremas rancias y perfumes ordinarios. Los·norteamericanos, que lo tienen todo para todo, debían poseer un demaquillador inodoro al alcance de cualquier presupuesto. ¿Por qué no lo importarían? Era intolerable ensayar a esa hora, adormilados los actores, repitiendo sus frases sin identificarse con su sentido y menos aún con el personaje. ¿Y esa actriz estúpida impuesta por el Dire? También era cierto que él había impuesto a un actor estúpido.

Había una piedrecita —una laja venida de no se sabía qué innombrado río—, medio a medio de la senda. La pateó enviándola lejos al césped.

"Por lo menos ahí tendrá fresco", continuó pensando. Pero también pensó que con mucho gusto le daría una patada semejante al actor estúpido. Y a la actriz estúpida por añadidura.

Cayó en cuenta que seguía tras la mujer, tranquila en su paso, recta sobre una línea, bien plantada la cabeza.

"Es que tiene un equilibrio perfecto —continuó—. Lo raro, aun tomando en cuenta lo que pueda ser de caluroso el sitio de donde viene, es que en este horno tenga frío. Lo que es yo, estoy asado... Lo mejor es que me vaya a casa... Y después al teatro", y se malhumoró.

La mujer había alcanzado el otro extremo de la senda, sesgó por un caminillo, atravesó una avenida y ahí subió, se arrellanó en un auto, cuya portezuela abrió y cerró el chofer. Y partió.

También partió él, exasperado, impaciente, acelerando, impeliendo a su auto a deslizarse peligrosamente, dibujando eses entre el tránsito que se hacía cada vez más denso así que se adentraba en las calles céntricas camino a su casa, más allá, en la periferia de la ciudad en que desde un altozano la vieja residencia avizoraba el río lejano.

Siempre la violencia, el deseo de destruir. Para destruirse. Se sorprendía a veces pensando:

"¡Qué ganas de tirarme sobre ese coche, así, de frente!" Pero los reflejos acondicionados por una larga costumbre lo hacían pasar sin peligro junto al coche que un minuto antes quería chocar.

Otras veces gruñía entre dientes:

"¡Qué bueno sería un terremoto que terminara con todo, y antes que nada conmigo!"

Y frente al éxito se preguntaba:

"Y todo, ¿para qué?"

Cómo le hubiera gustado gritarle a la primera actriz: "Sáquese de la cabeza la idea fija de su belleza. Hable, muévase, deje que los sentimientos vibren en su voz y le modelen el rostro. ¡Imbécil!... No sea *vedette* las veinticuatro horas del día. Nos tiene a todos reventados con su belleza, su peinado, sus modelos y su cháchara... Reviente antes que nosotros o que yo la reviente"...

Pero había que decir lleno de fórmulas corteses: "El Dire y yo estamos de acuerdo en que debe poner más énfasis en esta frase. ¿Quiere repetir su entrada? Por favor"...

¿Y el actor imbécil? Pero ¿de dónde le había salido a él la idea de recomendarlo para un bocadillo? Allí estaba: gomoso, pegajoso. Irremediablemente cursi. Y ¿qué le importaba a él? Menos que nada.

Metió el pie en el acelerador, a fondo, y entre gambetas suicidas ganó la costanera. Miró el río: adormilado, espeso, con escamaciones metálicas. Tenía el don de apaciguarlo. Tan ancho, tan urbanizado, tan doméstico. Como lo apaciguaba la otra extensión, pelada, arañada de vientos, tierra desoladamente metida en el aro del horizonte.

"Irme. Pero es que no puedo irme hasta el estreno"...

Iba ahora más despacio bordeando el río. Del otro lado estaba el parque cruzado de avenidas, de calles, de senderos, con la geometría de los jardines y el copete de los surtidores y de las palmeras. Y más lejos, en la paralela gran calzada, un muro de trepidaciones, de bocinas, de silbatos, de frenadas y rezongar de motores. Y el otro muro, auténtico, vario y anodino de los palacetes, uno y otro, todos igualmente sin belleza. Como hechos para vidas recortadas por un molde insulso y sin nada propio adentro.

"¡Qué imbecilidad todo!...", se dijo. Miraba el río. Color de cobre. No, color de mugre. Y, colérico, aceleró de nuevo, tomó por callejas, pasó barrancos y entró por el portón a su casa en la loma, a la residencia familiar donde no había familia. Ya que era él fin de raza, auténtico ejemplar de "fin de raza", aplicándose a sí mismo, sin regateos, el sentido peyorativo de la frase.

2

Raza de inmigrantes.

Cuando el padre tuvo millones amasados por él y el primerío que fue trayendo desde la lejana aldea asturiana, descubrió que era época de casarse, que necesitaba una mujer para perpetuar la familia, la suya propia, su estirpe de aldeanos milenariamente aferrados a la pomareda y al maizal, a la espuerta y al cuido del cerdo y la vaca, equilibrados en las almadreñas, con la boina y el zurrón y a flor de labio una praviana, firmes en una sabiduría telúrica. Ni padre ni madre acompañándolo en la aventura de América. Viejos apegados ellos a la tierra nativa, al duro corte de los picachos y al cencerro de las cabras mezclado al tintineo de la campana de la ermita, suficiente todo para sus corazones sencillos. Primeío tan sólo en América a su alrededor. Y hasta esa frontera del medio siglo, nada más que el afán de enriquecerse, de abrir sucursales al negocio, de vender clavos y pernos, alcayatas y españoletas, y todo el resto que encierra una ferretería; de vender y almacenar: mercaderías y dineros. Sin descanso.

Alguna vez fue "a mozas". Bueno es ello. Pero nada más que bueno. Se hace. Se paga. Y ¡abur! Y a lo otro, que es lo fundamental: el trabajo.

Pero un día entra como revoltoso viento de primavera en el pensamiento la pregunta: ¿para qué todo esto? Los padres han muerto en la aldea, son ya tierra de esa tierra. ¿Para dejarlo a la beneficencia, entonces? ¿Al primeío? ¡Faltaba más!... El puede casarse. Debe casarse. Abrir un hogar lo mismo que abre sucursales. Y almacenar descendencia. Que continúen su obra. Que lo reemplacen. Que hagan perdurable la firma García. Que en ese futuro será: García Hijos.

Vive decorosamente. Bien, pero no como corresponde a su fortuna.

Compra un palacete, una vieja quinta colonial entre parques y jardines, alta en una loma, con un mirador que atisba el río. Tiene algo que le recuerda su infancia: la casa de los señores, la casona solariega de los señores en la aldea silente. Está bien conservada esta quinta, pero eso no obsta para que entregue su restauración y decorado al hijo de un amigo, como él venido de Asturias, que hizo fortuna, casó y tiene hijos doctores, arquitectos, y ellas, las hijas, son también doctoras. Una familia lucida, pero no como la que él formará. El quiere hijos para su negocio, para que sean merceros y ferreteros.

El arquitecto tiene un buen gusto que respeta la tradición, añade confort y crea para esa futura vida conyugal un escenario de sobria elegancia.

Mientras tanto, el hombre mira atentamente en su contorno. Se cree azuzado por el deseo serio de formar un hogar, de perdurar en hijos, en muchos hijos. No sabe que obra en él la vuelta de la esquina de la cincuentena. Cada vez le interesa menos ir "a mozas", pero en cambio se aficiona a dar su vueltita por las calles del centro, mirando insistentemente a las chicas, volviéndose a su paso, sonriendo por dentro cuando halla la mirada de alguna. "Linda." "Fea", va diciéndose. Sin mayores detalles.

Pero empezó a detallarlas. "Lindos senos." "Lindas piernas." Observó: lo que más le gustaban eran los senos. No muy grandes, redondos. Porque la mayoría de las chicas parecían tablas, iguales por delante que por detrás. O mostraban unos senos agresivos. "Puros andamios a lo mejor...", pensaba receloso. Y tras los ojos sentía que se le iban las manos en el deseo de bien enterarse de cómo eran en verdad: si piel dura de senos auténticos o envoltorios con alambres y algodones.

No era cosa de "correrles mano". Eso no. Decencia ante todo. Pero sería agradable tener en la mano y acariciar uno de esos erguidos pequeños senos redondos y sentir cómo el pezón endurecía. Lo anegaba una ola caliente y estimulante.

—Demonios de chicas... —murmuraba.

No eran "mozas" —ésas estaban lejos— ni "mujeres". Eran "chicas". Un poco más allá de la adolescencia. Altas, firmes, breve la cintura, con faldas amplias de bailarina y las blusas descotadas, dejando ver los hombros y sacando adelante los senos. Frescas, charlatanas, curiosas, esperanzadas con lo por venir. Lindas, preciosas chicas.

Se vio un día en un espejo al pasar y se halló mal vestido, con el ambo gris sin gracia, la camisa obscura y la corbata atada de cualquier manera. Y le chocaron sus manos y le chocaron sus pies planos, tan grandotes, tan anchotes. Con razón las chicas no reparaban en él... Y una tarde que le dijo algo a una, estupenda, de senos chiquitos acusados por el *sweater*, algo muy respetuoso al propio tiempo que halagador, ella contestó remedando su voz:

—Mírenlo al fresco..., y con esa facha...

Claro. ¡Con esa facha! Y se esmeró en vestir como vestían los otros, los más elegantes, en una casa que era la mejor sastrería, cara, recara, pero ¡para eso tenía millones y la necesidad de conquistar una chica!...

Tuvo un guardarropa espléndido. Y cambió el cacharro bullicioso por un coche deportivo, largo, largo, color amarillo limón, con capota corrediza, que demoró en dominar, empavorecido por el silencioso deslizarse, por sus dimensiones que lo ofuscaban, habituado desde años al foreque como araña que pasaba por cualquier espacio y se estacionaba hasta en un agujero. Pero venció las dificultades y paseó su auto y sus tenidas, embriagado de felicidad, buscando ahora las chicas y sus senos en un recién descubierto escenario en que realmente se podía, sin necesidad de tentarse por "echar mano", tener la certeza de que aquello era propio u obra de corsetería.

Descubrió las piscinas y las playas.

Claro era que los trajes de baño también tenían su matufia. Pero no tanta que fuera difícil discernir dónde empezaba ésta, dónde estaba, mejor dicho. Se convirtió en un experto en el arte de ubicar los alambres que mantenían la comba de los senos por abajo, y de los otros en ángulo que los mantenían separados. Algunos hasta tenían pezón. ¡Qué risa! Bueno: a él ahora no lo engañaba nadie. Los negocios, los serruchos, las tachuelas, las escuadras, los atornilladores, la Casa García y sus diez sucursales estaban lejos. Para eso tenía buenos asociados. Que trabajaran ellos. Que para eso "los" había traído de la aldea, que para eso "los" había enriquecido. Ahora que se deslomaran ellos. El tenía derecho a descansar, a alojar en un hotel de lujo, a manejar su auto último modelo y a deslizarse entre las chicas, analizando sus estructuras de una sola ojeada. ¡Vaya que no! En esto último era un experto.

Lo curioso fue que se casó con una chica que no usaba *sweater*, que no usaba malla, que pertenecía a una familia provinciana, criolla, aferrada al agro. Una chica educada en un colegio en que regía una disciplina de monjas de clausura. Una chica quinceañera, fina y firme, con una cara de animalito tierno y asustadizo, que hablaba como liando las palabras, y que antes de reir una finas arrugas en los ángulos externos de los ojos anunciaban su alegría. La miró asombrado cuando un antiguo cliente, el abuelo de la chica, se la presentó en el balneario, al borde de la playa popular, frente a un hotel de tercera o cuarta categoría y frente también a la estación de servicio de autos en que él cargaba de bencina el suyo.

—Señor García... ¿Cómo por estos lados? —y después del apretón de manos francote y campechano, añadió otra frase—: Esta es Melina, la nieta...

Como quien dice: "éste es el gato", en previsión de que alguien no repare en su presencia y le pise el rabo.

La chica lo miró con sus largos ojos color de café dorado, seria la expresión y un pie cruzado sobre el otro en un equilibrio que parecía serle familiar. Saludó modosamente mirando al desconocido sin curiosidad, como se mira cualquier cosa: un álamo, que al fin es igual a otro álamo. O una silla junto a mil sillas, todas idénticas.

"¡Melina! ¡Qué nombre, Dios! Estos viejos abuelos criollos...", pensó.

El abuelo lo anegaba en preguntas, en consultas, en consejos y en surtidas interjecciones.

La chica tenía ahora las manos cruzadas sobre el trasero y en la blusa del traje enterizo, color azul como el azul de los paquetes de velas, no se diseñaba nada. Un traje absurdo, parecido al uniforme de un colegio victoriano. Con un pequeño cuello blanco y un lacito mínimo atado como una corbata pasada de moda. Pero los brazos y las piernas estaban desnudos, delgados, duros de músculos, con la piel tostada de sol. Como toda ella debía estar. Y el pelo espeso, rubio obscuro con un súbito reflejo cobrizo, en larga melena por la espalda.

Se sorprendió invitando:

—¿No les gustaría dar una vuelta en coche? Podríamos ir hasta Miramar.

El abuelo miró el coche y contestó ceremonioso:

—Me sería muy complaciente —se volvió a la chica—. ¿Quieres venir tú también?

—No faltaba más —dijo él con una vehemencia que también lo sorprendió—. Ella es la primera invitada...

—¡Ajá!... —contestó el abuelo, y se envaró aún más en su espinazo, mientras una chispa de prudente alerta brillaba en los ojillos acuosos.

La chica quedó entre los dos. Mientras se acomodaba, mirándolo de reojo, aclaró:

—Me llamo Emelina. Pero el abuelo me dice Melina... Y no me gusta ninguno de los dos nombres. ¿Sabe?

No. El no sabía nada. Pero murmuró reflexivo:

—Emelina. Melina. Lina. Lina. ¿No le gusta Lina? ¿Quiere que la llame Lina? —urgía la respuesta.

Que llegó jubilosa:

—¿Lina? Es regio. No se le había ocurrido a nadie. Lina. Es precioso —y se echó a reir, primero con las arruguitas de los ojos y la boca después, la cara en alto, metido el perfil en el azul del mar y la melena siguiéndola en el viento.

No la vio en *sweater* ni en malla. La vio siempre con esos ridículos trajes cuyas blusas se llenaban de pliegues, de alforzas, de recogidos. Con las faldas mucho más largas que lo que imponía la moda. Tan sólo conocía el color y presentía la suavidad de la piel. Y la melena alborotada y la cara de animalito que identificaba con el Bambi de los dibujos animados, y la risa embriagadora y las palabras ronroneantes, tiernas y sin sentido.

¿Qué más daba que dijera esto o lo otro? Lo único importante era mirarla, estar a su sombra, viéndola vivir.

—¿No se baña en el mar? ¿A qué hora va a la playa? —preguntó precaucioso.

—Al abuelo no le gusta. El es a la antigua. Lo único que me ha dejado es sacarles las mangas a los vestidos —reía—. Y ni asomarnos a la playa. Sería ver indecencias, dice él...

A la antigua pidió, antes de hablar con ella, permiso al abuelo para declararse. El accedió, cortés y taimado. Pero advirtió que, conejo, la chica era muy chica. Ni pensar en casarse. ¿Hablarle? ¿Relaciones? Eso sí. ¿Casarse? ¿Y qué cuerno iba a ser de él, solo, que no tenía más arrimo que la chica en la vida, sin mujer, sin hijos, con tan sólo esta nieta para alegría de su vejez?

Fueron días de escaramuzas. Que por qué no casarse inmediatamente. Que no era cosa de quedarse el abuelo solo. Existía la quinta de la capital, grande, con parque, con jardines. No: el abuelo prefería su propia casa del pueblito, con tanta miéchica de hipotecas en verdad, con tanto problema. Los bancos..., caray con los bancos... Ahora ni dan prórrogas ni prestan nada... La política se mezcla en todo. Y él era y había sido hombre que no gustaba meterse en demontres de comités ni en nada de esos bailes. Pero era cierto que las cosas en el campo no andaban bien, andaban como la porra... Y la casa del pueblito hasta los topes de hipotecas. ¡Diacho! Melina era muy joven. ¿Qué iba a hacer él sin su compañía?

Se pagaron hipotecas. Se saneó el campo. Hubo herramientas y maquinarias, las mejores, las más modernas importadas por la Casa García. El abuelo, al fin, declaró que, caramba, no viviría con ellos, que se quedaría a la espera de sus visitas en la casa del pueblito, con la Petrona, la mujer que había sido siempre la dueña de casa desde que falleciera, hacía tantos años, la "finá mi mujer". La flamante pareja vendría a visitarlo. Para eso estaba el auto. Y que se casaran si es que tanto apuro del diacho tenían...

La chica sonreía, reía, animalito domesticado por las muñecas, los chocolates, las joyas, los trajes, la casa grande, el parque, el jardín, un auto que sería suyo de ella, para que lo manejara con sus largas manos musculosas. Sonreía. Reía. A veces un tanto inquieta por los ojos del hombre que la detallaban luciendo sus nuevos vestidos, ceñidos, dejando ver curvas suaves de adolescente. Se dejaba besar, intimidada por esa suerte de súbita oleada cálida que le llegaba desde el cuerpo del hombre, poderosamente activo en la búsqueda de una identificación.

Se casaron en el pueblito con la solemnidad de las viejas ceremonias, con misa de esponsales, comunión y chocolate en la casa parroquial, preludio del almuerzo pantagruélico, del guitarreo y el canto y el baile y de la jarana hasta rayar el alba en la casa liberada de deudas, grande, destartalada, fresca de cal y roja de ladrillos, con su jardín en que flores de nombres evocadores aromaban el aire arremansado: clepias, alelíes, jazmines, malvas, peonías, verbenas.

Entonces supo cómo era ese cuerpo, cómo la piel era de suave, cómo los ojos de animalillo se entrecerraban y la boca respondía a la suya y toda ella como una liana adhería a él y cómo subía de diapasón su ronronear gatuno.

Un animalillo prodigioso. Para el amor, para el sueño, para la comida. Para todo lo instintivo. Riendo al tocar la piel de la capa de cebellina y del abrigo de visón. Riendo frente al espejo al probarse un nuevo modelo. Riendo ante el caviar y el *champagne* recientemente descubiertos. Riendo —era su risa más deslumbradora— con las muñecas innumerables que el marido renovaba, vistiéndolas, desvistiéndolas, más interesada con su ajuar que con su propio suntuoso ajuar de novia. Con los sentidos como antenas a cada experiencia, vibrando, comunicando esa vibración, inaugurando la vida y sus placeres, hecha de eso: de sentidos. Animalillo. Preciosa e irresponsable. Sí. Irresponsable.

Porque la responsable del accidente fue ella. Iban como locos rumbo al mar.

—Más ligero —gritaba contra él, apretujada, sujetándose la melena que el viento le echaba por los ojos—. Más, más, más ligero...

Venían de la noche, del amor, de tenerla él para complemento de su gozo, sintiendo aún su lengua, sintiendo su piel restregada contra la suya, oyendo su ronroneo, en un clima íntimo, electrizado de trópico, de jungla.

—Me parece que poseo el mundo —decía él—, porque el mundo eres tú... Preciosa mía...

Esa noche del accidente, luego del amor, no podía ella dormir. El dormitaba.

—Estoy pensando en cómo será el amanecer sobre el mar. ¿Vamos?... ¿Vamos? ¡Al mar! A ver el mar... Te prometo —y se alzó reidora y seductora—. Te prometo cualquier cosa, lo que quieras..., eso..., junto al mar, al borde de las olas. Será algo maravilloso... Vamos...

Lo obligó a vestirse, a sacar el coche, a partir.

—Me muero de sueño —protestaba él débilmente—, tengo como calambre en las piernas...

—Ya se pasará... El mar te despabilará... Y te prometo... —susurró algo a su oído—. Más ligero. Más ligero. Hay que llegar antes que amanezca. Más ligero... —se alzó a su oído, murmuró otra promesa y de paso, como hacía siempre, lamió el lóbulo de la oreja.

Un pobre hombre que ha pasado la esquina de la cincuentena, casto a pesar del "ir a mozas", que encuentra para su placer de amor el propio amor como sentimiento y ese cuerpo como una constante provocación para un repetido juego sexual, con la cabeza a veces vacía, con sueño, sin reposo, sin otra frontera que ese cuerpo y nada más que la frontera de ese cuerpo y su evidencia y su propio deseo repercutiendo en el otro cuerpo. Este cuerpo suyo en esa hora en que los gallos cantan su clarinada del alba no tiene control y puede, sí, puede y realiza la mala maniobra que destroza el auto contra el pretil de entrada de un puente.

La muerte para él en medio de la dicha.

Y para ella la larga enfermedad, las radiografías, los yesos, los aparatos ortopédicos y la certidumbre de que espera un hijo y la no menos larga espera de que ese hijo nazca.

3

Entró al patio de servicio y silenciosamente dejó el auto a la sombra de los naranjos. El perro lo había presentido y llegaba rampante, sumiso, con los ojos color de oro humanizados de terneza y las orejas largas por el suelo.

—"Muchacho"... ¡Hop! Ya... Basta... Vamos... —dijo defendiéndose de su asedio.

Cruzó un pasillo y dio en las galerías sobre otro patio cubierto por un toldo y con las flores abandonadas al calor, agostadas. Un pájaro insistía en un ¡ras-ras! áspero. Entró a su escritorio, enorme, con una escalera de caracol en un ángulo, comunicación directa con su dormitorio, arriba, habitación también enorme con ventanas sobre un ancho balcón y el río más allá de los árboles, de las copas ondulantes que loma abajo llegaban al borde de la avenida cruzada de automóviles y gentes, en el plan. Luego seguía el verdor renovado de más copas de árboles dejando entrever las techumbres encaperuzadas de rojas tejas de casas tradicionales. Barrio ese de seculares quintas, edificadas en pleno auge económico y delirio de señorío, rodeadas de muros y rejas, con sosegado césped en los parques y el río gris por límite. Reja también al frente de esta quinta escenario de la breve luna de miel de sus padres. Muros a los costados y, por sobre uno de ellos, el enorme bloque de un edificio moderno mostrando sus alvéolos: balcones, terrazas. Todo blanco, blanco, blanco, como un parche de fealdad. Y mirando al otro lado, un tanto más lejano, un edificio igualmente anodino en construcción surgía monstruoso de la fronda.

"Voy a tener que usar anteojeras como los caballos para librarme de estos horrores", pensó.

Bajó las persianas, dio unas vueltas por baño y pieza de vestir y bajó al escritorio con el perro a la siga.

—¿Julián? —preguntó Benedicta desde la galería.

—Sí. Buen día.

Estaba en su sitio, metida en su sillón como en un estuche, magra, obscura, en el regazo la labor, mirándolo con sostenida fijeza.

—Buen día, Benedicta —repitió, acercándose y observando que los ojos de la vieja tenían la misma expresión que los del perro.

—Buen día. ¿Mucho trabajo? —preguntó, interesada en iniciar un diálogo.

—Ninguno. Una vuelta por la oficina, de rigor, pero perfectamente inútil para la oficina, como siempre. No se por qué tengo que ir a la oficina, como si los negocios necesitaran de mí para salir adelante.

—Al ojo del amo...

—Mientras eso signifique ir a sentarse frente a una mesa escritorio, las cosas irán bien. A la hora en que pretendiera meterme realmente en la dirección, ¡pobres negocios!...

—Juan Antonio entiende —aseguró pensativa.

—Sí, entiende. El jefe es él por derecho de trabajo. ¿Qué hago yo? Nada.

—Derecho de fortuna el suyo... Faltaba más... —protestó belicosa.

—Hecha por mi padre y el padre de Juan Antonio. Ellos...

—Bueno —concedió y continuó apurada, que no era cosa de dejar escapar esta rara ocasión en que Julián aparecía locuaz—: Si no trabaja en eso, es porque tiene otro trabajo que es el suyo. Mire: aquí hablan de su obra —y mostró unos diarios.

Miró. Como si tuviera esas anteojeras en que antes había pensado. Porque medio a medio de la foto de la compañía ensayando, junto a la primera actriz y un plano tan sólo más atrás, estaba el actor por él recomendado, mostrando una forzada pose de perfil. Lo mismo que la actriz mostraba el lado de la cara que según el *cameraman* del cine era el que más la favorecía.

—¡Imbécil! —gruñó entre dientes.

Lo miró sin bien entender.

—¿Dice?

—Nada, Benedicta. Mal humor. ¿Almorzamos?

Se puso prestamente de pie. Guardó lanas, tocó un timbre, dio órdenes y salió con él rumbo al comedor, otra habitación enorme blanqueada a la cal, con hornacinas para la platería, chimenea de campana y puertas vidrieras sobre una terraza con toldo, cuyo relente, aun con las puertas herméticas, con las cortinas corridas, insidiosamente se adentraba en la habitación no se sabía por dónde.

Los esperaba una mesa oval de maciza caoba rubia, con el mantel adamascado y un asiento frente a otro entre la suntuosidad de la plata, de la porcelana y los cristales.

A él le hubiera gustado comer en su propio escritorio, en una mesa cualquiera frente a una ventana, junto a la chimenea en invierno. Sin todo este protocolo. Pero una inercia le impedía insinuar cambios o dar sencillamente órdenes. Desde que murió "ella" había comido vis a vis de Benedicta, el ama de llaves en ese entonces no tan vieja, pero ya madura, celosa de sus derechos, autoritaria, con la voz sin alzarse, firme en el mando, concediendo el justo y negando terminantemente todo capricho. Dura. Como palo venido de donde ella era, como luma, que no lo muerde el agua ni lo tumba el viento.

—¿No me cuenta nada? —Siempre quería saber, adentrarse en su vida en ese tiempo que escapaba a su tutela.

Pensó en qué podía contarle.

—Sí, estuve en la oficina. Ya se lo dije. Y fui a la imprenta por ver si había galeradas, que me las habían prometido para hoy. Pero no había galeradas. ¿Por qué había de haber? Mentirosos... Después di un vistazo por las exposiciones y por las librerías. Recogí las revistas y compré unos libros. —Y súbitamente animado—: Y después di una vuelta por la costanera del barrio sur, que me gusta mucho a esa hora en que el calor corretea a la gente y no hay nadie. Di una vuelta..., a pie...

—¡Con este calor! —comentó oyéndolo con embeleso.

—Con este calor. Por estirar las piernas. La verdad es que necesito ejercicio... Entre el auto y la máquina de escribir voy a terminar gordo como cerdo... Bueno: di unas vueltas y encontré una mujer. De rara...

Las pupilas de Benedicta del plato lentamente se alzaron hasta quedarse mirándolo atentas en una espera recelosa.

—...de rara..., pensé en una hindú..., con un traje fuera de moda, no pasado de moda. Un traje que a ella le gusta usar y que lo usa sin importarle nada. Como le gusta su peinado con las trenzas rodeándole la cabeza. Y tranquila, sin apuro, como una reina paseando por sus jardines, segura de sí misma, de su dominio, serena. Sí, eso es, serena, como en paz consigo misma y con el mundo.

—¿Joven? —preguntó con una voz domeñada, obligada a un tono indiferente.

—No una muchacha. Una mujer, sí —reflexionó—. Curiosamente joven. Una mujer joven, pero como de vuelta de todo. Que lo comprende todo y lo perdona todo... —La evocó con su andar equilibrado. Y sonrió contraponiéndola a las figuras femeninas de la moda presente, metidas en un saco, sobre los tacones como agujas, haciendo pininos, sin garbo, francamente caricaturescas.

—¿Y qué más? —insistió Benedicta.

—Nada más. ¿Creerá que la seguí? Era un placer verla caminar. Como alguien que dispone del tiempo. Ya ve cómo vivimos todos: a las carreras, jadeantes, exasperados con el tránsito, con el desagrado latente de que vamos a llegar tarde. Y llegamos tarde, pasada la hora, pero eso no quiere decir que no tengamos que esperar, eso es seguro, porque los otros se han atrasado más aún. Porquería de vida...

Echó los hombros atrás y se quedó hilando lo que era ese apuro, esa tensión: mirar el reloj, calcular la hora, salir con el tiempo sobrante e ir enredando el pensamiento a cosas mínimas: "¿Olvidé los cigarrillos?... Tengo que cargar bencina... ¿Traeré la billetera? ¡Ay!, los papeles..." Y un atasco en el paso a nivel, interminable. "Y los agentes que sólo sirven para demoras... Debía tomar siempre por el camino alto... Pero es tan largo y pasa por unas barriadas tan feas y malolientes..." Y empieza a formarse en su interior una violencia que se anida en el plexo y aprieta los dientes e impulsa de súbito a hundir a fondo el acelerador y que todo se vaya al mismo infierno. Pero hay que reconcomerse la impaciencia y dejar las manos sueltas sobre el volante y esperar, esperar, tratando de abolir el pensamiento, o de obligarlo a fijarse estúpidamente en una estupidez "¡Bah! Un nuevo aviso... ¿Hasta cuándo? Con el tiempo no habrá paisaje. Habrá avisos, nada más que horribles carteles. Se llegará a eso: *Piense esto... Diga esto otro...* Entre el cine, la televisión, la radio, las selecciones, las tiras ilustradas, los altoparlantes y los carteles... ¡Pobre diablo del hombre del futuro!... Si es que la bomba atómica, la de cobalto, los megatones y otras alverjas lo dejan existir para ese entonces. Ya, abrieron las barreras"... Y todo esto y el calor y la atmósfera densa, con el olor pegajoso del asfalto y los aceites quemados y el escape libre y los frenos que chirrían y otra parada y un amplificador que grita: "Use pasta desodorante..., use desodorante..., cuide su aseo personal... Use..."

—¿Y cómo era el traje? —preguntó Benedicta, viéndolo meterse en el silencio que le era habitual.

La miraba fijamente sin verla. Y se quedó sorprendido al encontrarse en el comedor frente a la viejecita muy interesada en la desconocida, él, que estaba viviendo lo que tenía que vivir en pocos minutos más rumbo al teatro. ¿Y si avisaba que no iba? Que ensayaran sin él. Manera de librarse de las molestias del viaje, del olor a pipí de gato, de la boca grande del escenario con los ladrillos del muro del fondo y el desparramo de los trastos, y en lo alto rollos de cortinas y aparatos eléctricos y rieles y poleas y grúas y unas cuerdas pendientes, que siempre le evocaban los ahorcados de una pavorosa obra de gran guiñol. Los ahorcados a quienes estaban destinadas esas cuerdas, gruesas como boas y esperando pacientemente una garganta para enroscarse a ella. Mejor telefonear. ¡Que se las arreglaran como pudieran! Para eso estaba el Dire.

—¿El traje? No sé... Una tela como envolviéndola sin trabarle los movimientos. Color gris con finos arabescos grises, más claros, más obscuros. Una tela pesada...

—Y con este calor...

—Y ¡pásmese! Con un chal sobre los hombros cruzado al pecho. Como si estuviéramos en uno de esos días en que el viento viene helado desde el sur.

—Cosas...

—Sí. Y tan a su agrado como si el día estuviera hecho para esa ropa.

—Hay que acordarse que el criollo dice que al calor hay que abrigarlo.

—¡Vaya! Lo que falta es que sea criolla y no hindú o hawaiana.

—¿Qué? —preguntó desorientada.

—De la India o de unas islas.

—Vaya... Las cosas...

Se ahorraría el viaje. Y el ensayo. ¿Por qué aceptó asistir a estos últimos ensayos? Total: lo que aporta es mínimo. De la obra por él creada queda bien poco. Siempre pasa lo mismo. Su escenario está precisado minuciosamente en los originales. El físico y la psicología de los personajes también. Bueno: de los decorados no puede quejarse. Pero lo que dicen los actores, para su íntima desazón, tiene tan sólo un vago parecido con la voz, el tono, el matiz que deberían tener. Y menos aún se parecen al físico que les adjudicara. Esos personajes que desde el primer momento en que los sintió aflorar desde su subconsciente, venidos de ignorados meandros, sorprendentes criaturas con arquitectura individual, con nombre propio, con definidas características, con acción y drama, cambiaron el sentido de su vida, de la suya de hombre joven vagando por el mundo sin destino, apoyado en los millones de la Casa García Ltda. Personajes salidos de una especie de ataque de fiebre, de una angustia que lo obligaba a andar, andar, por los pasillos y galerías de la casa, de la otra casa en el campo, por la costanera junto al río, por las alamedas sepa-

) 801 (

rando potreros. Andar, andar. Y sentir que veía trozos de escenarios en que surgían personajes que decían frases sueltas. Que desaparecía todo. Que volvía a aparecer. Todo vago e inconexo. Había que andar, que andar. Andaba la primera vez que sucedió el hecho. Inquietándolo. Queriendo librarse de él y de la amenaza de trastorno que parecía indicar. Bastante tenía con "ella" y "eso". Pero los escenarios volvían. Los personajes volvían, todo con mayor corporeidad y permanencia hasta integrar para su estupor una obra. ¿Vista? ¿Leída? Trató de fijarla en el papel. La tarea frente a la máquina fue fácil. No, no era vista ni leída. Era obra surgida de sí mismo, de un misterioso mundo que habitaba en él y que a través de él nacía a la vida del teatro.

Uno de esos vuelcos de pensamiento que le eran habituales lo puso ante el recuerdo de la mujer en el parque, con su andar tranquilo, con el movimiento que salía de las caderas y no de las rodillas, como acostumbran caminar las mujeres. Pero ¿en qué estaba pensando antes de pensar de nuevo en la mujer?...

—Estoy tentado de telefonear al teatro que no voy... —terminó por decir.

—Y después se desespera porque le hacen la obra al revés...

—Siempre resultará al revés...

Se abstrajo en otro pensamiento: "¿Cómo resultaría una obra no figurativa?..."

Crear conscientemente, a fuerza de voluntad, una obra en que hubiera voces tan sólo, con personajes como sacos liados con cordeles, amarrados como paquetes, con tan sólo voces... O voces únicamente diciendo fonemas... Claro que eso tenía un nombre y estaba hecho por otros... Esto sería nuevo: un escenario en que los colores, las formas mutables tuvieran correlación con los fonemas... Tal vez... ¿Podría esto considerarse dentro de lo no figurativo? Se lo preguntaría al flaco Barcárcel, que se esponjaría mirándolo como a un tarado y con su boca más redonda le daría una torrencial explicación precisa y postrativa... ¡Qué linda esta palabra que en el ambiente teatral estaba de moda!... Postrativo, eso era el flaco Barcárcel..., y tan agudo crítico, sabiendo de todo género de artes y letras más que nadie. No iría al ensayo... Que se las arreglaran... Nada tenía que ver esa obra con la que él había logrado trabajosamente, andando arriba y abajo.

—Parece linda la actriz. En el retrato se ve linda... ¿Cómo la halla? —dijo Benedicta, que quería seguir la charla.

—Todos dicen que es linda, elegante y muy culta... Hasta le conceden talento como actriz.

—Eso lo dicen los otros. ¿Y usted?

—Yo la hallo mala actriz. Y punto.

—¿Y por qué la aceptó, entonces? ¿Y por qué la aceptó?

—Porque me da lo mismo que sea ella u otra la que destroce el personaje. Si fuera una actriz en la cual hubiera puesto una esperanza, me amargaría ver que no se identifica con el personaje. Con ésta no tengo esperanza alguna y por lo tanto no me amargará lo que haga. No sé para qué insisto en estrenar...

—Pero si no tiene otra cosa que éxito...

—Sí, crítica del gordo Antúnez, de Pérez Iriarte, de Rubén Pérez, que, para quedar bien con todos, a todos alaba por parejo, él, tan educadito. Y de los otros, que siguen a éstos, los tres grandes de los grandes diarios... No sé para qué... Lo mismo se pudrirían los personajes metidos en un cajón de mi escritorio...

—No anda bien hoy... —comentó apenada.

No, no andaba bien. Como no andaba bien nunca. Urgido por encontrados sentimientos, desequilibrado en lo íntimo, sin hallar camino frente a una realidad suya, cruel. Injusta...

—Vaya, lo siento... —prosiguió Benedicta, y por cambiar de tema preguntó—: Y el muchacho, el Florindo, ¿qué tal resulta?

Tuvo la sensación de un golpe en el plexo. La miró sostenidamente y contestó con indiferencia:

—¿El Florindo? Ya sabe que ahora se llama Iván Duval... ¿No lo vio en la foto?... A tres pasos de la primera actriz... Sintiéndose a tres pasos de la fama... No le diga "el Florindo". Eso quedó en el campo, con los viejos, el caballo y el rodeo de los terneros... Ahora es un galán que se llama con ese nombre tan poco criollo...

Mientras hablaba se estaba llamando imbécil. El, antes que todos esos a quienes les aplicaba el epíteto.

—Me excusa. Pediré un café en el teatro. Tiene razón, debo ir... Hasta luego...

—Hasta luego.

Lo vio salir con su paso silencioso de atleta, tan bien plantado, tan firme, tan guapo chico, como hubiera dicho el padre.

No podía adivinar que él iba pensando en el gusto con que le daría patadas al Florindo, llamado ahora Iván Duval. Aunque las patadas más que nadie las merecía él.

4

El padre le hubiera llamado guapo chico. La madre, hasta las últimas palabras hiladas conscientemente, le dijo "ricitos de oro". "Mi ricitos de oro."

Del accidente en que murió el marido quedó con tales lesiones que un milagro pareció su regreso trabajoso a la vida, en espera del hijo en una suerte de embotamiento, inmovilizada en la cama ortopédica frente a las ventanas del dormitorio, mirando sin ver, sin gran desesperación por el drama, hasta pareciendo haberlo olvidado, sin mentar jamás al difunto, disminuida no sólo en lo físico, sino sin capacidad para otra cosa que dejarse vivir vegetativamente. Hablaba poco. A veces decía:

—Cuando nazca la niñita... —única esperanza que parecía animarla—. Una niñita linda..., como muñeca... Con ricitos de oro...

A su alrededor se organizaba disciplinadamente una nueva existencia. Un consejo de familia presidido por el abuelo, con los integrantes de la firma García, se ocupaba, asesorado por abogados, en dar forma a una nueva sociedad. Y en la gran casa la presencia de Benedicta, traída por el abuelo desde el pueblito y tan mujer de razón como la Petrona, organizaba, en silenciosas tenaces luchas con la servidumbre ciudadana, una existencia al viejo estilo, confortable, llana, de suculentos honestos guisos, una limpieza aséptica y unas cuentas ajustadas al centavo.

Dio a luz un varón, flacuchento, de ojos obscuros y una pelusa blanca de tan rubia. Hambriento y llorón. Pareció disgustarla que no fuera una niñita. Pero reaccionó de inmediato con una pasión maternal desbordada, asida a la criatura con entera exclusividad.

Un parto con cesárea. Más sus lesiones que seguían obligándola a la cama y al diván, exasperada ahora por la imposibilidad de atender a la criatura, de ser ella tan sólo quien estuviera a su cuidado, a su baño, a su cambio de pañales, a su alimentación, a provocar y velar su sueño. Gemía:

—Pero, doctor, ¿es que nunca más voy a ser una mujer sana? Yo necesito mejorar de una vez por todas para criar a mi July, a mi ricitos de oro.

El médico sonreía paternalmente, aseguraba por milésima vez que había que tener paciencia, que era cuestión de paciencia, y que cuando menos lo pensara iba a sentirse completamente sana.

—No tengo más paciencia... ¿Hasta cuándo me dicen lo mismo? Estoy harta de oírlo.

Porque de todas sus lesiones, una a la columna vertebral, luego de yesos, intervenciones, aparatos ortopédicos, sistemas y medicamentos, seguía doliendo. Únicamente acostada de espaldas se sentía cómoda. Ahora quería atender a su niño y se obligaba a levantarse, a inclinarse sobre la cuna, a pretender alzarlo. Empalidecía y entre gemidos abandonaba sus propósitos y regresaba a la cama o al diván, desesperada, llorosa, pidiendo un calmante, pidiendo la presencia del médico, de otro médico, que todos eran unos bodoques incapaces de mejorarla a ella, que necesitaba estar sana para atender a su niño.

Pero en algo triunfaba: en la posibilidad de amamantar a la criatura con la abundante leche de sus pequeños senos henchidos, tensos, adoloridos, con el pezón aureolado de obscuro. Era su momento glorioso aquel en que Benedicta o la *nurse* le presentaba al hijo, lo tendía a su lado y la boquita ávida empezaba a succionar, enterrada la naricilla en el seno, tironeándolo a veces impacientemente cuando la leche mermaba, y era el momento de pasarlo al otro lado, donde terminaba el hartazgo y se adormecía, se dormía al fin apegado a esa tibieza, mientras la madre, en una suerte de trance de gozo, lentamente le acariciaba la pelusa que crecía ensortijada, besaba la piel que de rojiza y rugosa iba haciéndose morena, ajustada a una contextura sin grasas, firme y saludable.

—Ricitos de oro, mi amorcito —murmuraba—. Mi July... Mi tesoro mío...

Empezó a hablar menos de sus males, a no exasperarse con la imposibilidad de permanecer en pie, de trajinar, de estar siquiera sentada. Contra la voluntad de la *nurse* que oponía preceptos higiénicos, contra las admoniciones y las agorerías de Benedicta, contra el tronar del abuelo en sus breves visitas, contra el médico que seguía —fuera el que fuere— asegurando que no debía hacerlo tanto por ella misma como por el niño, habituó a éste a estar a su lado día y noche, junto a ella en su propia cama articulada, en el diván o en una silla larga también articulada, ancha, con ruedas, que se deslizaba por las enormes habitaciones, por las galerías, por los corredores, por las terrazas, transportada de piso en piso por un ascensor especial. (Para todo eso provee la fortuna, la enorme fortuna de la Casa García Ltda.) Con el niño a su costado durmiendo, despierto, mamando. Todo tenía cabida a su costado: bañadera, mesa enana de vestir. Todo.

No era cómoda la presencia reprobadora de la *nurse*. La cambió por una niñera campesina traída también por el abuelo, al que tampoco le gustaba la *nurse*, intimidado por su uniforme. Una niñera gorda, limpia, almidonada, sonriente, bonachona, deslumbrada por la ciudad y por la casa de "oligarcas". Atenta a órdenes, condescendiente a todo. Agil y querendona. China de campo a la antigua.

¿Qué podía hacer Benedicta? Discutir a toda hora con la recién llegada, que a cada una de sus observaciones de que esto se hacía así y lo otro asá, respondía con la mejor de sus sonrisas en la cara de manzana arrebolada:

—La señora lo dispuso tal como yo lo hice y si ella lo manda...

El niño vivía junto a la madre tendido a su lado. Hablándole ella palabras sin sentido, largo, constante arrullo. Acariciándolo. Besándolo. Ensayando en él todos los paltocitos, todas las camisitas, todos los baberos, todo los vestiditos, todas las cintas. Todas las maravillas que en prolijos paquetes traían diligentes mandaderos de casas especializadas que ella por teléfono hacía llegar pidiendo las últimas novedades. Porque también la moda alcanza a las criaturas en su cuna.

El abuelo la miraba. ¡Pobre! También con una vida rota. Primero sin madre, que la hija suya, tan joven como era ahora la nieta, se fue con la fiebre y la tos del caracho, en ese tiempo en que no había las medicinas de nombres raros que curan la fiebre en un Jesús y la tos en otro. ¡Mala suerte de las dos!... Y el marido de su hija, su miéchica de yerno pues, rodando por boliches, según él para espantar la pena, pero la verdad siguiendo su impulso de piedra que rueda cuesta abajo con un ruido siniestro. Que fue de puñales y en esa reyerta de borrachos jugadores dejó el pellejo. Mala suerte la de esta niña, su nieta. Y, diantre, criada por él y claro que también por las monjitas que enseñan maneras y a ser buenas cristianas. A él le hubiera gustado la Normal. Una maestra siempre es alguien. Pero le dio miedo mandarla a la ciudad, interna, tan flaca la pobre. No fuera a pasar como con su hija y terminara con la fiebre y la tos del caracho yéndose para el otro mundo. Mejor así no tan sabida, pero sana, en el campo y cuando estaban en el pueblito yendo a las monjitas que tenían su escuela y les enseñaban con tanta gracia a hacer la reverencia, a rezar y a ser dueñas de casa, y al fin, qué miéchica, ¿para qué quiere una mujer saber otra cosa? Luego se casa y lo que tiene que ser es una buena esposa y una buena madre. Lo demás..., claro que es lindo ser maestra. Pero ¿qué cuerno hacerle?... Y muy bien que la chica, tan jovencita, niña casi, parada en un pie —nunca las monjitas pudieron quitarle esa porra de maña—, conquistó al García... Con una millonada y tan gran señor... Y con la mano abierta para arreglar los negocios. Claro que él era el abuelo... ¡Y qué ojo para ver lo que convenía! Hay que hacer esto y no esto otro... Como si la vida entera la hubiera pasado en el campo mirando la tierra y mirando el ganado y para dónde iba el viento. Caráspita con el hombre... Bueno para todo... Como si hubiera vivido en el campo y no detrás de un mostrador vendiendo clavos y pernos... Diacho... Y morir en esa forma estúpida. También con la chica al lado... Para no estar como loco. A buey viejo... Pero, conejo, a veces el pasto verde hincha... Pobre... Menos mal que la dejó embarazada... Porque si no: para tu casa, Nicolasa, como dice el refrán. Para la casa del abuelo. Porque con las leyes que lo enredan todo, diantre, no hay nada que hacer cuando se queda viuda una mujer al mes de casada y sin nada que anuncie un hijo. La suerte en medio de todo...

La miraba. Tendida en la cama ancha como un potrero, con un camisón rosa, entre sábanas rosas y cobertores rosas y un edredón rosa y el muchacho al lado vestido de rosa, con el pelo ensortijado, oliendo a algo pasoso que a él le hacía arriscar la nariz, a él, campesino viejo, criollo. Caráspita con la nieta tonta...

—Está bueno que lo eche al suelo... Ya está en edad de que gatee...

La nieta lo miraba riendo. Hacía mucho tiempo, desde que organizó la vida entre cama y silla larga definitivamente, que había vuelto a reir.

—El aprenderá a gatear encima de su mamita... Amor... Mi ricitos de oro...

—Miércoles... —mascullaba—, me gustaría llevarlo al campo con usted también, se entiende, y la ñaña y la Benedicta. Y que se asolearan de veras y estuvieran al aire por el día entero, y el muchacho, qué caray, aprendiera a dormir en un poncho viejo revuelto con los perros y gateara y aprendiera a andar, a hablar, a mear parado... Ya tiene edad para eso... Y que en vez de estar prendido a la teta mascara un pedacito de charqui... Es bueno para los dientes y para hacerse desde chiquitito hombre de campo...

—El es lindo..., es el más lindo de todos los niñitos del mundo... Es el tesoro de su mamita... Y ya sabrá gatear y andar y comer como un principito en su sillita y su mesita. —Y súbitamente recordando algo—: ¿Sabe que ya me trajeron los modelos para elegirlas? Una mesita y una sillita color de rosa. ¡Qué tontería que a los niños no se les puede poner nada rosa! No sé de dónde han sacado eso. El rosa es más sentador... Y mi niñito se ve como un pimpollo con sus paltocitos, con sus camisitas, en sus vestiditos rosa. ¿No le parece, abuelo?

—¡Carpincho!, lo que me parece es que está criando un..., bueno..., un... —la miró indeciso, abrió la boca para decir algo, pero la cerró bruscamente, pensando que era perder el tiempo decirle eso que había pensado decir.

No se lo dijo ni entonces ni nunca. Porque las visitas del abuelo no se repitieron, pegado al campo, que no a la casa del pueblo, por un proceso de vejez que cada día lo fijaba más a la vera del brasero, con el mate en la mano y una acuosidad en los ojos y un rememorar lejanías sin coherencia, ante testigos o ante sí mismo. Descenso hacia la muerte que lo halló un día cualquiera plácidamente en medio del sueño.

Daba vuelta la rueda del año, de otro año y de otros más. El niño se desarrollaba atrasado según Benedicta, normal según la madre.

Como eco de la opinión de la madre, decía la ñaña las mismas palabras de convicción feliz.

Gateó tarde, anduvo más tarde aún, entendía todo, pero era difícil hacerlo pronunciar palabra.

Los médicos —uno y otro en sucesión, ya que todos decían lo mismo y eso hacía que no se los llamara nuevamente— aconsejaban en vano otro tipo de vida. Benedicta nada podía contra la madre y la ñaña.

La madre en ese correr del tiempo seguía imposibilitada, extremadamente juvenil, reidora, en la cama o en la silla larga, ahora permanentemente en un salón-dormitorio, en tonos rosa habilitado en la planta baja.

comunicado con la terraza, aferrada al niño, deteniéndolo a su lado, junto a ella, apegado a ella, en la cama, en la silla larga.

Fue un despertar de repente. De un día para otro. Como en una mañana abren todas las rosas. El niño estaba junto a ella, demorada como siempre deleitosamente en peinarlo, en vestirlo, en atender sus necesidades íntimas. Lejos, más allá del parque, en la calle del otro lado de la verja, un organillo empezó a desafinar una vieja canción de estrado. El niño se alzó, escuchó, tendido a esa felicidad derramada en el aire de boca limpia, y echó a correr, firme en sus piernas súbitamente firmes, echó a correr terraza adelante, parque adelante, perdiéndose tras lo verde de los macizos.

La madre quiso alzarse, perseguirlo:

—¡Ay! ¡Benedicta!... ¡Ñaña!... Corran... No... ¡Ay!, el niño... Corran..., Dios, Dios... —agitaba las manos, agitaba la campanilla, gritaba, sin lograr ella misma moverse.

La ñaña lo encontró pegado a la verja, apretadas las manos a los barrotes, la cara radiante, extasiado frente al organillo, al organillero, y a la lorita, que se balanceaba coquetamente en espera de que alguien quisiera sacarse la suerte, y tuviera ella que deslizarse alcándara abajo para elegir el sobrecito en que estaba el secreto de los destinos.

Un niño extasiado.

Voluntarioso. Que había descubierto su voluntad. Y su voluntad era permanecer ahí pegado a los barrotes, oyendo y mirando un mundo desconocido y mágico.

Se defendió a patadas. La ñaña empleó la fuerza de sus brazos campesinos. Pero sus brazos supieron de los dientes del niño. Lo soltó asustada por esa violencia mutua. Y el niño, sin palabras, se aferró de nuevo a los barrotes y siguió mirando al viejo barbudo, increíblemente vestido, entre payaso y marinero, con el organillo clavado en un soporte y la correa pasándole por el cuello y la lorita balanceándose en su alcándara.

La lorita no entregó al niño el sobre con su destino. Pero su destino desde ese momento fue luchar con la madre. Luchar con la ñaña. Encontrar en esas batallas el refugio, el apoyo, la alianza muda de Benedicta.

5

Llegó atrasado y eso le aumentó el mal humor.

A esta hora al insoportable olor de pipí de gato se unía el del desinfectante de los *toilettes* y el del insecticida pulverizado en el aire. Bueno. Avanzó rápidamente por entre las butacas hasta alcanzar la primera fila y sentarse. Un reflector iluminaba un plano del escenario y en sendas sillas dos actores repetían su parte, sin observaciones del Dire, que sentado junto a una mesa en un extremo, rodeado por sus asistentes, iluminado el texto por una luz que tamizaba un capuchón opaco, parecía mucho más teatral que los otros prosiguiendo su diálogo.

Uno de los asistentes lo vio y dio aviso al Dire. Este levantó la cabeza y, haciendo ese habitual gesto suyo de rascarse la nuca, lo miró, agitó amistosamente en el aire la misma mano que acababa de darle ese placer que él decía perruno, entornó los pesados párpados y se inmovilizó en la atención de lo que pasaba entre los dos actores.

Empezó a ver, como veía las escenas que luego integrarían su obra, algo que un momento después lo tomó entero, distanciándolo del ensayo, de los nuevos personajes que iban apareciendo, dando su réplica, matizándola, marcando acciones. Reflexionó rápido y sorprendido que por primera vez el hecho sucedía estando inmóvil. ¿Pero no tenía él que andar, andar, siempre andar para que las mágicas representaciones se hicieran presentes? Se deshizo de la observación para atender lo que veía y oía. Sí, un escenario que era ese mismo, con el reflector marcando un círculo en el centro y como fondo los ladrillos del muro. ¡Qué dramatismo proporcionaban un ladrillo y otro ladrillo, rojizos entre las franjas blancas del cemento, y uno y otro y otro más! Como terminarían por ser los hombres, iguales, uno y otro, unidos por el sentido de la supervivencia, apretujados, cada uno igual al otro y sintiéndose tan necesarios como parte del todo. Sin mayores aspiraciones que ser parte de ese todo, con situación sólida, sin peligros de diferenciaciones, de que una variante en el molde pueda desequilibrar el conjunto. Ladrillo, parte de una inmensa construcción.

Ahora bajo el foco del reflector aparecía un hombre solo, como cohibido, como temeroso, como en espera de algo. Aparecía luego una mujer fina, joven. Se quedaba también inmóvil en el círculo iluminado. Pero mirándolo, mirando al hombre. La mujer avanzaba. Estaba ya cerca de él, en su halo vital.

—Siéntate —decía ella—, y conversemos.

Y mágicamente se instalaban en un asiento que no existía.

Estaban cómodos. Se veía eso en la curva del cuerpo de la mujer, en la gracia de las largas piernas dobladas y un tanto al sesgo, una junto a otra. Y en el hombre que iba distendiéndose, que no tenía ya en la cara esa expresión de anheloso esperar.

—¿Me prestas tu hombro? —preguntaba ella.

—¡Criatura!

La cabeza de la mujer se apoyaba en el hombro buscando anidarse. La cara del hombre se inclinaba un tanto y las sienes quedaban una junto a la otra.

) 809 (

—¡Tonto! —y los dedos de la mujer subieron hasta acariciar la barbilla, pasando después las yemas por el contorno de la boca.

—Siempre —aseguraba la voz del hombre.

—¿Me quieres? Nunca me lo dices... Parecería que les tienes miedo a las palabras...

—No, a las palabras no...

Ella levantaba súbitamente la cabeza besando el ángulo de la boca masculina y volviendo a su posición primera.

Pasaba él un brazo por la cintura y su mano quedaba en el aire, sin tocar la cadera, parte de su vientre, sin alzarse a su seno. Se quedaba ahí, inmóvil al borde del impulso, al borde del deseo.

Tornaba la cara del hombre a la expresión de espera en la soledad. Endurecido. Levantaba los ojos y quedaba con la cara desnuda, blanca por la luz excesivamente blanca del reflector. Ahora la cara presentaba una cerrada máscara voluntariosa, se inclinaba. La mano cobraba movimiento, la mano que se posaba en la cadera, que se deslizaba...

—¡Cuidado!... —gritó una voz, la voz de uno de los actores marcando su papel.

Y bruscamente la visión desaparece y queda frente a la realidad.

—García, —preguntó el Dire—. ¿No crees que es mejor cortar este parlamento? En verdad lo que se dice es reiteración de la escena anterior. ¿Qué? ¿Me oyes?

Le cuesta recuperarse, entrar en lo circundante. Se mira las manos humedecidas y se mueve, recalca en el asiento, en busca de la posesión de sus límites físicos.

—Eso puedes verlo mucho mejor que yo —contesta al otro, que está mirándolo con algo de *bulldog* paciente en los ojos asomados a la cara.

—¿Cortamos? No importa que sea la hora undécima...

—Corta si te parece bien.

Los actores esperan, mecanizados.

—Se suprime desde... —indica un asistente que con una copia del texto va de actor en actor— "es cosa cierta" hasta "cuidado"...

Hay una pausa. El Dire se ha puesto de pie y habla con alguien más allá de lo visible, con alguien que está en lo obscuro entre trastos, bambalinas y actores que esperan su turno.

De nuevo todo está en orden y el ensayo recomienza. ¿Para qué querrán que esté presente? ¡Lo poco que le importa esto! Su interés está en la obra en trabajo, en el trabajo suyo, en esa efervescencia de la creación.

Sí. Ese era su mundo, el misterioso y seductor mundo de los seres nacidos de una arcilla oculta en lo íntimo de él, amasijo que va tomando forma y vida. Mujeres, hombres. Todos para vivir en un escenario su propio drama, su comedia, su sainete, lo que fuera, queriendo comunicarse, evadirse de la soledad; sí, eso era, horror a la soledad, imposibilidad de comunicarse. Cada uno con su cifra propia, sin lograr saberla. Buscándola desesperadamente. ¿Cómo lograr la cifra auténtica, la obscura metida en lo profundo, tan inalcanzable, tan tremendamente desconocida que nadie, ni ellos mismos, ni él que es el instrumento por el cual llegan a esa vida, nadie sabe su grafismo verdadero?

¿Qué sabía él de sí mismo sino a través de súbitos resplandores, de miedo, de terror, de inconexas indeterminadas formas de reacciones morbosas? ¿Qué sabía él de sí mismo, de la verdad de sí mismo? ¿Qué iba a saber entonces de la verdad de sus personajes? Que aquí, en el escenario, dirigidos por el mejor director, con los mejores actores, con el mejor equipo de escenógrafos, de iluminadores, de maquilladores, de modistas, de todo lo que el teatro pone al servicio de un autor que va de buen éxito en buen éxito, sí, con todo eso sumado, ¿qué otra cosa podía conseguirse sino el lejano remedo del escenario y los personajes surgidos de su subconsciente? De esos personajes que él conocía en parte, lejano remedo, parte externa de lo que auténticamente eran por dentro, porque ni él, ni nadie, ni ellos mismos sabían lo que eran.

Alguien había avanzado en silencio y se sentaba a su lado.

—¡Hola!

—¡Hola, Florindo!... —acentuó el nombre pueblerino que para el otro era ofensivo y lo miró con esa súbita violencia que le impulsaba a las patadas.

—Está regio, ¿no halla?

Lentamente, controlándose, se levantó y salió.

Por entre los pesados párpados, el Dire había seguido la breve escena.

—García... —gritó.

—Sí —contestó sin detenerse.

—¿Vuelves?

—No.

—¿Puedo telefonearte en la noche a tu casa?

—Puedes.

—¿No tienes por ahora nada que observar?

—Nada —y salió al *foyer* rumbo a la calle.

6

Con la ñaña era fácil para el niño la pelea. Evadía su mandato, no atendía sus observaciones. Cuando la mujer pretendía presionarlo a la fuerza, lograba independizarse a patadas y en última instancia a dentelladas.

—Es peor que animal salvaje —comentaba en la cocina la gente de servicio.

—¡Y qué hacerle! Un niño criado solo. Un niño necesita otros niños. Y este pobrecito entre puros mayores.

—La señora es joven... —defendía la ñaña.

—Pero es una enferma, una baldada. Y miren cómo cría al niño. Como lapa quisiera que fuera pegado a su cama. ¡Pobrecito!...

—También ella no tiene a nadie más en el mundo...

—Pero un niño debe vivir con los vivos... Y no con ella no más, que es como medio muerta...

—Bueno: pero hay que tenerle lástima a la señora...

—Yo al que le tengo lástima es al niño...

—Es demasiado sobarlo y vestirlo como muñeca y querer que el pobrecito se pase con ella y nada más que con ella...

Del repostero el comentario salió a la calle, rumbo al mercadito, a la farmacia, a la panadería, al almacén. El barrio entero sabía de la señora baldada entre nubes rosas de sábanas, cobertores, camisones, batas, y del niño huraño, que apenas si sabía hablar, y de la manía de la señora de tenerlo siempre a su lado, junto a ella, en una absurda vida de encierro.

—Ella querría, Dios me perdone el pensamiento, que fuera paralítico y así no se le arrancara nunca —decía la panadera.

—Cosas... No diga eso... Pero hay que ver la pobre también. Sin nadie de familia, desde que murió el caballero mayor, y ella con su pena de viuda y verse enferma y sin remedio...

—Las penas con pan son buenas, doña Aniceta.

—Y aquí no es sólo pan, sino que de un todo de yapa.

Reían. Y se condolían. Y comentaban. Y reían de nuevo.

Benedicta era el tope en cuya presencia se acallaban los comentarios y silenciaban las risas.

Con la madre la lucha del niño era difícil, dolorosa, espaciada. De la fuga hacia la molienda musical del organillero regresó para caer medio a medio de los reproches maternos, de los suspiros, de las quejas, de las lágrimas. Oía serio, firme en los pies, firme también en el recuerdo de la maravillosa aventura vivida. El, solo, dueño de sus movimientos, de sus acciones, dejándose llevar por la carrera, llamado por las solicitaciones de una vieja melodía. ¿Qué de malo podía tener eso? Era malo revolver los leños de la chimenea y ver innumerables chispitas. El fuego era malo, podía quemar, incendiar la casa. Era malo el fuego. Era mala el agua: no había que inclinarse demasiado sobre la fuente del parque para mejor mirar los peces rojos, ni pretender chapalear en las pozas que las mangas de riego formaban a veces sobre el césped. Era malo mancharse el traje al comer, había que tomar la cuchara en esta forma y acompañar con pan y estar quieto en la silla, como un niñito bien educado que él era. Era malo agitar los juguetes dentro de una bolsa, hacer entrechocar los trenes, los autos, las maquinarias, los aviones, los soldaditos; y agitarlos y hacer ruido, porque a mamá le dolía la cabeza o podía dolerle con ese barullo. Era malo pretender ayudar al jardinero y con las grandes tijeras cortar las ramitas salientes de los bojes. Era malo... Todo era malo, menos estar sentado en su sillita, con una mesa enfrente para hacer palotes, deletrear, mirar estampas, comer, armar el mecano. Y oír las preguntas de la madre para contestarlas con monosílabos, y acercarse moroso a su llamado y dejarse componer una mecha rebelde o centrar el cuello de la camisa, para después ser anegado por una lluvia de caricias y por las palabras repetidas como estribillo demencial:

—Ricitos de oro... Mi amorcito...

Pero ¿por qué era malo también correr por el parque e irse a la verja a oír al organillero, a mirar a ese hombre vestido como algunas de las figuras de sus libros de estampas y con la lorita tan linda columpiándose?

—¿Por qué es malo? —preguntó, premioso, a la madre.

—¿Y si le pasa algo? ¿Si se cae? No, no, si quiere un organillo, se le compra un organillo. Benedicta, ¡ay!, creo que me voy a morir... Avise a la oficina que manden un organillo.

—No quiero un organillo...

—¿Qué quiere entonces, mi amor? ¿Que llamen al hombre y venga a tocar aquí para que lo vea? Benedicta, que llamen al hombre...

—No quiero...

—¿Qué quiere entonces, mi tesoro? —y a su silencio reconcentrado—: Pero no me contraríe, mi amor, no me haga sufrir, no haga estas cosas, no ve que la pobre mamá sufre tanto... —y señalaba sus ojos desbordados de lágrimas—. Prométale a la mamá que nunca más lo hará..., prométale...

No prometió nada. Nunca prometió nada. Siguió escapándose, no se sabía cómo, en qué momento, por el parque, por las viejas caballerizas, por las buhardillas, por las enormes habitaciones, salones, dormitorios, recovecos de pasillos, arriba, abajo, ágil, misterioso, con una pericia de delincuente para abrir cerraduras, con una presteza de acróbata y una seguridad de atleta para trepar, rampar, deslizarse en silencio, casi invisible. Las más de las veces regresaba sin que se supiera de adónde. Otras veces, en las búsquedas, solían encontrarlo y traerlo a la presencia de la madre, siempre desesperada en medio del llanto.

El niño la miraba, erguido y mudo. Dejaba pasar los reproches y las lágrimas, se dejaba tomar, acariciar, besar, sin hurtarse, pero sin reciprocidad, con una cortés aquiescencia. Y al final, cuando la madre caía en un silencio de fatiga, se sentaba en la sillita que ya no era minúscula, frente a una mesa, abría un libro y se entregaba a la contemplación de las estampas.

Hasta una nueva escapatoria.

Su aliada era Benedicta. Pero de repente tuvo otro aliado. El nuevo cura párroco.

El señor cura, un hombre que, más que vestir sotana, por su físico debió vestir el pantalón blanco y la blanca camisa de los espatadanzaris. Vasco llegado pequeño al país. Duro y con la cara comida por los ojos encuencados, sombreados y como enfebrecidos. Con unas largas manos para los bastones de antiguas danzas o para dibujar las geometrías rituales. Descarnadas y dramáticas, místicas y tremendamente humanas.

Se lo esperaba ese día, anunciada por teléfono su visita protocolar, pero lo que no se esperaba era que el niño estuviera de regreso de una de sus escapadas y en plena escena de reproches maternos. De la cual deliberadamente Benedicta lo hizo testigo.

La madre sorbía lágrimas, pedía excusas al señor cura, se dirigía al niño en el habitual rosario de reconvenciones mezcladas de ayes. Al niño endurecido y silencioso como siempre.

El señor cura vio y oyó personalmente lo que ya sabía por comentarios de feligreses.

—Niño —intervino de pronto con su baja y clara voz autoritaria—, vaya a jugar al parque. Su madre y yo tenemos que hablar...

Lo miró el niño sorprendido. Y mansamente salió a la terraza y se perdió en las curvas de las avenidas.

—Usted puede quedarse, señora Benedicta —y empezó a hablar sin apuro con ese tono en que las palabras adquirían su significado exacto y, a la par que convencían, ordenaban.

Decía que el niño necesitaba otros niños de su edad por compañeros. Que no era posible dejarlo como un animalillo encerrado entre adultos. Tenía la madre que escuchar razones y mandarlo a un colegio. El niño, por su posición, estaba llamado a actuar en un círculo en que le era necesaria una carrera. Y aunque no tuviera fortuna, por el hecho de ser una criatura humana debía prepararse para ser un factor eficiente a la comunidad. Este niño que a los cinco años apenas deletreaba y, lo que era gravísimo, estaba al margen de toda formación religiosa. ¿Es que no pensaba en que el niño tenía que hacer a breve plazo la primera comunión?

—No, no —protestaba la madre—. No puedo separarme de él... ¿Qué va a ser de mi vida? No puedo..., no puedo... Será mi muerte... Sabe leer, yo le enseñé. No soy tan rústica, me eduqué en las monjitas en el pueblo... No seré una profesora, pero puedo enseñarle, le he enseñado. Aprende todo, se lo aseguro... Y sabe rezar y es bueno, un santito... Que se nos arranque, que le guste estar solo y corretear por la casa y el parque, no quiere decir que sea malo. ¡Se lo juro! Es bueno, no tendría el niñito pecado de que confesarse.

—No es eso, señora. Tiene que aceptar la responsabilidad de hacer de su hijo un hombre. Por lo mismo que usted no tiene un marido ni un padre que le hable con claridad, debe aceptar mi consejo, que es sencillamente el de la razón. Al niño hay que darle lo que necesita: compañía de niños, educación, instrucción, formación moral. Usted no querrá tener por hijo a un salvaje...

—No quiero separarme de él..., no quiero... En los colegios le enseñan porquerías los otros niños... Y es una criatura como un ángel. No sabe ni una sola mala palabra... Es como una niñita, como una princesita... Se lo juro... Es un tesoro...

—Pero hay que educarlo, mandarlo a un colegio. Ese es su deber: educarlo. Y desprenderse de su egoísmo.

Reaccionó furiosa:

—En mi casa mando yo. Y nadie tiene derecho para venir a insultarme.

Ni pestañeó. La siguió mirando fijamente con las obscuras pupilas como hipnotizándola. Las manos se alzaron con las palmas abiertas hacia la madre.

—Hay que mandarlo al colegio —repitió.

Ella bajó la cabeza, la posó de perfil en la almohada y cerró los párpados. Por el momento estaba vencida.

—¿Quién es el tutor del niño?

Contestó Benedicta:

—Un primo del finado, don Arsenio García, el presidente de la firma. Usted sabe: la ferretería Casa García Ltda.

Benedicta y el señor cura fueron a entrevistarse con don Arsenio, que se restregaba las manos y excusaba su no intervención diciendo:

—¿Y qué podía yo hacer frente a una enferma?... ¿Y qué podía yo hacer?... Ante su reiterada negativa para recibirnos, a mí y a todos los parientes de su marido, mujeres y hombres, no hubo otro temperamento a tomar que dejar de insistir y no verla más... ¡Pobrecilla!

—Nadie le reprocha nada —contestó firmemente el señor cura—. Pero es necesario ahora mandar al niño a un colegio.

—Sí, hay que hacerlo... Mandar al niño al colegio..., claro. Diga usted, señor cura... ¿Qué colegio le parece bien? Usted dirá...

Y se mandó al niño al colegio.

Tres aliados —apoyado en el señor cura, don Arsenio ahora fijaba normas— para permitir que medrara su personalidad y conociera lo que estaba más allá de las rejas de la casa y asimilara conocimientos y viviera como otros niños, en la misma pauta religiosa y educativa que ellos.

Pero no un niño como la mayoría. Un niño en su provincia de soledad, cortés y silencioso, inteligente y soñador. Desarrollándose sin tropiezos en cuanto a lo físico: espigado y firme.

La madre entre tanto languidecía en sus almohadas rosas, sumida en una hosca reprobación, vuelta a esa existencia vegetativa anterior al nacimiento del hijo.

La ñaña había sido devuelta a su tierra campesina. Benedicta era el eje de la casa, que mantenía su ritmo de gran casa tradicional. El niño tenía para Benedicta una amable aquiescencia, permitiéndole ocuparse de sus efectos personales siempre que fueran eso, efectos personales: su pieza de estudio, su dormitorio, su baño, su comida —disponía ahora de un departamento exclusivo—, pero al propio tiempo marcando entre ambos un límite, una zona infranqueable entre lo exterior y su mundo íntimo, sorprendente en un niño de su edad.

La madre dejó de formular reproches, de lamentar su abandono, de gemir sus males. El hijo, en la trayectoria de los días, jamás tuvo una alusión al pasado ni al presente. Hablaba con atenta cortesía de temas impersonales: el tiempo, las flores, los pájaros, el perro, Benedicta y los restantes miembros del servicio doméstico.

—¿No le gustaría oír música? Los conciertos, por ejemplo... —propuso a la madre el señor cura, buscando un paliativo a su terca desesperación.

—No. Prefiero el silencio y estar "sola" —pareció morder la última palabra.

La traída del perro fue otra artimaña. Sin resultado alguno. Lo miró indiferente, cachorrito confiado en su inexperiencia, con los ojos humildes solicitando siempre una caricia, con largas orejas y el trasero redondo y la piel como de seda dorada.

Nunca hizo alusión al animal. Como si no existiera.

A veces decía:

—Benedicta, pásame los retratos.

Cajas con retratos del niño. Montones de retratos del hijo hasta el momento en que fue al colegio. Montones. En todas las posturas y oportunidades. Algunos en color. Tomados por los innumerables fotógrafos que tenían en ella su mejor cliente.

—Mi amor —murmuraba—. Mi ricitos de oro..., mi príncipe...

Languidecía, enflaquecía. Venía el médico. Otro médico llamado por Benedicta, alarmada. Venía el señor cura, duro, con las largas manos en el gesto con que parecía irradiar el fluido de su voluntad poderosa.

—No hay que abandonarse... —decía.

Ella lo miraba en silencio, ya sin encono. Y seguía entregada a una suerte de ensueño, de estar fuera del presente, sumida en ese pasado feliz, con el niño adherido a su seno, gateando sobre ella, vistiéndolo y desvistiéndolo, en su cercanía jugando, mirando estampas, juiciosamente en su sillita, a su niño suyo, suyo... July... Ricitos de oro...

Sin encono hacia nadie. Ni hacia el señor cura, ni hacia don Arsenio, ni hacia Benedicta, ni hacia este desconocido que era su hijo, tan distinto a su niñito. Dulcemente yéndose hacia la nada.

Murió a esa hora en que los gallos dan la noticia del alba en todos los puntos que marca la rosa de los vientos.

El hijo no tenía aún ocho años.

7

Por dos días llegó temprano para verla. Y la vio llegar en el coche negro, ambas veces a igual hora, vestida con semejantes prendas y realizando el mismo camino para luego regresar al coche. La esperó sentado en un banco.

La primera vez la dejó descender, tomar distancia. Tan serena, rítmica, ceñida por la seda de ramazones grises y con el chal sobre los hombros anudado al pecho. Advirtió nuevos detalles: el súbito resplandor de múltiples pulseras, finos aros en que se alineaban rubíes, brillantes, topacios, zafiros, formando en sus muñecas, sobre las estrechas largas mangas, una especie de crispín multicolor; las horquillas de carey que fijaban sus trenzas como tiara alrededor de la cabeza; la expresión de las pupilas solicitadas por algo lejano e infinitamente dulce; la sombra del bozo; la línea sinuosa y abundante de ambos labios en armonía con las cejas anchas y el tamaño de los ojos y el corte de la nariz. Pensó en nativas de las islas del Pacífico Sur. Luego en indias de remoto origen maya.

Iba a cierta distancia siguiéndola, ajustando su paso al suyo, sumido en sus deducciones, apaciguado, con una sensación de limpieza, sin ligar a la mujer con ningún otro pensamiento que no fuera el de observarla, el de suponer para ella países de origen. Recordó estampas, de esas que gustaba contemplar de niño, con su leyenda abajo: "Mujeres de Guatemala recolectando bananas", "Vida familiar en Tahití", "Baile en el bohío", "Pescadores de perlas".

Con esa memoria de placa fotográfica que era la suya, recordándolas hasta en mínimos detalles. Buscando identificar a la mujer con esas imágenes. Se parecía lejanamente a alguna.

Siempre que voluntaria o involuntariamente recordaba su infancia se hallaba fijo en un caleidoscopio en que había una figura central: "ella". Y a su alrededor, infinitas móviles formas de colores, alucinantes, perturbadoras.

Se sorprendió ahora pensando en su infancia, por primera vez como en algo ajeno a él, no caleidoscopio, sino cuadros sin figura central, colgados en una galería, y él pasando ante ellos, sin que relámpagos surgidos de su profundo ser lo deslumbraran y empavorecieran.

La mujer alcanzó el extremo de la senda y regresó. Llegó él también a ese mismo extremo, se volvió y siguió tras ella hasta dejarla desde una distancia prudencial en el coche, que partió rápido y silenciosamente.

El segundo día la escena tuvo una variante. Iba tras ella, por eliminación fijándola en una remota India, cuando de súbito la mujer se detuvo, giró la cabeza mirándolo y lo esperó tranquila. No pudo hacer otra cosa que continuar avanzando. Cuando pretendió seguir adelante, la mujer con una voz tranquila, baja y caliente, con las palabras espaciadas y las erres y las ces y las eses y las zetas diferenciadas, dijo al hacer un gesto que lo inmovilizó:

—No me gusta que me sigan. Si quiere: vaya adelante de mí. O a mi lado. Pero no detrás. No me gusta... —lo miraba con sus grandes límpidos dulces ojos.

—Señora. Perdón. Yo... —y se quedó sin saber qué decir, cómo excusarse—. Yo...

—Sí, usted —sonrió—. Ya sé que inspiro curiosidad con mi vestimenta. Pero me gusta y la uso. Bien: ¿sigue adelante o sigue conmigo?

—Perdone, señora. —No sabía qué decir, cómo explicarse—. No crea que yo...

—No creo sino en un acto de curiosidad. Al que estoy, por lo demás, acostumbrada. También debía yo excusarme por vestirme así, por no seguir la moda al igual que las demás mujeres.

Sonreía con los ojos.

—¿Me permite? —se oyó preguntar.

—¿Qué?

—Acompañarla.

—Estoy segura de que no pertenece al grupo de los que creen que una autorización a ese pedido significa otra cosa que ir junto a una desconocida, por un parque, fuera del pasado, del presente y del porvenir... —sonreía siempre con los ojos, seria la boca.

El encontró un tono ligero, ajeno a su manera, para contestar:

—Puede estarlo, señora. Y que si hablamos, hablaremos del tiempo, tema inglés de muy buena educación.

Empezaron a andar al mismo paso, sin mirarse, con los perfiles metidos en el fondo verde umbroso, en silencio, hasta la plazoleta final, pedregosa, con unos feos bodegones por fondo.

Volvieron. Había un aire sofocante, húmedo, y los pájaros callaban en una previsión de tormenta. El río se inmovilizaba cobrizo.

—Ya que se puede hablar del tiempo —dijo él—, ¿sería imprudente preguntarle si no tiene calor?

—No, no tengo calor. Siempre tengo un poco de frío. No frío, pero la necesidad de llevar algo sobre los hombros.

—Viene de países muy cálidos —murmuró sin interrogantes, pero sin afirmación.

Y siguieron andando.

—Lo que puede reprochársele a este clima es la humedad. ¿No le molesta? —dijo.

—No. Nada me molesta —contestó sosegadamente.

Tuvo la certeza de que decía la verdad.

—¿Por qué camino ha llegado a ese estado perfecto? —se interrumpió—. Perdón, señora... Esta pregunta va más allá de lo convenido.

—Puedo contestarla. Por el de una fe religiosa.

—Gracias —vaciló, pero prosiguió irresistiblemente indagando—: A la que llegó... Perdón de nuevo...

—En la que nací. Pertenezco a una familia católica que vive ajustada a la ley divina. Somos creyentes, practicantes, con tanta naturalidad como somos morenos o rubios...

—¿Y felices?

—No es en esta existencia donde debemos esperar la felicidad.

—No puedo alcanzar la fe —murmuró contestando una pregunta no formulada—. La comprensión del catolicismo está más allá de mis posibilidades. No puedo creer en lo que escapa a mi razonamiento.

—Abandónese a la voluntad divina, humildemente. Y recuerde a Saulo —sonrió con los ojos.

Siguieron andando silenciados por el calor y la humedad que se intensificaban, mustiándolo todo.

La dejó en el coche, ayudándola a subir, conociendo la suave curva de su codo a través de la tela sedosa. Dijo inclinándose:

—¿Vendrá mañana?

Contestó, como sorprendida, con otra interrogación:

—¿Por qué no?

—Hasta mañana entonces y gracias de nuevo, señora.

El coche se perdió rumbo a la ciudad.

Y él se quedó un rato pensativo, a pleno sol, sin sentirlo, analizando situaciones inesperadas, desconocidas: una paz, una seguridad, una certeza. Una mujer, ahí, en su cercanía, a su costado, en su oído, en su tacto, en su olfato, todo perfectamente individualizado e independizado de la obsesión enquistada en sus sentidos.

No logró a través de los años —externo primero, interno después que murió la madre— tener amigos en el colegio, romper esa imposibilidad hecha por la costumbre de estar en silencio, entregado a sus sueños, a su fantasía, a su mundo mágico. Le era imposible adentrarse en la realidad dura de los niños, sumarse a la violencia del juego, a la malicia, a la súbita generosidad, a la camaradería indiscreta, a la rapacidad y a la envidia. No se entendía con los niños. En cambio, el maestro era suerte de encantador que entregaba a su conocimiento cosas, hechos, problemas, apasionantes motivos, un mago abriendo con su varillita de la virtud la entrada a sorprendentes mundos. Pero sin saltar jamás la barrera de las diferencias de edad, de condición. El era el alumno, el otro era el maestro. Los unía el mutuo interés de dar y recibir.

Siempre el primero de su curso. El gran orgullo del colegio.

El señor cura fue quien estuvo más cerca de su confianza, de su pequeña alma atormentada y silente. Y de haber vivido, hubiera sido el apoyo en su gran crisis religiosa y sexual de la adolescencia. Pero murió. Antes había muerto la madre. Y quedó desamparado frente a sí mismo, rodeado de fantasmas.

Una vez obtenido el bachillerato, no quiso seguir carrera ni tampoco avenirse a la oficina de los negocios familiares, de esa firma que seguía prosperando y donde, por compromiso, por ruego constante del primo Juan Antonio, hijo y sucesor del tío Arsenio, accedía a ir, así, entrando y saliendo como quien huye.

—Pero, chico, es necesario que te enteres. El día que yo falte, ¿quién se va a ocupar de todo esto? —insistía Juan Antonio.

—Bueno: alguien, pero yo no, seguramente. Lo cual me parece una suerte. Yo soy una nulidad para todo esto, te lo aseguro honradamente.

En el fondo, Juan Antonio estaba contentísimo de seguir manejando millones de millones. Pero era necesario tener la conciencia tranquila y decir lo que estimaba necesario puntualizar.

Desde que salió del colegio hasta su mayoría de edad, no hizo otra cosa que leer, escuchar música, ir de la casa de la ciudad a la casa de campo, solitario impenitente.

Contra viento y marea arremolinados por Benedicta especialmente, contra todas las objeciones, impuso al cumplir los veintiún años su deseo de viajar y se dio a recorrer países, yendo de uno a otro en busca de no sabía qué esponja para limpiar de sí mismo manchas que surgían del pasado y pavores que surgían del presente.

Países, países, países. Escenarios, gentes moviéndose, hablando. Vidas a su margen. Ninguna para identificarse con ella. Hombres, mujeres. Por rutas de cielo, mar y tierra, por calles en todas las latitudes, entre idiomas conocidos o ignorados, entre seres de rostros claros u obscuros, de ojos redondos o almendrados, de risas fáciles o labios herméticos. Con mujeres en su cercanía, insinuantes, fáciles, habituadas al deseo del hombre. Me buscas: me hallas. Me pagas y adiós... O las otras, las del gran mundo, casi todas estereotipadas en una actitud de elegante hastío, más allá del bien y del mal, cultas o *snobs*, entre humo y vasos, metidas en trajes saco, en trajes trapecio, en trajes de línea A o K, excitadas o no, con las piernas al aire o recatadamente ocultando las pantorrillas, cortas las melenas, largas las melenas, en el salón, en la playa, en el teatro, en el campo deportivo, en las exposiciones, donde fuera: muchachas, mujeres indiferenciadas, jóvenes deshechas por el hastío, viejas en una caricaturesca juventud. Mujeres... Para acercarse a alguna, de cualquier medio, y entre ella y él, súbita y fatalmente apareciendo un perfume, unos finos dedos, una voz acariciadora, y en sus manos de él, en las suyas propias, en las palmas, en sus yemas, la redondez de unos senos... Una violenta reacción lo desprendía de la presencia del pasado, tan violenta, que su pasmo era después no haber realizado el gesto físicamente, no haberse hallado sacudiendo las manos para librarse de lo que adhería a ellas.

En ciudades, repasándolas en busca de alguien, de no sabía quién. En busca de algo que reclamaba su instinto, que retorcía sus entrañas, como en prolongado ayuno desborda jugos el estómago hambriento. Lleno de prevenciones, de premoniciones, de sombrías formas en el sueño y de pavorosas realidades en la vigilia.

Volvió a su tierra. Se aposentó en la casa tradicional, con la esperanza de destruir ahí mismo, en su propio escenario, las vivencias de su infancia.

Salió de ese caos cuando descubrió su posibilidad de crear un mundo de ficción que sería su refugio. Empezó a escribir. Estrenó. Lentamente se iba plasmando una faceta nueva en su personalidad. Logrando el halago del buen éxito, el fervor de la crítica, el entusiasmo del público. El conocimiento de un inesperado medio, multitudinario, tan ajeno a aquel en que había medrado desde siempre.

Pero sin que allí lograra amistades. Ni de mujeres ni de hombres. Aquéllas seguían siendo la fisura dolorosa por donde surgía el implacable pasado. Y los hombres, los hombres... Conocidos para charlar en un café, para discutir una escena, para comentar las menudencias de la vida teatral de puertas adentro. Líos, aspiraciones, enjuagues, intereses, componendas. Un mundo para huir de él, cuando se lo conocía al por menor. Para huir y meterse en su casa, frente al parque en que los árboles ocultaban cada vez más el río y en la cual Benedicta envejecía, apergaminada, tenaz y perseverante, señora de todo: de la casa, de la servidumbre, pretendiendo serlo hasta de él mismo.

O yéndose al campo en compañía del perro, de este que había reemplazado a otros, todos de la misma raza, color café, con ojos dorados, largas orejas e idéntica paciente fidelidad.

La escuchó desde el fondo de un palco bajo, con mala acústica, viendo tan sólo parte del escenario y los personajes sesgados o sencillamente fuera de su vista. Deformado todo en una realidad imprevisible, ajena, más aún que en los ensayos, a la esencia de su obra. Como la desconocida cara del revés de una medalla.

Esto había salido de él, de su poder creador. Se preguntó, con esa exasperada voluntad de evadir las circunstancias reales y asirse a la ficción, si habría algo en la atmósfera, un virus filtrable, que lentamente inoculaba la tónica de la época en estas criaturas que eran las suyas atormentadas, buscando ansiosamente un camino, despistadas ante las bifurcaciones, metidas al azar en el más cercano, creyendo que el seguido lo era por elección propia y luego tomando conciencia de que el azar jugaba el juego y se era sólo un juguete.

—¿Un juguete en manos de quién? —dijo entre dientes.

Volvió a la realidad y observó los personajes que hablaban: sólo tenían de común con los por él creados ese virus de la desesperanza, de la desorientación, de la angustia íntima. De ese amasijo que él mismo era. ¿Por qué, entonces, se empecinaba en negar la similitud? Se negaba a sí mismo tanta verdad...

No reconocía a esa mujer con la figura y el rostro de la primera actriz y esos gestos y esa modulación de la voz. Era otra. Pero entre su personaje y ella había una raíz común alimentada por cenizas.

Una obra en tres realidades: la suya escrita, esta otra representada por los actores y la que captaba el público.

Pero el público no poseía una comprensión colectiva. Existían, entonces, tantas obras como espectadores en el teatro.

Había calculado llegar al fin del último entreacto.

—Gracias a que te dignaste venir —rezongó el Dire al verlo.

—Te había dicho que vendría al final —respondió, súbitamente de mal talante por el tono del otro.

—No vayas a dispararte. Todo va bien, el público loco... Andate a mi camarín o al de Noemí, que está muy nerviosa en la duda de si llegarías o no llegarías... —tuvo en los labios decir "el perla", pero prudentemente farfulló algo.

Pensó en que no estaba para soportar nervios de nadie. Dijo:

—Me voy afuera a un palco. ¿Habrá alguno desocupado?

—Pero por favor no te escapes. Reservé el izquierdo, el palco bajo de la izquierda, aquí mismo a la salida, para ti y tu gente —una de sus manos se apoyó con pesadez en su hombro. Y continuó, apresurado, entre admonitivo y jovial—: Y, por favor, te lo pido, te lo ruego, no te escapes...

Y allí estaba, arrinconado, casi incrustado en un ángulo, incómodo al borde del sillón, con ganas de irse. ¿Para qué todo esto? La obra estaba estrenada, había pasado ese momento dubitativo en que se aguarda la reacción de la crítica y del público. El proceso de un estreno era interminable y agotador: primero, el juicio del Director; segundo, el de sus asesores; tercero, elegir los actores; cuarto, los ensayos, las modificaciones y los cortes; quinto, la propaganda, entrevistas, fotos, etc.; sexto, el ensayo general, con los críticos, y por fin el público del estreno, la mayoría invitado, y después el otro público, el gran público sin tarjetas ni vales, el que juiciosamente paga sus entradas y provee ese contentamiento que se llama "taquilla vuelta", y que hace los suculentos borderós.

El era parte de ese engranaje, y el juego, cuando se está en él, hay que jugarlo.

Las cortinas se abrían y cerraban. Allí estaban ya todos, incluso el Dire, haciendo reverencias, besando el Dire la mano de la primera actriz, repitiendo el gesto galano el primer actor. Poniéndose en primera fila el Dire, la actriz, el actor. Dando ellos un paso atrás para dejar sola a la actriz, buscándolos ésta y tomándolos de la mano para obligarlos a alinearse junto a ella. Luego dejando a las otras figuras en escena, para poner en primer término a la característica entre la dama joven y el galán. Y después de nuevo todos juntos y el escenógrafo y los modelistas y los iluminadores. Una curiosa mezcla de trajes, de rostros maquillados y de caras cerúleas, y el público aplaudiendo y las cortinas abriéndose y cerrándose rápidamente sobre el juego sucesivo de los cuadros, nada improvisados, porque el Dire pensaba en todo detalle, y esta especie de ballet de post-representación tenía tan riguroso ensayo como cualquiera de las escenas anteriores. Ahora la cortina quedó abierta definitivamente y todos inmóviles en el fondo. El público gritaba:

—El autor... El autor...

Y los ojos de los que estaban en el escenario se volvieron al palco, tratando de ver a través de las luces de los reflectores al hombre que debía estar allí.

Que estaba allí encogido, pensando si no sería todavía tiempo de huir precipitadamente.

La puerta del palco se abrió y una mano tocó su hombro:

—Esto se llama triunfo... Ven... Ven... —era el Florindo, Iván Duval, en el programa y en escena diciendo cuatro frases.

Se puso de pie tratando de eludir la mano y la avalancha de palabras laudatorias.

—Vamos... —dijo queriendo pasar.

—Pero déjame felicitarte —y bruscamente lo abrazó.

Con la misma brusquedad rechazó el abrazo. Con un golpe de judo. El otro vaciló y balbuceó:

—Pero por qué... Yo...

Estaba en el pasillo y avanzaba hacia el escenario, crispado, con algo vinagre que le subía del estómago a la boca. Cómo, con qué ganas pondría en acción su conocimiento de los golpes, no de las patadas y mordiscos de su infancia, sino de los golpes científicamente aprendidos en el gimnasio, y echaría por tierra, haría huir a toda esta gente que lo esperaba en el escenario, estereotipadas las sonrisas, y a toda esa gente, de pie algunas, otras sentadas, algunas en los pasillos, otras agrupadas en las salidas. ¿Habría más gente que la que el teatro era, capaz de acomodar en sus aposentadurías?

De la mano del Dire, sudorosa y que se aferraba a la suya queriendo transmitirle lo que debía hacer, lo que esperaba de él: que tomara y besara la mano de la actriz, que entre Dire y actriz avanzara hasta el borde del escenario y saludara al público. Que retrocediera, que esperara un cuarto de minuto para que las cortinas se cerraran y se volvieran a abrir y avanzara de nuevo. Y saludara. Y otra vez el juego de las cortinas, de los pases, como en las cuadrillas de las abuelas: yo te doy la mano a ti, tú me la das a mí, ahora un paso adelante, ahora un paso atrás. Saludo y molinete.

Sería divertido hacerlo. Gritar: "¡Molinete!", y observar el estupor de los demás. Se halló en primer plano, inmensamente solo en un silencio súbito y sobrecogedor. Eso indicaba que tenía que hablar. Parte del juego y lo jugó.

Dio las gracias con la curiosa sensación de que estaba en la oficina, dictando a la taquígrafa una de esas cartas en que agradecía las felicitaciones llegadas desde las sucursales de la Casa García Ltda., y en las que con las mismas palabras apegadas a un riguroso formalismo uno de los socios, uno de los jefes, uno de los lejanos primos, hijo de los primos de su padre, le enviaba sus felicitaciones por "el merecido triunfo obtenido".

Pero era lo que el público esperaba, porque la ovación se hizo atronadora cuando terminó las frases que estaba irónicamente diciendo como un acuse de recibo. Alcanzó a pensar en otra cosa: en lo que sería cómodo y absurdo: hacer bajar de lo alto del escenario, suspendida por gruesas cuerdas, una gran tarjeta suya, de visita, blanca cartulina con grandes caracteres dibujados imitando las letras del grabado en cobre. Su nombre y a punta de lápiz dos letras minúsculas: a. f.

"¡Qué maravilla eso!..."

Pero seguía el juego: hablaron el Dire, la primera actriz, el primer actor, la característica —gran favorita del público—, uno de los segundos actores, la más joven de las damitas, muy melindrosa, y que cuando terminó diciendo "que ella no era nadie, pero que saludaba al gran autor del siglo desde el fondo de su modestia", antes que surgiera la ola de aplausos, se oyó una voz femenina que gritó desde el anfiteatro: "¡Tesoro!"..., sin que se supiera si el tesoro era la propia damita o el autor triunfante o qué o quién. Y habló el escenógrafo, y por el personal obrero uno de los tramoyistas, un muchacho simpático que repitió muchas de sus frases hechas, sin que posiblemente nadie se percatara de ello.

"¡Qué cansado todo!...", se repetía.

Pero se cerró la cortina. Pero no el baile. Eran masas de gentes desconocidas que desfilaban por el escenario donde él, el Dire y las primeras figuras, en fila como en las fiestas oficiales, recibían el saludo de quienes por fuerza de la costumbre habían formado fila también, cola, y avanzaban de uno en fondo por la entrada de la derecha, se volvían sobre sí mismos a la izquierda, a espaldas de autor, Dire y actores, para buscar la salida por la propia derecha. Como un serpentón.

Miró arriba y vio cómo las bambalinas, los trastos, las lámparas, se alzaban y quedaban en el aire, en lo azulenco de la atmósfera en que parecía espesarse un humo de inexistentes cigarrillos. Le daban la mano. Algunos esbozaban un abrazo. El inmovilizaba sus articulaciones y el abrazo quedaba en esbozo. Decían frases semejantes. Alguno murmuró devotamente: "maestro". Los hombres pasaban rápidamente, las mujeres se demoraban, le mostraban la gracia de la sonrisa, la línea blanca de los dientes, entornaban los párpados, hacían sonar los dijes de las pulseras, se arrebujaban en las livianas *écharpes*, repetían elogios.

Empezó a ver bocas solamente. Las de los hombres sin color, adheridas a la piel rasurada, alguna con la sombra de un bigotillo recortado, pero todas parte de una fisonomía desconocida e irreconocible en lo porvenir. En cambio las bocas de las mujeres eran color de zanahoria o color de fucsia, dibujadas abundante y prolijamente y como parches en las caras pálidas, deshumanizadas por dos reflectores en ángulo. Empezó a no ver los rostros, a ver tan sólo bocas sueltas: descoloridas o zanahoria o fucsia. Con una zona blanca en el centro marcando los dientes. Modulaban algo moviendo los labios en la frase de cortesía. Bocas. Sin rostro. Bocas sueltas.

"¡Qué cansancio!"

La cola menguaba. Las luces dieron un parpadeo. Se entrecruzaron frases:

—Hay que irse.

—¿Dónde vamos?

—Al Tívoli no, por favor...

—Al Royal entonces.

—Siempre la misma lata...

Las luces parpadearon de nuevo. Una voz gritó desde el fondo de la platea, entre palmetazos:

—Vamos a cerrar... Vamos a cerrar...

Sintió la mano pesada del Dire sobre el hombro. ¡Qué manía la de este gigantón! Y todavía una mano trasudada...

—¿No quieres venir con nosotros?

Estaba tan cansado, tan molido. Irse con ellos era seguir el baile.

—Me caigo de sueño.

Los ojos saltones le repasaron la cara modelada por la fatiga. Bajó la mano y dijo admonitivo:

—Bueno. Andate. Pero a cambio de que no me faltes mañana a las dos funciones. Hay que aprovechar las calenturas, máxime cuando son colectivas...

Sabía lo que le esperaba, lo que eran para él ciertas noches: insomnio, revolverse en sí mismo, fatalmente asomarse al caleidoscopio con "ella" al centro.

—¡Perverso! —le reprochó al pasar, echándole deliberadamente el aliento por la cara, el Florindo, ahora Iván Duval.

Ni siquiera sintió deseos de patearlo.

Afuera lo esperaba el palitroque amortiguado de la tormenta que se alejaba. Había llovido torrencialmente.

El coche se deslizó por las calles despobladas. Lo manejaba automáticamente con una sensación de cansancio muscular, embotado el cerebro. Con lentitud iba recobrando las percepciones sensoriales. Aspiró el fresco aire y el olor de la tierra lavada. Una sirena empujó por la noche su llamado de auxilio.

—Es que estoy roto de cansancio —dijo a media voz.

En la casa lo esperaban: alguien que abrió el portón de acceso y barbotó un soñoliento: "Buenas noches"; el perro que saltó hasta su mano, lamiéndola; Benedicta, arrellanada en su sillón de la galería, y que preguntó despabilándose:

—¿Todo bien?

—Todo bien, pero muerto de sueño.

—Tenía que ser así —aseguró ella orgullosamente—. Váyase a la cama.

—Sí, sí... Mañana le contaré... O mejor: lea los diarios —y se fue por la escalera de caracol arriba, seguido por el perro.

Sabía que eso iba a pasar. Apenas acostado, fresco por la ducha y entre el hilo de las sábanas, en lo obscuro, el sueño desapareció dejándole tan sólo el deseo del sueño, la exasperación de querer dormir y no poder hacerlo, volviéndose de un lado a otro, arreglando las cobijas, encendiendo y apagando la luz. Abriendo y cerrando las persianas, las cortinas; sentándose en un sillón, en una silla; acostándose en el suelo, regresando a la cama, tumbándose en el sofá.

Y en la cabeza un film frenético, pedazos de figuras, trozos de frases y, de repente, el vacío para una caída y la angustia en el plexo y, por no sabía qué milagro, la simultánea certidumbre de estar en su cuarto, buscando el sueño, en todas las posiciones, a puertas y ventanas abiertas; a puertas y ventanas cerradas, a obscuras, con luz. Bocas..., bocas... Color de zanahoria y color de fucsia... Y el Dire rascándose la nuca con el mismo ruido que producía el perro. Y más bocas, bocas... Las había pegadas a un rostro, las había sueltas, sin rostro..., y empezó a martillarle el recuerdo, la voz de una mujer recitando, metiéndose en su oído a través del radio. Pero no gritaba eso que él veía, gritaba: "Botas..., botas..., botas..., botas...", como si las botas le pasaran por encima moliéndola. ¡Qué cansancio!... Y el atronar de los aplausos y el escenario y arriba los trastos colgando y las lámparas y unas cuerdas, atadas o en curvas, serpenteantes. Y un eco de voz melosa: "Perverso", y una laja en la senda para darle un puntapié... Y todo revuelto, girando ahora, y la caída..., la caída y la conciencia de estar en la cama, en su cama, sin lograr el sueño, y tan cansado, tan cansado... Y en pleno amanecer. Con el aire desperezando las ramas y un pájaro diciendo que sí, que estaba amaneciendo, y más allá, en la periferia de la urbe, en pleno campo, los gallos todos enarcando el cuello y abriendo las alas decían también que sí, que había llegado el alba... El campo..., vio un camino, una avenida de altos árboles por la que iba caminando a la vez que aspiraba una brisa liviana, ligeramente olorosa a poleo, a menta, a desconocidas humildes hierbas... Un camino. Y él caminando como siempre: observándose a sí mismo, desdoblado, proyectado fuera de sí mismo y observándose... El en espera de una mujer que avanzaba tranquila y digna, que sonreía con los ojos y le decía marcando con un leve acento letras indiferenciadas para otros...

Y súbitamente se durmió en la vecindad de esa sonrisa.

10

Había un cielo de cristal azul y el aire seguía siendo fresco y seco, apenas con fuerza para ligeramente acercar una hoja a otra hoja, incitándolas a confidencias. El overol gris de un jardinero iba detrás de la máquina de cortar pasto y del ras-ras de sus bolillas enmohecidas. De la plaza de juegos infantiles llegaba la serpentina de un coro amortiguado por la distancia. La alfombra de monedas hecha por el sol oscilaba apenas. La calzada esplendía y el río manso bordaba su cobre con un pequeño ir y venir de blancos festones.

La vio bajar del coche y adentrarse por la senda. Sin extrañeza. No había dudado de que vendría. Como tampoco, estaba seguro, había dudado ella de que él estaría esperándola. Limpios ambos en esa certeza.

No había reparado en que, desde el despertar después de un breve profundo sueño, no había padecido ninguno de esos asaltos obsesivos de recuerdos de imágenes, de voces, de olores, de tactos, de sabores, de sensaciones, en suma, que le eran habituales. Había despertado en la certidumbre de que tenía que acudir al parque, esperar a la mujer, mirar la sonrisa en sus ojos y marchar junto a ella, despaciosa y rítmicamente, en un clima de inaugurada libertad.

—Buen día —dijo sin extender la mano, saludando con esa inclinación aprendida en el colegio, y en la cual se mezclaban fórmulas cortesanas y marciales.

—Buen día, precioso día, un día que es un regalo en este clima —aseguró ella.

—¿Puedo acompañarla?

—¿Por qué no?

Ajustó su paso al suyo. Llevaba el mismo traje, pero el chal era distinto. No. El traje era también distinto. Aunque traje y chal fueran de parecidos materiales y hechura que los anteriores. Miró atentamente la tela: en el gris de rico dibujo realizado con distintos tonos había una hebra celeste. Y tal vez un punto de plata. En el chal sí que la plata era manifiesta. Blanco y plata en ramazones finísimas.

—¡Qué maravilla son las telas que usted usa!

—Las tejen las campesinas de mi país. El telar para ellas es una experiencia milenaria, transmitida tradicionalmente. Hay familias que tienen sus propios dibujos, sus colorantes, como algo que participa de un linaje.

—¿México? —pregunto sin reparar en que trasgredía convenios.

—No.

Continuaron en silencio. Se iba acercando el ruido de un pájaro carpintero en su trabajo, enfrentaron el ruido afanoso y rítmico, lo dejaron atrás.

—Es pueril mantener un misterio que parecería una incitación a la búsqueda —dijo de pronto—. Me llamo Teresita Carreño, soy centroamericana, no digo que soy de determinado país centroamericano, porque mi padre es guatemalteco, mi madre salvadoreña, nací en Panamá en una clínica de la zona norteamericana, me eduqué en California y he vivido años, después de la muerte de mi padre, en una propiedad rural en medio de bananales. Esto matizado con viajes por todos los continentes. Y ahora estoy aquí —terminó, haciendo un gesto con la mano y abarcando el contorno.

—Me llamo Julián García, nací aquí, me eduqué aquí, me aburrí mucho aquí, viajé por todo el mundo, me aburrí mucho en todo el mundo y ahora estoy aquí, igualmente aburrido —dijo él, tratando de imitar el tono tranquilo de ella, y, sin saberlo, imitando el de un colegial que repite machacón las tablas de multiplicar.

—¡Ajá! —comentó sin que él captara el significado de esa intervención—. Bien —continuó con una de esas salidas del silencio que parecían serle habituales—: ya que hemos intercambiado nuestras tarjetas de visita, ¿puedo preguntarle por qué sus personajes son tan perdidamente angustiados, tan irremediablemente perdidos en la angustia, mejor dicho?

Sintió algo habitual: un choque en medio del plexo. Se repuso y a su vez preguntó:

—¿Estuvo anoche en el estreno?

—Sí.

—¿Y por eso vino ahora?

—¿Qué? —y luego comentó risueña—: ¡Ajá! ¿Cree que lo identifiqué con el desconocido paseante y acompañante y que vine para pedirle un autógrafo?

—Perdón... —murmuró apesadumbrado—. Perdón de nuevo.

—No es para tanto... —Cada vez parecía más segura de ella misma, más centrada en sus palabras—. Lo identifiqué de inmediato y pensé lo que estoy pensando en este mismo momento, lo que pensé desde que lo divisé aquí la otra mañana: ¡cómo han lastimado a este hombre! ¿Quién? ¿Quiénes lo han lastimado así?

El se encogió de hombros, tratando de fingir indiferencia.

—No se encoja de hombros. Ese mar de amarguras, de negaciones, esa indiferencia frente al mal o al bien, esa aceptación del destino que hay en su obra, me asentó en mi primera impresión. Y su salida a escena. Parecía usted un niño sumido en una atroz pesadilla. Casi al ras de perder la conciencia. No le doy excusas por hacer preguntas. Por romper nuestro pacto. Creo que necesita hablar usted mismo de usted mismo. No sólo hablar a través de sus personajes...

—Mis personajes nada tienen que ver conmigo...

Se detuvo a mirarla. La mujer también se detuvo. En los ojos del hombre, tan encajados, tan adentro de las cuencas, tan perdidos en azules casi negros, había una expresión medrosa. En los ojos de la mujer había desaparecido la sonrisa y había una fijeza de espera sin apuro.

Se defendió tratando de frivolizar:

—Hace tiempo que dejé las confesiones...

—Su propia vida es una confesión. Y en especial su obra.

—No —continuó—. Nadie se desnuda a mediodía en un parque...

—No siga en ese tono, bueno para un salón y una charla cualquiera. Anoche me dijeron que vivía en una vieja quinta, aislado, sin amigos, sin amigas, solo... Y esa otra soledad en su obra, esa desesperanza, ese no tener a qué asirse los personajes, sin fe, sin amor, sin dirección, dejándose llevar por los instintos, abúlicos, envenenados de dudas, de vacilaciones e interrogaciones, todos a la deriva... ¿Por qué eso? Usted es un hombre joven, con salud, con cultura, con fortuna. ¿Por qué entonces vivir en ese clima? —hablaba apasionadamente, queriendo hacerle llegar hasta el fondo su protesta.

El miedo le cundía en el pecho.

—No soy el único desesperanzado en esta época. Usted, según me dijo ayer, tiene el inmenso apoyo de su fe. Yo no lo tengo. Ni el apoyo de nada ni de nadie. Estoy solo, absolutamente solo frente a la vida, y ante mí mismo.

—Todos estamos solos y tenemos que encontrar una manera digna de vivir. —Y bruscamente—: Lo que usted está haciendo es empujarse para caer en el suicidio...

El miedo lo anegaba. ¿Cómo podía haber calado tan hondo en su alma, a través de unas cuantas frases entrecambiadas y de una obra en que los demás enjuiciaban y aplaudían su planteamiento de una hora sin brújula, pero donde nadie había descubierto un rasgo autobiográfico revelado por sus personajes? Y esta mujer, andando a su lado, metida en sus raras vestimentas, con sus trenzas y su chal y las pulseras multicolores y su acento cantado y bajo, sabiendo de él más que nadie. ¿Cómo?

Preguntó cortante:

—¿Es usted psiquiatra o psicóloga?

—Soy una mujer que ha vivido mucho y que ha sufrido mucho, eso es todo. El sufrimiento provee de antenas y de una captación especial para saber dónde hay alguien ahogándose.

—Sí —murmuró—, ahogándose, eso es. Sin defensa, muriendo de horror.

—¿Por qué? —insistió la mujer.

—¿Quiere venir conmigo a casa? —preguntó con el mismo anterior tono cortante.

—Vamos.

Regresaron en silencio. La mujer dio órdenes al chofer, que acentuaba la máscara impersonal oyéndola. Se halló a su lado en su propio coche, ambos sin apuro y sin azoro, como si todo aquello hubiera estado escrito desde siempre en el libro de los destinos.

Fue el comienzo de un tiempo fuera del tiempo. En que todo: lo mágico, lo real, sucedía naturalmente.

En la casa había un silencio sobrecogedor, una ausencia de seres, que daba la impresión de un total abandono. Sólo el perro les salió al encuentro, festejó al amo, miró interrogativamente a la mujer, y, tranquilizado, conquistado por algo perceptible a su instinto, humilló la cabeza a sus pies y esperó con los ojos entrecerrados, transido de amorosa servidumbre, que le acariciara la fina rizosa piel de las orejas. Y echó después a andar tras ellos, que iban hacia la biblioteca.

—No —dijo—. Entre acá.

Y la hizo pasar a ese gran salón, más allá del comedor, escenario de sus primeros años junto a "ella".

—Aquí estarán mejor mis fantasmas... —aclaró para sí mismo.

La dejó entrar. La mujer observaba: la silla larga dramáticamente enfrentando una ventana, los tapices en tonos rosa, las pieles de oso blanco, los cortinajes de un rosa viejo, el oro de las enmaderaciones, la mesa y la silla de niño, un triciclo, los armarios con libros y juguetes, las flores recién renovadas, los retratos de un niño, los retratos de ese niño multiplicados en alucinantes espejos.

—Aquí viví mi infancia de hijo póstumo, pegado a "ella", a mi madre, me cuesta llamarla madre, a "ella", viuda y enferma, que no veía en mí un hijo, sino una hija, la que esperó para reemplazar a la muñeca que abandonó al casarse y que recuperó en mí. Mi padre murió en el accidente en que "ella" quedó herida, sin que en el resto de su existencia fuera otra cosa que una lisiada. Aquí vivimos, vegetamos por años. — Hablaba de pie, tirándole las palabras a la cara como esas piedras que pensaba siempre tirar a los que le incomodaban—. Eso es todo —terminó después de una pausa.

—Eso es el comienzo: la fijación infantil. ¿Y el resto?

—La evasión a ese dominio lindante en lo morboso, empleando una sorda sostenida violencia, entre lloros, protestas, recriminaciones y desesperaciones de "ella", sintiéndome el niño malo que me repetían que era, pero rabiosamente batallando a patada y mordisco para obtener mi derecho a andar sobre mis pies, de hablar, de tener mi propio mínimo mundo. Tuve una ayuda providencial en el señor cura, el párroco, un hombre santo y humano, que lo entendía todo. El fue en verdad quien le impuso a "ella" que me mandara al colegio, que me dejara ser un niño como cualquier otro. Sí, fue el señor cura quien abrió para mí las puertas de esta casa-prisión.

—¿Y después?

—El tremendo choque con esa realidad de los compañeros que presienten los puntos vulnerables del recién llegado y lo atacan sin conmiseración con dichos y hechos. Lo sucio de las palabras, lo soez de las acciones. No puedo explicarlo, es remover demasiado lodo...

—¿Y su madre?

—"Ella" muriéndose... Y yo sintiéndome un criminal que voluntariamente la dejaba morir... Reconcentrado, obstinado. No sé de dónde sacaba fuerzas para luchar. Tenía sólo un fin: mi derecho a hacer lo que me diera la gana. Mi gana. Mi libertad, dicho en idioma de hombre —hablaba siempre a sacudones, lanzando ceñudo las palabras.

—¿Y? —insistió la mujer, sentándose en el borde de la silla larga.

—No —protestó—. Ahí no. No podría verla sentada ahí, en el sitio que era el de "ella".

La mujer lo miró con esa insistencia serena y autoritaria que era ahora la suya, arrellanándose en el asiento.

—No —repitió—. No, no...

—Míreme. Destruya sus fantasmas...

Estaba con la cabeza gacha y los puños apretados. Luchando con el impulso de sacarla violentamente de ese sitio, de esa habitación, de la casa. ¿Por qué esta mujer desconocida, Teresita cualquier cosa, se atrevía a indagar en su existencia, en su intimidad, una desconocida hasta ayer? ¿Por qué? Levantó la cabeza y avanzó un paso. Se detuvo.

—Ya pasó el impulso de echarme a empellones —dijo ella con sosiego.

Sintió de nuevo la sensación de miedo, algo como una certeza de que lo dominaría, como otrora lo dominaba el señor cura. La misma mirada serena, la misma actitud de espera. ¿Cómo no lo percibió desde el primer momento? Lo aturdió la idea de una reencarnación ¡Vaya!... ¿A eso había llegado?

—Venga, siéntese a mi lado —había una orden en su voz.

Se acercó, arrastrando los pies, deliberadamente arrastrándolos, agarrado por el recuerdo lacerante de "ella", obligándolo a acercarse. Sin mirarla se sentó en un extremo.

—¿La historia de los años que siguieron a su nacimiento se la contó quién?

—Simultáneamente me la contaban "ella", la ñaña, Benedicta, el señor cura. Era el tema preferido. Todos ellos fueron desapareciendo, yéndose, muriendo. Primero "ella", después el señor cura. Antes que "ella" murió el abuelo, el abuelo de "ella", de quien no tengo recuerdo preciso. La ñaña partió al campo, casó, se fue al norte, nunca más supe de su vida. Excuse esta mezcla de nombres y gentes... Quedó tan sólo Benedicta conmigo, Benedicta, la vieja ama de llaves.

—¿Por qué esta habitación se conserva así, como en otros tiempos?

—No lo sé... Al morir "ella", resolvió tío Arsenio, mi tutor, con la aprobación del señor cura, internarme en un colegio. Cuando regresé en las vacaciones, esto estaba así, mantenido como un santuario, según dice Benedicta. Y así quedó...

Como las tejedoras en su país, iba la mujer trabajando sobre la urdimbre que se le entregaba.

—Volví al colegio. Fui uno de esos alumnos que figuran siempre en el cuadro de honor. Cuando tío Arsenio habló de la carrera que debía seguir, dije rotundamente que no quería más estudios. Con el bachillerato me bastaba. Intentaron que ingresara en los negocios. Con igual firmeza me negué. Quería en buenas cuentas hacer mi real gana. Pero era menor de edad y hasta llegar a ese límite permanecí atado a la casa, metido en la biblioteca, sumido en los libros, asomado a la música y apasionándome por ella tanto como por la lectura. Seguía siendo un solitario, desesperadamente batallando por desprenderme de... mis fantasmas..., y sin conseguirlo... Mientras vivió el señor cura tuve en él un refugio, un consejero...; después..., después... Sin él no tuve tutor espiritual que me ayudara a salvar mi fe... No sería mucha cuando la perdí con tanta facilidad definitivamente. La fe había sido siempre para mí como un ropaje que se viste los domingos y los días señalados en el calendario para ir a misa o arrodillarse frente a un sacerdote y decir los pecados, ordenándolos por un cartabón en una serie de diez. Tenía el confesor que ayudarme porque en verdad no hallaba en mi conciencia eso que en el cartabón aparecía como pecado. El único: desobedecerle a "ella"; no aplicarle en forma absoluta el mandamiento de "honrar padre y madre" no me parecía materia confesable. Al correr los años, cada vez me enzarzaba más en agotadores análisis, reparos, interrogaciones. Pero la discusión empezaba verdaderamente cuando declaraba que no amaba a Dios. No lo amaba como entendía que debía amársele. Mi manera de amarlo era una costumbre impuesta, como lavarse los dientes. ¿Por qué me confesaba? Porque en los ojos del señor cura había idéntico mandato que en los suyos, señora. El mismo magnetismo. Igual al que me tiene aquí, crispado, violento, con ganas de huir, pero diciendo ante usted lo que creo mi verdad. Esa mísera parte de nuestra verdad que nos es dado conocer...

Se miró las manos y, quebrándose violentamente, sumió la cara en las palmas.

—Siga —instó, dulce e imperativa.

Alzó la cabeza justo para dejarse oír y continuó:

—Viajé. Principio de una huida. Porque algo me perseguía desde el fondo de mí mismo. Algo que había aparecido al filo de la adolescencia y que surgía imperioso desde mis entrañas. El deseo. El mandato del sexo, sostenido y lacerante. La necesidad de fundirse a una mujer y el horror a ese acto. El momento de la posesión, su gozo, su plenitud, mezclado al pavor de las representaciones que ese momento producía anegándome en espantos. Porque la mujer en potencia, la mujer, así, genéricamente, en cuanto se materializaba —jadeó— y era una mujer junto a mí..., era..., se convertía..., era...

—"Ella" —dijo, completando la frase con la palabra que él usaba.

—"Ella", con la suavidad de su boca y la insistencia de sus besos, con..., con... —se miró las manos y continuó como si se desprendiera de trapos sucios—, con sus senos, aquí, en el cuenco de mis manos, adheridos a mi piel... ¿Entiende? Y todo eso subrepticio, instantáneo, atacándome desde cualquier ángulo, cuando a veces más indefenso estaba, cuando me creía en salvo. Hasta que me convencí de que nunca, nunca, iba a liberarme..., que mi vida entera estaba encerrada en ese círculo... No crea que sin lucha. Soy un psicoanalizado. Una cura de meses para después caer en lo mismo. Es como si "ella", desde no sé dónde, estuviera al acecho y a cualquier amago de interés por una mujer se hiciera presente y me devolviera a la desesperación de la angustia sexual y del recuerdo obsesivo.

Hablaba con la cara de nuevo semisumida en las palmas, con la voz entrecortada. Hubo un silencio. La mujer esperaba firme en su actitud, las manos entrelazadas en el regazo, tal vez excesivamente apretados los dedos unos a otros.

—A veces he creído estar al otro lado de la frontera, en plena insania. Los años más duros fueron esos en que perdí el apoyo del señor cura. Luego viajando con la absurda esperanza de que en la rapidez de los desplazamientos por toda suerte de rutas perdiera "ella" mi rastro. Pero me esperaba a la vuelta de cualquier esquina, al otro lado de la puerta que abría confiadamente, estaba ahí, detrás de cada mujer con la que intenté realizar ese acto simple, humano, instintivo, de tenderme a su lado y poseerla. Alguna fue una posibilidad de aventura, esa que todo hombre tiene con cualquier hembra. Otra, un comienzo de interés individualizado. Pero, en uno y otro caso, ahí mismo, ahí, estaba "ella" para desplazar la realidad y reemplazarla con su presencia tangible. ¿Cómo poseer a una mujer sin tocarla? ¿Cómo poseerla sin que al más leve contacto se realizara la suplantación? Nadie puede imaginar este espanto... La conciencia vigilante en espera de que el espanto aparezca... Como creo que tampoco nadie puede imaginar el pavor de mi propia pesadilla, su inmundo trasmundo, porque ese trasmundo es mío tan sólo, con sus vericuetos, sus figuras sin límites, sus mutaciones y la súbita presencia de un rostro, de un cuerpo, de un clímax... instantáneo, pero suficiente para hacerme despertar trabajosamente al borde del lecho, con las entrañas crispadas y el frío del espanto a algo monstruoso, más allá de toda ponderación... ¿A qué tabla agarrarse? Lo he intentado todo. Hasta algo peor... Hasta...

Levantó la cara, se irguió con dificultad y se quedó mirándola, descompuestas las facciones, con la boca temblorosa y en las pupilas una titilación, todo él descontrolado.

—Lo peor —algo quiso agregar, pero no logró articularlo.

La mujer lo miraba, siempre con las manos juntas, apretadas las palmas y los dedos entrecruzados hasta hacerle daño su presión. Serenos los ojos fijos en él.

—No puedo decirlo... No puedo —gimió—. Caí en "eso" como en un pozo, lo mismo que hubiera podido tirarme de cabeza a un pozo, en la esperanza, creo... —vaciló y continuó—: No sé si me estoy justificando. Bueno, caí en el homosexualismo —rió con una suerte de estertor—. Ya está dicho. Con la esperanza de salvarme de lo otro. Y no me salvé de nada. A veces creo que lo que soy es sencillamente "eso". Y que todo el resto, con "ella", no es otra cosa que material de excusas, de justificaciones, de engaños en que me escudo. Pero puedo asegurarle que es pasar de un horror a otro, de una pesadilla a otra pesadilla.

Agachó la cabeza. Desde ahí siguió hablando, con la voz más entera, con las frases más continuadas:

—A veces creo que todo ha pasado, que he superado algo como una enfermedad con continuas crisis. Los ataques son más espaciados, pero no menos violentos. ¿Cuánto me queda por vivir y por luchar y sucumbir para evadirme definitivamente de este círculo enloquecedor? ¿Cuánto?

—¿El escribir no le ayuda a liberarse? —preguntó con el tono que exigía contestación.

Supuso que lo desviaba a otro tema y dijo de corrido, con la monotonía del niño que repasa una lección:

—El escribir me ha servido de mucho, en ese mi mundo teatral debe filtrarse subrepticiamente parte de mi tormento. Pero no escribo todas las horas de vigilia de todos los días. Ni dentro de esas horas, unas horas determinadas por la disciplina. Escribo entre grandes períodos de aridez en que me es imposible pergeñar una frase. Llego a suponer que no voy a escribir nunca más. De súbito empieza una inquietud que me empuja a caminatas agobiadoras en que los escenarios y los personajes van surgiendo y ensamblándose como piezas de *puzzles*.

—¿Tiene muchas obras escritas?

Tuvo la certeza de que lo fijaba en ese tema deliberadamente y continuó sumiso:

—Muchas. Hasta antes de estrenar la primera, tal vez quince o más. Por ahí están encarpetadas. No sé por qué mandé una a un concurso, la premiaron. El premio, parte del premio, era su estreno. Se estrenó, tuvo buen éxito. Después se han estrenado cinco. La de anoche es la sexta.

—¿Todos sus personajes poseen igual tónica?

—Todos. Es la tónica del momento. No creo haber inventado nada —hablaba ahora con su voz de siempre, como si la confidencia lacerante hubiera pasado, estuviera superada y olvidada. Con la expresión de quien cuida no dejar traslucir expresión alguna reveladora de sentimientos en el rostro de facciones firmes, un tanto los ojos demasiado hundidos, y en ellos una mezcla de hurañez y de suavidad, provocada ésta por el largor de las pestañas.

Miraba a la mujer. Luego miró en torno. Miró de nuevo a la mujer, tan cómoda en el diván-cama, con las manos siempre cruzadas, ahora laxas entre los pliegues del chal. Se puso de pie y avanzó hasta una de

) 835 (

las puertas-ventanas y tras la cortina de tul se quedó largo rato observando el lento vaivén de las copas de los árboles y el juego de agua de la fuente. Había en él la sensación física de estar limpio y adentro una atonía, un pensar en que no pensaba en nada, que flotaba en un remanso sin esfuerzo, desnudo, cara a una sombra refrescante, en un aire sin historia.

La mujer se puso en movimiento.

La sintió acercarse. Se quedaron un rato mirando el parque. En una gran paz.

—Gracias —dijo sin volverse.

—Debo irme.

—Voy a dejarla.

—Mi coche está afuera esperando.

—¿Su coche? ¿Y cómo sabía mi dirección?

—Los amigos con los cuales estaba anoche en el teatro son vecinos suyos. No crea que he empleado *Intelligence Service*.

Estaban uno frente al otro. Algo cambió de súbito en la atmósfera.

—Gracias —repitió con voz apenas perceptible—. Gracias, no sé decir otra palabra.

—Adiós.

—¿Por qué adiós? Hasta mañana.

—No —aseguró con voz temblorosa—. Hasta mañana, no. Adiós.

—No quiere verme más... No quiere verme...

—No, eso no —afirmó la voz para continuar—: Es que me voy. Regreso a mi país. Salgo mañana al amanecer.

—Se va. Usted se va. Se va. No, no... —lo decía con la angustia del niño perdido entre la multitud—. No, no... ¿Por qué se va?

—Porque es tiempo de regresar. Mi viaje estaba decidido desde hace semanas.

—Cámbielo. No se vaya. Por favor...

—Imposible...

—¿Por qué? Sé tan poco de usted... No sé nada, mejor dicho.

—Porque regreso a mi casa, a los míos...

—No, es imposible. Quédese, quédese... Haberla encontrado para perderla... No, no me abandone, sería tener otro motivo más de desesperación.

—No, eso no. Usted seguirá su vida atormentada, porque su temperamento es así, atormentado. Eso lo vi desde el primer momento en que lo divisé en el parque. Las gentes como yo tenemos esas súbitas revelaciones, nos es dado percibir casi mágicamente el pensamiento de otros seres, máxime si son seres que sufren en el orden que sea. Presentí su angustia. Busqué su confidencia. Es también don de personas como yo saber aguardarla o provocarla. Porque se habla, se habla, se cuenta, se comenta, se confía, se supone. Cada cual cuenta lo suyo, adulterándolo, disminuyéndolo, magnificándolo, frivolizándolo. Pero en seres como usted lo verdadero, lo esencial que duele dentro, lo que se ansía obscura o claramente comunicar a alguien, queda adentro encerrado hasta hacerse intolerable. Queda adentro, porque no hay quién sepa presentir su llamado, quién lo entienda, quién lo libere compartiendo una verdad, una verdad, sea la que fuere. Usted estaba muriéndose intoxicado por usted mismo, por acumulación de fijaciones infantiles, persistentes en un límite peligroso.

—¿Y qué será ahora de mí?... —se preguntó como a sí mismo y como si no la hubiera oído.

—Seguirá luchando valerosamente y llegará a la ribera de una vida normal, tranquila, con el triunfo sobre sus fantasmas y el triunfo de su obra.

—Los fantasmas... —rió sarcástico, para agregar premioso—, mi obra... Pero no se vaya... ¿No comprende? No sé nada de usted, nada, pero sé lo que usted ya significa para mí...

La vio sobresaltarse y hacer un vago gesto con las manos. La miraba con evidente sostenido ruego. Una de sus manos avanzó lenta y firme. Nada se interponía entre ese cuerpo y el suyo. De los rincones de la habitación, de tapices y cortinados, de la silla larga, de los juguetes y de los libros, de parte alguna surgía nada perturbador. "Ella" no se hacía presente.

La mujer retrocedió. La mano que avanzaba cayó con pesadez.

—Me tiene asco. Perdón. Sólo pretendía retenerla. Perdón —inclinó la cabeza derrotado, la sumió entre los hombros.

—No —contestó con voz asordada—, creo que también yo debo hablar, es necesario. Mi historia es muy simple. Dos veces me han operado. Cáncer al pecho. Metástasis. Ahora me hacen viajar un poco por el mundo, posiblemente para distraerme y que no piense demasiado en lo venidero, ¡que no me asusta! Viajo con mi marido, ligada a él por una vieja ternura y una absoluta comprensión. Para eso venidero, cuyos síntomas son ya evidentes, tengo como apoyo mi fe y mi marido. Eso es todo.

Como si le hubieran dado un golpe prohibido. Le faltó el aliento, pudo recobrarse y se halló mirando los senos inexistentes. La avidez indiscreta de las pupilas hizo que la mujer, con un gesto incontrolado, cruzara las manos sobre el nudo del chal.

—Perdón, señora —articuló al azar.

—Debo irme —repitió—. Y que Dios me perdone si, queriendo hacerle un bien, no le he hecho un daño más.

—Que su Dios la bendiga, señora.

Y avanzó para abrir la puerta. La mujer dijo aún:

—Cambie esta habitación. No conserve este escenario para sus fantasmas. Es un ruego. Y piense...

Calló, rota la voz. Inclinó la cabeza. Y avanzaron por la galería, ambos con ese mismo paso que en una mañana —que era esa mañana, o la mañana de ayer— los llevaba serenamente emparejados.

11

Sentía la cara inmovilizada por una máscara fría.

Incómodamente sentado, con las manos apretadas sobre el extremo de la mesa, frente a Benedicta, también en una postura rígida, ambos en el comedor, en esa hora del almuerzo que los unía siempre para hilvanar deshilachados pedazos de conversaciones.

Tan menuda Benedicta en su traje monacal, casi invisibles las arrugas a fuer de múltiples y finas, aguda la mirada de los ojillos que no necesitan cristales para descubrir una pelusa en lo alto de una cornucopia ni tampoco para leer los hechos policiales, con la piel morena aclarada por los polvos blancos y el pelo cano tirante en un moño sujeto por horquillas metálicas. Vejez que dejaba presentir la fuerza de una voluntad poderosa.

—¿No se sirve? Siempre le han gustado los langostinos —dijo, buscando traerlo a la realidad del almuerzo.

—¡Ah! Sí, pero es que no tengo ganas.

Cruzó entonces Benedicta el servicio sobre la comida, su pie se apoyó en el timbre bajo la alfombra y, cuando apareció el mozo, con los ojos señaló los platos intocados.

—El que yo no tenga ganas de comer no quiere decir que usted no coma —dijo por algo que le pareció un reflejo de buena educación.

—Quizás... —lo miraba con los ojillos suspicaces—. ¿Tuvo visita, no?

—Si lo sabe, ¿para qué lo pregunta? Tuve visita —se dio cuenta también de que los reflejos de la buena educación habían desaparecido.

Avanzando el cuerpo, Benedicta quedó al borde de la silla.

—¡Vaya! No creo que eso sea para hablar así, tan como que se fuera a enojar.

—Estoy cansado —contestó disculpándose.

—Si llega tarde y se levanta apenas después de echar un sueño.

—Estoy cansado —repitió impaciente.

El mozo continuaba cambiando platos, presentando el nuevo manjar.

—No —dijo rechazándolo—, tomaré tan sólo café. Pero, por favor, coma usted. No me obligue a comer lo que no quiero, para que usted no se quede sin probar bocado.

El mozo salió. Benedicta cortaba la presa de ave, echaba de un lado a otro el frito de manzanas, las verduras del aderezo. No se llevaba el cubierto a la boca.

—¿Es artista? —preguntó sin poder contener la curiosidad, viendo que no reparaba en sus manejos y que se encerraba en el silencio.

—¿Qué? —dijo vuelto de su abstracción—. ¿Me preguntó algo?

—¿Es artista la que vino de visita?

—No, no es artista.

Como callara, Benedicta insistió:

—¡Vaya!... Pensé... Como estaba tan rara vestida y las artistas son tan así. Les gusta que las hallen raras. Usted dijo el otro día que era rara... Porque es la misma que halló en el parque, ¿no?

—Me va a excusar. Pero me estoy cayendo de sueño... —se había puesto de pie.

—¿No estará enfermo? ¿No tiene fiebre? ¿Le duele la cabeza? —indagó rápida.

—No, por favor... Déjeme tranquilo. —ordenó con un tono desusado, mientras permanecía tras la silla, apoyado en el respaldo—. ¡Ah! Tenía que decirle... Voy a cambiar el salón rosado. Necesito esa pieza para ampliar la biblioteca. Esta tarde me voy a ocupar de eso con el decorador. Por de pronto llame al orfanato para que se lleven todo lo que hay ahí, todo, empezando por las cortinas y terminando por las alfombras. Necesito la pieza completamente vacía y que nada de lo que hay ahí quede en la casa. Que todo vaya para los niños huérfanos, todo.

Lo oía mirándolo con los ojillos agudos y empalidecida bajo la densa capa de polvos. Dura y desafiante:

—Si necesita otra pieza para libros, hay hartas piezas en la casa. Aquí, en este piso y en el otro. No veo por qué va a deshacer esa pieza que es un santuario. Esa pieza, que fue la pieza en que vivió y murió su mamacita, no debe tocarse.

Sintió náuseas ante la lucha que iba a librar.

—Lo tengo resuelto —aseguró, tratando de que no se le alterara la voz.

—No lo voy a permitir. Mientras yo esté en esta casa, mientras yo viva, la pieza de su mamacita estará lo mismo que estaba en vida de ella. No lo voy a permitir. No seré nadie aquí, pero tampoco nadie va a poner mano en ninguna de las cosas que fueron de su mamacita.

—No discutamos, por favor. Creo que quien aquí ordena soy yo —se sintió ridículo pronunciando esas palabras.

—Pero si usted no sabe respetar el recuerdo de su mamacita, soy yo la llamada a hacerlo respetar —se había puesto de pie, belicosa.

El mozo entró y miró sorprendido la escena. Vaciló y optó por desaparecer de nuevo, urgido además por llevar la noticia al repostero. Noticia bomba en esa casa en que nunca pasaba nada. ¡Tan aburrida!

—No lo voy a permitir —continuó dramáticamente—. No lo permitiré. Tendrán que pasar por encima de mi cuerpo.

) 839 (

—Benedicta, no sea absurda —reprendió.

—Claro. A usted, ¡qué le ha importado nunca esa pieza, ese santuario en que su mamacita sufrió como una santa su enfermedad y el abandono en que usted la dejó! ¡Claro!, ¿qué le importa? Muy buen hijo..., así decían todos. Hasta el señor cura lo decía. ¡Je! Buen hijo y haciéndola sufrir a toda hora porque el lindo quería pasar solo, jugar y leer solo, andar solo, vaya a saber una por qué. Por hacerla sufrir nada más, a su mamacita, por eso, por eso. Si lo tendré yo bien sabido... Y sentándose ahí, al otro lado de la cama, del diván, de la silla, lejos de su mamacita, sin hacerle cariños, callado, con ganas siempre de meterse en sus librotes o de arrancar a perderse. Vaya con el buen hijo... Y gracias a Dios porque alguna vez se lo puedo decir. Yo, que lo conozco mejor que nadie, que también he tenido que sufrir por culpa suya, que estoy sufriendo que no me hable, que me deje sola, que haga lo que una haga para que esté todo a su gusto ni siquiera se da cuenta de que una sufre y sufre y que se lo pasa esperando que le digan algo, que le pregunten, que la miren más que no sea. Peor que perro, que al perro le hace su fiesta y le dice cosas y lo deja dormir en su pieza. Ya está: ya se lo dije todo —y respiró hondamente, sentándose.

Estaba atónito.

—¿Cómo ha podido vivir a mi lado con tanto odio en el corazón? —preguntó despacito.

Se puso de pie de nuevo y prosiguió:

—Y ahora porque se halló una mujer que sabe Dios quién será, una fresca suelta y la trajo a la casa y la entró sin respeto a la pieza de su mamacita, sale después con que hay que botarlo todo a la chuña y cambiarlo todo, porque a la linda no le gustó ese santuario... Mírenla, opinando con esa facha rara...

—Cállese —ordenó—, cállese.

Era tan sordamente autoritario su tono, que Benedicta se sentó y calló.

¡Y él que creía en la tierna adhesión de esta mujer! Entonces: ¿nada era nada? Se le apretujó la garganta. ¿Nada era nada? Acido sobre ácido, todo. Sintió la garganta cada vez más convulsionada, más incontrolable. Como si allí hurgara un grito o un estertor.

Benedicta seguía tiesa, desafiantes los ojillos.

—Vaya no más a tocar alguna de las cosas de la pieza de su mamacita y verá lo que le pasa —habló de nuevo poniéndose de pie—. Vaya... O mande a alguien... Ahora mismito me voy a ese santuario y de ahí no me saca nadie, ni usted ni nadie. Anímese a tocar algo... A mandar a que alguien vaya a tocar algo que sea... Faltaba más... Mal hijo... —y salió dejándolo con una mano sobre la boca para atajar el grito de su indignación.

Cuando volvió, el mozo halló el comedor vacío, la servilleta de Benedicta en el suelo. Regresó rápido al repostero con la noticia.

—La pelea ha sido la del siglo. Y apuesto lo que quieran que el bochinche fue por la tipa de esta mañana...

—¿Y qué hacemos ahora? —preguntó la cocinera mirando la obra de arte que era el postre.

El mozo se encogió de hombros. El otro mozo propuso:

—Bueno. No hay más que esperar que toquen el timbre... Mientras, podemos comernos todito esto...

—Faltaba más —y la cocinera rumbeó para el refrigerador a guardar su obra de arte.

—¡Vaya! Usted siempre tirando para el lado de "sus" famosos patrones... De estos cochinos burgueses...

—Cállese el insolente, so comunisto...

12

Entró al escritorio, y en la pieza vecina, el salón rosa, sintió cerrar estrepitosamente las persianas, correr cortinas, remover muebles. Se acercó impulsivamente a la puerta de comunicación: estaba cerrada con llave por el otro lado.

—Que haga lo que le dé la gana, así reviente —murmuró furioso.

Seguía anegándolo la acidez, corroyéndole los nervios. Nada de nada. Ni Benedicta, que parecía un frondoso árbol de secular tronco metido tierra adentro, y resultaba sólo esto: una estructura comida por termitas. Una pacotilla que se desmoronaba en resentimientos, rencores y prejuicios. En la antigua atmósfera de dominio. El desengaño lo envenenaba. Veneno era lo que sentía ácido en la saliva. ¿En qué podía creer? ¿En qué apoyarse? Asidero le había parecido la mujer, esa Teresita que en la realidad luchaba con la podre, certificando que su físico se desintegraba a pedazos: un seno, otro seno. ¿Y qué más? ¿Metástasis? Su dulce boca y su serena mirada y la morena piel tersa y la mata de pelo undosa arriba en las trenzas como diadema de ese reinado que ella evocaba por la majestad de su presencia. Todo eso era ¿qué? Muerte. Muerte.

En la pieza vecina las persianas de nuevo subieron y bajaron ruidosamente

"Benedicta quiere que sepa que está ahí, encerrada, desdichada por mi culpa, culpa mía, mal hijo, mal hombre que la atormentó sin compasión. Benedicta, la que se sacrificó por "su mamacita", su fiel y abnegada compañera. Benedicta que me crió, abnegada y para siempre fiel compañera de mi vida. Benedicta que me hace sentir su protesta y su decisión de morir, de dejarse matar, de prender fuego a la casa, si hago un movimiento para que se consume ese crimen contra la memoria de "su mamacita", esa santa que le encomendó, que delegó en ella el cuidado de mi persona."

Automáticamente se acercó a la puerta y la remeció gritando:

—Abra, abra o la echo abajo.

Adentro todo quedó en silencio.

"Esto es lo que quiere. Que grite, que patee la puerta, que la eche abajo de un empellón. Y es lo que no debo hacer... Debo escamotearle el agrado de sentirse realmente perseguida, amenazada, certificar que ella tiene razón al decir, al decirme que soy un monstruo..."

Echó a andar hacia la escalera.

El perro se enredó en sus pies.

"Esto es lo que tengo. Lo único. Un perro. No. Tampoco. Puede que todo sea mentira, como tanta otra cosa. Mentira sus ojos de miel, sus saltos, su inmovilidad durante la noche para no molestar. Mentira."

Lo miró rabiosamente. Y también automáticamente le dio un puntapié lanzándolo lejos aullando. Reaccionó despavorido. Lo mismo que si se hubiera hallado después de ultimar a un ser humano. Lo mismo. El perro aullaba hecho un ovillo en un rincón, en el rincón contra el cual lo había lanzado su pie. ¿Era que se estaba volviendo loco? Se acercó, se puso de rodillas junto al animal, lo acarició, le dijo palabras sueltas, incoherentes, pidiendo perdón, asegurando su cariño. Lo tomó con precaución en brazos, se alzó: seguía hablándole despacito. El perro había dejado de aullar, de gemir; lo miraba lastimeramente, como pidiendo perdón por no sabía qué trasgresión de órdenes. Lo miraba humilde y al fin levantó el hocico y con algo de infinitamente tierno rozó con suavidad su cara con la nariz fría. Y bajó la cabeza para que en ella se apoyara la cara del hombre conmovido, que siguió con él en brazos subiendo la escalera.

En la pieza vecina las persianas subieron y bajaron.

Allí Benedicta —que había oído aullar y gemir al perro— murmuraba otro soliloquio:

—Lo que faltaba: que se las agarre con el perro. Bueno el hombre raro... ¿Le habrá pegado al perro? Capaz de todo es... De traer una tipa rara a la casa y de decir: "Es mi señora. Ahora ella es la señora"... Claro: para qué consultarla a una... Eso: ni soñarlo... Capaz de todo..., hasta de echar la puerta abajo o de pegarle al perro, a su adorado perro... Pero conmigo no va a conseguir nada..., así me mate...

Rabiosamente subió y bajó de nuevo las persianas. Se acercó a escuchar junto a la puerta de comunicación. Todo estaba en calma. Un rato después sintió pasos en la galería. Cuando entreabrió con cautela la puerta que daba a esa galería, oyó el motor del coche y su partida.

El perro tenía dos costillas rotas.

Mientras el veterinario lo examinaba diestramente con la ayuda de un practicante, seguía la escena desde un ángulo en que sus ojos podían hallar la mirada implorante del animal, que a veces gemía o daba un aullido. Le afeitaron una lonja de pelo y luego lo fajaron con un ancho esparadrapo. Con esta cura y la pastilla calmante que le habían hecho tragar como primera providencia, pareció sentirse aliviado y hasta ensayó andar.

—Vamos, "Muchacho", un poco de valor —dijo.

—Es que la faja lo desequilibra —explicó el practicante al ver que el perro se quedaba quieto, dificultosamente manteniéndose en sus patas.

—Esto se arregla así para que pueda llevarlo.

Trajo una canasta, un rectángulo con apenas un borde, colocó encima una sabanilla doblada e instó al animal a echarse, ayudándolo a encontrar una postura cómoda.

El mismo, con la canasta en las manos, salió andando con precaución hasta ubicarlo en el coche y partir luego rumbo a la casa.

En el patio estaba el jardinero, que sorprendido y solícito se acercó a ayudarlo.

—¡Vaya! ¿Y qué le pasó al "Muchacho"? —preguntó intrigado.

—Dos costillas rotas.

—¿Y cómo?

Eludió la respuesta.

—Ayúdeme. Con cuidado, porque el pobre está muy dolorido.

—¡Beh! No hay que creerle mucho a éstos... Son más mitiqueros. Y más mejor cuando son regalones...

Lo llevaron al escritorio, dejando la canasta junto a la suya propia, entre dos ventanas.

—¿Se le ofrece algo más?

—Dígale a Pedro que le traiga sus tachos, con la comida y el agua.

El perro se había alzado en sus cuatros patas, siempre temblorosas, esperó afirmarse bien en ellas y salió de esa canasta que no era la suya, yéndose despacito, con paradillas, hasta la que consideraba su dominio, acomodándose allí, con movimientos precauciosos, hasta quedar tendido de panza, largo a largo.

—¿Vio? ¡Si yo los conoceré! Son muy mitiqueros, y si se les hace caso es peor... Déjelo solo no más y verá cómo se las echa trotando a buscar él mismo su comida. Más mitiqueros son...

—De todas maneras, dígale a Pedro que le traiga sus tachos.

—Sí, señor.

Benedicta, que al convencerse de su partida había vuelto a encerrarse, en la espera, y a obscuras en la quietud había terminado por adormecerse, despertó sobresaltada oyendo pasos desconocidos. Por lo que se alzó y entreabrió la puerta y, al ver al jardinero, salió a la galería y empezó a reprocharle hecha una ventisca:

—¿Qué anda haciendo aquí? ¿Quién le dio permiso para meterse por las galerías?

—Fue el señor que me dijo que le ayudara a entrar al perro —contestó, con empaque, feliz de alguna vez apabullarla.

—¿Llegó el señor?

Y lo dejó boquiabierto al volverse y entrar de nuevo a esa pieza, que la servidumbre llamaba "de la finadita".

"Bueno la vieja fregada. A veces parece loca. No anden. No rastrillen. No canten. No toquen el radio. No hagan ruido... Y de todo su mañoseo echándole la culpa al señor. Que no se mete en nada. Que casi siempre anda por ahí, y si está en la casa, ni se sabe de él, calladito y atento, dando siempre las gracias por todo y tan persona, tan generoso. Bueno... Y la vieja como elementada, y ya le había contado la cocinera que el mozo del comedor le había contado a ella que la pelotera de la vieja a la hora del almuerzo había sido la grande y que ni siquiera habían terminado de comer, y que la vieja se había encerrado en la pieza "de la finadita", y el señor en la suya. Y todo por la visita de la mañana, que a la vieja no le había gustado que trajera visita, como si la casa no fuera del señor y ella una arrimada no más, porque a él le había contado el despachero de la esquina, don Renato, que era una sirvienta no más, no parienta como ella quería que la creyeran todos, y era una del campo que la trajeron para que cuidara a "la finadita" cuando estaba enferma, y después que murió "la finadita", para que cuidara al niño y con esto se quedó como dueña de casa, y eso era todo. Y tan parada en el hilo la vieja y tan metete...", se decía el jardinero yendo a dar su recado.

El perro cabeceó un poco luchando con el sueño, pero al fin dominó el sedante y se quedó dormido.

Lo que no sabía era que Benedicta estaba junto a la puerta de comunicación, intrigada por lo que había dicho el jardinero, por el ir y venir de nuevos pasos que identificó como los del mozo. Y aunque tenía ganas de ir a tironear las huinchas de las persianas, la curiosidad la mantenía en su posición de escucha.

En el silencio, en la penumbra —ola gigante que inunda la playa—, subió y lo anegó el recuerdo de lo vivido esa mañana.

Este que estaba aquí, sentado, hundido en un sillón, era él, lo que quedaba de él mismo, escombros lamentables. La piel le ardía y adentro, por las entrañas, súbitos alfileres se hacían presentes provocando agudos dolores. ¿Podía sentirse una criatura así de asaeteada sin estar auténticamente enferma, tan sólo por efecto de la corrosión sentimental? ¿Qué le quedaba para aferrarse a la vida? No, para aferrarse no. Para seguir sin gloria ni pena dejándose llevar por la corriente. Ni fe, ni amor, ni interés por nada, ni siquiera —aunque fuera resultado de circunstancia— había en él una coincidencia, una identificación entre su deseo y su sexo. ¿No era acaso eso la mayor de las maldiciones? ¿Qué le proporcionaba la fortuna? Una comodidad que le era indiferente. Tanto dinero para gastar una mínima parte. Tanta casa para vivir en dos piezas. Tanto campo para gozar de él como de un campo ajeno. Pensó en lo que repetidas veces había pensado: en renunciar a todo, entregar su fortuna a una obra cualquiera de beneficencia, darle a la servidumbre un buen pasar, a Benedicta una casa y una renta y en perderse en el anonimato, ganándose el pan duramente como un obrero, ganándoselo como se lo habían ganado su padre, sus tíos, como se lo ganaban ahora sus primos. Romperse los huesos trabajando en un puerto, en una fábrica, uno entre tantos. García entre miles de Garcías. Vivir en una casa de pensión, en un cuarto, comiendo lo que le dieran o de pie en un restaurante popular, comiendo un plato, el plato del día. Ir y venir en cumplimiento de un horario, urgido por la necesidad de ceñirse a ese horario, porque del reloj de control nacen los pesos que le pagan por su trabajo, y de ese trabajo y de esos pesos, la posibilidad de pagar el cuarto, la comida. Lavar su ropa. ¿Y escribir?

Chocó con esta idea. Y las agujillas se movieron en sus entrañas dañándolo.

¿Fiebre tal vez? Se tomó el pulso. Latía rítmico, sin apuro. Sangre aldeana. Pero en ella un mal germen lo hacía el desdichado ser que era.

Cuando tenía fe pensó en el convento. Cuando la perdió, como lo perdía todo, como se le iban perdiendo a pedazos las ilusiones, los proyectos, entonces —hacía años— vagamente decidió deshacerse de lo material. Emperezado por hacerlo. ¡Tanto trámite! Tanto tener que explicar, que convencer a los demás. A veces sospechaba su esperanza en que algo, no sabía qué cataclismo, lo librara de la fortuna. Lo mismo que se había quedado sin fe, sin quererlo, sin desearlo. Lo mismo que se había encontrado sin la posibilidad de tenderse junto a una mujer y poseerla. Fatalmente lo mismo que había llegado a "eso". Como también había llegado a lo que llamaban fama. Pero en esto, como en "eso", ¿no había en él un principio, un movimiento inicial, o sea: una voluntad que obraba subrepticiamente, una voluntad que actuaba contra él mismo; es decir: una voluntad mucho más poderosa que su voluntad consciente? El resultado de esa posición frente a los aconteceres él lo sabía y, al saberlo, lo aceptaba, con súbitas rebeldías cuando se trataba de "eso", pero seguro de que en algún momento iba a sucumbir al mandato del deseo. Como existía también un punto de partida para aquello que conscientemente no le interesaba: la fama. Y que, sin embargo, lo hizo enviar una obra a un concurso, ir a recibir el premio correspondiente, sin ganas, según él, pero si la falta de ganas hubiera sido auténtica, no habría asistido al acto para el cual estaba citado a través de un seudónimo. Entonces, ¿por qué fue? Porque en su trasfondo le interesaba. Y no quería confesárselo. No quería decirse que estaba contento con el premio, que en lo íntimo le satisfacían el premio y el elogio y la posibilidad del dinero —él, que nunca había ganado un centavo por esfuerzo propio—, y la posibilidad del estreno, de ver en cuerpo físico el escenario imaginado, más los personajes que a veces no se atrevía a llamar suyos, pero que, fuera como fuere el proceso de creación, de él habían salido.

¡Qué porquería de enredos y afirmaciones y negaciones era, analizándose así, sin subterfugios! ¡Si se destruyera todo! ¡Si de repente se hallara, por uno de esos vuelcos de la fortuna, en medio de la pobreza absoluta y en la necesidad de trabajar! ¿Y en qué iba a trabajar, él, que no sabía nada de nada, negado a todo lo que no fuera su capricho? Era un inútil, una rémora. Una basura. ¿Ruina? ¿Arruinarse la Casa García Ltda.? ¿Que prolificaba como maleza por los setos? ¡Hipócrita! Nunca haría nada por deshacerse de esa fortuna, y si a veces —como ahora— deseaba que se perdiera, era porque tenía la absoluta certeza de que eran millones firmes, como roca, como metal, sin peligro de desmoronarse y menos de mella. ¡Hipócrita! Siempre. ¿Y "eso"? "Eso" era su verdad, otra verdad a la que se avenía dándose toda suerte de reparos, disculpas, motivos, sacados de donde fuera, hasta de lo monstruoso de una fijación infantil. Lo que él quería era comodidad. Y disculpas. Para ser cómodamente un ocioso y un invertido.

Muchos dengues, mucho analizarse, mucho confesarse con el señor cura, con el psicoanalista, con la mujer esta mañana...

Tuvo un sobresalto...

¿Cómo había llegado a confiarse a la mujer, una desconocida? ¿Era que estaba llegando a una zona de confidencias, de la actuación a cara abierta? Porque él, que rehuía —era el recóndito motivo de su aislamiento— toda posible intimidad, todo asomo de confidencia con quien fuera, se sorprendía y asqueaba escuchando a los otros, primero en el colegio, y ahora en el grupo de gentes de teatro, contar su verdad o su mentira, su normalidad o su anormalidad, explicándola prolijamente. Explicándola a base de teorías científicas, de análisis psicológicos, de interpretaciones oníricas, recurriendo al destino o a la fatalidad, o contándola, sin ambages, llana y vulgarmente, porque place hablar de sí mismo, de lo externo, de lo interno, sea ello lo frívolo del modelo nuevo que se estrena o del cansancio de una amante incapaz de fantasías o de "nos acostamos y fue regio". Hablar de sí mismo, hombre o mujer. Narciso deleitosamente empecinado ante el espejo. ¿Era eso una característica a la que iba a llegar? ¿A la que había llegado al contar a la mujer, así, de corrido, lo que era en lo más secreto de sí mismo: una penuria y una vergüenza?

Un hato de hipocresía, eso era él.

¿Qué había sentido frente a la mujer? Curiosidad. ¡Pero si a él no le inspiraban curiosidad las mujeres! Alguna vez, en ese pasado que le parecía remoto y que no tenía más de dos lustros, llegó a la mujer impelido por la necesidad física. No otra cosa que el simple e imperativo mandato del instinto. Bueno, sí, era cierto. Pero también lo era la súbita intromisión del recuerdo, mejor dicho, de la presencia de "ella", de la trasmutación y su pánico y su horror y su evasión e imposibilidad de dar término al acto sexual. Bien: eso no justificaba... Pero lo que ahora quería fijar y analizar era el proceso que lo había llevado a confiarse en la desconocida.

Una curiosidad. Natural. Era distinta a las otras, con esa vestimenta y esa belleza ceñida a otros cánones y esa serena realeza. Como de regreso de todo, de vuelta del bien y del mal. Tuvo el sobresalto que removía puntas dolorosas. No venía de vuelta de provincias contrapuestas, estaba en la muerte, tocada por la muerte, sellada por la muerte, con su troquel en la ausencia de cada seno. Detenida en la certidumbre del fin doloroso y próximo... ¿Cuánto tiempo se puede vivir así condenada? ¿Era eso lo que lo había atraído en ella, presintiendo morbosamente esa zona de muerte en que habitaba? ¿Como buitre?

Se alzó, llegando hasta la ventana y mirando, como le gustaba hacerlo de niño, a través de las cortinas de tul. Afuera se aposaban el calor y la humedad, que de nuevo se hacían presentes.

¿Cómo les quedaría la piel? La llamaban la operación del chaleco. ¿Cruzada de cicatrices? ¿Rugosa? Las cicatrices con la cirugía estética eran invisibles. Pero no iban a estar haciendo exquisiteces cuando se trataba de arrancar un seno, el otro seno, comidos por el cáncer. ¡Qué horror todo eso! Pero... ¿cómo sería? Si casualmente hallaba al doctor Méndez, el íntimo del Dire, le preguntaría. Aunque no: era preferible ir a buscarlo al hospital y que lo dejara ver una operación. El sobresalto fue tan fuerte que le dejó agujetas en las yemas de los dedos. ¡Qué asqueroso era! ¡Bui-

tre! Y algo acre le regustó en la boca. Volvió al sillón, apoyó los codos en los muslos y la barbilla en las manos.
El perro continuaba durmiendo.

15

Dejó el coche en una plazoleta y echó a andar por las veredillas sinuosas de callejas empinadas, en que los vecinos, a esa hora en que debía refrescar, esperaban la presencia de ese frescor en las puertas de las casas, sentados en los umbrales o en banquitos, mientras el chiquillerío atronaba de juegos y de carreras por las calzadas, revuelto con perros y pelotas.

En las esquinas parecía existir una consigna: abría allí sus puertas un bar o un almacén. Alegre, resplandeciente el almacén, con la fiambrera tentando a la golosina y las hileras de botellas con etiquetas multicolores y las columnas de conservas o de paquetes prodigiosamente equilibrados, como castillos de naipes. Con los parroquianos impacientes y la bonhomía del patrón, y la patrona en la caja, apilando monedas y fajando billetes para el arqueo final y con un pequeño radio a media voz transmitiendo un episodio de drama policial, espeluznante de detalles macabros. Azul todo de luz de neón. Contrastando con el bar semiobscuro en primer término, allí donde estaban las mesitas y unas gentes emparejadas, solitarias o en grupos, tenían algo estereotipado, detenidos en una expresión sin nada adentro. Sí, figuras recortadas en grueso papel pintarrajeado, movibles figuras, manos que avanzaban en busca del vaso o que tiraban en el piso la ceniza y las colillas de los cigarrillos, o dejaban caer una frase suelta o una palabra, vagamente contestando algo no dicho o vagamente preguntando algo sin respuesta. Hombres solos, perdidos en nebulosos pensamientos. Parejas asidas de las manos, con una abrumadora necesidad de cercanía, con esa necesidad exasperada por lo imposible de un acercamiento total: hombre y mujer en trance de amor o de simple deseo. Y grupos familiares, cansados, llegados del cine o de regreso del centro o citados allí a la salida del trabajo, con los músculos distendidos, desparramados en las sillas en posturas sin gracia, silenciosos, azuzados por el tiempo que los llamaba a irse y demorados por el placer de prolongar el descanso.

Todo esto en oposición al fondo en que corría el mostrador con la algazara de los cachos y el cubileteo y el seco volcar de los dados sobre la madera y las frases rituales y sin sentido para el extraño al juego. Bajo la violencia de la luz y la alucinante réplica de los espejos y de las

duras aristas de los metales y el rumor del agua de los grifos en el lava-
copas y un motor gangoso de refrigerador y el raspe monocorde de los
ventiladores que removían el aire sin refrescarlo. Al igual que la jerga
de los jugadores eran de indescifrables los pedidos guturales de los mozos
sin apuro y que otros mozos recibían y cumplían con idéntica morosidad
eficiente.

Las callejas subían y bajaban, terminadas en ángulos de esquinas casi
en punta, en un ochavo que respondía a una puerta o a una ventana, con
plazoleta o simples espacios irregulares de los cuales partían nuevas
innumerables callejuelas, que rectas o tortuosas iban a desembocar en la
ancha avenida moderna, espinazo del barrio fabril.

Cosas pintadas de verde, de azul, de ocre, maderas, calaminas, un fron-
tis de ladrillos rojizos u otro de cemento gris. Alguna pared leprosa de
verdín. Un portón abierto a un patio de pequeña industria: de herrería,
de mecánica, o a un hacinamiento de objetos, pozo de sobras, vejeces,
roñas, compra y venta increíbles. Y en otra puerta de casa vieja, el re-
mendón sobreviviente, con la mesa baja y la ampolleta encapuchada iluminando fantasmagóricamente la escena: el mandil de cuero y el clave-
tear tapillas de tacos o medias suelas y el muchachito aprendiz. Como
estampa de revista percudida por lo amarillo del tiempo.

¡Tanto chiquillo! Bandadas de chiquillos, interrumpiendo el paso, el
tránsito. Y después se habla de accidentes. ¿Cómo no? A esa hora, ya
la noche presente y sin otra iluminación que la esparcida por las viviendas y las esquinas con bar o almacén, uno que otro coche pasaba, par-
padeando sus focos, obligado a tocar la bocina para que los chiquillos
se echaran a un lado, los chiquillos dueños y señores de la calzada, pa-
teando su pelota, gritando palabras inarticuladas, corriendo, agitados,
enceguecidos, de un sitio a otro, con los perros en carreras y ladridos,
parte del juego, glosa y felicidad. ¡Tanto chiquillo! Y las madres en sus
quehaceres o asomadas a puerta o ventana, y los padres asomados a puerta
o ventana, charlando todos, sosegados, relajados, pero al propio tiempo
interesados en sus temas: el tiempo, el crimen del día, las enfermedades,
la muerte, la política, la vida cara, los sueldos miserables, los chiquillos
fregados y flojos y desobedientes. Pero, ¡qué diablos!, eso era la vida.

Todo en los jirones de las sombras y el ambiente empezando a llenarse
de olores a fritangas, a cocciones, a especias. Determinados al comienzo:
pescado, caldillo, sopa, verduras, legumbres. Comino y ají y ajo. Lentamente mezclándose hasta hacerse un intolerable olor a bazofia. Espeso,
como la sombra, que lentamente también unía sus retazos hasta hacer
presente la noche y cómo en el aire quieto la carga de humedad se sumaba intolerable al calor.

Una voz de mujer gritó estridente:

—A comer, está servido...

Respondiendo a una esperada orden, los faroles se iluminaron todos, amarillentos, opacos de suciedad, sin esperanza de deshacer las sombras, al igual que si tuvieran conciencia de su vejez y de su mugre.

La callecita bajaba y en su extremo se veían pasar automotores de toda característica, encendiendo y apagando luces.

Otra voz de mujer gritó, pero esta vez iracunda:

—Condenados, ¿que no oyen que los estoy llamando?

Los chiquillos dejaban de jugar morosamente y de pronto, acuciados por el hambre que descubrían en ellos o por el imperio de las llamadas o por el miedo a las reprimendas o los castigos, sin despedirse, como ratas desbandadas desaparecían por las puertas de las casas.

Un último chiquillo llegó en una carrera desaforada, regresando de la calle ancha.

—¡Apúrate! —gritó otro chiquillo desde una esquina—. Te pillaron; la mamita está como quique...

"¡Tanto chiquillo! ¿Para qué? Para el trabajo, la miseria, el sufrimiento, para la muerte. Y la humanidad enloquecida procreando. Tenga hijos... Los felices padres de una prole numerosa... La asignación familiar... El Presidente será padrino del séptimo hijo varón... Premio a la mejor madre... Viaje ofrecido a la pareja más prolífera... Han nacido trillizos... El país cuenta con dos parejas de cuatrillizos... La población infantil ha aumentado en un porcentaje satisfactorio, merced a los desvelos de sus gobernantes..."

Oye también el contrapunto: "Faltan maternidades... Una mujer dio a luz en un retén de policía... No hay matrículas... Los escolares están subalimentados... Un tercio de los niños lactantes muere antes de cumplir un año... No hay leche... Falta calcio en los alimentos... Escasean las habitaciones... Los ranchos callampas cunden... Hay cesantía..."

"Pero no importa... Necesitamos niños, criaturas... Tenga un hijo... Tenga dos hijos... Cásese... O no se case... Viva con una mujer... No viva con una mujer... No ame a una mujer... Pero acuéstese con una mujer y fecunde sus entrañas, porque necesitamos hijos... El país necesita hijos, la humanidad necesita hijos... No importa que parte de esos hijos mueran. Alguno suyo o del otro, o de la otra, sobrevivirá y se educará o no se educará, tendrá trabajo o no tendrá trabajo, tendrá un hogar o no lo tendrá, será feliz o no será feliz, pero no importa, eso no importa, porque el que llegue a adulto a su vez proliferará en hijos, más hijos. Nosotros, ¿quiénes?, nosotros: el país, las naciones, la humanidad, necesitamos hijos, hombres, mujeres en potencia, para que en un momento determinado puedan defender su patria, defender nación contra nación, ser héroes, morir obscuramente en masa. Para eso se desintegra el átomo. Y para mayor perfección está el horror final cifrado en una H. Y alguno, sí, ¿por qué no?, podrá tener la gloria inmensa de que sus huesos descansen bajo un monumento. Hijos, sí, hijos, para el sufrimiento, para el hambre, para la angustia, para la destrucción. Todo para la muerte, para la muerte, para ese fin..."

Se había internado callecita arriba, sin rumbo. El barrio parecía cada vez más entregado al cuchareo de la comida, entre frases sueltas que llegaban confusas. Se habían cerrado los almacenes, y sólo los bares mostraban la ausencia de los parroquianos del primer plan y en el fondo un rezago de recalcitrantes aferrados al cacho y a la última posibilidad de ganancia.

Entró a uno de estos bares y se acomodó en un rincón, el más obscuro. Una muchachita acudió a atenderlo.

—¿Qué se va a servir? —y lo miró limpiamente.

—Un café...

—¿Sin nada más? Hay *sandwiches* de pan amasado, hecho en la casa. Rico —aseguró sonriendo.

—Sí, creo que con *sandwich*.

—¿De queso con jamón? —Eran los más caros.

—Sí, está bien; de jamón con queso.

—No, no, no, son de queso con jamón.

—Es lo mismo.

—¡De veras! No me había fijado. Es como la historia del caballo blanco —y se echó a reir, tan jovencita, tan animalito joven, tan como si de repente fuera a colgarse de una lámpara o a trepar por las cortinas, por el placer de ser joven y poder hacerlo. Tan gatito, no regalón y adocenado por el canasto, los mimos y las sopas de leche. Tan gatito de albañal, que se las arregla para tener dormidero y atraviesa las calzadas sin peligro en la aventura de buscar comida, y tiene luego los tejados de toda la ciudad para encontrar eco a su reclamo o al drama de su acoplamiento.

Le parecía que la angustia había quedado en la casa, en la suya, después del infierno de la tarde, entre el perro implorando perdones de no sabía qué desobediencia y Benedicta de nuevo frenéticamente subiendo y bajando las persianas, como loca. ¿Y si en verdad estuviera cayendo en un trastorno senil? Pero no era tan vieja. Parecía setentona, pero apenas si frisaría en los sesenta. Trabajada, como decían en el campo. Mujer trabajada. Trabajada por el trabajo tempranero, por el exceso de trabajo. Vieja prematura. ¿Qué edad tendría la mujer, la Teresita de sus confidencias? Joven, pero trabajada, ésta no por el trabajo, sino por el sufrimiento.

¡Qué día! ¡Qué tarde! Hasta que optó por escribir unas líneas para Benedicta y echárselas por debajo de la puerta, asegurándole que había desistido de cambiar el decorado de la habitación rosa, que todo quedaría lo mismo.

—Apruébelo —dijo la muchachita, viendo que no hincaba el diente al *sandwich*.

—Sí, ya... —pero como ella siguiera en espera, le dio un mordisco sin ganas, repelido por lo compacto del pan y lo untuoso del relleno—. Está rico —aseguró.

—De jamón con queso —dijo ella juguetonamente y se alejó.

Imposible seguir comiéndolo. Miró al mostrador, tras el cual la muchachita lavaba unos vasos, dándole la espalda. Envolvió el resto en la servilleta de papel y luego en el pañuelo, haciéndolo desaparecer en su bolsillo. Tragó el café, que tenía olor a bayas retostadas y un sabor áspero.

¡Y pensando en renunciar a todo y empezar a vivir ganándose el derecho a vivir! ¡Qué mentira!... Si a él le gustaba la buena vida. Poder resolver un viaje al albur de su capricho, ir y venir, deambular y quedarse donde le daba la gana, en el mejor hotel, en la mejor cabina de un barco, en el avión más rápido. Adquirir ediciones raras, grabados, cuadros. Vestir en las mejores casas, las más renombradas del mundo. ¡Qué decirse más mentiras a sí mismo y tratar de excusarse y darse ánimos para seguir viviendo, él, aferrado a la vida y haciendo de ella lo que quería y hablándose de destino y de fatalidad! Nada más que un abúlico, pero abulia para no emprender nada que no le interesara, un abúlico a su conveniencia, para decir "no", justificando el "no" por la imposibilidad de decir otra cosa, cuando la verdad era que el "no" representaba su deseo. "No" trabajar. "No" hacer nada útil a los demás. "No" tener amigos, porque en la soledad estaba cómodo. "No" acostarse con una mujer por falta de interés. Y enredarlo y cubrirlo y explicarlo todo con complejos, con absurdas representaciones, que podían superarse, que otros lograban superar y que si a él se le había quedado en las manos la sensación de los senos de "ella" y en la boca la tersura húmeda de sus labios, otros podían haber también padecido el asedio de recuerdos semejantes y no lo convertían en un *leitmotiv* para sentirse seres marginados, fuera de lo normal, autorizados para vivir en lo anormal.

"La tersura, la humedad..." Como un eco moroso las palabras rebotaron en su oído y a su conjuro unos labios tersos, húmedos, se posaron en los suyos, reiterando breves caricias.

Se puso bruscamente de pie, dejó un billete sobre la mesa y salió tambaleándose a la calle, a lo caliginoso de la sombra nocturna.

16

El barrio estaba dormido o aparentemente dormido, con puertas entornadas y ventanas entreabiertas. Barrio de trabajadores en procura de reposo, que el filo del alba había de ponerlos en movimiento rumbo a las fábricas. Un radio repetía gangoso el aviso de una bebida o el aviso de un analgésico, entre no menos gangosa música populachera. Un quedo conversar. El lloro de una criatura. Rumores que iban acercándose a su oído, que se hacían perfectamente diferenciados, que iban quedándose atrás, abriendo y cerrando paréntesis entre los cuales el silencio era palpable.

Había recuperado el equilibrio de sus movimientos y daba largos trancos rápidos en busca de su coche, desorientado, sin saber dónde se hallaba hasta que desembocó en la arteria bulliciosa, con los letreros y colorinches, el tránsito intenso y la gente en ir y venir, atormentadas por el calor y sin saber qué hacer para lograr un poco de fresco. Calor que parecía salir de las fachadas, del asfalto, del aire desplazado por los automotores que viciaban aún más la atmósfera con su estridencia y sus emanaciones.

En una esquina, entre puerta y mampara, una pareja se creía invisible en un acto que por lo común requiere espacio cerrado. En la misma esquina, adosada al tronco de un árbol, una buscona esperaba cliente. Lo chistó. Contestó con un movimiento despectivo y ella replicó con un gesto soez y una palabra injuriosa.

Estaba en la calle ancha, pero sin saber, eso sí, hacia qué lado debía dirigirse en busca de la plazoleta y del coche. Llegó hasta la puerta de un cine y preguntó a un acomodador de uniforme, que holgazaneaba entre acto y acto:

—¿Puede decirme de qué lado está la plazoleta?

—¡Ah! —y mirándolo sostenidamente, entrecerrados los párpados—: De este lado. Al final. ¿Lo acompaño? —propuso con una sonrisa inequívoca.

—Gracias, no se moleste.

—Si no le gusta —y siguió mirándolo, entre cínico y burlón.

Eran como bichos en lo obscuro. Todos. Al acecho. Ellas y ellos. Parecía no haber otro fin. ¡Qué asco! Haciendo su mercado. Chistando. Silbando. Llamando. Ofreciendo. Todo con el mismo fin. Y adentro, en las casas, rotos de cansancio, sofocados de calor, apresuradamente, en cualquier forma, solos en lo obscuro, en lo promiscuo de los cuartos familiares, en lo asqueroso de los cuartos por horas, o afuera, en la sombra de un recodo, entre puerta y mampara, en sitios eriazos, en zanjones, como bestias, todos, animalizados, parejas, parejas impelidas imperiosamente a fornicar. Como si todo estuviera hecho tan sólo para eso, desde siempre y en todo orden: hombre empenachado con el orgullo de su pensamiento y de su obra, animal de la especie que fuera. Le salió al encuentro el chirriar de un grillo. Reclamo. Y hasta el enjambre de mariposas revoloteando alrededor de un foco era tan sólo el batallón de machos atraídos por la hembra. Una hembra a veces para cientos de machos. Todo. Lo mismo. Génesis. ¡Qué linda palabra! Génesis. Genital.

) 853 (

Cuando divisaba la plazoleta, una mujer se le cruzó casi atropellándolo. Un poco más que una adolescente que le trajo el recuerdo de la muchachita del bar. Limpia y graciosa. Se le colgó del brazo y restregó su cadera contra la suya. Tuvo el repelo de siempre, pero se desprendió sin brusquedades.

—No...

Ella se quedó frente a él, mirándolo con la cara levantada para alcanzar sus ojos.

—Y entonces, ¿qué anda haciendo por aquí? Aquí andamos nosotras y eso lo saben todos. ¿O es que anda buscando...? Por allí están... —y rió, alegre, como quien proporciona la dirección del almacén o la farmacia. Y prosiguió con igual jovialidad diligente—: ¿Se los llamo?

—Chancha...

—Miren el lindo haciendo ascos —y riendo remachó la carcajada con el epíteto que lo revulsionó—: Maricón... —y se alejó silbando y moviendo el trasero como si bailara una agitada rumba.

Cuando subía al coche apareció uno de los anunciados por la muchacha. Inconfundible, mirando a uno y otro lado, despacioso, ceñido por el pantalón y abierta la camisa al pecho, largo el pelo en la nuca formando un rollo. Más femenino que la propia muchacha. Dubitativo. Pero acercándose hasta pegar la cara al vidrio de una portezuela.

Cerró con violencia la portezuela contraria por donde subiera. Mientras ponía en marcha el coche, ahí estaba el muchacho con la cara siempre apegada al vidrio y una mano golpeándolo suave, los ojos ansiosos y obsecuentes.

Ya en camino miró la hora. Pasada la medianoche. Le desfilaron como en un film y cronológicamente ante los ojos los aconteceres del día, desde el momento en que despertara hasta este preciso instante.

De repente, de entre toda esa sucesión de hechos, surgió algo absolutamente olvidado: el teatro, el estreno y su obligación, por tradicional y por ende prometida al Dire, de asistir por lo menos a las funciones de los primeros días para repetir el juego de la noche anterior, cuando alguien daba la voz inicial solicitando: "El autor..., el autor... Que salga el autor... Que hable el autor..."

Un semicompromiso. Un compromiso, mejor dicho, solicitado reiteradamente por el Dire. ¡Bah! También el Dire con su humanidad, sus manías y el resto, había salido de su memoria. ¡Qué extraña era la memoria, proveyendo de tantas cosas innecesarias, indeseables o borrando de su campo lo imprescindible. Porque era mucho más importante el estreno de la noche anterior que toda esa continuidad de escenas y figuras: desde la mujer, se llamaba Teresita, ¡qué nombre menos indicado para su personalidad! Desde la mujer hasta el rostro solicitante del muchacho pegado al vidrio. ¿Estaría sucio el vidrio? Dominó el impulso de alzarlo para ver si no tenía rastros de esa miseria, de esa miseria no del orden que se entiende siempre por miseria. Eran tres rostros de adolescentes los que barajaba: la chiquilla del bar, ésa con una auténtica adolescencia. ¡Como si pudiera saberse eso a ciencia cierta! Y la otra y el muchacho, con cinismo, con audacia desvergonzada. Con avidez del que vende y un no sé qué de: "No me importa un pucho si no compras". Pero ¿dónde estaba ese "no me importa"? ¿En qué podía verlo? Bueno. Tal vez en que la muchacha aceptó de inmediato su rechazo, como si eso fuera para ella un recreo, claro que indicándole dónde estaban los otros. Encogió los hombros. ¡Claro: un recreo! Y algo parecido hubo en la actitud del mu-muchacho. ¿Urgidos por qué estaban en eso la muchacha y el otro? ¿Por qué? ¿Por vicio? No: por la miseria que "trastrueca valores". ¿A quién le había oído estas palabras? ¿Y qué eran las otras, la mayoría de las mujeres del mundo de los hoteles y de los transatlánticos y de las playas y de los clubes y del gran escenario social en cualquier parte del globo? Buscadoras de sensaciones, emancipadas de prejuicios. ¡Qué grandes palabras también! ¿Y los otros? Los... Como éste. "Ellos" desaparecieron de su pensamiento. Siguió tan sólo pensando en las mujeres del gran mundo que detestaba. ¿Llegando a eso, al acoplamiento, por mandato del instinto? Algunas. ¿Por interés? Sin expresarlo directamente: sí. Se dice: "Qué maravilla los palos de golf de Susana. Me muero por unos iguales, los tiene Max..." O: "Hay un perfume nuevo de Fío. La muerte..." Reparó en que la palabra "muerte" se empleaba demasiado. "La muerte." "Es la muerte." "Me quise morir." "Peor que la muerte." "Es para morirse"... Nunca había observado ese detalle. Se decía también: "Menos mal". O: "Peor es nada". Dichos de gente necrofílica o conformista. Lo negativo. La muerte y la enfermedad. La enfermedad. Una delectación al hablar de podre humana.

Y se halló pensando en el cáncer de Teresita, en sus senos mutilados, en las cicatrices, en el espanto de ese busto chato, deforme. Porque ella debió tener en ese cuerpo de tan perfectas proporciones unos pequeños senos duros, redondeados... Frenó el pensamiento tan bruscamente, que por reflejo frenó el coche y se halló en la gran ciudad y en pleno centro, junto al cordón de la acera y con los coches —el que le seguía especialmente— haciendo sonar la bocina para advertirle que trasgredía todas las ordenanzas del tránsito.

Arrancó de nuevo. Un coche pasó a su lado y desde allí le cayó un insulto soez, tanto más cuanto lo decía una adolescente.

Otra. Era curioso que se juntaran tantas en unas horas. Y otra cosa curiosa: dos le habían dicho casi con igual tono, entre grosero y deliberadamente jocoso, la misma palabra insultante. ¿Una suerte de característica para su carnet de identidad?

Teresita. Llamarse Teresita... ¿Cómo podía concebirse que estuviera repasando hechos con esta indiferencia, como quien hojea al vuelo una revista y se conforma con la visión de fotos, de títulos, como si todo le fuera ajeno y sin interés? ¿Qué clase de bicho asqueroso era él? Sin ningún equilibrio ni posibilidad tampoco de control de emociones, pasando de lo peor de una agonía intolerable de recuerdos a una completa ausencia de sensaciones, mirándolo todo a la distancia, como si eso no fuera lo suyo, como si en un perfecto estado de nirvana presenciara el espectáculo de su propio existir.

¿Qué era él? ¿Un perturbado? ¿Por qué no emplear la palabra justa? ¿Un loco? No podía ser eso. El actuaba externamente como un ser cualquiera, no un burgués, eso no, pero sí un hombre independiente, singular, con un temperamento de solitario, viviendo su mundo interior. "Bueno, bueno, bueno"... Se oyó murmurar estas tres palabras con el mismo tono con que el Florindo, que ahora se llamaba Iván Duval, decía: "Regio..., regio..., regio...", echando todo el peso del cuerpo sobre un pie y redondeando la cadera para en ella apoyar una mano, en esa pose que tenía el don de enfurecerlo. Alguna vez no iba a lograr dominar su deseo de darle una pateadura. Dejarlo como bolsa, a ver si después seguía sacando una cadera. Asqueroso. Y pensar que...

Lo que faltaba era que Benedicta siguiera haciendo subir y bajar las persianas. Había gritado lo más posible para hacerse oir cuando le echó el papel escrito por debajo de la puerta. Vieja rematada. Y tendría que padecerla hasta el final. Porque estas viejas eran eternas: ésta estaba hecha con madera de luma. Recordó el perro, en sus cuatro patas, dubitativo, con los ojos de lentejuela dorada pidiéndole perdón.

Algo aconteció en él, dentro de él, y lo inundó en dolor. Como herida que de repente se abre y deja en descubierto las terminaciones nerviosas y las venas rotas y el lento fluir viscoso de la sangre.

Se quejó. ¿Es que siempre iba a ser así? Pasar de un estado a otro sin transición. Vivir muriendo de todos los dolores, víctima de los sentidos exacerbados, descontrolados, irreductibles.

¿Con qué voz podría quejarse? De dónde podría sacar algo, alguien, un motivo para no morir... Sí, para no morir de asco, de abandono, de sentirse sumido en desperdicios, en mierda, eso, en mierda, en la propia mierda que era él en suma.

¿Para qué todo el esfuerzo de vivir? ¿Para qué? ¿Qué le aportaba a él la vida? ¿Esto? La repugnancia, el insomnio o el huir de los senos presentes en sus manos para caer en "eso". ¿Qué era peor? ¿Qué? Sabía que nunca, como otros, indiferentemente, abiertamente, reconociéndose un derecho, aceptando una fatalidad, iba a darse a "eso" que, sin ambages, sin tapujos, sin excusas, era su verdadera meta sexual. Revivió las experiencias. La atracción de sima, el hecho consumado, el repudio. Y el difícil regreso a la vida rutinaria, rehaciéndose a pedazos, con dolor, con vergüen-

za, con náuseas. El vacío de haber extraviado algo precioso e irreemplaza-
ble. Con el pavor de que "eso" trasluciera en él. Inquieto. Obsesionado.
Hasta que lentamente lograba el ritmo cotidiano. Eran asaltos del deseo
y derrotas de sus defensas que tenían algo de fiebres periódicas, que se
espaciaban a veces tanto, que se creía liberado. Hasta que súbita y brutalmente un nuevo proceso comenzaba. Barro encenagándolo. ¿Cómo podría
llegarse a vivir en "eso" sin escrúpulos, sin remordimientos? Pensó en su
formación católica. En la deformación de su niñez, en todo... Con espanto... Jadeante. Herido, con la herida abierta, molidos los huesos, con
la lengua seca y en la garganta una picazón de sed, tirantes los músculos
de la nuca y una angustia en las entrañas. Porque el sufrimiento en él
era no sólo moral, sino que, por reflejo de lo moral, una miseria física.
Peor que la muerte..., "que la muerte"... Estas palabras lo golpearon,
lo machacaron. Peor que la muerte...

Bajó frente al teatro. Debía haber terminado la función porque la calzada estaba libre de coches y las puertas entornadas. Entró. Unos mozos
hacían el aseo a media luz, en el *foyer*. El mayordomo lo detuvo a la entrada de la platea:

—No hay nadie. Se fueron todos hace un ratito no más...

Como lo viera inmóvil, mirando el escenario a cortina corrida, preguntó
solícito:

—¿Se le ofrece algo?

—Sí —dijo sintiéndose hablar—, voy en busca de unos papeles que me
dejó Salazar en su camarín. Tengo la llave.

Avanzó por el pasillo fijo en las cuerdas tan graciosamente haciendo
curvas sobre el fondo rojizo del muro: uno y otro ladrillo enmarcado por
un rectángulo blanco. Advirtió por primera vez que ese marco no correspondía a un solo ladrillo, que se repartía entre ocho. Todos ensamblados.
Otra palabra reemplazó a ésta: machihembrados. No, no se aplicaba
a los ladrillos, se decía tan sólo de las maderas: tablas machihembradas.
Una en otra. Como el resto... ¿Es que habría un ignorado orden en
la molécula, en el átomo, en que sus partes tenían género y de ahí
su fusión? ¿Podría ser? ¿Por qué no? ¿Estas cuerdas estarían fijas?
¿O serían tan sólo cuerdas colocadas allí, al desgaire, para cualquier
emergencia? Sonrió impensadamente al recordar su placer al sentir
por primera vez su cuerpo suspendido, las manos firmes en las ar-
gollas, flexionando las piernas para alcanzar mayor oscilación, feliz en
el dominio muscular y el gimnasio descompuesto en inesperados ángulos.

Sacar un ladrillo sería tarea difícil. Ciertamente que no haría mella
en la estabilidad del muro. ¿Por qué sería de ladrillos y no de cemento
este fondo de escenario? También con los años con que contaba el teatro.
El primero en su tipo, no demasiado grande, hecho para comedia, para
"alta comedia", como se decía entonces. Con derroche de finos materiales

importados y mucho estilo. Una vieja linda muestra del 900. En el muro podría faltar un ladrillo, abrirse un boquerón, y el muro permanecería. Los documentales de ciudades bombardeadas mostraban a veces muros semejantes entre montones de escombros y desolación y soledad de muerte. Muerte. La palabra se descompuso en sílabas y las sílabas en letras, que alguien, tal vez él mismo, pronunció y de nuevo puntas dolorosas hurgaron en sus entrañas. Los ladrillos, las cuerdas, la amarillenta luz y algo, alguien, guiñapo, pelele, al pie del muro, caído, deshecho, sin goznes, alguien que unas manos, ¿dónde estaba el cuerpo correspondiente a esas manos?, ponían de pie, de espalda sobre el muro, lograban dejarlo allí, apoyado, inestable. Que se caía, que ya se caía, que caía en el instante en que resonaba un tabletear de ametralladora. Sin un grito. Sin un ¡ay! Estaba ahí, caído, ahora sí, guiñapo, pelele definitivo.

Bueno: lo de siempre. Los sentidos más allá de lo real, en otra realidad, que bien pudiera ser la verdadera.

Subió unas gradas, recorrió el pasillo de los palcos. Por una pesada puerta cortafuego entró al escenario y al trasmundo del mundo de las bambalinas, del hacinamiento de muebles, de trastos, de inesperadas fantasmagorías.

Por el lado de la casilla de los iluminadores miró receloso, medroso, el escenario propiamente tal y el muro, el liso alto muro de ladrillos, unos iguales a los otros, rojos entre rectángulos blancos con una hilera de trastos apoyados en su base.

¿Es que había esperado hallar allí a un fusilado? No, no fusilado: a un ametrallado, tal vez con la ametralladora de mano era más fácil no errar la puntería, aunque temblara quien la manejaba. La muerte era así más cierta.

¿Cómo sentía las cosas imaginadas, cómo las sentía para lograr ser tan precisas, tan exactas no sólo en lo visual, sino en los otros detalles que eran dominio de los restantes sentidos? Una escalerilla llevaba a una estrecha plataforma. Empezó a subirla. Arriba, sobre un madero pendiente de alambres, las cuerdas trazaban la gracia de sus insinuaciones. Había tan sólo dos extremos, correspondientes a gruesos nudos. Las cuerdas de los siete ahorcados del guiñol de la plaza..., ¿cómo se llamaba esa plaza? Siguió subiendo. Llegó a la plataforma e inclinándose alcanzó uno de esos extremos nudosos. Era duro y áspero. Lo soltó con una repugnancia que le provocó bascas.

Miró arriba, la otra plataforma en que terminaba la escalerilla. Un escalón. Otro. Casi alcanzaba el cielo raso provisto de roldanas, ganchos, rieles, rollos, artefactos para iluminación. Abajo todo tenía sorprendentes enfoques. La platea sobrecogedora de ausencias y por la puerta abierta al *foyer* el ir y venir de una lustradora sobre los losanges, manejada por un mozo de overol.

Como en el parque el jardinero tras la cortadora de pasto. El parque. La mañana. La mujer. La alfombra de monedas de sol movediza. Y una voz un poquito baja, tan cálida, tan llena de sangre. Cáncer... Metástasis... No. Cuidado... Cuidado: los senos... No, no, no toque... No toque, peligro. Y "eso"..., llegar a "eso", la llegada a "eso"... Y todo ¿para qué? Vio los ojos del perro, los de Benedicta, a veces tan asombrosamente parecidos de expresión. La boca de la mujer, y de inmediato la de "ella".

¡Ay! Qué cansancio todo.. Todo... Y ¿para qué, con qué fin todo?

—Señor García..., vamos a cerrar. Señor García —gritó el mayordomo. Las cuerdas estaban en su madero, bajo él.

—Señor García —insistió, alzando aún más la voz el mayordomo—. Vamos a cerrar...

Miraba el pozo en sombra del palco en que asistiera al estreno. Se vio encaminándose al escenario y al Florindo, ahora Iván Duval, echándosele encima en un abrazo.

Hizo el mismo movimiento de rechazo que entonces.

El mayordomo vio caer el cuerpo y estrellarse en el escenario. Hubo gritos, carreras, espanto, telefonazos. Cuando llegó el médico dijo que la muerte había sido instantánea.

APENDICE

NOTAS BIOGRAFICAS

1897. Nace en Chillán el 9 de agosto. Hija de don Ambrosio Brunet Molina, chileno, y de doña María Presentación Cáraves de Cossío, española.

1897 a 1911. Vive con sus padres en Victoria, donde estudia particularmente con profesores normalistas. Aparece desde sus primeros años la pasión por la lectura, que fomentan los suyos, especialmente en cuanto atañe a literatura española, desde sus orígenes a lo contemporáneo, sin descuidar lo universal.

1911 a 1914. Viaja por España, Italia, Suiza, Francia, Bélgica, Inglaterra, Alemania y Portugal, conociendo de Sudamérica la República Argentina, Uruguay y Brasil.

1914 a 1919. Reside en varias ciudades. La lectura sigue siendo su pasión, familiarizada ahora con los escritores que revolucionan la época: Proust, Unamuno, Pirandello, Giraudoux, Gorki, Ortega y Gasset, Morand, Azorín, Joyce, Claudel, etc.

1919 a 1923. Reside en Chillán, donde integra un grupo juvenil que cuenta con Tomás Lago, Armando Lira, Gabriel Fagnilli Fuentes, Walterio Millar y Alfonso Lagos, entre otros.

Empieza a escribir poesía y cuentos. Estos, publicados en "La Discusión", de Chillán. Se dirige a Alone, crítico de "La Nación", de Santiago, enviándole la obra poética de un compañero. Alone contesta que la obra es mala, pero que la carta es buena. Le hace llegar sus versos. Alone contesta que son tan malos como los otros. "¿No escribe prosa?", pregunta. Le envía el manuscrito de *Montaña adentro*.

1923. Se publica *Montaña adentro*. La crítica abunda en elogios: Alone, Pedro N. Cruz, Omer Emeth, R. Silva Castro, Gabriela Mistral, L. D. Cruz Ocampo, Armando Donoso, etc.

1925. Se radica en Santiago. Escribe notas para "El Sur", de Concepción. Publica cuentos en "La Nación", de Santiago, y en "Caras y Caretas", de Buenos Aires, Argentina.

1926. Publica *Don Florisondo*, cuentos. *Bestia dañina*, novela.

1927. Publica en "Atenea", *María Rosa, Flor del Quillen*.

1929. Obtiene el Primer Premio en el Concurso de Cuentos organizado por el diario "El Mercurio", de Santiago, con "Tierra bravía". Publica *Bienvenido*, novela. ....

1930. Publica *Reloj de sol*, cuentos.

1933. Obtiene el Premio de Novela otorgado por la Sociedad de Escritores de Chile.

1934. Ingresa a la Empresa Editora Zig-Zag, S. A., como redactora de la revista "Familia", que después dirige hasta 1939.

Publica *Cuentos para Mari-Sol*, dedicado a los niños, ilustrado por María Valencia.

1939. Bajo la presidencia de don Pedro Aguirre Cerda, se la designa Cónsul de Elección en La Plata, adscrita al Consulado General de Chile en Buenos Aires, Argentina.

1940. Empieza a publicar cuentos en el Suplemento Literario del diario "La Nación" y en la revista "Sur", ambos de Buenos Aires, Argentina.

1943. Publica *Aguas abajo*, cuentos.

Obtiene con *Aguas abajo* el Premio "Atenea", de la Universidad de Concepción, que se otorga a la mejor obra de creación aparecida en el año. El Presidente don Juan Antonio Ríos la designa Cónsul de profesión, adscrita al Consulado General de Chile en Buenos Aires, Argentina.

1946. Publica *Humo hacia el sur*, novela. La crítica chilena e hispanoamericana se ocupa vastamente de su obra: González Carvalho, Rojas Paz, Silvina Bullrich, Juan Carlos Ghiano, Herrera Almada, Luis Alberto Sánchez, Adolfo Mitre, González Lanuza, Ricardo Latcham, Hernán del Solar, Arturo Torres Rioseco, Guillermo de Torre, etc.

Publica *La mampara*, novela, que obtiene igual eco de crítica.

1948. El Gobierno de don Gabriel González Videla la designa tercer secretario de la Embajada de Chile en Buenos Aires, a cargo de los asuntos culturales. Comienza hasta que regresa a Chile una intensa labor de divulgación de los valores fundamentales de nuestra cultura.

Publica *Raíz del sueño*, cuentos, que reúne parte de la obra aparecida en diarios y revistas al correr de los últimos años.

1950. Es ascendida a segundo secretario de Embajada.

1952. El Gobierno de don Carlos Ibáñez la obliga a renunciar a su cargo, sin explicación alguna.

1953. Regresa a Chile y fija su residencia en Santiago.

A invitación de doña Amanda Labarca, Directora del Departamento de Extensión Cultural de la Universidad de Chile, comienza a dar conferencias y cursillos sobre literatura chilena e hispanoamericana, integrando el profesorado de Escuelas de Temporada en Santiago, Valparaíso, Arica, Antofagasta, Chillán, Valdivia, Constitución y Punta Arenas, actividad que desarrolla hasta el presente.

1957. Publica *María Nadie*, novela.

1958. Publica "El mundo mágico del niño", conferencia dada en el Encuentro de Escritores organizado por la Universidad de Concepción en Chillán, separata de "Atenea".

1960. Viaja a España para ser sometida en Barcelona, Clínica Barraquer, a una intervención a los ojos que normaliza su visión.

Publica *Aleluyas para los más chiquitos*, cuentos en verso para niños, ilustrados por Roser Brú.

1961. Viaja por España, Francia, Suiza, Alemania, Austria e Italia.

Obtiene el Premio Nacional de Literatura, otorgado por el siguiente jurado: Juan Gómez Millas, Rector de la Universidad de Chile, presidente por derecho propio; Eduardo Barrios, en representación del Ministerio de Educación; Pedro Lira Urquieta, en representación de la Academia Chilena de la Lengua; Manuel Rojas y Hernán del Solar, en representación de la Sociedad de Escritores de Chile.

Publica la segunda edición de *María Nadie*, novela.

En noviembre regresa a Chile y se reintegra inmediatamente a sus actividades literarias, culturales y societarias.

1962. Publica *Antología de cuentos*, selección, prólogo y notas biobibliográficas de Nicomedes Guzmán.

Publica la tercera edición de *María Nadie*, novela.

Es designada por el Ministerio de Relaciones Exteriores Adicto Cultural en la Embajada de Chile, Río de Janeiro, Brasil.

Publica *Amasijo*, novela.

Publica la cuarta edición de *María Nadie*, novela.

1963. Es trasladada de Río de Janeiro, Brasil, a Montevideo, Uruguay, donde desempeñará el cargo de Adicto Cultural en la Embajada de Chile.

Entran en prensa sus *Obras completas*.

Cargos: Ha sido Presidenta del Instituto de Periodistas. De la Sociedad de Escritores de Chile. Del PEN Club. Del Club Zonta. Del Comité de Biblioteca del Instituto Chileno Norteamericano de Cultura. Integra como directora la mayoría de las instituciones culturales del país.

OBRAS

MONTAÑA ADENTRO. Novela. Santiago, Chile; Editorial Nascimento, 1923.
Montaña adentro. Segunda edición. Santiago, Chile; Editorial Nascimento, 1933.
Montaña adentro. Tercera edición, con *Bestia dañina - María Rosa, Flor del Quillen.* Buenos Aires, Argentina; Editorial Losada, 1953 (prólogo de Guillermo de Torre).
BESTIA DAÑINA. Novela. Santiago, Chile; Editorial Nascimento, 1926.
Bestia dañina, en *Montaña adentro - Bestia dañina - María Rosa, Flor del Quillen.* Buenos Aires, Argentina; Editorial Losada, 1953 (prólogo de Guillermo de Torre).
DON FLORISONDO. Cuentos. Santiago, Chile. Lectura Selecta N.º 15, 1926.
Contiene: "Don Florisondo", "Doña Santitos".
"Don Florisondo", en *Reloj de sol,* 1930; en *Antología del cuento hispanoamericano,* 1939, por Antonio R. Manzor.
"Doña Santitos", en *Reloj de sol,* 1930; en *Los cuentistas chilenos,* 1937, por Raúl Silva Castro; *Algunos cuentistas chilenos,* 1943, por Armando Donoso; *Siete cuentos chilenos,* 1945, por Luis Enrique Délano.
MARÍA ROSA, FLOR DEL QUILLEN. Novela. Revista "Atenea", Concepción, Chile; año IV, N.º 2 y N.º 3, 1927.
María Rosa, Flor del Quillen. Santiago, Chile. La Novela Nueva, vol. IV, diciembre de 1929.
En *Montaña adentro - Bestia dañina - María Rosa, Flor del Quillen.* Buenos Aires, Argentina; Editorial Losada, 1953 (prólogo de Guillermo de Torre).
BIENVENIDO. Novela. Santiago, Chile; Editorial Nascimento, 1929.
RELOJ DE SOL. Cuentos. Santiago, Chile; Editorial Nascimento, 1930. Contiene: "Juancho", "Francina", "Lucho el Mudo", "Niú", "Gabriela", "Ana María", "Ruth Werner", "Romelia Romani", "Enrique Navarro", "Tía Lita", "Doña Tato", "Don Cosme de la Bariega", "Misiá Marianita", "Doña Santitos", "Don Florisondo".
"Francina", en *Lecturas chilenas,* 1944, por Roque Esteban Scarpa; "Juancho", en *Chilean short stories,* 1929, por Arturo Torres Rioseco.
CUENTOS PARA MARI-SOL. Cuentos para niños. Ilustraciones de María Valencia. Santiago, Chile; Editorial Zig-Zag. Realizado con el auspicio de la Universidad de Chile. Contiene: "Buscacamino", "La flor del cobre", "Gazapito quiere comer torta", "Yo sí... Yo no...", "Mamá Condorina y Ma-

má Suaves Lanas", "Tres perritos en la playa", "La terrible aventura de don Gato Glotón".

AGUAS ABAJO. Cuentos. Santiago, Chile; Editorial Cruz del Sur, 1943. Contiene: "Piedra callada', "Aguas abajo", "Soledad de la sangre".

"Soledad de la sangre", en *El cuento chileno*, 1948; en *Raíz del sueño*, 1949, en *Les vingt meilleures nouvelles de l'AMERIQUE LATINE*. Recopilación de Juan Lizcano. Traducción de René L. F. Durand. Editorial Seghers. París, 1958.

HUMO HACIA EL SUR. Novela. Buenos Aires, Argentina; Editorial Losada, 1946.

LA MAMPARA. Novela. Buenos Aires, Argentina; Editorial Emecé, 1946.

RAÍZ DEL SUEÑO. Cuentos. Santiago, Chile; Editorial Zig-Zag, 1949. Contiene: "Raíz del sueño", "Una mañana cualquiera", "Un trapo de piso", "Encrucijada de ausencias", "La casa iluminada", "La otra voz", "La niña que quiso ser estampa", "Soledad de la sangre".

MARÍA NADIE. Novela. Santiago, Chile; Editorial Zig-Zag, 1957.

María Nadie. Segunda edición. Editorial Zig-Zag, 1961.

María Nadie. Tercera edición. Editorial Zig-Zag, 1962.

María Nadie. Cuarta edición. Editorial Zig-Zag, 1962.

EL MUNDO MÁGICO DEL NIÑO. Ensayo. Santiago, Chile; Editorial Universitaria. Separata del N.º 380-381 de la revista "Atenea", 1959.

ALELUYAS PARA LOS MÁS CHIQUITOS. Cuentos para niños. Ilustraciones de Roser Brú. Santiago, Chile; Editorial Universitaria, 1960

ANTOLOGÍA DE CUENTOS. Santiago, Chile; Editorial Zig-Zag, 1962 (prólogo, bio-bibliografía y referencias de Nicomedes Guzmán).

AMASIJO. Novela. Santiago, Chile; Editorial Zig-Zag, 1962

REFERENCIAS

ALLEN, MARTHA E.: "Dos estilos de novela: Marta Brunet y María Luisa Bombal". "Revista Iberoamericana", México, N.º 35, febrero-diciembre de 1952, pp. 63-91.

AMUNÁTEGUI SOLAR, DOMINGO: *Las letras chilenas*, 2.ª edición. Santiago, Chile, 1934, p. 340.

ANDERSON IMBERT, ENRIQUE: *Historia de la literatura hispanoamericana*. Ed. Fondo de Cultura. Colección Breviarios. México, 1954, p. 352.

CAMPOS, JORGE: "Los cuentos de Marta Brunet". Rev. "Insula", N.º 187, 1962, p. 11. Madrid, España.

CARRERA, JULIETA: "Marta Brunet". Rev. "América", La Habana, Cuba, abril 1929, pp. 45-47.

CASTILLO, HOMERO: "Marta Brunet". "Revista Iberoamericana", 1958, XXIII, N.º 45, pp. 182-186.

COTELO, RUBÉN: "Un caso patológico: *Amasijo*, de Marta Brunet". "El País", 11 de febrero 1963. Montevideo, Uruguay.

CRUZ, PEDRO N.: *Estudios sobre literatura chilena*. Vol. III. Santiago, Chile, Editorial Nascimento, 1940 (Apreciación general y sobre *Bestia dañina*), pp. 203-207.

CUADRA PINTO, FERNANDO: "Marta Brunet, noveladora". "El Diario Ilustrado", Santiago, 9 de enero 1949.

CHASE, KATHLEN: "Latin-American women writers: Their present position". "Books Abroad", 1959, XXXIII, N.º 2, pp. 150-151.

DÍAZ ARRIETA, HERNÁN (Alone): *Panorama de la literatura chilena del siglo XX*. Santiago, Chile; Editorial Nascimento, 1931, pp. 147-148.
Historia personal de la literatura chilena (desde don Alonso de Ercilla hasta Pablo Neruda). Santiago, Chile; Editorial Zig-Zag, 1954, pp. 234-235.
"Marta Brunet, Premio Nacional de Literatura 1961". "El Mercurio", Santiago, Chile, 9 septiembre 1961.

E. S. C.: "*Montaña adentro, Bestia dañina*, por Marta Brunet". Rev. "Nosotros", Buenos Aires, abril 1927, p. 108 y ss.

ESPINOSA, JANUARIO: "Rural life in Chile finds a new postrayer, Marta Brunet obtains instant recognition with her powerful stories". Publicado en Chile. N. Y., febrero 1930.

FERRIS THOMPSON, ROBERT: "Marta Brunet. Puñado de ecos". Rev. "Pomaire". Santiago, Chile, año I, N.º 6, mayo-junio 1957, p. 2.

FRANCO, ROSA: "Marta Brunet y el mundo subjetivo". "La Prensa", Buenos Aires, Argentina, 9 junio, 1959. "El Mercurio", Santiago, Chile, 15 mayo 1960.

GARCÍA GAMES, JULIA: *Cómo los he visto yo*. Santiago, Chile, Nascimento, 1930, pp. 159-167.

GARCÍA OLDINI, FERNANDO: "Marta Brunet", en *Doce escritores*. Hasta el año 1925. Santiago, Chile; Editorial Nascimento, 1929.

GHIANO, JUAN CARLOS: "Cuentos de Marta Brunet". "La Nación", enero 1963. Buenos Aires, Argentina.

GONZÁLEZ LANUZA, EDUARDO: "Marta Brunet". Rev. "Pro-Arte", N.º 31, 10 febrero 1949, Santiago, Chile, p. 4.

JOSEPH, BELLA: "Marta Brunet". "Diario de Noticias", noviembre 1962. Río de Janeiro, Brasil.

LATORRE, MARIANO: *La literatura de Chile*. Buenos Aires, Facultad de Filosofía y Letras de la Universidad de Buenos Aires, 1941, pp. 118-119.

LINDO, HUGO: "Marta Brunet". "Repertorio Americano", San José de Costa Rica, mayo 1958.

MACEDO, MARÍA ROSA: "*Raíz del sueño*, de Marta Brunet". "La Crónica", Lima, Perú, abril 1950. "La Nación", Santiago, mayo 1950.

MERINO REYES, LUIS: "El criollismo de Marta Brunet". "Atenea", CXXI, Nos. 363-364, p. 338. Ed. Universidad de Concepción, Chile.
Panorama de la literatura chilena. Pág. 127. Ed. Unión Panamericana, Washington, U. S. A.
"Marta Brunet". "Alerce", Rev. de la Sociedad de Escritores de Chile, 1961.

MIRÁN, DIEGO: "Marta Brunet". "El Comercio", Lima, Perú, agosto 1962.

MIRANDA, MARTA ELBA: *Mujeres chilenas*. Santiago, Chile; Editorial Nascimento, 1940, pp. 141-146.

MISTRAL, GABRIELA: "Sobre Marta Brunet". "Repertorio Americano", San José de Costa Rica, t. XVII, N.º 6, 1928, p. 89.

RAMA, ÁNGEL: "*Amasijo*, de Marta Brunet". Rev. "Marcha", enero 1963. Montevideo, Uruguay.

RODRÍGUEZ MONEGAL, EMIR: "Marta Brunet en su ficción y en la realidad". "Marcha", Montevideo, Uruguay, enero 1955, pp. 14-15.

RODRÍGUEZ MONEGAL, EMIR: "Para la iconografía popular de Marta Brunet". "El País", 8 de octubre, 1962.

ROSALES, CÉSAR: "*Humo hacia el sur*". Rev. "Sur", N.º 138, 1946, pp. 99-104.

SAAVEDRA, JORGE: "Marta Brunet y el cuento chileno". "La Razón", La Paz, Bolivia, 5 junio 1949.

SÁNCHEZ TRINCADO, J.: "Marta Brunet". Rev. "Hispánica Moderna", Columbia University, New York City, U. S. A., Vol. XIII, Nos. 1-2

SILVA CASTRO, RAÚL: "Prosistas chilenos jóvenes". Rev. "Atenea", Concepción, año IV, N.º 8, octubre 1927, pp. 272-281.
Historia crítica de la novela chilena. Ed. Cultura Hispánica, Madrid, 1960, p. 343.
Retratos literarios. Santiago, Chile; Ed. Ercilla, 1932, pp. 189-198.

SUTTON, LOUIS MARIE: "Marta Brunet y *María Nadie*". "Books Abroad", 1959, XXXIII, N.º 4.

TORRE, GUILLERMO DE: Prólogo de *Montaña adentro*. 3.ª edición. Colección Contemporánea. Editorial Losada, Buenos Aires, Argentina, 1953.

"Marta Brunet y sus ficciones". Rev. "Pro-Arte". Santiago, Chile, agosto 1949. N.º 56, p. 1.

TORRES RIOSECO, ARTURO: *Breve historia de la literatura chilena*. México; Ediciones de Andrea, 1956, pp. 120-121.

"Marta Brunet". "El Mercurio", Santiago, Chile, 16 marzo 1958.

UNIÓN PANAMERICANA: "Diccionario de la literatura latinoamericana". Chile. Washington, D. C., 1958.

VAISSE, EMILIO (Omer Emeth): *Estudios críticos de literatura chilena*. Santiago, Chile; Editorial Nascimento, 1940, pp. 65-69 (artículo publicado el 24 de diciembre de 1923 sobre *Montaña adentro*).

VALENZUELA, VÍCTOR M.: "El fatalismo en la obra de Marta Brunet". "La Nueva Democracia". N. Y., N.º 4, octubre 1956, pp. 24-27.

VALENZUELA, VÍCTOR M.: "Marta Brunet y *María Nadie*". "La Nueva Democracia", XXXVII, N.º 2, p. 105.

VALENZUELA, VÍCTOR M.: "Marta Brunet". Rev. "Hispánica Moderna", 1958, XXIV, N.º 2, p. 225.

VILLARINO, MARÍA DE: "La soledad y el sueño en las novelas de Marta Brunet". "La Nación", Buenos Aires, Argentina, N.º II, 1959. "El Mercurio", Santiago, Chile, 15 de marzo 1959.

TORRES, GUILLERMO DE: Prólogo de Montaña adentro, 3ª edición, Colección Contemporánea, Editorial Losada, Buenos Aires, Argentina, 1953.

"Maria Brunet y sus ficciones", Rev. "Pro-Arte", Santiago, Chile, agosto 1949, N.° 56, p. 1.

TORRES RIOSECO, ARTURO: Breve historia de la literatura chilena, México, Ediciones de Andrea, 1956, pp. 120-121.

"Maria Brunet", "El Mercurio", Santiago, Chile, 16 marzo 1958.

UNIÓN PANAMERICANA: "Diccionario de la literatura latinoamericana", Chile, Washington, D. C., 1958.

VASSEL, EMILIO (Omer Emeth): Estudios críticos de literatura chilena, Santiago, Chile: Editorial Nascimento, 1940, pp. 65-69 (artículo publicado el 24 de diciembre de 1923 sobre Montaña adentro).

VALENZUELA, VICTOR M.: "El fatalismo en la obra de Maria Brunet", "La Nueva Democracia", N. Y., N.° 4, octubre 1956, pp. 24-27.

VALENZUELA, VICTOR M.: "Maria Brunet y Maria Nadie", "La Nueva Democracia", XXXVII, N.° 2, p. 165.

VALENZUELA, VICTOR M.: "Maria Brunet", Rev. "Hispania Moderna", 1958, XXIV, N.° 3, p. 232.

VILLARINO, MARIA DE: "La soledad y el sueño en las novelas de Maria Brunet", "La Nación", Buenos Aires, Argentina, N.° 11, 1959, "El Mercurio", Santiago, Chile, 15 de marzo 1959.